한 방 병 원 전 공 의 및 관 련 의 료 인 을 위 한

NEO
2nd Edition

인턴핸드북

NEO INTERN HANDBOOK

II 병동관리 및 처방편

NEO 핸드북 편집위원회

군자출판사

한방병원 전공의 및 관련의료인을 위한

NEO 인턴핸드북(2판)

첫째판 1쇄 인쇄 | 2012년 1월 2일
첫째판 1쇄 발행 | 2012년 1월 9일
첫째판 2쇄 발행 | 2012년 8월 1일
둘째판 1쇄 발행 | 2016년 2월 29일
둘째판 2쇄 발행 | 2017년 1월 20일
둘째판 3쇄 발행 | 2018년 12월 24일
둘째판 4쇄 발행 | 2021년 1월 22일
둘째판 5쇄 발행 | 2024년 3월 13일

지 은 이   NEO 핸드북 편집위원회
발 행 인   장주연
편집디자인   군자편집부
표지디자인   김재욱
발 행 처   군자출판사
          등록 제4-139호(1991. 6. 24)
          본사 (10881) **파주출판단지** 경기도 파주시 회동길 338(서패동 474-1)
          전화 (031) 943-1888   팩스 (031) 955-9545
          홈페이지 | www.koonja.co.kr

ISBN   979-11-5955-013-3

정가   50,000원

– 본 핸드북에 실려 있는 치료관련 내용은 치료의 개괄적인 이해를 위하여 소개된 것으로 공식적인 치료지침서로 대신할 수 없으며 참조한 Reference를 밝히고 근거중심의 최신경향을 반영하려 노력하였으나 의료의 특성상 지침이 새롭게 바뀌거나 추가될 수 있습니다.

– 의료 전반에 걸친 포괄적인 이해를 위하여 한방병원 수련의의 일반적 업무뿐 아니라 의사, 간호사, 약사, 의료기사 등 병원내 각 의료직역별로 수행하는 다양한 의료행위들이 본문내용에 포함되었으며 해당 의료행위는 적절한 의뢰절차를 전제로 기재되었습니다.

– 책 전체적으로 한의학 관련 내용의 비중이 많지 않은 것은 병동실습 경험이 상대적으로 부족한 한방병원 수련의를 주 대상으로 하되 기본적인 한의학적 내용 및 치료법은 이미 숙지하였다고 전제하였기 때문임을 밝혀둡니다.

한의대만큼 의료현실과 역사성에 대한 철학적 고민과 논의가 많은 곳도 드문 것 같습니다. 예과시절, 어제는 이천년 전의 한의서 원문을, 오늘은 수개월 전 출판된 생물과학 분야의 최신원서를 보던 시절을 보내고 가장 바쁜 본과 3, 4학년 일정 및 국가고시 준비 등을 하면서 한의대 학부과정을 마쳐도 전공의 과정을 시작하면 이러한 고민은 다시 시작됩니다. 생리적 회복능력을 상실한 입원환자들에게 시행되는 서양의학적 치료의 효과를 절감하면서도 한편으로는 기존의 해결되지 않았거나 부작용 등으로 포기하였던 질환이나 증상이 한의학적 치료로 회복되는 것을 보면서 한의학치료의 가치와 우수성을 다시 느끼는 것도 이 시기인 것 같습니다.

'한의학은 이미 발전이 끝난 완성된 학문인가?' 외부에서 이렇게 오해하기도 하지만 한의학은 어느 한 시기에 발전이 끝난 학문이 아니라 역사적으로 끊임없이 새로운 이론과 치료법, 당대 주변학문과의 영향 등으로 발전되어 온 학문입니다. 의사학(醫史學)을 배우는 목적 중 하나도 한의학은 고정불변의 학문이 아니라 끊임없는 논의와 이론적, 실증적 발전이 거듭된 학문이라는 것을 인식하는 것이라고 생각합니다. 이제 21세기에 접어들고 새로운 천년을 맞은 한의학도 지금까지 그래왔듯 당대의 주변학문과 제반여건의 영향을 끊임없이 주고받을 수밖에 없습니다. 한편으로는 전통적인 방법론에 따른 한의학적 치료방식도 이어져야 하겠고 또 한편으로는 전통적인 한의학 이외의 분야에서 이루어진 현대의 학문적 성과를 수용하고 함께 발전시키는 노력도 병행되어야 할 것입니다.

본 NEO 인턴핸드북은 기존 한방병원 일반수련의 교육내용의 틀을 반영하면서도 새로운 의료환경에 발맞추어 필요한 내용들을 정리하였고 병동실습 경험이 상대적으로 부족한 학부과정을 고려하여 협진 및 병동환자 관리시 알아두면 좋을 의학적 내용들을 종합적으로 포함한 책자입니다. 한방병원 전공의 과정의 실제적인 주요 목표에는 (1) 기본 술기나 필요시 응급대응능력 등 원내 환자 관리에 필요한 전반적인 기본지식을 습득하고 주치의로서의 직접적인 입원환자 치료경험을 하며 (2) 입원환자 또는 외래환자를 통하여 전공과목과 관련된 다양한 환자들을 접하면서 전공분야에 대한 한의학적 치료방법을 익히고 (3) 서양의학적인 치료내용과 진단결과를 충분히 이해하고 의뢰가 필요한 부분과 그렇지 않은 부분을 감별하여 필요시 효과적이고도 적절한 상호협진 및 재의뢰를 할 수 있는 능력을 기르며 (4) Pubmed 또는 기타 논문과 관련된 검색, 자료분석능력과 함께 통계도 활용한 객관성 있고 체계적인 논문작성능력을 길러 한의학적 임상근거 확립에 기여할 수 있도록 하는 목적이 포함되어 있다고 생각합니다.

본 책자는 비록 위와 같은 목표나 한방병원 전공의 과정의 모든 것을 포괄할 수는 없지만 적어도 가장 많이 필요한 부분들을 포함하려고 하였고 특정 한방병원만이 아닌 일반 한방병원, 나아가 협진병원이나 일차의료기관에서도 충분히 참고할 수 있는 자료가 되도록 힘썼습니다. 다만 본 핸드북이 학부생이나 일차의료기관 의료진을 주대상으로 한 것이 아니라 한방병원의 인턴 또는 레지던트 1년차로서 처음 본격적으로 병동관리를 시작할 때 부족할 만한 부분들 위주로 구성하다보니 한의학 분야의 비중이 상대적으로 적어진 부분과, 또한 독자들이 영문의학용어의 사용에 좀 더 익숙해져 의사-한의사, 국내-국외의 학문적 소통이나 병원 내에서의 상호 협진이 보다 원활해지길 기대하는 측면에서 한의학용어나 한글용어 보다는 영문용어가 우선적으로 많이 사용된 부분은 미리 양해를 구합니다.

처음 발간이 기획된 이후, 체제구성과 내용집필, 검토, 수정과 재수정 등을 거치면서 상당한 시간과 노력이 소요되었음에도 불구하고 최종출판을 앞두고 보니 여러모로 부족한 점들이 다시 눈에 들어옵니다. 후에 더 좋은 모습으로 다듬어 다시 내놓을 수 있으면 좋겠다는 바램을 해보며, 모쪼록 본 책자가 어려운 의료환경 속에서 진료와 연구에 매진하시는 여러분의 책상 위에, 그리고 가운주머니 속에서 작지만 유용한 역할을 하길 기대해 봅니다.

2011년 9월
NEO 핸드북 편집위원회

[2판을 간행하며]

4년 만에 개정이 이루어진 본 2판에서는 주요한 진료지침 및 가이드라인 등의 업데이트에 기반하여 내용을 보완하였고 특히 주요 본초 및 처방 등에 관한 내용을 대폭 보강하여 한의학치료와 직접적으로 관련되는 부분을 늘렸습니다. 입원환자를 주로 관리하는 병원이라는 구조 속에서 자칫 서양의학과 한의학적인 정보의 균형이 어긋나기 쉬운 수련기간 동안 관련된 지식을 손쉽게 찾아보는데 도움이 되었으면 합니다.

2015년 12월
NEO 핸드북 편집위원회

1. 병원 전공의뿐 아니라 일반 임상의에게도 도움이 될 다양한 내용

일반수련의(인턴)를 일차적 대상으로 하여 구성했지만 레지던트까지 이어지는 수련과정과 그 이후에도 도움이 될 수 있도록 병동관리나 일반진료시 도움이 될 전반적인 내용들을 소개하였습니다. 전공의 시절, 시중의 각종 병동관련 매뉴얼을 휴대하고 다니면서도 한의학관련 내용은 별도의 서적에서 찾아야 했던 불편감과 단절성을 지양하여 종합적인 참고자료가 되도록 구성하였고 새로운 주제들을 대폭 포괄하면서도 심도있는 내용이 되도록 노력하였습니다.

2. 빠른 이해를 돕기 위한 강의식 설명과 상호참조가 가능한 체계적 구성

병원 수련의뿐 아니라 학부생 병원실습, 일차의료기관 진료현장 등에서 활용될 경우에도 무리가 없고 쉽고 빠르게 이해될 수 있도록 모든 내용을 강의식으로 서술하였고 각종 도표, 참고자료들도 다수 수록하였습니다. 또한 1장의 처음부터 마지막 부록파트까지 책자 내의 모든 내용에 일관성 있는 항목번호를 부여함으로써 내용전개의 흐름을 쉽게 알 수 있는 한편, 항목번호만으로도 편리하게 관련내용을 상호참조(cross-reference)할 수 있도록 하였습니다.

3. 근거중심의학과 실제 임상현장의 연결

참조한 서적과 임상논문 목록을 매 장 말미의 참고문헌 항목에 수록하여 나름의 근거중심 핸드북(evidence based handbook)이 되도록 노력하였고 특히 한방치료의 경우 관련된 국내외 논문들을 적극 반영하여 최근의 연구동향이나 임상적 근거들을 참조할 수 있도록 하였습니다. 한편으로는 해당 주제와 관련하여 기억해야 할 사항이나 놓치기 쉬운 주의점, 문헌적 근거는 부족하지만 병동관리를 하면서 유용하였던 경험적 치료내용들도 다수 포함하였습니다.

4. 임상연구와 한의학적 특수성을 반영한 주제도 포함

진료부분 이외에도 임상연구, 의학통계와 관련된 기본적인 내용이나 영어, 중국어, 일본어 등의 외국어로 된 한의학 논문 리뷰시 도움이 될 각종 자료도 정리하여 수록하였고 한의계 만의 특수성을 고려하여 한방의료기관 감염관리, 의료사고의 예방, 한약 또는 침구치료와 관련된 안전성 문제 등 진료시 직간접적으로 참고가 될 만한 주제들도 수록하였습니다.

5. 현대적 연구성과와 국내외 문헌자료를 반영한 본초 및 처방정리

본초별로 약재의 기원, 현대적 약리학 내용, 시중의 유통정보 내용 뿐 아니라 약성가 등 주요 문헌의 내용을 종합하였고 처방정리 부분도 국내외 문헌자료들을 비교분석하고 용량단위를 통일하는 등 처방의 종합적인 이해에 도움이 되는 구성으로 꾸몄습니다.

(1) 내용전반

1. **용어** : 2009년 새로 개정되어 한글용어와 한자용어가 병기된 [의학용어집(제5판)]을 주로 참조하여 사용하였습니다. 특히 한글용어와 한자용어가 같이 등재된 경우 한자용어를 우선적으로 선택하였는데 이는 대한의사협회 [의학용어집(제4판)]의 지나친 한글화가 오히려 혼란을 초래하여 개정된 5판부터 한자어 용어가 다시 등장한 배경을 고려하였고, 또 한의학 분야의 학문적 특성상 한자용어가 의미파악에 좀 더 도움을 주기 때문입니다.

    (예) [sternocleidomastoid muscle] 4판에서는 '목빗근'만 사용되나 5판에서는 '흉쇄유돌근' 용어가 병기되었고 이 책에서는 한자용어인 '흉쇄유돌근'을 사용

2. **목차 (진단검사)** : 혈액(체액)을 이용한 검사는 2장 진단검사(1)에, 혈액(체액)검사 이외에 검사분야는 3장 진단검사(2)에 배치하였습니다.

3. **목차 (진료기록 이해하기)** : 처음 병원업무를 시작하면서 의무기록을 이해하고 작성하는데 어려움이 있거나, 협진관련 용어와 절차에 익숙하지 않은 임상의들에게 도움이 되도록 실제 진료의뢰서, 소견서, 입원기록 등을 참조하여 내용을 재구성하고 설명을 덧붙였습니다.

4. **목차 (병동콜)** : 병동콜과 관련된 부분은 부적절한 대처시 치명적인 결과를 초래할 수 있거나 또는 실제 응급상황이 아니더라도 응급인지 아닌지의 감별이 중요한 주요 증상의 경우 7장 응급병동콜에, 그렇지 않다고 판단되는 증상의 경우는 8장 일반병동콜로 분류하였습니다. 입원환자를 대상으로 한 내용이고 긴급한 상황이 발생될 수 있음을 가정하여 작성하였으므로 한방적인 치료제시가 제한적이고 외래 환자 기반의 일반적 상황과는 다르게 접근될 수 있음을 유의바랍니다. 실제 긴급한 상황 발생시에는 협진과 또는 상급 의료기관으로 전원하여 집중적인 관리가 필요한 경우가 대부분입니다.

5. **임상 TIP** : 문헌적 근거가 없는 경험적인 내용이 포함된 경우도 있으므로 참고하여 활용하도록 합니다.

(2) 치료내용 관련

1. **한약치료 부분** : 보험제제는 국민건강보험 급여대상인 56개 처방을, 비보험제제는 급여대상이 아닌 제제로 일반제약회사 또는 주요 한방병원에서 사용하고 있는 제제를 위주로 수록하였습니다.

2. 침구치료 부분

1) 정경침(正經鍼) : 14경맥 경혈에 대한 침술이라는 의미로 관례적으로 많이 사용되던 체침(體鍼, body acupuncture)이라는 용어는 본래 이침(耳鍼, ear acupuncture), 두침(頭鍼, scalp acupuncture) 등과 대비되어 전신을 대상으로 하는 침시술의 방법을 의미합니다. 사암침(舍岩鍼), 동씨침(董氏鍼)도 엄밀한 의미에서 體鍼(body acupuncture)의 한 종류로 볼 수 있다는 점에서 본 책에서는 14정경 경혈 위주의 침법은 정경침(正經鍼)이라는 용어로 표기하였습니다.

2) 사암침(舍岩鍼) : 정격(正格), 승격(勝格) 위주의 처방명보다는 구성하는 경혈에 대한 이해와 가감활용 등을 고려하여 혈위(穴位)를 풀어 서술하였습니다. 변증명에 이은 처방명은 교감사암도인침법의 내용을 그대로 인용한 것이고 처방명만 표기된 것은 정확히 연계되지 않은 항목들을 중심으로 관련내용을 정리한 것입니다. '정격#'으로 표시된 것은 정격처방의 내용을 일부변형한 처방임을 나타냅니다.

3) 동씨침(董氏鍼) : 각종 문헌에 공통적으로 제시된 처방을 위주로 소개하였고 각 구성처방 마다 '/' 기호를 사용하여 구분하였습니다.

4) 주요참고문헌 : 침구치료 부분은 아래의 문헌들을 주로 참고하여 작성되었습니다.

대한침구학회 교재편찬위원회. 침구학. 집문사. 2008

김경식. 鍼灸治療要鑑. 의성당. 2010.

대한공중보건한의사협의회. 공중보건한의사를 위한 임상지침서. 4판. 2009

Cheng Xinnong et al. Chinese Acupuncture and Moxibustion. Foreign Languages Press. 1999

趙京生 외. 中國鍼灸. 上海中醫藥大學出版社. 2007

김달호. 도해교감사암도인침법. 도서출판 소강. 2001

김성철, 원진희, 김관우. 한국전통 사암침법. 집문당. 2010

김관우. 사암침법병증론. 초락당. 2009

楊維杰. 董氏奇穴鍼灸學. 中醫古籍出版社. 2002.

Master Tung Acupuncture. Qpuncture, Inc.

최문범. (實用)董氏鍼法. 대성의학사. 2000

채우석. 董氏奇穴集成. 일중사. 1997

강용기. 耳針. 명문당. 1992

3. 임상연구

1) 주제별로 국내외 주요논문의 연구결과들을 참고적으로 소개하였습니다. 체계적 검색결과에 기반한 것이 아니므로 임상연구에 소개되지 않았다고 관련논문 자체가 부재한 것은 아님을 양지하시기 바랍니다.

2) 일본출판 임상논문 : 임상연구현황 중 일본내 출판논문의 일부는 일본동양의학회에서 발간한 Evidence Reports of Kampo Treatment 2010: 345 Randomized Controlled Trials (EKAT 2010)에서 인용하였습니다. 실제 논문은 영문이 아닌 일본어로 출판된 경우가 많고 Pubmed 등에서는 검색되지 않는 논문도 많으나 RCT 연구논문들만 추려 소개하였다는 측면에서 수록하였습니다.

4. 검사 부분 : 기본검사와 추가검사는 시행할 검사의 우선순위 및 병원 규모에 따른 검사가능여부를 고려하여 참고적으로 분류하였습니다.

이 책에 사용된 기본 약어

1. 약물요법 관련약어

[빈도] qd 1일1회 bid 1일2회 tid 1일3회 qid 1일4회 qod 격일마다 ac 식전투여 hs 취침
전투여 prn 필요시투여 q6hr 6시간마다 6T#3 정제(tablet) 6알을 1일 3회 분복(= 2
알씩 하루 3회 투약)

[방식] IM 근육주사 IV 정맥주사 Sc(또는 Sq) 피하주사 bolus 급속주입 CIV 지속정맥주
입 PO 경구투여 PR 직장투여 SL 설하투여 KVO 혈관유지용 수액주입

[제형] amp 앰플 cap 캡슐 supp 좌제 syr 시럽 tab 정제 ext 엑기스제

[약물] NSAIDs 비스테로이드소염제 CCB 칼슘채널차단제 ACEi 안지오텐신전환효소억
제제 ARB 안지오텐신II수용체차단제 TCA 삼환계항우울제 SSRI 선택세로토닌재
흡수억제제 BDZ 벤조다이아제핀계

2. 기타 본서에 사용된 기본약어

[질환] DM 당뇨 HTN 고혈압 MI 심근경색 DVT 심부정맥혈전증 Cb-inf 뇌경색 CHF 울
혈성심부전 GERD 위-식도역류질환 BPH 전립선비대증 Tb 결핵

[검사] CBC 일반혈액검사 LFT 간기능검사 EKG 심전도검사 CT 전산화단층촬영 MRI
자기공명영상촬영 U/S 초음파검사 ABGA 동맥혈가스검사 BP 혈압

[기호] c (=with) s (=without) w/ (=with) w/o (=without) m/c (=most common) f/u
(=follow up)

협진 임상과별 약어

과명칭 약어		Full Name	한글명칭
ANE	(or AN)	Anesthesiology	마취통증의학과
DER	(or DR)	Dermatology	피부과
ED	(or EM)	Emergency Department	응급의학과
ENT		Ear, Nose &Throat (Otorhinolaryngology)	이비인후과
FM		Family Medicine	가정의학과
GS		General Surgery	일반외과
IM	(or MG)	Internal Medicine (MG: Medicus Gratus)	내과
IC (or Cardio)		IM- Cadiology	순환기내과
IE (or Endo)		IM- Endocrinology	내분비내과
IG (or GI)		IM- Gastroenterology	소화기내과
IH (or Onco)		IM- Hemato-oncology	혈액종양내과
II (or ID)		IM- Infectious Diseases	감염내과
IN (or Nephro)		IM- Nephrology	신장내과
IP (or Pulmo)		IM- Pulmonology	호흡기내과
IR (or Rheuma)		IM- Rheumatology	류마티스내과
NR	(or NU)	Neurology	신경과
NP		Neuropsychiatry	신경정신과
NS		Neurosurgery	신경외과
OBGY		Obstetrics &Gynecology	산부인과
OPH	(or EY)	Ophthalmology	안과
OS		Orthopedic Surgery	정형외과
PED		Pediatrics	소아청소년과
PMR	(or RM)	Physical Medicine & Rehabilitation (RM: Rehabilitation Medicine)	재활의학과
PS		Plastic Surgery	성형외과
RAD	(or RD)	Radiology	영상의학과
TS	(or CS)	Thoracic Surgery (CS: Chest Surgery)	흉부외과
URO		Urology	비뇨기과

* 과명칭 약어는 본 책자에서 편의상 이용된 과별약자이며 실제 이용되는 약어는 병원별로 다를
  수 있습니다.

- **Turn to Learn!** 환자관리 또는 치료 등과 관련되어 많은 것을 배워가는 기회가 되길 희망합니다. 잘 모르는 부분이 있으면 자율적으로 공부해 보되 그래도 부족한 부분이 있는 경우 레지던트에게 질문하는 것도 환영입니다. 지나치게 쉬운 질문이라고 무시하지 않도록 레지던트들도 조심하겠습니다.

- **Are You Clear?** 인턴업무 수행 중 미심쩍은 것이 있으면 타 인턴, 간호사 또는 담당 레지던트의 확인을 받고 시행하세요. 특히 환자상태에 관하여 중대한 영향을 미칠 것으로 판단될 때에는 반드시 담당 레지던트에게 확인을 받으십시오.

- **Bear Partnership!** 인턴에게 배정된 환자관련 의료적 처치에 있어서 인턴의 판단 하에 더 적절할 것으로 판단되는 다른 방법이 있다면 레지던트에게 건의해 주세요. 좋은 방법이라면 적극 반영하겠습니다. 단 사전 보고 없이 인턴 임의로 관련 처치를 생략하거나 변경해서는 안됩니다.

- **Honor Your Discipline!** 지시받은 업무는 지정된 시한까지 반드시 완료해 주시고 부득이한 경우에는 '사전에' 시한연장을 요구하십시오. 본인에게 특정되어 지시받은 사항이 아니라고 할지라도 인턴으로서 또는 병원 구성원의 한 명으로서 누군가는 해야할 일이 있다면 적극성과 주도성을 보여주세요.

- **Do Not Do Nothing!** 업무 중 시간을 적극적으로 활용해 주시고 틈틈이 공부도 하면서 생산적으로 보낼 수 있도록 합니다. 업무의 차질이 없는 한 의국 등에서 비치된 각종 서류류를 의국 내에서 읽는 것도 무방합니다. 단 개인 소유의 서적이라면 사전에 양해를 구하도록 합니다.

- **No Excuse, Please!** 잘못하거나 실수한 부분이 있다면 인정하고 필요할 때에는 사과하는 인턴의 모습이 더 바람직해 보입니다. 다만 단순한 게으름이나 부주의로 인한 잘못이 아닌 정말 억울하거나 오해를 풀만한 사유가 있다면 레지던트에게 서면 또는 기타의 적절한 방법으로 반드시 알려주세요.

- **Show Your Respect!** 적극적이고 자신감 있는 모습을 보였으면 좋겠습니다. 그러나 환자, 보호자, 레지던트, 또는 교수님 등에게 향한 지나친 친밀함과 자신감이 자칫 무례함이나 지시에 대한 불만처럼 비춰지지 않도록 존중의 마음을 잃지 않길 바랍니다. 레지던트의 입장에서도 같은 일을 지시해도 편하게 시킬 수 있는 인턴을 선호한답니다.

from 강동경희대병원 한방병원 인턴핸드북 (2009)

9장   응급 병동콜

10장   일반 병동콜

부록A 경혈, 침구 참고

부록B 주요 본초 목록

부록C 처방목록 및 처방례

부록 약어 및 색인

▶ [1권] 목차

: 총론 및 질환편

1장 총론

2장 의학연구와 통계

3장 진단검사(1)

4장   진단검사(2)

6장　진료기록 이해하기

7장　입원환자 관리

8장   진료관련 주의사항

부록   약어 및 색인

NEO HANDBOOK OF
INTEGRATIVE INTERNSHIP

9장

응급 병동콜

부적절한 대처시 치명적인 결과를 초래할 수 있거나 또는 실제 응급상황이 아니더라도 응급인지 아닌지의 감별이 중요한 11가지 주요 증상에 대하여 소개하였습니다.

입원환자를 대상으로 한 내용이고 긴급한 상황이 발생될 수 있음을 가정하여 작성하였으므로 한방적인 치료제시가 제한적이고 외래 환자 기반의 일반적 상황과는 다르게 접근될 수 있음을 유의바랍니다. 실제 긴급한 상황 발생시에는 협진과 또는 상급의료기관으로 전원하여 집중적인 관리가 필요한 경우가 대부분입니다.

기본검사와 추가검사는 시행할 검사의 우선순위 및 병원 규모에 따른 검사가능여부를 고려하여 참고적으로 분류한 것입니다. 특이 증상 발생시, Routine lab을 통해 각종 주요 검사를 모두 시행하는 경우도 있지만 그렇지 않은 경우에는 주로 확인해야 할 검사내역을 기재하였습니다.

83 호흡곤란

83-1 개요

1. 호흡곤란(shortness of breath)의 원인은 다양하지만 입원환자의 경우 폐렴(pneumonia), 천식(asthma), 폐색전증(pulmonary embolism, PE), 울혈성 심부전(congestive heart failure, CHF) 등이 주로 차지합니다.

2. 호흡곤란이 지속되어 저산소증(Hypoxia)에 빠지면 뇌손상, 사망 등 심각한 상황에 이를 수 있으므로 빠른 대처가 필요한 상황입니다.

83-2 확인사항

(1) 신체검진

1. 일단 oxymetry를 이용하여 산소포화도(SpO_2)를 확인하면서 의식수준(mentality), 생체징후(vital signs, V/S), 호흡곤란이 시작된 시점과 환자의 입원 사유를 확인합니다. 상태가 미심쩍을 때에는 혈압이나 산소포화도를 반대편 팔에서 재측정 합니다.

2. 천식 및 COPD, 심질환 기왕력, 기존에 산소를 투여받고 있었는지 등의 과거력을 확인합니다.

3. 직접 환자를 보아 청색증(cyanosis) 여부를 확인하고 청진을 통해 crackle, wheezing이나 기타 이상 청음이 있는지 확인합니다. Cyanosis가 보인다면 긴급한 상황으로 빠른 대처 및 필요시 CPR call과 Intubation 등이 요구될 수 있습니다. Wheezing의 경우 CHF에도 들릴 수 있으니 주의가 필요합니다.[4]

4. 장기간 침상생활을 하고 있었던 환자가 갑자기 호흡곤란을 호소할 때에는 PE의 가능성을 의심하며 심질환 기왕력에 따라 심장성 원인을 더 의심해야 할 경우도 있습니다. 노인들에게는 자발성기흉(spontaneous pneumothorax)이 종종 발견되기도 하는데 Chest X-ray(CXR)로도 확인할 수 있지만 청진시 한쪽에서만 폐음이 들리는 것으로 추정될 수 있습니다.

(2) 기본검사

1. Oxymetry 및 ABGA, Electrolytes, CBC, EKG, CXR

2. ABGA, Electrolytes를 통해 전반적인 호흡상태와 전해질상태를 평가하고 EKG를 통해 심

장이상을 감별합니다. 또한 CBC를 통해 염증이나 anemia 여부를, CXR을 통해 폐렴 또는 폐의 이상, cardiomegaly 등을 감별진단합니다. Oxymetry는 즉각적으로 산소포화도(SpO2)를 알 수 있는 유용한 기구이지만 pH, pCO2 등의 정보를 제공해 주지 못하므로 호흡상태의 정확한 평가를 위해서는 결국 ABGA 검사가 필요합니다. **[참조항목 : 18-2]**

(3) 추가검사 예

1. Troponins, CK-MB, pro-BNP, 심초음파 : 심질환 감별시 (특히 갑작스런 호흡곤란시)
2. D-dimer, V/Q scan (ventilation/perfusion scan), Chest CT : PE 감별시 (단 D-dimer는 위양성도 많으므로 주의) / 폐기능검사(PFT)

83-3 원인 및 치료

(1) 주요원인

- 호흡기계: Pneumonia, Asthma, COPD, PE, Pneumothorax(PTX), Pleural effusion
- 심혈관계: CHF, MI(심근경색), Cardiac tamponade(심장압전)
- 기타: Airway Obstruction(객담 등으로 인한 폐색), Psychogenic(불안감 등), Anemia 등

(2) 일반적 관리

1. Oxymetry상에서 SpO2 수치가 낮다면 ABGA 결과가 나오기 전까지 일단 산소투여를 우선적으로 시행하여 SpO2가 92% 이상 유지되도록 합니다. 단 COPD나 CO2 retention이 의심되는 환자는 산소가 지나치게 공급되지 않도록 SpO2 88-90% 정도 유지를 목표로 하되 ABGA 결과에 따라 조정합니다. 일반적으로 COPD의 경우 산소공급은 1L/min 정도의 저농도로 시작하여 PaO2가 55-60mmHg가 될 때까지 서서히 증가시키면 됩니다.

Tip ABGA로 저산소증 평가하기

1. 우선 PaCO2를 확인해서 60 이상 상승했으면 저환기(hypoventilation)된 응급상황으로 간주하고 Ambu bagging이나 기계환기 등을 고려합니다.
2. PaO2는 연령별 감소치를 고려하여 판단합니다. PaO2가 저하된 경우에는 정확한 평가를 위해 폐의 가스교환장애를 간접적으로 보여주는 (A-a)DO2(폐포-동맥혈 산소분압차)를 계산합니다. (A-a)DO2 정상치는 30세 이하에서 15mmHg이고 이후 10년마다 3씩 증가하여 80대는 30mmHg 정도가 됩니다. [(A-a)DO2 = 150-(PaCO2/0.8)-(PaO2)]

3. (A-a)DO2가 정상보다 증가되어 있으면 환기관류장애(V/Q mismatch) 또는 단락(shunt)이 있는 것으로 판정합니다. 이 경우 산소를 공급하여 PaO2가 상승하면 환기관류장애이고 상승하지 않으면 단락으로 구별할 수 있습니다. (A-a)DO2가 심하게 증가되어 있으면 기계환기를 고려해야 합니다.

4. 환기관류장애(V/Q mismatch)에서 환기(V, ventilation)는 산소의 공급으로, 관류(Q, perfusion)는 혈액의 흐름으로 이해하면 됩니다. 즉 V/Q mismatch는 혈액의 흐름이 많아도 산소가 부족하거나 산소공급은 충분한데 혈액의 흐름이 부족하여 발생한 저산소증으로도 이해할 수 있으며 천식, COPD, 폐색전증(PE) 등이 이에 해당합니다.

5. 단락(shunt)은 환기(V)가 전혀 없는 상태로서 폐가 쪼그라든 무기폐(atelectasis)나 폐포가 분비물로 채워진 경우 등이 해당합니다.

2. COPD 환자의 경우 약간 낮은 SpO2와 함께 분당 호흡수(RR)가 8회 이하로 낮아져 있다면 CO2 narcosis를 의심하며 이 경우 오히려 산소공급을 중단해야 호전되기도 합니다. 단 COPD 또는 CO2 narcosis 위험이 있는 환자라 해도 심한 저산소증이라면 적극적으로 산소를 투여해야 합니다.

3. 마약성 진통제(Narcotics)가 과용된 경우라면 opioid에 길항제 역할을 하는 날록손을 투여합니다. (ex. naloxone 0.2mg IV)

4. 호흡수가 지나치게 증가(정상호흡수 12-20회)되어 있으면서 SpO2는 97% 이상으로 초과된 경우는 과호흡증후군을 의심할 수 있으며 환자를 안정시키는 것이 중요합니다.

5. 평소 객담이 많은 환자의 경우 suction의 우선적 시행도 고려합니다.

(3) 진단별 관리

1. **폐렴 (Pn)** : 폐렴의 경우에는 혈액검사상 염증소견이 동반되면서 발열, CXR상 병변 등이 있을 때 추정되며 항생제가 투여됩니다.

2. **천식 또는 COPD** : 2-4시간마다 베타2 작용제(agonist)인 albuterol(ventolin®)을 nebulizer를 통하여 투여할 수 있습니다. (또는 항콜린제인 ipratropium(Atrovent® 병행) 천식의 급성악화시에는 Beta2 agonist를 1시간 동안 10분마다 반복사용할 수 있고 증상악화시 전신 스테로이드 (ex. prednisolone 1mg/kg 최대 50mg, 소아는 1-2mg/kg 최대 40mg IV)를 고려합니다. 산소공급은 천식은 93-95%, COPD는 88-92% 정도를 목표로 시행할 수 있습니다.

3. **폐색전증 (PE)** : 폐색전증은 빈맥과 빈호흡, 갑작스런 호흡곤란 등의 증상이 동반되는 경우가 많습니다. D-dimer가 상승되며 확진을 위해 Chest CT(또는 V/Q scan)가 필요합니다. 치료는 헤파린(heparin) 또는 LMWH (ex. Enoxaparin) 등이 투여되는데 이러한 제제는 출혈을 유발할 수 있으므로 응고장애 기왕력, 위궤양 여부, 최근의 CVA나 수술력 등을 확인

해야 합니다.

4. **울혈성 심부전(CHF) 및 기타 심질환** : 울혈성 심부전일 경우 volume overload가 가장 큰 문제일 수 있으므로 상체를 30도 정도 높이고(Semi-fowler's position) 이뇨제(diuretics)를 사용합니다. (ex. lasix® 20~40mg IV) 증상에 따라 nebulizer를 통해 벤톨린(ventolin)을 적용합니다. Cardiac tamponade나 기타 심장질환의 경우 순환기내과 응급 consult가 필요할 수 있습니다.

5. **급성호흡부전 (acute respiratory failure)** : 급성호흡부전은 room air 상태, 즉 산소를 공급하고 있지 않은 상태에서 ABGA상 PO_2〈60 또는 PCO_2〉50 이면서 pH 〈7.30일 때를 지칭합니다. 특히 pH가 7.2 미만으로 저하될 경우에는 대개 기계환기(mechanical ventilation)를 할 상황이므로 ICU transfer를 고려해야 하며 그 전에 응급 intubation이 우선 시행되기도 합니다. COPD의 경우 pH〈7.25 and/or $PaCO_2$〉60mmHg이면 기계환기 적응증이 됩니다.

(4) 한의학적 접근

1. 급성의 중증상태 호흡곤란 보다는 중등도 이하의 만성상태 위주로 접근을 고려해 봅니다.

2. 天宗穴에 압통이 있으면서 호흡곤란 증상이 있는 경우에 天宗穴 자침으로 폐기능검사(PFT)의 호전이 보고된 바 있고,[5] 기관지확장제(bronchodilator)로 인한 FEV1 개선이 20% 이상인 천식환자에게 列缺 合谷 內關 豐隆 曲池 曲澤을 시술한 crossover 대조군 연구에서는 침치료로 즉각적인 FEV1 과 호흡곤란 등의 호전이 관찰되었으나 호전 정도는 기관지확장제 보다 우월하지는 못했습니다.[6]

83-4 산소 공급용 도구 비교

(1) 산소 공급과 FiO_2

1. 산소공급은 목표로 하는 FiO_2(Fraction of inspired oxygen, 흡입산소농도)에 따라 다른 도구를 사용합니다. FiO_2는 흡입공기 중 산소농도를 의미하는데 예를 들어 평상시의 대기에는 산소가 21%정도 있으므로 FiO_2는 0.21(또는 21%)이 되며 계산시에는 편의상 0.20(또는 20%)로 합니다. 기계환기(ventilator)를 사용할 경우 이론적으로는 산소 100%를 공급할 수 있으며 이 경우 FiO_2는 1.0이 됩니다.

2. O_2 공급량에 따른 투여방법례는 다음과 같습니다.

   ① FiO_2 ~40% : Nasal prong (Nasal Cannula)

   ② FiO_2 40~60% : Oxygen mask

③ FiO₂ 60%~ : Mask with reservoir bag

산소유량 (/min)	예상 FiO₂		
	Nasal prong (Nasal Cannula)	Oxygen mask	Mask with reservoir bag
1L	24%		
2L	28%		
3L	32%		
4L	36%		
5L	40%	40%	
6L	44%	50%	60%
7L		60%	70%
8L			80%
9L			90%
10L			95%

(2) 산소공급 기구별 특징

1. 비관(nasal cannula) : Nasal cannula를 적용하면 FiO₂가 리터당 0.04씩 증가하며 예를 들어 1분당 2L의 산소를 공급하면 일반 대기상태의 FiO₂ 0.20에서 0.08 만큼 증가되어 FiO₂는 0.28이 됩니다. 분당 6L이상 투여시에는 FiO₂의 증가가 없으므로 다른 도구를 사용해야 합니다. 비관을 사용하면 다른 방법보다 경구섭취, 객담배출, 대화 등이 자유롭지만 장기간 사용시 코와 구강의 건조 등이 발생될 수 있습니다.

2. 단순 안면 마스크(Oxygen mask) : FiO₂ 기준으로 0.4-0.6까지 산소공급이 가능합니다. 5L 이하로 산소공급시에는 CO₂의 재흡입이 발생할 수 있으므로 nasal cannula로 변경해야 합니다.

3. 저장낭이 달린 안면 마스크(mask with oxygen reservior) : reservior에 고농도산소를 비축하고 있어 FiO₂가 상승됩니다. Partial rebreather는 FiO₂를 0.75까지 유지할 수 있고 non-rebreather는 이론상 FiO₂를 1.0에 근접하게 유지할 수 있습니다.

4. 벤츄리 마스크(venturi mask) : 마스크 끝쪽에 색깔별로 구별된 관(tube)을 연결시키는 구조로 각 색깔별로 공급되는 산소농도가 다르므로 필요한 FiO₂농도 설정이 용이합니다.

Tip 임상 TIP

• COPD 환자나 폐기능이 저하된 노인은 CO₂ 배출능력이 저하되어 있습니다. 지나친 산소공급은 CO₂ narcosis를 유발하여 의식수준이 저하될 수 있으므로 주의해야 합니다.

- 만성질환을 동반한 노인의 경우 산소포화도가 저하되어도 증상호소가 별로 없을 수 있으므로 주의하며 동반증상의 확인도 중요합니다.
- 심한 복수(ascites)로도 호흡곤란이 초래될 수 있고 의식이 없는 환자의 경우 드물지만 배뇨이상 (urinary retention)으로 인한 가능성도 있으므로 소변량을 확인해 보고 foley insertion을 시행해 봅니다.
- 골절이 발생한 후 72시간 이내에 호흡곤란, 의식저하, 점상출혈(petechiae) 등이 보이면 Fat embolism을 의심할 수 있습니다. 치료는 산소공급 등의 보존적 치료가 위주가 되고 증상이 심하면 ventilator를 적용하기도 합니다. 헤파린 등의 항응고제 치료는 도움이 되지 못합니다.

REFERENCES

1. Thomas M. De Fer et al. The Washington Manual Survival Guide Series Internship Survival Guide. 3rd edition. Lippincott. 2008.
2. Shane Marshall. On Call Principles and Protocols. 4th. Saunders. 2004
3. Kent RN et al. The Osler medical handbook. Saunders. 2006.
4. 岡田定. 내과주치의 필수노트. 대한의학서적. 2010. p.21
5. 주창엽, 이재성, 황우석, 정희재, 정승기, 이형구, 천종혈(SI11) 자침이 자각적 호흡곤란 환자의 폐기능변화에 미치는 영향, 대한한의학회지, 2002;23(3):96-103
6. Chu KA, Wu YC, Ting YM et al. Acupuncture therapy results in immediate bronchodilating effect in asthma patients. J Chin Med Assoc. 2007;70(7):265-8.

84 흉통

84-1 개요

1. 흉통(chest pain)이나 흉부불편감을 호소하는 환자에서 가장 중요한 것은 심근경색 (myocardial infarction, MI), 폐색전(pulmonary embolism, PE), 대동맥박리(aortic dissection), 긴장성기흉(tension pneumothorax) 등 치명적 상황까지 갈 수 있는 4가지 질환을 감별하는 것입니다.

2. 노인이나 당뇨병을 앓는 환자는 MI가 발생되어도 전형적인 흉통이 나타나지 않을 수도 있 으므로 주의해야 합니다. 특히 외래 환자가 흉통이 아닌 상복통, 소화장애 등을 호소하는 경우라도 심혈관질환, DM의 병력이 있거나 발한, 불안감이 동반되면서 상지부 방산통 등 과 같은 이상증후가 보이면 EKG 검사를 시행하는 것이 안전합니다.

84-2 확인사항

(1) 신체검진

1. 흉통의 정도, 기간, 방사(radiation) 여부, 호흡시의 변화, 발한(diaphoresis), 오심/구토 등 기 본적인 병력청취와 과거력 조사를 시행합니다.

2. 흉벽을 촉진하며 통증이 나타나거나 이상부위가 있는지, 청진시 이상은 없는지를 살피고 폐색전(pulmonary embolism)이 의심될 경우에는 하지의 부종 등 DVT 소견도 확인합니다.

(2) 기본검사 예

1. EKG, Chest PA / CBC를 포함한 Routine Lab, Cardiac Marker (CK-MB, troponin, LDH, Myoglobin, pro-BNP 등)

2. 전반적으로 심장과 관련된 기본검사를 시행하며 Vital Sign 중 혈압(BP) 측정시에는 양쪽 모두 측정하도록 합니다. 발병초기에는 CK-MB, troponin(cTnI) 등의 Cardiac Marker를 6 시간(또는 12시간)마다 재검사 하여 추이를 관찰하기도 합니다.

3. 우심실경색이 의심된다면 흉부 전극의 위치를 좌우만 바꾸어 검사하는 reverse EKG를 시 행하기도 합니다. 일반 EKG가 좌심실에 좀 더 초점을 둔 기록을 제공하는 반면 reverse EKG는 우심실 쪽의 이상(특히 inferior infarction)을 더 잘 반영합니다.

(3) 추가검사 예

1. ABGA : 호흡곤란 또는 낮은 산소포화도(SpO_2)의 경우

2. Cardiac echo : 심장기능 및 해부학적 이상에 대한 감별목적으로 심초음파를 실시

3. CAG (Conary Angiogram) : 관상동맥조영술로 심혈관의 협착을 감별

4. D-dimer, 하지 Doppler : DVT나 Embolism이 의심되거나 위험인자가 있을 경우

5. Chest CT : Aortic dissection, PE 등이 의심될 때 적용하며 보통 병변이 더욱 잘 드러날 수 있도록 조영제를 사용 (contrast enhanced CT)

6. PE이 의심된다면 V/Q scan, Aortic dissection이 의심된다면 TEE(transesphageal echo-cardiography)가 추가될 수 있으나 보통 Chest CT로 대체됩니다.

84-3 원인 및 치료

(1) 주요원인

- 심혈관계 : Angina Pectoris, MI, Aortic dissection, Acute pericarditis 등
- 호흡기계 : Pneumonia, PE, Pneumothorax 등
- 소화기계 : GERD, PUD(Peptic ulcer disease), Pancreatitis, esophageal spasm 등
- 기타 : 흉곽염좌, 늑연골염, 근육통 등의 근골격계 증상, 대상포진, 심리적 원인, 기침에 의한 통증 등

(2) 증상을 통한 감별진단

1. 통증의 양상에 따라 크게 표재성 통증(superficial pain)과 내장성 통증(visceral pain)을 분류합니다. Superficial pain은 통증 부위가 국소적이고 피부표면에서 통증을 느끼며 예민한 통증으로 호소하는 경우로 내부장기의 관련성이 낮습니다. 순간적 또는 수 분 이내에 소실되는 경우는 근골격계(musculoskeletal)의 이상이나 대상포진(herpes zoster) 전구증상일 가능성이 있습니다. 이에 반해 Visceral pain은 내부 장기의 관련성이 높은 경우로 통증범위가 비교적 넓고 심부의 통증으로 인식되며 압박감을 호소하기도 합니다.

2. 연구에 의하면 팔이나 어깨로의 방사통(주로 왼쪽), 활동시 심해지는 것, 발한이나 오심/구토의 동반, 협심증 과거력이 있는 환자가 이전보다 더욱 심한 증상을 호소할 때 등의 상황에서 실제 MI의 가능성이 높았고 통증부위가 유방 밑인 경우(inframammary location), 촉진시 심해지거나 찌르는 듯한(sharp) 통증, 체위에 따라 변경이 있는 통증 등은 MI로 진단될 가능성이 낮게 보고되었습니다.[4]

3. 활동을 멈춰서 통증이 완화되면 협심증을, 숨을 얕게 쉬어 완화되면 흉막염을, 물이나 제산제로 완화되면 식도염이나 위궤양 등을 의심할 수 있습니다. MI, PE, 기흉, 대동맥박리 등은 급성으로 흉통이 발생하며 흉막염에 의한 통증은 수분 내지 수시간에 걸쳐 발생합니다.

4. 발열(폐렴, PE), 종아리 통증이나 발적(DVT), 기침(기관지염, 폐렴), 호흡곤란(MI, PE, 기흉, 폐렴), 위산 역류 (GERD) 등 동반증상도 주의해서 확인합니다.

5. 통증양상에 따른 감별진단은 아래와 같습니다. 특히 협심증(Angina Pectoris)에서 30분 이상 지속되거나 니트로글리세린(NTG) 복용후에도 통증이 지속되면 MI를 의심해야 합니다.

병명	지속시간	통증	임상적 특징
Musculoskeletal	수분~수일	superficial	움직임과 관련되어 있고 국소의 압통에 통증이 재현. 진통제에 호전반응
Psychiatric	2~3분	visceral	심리적 상황에 따라 증상이 발현되며 보통 유사한 과거력 존재 안정제 혹은 항불안제에 호전반응
Angina pectoris / Unstable angina	2~5분 / 10-20분	visceral	운동이나 흥분시 나타나고 안정을 취하거나 NTG 복용시 호전. 불안정 협심증(Unstable angina)은 10-20분 정도 지속되기도 하며 약한 활동이나 휴식 중에도 통증이 오기도 함.
GERD/PUD	10분~1시간 / 수시간	visceral	공복시나 식후에 누울 때 악화되며 음식섭취나 제산제에 의해 완화. 중앙 흉부나 상복부에 통증이 주로 나타나며 10-60분 정도 통증이 보이는 GERD와는 달리 PUD(peptic ulcer disease, 소화성궤양)는 지속적인 통증양상
Biliary tract disease	수시간	visceral	기름진 음식이나 과식 후 다발. 보통 상복부나 흉골부에 잘 발현

(3) 일반적 관리

1. 우선 IV line 확보와 함께 ECG를 준비하면서 SpO_2 92% 이상이 되는지 확인하고 부족하다면 Nasal Prong 등으로 산소를 공급합니다. ECG상 심장관련이 의심되면서 sBP가 80mmHg 이상이면 일단 NTG를 투여하며 혀밑에서(sublingual, SL) 녹을 때까지 기다리도록 합니다. 평소 아스피린을 복용하고 있지 않는 환자라면 아스피린도 투여합니다. (ex. Nitroglycerin 0.6mg SL, Aspirin 300mg PO)

2. MI나 대동맥 박리로 진단되면 보통 순환기내과(cardiology)로 전과하게 되며 필요시 ICU나 CCU (coronary care unit)로 옮겨져 집중적 관리를 받게 됩니다.

(4) 진단별 관리

1. **AMI / Angina** : 급성심근경색의 경우, 순환기내과 응급 call을 통하여 PCI 또는 다른 재관류 치료를 받아야 합니다. 협심증의 경우, NTG를 5분마다 총 3회 투여할 수 있으며 beta blocker나 heparin, antiplatelet 요법 등이 고려됩니다. NTG 3회 투여후에도 통증시 morphine을 투여하거나 통증이 가라앉을 때까지 NTG drip을 시행합니다.

2. **Pneumothorax** : 기흉 중에서도 특히 긴장성 기흉(tension PTX)의 경우 급격한 흉통과 호흡곤란 등이 발생하게 되며 청진시 기흉부의 호흡음도 감소되어 들리게 됩니다. 고농도의 산소공급과 함께 needle을 이용한 즉각적인 감압(decompression)이 필요한데 보통 쇄골중앙선상의 제2늑간(intercostal space)에서 약 5-7cm 정도 삽입하는 방식이 선호됩니다 (胃經의 屋翳穴 근방). 이후 Chest tube 등의 삽입을 위해 흉부외과 의뢰가 필요합니다.[5]

3. **PE** : 폐색전증은 빈맥과 빈호흡, 갑작스런 호흡곤란 등이 동반되며 치료는 충분한 산소공급과 함께 헤파린(heparin) 또는 LMWH (ex. Enoxaparin) 등이 투여됩니다.

4. **Aortic dissection** : 대동맥 박리는 대동맥의 내막이 기저질환에 의해 파열되어 대동맥의 진강(true lumen)으로부터 혈류가 빠져 나와 중막의 내층과 외층을 급속히 박리시키는 질환입니다. 상행대동맥이 찢어진 Stanford A 타입에서는 수술을, 그렇지 않은 Stanford B는 보존적치료로 치료방식이 구분되나 일단 심장에 무리가 가지 않게 하기 위하여 심박수 및 BP가 높아지지 않도록 관리(HR 60/min, sBP 100~120정도)하는 것이 중요합니다. 약물은 Beta blocker, ACE inhibitor, Calcium channel blocker(CCB) 등이 사용되며 Hydralazine, diazoxide 등은 혈관을 직접적으로 수축시켜 박리를 더욱 확장하므로 금기가 됩니다.

5. **GERD/PUD** : 제산제(antacid)가 일단 투여되며 소화기내과 진료 등을 통해 H2 blocker(H2RA), PPI 등이 투여될 수 있습니다.

84-4 한의학적 접근 (관상동맥질환)

1. **주의점** : 관상동맥질환 등으로 인한 흉통, 흉부불편감 등은 한의학에서 흉비(胸痹), 진심통(眞心痛), 궐음통(厥陰痛)의 범주에 속합니다. 만성적 경과를 보이는 경우 등을 중심으로 접근해 볼 수 있으나 증상의 변화에 적절한 대처를 할 수 있는 환경에서 우선 시도해 보는 것이 권장됩니다. 임상연구로는 내관(內關)혈의 효과가 보고된 바 있고[6] 한약으로는 단삼,

삼칠근, 용뇌로 구성된 심적환(心適丸)이 질산염 제제보다 우월하게 협심증 관련증상을 경감시켰습니다. [7]

2. **정경침** : 心兪 巨闕 膻中 內關 郄門 [寒凝心脈] 關元 氣海 [痰濁] 豐隆 太淵 [瘀血] 膈兪 血海 [心脾陽虛] 脾兪 三陰交 [心腎陽虛] 腎兪 足三里 - 巨闕은 下斜刺 0.5-1촌, 膻中은 좌측으로 橫刺하여 1촌정도 자입하고 30분간 유침하되 증상이 심하면 1시간까지 연장하기도 합니다. 유침시간 중 일정한 시간간격으로 行鍼을 시행합니다.

3. **이침** : 心 腎 脾 交感 內分泌 皮質下 神門

4. **기타치료** : 氣海 關元 神闕 足三里 등에 灸法을 적용합니다.

> **Tip**　임상 TIP

- EKG가 정상으로 나와도 ST elevation 이 동반되지 않는 NSTEMI(non-ST elevation MI)일 가능성도 있으므로 임상적으로 의심된다면 시간경과를 보며 추가적으로 EKG를 시행하거나 CK-MB, troponin I 등의 cardiac lab을 시행합니다.
- 대상포진(Herpes zoster)일 경우 통증부위에 수포가 보이기도 하나 전구증상만 있는 시기(초반 2-3일 정도)에는 피부증상 없이 통증만 있을 수도 있으므로 주의합니다.

REFERENCES

1. Thomas M. De Fer et al. The Washington Manual Survival Guide Series Internship Survival Guide. 3rd edition. Lippincott. 2008.
2. Shane Marshall. On Call Principles and Protocols. 4th. Saunders. 2004
3. Kent RN et al. The Osler medical handbook. Saunders. 2006.
4. Fauci AS et al. Ch13. Chest Discomfort in Harrison's Principles of Internal Medicine 17th ed. McGraw-Hill Medical. 2008.
5. Wax DB, Leibowitz AB. Radiologic assessment of potential sites for needle decompression of a tension pneumothorax. Anesth Analg. 2007;105(5):1385-8
6. Meng J. The effects of acupuncture in treatment of coronary heart diseases. J Tradit Chin Med. 2004;24(1):16-9.
7. Jia Y et al. Is danshen (Salvia miltiorrhiza) dripping pill more effective than isosorbide dinitrate in treating angina pectoris? A systematic review of randomized controlled trials. Int J Cardiol. 2012;14;157:330-340.

85 복통

85-1 개요

1. 가벼운 복통(abdominal pain)은 일반인들도 흔히 경험하는 증상 중 하나이지만 급격하거나 큰 통증이 있을 경우는 수술이 필요한 급성복증(Acute abdomen, 또는 외과적 복통(Surgical abdomen)과 그렇지 않은 복통을 감별하는 것이 중요합니다.

2. 복통의 원인은 매우 다양하고 부위마다 원인질환이 상이하기 때문에 세심한 관찰과 평가가 필요합니다. 성인에서는 비특이적인 경우를 제외하면 위염, 위궤양, 장염(gastroenteritis) 등과 함께 충수염(appendicitis)이나 신결석, 담석 등이 주원인을 차지하고 소아의 경우는 감염성 설사, 변비, 장중첩증(intussusception)이 주원인이 됩니다.

3. 특별한 병력이 없는 일반환자가 심한 복통을 호소하는 경우, 방치했을시 위험도가 높으므로 감별이 필요한 대표적인 응급질환은 급성충수염(acute appendicitis)이며 가임기 여성은 자궁외임신(ectopic pregnancy) 등 임신관련증상도 반드시 고려합니다.

85-2 확인사항

(1) 신체검진

1. 복통의 정도, 기간, 부위 및 방사통(radiaion) 여부도 확인하고 오심, 구토, 황달여부, 마지막 배변일시, 혈변이나 토혈 등의 여부 등도 확인해야 합니다. 가임기 여성의 경우 최종월경일도 확인합니다.

2. 청진기를 통해 심장, 폐뿐 아니라 장음(bowel sound)도 확인하며 만일 아무 소리도 들리지 않는다면 ileus를 의심합니다.

3. 복부타진(percussion)을 통해 복수(ascites) 등을 확인하고 촉진을 통해 Rebound Tenderness, Murphys' sign 등을 확인합니다. Rebound Tenderness 등을 확인하기 위해 복부를 누른 후 뗄 때는 동작은 환자에게 통증을 유발하고 민감도도 떨어지기 때문에 복벽을 두드리는 타진(percussion)이 권장되기도 합니다.[1]

4. 필요시 직장수지검사를 통해 잠혈(occult blood)여부도 확인합니다.

5. 늑척추각(costovertebral angle, CVA)을 주먹으로 가볍게 두드려 보아 CVA tenderness가 있으면 신장쪽의 이상을 의심합니다.

(2) 기본검사 예

1. CBC, Electrolytes, LFT, BUN/Cr, amylase, lipase, U/A, EKG
   Chest X-ray(CXR), Abdominal X-ray(Supine/Erect = S/E)

2. 복통에 원인질환은 매우 다양하므로 여러가지의 검사가 기본적으로 시행될 수 있으며 pancreatitis 등 췌장과의 관련성을 감별하기 위한 amylase, lipase 검사도 시행됩니다. 복부영상은 복강내 Gas pattern을 잘 관찰하기 위해 기립위(Erect)와 앙와위(Supine) 모두 시행하는 것이 원칙입니다.

3. 심장질환으로 인한 통증이 복통으로 오인되는 경우를 고려하여 EKG도 시행합니다.

(3) 추가검사 예

1. Abdominal CT, Ultrasound (U/S) : 복부상태를 보다 정확히 파악하기 위해 시행합니다. CT(특히 일반 CT영상뿐 아니라 조영제를 투여하여 시행한 CT영상이 포함되 경우)가 가장 민감한 진단검사법이지만 담석, 담도 등 간담계의 이상을 파악할 때에는 초음파도 많이 활용됩니다.

2. β-hCG : 가임기 여성의 복통시에는 임신관련성을 반드시 고려해야 하며 환자스스로 성관계 경험(coital history)이 없다고 주장하더라도 일단 시행해 보는 경우가 많습니다.

3. EGD, Colonoscopy : 상부위장관, 하부위장관을 직접 관찰하기 위해 시행합니다.

4. ABGA : 호흡곤란 또는 낮은 산소포화도(SpO_2)를 보이는 경우 시행될 수 있습니다.

85-3 원인 및 치료

(1) 부위별 주요원인

1. 부위별로 참고적인 복통의 원인은 다음의 표와 같습니다. 모두 표시되지는 않았지만 급성충수염, 장관폐색, 염증성 장질환(IBD), 복막염(peritonitis) 등은 어느 부위에서나 통증을 유발할 수 있습니다.

2. 심방세동이나 혈관질환 기왕력이 있는 노인이 갑작스런 복통을 호소할 경우 장간막 허혈(mesenteric ischemia)도 의심할 수 있습니다. AAA로 약칭되는 복부대동맥류(abdominal aortic aneurysm)는 배꼽 아래에 박동성의 mass가 있으면서 복통을 호소하는 경우가 전형적인데 파열(rupture)이 예상되는 긴급한 경우일 수 있어 응급수술을 고려합니다.

RUQ 우상복부	Epigastrum 상복부	LUQ 좌상복부
심/폐 (Pneumonia, MI) 담낭 (Acute cholecystitis, Cholangitis, Choledocholithiasis) 간 (Hepatitis, Abscess) 신장 (Renal colic, Pyelonephritis) 대장 (Obstruction)	심/폐 (Aortic dissection, MI, Pneumonia) 위 (GERD, Peptic ulcer, Esophagitis, Gastritis) 췌장 (Pancreatitis) **Middle Abdomen** 대장(Infection, obstruction, Gastroenteritis) 혈관 (AAA, mesenteric ischemia)	심/폐 (Pneumonia, MI) 위 (Gastric ulcer) 비장 (Splenic rupture, infarction) 췌장(Pancreatitis, tail) 신장 (Renal colic, Pyelonephritis) 대장 (Obstruction)
RLQ 우하복부 대장 (Diverticulitis, Inflammatory bowel disease, obstruction) 충수 (Acute Appendicitis, Abscess) 신장 (Renal colic, Pyelonephritis) 여성질환 (torsion, Ruptured cyst, Ectopic pregnancy, PID)	**Hypogastrum 하복부** 대장(Infection, obstruction) 여성질환 (Endometriosis, torsion, Ruptured cyst, Ectopic pregnancy, PID) 방광 (Bladder distension, Cystitis)	**LLQ 좌하복부** 대장 (Diverticulitis, Inflammatory bowel disease, Ischemic colitis, obstruction) 신장 (Renal colic, Pyelonephritis) 여성질환 (torsion, Ruptured cyst, Ectopic pregnancy, PID)

(2) 일반적 관리

1. 복통에서 가장 중요한 것은 Surgical Abdomen, 즉 수술이 필요한 복통인지 아닌지를 감별하는 것입니다. 통증 양상의 관찰도 매우 중요하기 때문에 관례적으로 진통제의 사용은 잘 권장되지 않는 편인데 최근에는 마약성 진통제의 사용도 급성복증의 진단에 큰 영향을 주지 않는다는 보고들이 발표되어 보다 적극적으로 통증을 해소해주는 경향도 있습니다.[5]

2. 갑자기 발생한 복통에서 천공(perforation), 색전(embolism), 교액성장폐색(strangulation ileus) 등을 의심할 수 있으며 복진상 반발통이나 Muscle guarding이 있는 경우, 혈액검사상 염증소견이 뚜렷하거나 X-ray 상 free air가 보이면 복부 CT 등의 추가검사를 고려합니다.

3. Surgical Abdomen의 가장 흔한 원인 중 하나는 복막의 염증인데 만일 환자가 기침(cough)을 반복할 수 있거나 웃을 수 있는 경우, 청진을 위해 앉아있거나 직장검사(rectal exam)를 위해 옆으로 누울 수 있다면 일단 복막의 이상신호는 없는 것으로 추정할 수 있습니다.

4. Surgical Abdomen으로 결정되면 외과로 전과하게 되고 그 외의 경우는 원인질환에 따른 치

료계획을 세우게 됩니다. 보통 NPO 후 수액공급을 받게 되며 이 단계에서는 진통제도 충분한 정도로 사용될 수 있습니다. Surgical Abdomen이 아니라면 해당 원인질환에 대한 치료를 시행하며 핫팩이나 복부 뜸 등으로 증상완화를 시키는 것도 한 방법입니다.

(3) 급성충수염의 감별진단

1. [참고] The alvarado scoring system for likelihood of acute appendicitis

Feature	score	Interpretation
Migratory right iliac fossa pain	1	
Nausea/vomiting	1	score < 4 : no appendicitis
Anorexia	1	score 5~6 : compatible with acute appendicitis
Right iliac fossa tenderness	2	
Fever>37.3°C	1	score 7~8 : probable acute appendicitis
Rebound tenderness in right iliac fossa	1	
Leukocytosis>10000/mm³	2	score 9~10 : very probable acute appendicitis
Neutrophilic shift to the left>75%	1	
total score	10	

2. 체한 것처럼 상복통을 호소하다가 수시간 또는 1-2일 정도의 시간이 경과하면서 복부전체나 배꼽 주변의 통증에서 우하복부 통증으로 이동되는 경향이 전형적입니다. 비전형적인 경과도 많기에 임상경과만으로 단정짓지 말고 초음파, 복부 CT 등으로 확인하면 됩니다.

(4) 급성복증(Acute Abdomen)에 대한 응급수술 적응증 예시 [4]

A. 신체검진	B. 영상검사
1) 점차 심해지거나 이미 매우 심한 국소 압통 2) 불수의적 근성방어(involuntary guarding) 또는 강직 3) 고열 또는 저혈압을 동반한 복부/직장내 압통성 종괴 4) 복부팽만(abdominal distention)이 강하거나 점차 심해질 때 5) 쇼크나 산혈증을 동반한 직장출혈(rectal bleeding) 6) 복통과 있는 다음의 경우 : 패혈증 (고열, 의식장애, 호중구증가증 심화 등), 출혈, 허혈의 징후(산증/발열/빈맥 등), 보존적치료에도 악화되는 상화	1) 기복(pneumoperitoneum) 2) 증가하고 있거나 전반적인 장관팽창 (Gross or progressive bowel distention) 3) 조영제의 복강내 유출(free extravasation) 4) 고열을 동반하는 공간점유병변 5) 혈관조영(angio)상 장간막동맥(mesenteric a.)의 폐쇄
	C. 내시경
	천공 또는 내시경적 치료가 불가능한 출혈 병변
	D. 복강천자(Paracentesis) 결과
	혈성, 담즙(bile), 농성(pus), 분변(bowel content), 소변(urine)

85-4 한의학적 접근

(1) 한약치료(예) - 변증에 따라 시행

  1. 보험제제 : 內消散 大和中飮 半夏瀉心湯 香砂平胃散
  2. 비보험제제 : 蟠蔥散合小建中湯 烏藥散 內消和中湯

(2) 침구치료(예) - 변증에 따라 시행

  1. 정경침 : 內關 支溝 照海 中脘 足三里 天樞 大腸兪 陰陵泉 復溜 太谿 崑崙 行間 太白 [寒腹痛 神厥(灸)] [熱腹痛] 陷谷 合谷, [死血腹痛] 肝兪 膈兪 行間 血海 三陰交, [食積腹痛] 公孫 內庭 大腸兪, [痰飮腹痛] 巨闕 豊隆 上腕

  2. 사암침 : [胃痛-위정격] 陽谷 解谿(+) 臨泣 陷谷(-) 中脘(正), [寒邪- 대장정격] 曲池 三里(+) 陽谷 陽谿(-), [火鬱痛-심정격#] 大敦 少衝(+) 陰谷 曲泉(-), [濕痛-위정격] 陽谷 解谿(+) 臨泣 陷谷(-), [氣痛-폐승격#] 少府 魚際(+) 尺澤 曲泉(-), [冷痛-신정격] 經渠 復溜(+) 太白 太谿(-), [鬱痛-간정격] 陰谷 曲泉(+) 經渠 中峰(-) [小腸痛-血虛(小腸正格)] 臨泣 三間(+) 通谷 前谷(-)

  3. 동씨침 : 門金 梁丘 土水 / 四花中+四花外(瀉血)
  4. 이침 : 大腸 小腸 脾 胃 神門 交感
  5. 구법 : 神厥 또는 關元에 灸法

REFERENCES

1. Thomas M. De Fer et al. The Washington Manual Survival Guide Series Internship Survival Guide. 3rd edition, Lippincott, 2008.
2. Shane Marshall. On Call Principles and Protocols. 4th. Saunders. 2004.
3. Kent RN et al. The Osler medical handbook. Saunders. 2006.
4. Gerard M. Doherty. Current Diagnosis & Treatment Surgery. 13th edition. 2009; McGraw-Hill. P.462
5. Manterola C et al. Analgesia in patients with acute abdominal pain. Cochrane Database Syst Rev. 2011 Jan 19;(1):CD005660

86 발열

86-1 개요

1. 입원 중 가장 많은 호소 중의 하나면서 결코 간과해서는 안될 증상 중의 하나가 발열(fever) 입니다. 특히 저혈압을 동반하여 패혈성 쇼크(septic shock)가 의심되거나 신경학적 증상이 동반되어 뇌수막염(meningitis)을 의심할만한 상황이라면 즉시 조치를 취합니다.

2. 정상체온은 일중변화가 0.5도 정도 있으며 일반적으로 오전 6시경이 가장 낮고 오후 4-6시 경이 가장 높습니다. 구강온도를 기준으로 오전에 37.2도, 오후에 37.7도 이상이면 열이 있는 상태라고 말할 수 있으며 직장온도는 구강온도에서 0.4도를 더하면 됩니다.

86-2 확인사항

(1) 신체검진

1. 기본적인 생체징후(vital signs, V/S)와 함께 기침, 두통, 오심/구토는 없는지, 의식수준에 이상은 없는지를 살피고 최근 수술력이나 해열제, 항생제 복용여부를 확인합니다. 청음상 crackle 또는 이상음이 들리지 않는지 확인합니다. 복진이나 장음청진도 잊지 않도록 합니다.

2. 광과민증(photohobia), 경부강직(Neck Stiffness), Brudzinski 또는 Kernig sign이 있으면 뇌수막염(meningitis)을 의심해야 합니다. 심부정맥혈전증(deep vein thrombosis, DVT)이나 폐색전증(Pulmonary Embolism, PE)에 의해서도 발열이 나타날 수 있으므로 하지의 부종이나 통증여부를 확인합니다.

3. 감염뿐 아니라 약물 또는 종양(cancer fever)에 의한 발열도 고려해야 합니다. 이런 경우 항생제의 투여는 의미가 없으며 임상검진상 발열 정도에 비해 맥박수의 변화가 없는 경우도 있습니다.[4]

4. 소아의 경우 인후통이 심하거나 침을 삼키기도 어려운 상태라면 급성 후두개염 (acute epi-glottitis)을 고려합니다. 이 경우 기도폐쇄의 가능성도 있어서 응급상태로 간주합니다.

(2) 기본검사 예

1. CBC, Electrolytes, LFT, BUN/Cr, ESR, CRP, U/A, CXR

2. CBC, ESR, CRP를 통해 염증여부를 확인하고 U/A를 통해 요로감염(UTI)여부를, CXR를 통해 폐렴 여부 등을 확인합니다.

(3) 추가검사 예

1. Blood culture, Urine culcure, Sputum culture, Wound culture : 감염이 의심될 경우 항생제 투여 전에 시행합니다.

2. LP : 요추천자(lumbar puncture, LP)는 meningitis 의심시 시행

3. C- Difficile stool culture

86-3 원인 및 치료

(1) 주요원인

1. 감염(infection) : 폐를 비롯한 상기도(upper airway), 소변, 혈액, IV site, CNS, 복부 및 골반 강내 장기 등

2. 약물유발성, 종양, DVT/PE, 수술후 무기폐(atelectasis), SLE 등의 결합조직질환(connective tissue disease)

3. 원인불명열 (fever of unknown origin, FUO)

(2) 일반적 관리

1. 보통 37.5도까지는 경과를 지켜보며 그 이상 되면 액와, 경항부 등 모세혈관이 많은 부위에 tepid massage(미온수 마사지)를 시행해 봅니다. 찬물이나 알코올로 마사지를 시행하면 피부나 혈관의 수축되어 오히려 해열을 방해할 수 있습니다. 옷이나 이불을 걷어주는 것도 한 방법이나 오한(chilling sense)이 있다면 일단 오한이 가라앉도록 이불을 덮어줄 수 있습니다. 감염의 증거가 없고 다른 Vital sign이 안정적이면 임상관찰 또는 간단한 해열제 투여 정도(ex. acetaminophen 또는 NSAIDs)로 안정될 수 있으며 충분한 수분섭취를 격려하면서 필요시 수액(ex. N/S 1L)을 적용합니다.

2. 증상이 지속되고 39.5도 이상의 고열이라면 일반적으로 Ice pack과 해열제를 적용하면서 culture를 비롯한 추가적 검사 및 항생제 적용여부를 결정해야 합니다. 특히 vital이 불안정하고 면역상태가 좋지 않거나 감염원이 확실할 때에는 항생제 투여를 시작합니다. Blood culture 등의 배양검사는 항생제가 투여되기 전 시행되어야 합니다.

3. 뇌수막염 증상이 의심되는데 Lumbar Puncture(LP) 시행이 지연된다면 LP 시행 전이라도

우선적으로 항생제 투여를 시작하기도 합니다. 보통 뇌수막염은 고열, 심한 두통이 있으면서 뇌압 상승으로 오심구토가 흔히 동반됩니다. 수막자극 증후(meningeal irritation sign)를 보이며 확진은 LP로 합니다.

4. 발열과 함께 혈압이 떨어진다면 패혈성 쇼크(septic shock)가 의심되는 응급한 상황이라 할 수 있습니다. Ceftriaxone을 비롯한 광범위 항생제(broad spectrum antibiotics)의 투여를 고려하면서 수액을 공급하며, septic shock으로 혈압이 저하되는 상황이 발생하면 dopamine과 같은 승압제를 사용해서라도 혈압을 관리합니다. **[참조항목 : 89-3]** CBC상 백혈구(WBC)를 확인할 때 호중구 감소증(neutropenia)이 있다면 특히 적극적으로 관리하여야 합니다.

5. Foley를 비롯한 각종 카테터와 IV site의 제거, 또는 교체도 고려하며 교체 전에 카테터 끝에서 배양검사를 시행할 수 있습니다.

6. 약물(주로 항생제)로 인한 Drug fever가 의심된다면 해당 약물을 중단합니다. 단 감염 등 다른 원인이 충분히 배제된 후 고려하도록 합니다.

(3) 한방치료

1. 바이탈(vital sign)이 흔들리지 않는 일반적인 상기도 감염이나 발열에 주치료수단으로 활용 가능하지만 뚜렷한 감염원이 있어 이에 대한 항생제 치료가 시행되고 있을 경우나 혈압저하로 Septic shock이 우려될 경우 등에는 보조적으로 사용할 것으로 고려합니다.

2. 한방적인 관점에서 환자의 증상을 고려하지 않는 대증적 해열제투여, Ice pack 적용이 오히려 발열을 해결하는데 지장을 줄 수 있는 점을 고려하여 지나친 고열상태가 아니라면 몸을 따뜻하게 하는 방법도 아울러 고려하기도 합니다. 한약은 感冒, 火熱證 등에 준하여 변증에 기반하여 사용하거나 경우에 따라 淸導, 通便 또는 補益劑가 함께 투여될 수도 있습니다.

3. 정경침 : 大椎 曲池, [風熱犯肺] 尺澤 魚際 外關, [氣分熱] 合谷 內庭 關衝, [熱入營血] 曲澤 勞宮 委中

4. 大椎穴 瀉血(濕附搔□)이 발열의 해소에 효과가 있었다는 보고도 있었습니다.[5]

REFERENCES

1. Thomas M. De Fer et al. The Washington Manual Survival Guide Series Internship Survival Guide. 3rd edition. Lippincott. 2008.
2. Shane Marshall. On Call Principles and Protocols. 4th. Saunders. 2004
3. Kent RN et al. The Osler medical handbook. Saunders. 2006.
4. 岡田定. 내과주치의 필수노트. 대한의학서적. 2010.
5. 손동혁 , 중풍환자의 發熱에 대한 大椎穴 瀉血의 효과, 대한한의학회지, 2001; 22(3):119-128

87 빈맥/부정맥

87-1 개요

1. 흉통이나 흉부불편감이 동반되어 시행한 EKG 발견되는 경우가 많으나 무증상으로 발견되는 경우도 많습니다.
2. 특히 VT(ventrilcular tachycardia, 심실빈맥)나 MI(myocardial Infarction, 심근경색), 또는 혈압이 떨어지는 경우는 긴급한 상황이므로 빠른 조치가 필요합니다.

[참고] 본 장의 심장관련 약자

상심실빈맥(SVT, supraventricular tachycardia) 심방조동(AF, atrial flutter)
심방세동(Af, atrial fibrillation) 심실빈맥(VT,ventrilcular tachycardia)

87-2 확인사항

(1) 신체검진

1. 산소포화도(SpO₂)를 포함한 생체징후와 함께 흉통이나 호흡곤란은 없는지 확인합니다.

(2) 기본검사 예

1. EKG, Cardiac Marker (Troponin, CK-MB, BNP 등), CBC, Electrolytes, ABGA, CXR
2. EKG가 가장 기본이 되지만 전반적으로 심장과 관련된 검사와 함께 호흡이상, 대사장애 감별을 위해 ABGA가 같이 시행되기도 합니다.

(3) 추가검사 예

1. 24시간 Holter : 일시적인 이상 후 정상화 되었을 경우, 24시간 홀터를 통해 보다 정확히 파악가능
2. Cardiac echo : 심장기능 및 해부학적 이상에 대한 감별목적으로 심초음파를 실시

87-3 원인 및 치료

(1) 주요원인

빈맥	규칙(Regular)	Sinus tachycardia, SVT, VT, AF
(Tachycardia)	불규칙(Irregular)	Af, multifocal atrial tachycardia
서맥 (Bradycardia)		약물(B-blocker, CCB, digoxin), sick sinus syndrome, MI(특히 Inferior infarc), AV block

(2) 일반적 관리

1. 우선 환자의 호흡이나 혈압에 이상은 없는지 확인하고 심전도 모니터를 적용합니다. 가능하면 스테이션으로 환자베드를 옮겨 지속적인 모니터링이 되도록 하는 것도 좋습니다.

2. 만일 RVR(rapid ventricular response), SVT가 동반된 Af이면서 혈압이 낮아져 있거나 VT이면서 혈압이 낮아져 있다면 응급 cardioversion 적응증이므로 순환기내과 응급 call을 고려합니다. 환자의 상태가 좋지 않거나 심실박동수가 150회가 넘어가는 경우에도 즉각적인 cardioversion을 준비해야 합니다.

3. 빈맥성 Af에서 혈압 등의 이상소견이 없다면 CCB인 diltiazem, 베타차단제인 metoprolol, 강심제인 digoxin 등이 사용될 수 있으며 또는 amiodarone도 고려될 수 있습니다.

4. SVT는 혈압 등의 이상이 없다면 Valsalva법이나 경동맥동마사지 등을 시행할 수 있지만 효과는 제한적인 경우가 많습니다. 증상지속시 adenosine을 투여합니다. (ex. adenosine 6mg IV push, 필요시 12mg IV 추가)

5. 동성빈맥(Sinus tachycardia)은 탈수, 빈혈, 출혈, 감염 등으로 발생할 수 있고 또는 심낭의 염증이나 폐색전(PE), 갑상선기능항진증으로 유발되기도 합니다. 이 외에도 약물(교감신경 흥분제, 항콜린제 등)이나 심리적 원인(불안, 공황장애)에 의한 경우도 있으므로 다양한 원인을 함께 고려하도록 합니다. 구조적인 심질환이 없고 증상정도가 심하지 않는 일반적인 경우의 치료는 일단 베타차단제나 항불안제 또는 기타 다른 항부정맥제제를 사용할 수 있습니다.

6. VT에서 맥박이 잡히지 않거나 BP가 없다면 VF에 준하여 응급치료를 합니다. 기타 보다 자세한 심장이상에 대한 내용은 ACLS(advanced cardiovascular life support)부분을 참조하십시오. [참조항목: 8-5]

6. 서맥에 있어서는 B-blocker, CCB 등의 약물로 유발된 경우도 많으므로 해당되는 약물을 중단하고 다른 약물로의 교체를 고려합니다.

87-4 한의학적 치료

1. 주의점 : 부정맥은 한의학에서 心悸, 怔忡의 범주에 속하며 結代脈 등으로 맥상을 표현하기도 하였습니다. 침치료에 대한 긍정적 임상결과가 보고되기도 하였으나 일반적으로 만성적 경과를 보이는 안정된 상태의 환자를 중심으로 치료를 시도해 볼 수 있고, 증상의 변화에 적절한 대처를 할 수 있는 환경에서 우선 시도해 보는 것이 권장됩니다.[4]

2. 정경침 : 心兪 厥陰兪 膻中 巨闕 內關 神門 三陰交, [心膽虛怯] 陽陵泉 大陵, [痰濁] 中脘 豊隆 太淵, [心血不足] 足三里 血海, [心陽不振] 氣海 關元 腎兪 - 膻中은 좌측으로 횡자하여 1촌정도 자입후 강하게 자극감이 오도록 行鍼할 수 있습니다. 輕症에는 1-2일에 1회 시행하나 重症의 경우에는 1일 1-2회 시행하면서 유침시간을 연장하고 매 3-5분마다 行鍼합니다.

3. 이침 : 心 皮質下 交感 副腎 內分泌 神門 - 중등도에서 강한 자극으로 30-60분 유침합니다.

REFERENCES

1. Thomas M. De Fer et al. The Washington Manual Survival Guide Series Internship Survival Guide. 3rd edition. Lippincott. 2008.
2. Shane Marshall. On Call Principles and Protocols. 4th. Saunders. 2004
3. Kent RN et al. The Osler medical handbook. Saunders. 2006.
4. VanWormer AM, Lindquist R, Sendelbach SE. The effects of acupuncture on cardiac arrhythmias: a literature review. Heart Lung. 2008;37(6):425-31.

88 급성의식장애/실신/경련

88-1 개요

1. 주요 의학매뉴얼에서는 의식장애(altered mental status)의 주원인을 TONG(Thiamine, Oxygen, Naloxone, Glucose)으로 요약하고 있는데 즉 Thiamine(=Vitamin B1) 결핍 등이 동반된 알코올진전섬망, 산소(oxygen)가 부족한 경우, 마약성진통제 중독으로 Naloxone이 필요한 경우, 혈당(glucose)이상이 있는 경우로 구분됩니다.[1] 국내에서는 암환자를 제외하고는 마약으로 인한 의식장애는 드물며 일반적인 병동환자에게는 혈당(G)과 산소공급(O)의 이상과 함께 뇌의 병변을 우선적으로 고려합니다.

2. 의식장애시에는 특히 뇌압상승(intracranial pressure increase), 급성 뇌혈관질환(CVA), 뇌수막염(meningitis), 저산소증(hypoxia), 음식물 등의 흡인(aspiration) 등을 유의해서 감별해야 합니다.

Tip   실신 (일과성 의식소실)

1. 실신(syncope)은 혈압저하, 뇌혈류 감소 등이 주된 기전으로 작용하여 일시적으로 의식을 잃고 쓰러지는 상태입니다. 경련 없이 수 분 내에 의식을 완전히 회복하는 것이 일반적입니다.

2. 감정적 자극, 공복, 탈수상태나 덥거나 붐비는 환경 등으로 잘 유발되는 미주신경성(vasovagal reflex) 실신과 기립성 저혈압(orthostatic hypotension)*, 심질환(cardiogenic syncope) 등으로 발생하는 실신 등이 대표적입니다. 심장성이 의심되면 EKG나 24시간 심전도, 심초음파 검사 등을 시행합니다.

88-2 확인사항

(1) 신체검진

1. 일단 Vital sign이 안정적인지 확인하고 산소포화도(SpO_2)와 혈당검사(blood sugar test, BST)를 우선적으로 시행해 봅니다.

2. 동공의 크기나 대광반사를 비롯해 신경학적 검진을 시행합니다. 낙상여부, 음주력, 최근 사용된 새로운 약물(수면제 포함)이나 마약성 진통제의 사용여부도 확인합니다. 드물지만 배

---

* 기립성 저혈압의 기준 : 누웠다가 일어선 직후 3분 이내에 혈압이 20/10mmHg이상 감소되는 것

뇨이상, 분변막힘(fecal impaction) 등으로도 의식장애가 악화될 수 있으므로 배뇨와 배변상태도 확인해야 합니다.

3. 뇌수막염(meningitis)의 가능성도 잊지 말고 경부강직(Neck Stiffness), Brudzinski 또는 Kernig sign도 확인해 봅니다. 간질환, 종양 등이 있는 환자라면 간성뇌증(HEP, Hepatic Encephalopathy)의 가능성도 고려하여 황달, 복수 등을 확인하고 LFT, ammonia 검사 등을 시행합니다.

(2) 기본검사 예

1. BST, CBC, electrolytes, ABGA, LFT, TSH, Ammonia, U/A, EKG, CXR

2. 일단 혈당(BST)을 확인한 후 추가적 검사를 진행합니다. 전해질 또는 대사이상 감별을 위해 electrolytes, ABGA를 시행하고 LFT, TSH를 통해 간이나 갑상선과의 관련성도 고려합니다. Ammonia는 간성뇌증(HEP) 의심시 대체적인 상태를 알아보는 간접적지표가 됩니다.

(3) 추가검사 예

1. Brain CT 또는 MRI : 뇌의 구조적 이상을 감별

2. EEG : 간질 등의 뇌질환을 감별해야 할 때 시행

3. LP (Lumbar Puncture) : meningitis 의심시 요추천자를 시행

4. serum Alcohol : 음주과다가 의심될 경우

88-3 원인 및 치료

(1) 주요원인 (NOMAD-TIPS)

N	No urine or feces	배뇨, 배변이상
O	Oxygen	PO_2부족 또는 PCO_2 과잉
M	Metabolic (Glucose, Electrolytes, Liver, Thyroid, Kidney)	대사성 (혈당, 전해질이상, 간/갑상선/신기능 이상)
A	Alcohol	알코올
D	Drug (opioid, benzo 등)	약물
T	Trauma, Temperature	외상, 체온
I	Infection	감염
P	Psychogenic, Porphyria	정신적 원인, 포르피린증
S	Subdural (Stroke, Seizure)	각종 뇌혈관장애, 경련

(2) 진단별 관리

1. 기본적으로 각각의 진단된 결과에 따라 적절한 관리를 하면 됩니다.

2. **No urine or feces** : 배뇨가 원활하지 않은 경우에는 foley catheter를 삽입하고 분변막힘 (Fecal Impaction)이 있는 경우에는 finger eneama 등이 필요할 수 있습니다.

3. **Oxygen** : 산소는 MI, PE, anemia의 경우처럼 산소가 부족한 경우와 COPD처럼 CO_2가 과잉한 경우로 구분되며 ABGA 결과에 따라 적절한 조치를 시행합니다.

4. **Metabolic** : 특히 저혈당일 경우가 가장 많은데 Dextrose 등을 투여하면 빠른 시간내 호전됩니다. 간성혼수(HEP)일 경우, 과도한 단백질 섭취나 이뇨제는 피하되 체내 ammonia가 높은 경우 duphalac enema를 시행합니다. 듀팔락(duphalac)의 주성분인 lactulose는 혈액내 암모니아를 장내로 끌어들여 배출시키게 됩니다. 듀팔락 시럽(syrup) 형태로도 지속 복용하여 변비를 예방합니다.

5. **알코올 진전섬망** : 알코올중독의 금단현상 중 가장 위험한 진전섬망(Delirium tremens, DTs)은 음주를 중단한지 2-7일 후 호발하며 불안, 환각, 진전, 빈맥, 동공확대, 발한 등이 나타나는 현상입니다. 이는 평소 알코올이 억제성 신경전달물질인 GABA 수용체와 결합하다가 갑자기 중단되어 인체가 흥분상태로 변하기 때문에 발생하게 됩니다. 치료는 benzo-diazepine계 약물로 대신 GABA 수용체와 결합하게 하여 안정화시키는 한편 음주자에게 흔히 부족한 Thiamine(=Vit B1)을 보충하게 됩니다. 치료하지 않을 경우 사망률이 15%에 이르므로 엄격한 관리가 요구됩니다.

6. **Drugs** : 마약성 진통제 과용으로 의식장애가 온 경우에는 naloxone을 투여하고 Diazepam, Lorazepam(Ativan®), Midazolam 등 벤조다이아제핀계 약물 과용시에는 flumazenil을 투여할 수 있습니다.

88-4 경련의 치료

(1) 경련

1. 경련(Seizure, Sz)가 발생했다는 콜을 받아도 일반적으로 수십초 이내에 중단된 경우가 대부분이므로 침상에 가서는 침착하게 환자가 발작이 중단되었는지 확인하고 환자를 보호하기 위해 옷을 느슨히 하거나 혀 깨무는 것을 막는 조치 등을 취합니다. 필요시 산소(O_2)도 공급합니다.

2. 경련이 한번 발생하면 재발방지를 위해 항경련제가 지속적으로 처방됩니다. 전통적으로 Phenytoin 등이 흔히 사용되어 왔으나 최근에는 Valproic acid, Topiramate(토파맥스)

Levetiracetam(케프라) 등 유사한 간질예방 효과가 있으면서도 부작용은 감소한 제제도 많이 사용되고 있습니다. 페니토인은 외상성 뇌손상이나 지주막하출혈 등을 앓은 환자의 25~30%에서 발생하는 간질을 예방하기 위해 전통적으로 널리 사용되어 온 약물이나 bradycardia나 AV block 등 심장부작용을 초래할 수 있어 주의해야 합니다.

(2) 간질중첩증 (Status epilepticus)[1]

1. 간질중첩증은 경련발작이 5분 이상 계속적으로 지속되거나 또는 의식이 완전히 회복되지 않은 상태에서 반복적으로 발작이 있는 상태로서 응급에 준하여 치료합니다.

2. 호흡 및 SpO_2를 확인하면서 IV 라인을 확보하고 필요시 ABGA 및 관련혈액검사와 함께 Intubation의 가능성도 고려합니다. 저혈당이 의심된다면 검사결과를 기다리기 전에 50DW 50ml 정도를 즉시 투여합니다. 이는 일시적인 고혈당 상태 보다 저혈당 지속상태가 훨씬 위험하기 때문입니다.

3. 치료는 일단 Lorazepam(Ativan®) 0.05~0.1mg/Kg 또는 0.5~1A(lorazepam 2~4mg)을 IV를 투여하고 반응이 없을 경우 다시 추가하는 방식으로 총 2A까지 사용하기도 하며 이후에도 경련이 지속되면 phenytoin loading(15~20mg/kg)도 고려합니다. (ex. Phenytoin 1200mg을 N/S 500ml에 mix하여 최대 50mg/min의 속도로 투여) 페니토인 로딩시에는 심장부작용 때문에 BP 및 EKG monitoring도 필요합니다.

3. IV로의 접근이 힘든 경우에는 diazepam을 직장내로 삽입하거나, Midazolam IM을 시도합니다. (ex. Midazolam 0.2mg/kg IM bolus)

4. 각종 처치에도 경련증상이 지속되면 EEG 모니터링이 가능한 ICU로의 응급전원을 고려해야 합니다.

Tip 병원에서 사용되는 restraint의 종류

- Physical Restraints : vest, halter, soft ties, cloth mittens
- Chemical Restraints : Haloperidol(Haldol®), Diazepam(Valium®), Lorazepam(Ativan®)

88-5 한의학적 접근

1. 한의학에서 昏厥, 厥症의 범주에 속할 수 있으며 주로 만성경과를 보이는 경우를 중심으로 보조적으로 사용되는 경우가 많습니다. 한약제제의 경우 경련의 경우 柴胡桂枝湯 등을 고려할 수 있으며 또는 기존의 항전간제와 병용하여 유지용량을 줄이는 것을 시도해 볼 수

있습니다.

2. **정경침** : 水溝 百會 四神總 井穴(좌우합12개, 점자출혈도 가능), [虛證] 內關 氣海 足三里, [實證] 中衝 太衝 勞宮 涌泉

3. **사암침** : [角弓反張-膽實] 三里(迎) 風池 束骨(-) 陽谷(+), [轉筋] 四關(迎) 十宣(-) 丹田(正)

4. **임상연구**

1) 小柴胡湯合桂枝加芍藥湯 : 간질환자에게 투여하여 25%에게서 발작 횟수가 감소하였고 alpha wave의 증가가 나타나 간질 환자의 인식 기능을 향상시키는데 효과가 있을 것으로 기대

REFERENCES

1. Thomas M. De Fer et al. The Washington Manual Survival Guide Series Internship Survival Guide. 3rd edition. Lippincott. 2008.
2. Shane Marshall. On Call Principles and Protocols. 4th. Saunders. 2004
3. Kent RN et al. The Osler medical handbook. Saunders. 2006.
4. Nagakubo S et al. Effects of TJ-960 on Sternberg's paradigm results in epileptic patients. Jpn J Psychiatry Neurol. 1993 Sep;47(3):609-20.

9장
응급 병동콜

혈압저하 및 쇼크

※ BP 측정시 유의사항

- 일반범위 : systolic(수축기 100~150mmhg) / diastolic(이완기 50~100mmhg)
- 만일 자동혈압계(NIBP: Noninvasive Blood Pressure)를 사용했다면 NIBP 커프를 심장과 같은 높이로 위치시키고 커프를 팔에 감을때 너무 느슨하거나 너무 꽉조이지 않게 유의합니다.
- 재측정 : 1) 자동혈압기 대신 Manual로 재보고 필요시 좌우를 모두 재어 비교
  2) 체위에 따라 혈압이 달라질 수 있으므로 앙와위(supine position)에서 재측정

89-1 개요

1. 혈압이 낮은 것 자체 보다는 이로 인한 shock을 예방하는 것이 가장 우선이라 하겠습니다. 평소에 혈압이 낮았던 환자보다는 고혈압이었던 환자가 혈압저하에 더 예민하게 반응합니다.

2. 쇼크(Shock)는 sBP(수축기혈압)가 90 미만이면서 이러한 혈압저하로 각 조직으로의 관류 (tissue perfusion)가 부적절한 상태를 의미합니다. 예를 들어 뇌에 perfusion이 부족하면 의식장애가 오고, 신장에 perfusion이 부족하면 배뇨장애가 발생하며, 심장에 perfusion이 부족하면 흉통이 동반될 수 있습니다. 피부도 차고 축축한 상태(cool, clammy skin)를 보입니다.

89-2 확인사항

(1) 신체검진

1. 맥박수를 포함한 Vital을 확인하면서 산소포화도(SpO$_2$)도 확인합니다. BP는 양쪽 모두 재도록 합니다.

2. 창백한 얼굴(facial pallor)이나 결막의 창백함(conjunctival rim pallor)이 있으면 빈혈을 시사하고 액와부(axilla) 등의 피부점막이 건조하고 혀가 갈라져 있거나 뇨량이 감소되어 있으면 탈수(dehydration)된 상태임을 시사합니다.

3. 발한, 오심, 구토 등의 증상여부도 확인합니다. 발한이 있으면 심장성일 가능성도 의심합니다.

> **Tip** 신체검진으로 추정하는 systolic BP
>
> sBP 60mmHg 이상 : 경동맥 촉지가능 (Carotid pulse)
> sBP 70mmHg 이상 : 대퇴동맥 촉지가능 (Femoral pulse)
> sBP 80mmHg 이상 : 요골동맥 촉지가능 (Radial pulse)
> - Capillary refill time : 손톱을 눌러 흰색이 보일 때까지 압박한 후 다시 원래의 분홍색으로 돌아
>   오는 시간이 2초 이상이면 저순환성 쇼크 또는 말초관류의 저하로 추정 (주로 소아에게 시행)

(2) 기본검사 예

1. EKG, CBC, Electrolytes, ABGA, Cardiac Marker (Troponin), CXR
2. 급성출혈의 경우, CBC상의 Hb 저하가 바로 나타나지는 않으므로 당일의 혈액검사결과를 전적으로 신뢰해서는 안됩니다.

89-3 원인 및 치료

(1) 주요원인 및 일반적 관리

1. 우선 shock이 올 것을 대비하여 IV line을 확보하고 산소를 공급합니다. 환자는 머리 쪽을 낮추고 하지를 올리는(leg elevation) Trendelenberg 자세를 취하게 합니다. 낮은 혈압에 대한 보상작용으로 맥박은 빨라지게 되지만 EKG를 통해 혹시 Af, SVT, VT 등은 없는지 확인합니다. 맥이 느려진 경우(bradycardia)에는 자율신경계의 손상이나 Heart Block이 있는지 의심해야 합니다.

2. 대부분의 shock의 경우 체액량을 충분히 유지하기 위하여 5DW 대신 Normal Saline(N/S)이나 하트만 용액(H/S) 등의 수액을 공급해야 하며 일단 탈수여부나 체중, 심기능 이상여부 등을 고려하여 300~500ml 또는 500~1000ml를 Bolus로 한번에 공급하면서 필요시 추가하는 방법을 사용하기도 합니다.

3. 단 심장성인 경우 체액량의 증가는 폐부종 또는 상태악화를 초래할 수 있으므로 dopamine 또는 dobutamine 등과 같이 심근수축력을 높이고(inotropic) 말초혈관을 수축시키는(vasopressor) 제제들을 주로 고려하며 **[참조항목: 8-6]** 또는 폐부종이 없는 것이 확인되면 N/S 250mL 정도만 급속투여하기도 합니다. [4]

4. 체액량 증가만으로 혈압이 오르지 않거나 너무 낮아져 shock의 위험성이 큰 경우에는 도파민 등 inotropic agent를 사용합니다. 필요시 ICU transfer도 고려합니다.

5. 도파민 등을 사용해도 혈압이 상승하지 않고 증량에도 반응이 없다면 환자 상태에 따라

Adrenal insufficiency(부신 부전)를 의심할 수 있습니다. 이 경우 Hydrocortisone 등 스테로이드가 투여됩니다.

6. 한의학적 치료 방법으로는 人中, 十宣 등의 구급혈 등에 자침하여 자극을 주는 방법도 고려할 수 있으나 급성상태에 대한 우선적 치료법으로 사용하기에는 부적합한 측면이 많습니다. 최근에는 고립된 섬지역에서 경동맥(carotid pulse)이 촉지되지 않을 정도로 BP가 저하되고 호흡곤란과 청색증, 의식혼미까지 발현된 septic shock 환자에게 의료지원헬기를 대기하는 80여분간 人中 合谷 內關 十宣 足三里 天突 등의 침자극으로 BP를 상승시켜 소생한 증례가 보고되기도 하였습니다. [3]

(2) 진단별 관리

1. 크게 심장성 (cardiogenic), 저혈량성(hypovolemic), 패혈증 쇼크(septic shock), 아나필락시스(Anaphylaxis) 등으로 구분됩니다.

2. 심장성 쇼크는 급성 심근경색(MI)이나 울혈성 심부전(CHF)의 악화가 주된 원인이지만 cardiac tamponade(심낭압전), PE(폐색전), tension PTX(긴장성 기흉) 등의 가능성도 놓치지 말아야 합니다.

3. 저혈량성은 탈수 또는 출혈 등으로 초래됩니다. 탈수에는 수액보충, 출혈시에는 수액 및 수혈치료가 위주가 되며 특히 GI bleeding(위장관출혈)이 진행되고 있을 때에는 응급 EGD(위내시경) 등을 시행하여 출혈부위를 지혈해야 합니다.

4. 패혈증 쇼크의 경우 발열, 오한 등이 동반되면서 혈압이 저하되는데 혈액검사상 감염을 확인하여야 합니다. IV fluid와 항생제로 관리하지만 BP 저하가 심하면 vasopressor 투여가 필요합니다. (심박출량은 증가되어 있으나 말초혈관저항이 저하된 상태)

> **Tip** SIRS (systemic inflammatory response syndrome)
>
> 1. SIRS는 전신적으로 염증반응이 발생한 상태를 의미하며 다음의 4가지 조건 중 2가지 이상일 때 진단할 수 있습니다.
>   1) 체온 >38도 또는 <36도
>   2) 심박동수(HR) > 90/min
>   3) 호흡수(RR) > 20/min 또는 $PaCO_2$ <32 mmHg
>   4) WBC >12,000/mm^3 또는 <4000/mm^3 또는 >10% band(미성숙 혈구)
> 2. SIRS 상태에서 감염(infection)이 확인되면 sepsis(패혈증)로 분류하고, 중증 sepsis에 급격한 혈압저하로 vasopressor까지 사용해야 하는 상태는 septic shock(패혈성 쇼크)으로 분류합니다.

5. 약물(조영제, 항생제 등)로 유발된 아나필락시스의 경우 보통 복용 1시간 이내에 유발되며 수 분 이내에 발생하는 경우도 많습니다. 쇼크, 호흡곤란 등이 발생하면 에피네프린을 즉각적으로 사용하며(ex. epinephrine 0.3mg IV, 필요시 10-15분 마다 반복) 이후 스테로이드, 항히스타민제의 사용과 수액보충이 병행될 수 있습니다. (ex. Hydrocortisone 500mg IV, diphenhydramine 25mg IV)

REFERENCES

1. Thomas M, De Fer et al. The Washington Manual Survival Guide Series Internship Survival Guide. 3rd edition. Lippincott. 2008.
2. Shane Marshall. On Call Principles and Protocols. 4th. Saunders. 2004
3. Hsu CH, Hua Y, Jong GP et al. Shock resuscitation with acupuncture: case report. Emerg Med J. 2006;23(3):e18.
4. Roberts I. Is the normalisation of blood pressure in bleeding trauma patients harmful? Lancet. 2001 Feb 3;357(9253):385-7.

90 고혈압성 응급

90-1 개요

1. 다른 특이증상 없이 혈압(bood pressure, BP)만 상승한 것만으로 응급치료가 요구되는 경우는 드물며 BP가 상승한 배경 및 시간적 추이에 다른 변화속도가 더 중요합니다.

2. 고혈압성 응급(Hypertensive Emergencies)은 뇌병증(encephalopathy), 뇌출혈(intracranial hemorrhage, ICH), 불안정 협심증(unstable angina), 심근경색(MI) 등 긴급히 혈압을 낮추고 집중적인 관리가 필요한 상황을 의미합니다. 또한 응급상태는 아니지만 BP가 180/110 이상이거나 optic disc edema 등이 동반되어 적절한 혈압강하가 필요한 상태는 고혈압성 준응급(Hypertensive Urgencies)으로 구별하였습니다.

90-2 확인사항

(1) 신체검진

1. Vital 확인과 함께 최근의 BP 변화추세, 경구복용약을 확인하며 환자에게는 의식상태와 함께 안구에서 유두부종(papilledema), 망막출혈(retinal hemorrhage) 등의 확인도 필요합니다.

(2) 기본검사 예 : EKG, CBC, Electrolytes, ABGA, Cardiac Marker (Troponin), UA, CXR

90-3 원인 및 치료

(1) 고혈압성 응급(Hypertensive Emergencies)의 주요원인

1. 대뇌 관련 : 뇌병증(encephalopathy), 뇌출혈(Intracranial Hemorrhage, ICH),
2. 심장성 : 불안정 협심증(unstable angina), 심근경색(MI), 대동맥박리(Aortic dissection)
3. 기타 : Renal Insifficiency, 자간증(Eclampsia)

(2) 일반적 관리

1. 특이증상 없이 장기간 고혈압이었던 환자의 BP를 갑자기 낮추는 것은 위험합니다. 뇌경색

의 경우에도 혈압을 무리하게 떨어뜨리지 않도록 합니다. **[참조항목 : 45-8]**

2. 고혈압성 응급은 ICU transfer도 고려해야 하는 상황으로 평균 BP를 첫 2시간 동안 25%를 초과하지 않는 범위에서 감소시키는 것을 목표로 합니다. IV hydralazine, labetarol 등이 사용되며 MI나 폐부종(pulmonary edema)과 동반된 고혈압의 경우 NTG(니트로글리세린) IV도 고려할 수 있습니다.

3. 고혈압성 준응급에서는 24-48시간에 걸친 BP감소를 목표로 CCB(ex. amlodipine 1T), 베타차단제(ex. Atenolol 1T), ACE inhibitor (ex. captopril 1T)등의 경구약이 투여될 수 있습니다. 2-4시간마다 BP를 확인하면서 재투여를 고려합니다.

REFERENCES

1. Thomas M. De Fer et al. The Washington Manual Survival Guide Series Internship Survival Guide. 3rd edition. Lippincott. 2008.
2. Shane Marshall. On Call Principles and Protocols. 4th. Saunders. 2004
3. Kent RN et al. The Osler medical handbook. Saunders. 2006.

위장관 출혈

91-1 개요

1. 만성적인 소량의 위장관 출혈(GI bleeding)은 빈혈을 유발하지만 대량의 급성출혈이 있을 경우 저혈량성(hypovolemic) 쇼크를 유발하여 사망에 이르는 경우도 있으므로 조기에 적절한 조치가 중요합니다.

2. 토혈(hematemesis), 혈변(hematochezia), 흑변(melena) 등 육안으로 확실히 보이는 출혈도 있으나 원인 미상의 빈혈 등으로 의심하여 시행한 검사결과 발견되는 출혈에도 유의해야 합니다.

3. 응급실에서는 과음후 구토과정에서 위-식도 접합부위가 찢어져 발생하는 Mallory-weiss syndrome, 간질환 환자에서 식도정맥류(esophageal varices) 파열로 대량의 출혈이 발생하는 경우 등 다양한 사례가 존재하지만 만성질환 환자 중에서는 위궤양(peptic ulcer), 신생물(neoplasm) 등의 원인이 많습니다.

91-2 확인사항

(1) 신체검진

1. 기본적인 신체검진과 함께 복부촉진, 장음(bowel sound)의 청진도 시행하고 수지직장검사(rectal exam)를 통해 직장내 병변 및 잠혈여부도 확인합니다. 저혈압 및 빈맥이 나타나면 수액 공급과 수혈(transfusion)이 우선적으로 진행되어야 합니다.

2. 간질환이나 위궤양의 병력과 함께 평소 복용하는 약물에도 유의하도록 하며 특히 장기복용시 위궤양 등의 가능성이 높아지는 NSAIDs 복용력도 확인합니다. 항응고제나 항혈소판제제의 복용여부도 확인하여야 합니다.

(2) 기본검사 예

1. CBC, PT, aPTT, Electrolytes, LFT, BUN/Cr, ABO/Rh blood typing

2. 기본적인 혈액검사와 함께 응고장애를 감별할 수 있는 PT, aPTT 검사를 추가적으로 시행하며 수혈의 가능성을 대비하여 혈액형(Blood Type)검사도 시행합니다. 신질환이 없으면

서 BUN이 단독으로 상승하는 것도 GI Bleeding의 가능성을 암시하므로 주의하도록 합니다.

(3) 추가검사 예

1. 위내시경(Esophago-gastroduodenoscopy, EGD), 대장내시경(colonoscopy) : 상부위장관, 하부위장관을 직접 출혈부위를 확인하고 필요시 내시경적으로 치료합니다.
2. Stool Occult Blood : 대변잠혈검사로 육안으로 알기 힘든 혈변여부를 확인합니다.

91-3 원인 및 치료

(1) 주요원인

1. 상부: 식도정맥류(Esophageal varices), 말로리웨이즈 증후군(Mallory-weiss syndrome), 위궤양(peptic ulcer), 식도염(esophagitis), 신생물(neoplasm), 대동맥장관루
2. 하부: 게실염(diverticulosis), 혈관형성이상(angiodysplasia), 종양(neoplasm), 과민성대장증후군(irritable bowel syndrome, IBD), 감염성 장염(infectious colitis), 치질(hemorrhoid) 등

(2) 일반적 관리

1. 보통 NPO(금식) 후 Normal Saline 등의 수액으로 체액을 보충하면서 출혈정도에 따라 수혈 필요성을 파악하여 pRBC 응급수혈을 시행할 수 있습니다. 특히 CBC 등의 검사결과는 8시간 정도 지나야 정확한 상태가 반영되므로 초기 대량출혈시 CBC 결과가 정상이더라도 출혈량을 고려하여 수혈여부를 판단해야 합니다.
2. 약물력을 확인하여 만일 와파린 등 항응고제(anticoagulant)를 복용하였다면 해당 약물을 중단하고 길항작용을 하는 Vitamin K를 투여하며 필요시 FFP(fresh frozen plasma) 수혈도 고려합니다.
3. 장기간 L-tube를 유치하여 유래되는 ulcer 또는 GI bleeding의 경우 PEG로 전환할 수도 있습니다.

(3) 위장관 출혈

1. 상부위장관(upper GI) 출혈시에는 L-tube를 삽입하여 active bleeding이 보이면 소화기내과 call을 하여 응급 EGD를 의뢰해야 합니다. 출혈이 멈춘 상태이고 혈압 등 vital에도 이상이 없으면 응급EGD 적응증은 아니지만 다음날 정규시간에라도 EGD 시행을 고려합니다. 위산분비가 억제되도록 PPI도 투여하도록 합니다. (ex. omeprazole IV)

2. 하부위장관(lower GI) 출혈시에는 수액을 충분히 공급하되 혈압 등 vital이 안정적이면 대
   장내시경(colonoscopy)을 위해 소화기내과 consult를 합니다. V/S이 불안정하다면 응급
   RBC scan이 필요할 수 있습니다.

(4) 식도정맥류 출혈

1. Octreotide 50mcg bolus로 투여 후 50mcg/hr로 투여하고 pRBC 수혈을 지속하면서 필요시
   EGD를 위하여 소화기내과 응급 call을 해야 합니다. 대량출혈시에는 EGD를 통한 내시경
   적 경화/결찰요법, S-B tube를 이용한 식도압박법이 응급으로 사용됩니다.

REFERENCES

1. Thomas M. De Fer et al. The Washington Manual Survival Guide Series Internship Survival Guide.
   3rd edition. Lippincott. 2008.
2. Shane Marshall. On Call Principles and Protocols. 4th. Saunders. 2004
3. Kent RN et al. The Osler medical handbook. Saunders. 2006.
4. Marc S Sabatine. Pocket Medicine. 3rd Ed. Lippincott Williams & Wilkins. 2007.

92

소변량감소/급성신손상

92-1 개요

1. 24시간 소변량(urine output)이 400ml 이하일 때는 핍뇨(oliguria)로, 100ml 이하일 때는 무뇨(anuria)로 정의되며 일반적으로 시간당 30ml 이상의 소변이 배출되어야 합니다. 단순히 수분섭취가 부족해서 발생하는 경우도 있지만 급성 신손상(acute kidney injury, AKI) 또는 급성신부전(acute renal failure, ARF)이 급속히 진행되고 있는 경우일 수도 있으므로 적절한 평가가 필수적입니다.*

2. AKI의 분류는 2004년 발표된 RIFLE 진단기준과 이를 일부수정하여 2007년 발표된 AKIN 기준 및 이 두가지를 결합하여 2012년 발표된 KDIGO 기준 등이 있으며 모두 Urine output과 크레아티닌(Cr)이 중요한 진단지표가 됩니다.**

KDIGO 기준	크레아티닌(Cr)	Urine output
Stage 1	기저 Cr의 1.5-1.9배 상승 (7일내) 또는 0.3mg/dL 이상 상승 (48시간내)	6시간 이상 요량 0.5 ml/kg/hr 미만
Stage 2	기저 Cr의 2.0-2.9배 상승 (7일내)	12시간 이상 요량 0.5 ml/kg/hr 미만
Stage 3	기저 Cr의 3.0배 이상 상승 (7일내) 또는 Cr 4.0 mg/dL 이상 (동시에 7일내 기저 Cr의 1.5배 이상 상승 또는 48시간내 0.3mg/dL이상 상승) 또는 신대체 요법의 시작	24시간 동안 요량 0.3 ml/kg/hr 미만 또는 12시간 이후까지 무뇨

[참고: RIFLE 기준] Loss: 신기능 소실이 4주 이상 / ESRD: 신기능 소실이 3개월 이상

3. 급성신손상으로 발생한 고칼륨혈증(hyperkalemia)이 해결되지 않고 더욱 악화될 경우 치명적인 심장이상을 초래할 수 있기 때문에 이에 대한 확인도 중요합니다.

---

* 과거 많이 사용되었던 ARF라는 용어가 주로 중증의 신질환에 초점을 둔 반면 AKI는 신기능의 가벼운 손상의 개념까지 포함하는 용어입니다.

** RIFLE : risk, injury, failure, loss and end-stage renal disease
AKIN : Acute Kidney Injury Network
KDIGO : International kidney disease improving global outcomes

92-2 확인사항

(1) 신체검진

1. 환자의 vital을 확인한 후 지난 24시간, 8시간 동안의 소변량과 수분섭취량을 확인합니다. 이뇨제(diuretics), ACE inhibitor, NSAID 등의 약물 복용여부를 확인하고 특히 조영제 (contrast)로 신손상이 유발되는 사례도 있으므로 관련 영상검사를 시행 받은 적이 있는지 확인합니다.

2. 탈수(dehydration)되었는지 파악하는 것도 중요하므로 손이나 흉부의 피부를 잡아당겨 피부긴장도(skin turgor)를 확인합니다. 하복부를 촉진하여 방광이 팽팽해지지 않았는지도 확인해 봅니다.

3. 일단 Foley 카테터를 삽입하여 소변이 배출되는지 확인해 봅니다. 이미 Foley를 유지하고 있는 환자라면 막히지 않았는지 확인하고 30ml 정도의 Normal Saline으로 flushing을 해보거나 또는 기존의 Foley를 제거하고 새 카테터를 삽입합니다.

(2) 기본검사 예

1. U/A (cell, cast, protein 포함), Urine electrolytes, Urine eosinophil
   Serum Electrolytes, BUN/Cr, EKG

2. 다양한 소변검사항목을 시행하며 특히 신질환의 원인을 파악하기 위해 FeNa를 계산하는데 필요한 항목들이 추가되었습니다. Urine eosinophil은 급성간질성신염(acute interstitial nephritis) 여부를 확인하기 위해 시행됩니다.

3. EKG는 심장의 이상과 함께 고칼륨혈증과 관련된 상태를 파악하기 위함입니다.

(3) 추가검사 예

1. NGAL : 급성신손상시 급격하게 증가하는 진단 표지자입니다. **[참조항목 : 21-4]**
2. Renal U/S (Ultrasound) : 신초음파를 통해 수신증(hydronephrosis) 및 기타 신장 상태평가
2. ABGA : 호흡곤란 또는 낮은 산소포화도(SpO$_2$)의 경우

92-3 원인 및 치료

(1) 주요원인

- Prerenal(신전성) : 수분부족, 울혈성심부전증(CHF), 혈관폐색

- Renal(신성) : 약물/독성 등에 의한 급성세뇨관괴사(acute tubular necrosis, ATN), 사구체이상(glomerular), 혈관이상(vascular)
- Postrenal(신후성) : Foley 카테터의 막힘, 전립선비대(BPH), 결석(stone), 신생물(tumor)

(2) FeNa를 통한 감별진단

1. FeNa (fractional excretion of sodium)는 신부전의 원인을 감별하기 위한 유용한 계산식으로 다음과 같이 계산됩니다. 인터넷 검색을 통해 자동으로 FeNa를 계산해주는 사이트들을 이용해도 됩니다. [FeNa] = (urine Na / serum Na) x (serum Cr / urine Cr) x 100

2. 핍뇨(oliguria)상태에서 FeNa가 1% 이하면 신전성(prerenal)으로, 1% 이상이면 신성(renal) 신부전으로 판정합니다. 특히 1~2% 사이라면 ATN도 강하게 의심해야 합니다.

3. FeNa는 핍뇨상태일 때는 정확하지만 이뇨제를 사용했을 경우에는 신전성(prerenal)이어도 FeNa가 1% 이상 나올 수 있어 임상적 판단근거로 활용할 수 없습니다. 이 경우 Urea는 이뇨제에 무관하게 배설된다는 점을 이용하여 FeUrea를 대신 사용할 수 있으며 35% 이하면 prerenal로 판단합니다. [FeUrea] = (urine Urea / serum Urea) × (serum Cr / urine Cr) × 100

(3) 일반적 관리

1. Foley를 삽입하거나 새로 교체하고 IV라인도 확보하도록 합니다. 검사결과에 따라 전해질 이상, 체액(volume)저하나 저혈압(Hypotension)을 교정하는 것도 필요합니다.

2. 신전성은 심장이상이 아니라면 일단 N/S를 250~500ml 정도 bolus로 투여하고 이후 적절한 속도로 지속투여합니다. 만일 CHF가 의심된다면 이뇨제(diuretics)가 사용되어야 합니다. (ex. Lasix 1A(=20mg) IV, 무반응시 30~60분 마다 2배씩 증량하여 재투여, 총 투여량 200mg 까지)

3. 신후성은 Foley 삽입 또는 교체로 보통 해결됩니다. 만일 폐색이 의심되는데 foley가 삽입 되지 않는 경우에는 비뇨기과(Urology)에 의뢰하며 경우에 따라 방광루(cystostomy)가 설치될 수 있습니다.

4. 어떠한 경우에든 고칼륨혈증이 발생하지 않도록 주의해야 하며 특히 혈액검사상의 potassium 수치는 심장에 미치는 영향을 적절히 반영하지 못하기 때문에 별도의 EKG검사를 병행합니다.

5. 기존에 복용하는 약물이 있다면 신독성 여부를 파악하고 중단하거나 필수약물인 경우라면 GFR에 따른 감량을 고려합니다. 특히 Oliguria가 발생한 초기에는 Cr이 많이 높지 않더라도 실제 신기능은 더욱 저하된 상태일 수 있습니다.

(4) 응급 혈액투석(hemodyalysis, HD) 적응증

A-E-I-O-U : Acidosis (pH 7.2 미만의 산혈증) Electrolyte (심한 고칼륨혈증) Intoxication(알
코올, 약물 등) Overload (심한 폐부종 등) Uremia (BUN 100mg/dl 이상, encephalopathy, per-
icarditis 등)

Tip 임상 TIP

- 정확한 소변량 확인을 위해서는 Foley catheterization이 필수적인데 일반 urine bag 대신 보조
  눈금이 표시된 플라스틱통이 부착된 urine bag이 소량의 소변량 확인에도 용이합니다.
- Contrast-induced ARF의 예방은 충분한 Hydration입니다. (ex. 조영제 검사 전과 검사 후에
  N/S 또는 Half Saline 500-1000ml IV, 각 6-12시간 동안 투여 / 또는 acetylcysteine 투여)

REFERENCES

1. Thomas M, De Fer et al. The Washington Manual Survival Guide Series Internship Survival Guide.
   3rd edition. Lippincott. 2008.
2. Shane Marshall. On Call Principles and Protocols. 4th. Saunders. 2004

93

고혈당/저혈당

93-1 개요

1. 고혈당(hyperglycemia)이든 저혈당(hypoglycemia)이든 혈당치뿐 아니라 환자의 증상도 고려하여 판단해야 합니다. 환자의 평상시 평균혈당에 따라 증상이 나타나는 혈당치의 정도가 다르므로 주의하도록 하며 특히 당뇨(DM) 환자가 고혈당과 함께 급성의 의식장애가 동반되었다면 긴급한 치료가 요구됩니다.

2. 저혈당이 오면 교감신경이 자극되어 불안, 초조, 빈맥, 발한 등이 발생할 수 있고 더 진행되면 환각, 경련뿐 아니라 혼수에 이를 수도 있습니다. 일정시간 이상 중증의 저혈당이 지속되면 뇌의 비가역적인 손상이 발생하므로 특히 주의해야 합니다.

3. 병동에서 이용되는 자가혈당측정기는 모세혈관의 혈액(capillary blood)를 사용하여 간편하게 혈당검사(blood sugar test, BST)를 할 수 있지만 실제 venous blood의 혈당치 보다 20% 정도 높게 나올 수 있습니다. 이를 보정한 최신의 측정기도 등장하였지만 정확한 검사를 위해서는 serum Glucose를 측정해야 합니다.

93-2 고혈당의 치료

(1) RI (Regular insulin) Sliding Scale (예)

혈당 (mg/dl)	RI 피하주사
150~200	경과관찰 또는 1단위(unit) Sc
201~250	2단위(unit) Sc
251~300	4단위(unit) Sc
301~350	6단위(unit) Sc
351~400	8단위(unit) Sc
>401	10단위(unit) + 주치의 call

* 대략 인슐린 1단위가 혈당 30mg/dl 감소시키는 것으로 계산

1. 위의 RI sliding scale은 참고적으로 제시한 예이고 실제 처방은 환자의 식사량, 식사시간, 복용약물 및 투여수액 등을 함께 고려하여 조정되어야 합니다.

2. 이미 높은 용량의 인슐린 치료를 받고 있는 경우는 위의 스케일보다 더 높은 용량의 RI 투여를 고려할 수 있습니다.

(2) 일반적 관리

1. 혈당검사(BST) 결과에 따라 위의 RI sliding scale을 참고로 하여 RI를 투여하고 필요시 1-2시간 후 BST를 재실시 할 수 있습니다. 하지만 일반적으로는 급성합병증의 징후가 없는 상태에서 BST가 정상치보다 높다는 이유 하나만으로 식사와 무관한 시간에 RI를 투여할 필요는 없습니다.[5)]

2. 만일 Glucose가 포함된 수액이 투여되고 있다면 다른 수액으로의 교체를 고려하거나 또는 인슐린을 mix하여 혈당이 100-200mg/dl 정도 유지되도록 합니다. (ex. 5DW 1000ml (=glucose 50g)에 RI 10단위를 mix)

3. 1형당뇨(Type I DM)의 경우, NPO(금식) 중이라도 기저인슐린의 1/2-1/3 정도로 인슐린을 유지할 수 있습니다.

93-3 고혈당 급성합병증 관리

(1) DKA / HHS 개요

1. 당뇨병성 케톤산증(diabetic ketoacidosis, DKA)과 고삼투압성고혈당증(hyperosomolar hyperglycemic state, HHS)은 사망에까지 이를 수 있는 고혈당의 가장 위험한 급성합병증 중 하나로 두 질환 모두 ICU tranfer가 고려됩니다.

2. DKA는 혈당이 250-600mg/dl에 이르면서 오심/구토, 복통, 빠르고 깊게 숨쉬는 Kussmaul 호흡이 보이고 심하면 의식의 변화까지 초래됩니다. HHS는 DKA보다 혈당치가 높아 600-1200mg/dl까지 이르게 되는데 증상으로는 오심/구토, 복통, 쿠스말 호흡은 없는 대신 심한 탈수증상과 저혈압, 빈맥, 의식변화가 위주가 됩니다. 특히 HHS는 사망률이 15%에 달할 정도로 DKA보다 예후가 나쁩니다.

(2) DKA / HHS 진단 및 치료

1. 기본검사 예 : ABGA, serum Glucose, Electrolytes, BUN/Cr, CK, U/A, EKG, CXR

2. DKA는 고혈당과 함께 ketone이 검출되고 ABGA검사상 Anion gap이 상승한 대사성 산증 (metabolic acidosis)이 나타납니다. HHS의 경우 Acidosis는 없지만 흔히 1000mg/dl에 이르는 고혈당에 osmolality가 350mosm/L 이상 상승하면서 탈수에 부합하는 BUN/Cr 상승 소

건이 나타납니다.

3. DKA와 HHS 모두 체액이 고갈된 상태(volume depletion)로 대량의 수액공급이 주치료가 되며 수액공급이 불충분한 상황에서 혈당만 정상화하면 오히려 shock이 유발될 수 있습니다. 예를 들어 심기능에 문제가 없는 환자의 경우 초반 1-3시간 동안 N/S 2-3L를 투여하고 이후 Half saline으로 변경하여 투여하며 인슐린도 5-10단위 정도 bolus로 투여한 후 경과를 보며 조정합니다. 특히 serum Potassium(K+) 수치가 정상이거나 약간 높더라도 Potassium 보충이 필요할 수 있음을 염두해야 합니다.

93-4 저혈당의 치료

1. 경도의 저혈당으로 의식수준이 양호한 경우 쥬스, 각설탕, 크래커 등으로 당분을 공급하며 Glucose 기준 15-20g의 용량이 권장됩니다.

2. 혈당이 60mg/dl 이하로 저하되거나 증상이 악화되면 DW를 투여합니다. (ex. 50DW 1A(20ml) IV bolus) 정맥접근이 곤란한 경우는 Glucagon 1A(1mg)을 근육(IM) 또는 피하 (Sc)로 투여합니다.

3. Sulfonyluria계 약물처럼 작용시간이 긴 경구혈당강하제(OHA)를 복용하였다면, 설탕이나 50DW 등으로 일시적 회복이 되었다고 하더라도 다시 혈당이 떨어질 수 있기 때문에 주의하여야 합니다. 저혈당이 반복되거나 환자가 NPO 상태라면 glucose가 포함된 유지수액을 적용합니다. (ex. 5DW at 20 gutt)

4. 당뇨병 치료제 이외에도 항생제(퀴놀론계)나 항고혈압약물(ACEI, ARB, 베타차단제) 등이 저혈당의 원인이 되는 약물로 보고된 바 있으므로 주의해야 하며 약물성 이외에 중증감염, 단식, 음주, 신손상, 간부전, 부신기능이상 등의 가능성도 함께 고려하도록 합니다. [7]

REFERENCES

1. Thomas M. De Fer et al. The Washington Manual Survival Guide Series Internship Survival Guide. 3rd edition. Lippincott. 2008.
2. Shane Marshall. On Call Principles and Protocols. 4th. Saunders. 2004
3. Kent RN et al. The Osler medical handbook. Saunders. 2006.
4. Marc S Sabatine. Pocket Medicine. 3rd Ed. Lippincott Williams & Wilkins. 2007.
5. 이기업. 개원가에서 흔히 만나게 되는 당뇨병 치료의 실제 in 2009 내과학의 최신지견. 군자출판사. 2009.
6. 岡田定. 내과주치의 필수노트. 대한의학서적. 2010.
7. Murad MH et al. Clinical review: Drug-induced hypoglycemia: a systematic review. J Clin Endocrinol Metab. 2009;94(3):741-5.

10장

일반 병동콜

94 불면

94-1 개요

1. 불면(insomnia)은 잠들기가 어렵거나 일정시간 이상 수면을 유지하기 어려운 경우, 자고 난 뒤에서 개운하지 않은 경우 등 다양한 증상들이 포함됩니다. 일반적으로 한달간 적어도 주 3회 이상 불면을 경험하고 그로 인하여 심한 스트레스를 받거나 일상생활의 장애를 받았을 때 불면으로 간주할 수 있습니다.
2. DSM-IV에 따른 불면증의 진단기준은 다음과 같습니다.

> **일차성 불면증(Primary insomnia)의 진단기준 (DSM-IV)**
>
> a. 적어도 1개월 동안 수면의 시작이나 수면유지가 어렵거나 또는 잠을 자도 회복되지 않는 수면
> b. 수면장애 또는 관련된 낮의 피로가 사회적, 직업적 또는 기타 주요 기능면에서 현저한 고통이나 장애를 초래
> c. 기면증(somnosis), 호흡관련 수면장애, 일교차성 수면장애*, 사건수면**과 무관
> d. 다른 정신질환(주요우울증, 범불안장애)과 무관
> e. 약물(처방약, 약물남용 등)이나 일반적 의학적 상태에 의한 것이 아닐 때

94-2 확인사항

(1) 병력청취/신체검진

1. 불면의 양상뿐 아니라 낮잠, 운동, 식사패턴 등과 같은 생활습관을 확인합니다. 일정기간 동안 수면일지(sleep diary)를 작성하여 확인하는 것도 좋습니다.
2. 65세 이상은 초저녁잠이 많아져 수면주기가 당겨진 것일 뿐 수면량 자체는 큰 변화가 없는 경우가 많습니다. 수면 중 잦은 배뇨로 깨는 경우도 감별해야 합니다.
3. 복용약물이나 음주, 흡연력을 확인하고 커피 등 카페인 섭취량도 파악합니다. 진정제나 갑상선호르몬제, 부신피질호르몬제, 진통제 등의 복용이 중단되어도 불면이 유발될 수 있으

---

* 일교차성 수면장애(Circadian rhythm sleep) : 야근이나 비행시차, 낮밤이 바뀐 수면 등 일주기(Circadian)와 어긋하는 수면

** 사건수면(parasomnia) : 몽유병, 잠꼬대, 이갈기, 악몽 등 수면 중 또는 수면과 관련하여 나타나는 이상행동

므로 주의합니다.

4. 불안, 우울증, 외상후스트레스장애(PTSD) 등 정신질환과 관련된 수면장애 여부도 고려합니다. 특히 통증이나 치매, 섬망(delirium) 등으로 인한 불면이 아닌지 확인해야 합니다.

(2) 관련검사

1. 수면다원검사(polysomnography) : 수면 중의 뇌파, 심전도, 안구운동, 턱근전도, 사지의 움직임, 수면자세, 호흡상태(코골이, 무호흡증), 산소포화도 등을 종합적으로 측정하여 수면의 구조를 파악하고 이상질환을 감별할 수 있는 검사입니다.

94-3 치료

(1) 수면위생(sleep hygiene) 교육

1. **일정한 기상시간** : 잠자려고 노력하기 보다는 일정시간에 기상하려고 노력합니다.
2. **수면시에만 침대이용** : 잠자리에 눕는 시간을 수면시간으로 제한하며 독서 등도 하지 않는 것이 좋습니다. 15-20분 이내 잠이 오지 않으면 일어나서 다른 일을 하다가 졸리면 다시 침대를 이용합니다.
3. **중추신경작용 약물(카페인, 흡연, 음주) 중단** : 음주는 이완의 역할은 하지만 수면의 질을 저하시킬 수 있습니다.
4. **낮잠 피하기** : 불면이 아닌 수면부족의 경우에 짧은 낮잠이 도움이 될 수는 있으나 불면환자의 경우는 수면시간이 부족하더라도 낮잠을 안자는 것이 수면주기에 도움이 됩니다. 특히 오후 3시 이후의 낮잠은 밤의 수면리듬에 직접적인 영향을 줄 수 있습니다.
5. **신체적 운동** : 햇볕이나 밝은 빛을 낮에 많이 쬐도록 하며 가능한 저녁시간을 피하여 적절한 운동을 시행합니다.
6. **저녁에는 TV, 컴퓨터 절제** : 시각적인 강한 자극을 피하고 대신 적절한 정도의 라디오 청취나 독서가 권장됩니다.
7. **취침 전 습관** : 취침 전의 과식은 피하고 온욕이나 명상, 요가, 복식호흡, 근육이완요법 등을 권장합니다. 야간뇨 등으로 자주 깨는 경우는 취침 전의 수분섭취를 조절하도록 하며, 증상이 심하면 의학적 관리를 받도록 합니다.
8. **적절한 수면환경 조성** : 수면환경에 적합하도록 조명, 소음, 침구류 등을 관리하고 예민한 환자의 경우에는 방 시계도 보이지 않도록 하는 것이 좋습니다.

> **Tip** 불면에 대한 인지치료
>
> 1. 잠에 대하여 현실적인 기대를 합니다. "반드시 8시간은 자야한다"는 식의 기대가 오히려 숙면을 방해합니다.
> 2. 잘 풀리지 않는 일들을 모두 불면 탓이라고 여기지 않습니다.
> 3. 절대 억지로 자려고 노력하지 않도록 합니다.
> 4. 잠에 대해 지나친 중요성을 부여하지 않습니다. "잠을 잘 못잤으니 건강에 많이 안좋겠지." 라는 걱정이 더욱 불면을 초래할 수 있습니다.
> 5. 잠을 잘 자지 못했어도 이를 절망적인 상황으로 여기지 않도록 합니다.
> 6. 충분히 자지 못한 것에 대하여 적응력(tolerance)을 기릅니다.

10장

일 반 병 동 콜

(2) 한약치료(예) – 변증에 따라 시행

1. **보험제제** : 茯苓補心湯 三黃瀉心湯

2. **비보험제제** : 加味歸脾湯 加味溫膽湯 天王補心丹 歸仁安心湯 補血安神湯 柴胡加龍骨牡蠣湯 등 / 少陰人(星香正氣散), 少陽人(荊防瀉白散), 太陰人(强心蓮子散, 安心散) 등

3. 麻黃이 포함된 처방이 투여되고 있다면 오후 6시 이전에 복용하도록 지도할 수 있습니다.

(3) 침구치료(예) – 변증에 따라 시행

1. **정경침** : 神門 三陰交 百會 四神總 足三里 內關 / 申脈 照海, [心脾兩虛] 心兪 脾兪, [肝火] 肝兪 大陵 行間, [心腎不交] 心兪 腎兪 太谿, [胃腑實火] 中脘

2. **사암침** : [相火方] 中脘(正) 陰谷 大都(+) 支溝 崑崙(-), [心寒格] 少府 然谷(+) 陰谷 少海(-), [膽正格] 通谷 俠谿(+) 商陽 竅陰(-)

3. **동씨침** : 腎關 鎭靜 失眠 百會

4. **이침** : 神門 心 腎 脾 皮質下 交感 등이 흔히 사용되며 일반 침치료로 시행할 수도 있고 또는 피내침으로 시술하여 취침전 2-3분간 자극 후 취침하도록 지도하기도 합니다.

5. **기타치료** : 취침전 膀胱經을 따라 건부항을 시행하는 것도 이완에 도움이 됩니다. 취침 전에 핫팩이나 하복부의 灸法을 적용해도 좋으나 화상의 가능성에 주의합니다.

6. **임상연구**

   1) 抑肝散 : 불면, 긴장 등의 상태를 해소하는데 효과 [3]

   2) 三黃瀉心湯 : [증례보고] 수면안정제, 항우울제 등을 이미 복용 중인 불면환자에 투여하여 효과 [4]

   3) 皮內鍼 : 神門, 內關에 피내침을 사용하여 중풍환자의 불면에 효과 [5]

   4) 耳鍼 : 메타분석에서 불면에 효과적인 것으로 판단되나 보다 높은 수준의 RCT가 필요 [6]

5) 전침 : 印堂, 百會, 耳神門, 四神總, 安眠穴 등의 전침치료군에서 대조군에 비하여 우월한 불면증 개선효과 [7]

(4) 양약치료

1. 수일에서 2-3주 이내로 적절히 사용하면 내성이나 의존을 일으킬 가능성이 적으나 지속적인 사용은 의존을 유발하거나 약물중단시 오히려 반동성 불면증을 유발할 수 있으므로 주의합니다.

2. 심하지 않을 경우의 단기치료에는 효과는 강하지 않지만 습관성이 없는 항히스타민제를 투여합니다. Diphenhydramine, Hydroxyzine 등이 사용되며 약국에서도 쉽게 구입가능한 일반의약품입니다. 단 항콜린(anticholinergic) 효과로 입이 마르거나 두근거림 등이 발생할 수 있으며 특히 노인의 경우 유의합니다.

3. 병동에서는 주로 수면유도(induction) 효과가 좋고 반감기가 짧은 Zolpidem(5-10mg hs prn)이 우선적으로 사용되고 호전이 없으면 Triazolam(할시온) 등의 벤조다이아제핀(BZD)계 약물을 고려합니다. 졸피뎀의 경우 효과 발현시간이 약 20~30분 정도로 짧으므로 복용 후 바로 잠자리에 들도록 합니다. 수면 중 잘 깨는 경우에는 장시간 작용하는 Flurazepam (15mg)을, 하지 부분발작 등 수면장애시에는 Clonazepam(0.25-0.5mg) 등이 사용될 수 있습니다.

4. 우울증으로 인한 경우, 자살경향(suicidal thought)이 없다면 항우울제 (Amitriptyline, Trazodone 등의 TCA, 또는 SSRI, SNRI 등)가 처방될 수 있으며 섬망 등이 있는 경우는 Trazodone이나 비정형(Atypical)제제에 속하는 Quetiapine, Olanzapine 등이 사용되기도 합니다.

5. 호흡상태가 나쁠 경우에는 수면제(특히 벤조다이아제핀계 약물)의 호흡억제작용이 초래되는 경우 더욱 악화될 수 있으므로 사용에 주의합니다.

REFERENCES

1. 전국한의과대학 신경정신과 교과서편찬위원회. 한의신경정신과학. 집문당. 2007.
2. Morin CM. Cognitive-behavioral approaches to the treatment of insomnia. J Clin Psychiatry. 2004;65 Suppl 16:33-40.
3. de Caires S, Steenkamp V. Use of Yokukansan (TJ-54) in the treatment of neurological disorders: a review. Phytother Res. 2010 Sep;24(9):126 n5-70.
4. 석선희, 김주호, 김근우, 구병수. 신경정신과 약물을 복용해 온 우울증 환자의 불면증에 三黃瀉心湯을 병행 투여하여 호전된 1例. 동의신경정신과학회지 2006;17(3):117-129.
5. Lee SY, Baek YH, Park SU et al. Intradermal acupuncture on shen-men and nei-kuan acupoints improves insomnia in stroke patients by reducing the sympathetic nervous activity: a randomized clinical trial. Am J Chin Med. 2009;37(6):1013-21.
6. Chen HY, Shi Y, Ng CS et al. Auricular acupuncture treatment for insomnia: a systematic review. J Altern Complement Med. 2007;13(6):669-76.
7. Yeung WF, Chung KF, Zhang SP, et al. Electroacupuncture for primary insomnia: a randomized controlled trial. Sleep. 2009;32(8):1039-47.

95 두통

95-1 개요

1. 실제 임상에서는 특별한 기질적 이상이 없는 긴장형 두통(tension headache)인 경우가 가장 많고 편두통(migrane)이 그 다음을 차지합니다.
2. 두통 환자 중 심각한 질환으로 인한 경우는 많지 않지만 발열과 신경학적 증상을 동반하는 뇌수막염(meningitis)이나 강한 통증이 흔히 동반되는 지주막하출혈(subarachnoid hemor-rhage, SAH) 등은 놓치면 안되는 질환입니다.

95-2 확인사항

(1) 신체검진

1. 주요 과거력과 함께 두통의 발병시기와 통증부위, 지속시간 및 동반증상(신경학적 증상 포함)을 확인합니다.
2. 증상이 심한 경우 산소포화도(SpO₂)를 포함하여 생체징후(vital)를 확인한 후 두통의 정도, 의식장애 여부와 함께 최근 낙상이나 외부 충격이 있었는지도 확인합니다. 특히 오심/구토, 시야의 이상, 발열, 의식장애가 동반되었다면 긴급한 평가의 진행이 요구됩니다. 경항부의 경직 등 수막자극증상이 보이면 수막염(meningitis) 또는 SAH도 의심할 수 있습니다.
3. 동공의 크기, 대칭성, 대광반사, 유두부종(papilledema) 여부 등 안구증상 확인도 필요합니다.

(2) 감별진단

1. **긴장성 두통** : 머리를 조이거나 띠를 두른 듯한 통증으로 오기도 합니다. 보통 머리나 후경부의 경결점(trigger point 또는 阿是穴)이 잘 발견되며 침치료로 비교적 잘 호전되는 질환입니다. 일상적인 활동에도 증상이 악화되거나 오심구토, 광선공포증, 소리공포증 등이 있으면 긴장성 두통보다는 편두통일 가능성이 높습니다.
2. **혈관성 두통(편두통)** : 주기적으로 한쪽 머리의 두통이 있는 것으로 맥박치듯 욱신거리는 통증이 나타납니다 (진단기준상 일측성의 두통이 아니어도 편두통으로 진단될 수 있음에 주의). 스트레스, 경구피임약, 수면과다/부족, Tyramine이 많은 음식(김치, 치즈 등) 등이

흔한 유발요인이 됩니다.

보통형 편두통(Common Migraine) 진단기준

1. 통증이 4시간-72시간 지속 (치료받지 않거나 제대로 치료받지 않은 경우)
2. 다음 중 2가지 이상을 만족 1)한 쪽만 통증 2)박동성 두통 3)중등도 이상의 두통 4)걷거나 계단오르기 등 일상활동에 의해 악화
3. 두통시 다음 중 1가지 이상을 동반 1) 오심이나 구토 2) 강한 빛, 큰 소리를 싫어함
4. 다른 질환에 의한 증상이 아닐 것
5. 1-4의 증상을 만족시키는 두통이 5회 이상 있었을 때

■ 약 20-30%의 편두통 환자들은 시각증상, 이상감각 등의 전조증상(aura)이 있는데 이 경우 별도의 진단기준을 따릅니다. 이외의 자세한 두통별 진단기준은 국제두통학회의 ICHD (International Classification of Headache Disorders) 분류를 참조하시기 바랍니다.[3]

3. **군발성 (Cluster) 두통** : 수면중에 잘 발생하며 매우 심한 편측의 통증이 30-60분 정도 지속되고 눈 뒤에 통증, 결막충혈, 콧물 등이 동반될 수 있습니다. 일시적으로 지나갈 수도 있지만 수개월에서 수년 후 다시 증상이 나타나기도 합니다.

4. **약물** : 장기간 진통제를 사용한 환자들이 약물을 중단했을 때 두통을 호소하는 것으로 약물 중단 이후 수개월간 지속되기도 합니다. 증상이 심하면 반감기가 긴 NSAID의 투여도 고려합니다.

5. **측두동맥염 (temporal arteritis)** : 노인에게 잘 나타나며 측두동맥에서 palpation이 느껴지거나 측두부를 두드리면 통증이 유발됩니다.

6. **SAH** : 생애 가장 큰 두통이라고 호소하는 경우가 많으며 오심/구토가 동반되기도 합니다.

7. **SDH (subdural hemorrhage)** : 수개월 전의 head trauma로 시작된 미세출혈이 지속되어 큰 병변을 보이기도 합니다.

8. **뇌수막염(meningitis)** : 감기 등의 병력을 확인하며 광과민증(photohobia), 경부강직, Brudzinski 또는 Kernig sign이 있으면 의심할 수 있습니다. 실제 임상에서는 뇌수막염의 감별에 경부강직, Kernig sign 등의 민감도가 높지 않고 또는 최근에는 머리를 좌우로 흔드는 Jolt accentuation test가 활용되기도 하지만 증상만으로 확진하지 않도록 주의합니다. 확진은 요추천자(Lumbar Puncture) 결과로 판정합니다.

9. **고혈압(HTN)** : 급격한 혈압상승이나 dBP가 120mmHg 이상이 아니면 고혈압으로 두통이 발생하는 경우는 드문 편입니다.

10. **삼차신경통 (trigeminal neuralgia)** : 식사나 세수, 말하기 등 일상생활에서의 활동에 의해 갑작스런 통증이 한쪽으로 나타나며 또는 추운 바람을 맞으면 한쪽 머리가 아프다고 호소

하기도 합니다.

11. 종양(tumor) : 증상이 점점 심해지거나 신경학적 증상, 인지장애 등이 있을 때 의심할 수 있습니다. 특히 이미 타장기의 종양이 있는 경우는 Brain 영상검사를 반드시 시행합니다.

12. 녹내장 (glaucoma) : 특히 급성녹내장의 경우 두통과 함께 오심구토가 동반되는 경우가 많으며, 높아진 안압에 의해서 시야가 좁아지거나 불빛잔상이 보이는 증상이 있을 수 있습니다. 급격히 진행되는 경우 빠른 시간 내에 안압을 조절하지 않으면 영구적 실명을 초래할 수 있습니다.

13. 대상포진 (herpes zoster) : 수포가 두피 안에 있어 잘 보이지 않을 수 있으므로 주의하며 발진이 나타나기 전에 통증부터 오는 경우도 있습니다.

(3) 관련검사

1. 일상적인 두통의 범주가 아닌 경우에 주로 시행됩니다. 혈액검사로 측두동맥염(temporal arteritis) 등과 같은 염증여부를 확인할 수 있으나 두통에 대한 가장 확실한 진단수단은 CT 또는 MR을 시행하는 것입니다. 특히 Meningitis 등 감염의 증거가 없으면서 Brain MRI에서 이상이 없다면 대부분의 경우 일단 안심할 수 있습니다.

2. 기본검사 : CBC, ESR, CRP, BST / Brain CT or MRI

3. 추가검사 : Meningitis의 확인을 위한 Lumbar Puncture(LP)

95-3 치료

(1) 일반적 관리

1. Brain CT나 MR에서 SAH나 SDH 등의 뇌병변이 보이면 신경외과(NS) 응급콜을 해야 합니다. 만일 뇌수막염이 의심된다면 즉시 항생제 투여가 시작되어야 하며 신경과(NR) consult 를 진행합니다.

2. 심각한 기질적 질환이 없다면 환자에게 일상 생활에서 두통유발요인을 피하도록 하고 휴식 및 안정을 통해 두통을 완화시키도록 지도합니다.

(2) 한약치료(예) – 변증에 따라 시행

1. 원인에 따라 구분하면 크게 外感頭痛과 內傷頭痛으로 나뉘며 內傷頭痛은 다시 氣虛, 血虛, 痰, 熱, 肝陽上亢 등의 원인으로 구별할 수 있습니다. (cf. 東醫寶鑑 十種頭痛 : 正頭痛, 偏-, 風寒-, 濕熱-, 厥逆-, 痰厥-, 氣厥-, 熱厥-, 濕厥-, 眞-)

2. 보험제제 : 淸上蠲痛湯 半夏白朮天麻湯 加味逍遙散 柴胡疏肝湯 葛根湯 등

3. 비보험제제 : 淸心蓮子湯 釣藤散 五苓散 吳茱萸湯 川芎茶調散 등

4. 임상연구

   1) 釣藤散 : 두통에 유의한 개선 효과 [10,11]

   2) 吳茱萸湯 : 두통에 유의한 개선효과를 보였으며 마른 체형, 연변(軟便) 경향의 계지인삼 탕과 비교하여 비만하고 변비경향에 주로 적합. [12,13]

(3) 침구치료(예) - 변증에 따라 시행

1. 정경침 : 百會 太陽 上星 前頂 合谷, [편두통] 列缺 頭維 風池 太陽 絲竹空 臨立 外關, [후두 통] 風池 崑崙, [전두통] 印堂 攢竹 絲竹空 魚腰 神庭 頭維 合谷 曲池 解谿, [두정통] 風池 太衝, [肝陽上亢] 風池 行間 太衝, [氣血兩虛] 脾兪 腎兪 足三里 三陰交, [濕痰] 豐隆 內關 中脘

2. 사암침 : [沐後頭痛-肺正格] 太白 太淵(+) 少府 魚際(-), [頸項痛-肝正格] 陰谷 曲泉(+) 經渠 中封(-), [胃痛-腎正格] 經渠 復溜(+) 太白 太谿(-), [편두통] 風池 懸鍾(-), [진두통] 中脘(+) 氣海(-), 八邪 勞宮, [痰厥耳鳴] 風池 懸鍾(+) 風府 瘂門(-)

3. 동씨침 : [두통] 靈骨-大白 側三里-側下三里-腎關 太陽穴(瀉血), [편두통] 側三里-側下三里 中九里, [후두통] 沖霄穴(放血) / 委中(放血) / 正筋-正宗, [전두통] 火菊 腎關 天皇, [太陽穴 두통] 門金

4. 이침 : 枕 額 腦 神門 肝 皮質下

5. 기타요법 : 취침전 膀胱經을 따라 건부항을 시행하는 것도 도움이 됩니다.

6. 임상연구

   1) 만성두통, 긴장성두통 : 각종 RCT, 메타분석 등에서 침치료가 유용한 치료임을 보고 [4,5]

   2) 편두통의 침치료 : 百會, 風池, 太陽, 丘墟, 臨立, 太衝, 中渚, 外關 등의 침치료군(8주간 주1-2회 침치료)이 비치료군에 비하여 유의하게 두통강도를 감소, 그러나 Sham acu-puncture 군도 표준치료군과 같이 두통강도가 감소, [6] 또 다른 연구에서는 편두통에 대해 침치료군이 Sham 군에 비하여 우월한 예방적 효과 [7]

   3) 편두통의 침과 약물의 비교 : 침치료(경혈은 상기와 동일)와 편두통에 처방되는 meto-prolol(Beta Blocker)의 효과를 비교한 결과 50%이상 두통정도가 감소한 환자비율이 침치료군이 더 높고 부작용은 더 적어서 효과적인 대체 치료수단의 가능성을 제시. [8]

   4) 긴장성두통에 대한 원위취혈의 효과 : 風痰, 瘀血, 肝陽上亢, 腎虛 등으로 변증하여 원위취혈 침치료를 시행한 결과 침치료군이 대조군(sham)에 비하여 우월한 치료효과 [9]

> **Tip** **두통과 침치료**

- 두통에 대한 침치료에 있어서 Sham 군도 효과를 보였다는 일부 논문들도 발표되는데 이는 Placebo 혹은 비특이적인 침자극 자체의 비특이적인 생리효과가 유발되어 발생한 것으로 보고되고 있습니다. **[참조항목: 11-6 (1)]** 실제 阿是穴만 잘 사용해도 일정 정도 효과가 나타나는 것은 임상에서 흔히 관찰됩니다.

(4) 양약치료

1. 일반적인 긴장성 두통이나 경도의 편두통은 Ibuprofen 등의 NSAID나 Acetaminophen (Tylenol®) 등을 사용합니다. (ex. Acetaminophen 1T, q6hr prn) 두통의 원인에 따라 예방적으로 항우울제, 베타차단제 등이 함께 처방되기도 합니다.

2. 중등도 이상의 편두통은 확장된 혈관의 수축을 위하여 트립탄 계열 약물과 에르고타민 제제가 많이 사용되며 보통 트립탄 계열이 에르고타민 제제보다 가격은 더 비싸지만 통증감소 효과는 보다 우수한 편입니다. (ex. sumatriptan 25mg, 이후 25-100mg q2hr prn, 최대 200-300mg/일)

3. 다만 트립탄 또는 에르고타민을 복용한 심질환 환자와 급성심근경색 등의 관련성이 보고되었으므로 허혈성 심질환, 뇌혈관질환, 심한 고혈압, 말초혈관질환에는 금기입니다. [14]

4. 통증이 매우 심한 경우 Meperidine, codeine 등의 마약성 진통제가 사용될 수 있으며 또는 주사제로서 Metoclopramide 등을 투여하기도 합니다. [15]

REFERENCES

1. Thomas M. De Fer et al. The Washington Manual Survival Guide Series Internship Survival Guide. 3rd edition. Lippincott. 2008.
2. Shane Marshall. On Call Principles and Protocols. 4th. Saunders. 2004
3. Headache Classification Subcommittee of the International Headache Society. The International Classification of Headache Disorders: 2nd edition. Cephalalgia. 2004;24 Suppl 1:9-160.
4. Vickers AJ, Rees RW, Zollman CE et al. Acupuncture for chronic headache in primary care: large, pragmatic, randomised trial. BMJ. 2004;328(7442):744.
5. Linde K, Allais G, Brinkhaus B et al. Acupuncture for tension-type headache. Cochrane Database Syst Rev. 2009;(1):CD007587.
6. Linde K et al. Acupuncture for patients with migraine: a randomized controlled trial. JAMA. 2005;293(17):2118-25.
7. Wang LP, Zhang XZ, Guo J et al. Efficacy of acupuncture for migraine prophylaxis: a single-blinded, double-dummy, randomized controlled trial. Pain. 2011;152(8):1864-71.
8. Streng A, Linde K, Hoppe A et al. Effectiveness and tolerability of acupuncture compared with metoprolol in migraine prophylaxis. Headache. 2006;46(10):1492-502.
9. Xue CC, Dong L, Polus B et al. Electroacupuncture for tension-type headache on distal acupoints

only: a randomized, controlled, crossover trial. Headache. 2004;44(4):333-41.

10. Dohi K, Aruga T, Satoh K, Shioda S. Choto-san (kampo Medicine) for the treatment of headache. Headache. 2004;44(4):375.

11. Nishizawa Y, Nishizawa Y, Fushiki S. Analgesic effects on headache in patients with spinal cord injury. Nippon Zutsu Gakkaishi (Japanese Journal of Headache) 1997; 25: 23-6.

12. Seki H, Okita N, Takase S, et al. Pain-relieving effect of goshuyuto on chronic headache: comparison with keishininjinto (with randomization carried out using the sealed-envelope method). Pharma Medica 1993;11:288-91 (in Japanese).

13. Odaguchi H, Wakasugi A, Ito H, et al. The efficacy of goshuyuto, a typical Kampo (Japanese herbal medicine) formula, in preventing episodes of headache. Current Medical Research and Opinion 2006;22:1587-97.

14. Wammes-van et al. Risk of ischemic complications related to the intensity of triptan and ergotamine use. Neurology. 2006;67(7):1128-34.

15. Friedman BW et al. Metoclopramide for acute migraine: a dose-finding randomized clinical trial. Ann Emerg Med. 2011 May;57(5):475-82

96 어지러움

96-1 개요

1. 어지럼증(眩暈, dizziness)은 놀이기구나 배를 탈 때, 새로운 도수의 안경을 착용할 때 등 일상생활 중 흔히 경험하는 생리적 증상으로 나타나기도 합니다. 어지럼증은 그 증상의 양상에 따라 4가지 아형(subtype)으로 구분하기도 합니다.

분류	설명
Vertigo (현기증, 현훈)*	자신이나 주위세상이 빙빙 도는 느낌. 말초성과 중추성에서 모두 보일 수 있음.
Presyncope (실신전 어지러움)	곧 의식을 잃을 것 같은 느낌. 안면창백이나 발한 등이 흔히 동반되며 뇌혈류의 부족 또는 혈당이상으로 초래되는 경우가 많음.
Disequilibrium (균형장애)	눕거나 앉을 때는 정상이나 서 있거나 걸을 때 쓰러지는 것. 평형감각에 이상이 온 것으로 소뇌 또는 내이의 이상이 많음.
Lightheadedness (어찔어찔함)	음주한 것과 같이 어찔한 느낌, 주변환경과 단절된 느낌.

2. 대부분의 경우 심각한 질환 없이 일과성으로 양호한 예후를 보이지만 드물게 중대한 질환의 증상으로 나타나는 경우도 있습니다. 원인질환에 따라 중추성(central) 현훈과 말초성(peripheral) 현훈으로 구별되며 중추성 현훈일 때는 신속한 조치가 필요합니다.

말초성 현훈 (40% 이상)	Benign paroxysmal positional vertigo (BPPV, 양성 돌발성 체위성 현훈), Meniere's disease (메니에르병), Vestibular neuronitis (전정신경염), Acute Labyrinthitis (급성미로염) 등
중추성 현훈 (5~10%)	Stroke(뇌졸중), Transient ischemic attack(TIA), Multiple sclerosis(다발성경화증), Neoplasm(종양), Migraine(편두통성)
기타 어지러움증	심리적 원인(공황장애, 불안증, 우울증), 안질환, 경추증(cervical vertigo), 저혈당, 약물, 노인성 등

---

* 서적 또는 문헌마다 현훈(眩暈), 현기증(眩氣症) 등의 표현이 혼용되기도 합니다. 한의학에서 어지럼증을 표현할 때의 현훈(眩暈) 보다는 좁은 개념이라 할 수 있습니다.

96-2 확인사항

(1) 병력청취/신체검진

1. 증상의 발병시기, 양상, 지속시간을 확인하며 두통이나 신경학적 이상 등 동반된 증상의 확인도 잊지 말아야 합니다. 지속시간의 확인은 질환감별에 도움이 되는데 이에 따른 대표적인 원인질환은 다음의 표를 참조합니다.

수초-수십초	BPPV
수분-1시간	Migraine, TIA
수 시간	Meniere's disease
수일	Vestibular neuronitis(초기), 뇌경색, 편두통성, Multiple sclerosis
수주	심인성(psychogenic)

2. 전정기관 안에 있는 작은 이석(otolith)이 정상적인 위치에서 벗어나서 현훈을 일으키는 BPPV의 경우 어지러움 증상이 1분 이내에 사라지는 것이 보통입니다. 머리의 움직임(눕거나 또는 고개를 젖히는 동작)에 따라 증상이 심해지는 경향이 있습니다.

3. 20분 이상에서 수시간까지 지속되기도 하는 어지러움이 2회 이상 나타나며 이명, 청력저하(초기에는 뚜렷하지 않을 수도 있음) 등이 동반될 때는 메니에르병(Meniere's disease)의 가능성을 고려할 수 있습니다. 확실한 발병기전이 밝혀진 것은 아니나 전정기관 내의 림프액 증가가 주요 원인으로 추정됩니다.

4. 수일에서 수주 전에 상기도감염의 병력이 있으면서 어지럼증이 발생한 경우에는 전정신경에 염증이 발생한 Vestibular neuronitis의 가능성을 고려합니다. BPPV와 같이 머리의 움직임으로 증상이 심해질 수 있음에 주의합니다.

5. 고혈압, 당뇨, 심질환 등 어지러움을 일으킬 수 있는 주요 과거력과 함께 복용약물도 잊지 말고 확인합니다. 운동에 의해 증상이 악화될 때는 호흡기나 심질환과 같은 비전정계 질환의 가능성이 높습니다.

6. 어지러움이 심해지면서 오심, 구토가 동반되기도 하는데 이를 소화기계 질환으로 오인하지 않도록 주의합니다. 중추성, 심인성 보다는 말초성 원인일 경우 오심, 구토의 증상이 잘 나타납니다.

(2) 이학적검사

1. 어지럼증에 대한 이학적 검사에서 가장 중요한 검사 중 하나는 안진(nystagmus)을 관찰하는 것입니다. 안진의 양상에 따라 중추성, 말초성과 전정성 여부 등을 감별할 수 있으며

Frenzel 안경 등 특수장비를 이용하여 검사하기도 합니다.

2. 예를 들어 두부충동검사(Head thrust test)는 환자에게 의사의 코를 주시하도록 한 후 20-40 도 정도의 진폭으로 머리를 병변 쪽으로 빠르게 돌리며 이 때 환자의 시선이 코를 제대로 주시하지 못하거나 안진이 발생하면 양성이 되고 BPPV 또는 전정신경염 등 말초의 전정에 이상이 있을 가능성이 크다고 할 수 있습니다.

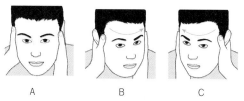

A   B   C

시작위치(A)에서 좌측으로 머리를 돌릴 때(B)는 정상이나 우측으로 돌릴 때(C) 는 환자의 눈이 순간적으로 목표를 놓치는 것이 관찰된다.

3. 딕스홀파이크(Dix-Hallpike)검사는 Nylen-Barany검사라고도 하며 말초성 현훈 중 가장 많은 비율을 차지하는 BPPV를 진단하는 검사입니다. 환자를 침대에 앉힌 후 머리를 한쪽으로 돌린 상태에서 검사자는 환자를 눕히면서 손으로 머리를 돌리게 됩니다. 이 때 동공의 크기가 변화하거나 눈의 안진(nystagmus)이 생기는지, 어지럼증이 재현되는지 등을 확인합니다.

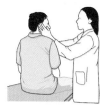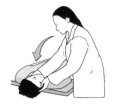

4. 소뇌관련검사를 비롯하여 관련된 신경학적검진도 시행할 수 있습니다. [**참조항목:** 3-5]

	말초성	중추성
안진의 방향	단방향	양방향 또는 단방향
수직안진	없음	있을 수도 있음
visual fixation시 안진 억제	억제	억제되지 않음
현훈의 정도	경미할수도 심할수도	비교적 경미
이명, 난청	동반되기도 함	보통 동반되지 않음
오심, 구토	어지럼증에 비례	어지럼증과 비례하지 않음
증상의 보상	수일 이내 보상될 수도	비교적 지속적
중추신경증상	없음	있음

(3) 관련 검사

1. BST, V/S 확인

2. 전정기능검사(ENG, 회전자극, 온도안진검사 등) : 회전자극검사는 환자가 앉은 의자를 회전 시키면서 이상 안진반응을 살피는 검사법입니다. 온도안진검사는 귀에 30도의 찬물과 44도 의 더운물을 넣는 검사로 수십 초 후 심한 어지럼증을 느끼면 정상으로 간주하며 보통 3분 정도 지나면 어지럼증은 사라집니다.

3. 청각 검사(audiometry) : 특히 메니에르병의 진단에 도움이 됩니다.

4. Brain CT 또는 MRI : 특히 심한 두통, 복시, 감각이상이나 마비가 동반되는 경우, 뇌졸중 위험도가 높은 환자, 편측의 이명이나 청력저하가 동반되는 어지럼증 등의 경우에는 시행 을 적극 고려합니다. 특히 CT 보다는 MRI가 더 권장되며 뇌혈관 상태를 보기 위하여 MRA 가 같이 시행될 수 있습니다.

96-3 치료

(1) 일반적 관리

1. 중추성 현훈이 배제되면 일단 긴급한 조치가 필요한 상황은 아닌 것으로 간주될 수 있습니 다. 말초성 현훈으로 의심되더라도 확실한 진단을 위해서는 이비인후과(ENT) 또는 신경과 (NR) 의뢰가 필요할 수 있으며 메니에르병의 경우 청력저하가 회복되지 않을 수 있으므로 빠른 치료가 필요합니다.

2. BPPV는 안진의 양상으로 원인부위를 구별할 수 있는데 보통 후반고리관(posterior semi-circular canal)의 이상이 원인인 경우가 가장 많습니다. 이 경우 치료목적으로 의료진이 Epley maneuver*를 환자에게 시행할 수 있으며 1회의 치료만으로도 50~80%의 관해율을 보이지만 1년 이내에 20~50%의 환자가 재발하는 등 장기간의 지속효과여부는 확립되지 않 았습니다. 외반(lateral) 또는 상반고리관의 이상은 Epley가 아닌 별도의 다른 술기법들을 적용해야 합니다.

3. BPPV 증상이 재발하거나 이석정복술에 잘 반응하지 않는 경우에는 환자 스스로 시행할 수 있는 Brandt-Daroff 운동법을 병행할 수 있습니다.[3]

4. 경우에 따라 원인질환 치료 후에도 남아있는 증상의 완화를 위해 전정재활치료(vestibular rehabilitation)를 시행할 수 있습니다. 이 경우 중추신경계의 적응과 보상작용을 유도하기 위하여 의도적으로 불안정한 자세를 노출시키는 등 관련 훈련을 하게 됩니다.

---

* 반고리관 결석 위치교정술(canalith repo sitioning procedures)이라고도 함.

(2) 한약치료(예) – 변증에 따라 시행

1. 한의학적으로는 간양상항(肝陽上亢), 기혈양허(氣血兩虛), 신정부족(腎精不足), 습담중조(濕痰中阻) 등으로 접근할 수 있습니다.

2. **보험제제 :** 半夏白朮天麻湯 八物湯 二陳湯 등

3. **비보험제제 :** 五苓散 苓桂朮甘湯 淸心蓮子湯 當歸芍藥散 天麻鉤藤飮 六味地黃丸 등

4. **임상연구 :** 어지럼증에 대하여 半夏白朮天麻湯이 유의한 효과 [5]

(3) 침구치료(예) – 변증에 따라 시행

1. **정경침 :** 百會, 上星, 風池, 太陽, 足三里 合谷, [氣血不足] 脾兪 氣海 關元, [肝陽上亢] 肝兪 腎兪 行間 俠谿, [腎精不足] 腎兪 太谿 三陰交 懸鐘 [痰濕中阻] 脾兪 胃兪 豊隆 陽陵泉 中脘

2. **사암침 :** [風眩-肝勝格] 經渠 中封(+) 少府 行間(-), [濕玄] 大敦(+) 少府(-) 中脘(正), [痰眩] 少府 魚際(+) 太白 太淵(-), [眩暈] 三里(迎) 膈兪(+) 風池 氣海(-), [懸飮-心虛] 少府 太白(+) 少海 陰谷(-) 關元(迎)

> **Tip** Brandt–Daroff 운동법

1) 침대나 바닥에 똑바로 앉은 자세에서 고개를 좌측으로 45도 돌립니다.

2) 이 상태에서 오른쪽으로 눕고 30초간 이 자세를 유지합니다. 어지러움이 있으면 이 자세로 1분 또는 증상이 사라질 때까지 유지해도 됩니다.

3) 다시 원래의 똑바로 앉은 자세로 돌아와 30초간 기다린 후 고개를 우측으로 45도 돌립니다.

4) 이 상태에서 왼쪽으로 눕고 30초간 이 자세를 유지합니다. 어지러움이 있으면 이 자세로 1분 또는 증상이 사라질 때까지 유지해도 됩니다.

5) 다시 원래의 앉은 자세로 돌아와 30초간 쉬게 되며 1세트(set)의 운동이 완료됩니다.

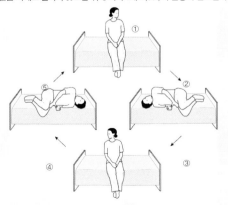

- 보통 아침, 점심, 저녁의 하루 3번 각 5세트씩 2주간(또는 하루 2번씩 3주간) 시행한 후 효과를 판정하며 증상이 이틀 이상 소실되면 운동을 중단할 수 있습니다.

3. 동씨침 : 靈骨 大白 / 通關, 通山, 通天 / 下三皇 三重(瀉血)

4. 이침 : 腎 神門 沈 內耳 腦點

5. 기타치법 : 頭鍼 (양측 暈聽區, 感覺區) / 경추주변의 筋刺法 또는 추나치료

(4) 양약치료

1. 증상완화를 위하여 Diazepam(Valium®), Lorazepam과 같은 Benzodiazepine계 약물이나 Dimenhydrinate(보나링®), Meclizine과 같이 진토기능이 있는 항히스타민제, Scoplolamine 등의 항콜린제, Metoclopramide 등의 도파민길항제 등 전정기능억제제(vestibular suppressant)가 흔히 사용되며 또는 SSRI계 항우울제 등이 처방되기도 합니다.

2. 전정기능억제제는 증상적으로만 완화시켜 주는 약물인 만큼 원인질환에 대한 치료를 병행해야 하며 특히 장기간 투여하면 중추신경계의 보상작용을 지연시켜 오히려 증상이 만성화될 수 있으므로 주의해야 합니다.

3. 메니에르병일 경우에는 충분한 수분섭취와 저염식을 권장하면서 이뇨제(diuretics), CCB를 사용하며 또는 고막 안으로 Gentamycin을 투여하는 방법을 사용하기도 합니다.

4. 전정신경염의 경우는 발병 2-3일 정도면 대부분의 증상이 호전되며 별도의 약물치료는 불필요하나 발병 초반 증상이 심한 경우는 대증적으로 전정억제제를 투여할 수 있습니다.

REFERENCES

1. Thomas M. De Fer et al. The Washington Manual Survival Guide Series Internship Survival Guide. 3rd edition. Lippincott. 2008.
2. Shane Marshall. On Call Principles and Protocols. 4th. Saunders. 2004
3. Hilton M, Pinder D. The Epley (canalith repositioning) manoeuvre for benign paroxysmal positional vertigo. Cochrane Database Syst Rev. 2004;(2):CD003162.
4. Labuguen RH. Initial Evaluation of Vertigo. Am Fam Physician. 2006;73(2):244-251.
5. 木村貴昭 외. 어지럼증에 대한 半夏白朮天麻湯의 임상효과. 耳鼻와 임상. 1999;45(5):443-449. – 양한방병용 처방 매뉴얼(군자출판사, 2008) 재인용

97 오심/구토

97-1 개요

1. 오심(nausea)과 구토(vomiting)는 별개로 발생하기도 하지만 상호 밀접하게 관련되는 증상입니다. 보통 구토에 선행하여 오심이 발생합니다.
2. 구토는 다양한 원인들에 의해 발생하며 크게 복강내 원인, 복강 외 원인, 약물/대사성 원인으로 구별할 수 있습니다.

복강내 원인	위장관염, 간질환(간염, 간경화), 췌장염, 장폐색, 충수돌기염
복강 외 원인	내이질환(멀미, 메니에르병) 뇌질환(악성종양, 뇌진탕), 정신적 원인
약물/대사성 원인	약물(항암제, 항생제 등) 대사성(임신, 전해질 이상, 갑상선, 신부전)

97-2 확인사항

(1) 병력청취/신체검진

1. 주요 과거력과 함께 증상의 시작시기와 양상, 동반증상(두통, 복통, 발열, 체중감소, 설사, 혈변 등)을 확인합니다. 최근 섭취한 음식(유제품, 해산물, 상한 음식 등)도 확인합니다. 특히 체중감소가 심한 경우에는 위장관계 악성종양을 의심할 수 있습니다.
2. 내이질환과 관련되어 이명이나 어지러움, 보행 등을 확인하고 또는 정신적 원인과 관련되어 기분의 변화, 스트레스 정도 등을 물어볼 수 있습니다.
3. 복진을 통해 복부 이상을 살피고 청진상 장음의 증가 또는 소실을 통해 장폐색 관련여부도 확인합니다.
4. 소아의 구토는 뇌수막염이나 장중첩증이 놓치기 쉬운 위험한 질환이므로 진료시 해당질환의 가능성을 염두합니다.

(2) 관련검사

1. 구토 등으로 발생한, 전해질이상, 산-염기 장애 등을 우선 확인할 수 있으며 기저질환에 대한 검사도 시행됩니다. 간질환, 췌장질환의 가능성도 염두하여 LFT, amylase도 시행하며 고령의 환자의 경우 심근경색(MI)의 비전형적 증상 가능성도 고려하여 EKG도 시행합니다.

2. 기본검사 : CBC, Electrolytes, LFT, amylase, X-ray (CXR, 복부 S/E), EKG

3. 추가검사 : EGD, 바륨 조영술, Colonoscopy, Abdominal CT 등. LFT 이상시에는 간염관련 검사도 시행. 뇌질환 의심시 Brain CT(또는 MR), 가임기 여성은 hCG도 시행.

97-3 치료

(1) 기본적 치료

1. 일시적인 경미한 구토는 자연회복되는 경우가 대부분임을 인지시키고 구토로 인해 수분이나 영양이 부족하지 않도록 죽이나 저지방식의 섭취를 권장합니다.

2. 심한 구토 등으로 탈수, 전해질이상 등이 있을 경우는 수액치료를 시행하며 기저원인에 대한 치료도 병행되어야 합니다.

(2) 한약치료(예) – 변증에 따라 시행

1. **보험제제** : 半夏瀉心湯 半夏白朮天麻湯 二陳湯 不換金正氣散

2. **비보험제제** : 大和中飮 五苓散 六君子湯

3. **임상연구**

   1) 五苓散 : SSRI 등의 약물로 유발된 오심 및 소화불량에 대하여 五苓散을 투여하여 총 20명 중 15명에서 증상개선 효과. [4]

   2) 생강(生薑) 추출물 : 임신중 구토에 대조군에 비해 유의한 효과. [8] 항암제 관련해서는 급성증상의 완화나 기존 항구토제에 부가적(add-on)으로 투여시 효과적 [9]

(3) 침구치료(예) – 변증에 따라 시행

1. **정경침** : 中脘 天樞 內關

2. **사암침** : [嘔] 陰谷 少海(+) 大敦 少衝(-), [吐-脾正格] 少府 大都(+) 大敦 隱白(-), [噦-胃正格] 陽谷 解谿(+) 臨泣 陷谷(-)

3. **동씨침** : 四花中外(瀉血) 風府(瀉血) 間使

4. **이침** : 神門 腎 沈心

5. **구법(灸法)** : 中脘 天樞 下腹部 灸法

6. **임상연구**

   1) 특히 內關을 이용한 연구들이 많이 시행되었으며 임신시나 수술 후 오심 등에도 유의한 효과가 보고되었습니다. [5] 소아의 편도절제술 후 오심의 예방에 內關, 上腕의 전침자극 (20Hz, 5분간)이 ondansetron 보다 효과가 좋았다는 보고도 있습니다. [6]

2) 임신오조(姙娠惡阻, hyperemesis gravidarum) : 침치료군은 metoclopramide과 비타민 B12를 투여한 약물군과 유사한 정도로 증상을 완화시켰고 일상활동도는 약물군에 비하여 우월하게 향상시켰습니다. 단 초반부터 효과가 나타난 약물군에 비해 침치료군의 효과는 점진적으로 향상되는 양상을 보였습니다.[7]

(4) 양약치료

1. 다른 기질적 원인이 배제되면 도파민 D2 길항제로 위장운동을 촉진하는 Metoclopramide (멕페란, mecool®)를 사용을 고려할 수 있고 항히스타민제나 벤조다이아제핀계 약물이 사용되기도 합니다. (ex. Metoclopramide 10mg PO/IV q6hr prn)

2. 항암제나 방사선치료로 인한 구토에는 5HT$_3$(=serotonin) 수용체 길항제인 Ondansetron, Granisetron 등을 일차적으로 고려할 수 있고 또는 Dexamethasone과 같은 스테로이드도 같이 사용됩니다. 최근에는 subnstance P의 작용을 억제하는 Aprepitant도 개발되어 함께 사용되고 있습니다. 수술 후 오심구토에도 온단세트론과 같은 5HT$_3$ 수용체 길항제가 사용됩니다.

REFERENCES

1. Thomas M. De Fer et al. The Washington Manual Survival Guide Series Internship Survival Guide. 3rd edition. Lippincott. 2008.
2. Shane Marshall. On Call Principles and Protocols. 4th. Saunders. 2004
3. Kent RN et al. The Osler medical handbook. Saunders. 2006.
4. Yamada K, Yagi G, Kanba S. Effectiveness of Gorei-san (TJ-17) for treatment of SSRI-induced nausea and dyspepsia: preliminary observations. Clin Neuropharmacol. 2003 May-Jun;26(3):112-4.
5. Vickers AJ. Can acupuncture have specific effects on health? A systematic review of acupuncture antiemesis trials. J R Soc Med. 1996;89(6):303-11.
6. Kabalak AA, Akcay M, Akcay F, Gogus N. Transcutaneous electrical acupoint stimulation versus ondansetron in the prevention of postoperative vomiting following pediatric tonsillectomy. J Altern Complement Med. 2005 Jun;11(3):407-13.
7. Neri I, Allais G, Schiapparelli P et al. Acupuncture versus pharmacological approach to reduce Hyperemesis gravidarum discomfort. Minerva Ginecol. 2005 Aug;57(4):471-5.
8. Ozgoli G et al. Effects of ginger capsules on pregnancy, nausea, and vomiting.J Altern Complement Med. 2009;15(3):243-6.
9. Pillai AK et al. Anti-emetic effect of ginger powder versus placebo as an add-on therapy in children and young adults receiving high emetogenic chemotherapy. Pediatr Blood Cancer. 2011 ;56(2):234-8.

10장

일반병동콜

소화불량

98-1 개요

1. 소화불량(dyspepsia)은 상복부에서 느껴지는 불편감, 둔통 등을 의미하며 환자에 따라 속쓰림, 트림, 불쾌감 등 다양한 표현으로 호소합니다.
2. 기능성 소화불량증(functional dyspepsia)과 위식도역류증(GERD)이 가장 흔한 원인이지만 만성적으로 증상이 지속될 경우에는 위궤양, 종양 등의 가능성도 고려해야 합니다.

98-2 확인사항

(1) 병력청취/신체검진

1. 주요 과거력과 함께 증상의 시작시기와 양상, 동반증상(오심, 구토, 설사, 변비, 체중의 변화 등)을 확인합니다. NSAIDs와 같은 약물을 복용하고 있는지 여부도 확인하며 음식이나 약물(제산제 등)의 섭취와 관련되는지도 확인합니다.
2. 복진을 통해 압통, 반발통이나 기타 복부의 이상을 확인합니다.
3. 드물지만 acute MI 등 심장의 이상으로 소화불량과 같은 증상이 나타날 수 있습니다. 심질환의 과거력이 있거나 오른쪽 어깨쪽으로의 방사통이 있다면 EKG 시행도 고려합니다.

(2) 관련검사

1. 일상적인 소화불량이라면 검사가 불필요하지만 증상이 지속되거나 비전형적으로 나타나면 위내시경검사(EGD)를 우선 고려합니다. 또 빈혈이나 기타 이상여부를 알아보기 위해 기본적인 혈액검사를 시행합니다. 추가검사 중 EKG는 심질환의 감별, stool OB(occult blood)는 위장관 출혈의 감별, 24시간 식도산도검사, Bernstein 검사는 GERD의 진단을 위해 시행될 수 있습니다.
2. 기본검사 : EGD / 기본혈액검사(CBC, LFT, Electrolytes 등)
3. 추가검사 : EKG, stool OB, 24시간 식도산도검사(24hr esophageal pH monitoring), Bernstein 검사 – 24시간 식도산도검사는 GERD등에서 약물에 반응하지 않거나 식도외 증상 등이 있는 경우 위산역류의 정도와 증상과의 상관관계를 파악하기 위해 시행될 수 있습니다.

98-3 치료

(1) 기본적 치료

1. 기질적 원인이 없는 경우 생활습관의 교정이 필요합니다. 규칙적으로 식사하되 과식을 피하고 커피, 탄산음료 등도 피합니다. 식후 산책 등 적절한 운동을 하는 것도 좋습니다.

2. 밀가루음식, 고지방식 등 소화에 부담이 되는 음식은 줄이고 유당불내성이 많은 국내실정을 감안하여 유제품의 섭취를 조절하는 것도 고려합니다.

3. GERD가 있는 경우라면 식후 바로 눕거나(특히 야간증상 동반시) 구부린 자세 등을 피하는 것이 좋습니다.

(2) 한약치료(예) – 변증에 따라 시행

1. **보험제제 :** 平胃散 香砂平胃散 內消散 半夏瀉心湯

2. **비보험제제 :** 內消和中湯 消積健脾丸 烏貝散 六君子湯

3. **임상연구**

1) 六君子湯 : 운동부전형 소화불량(dysmotility-like dyspepsia)에 대한 다기관 RCT 연구에서 위약군에 비해 유의한 개선효과[4,5]

2) 半夏厚朴湯 : 2주간의 복용으로 기능성 소화불량 환자들의 장관내 가스양을 유의하게 감소시켰고 복부팽만(abdominal bloating)과 관련된 증상들을 유의하게 개선[6]

3) 香砂平胃散 : 기능성 소화불량 환자대상의 RCT 연구로 향사평위산 4주 투약군이 위약군에 비하여 월등한 삶의 질 향상이 관찰되었으며 4주 후의 추적관찰시점에도 효과유지[11]

(3) 침구치료(예) – 변증에 따라 시행

1. **정경침 :** 中脘 天樞 足三里 合谷 太衝 公孫 內關

2. **사암침 :** [嘔吐/傷脾/脹滿-脾正格] 少府 大都(+) 大敦 隱白(-), [噯氣/反胃/噎膈-胃正格#] 陽谷 中脘(+) 臨立 陷谷(-), [內傷濕-脾正格#] 太白 中脘 少府 大都(+) 大敦 隱白(-), [食鬱-脾正格#, 胃正格#]

3. **동씨침 :** 靈骨 大白 / 四花中外(瀉血) / 門金 梁丘 土水

4. **이침 :** 神門 脾 胃 心

5. **부항요법 :** 膀胱經 건부항 또는 습부항

6. **임상연구**

1) 足三里, 內關 전침 : 기능성 소화불량증 환자에게 足三里 및 內關의 전침치료를 시행한 결

과 관련된 증상을 유의하게 개선함. (전침자극은 25Hz 4mA로 적용) [7] 정상인 대상의 다른 연구에서는 위장관의 근전위 활동(gastric myoelectrical activity)에 영향을 주는 것이 보고. [8]

2) 위-식도역류질환(GERD) : PPI 약물치료에도 증상이 지속되는 GERD환자의 불응성 속 쓰림(refractory heartburn)에 대하여 시행한 RCT 연구. 침추가군은 기존 PPI 용량을 유지 하면서 內關, 足三里, 中脘, 膻中, 太衝, 陰陵泉을 자침하고 대조군은 PPI의 용량을 2배 로 증량함. 4주 후의 치료 후 측정한 결과에서 침추가군이 PPI 2배 증량군 보다 우월한 증상개선 효과. [9]

(4) 양약치료

1. 운동장애형일 경우는 prokinetics를, 궤양성일 경우는 제산제(점막보호제), H2 block-er(H2RA), PPI 등의 투여를 고려합니다. 한 임상연구에 의하면 4주 간격으로 증상호전이 없을 때마다 제산제→ H2 blocker(H2RA)→ PPI 의 순서로 진행한 치료(step up 방식)와 또는 역순으로 PPI→ H2 blocker(H2RA)→ 제산제의 순서로 치료한 군(step down 방식) 사이의 치료율에는 유의한 차이가 없었습니다. [10] 비용을 고려하면 제산제부터 사용하는 방식이 보다 저렴한 편이나 빠른 치료효과를 위해서는 Step down 방식이 선호됩니다.

2. 일반적으로 GERD의 경우 8주간 PPI 투여가 표준적인 치료방식인데 호전 정도에 따라 장 기유지요법으로 전환되기도 합니다. 다만 지나친 PPI 장기투여는 고가스트린혈증을 유발 하거나 또는 위산분비저하상태의 지속으로 칼슘, 철분, Vit B12 등의 흡수를 저하시켜 골다 공증, 감염 등의 위험을 높일 가능성도 염두합니다.

3. 예민하거나 심한 불안이 있는 경우는 항우울제(TCA, SSRI 등), 진정제(BDZ) 등이 병행 또 는 단독 투여될 수 있습니다.

4. 흔히 일반의약품으로 구입하는 소화효소제는 만성췌장염 등 췌장의 소화효소 분비기능이 현저히 저하되어 있는 경우가 아니라면 효과는 제한적이라 할 수 있습니다. 가스가 많은 경우라면 Simethicone(시메티콘) 등이 포함된 제제가 도움이 됩니다.

> **Tip** **NSAIDs에 의한 위궤양 발생 고위험군**
>
> ▪ 65세 이상이거나 위궤양 기왕력, 위장관출혈(GI bleeding) 기왕력이 있는 경우는 NSAID에 의한 위십이지장궤양의 발생률이 높아지므로 주의하여야 합니다. 고위험군의 경우 예방적으로 PPI를 함께 처방하기도 합니다.
>
> ▪ 경구용 스테로이드(oral glucocorticoids)나 항응고제(anticoagulants)를 병용하고 있는 경우에 투여해도 위궤양 발생위험이 증가합니다.

REERENCES

1. Thomas M. De Fer et al. The Washington Manual Survival Guide Series Internship Survival Guide. 3rd edition. Lippincott. 2008.
2. Shane Marshall. On Call Principles and Protocols. 4th. Saunders. 2004
3. Kent RN et al. The Osler medical handbook. Saunders. 2006.
4. Tatsuta M. Effect of treatment with Liu-Jun-Zi-Tang(TJ-43) on gastric emptying and gastrointestinal symptoms in dyspeptic patients. Alimentary Pharmacology and Therapeutics 1993; 7: 459-62.
5. Harasawa S, Miyoshi A, Miwa T, et al. Double-blind multicenter post-marketing clinical trial of TJ-43 TSUMURA Rikkunshi-to for the treatment of dysmotility-like dyspepsia. Igaku no Ayumi (Journal of Clinical and Experimental Medicine) 1998; 187: 207-29]
6. Oikawa T, Ito G, Hoshino T et al. Hangekobokuto (Banxia-houpo-tang), a Kampo Medicine that Treats Functional Dyspepsia. Evid Based Complement Alternat Med. 2009;6(3):375-8.
7. Xu S, Hou X, Zha H et al. Electroacupuncture accelerates solid gastric emptying and improves dyspeptic symptoms in patients with functional dyspepsia. Dig Dis Sci. 2006;51(12):2154-9.
8. Shiotani A, Tatewaki M, Hoshino E, Takahashi T. Effects of electroacupuncture on gastric myoelectrical activity in healthy humans. Neurogastroenterol Motil. 2004 Jun;16(3):293-8.
9. Dickman R, Schiff E, Holland A et al. Clinical trial: acupuncture vs. doubling the proton pump inhibitor dose in refractory heartburn. Aliment Pharmacol Ther. 2007 Nov 15;26(10):1333-44.
10. van Marrewijk et al. Effect and cost-effectiveness of step-up versus step-down treatment with antacids, H2-receptor antagonists, and proton pump inhibitors in patients with new onset dyspepsia (DIAMOND study): a primary-care-based randomised controlled trial. Lancet. 2009;373(9659):215-25.
11. Kim JB et al. A traditional herbal formula, Hyangsa-Pyeongwi san (HPS), improves quality of life (QOL) of the patient with functional dyspepsia (FD) : Randomized double-blinded controlled trial. Journal of Ethnopharmacology. 2014;151(1):279-86.

일반 병동콜

99 설사

99-1 개요

1. 정상 배변은 성인기준으로 하루 200g 이하, 배변횟수는 1일 3회에서 주 3회 정도가 됩니다. 1일 4회 이상, 하루 250g 이상의 묽은 변을 보면 설사(Diarrhea)로 간주하며 지속기간이 4주(소아는 3주) 이상이면 만성설사, 2주 이하면 급성설사, 그 사이이면 지속성 설사로 분류합니다.

2. 급성설사는 음식물, 약물과 관련된 경우가 많고 만성설사는 과민성 장증후군(Irritable bowel syndrome, IBS), 약제, 염증성장질환, 수술후 설사, 흡수 장애 등의 원인이 많습니다.

3. 하루 3-4회 이상 배변하나 전체 배변량은 정상범위 내에 있는 가성설사나 항문직장 또는 골반근육의 이상으로 자주 배변하는 대변실금과도 구분해야 합니다. 가성설사는 IBS, 직장염, 갑상선기능항진증 등과 주로 관련됩니다.

99-2 확인사항

(1) 병력청취

1. 주요 과거력과 함께 증상의 시작시기와 양상, 동반증상(오심구토, 복통, 혈변, 후중감 등)을 확인합니다. 특히 노인에서 혈변을 동반한 설사가 있으면 허혈성 장염(ischemic colitis)의 가능성도 잊지 말아야 합니다.

2. 최근 섭취한 음식(유제품, 고지방식, 해산물, 매운 음식 등), 약물(항생제, 제산제, 하제 등)도 확인합니다.

(2) 신체검진

1. 청진을 통해 장음의 항진여부를 확인하고 복진을 통해 복수, 간비대 등을 확인하고 압통, 반발통 등의 존재여부도 확인합니다.

2. 구강건조도, 피부탄력감소, 체중감소 등을 통해 탈수의 정도를 대략 판단할 수 있습니다.

3. 또는 직장수지검사(DRE)를 통해 출혈여부, 괄약근의 긴장도를 확인할 수 있습니다.

(3) 관련검사

1. 급성설사인 경우 보통 수일 이내에 자연소실되므로 지나친 검사는 피하되 증상이 지속되거나 심하면 전해질 이상 등을 우선 감별하고 이후 추가적 검사의 시행을 고려합니다. 추가적 검사 중 C.difficile toxin은 특히 최근 항생제 복용력이 있을 경우 PMC(pseudomembranous colitis)의 가능성을 염두하여 시행을 고려합니다. **[참조항목: 31-3]**

2. 기본검사 : CBC, Electrolytes 등

3. 추가검사 : C.difficile toxin, stool OB, stool WBC, stool parasite(Helminth, Protozoa, Amoeba), stool culture, Colonoscopy, TFT 등

99-3 치료

(1) 기본적 치료

1. 경미한 설사는 보존적 치료로 충분하며 보통 수일 이내에 자연소실됩니다. 설사를 유발하거나 악화시키는 음식, 약물을 중단하고 식사는 소량의 식사를 자주 하는 방법을 고려할 수 있습니다.

2. 탈수를 예방하기 위하여 물, 이온음료 등의 경구 수분섭취를 충분히 하도록 격려하되 필요에 따라 수액공급을 합니다.

3. 또는 시중 이온음료가 당분이 많은데 비하여 염분은 적기 때문에 수분공급이 원활치 않은 경우는 [물 800ml + 오렌지쥬스 200ml + 설탕 20g + 소금 5g] 등으로 자가조제하여 소량씩 자주 섭취하는 방법도 고려할 수 있습니다.[9] 비슷한 조제방식으로서 WHO에서 콜레라 등으로 유발된 탈수사망을 예방하기 위하여 제안한 ORS(Oral Rehydration Salts) 방법도 활용할 수 있는데 이는 [물 1리터 + 설탕 6 티스푼(25.2g) + 소금 1/2 티스푼(2.1g)]로 구성되며 또는 여기에 물을 조금 더 타서 약간 묽게 음용할 수도 있습니다.[10]

4. 증상이 심하거나 기저질환이 있는 환자 또는 고열, 복통, 혈변, 심한 탈수 등이 동반된 환자 등은 입원하여 NPO, 전해질(electrolytes) 교정 및 수액공급, 추가적검사 등을 시행하는 것을 고려합니다.

5. 생균제(Probiotics)는 항생제 유발 설사에도 효과를 보이고 만성 또는 소아설사 등에서도 설사기간을 단축시킬 수 있습니다.

(2) 한약치료(예) - 변증에 따라 시행

1. 보험제제 : 理中湯 不換金正氣散 升陽補胃湯 黃芩芍藥湯 등

2. 비보험제제 : 胃苓湯 蔘苓白朮散 藿香正氣散 補腸健脾湯 香砂溫脾湯 白何烏理中湯(소음인)
猪苓車前子湯(소양인) 등

(3) 침구치료(예) – 변증에 따라 시행

1. 정경침

1) 급성 : 上巨虛 下巨虛 梁門 天樞 陰陵泉 [寒濕] 神闕(灸) 三陰交, [濕熱] 曲池 大椎 內庭,
[發熱] 合谷 曲池, [傷食] 中脘 公孫

2) 만성 : 中脘 關元 天樞 足三里, [肝鬱] 章門 太衝 行間, [脾胃虛弱] 脾兪 胃兪 公孫, [腎虛]
命門 腎兪, [久泄脫肛] 百會

2. 사암침 : [濕泄-腎正格#] 經渠 陰谷(+) 太白 太淵(-), [暴泄-脾正格] 少府 大都(+) 大敦 隱白
(-), [濕泄-胃正格] 陽谷 解谿(+) 臨立 陷谷(-), [熱泄] 少府 行間(+) 大敦 少衝(-), [氣泄-肺
正格] 太淵 太白(+) 少府 魚際(-), [冷泄-肝正格] 陰谷 曲泉(+) 經渠 中封(-), [霍亂-심승격#]
陰谷 少海(+) 陽谷 少府(-) 中脘(正), [脾傳腎賊-비정격# 신정격#] 少府 經渠(+) 大敦 太白(-)

3. 동씨침 : 門金 曲池 腸門 / 四花中,外 (放血)

4. 이침 : 大腸 小腸 脾 胃 肝 腹 交感 三焦 神門

5. 구법(灸法) : 天樞 關元 神闕에 灸法

6. 연구현황

1) 桂枝加芍藥湯 : 과민성장증후군(IBS) 환자들에게 투여한 결과 위약군에 비해 유의한 복
통, 설사 개선효과 [5]

2) 黃芩湯 : 항암치료로 유발된 설사 등의 부작용에도 유의한 억제효과 [6]

3) 표준처방 vs 개별처방 : 과민성장증후군(IBS)에 대한 한약의 효과에 대한 임상시험에서
표준처방군**, 개별처방군, 위약군 등 3개의 그룹으로 나뉘어 진행한 결과 한약치료군은
위약군보다 유의한 개선 효과를 보였지만 표준처방과 개별처방군 사이의 차이는 관찰되
지 않음. 임상시험 종료 14주 후 추적검사에서는 개별처방군만이 개선된 상태를 유지. [7]

4) Probiotics와 한약의 병행사용 : 설사우세형의 IBS 환자들에에 적용한 한약(藿香正氣散)
과의 병행시 치료효과가 유의하게 상승 [8]

(4) 양약치료

1. Bismuth, Smecta 등을 일차적으로 선택할 수 있고 세균성 설사에도 비교적 안전합니다

---

* 주로 熱痢 등에 주로 고려하며 厥陰病 虛勞 시에는 주의

** 茵蔯 13, 白朮 9, 黨蔘 薏苡仁 五味子 7, 藿香 柴胡 厚朴 煨薑 秦皮 茯苓 車前子 黃白 炙甘草 4.5, 防風 陳皮 白芍藥
木香 黃連 3, 白芷 2(%)의 비율로 구성된 캡슐제제를 사용

(Ex. Smecta 1P tid). 생균제(Probiotics)도 흔히 같이 처방됩니다. (Ex. Medilac DS 1C tid)

2. 증상 지속시 opioid 수용체에 작용하는 마약유사체로서 장운동을 억제하여 지사효과를 보이는 Loperamide도 고려합니다. BBB를 통과하지 않으면서 항암제나 방사선 치료 등으로 발생한 설사에도 효과적입니다. (ex. Loperamide 4mg, 이후 2mg PO prn) 단 감염성 설사에 Loperamide를 투여하면 유해물질의 체외배출이 억제되기 때문에 사용하지 않도록 합니다.

3. 감염성 설사가 의심되면 대변배양검사(stool culture) 시행 후 우선 경험적 항생제요법으로 Ciprofloxacin을 3-5일간 사용하기도 합니다.

10장

일반병동콜

REFERENCES

1. Thomas M. De Fer et al. The Washington Manual Survival Guide Series Internship Survival Guide. 3rd edition. Lippincott. 2008.
2. Shane Marshall. On Call Principles and Protocols. 4th. Saunders. 2004
3. Kent RN et al. The Osler medical handbook. Saunders. 2006.
4. Fauci AS et al. Harrison's Principles of Internal Medicine 17th ed. McGraw-Hill Medical. 2008
5. Sasaki D, Uehara A, Hiwatashi N, et al. Clinical efficacy of keishikashakuyakuto for irritable bowel syndrome - a multicenter, randomized, parallel-group clinical trial. Rinsho to Kenkyu (Japanese Journal of Clinical and Experimental Medicine) 1998; 75: 1136-52
6. Lam W, Bussom S, Guan F, et al. The four-herb Chinese medicine PHY906 reduces chemotherapy-induced gastrointestinal toxicity. Sci Transl Med. 2010;2(45):45-59.
7. Bensoussan A, Talley NJ, Hing M et al. Treatment of irritable bowel syndrome with Chinese herbal medicine: a randomized controlled trial. JAMA. 1998;280(18):1585-9.
8. Ko SJ et al. Effect of korean herbal medicine combined with a probiotic mixture on diarrhea-dominant irritable bowel syndrome: a double-blind, randomized, placebo-controlled trial. Evid Based Complement Alternat Med. 2013;2013:824605.Epub 2013 Dec 5.
9. Hiroyuki Hayashi. 응급실 당직 더 이상 어렵지 않다. 군자출판사. 2012. p.146
10. Oral rehydration salts: production of the new ORS. WHO UNICEF. 2006.

변비

100-1 개요

1. 변비(conspitation)는 배변 횟수가 감소하면서 단단한 변을 보는 상태로서 일반적으로 주 3회 미만인 경우로 판단하기도 하지만 변의 성상이나 증상 등도 함께 고려해야 합니다.

2. Rome III 기준으로 기능성변비(functional constipation) 및 기능성변비의 배제기준에 필요한 변비형 과민성대장증후군(irritable bowel syndrome with constipation, IBS-C) 진단기준은 다음과 같습니다. [3)]

기능성 변비	6개월 이전부터 증상이 시작되어 3개월 이상 다음의 증상들이 있을 때- 1) 다음 중 2개 이상을 포함 : 과도한 힘주기 (배변의 25% 이상) / 덩어리변 또는 경변 (배변의 25% 이상) / 불완전한 배출감 (배변의 25% 이상) / 직장항문의 폐색감 (배변의 25% 이상) / 수지관장(digital evacuation) 등 손을 사용하여 배변 촉진 (배변의 25% 이상) / 주 3회 미만의 배변 2) 하제의 사용 없이는 묽은 변을 거의 볼 수 없음. 3) IBS-C의 진단기준을 만족하지 않음.
IBS-C	6개월 이전부터 증상이 시작되어 3개월 이상 다음의 증상들이 있을 때- 반복적인 복통 또는 복부불편감이 1) 지난 3개월간 적어도 월 3일 이상 있으면서 2) 다음 중 2개 이상을 동반 : 배변(defecation)으로 증상이 완화 / 배변 빈도 (frequency)가 변하면서 발생 / 변의 성상(form)이 변하면서 발생 * IBS-C는 경변이 25% 이상, 연변 또는 수양성변(watery stool)이 25% 이하(하제 미사용시 기준)

100-2 확인사항

(1) 병력청취

1. 주요 과거력과 함께 증상의 시작시기와 양상, 동반증상(혈변, 복통, 배변시 통증이나 후중 감 등)을 확인합니다. 변비와 설사가 번갈아가며 나타나거나 복통이 배변 후 해소된다면 과민성대장증후군(IBS)의 가능성도 고려합니다.

2. 복용약물의 확인도 잊지 말아야 합니다. 특히 항콜린제, 항우울제, 알루미늄이 포함된 제산 제, 철분제, 마약성 진통제, 항고혈압제(CCB) 등의 복용시 변비가 유발될 수 있습니다.

3. 수분이나 섬유소 섭취 부족, 운동 부족 등으로 인하거나 정신적 긴장 등으로 인한 심인성

· 변비도 일상적인 변비의 흔한 원인이 되므로 확인합니다.

4. 장년이후에 특별한 요인 없이 갑작스럽게 심한 변비나 배변습관의 변화가 나타나면서 체중 감소, 빈혈 등이 있다면 종양의 가능성도 고려하여 대장내시경 등을 시행하기도 합니다.

(2) 신체검진

1. 직장수지검사(DRE)를 통해 치핵, 치열이나 단단해진 변이 직장을 막고 있는 분변매복(fecal impaction=대변막힘)의 존재 여부를 확인하고 항문괄약근의 긴장도와 반사, 항문주위의 신경감각 등을 확인할 수 있습니다.

2. 복진을 통하여 복부 팽만이나 압통, 복강내 종괴의 존재여부 등을 확인합니다. 만성변비의 경우 좌하복부에서의 압통이나 변괴 등이 촉진될 수 있습니다.

3. 청진을 통해 장음의 항진이나 감소를 확인합니다. 청진상 장음이 항진되어 있거나 기계음 (metallic sound)이 들리면 기계적 장폐색(mechanical ileus)을, 장음이 감소하거나 소실되면 마비성 장폐색(paralytic ileus)을 의심할 수 있습니다.

(3) 관련검사

1. X-ray : 단순복부촬영(simple Abdomen S/E)

2. 대장내시경(colonoscopy) 또는 S상결장경검사(sigmoidoscopy), Barium enema

3. 대장 통과시간 측정(colon transmit time test) : 방사선 비투과 물질(캡슐형)을 경구투여후 대장 통과 양상을 조사하기도 합니다.

100-3 치료

(1) 일반적 관리

1. 기질적 질환이 없는 일상적인 변비라면 수분(1.5L 이상)과 섬유소의 충분한 섭취와 함께 신체활동량을 늘리도록 권장합니다.

2. 규칙적인 배변습관이 형성되는 것이 중요하므로 Gastrocolic reflex가 활성화되는 기상후 또는 식후 10~15분 정도에 배변하도록 권장할 수도 있습니다. 배변시에는 편안한 환경이 조성되도록 해야 하며 환자에게는 반드시 하루 1번 배변을 해야 하는 것은 아님을 인식시키는 것도 좋습니다.

3. 심한 변비의 경우 단기간 치료 목적으로 관장(enema) 또는 좌약을 사용할 수 있습니다. 특히 만성기 환자나 노인의 경우 손가락 관장(finger enema) 등으로 분변매복(fecal impaction)

을 해결하지 않으면 약물을 투여해도 효과적이지 않을 수 있으니 주의합니다.

4. 복부 X-ray상 air-fluid level이 관찰되거나 청진상 이상소견을 통해 장폐색을 추정할 수 있습니다. 장폐색인 경우 금식(NPO)으로 전환하고 L-tube 삽입 등을 고려합니다. 원인질환에 대한 추가적 감별이 필요합니다.

(2) 한약치료(예) - 변증에 따라 시행

1. **보험제제**: 桃仁承氣湯 大黃牧丹皮湯 調胃承氣湯 大柴胡湯 등
2. **비보험제제**: 滋潤湯 疏風順氣元 麻子仁丸 大黃캡슐 등

(3) 침구치료(예) - 변증에 따라 시행

1. **정경침**: 中脘 天樞 支溝 照海 上巨虛 大腸兪, [熱祕] 曲池 內庭 [氣虛] 氣海 足三里 脾兪 胃兪 腎兪, [氣滯] 合谷 太衝 大敦 [血虛] 脾兪 肝兪 三陰交 太谿 照海
2. **사암침**: [대장정격] 三里 曲池(+) 陽谷 陽谿(-), [폐한격] 陰谷 尺澤(+) 少府 魚際(-), [위승격] 臨立 陷谷(+) 商陽 厲兌(-)
3. **동씨침**: 火串(支溝) 照海
4. **이침**: 大腸 直腸 肺 脾 肝 腎 三焦 交感 皮質下
5. **기타**: 紅花藥鍼
6. **임상연구**
   1) 大黃甘草湯이 기능성변비에 대하여 위약군에 비하여 유의한 개선효과 [4]

(4) 양약치료

1. **부피팽창 하제**: 일차적으로 차전자피(車前子皮, Psyllium Husk)와 같이 수분과 결합해 팽창함으로써 대변의 부피를 늘리는 부피팽창 하제(bulk producers)가 사용될 수 있습니다. 장기투여에도 부작용이 거의 없으나 다량의 수분과 함께 섭취해야 합니다. 수분을 흡수한다는 특성 때문에 설사시에 투여되기도 합니다. (Ex. Psyllium 1P bid)
2. **삼투성 하제(Mg)**: 또는 장내수분을 증가시키는 삼투성 하제(osmotic laxatives)를 사용하여 치료할 수 있으며 비교적 안전하게 장기간 사용이 가능합니다. (Ex. Magnesium Oxide 1T tid) 마약성 진통제를 투여하는 경우 가장 흔한 부작용 중 하나인 변비의 예방을 위하여 일반적으로 마그네슘제(MgO)와 같은 삼투성 하제를 함께 처방합니다.
3. **삼투성 하제(Lactulose)**: 신부전 환자의 경우 마그네슘제 복용시 배설이 잘 되지 않아 마그네슘 중독우려가 있으므로 Lactulose(듀파락 시럽®)를 더 선호합니다. 간성혼수(HEP)의 예방에도 암모니아를 대장으로 이동시키는 효과 때문에 Lactulose를 사용합니다.

4. 자극성 하제 : 부피팽창 하제나 삼투성 하제가 효과 없으면 장의 점막을 통하여 대장의 자율신경말단을 자극함으로써 장내 연동운동을 항진시키는 자극성 하제를 사용하게 됩니다. 우수한 사하효과 때문에 단기간 복용 목적으로 사용하기도 하며 흔히 약국에서 판매하는 일반의약품 변비약 중 상당수가 자극성 하제에 속합니다. (Ex. Bisacodyl(둘코락스®) 2T qd hs 또는 Senna(아락실®))

> **Tip** **임상 TIP**
>
> ▪ 자극성 하제의 과용시에는 탈수, 전해질이상, 복부불편감 등이 발생할 수 있고 장기간 사용하면 장흑색증(hyperpigmentation)이나 대장신경계의 비가역적인 장애로 인한 이완성변비를 유발할 수 있습니다. 한약재 중 대황(大黃), 번사엽(番瀉葉) 등의 경우도 자극성 하제에 속하므로 지속적인 사용에는 주의해야 합니다.
> ▪ 관장이나 좌약의 사용도 정상적인 배변반사운동의 회복을 저해할 수 있으므로 꼭 필요한 경우에 한하여 단기간 시행합니다.

10장

일
반
병
동
콜

REFERENCES

1. Thomas M. De Fer et al. The Washington Manual Survival Guide Series Internship Survival Guide. 3rd edition. Lippincott. 2008.
2. Shane Marshall. On Call Principles and Protocols. 4th. Saunders. 2004
3. Longstreth GF, Thompson WG, Chey WD et al. Functional bowel disorders.Gastroenterology. 2006; 130(5):1480-91.
4. Miyoshi A, Masamune O, Fukutomi H, et al. The clinical effect of TSUMURA Daio-Kanzo-to Extract Granules for ethical use (TJ-84) against constipation based on the new standard. Shokakika (Gastroenterology) 1996;22:314-28.

101 감기/콧물

101-1 개요

1. 대표적인 상기도 감염(upper respiratory tract infection, URI)의 하나인 감기(common cold)*는 약 200여개의 바이러스들이 원인으로 이 중 Rhinovirus와 Coronavirus가 절반정도를 차지합니다. 콧물(rhinorrhea), 코막힘과 함께 기침, 인후통, 근육통, 미열 등이 흔히 동반되며 소아의 경우에는 발열도 뚜렷한 편입니다.

2. 콧물, 코막힘 등을 동반하는 또 다른 질환으로 알레르기성 비염(allergic rhinitis)과 부비동염(sinusitis)이 있습니다. 특정 항원에 대하여 비점막이 과민반응을 나타내는 알레르기성 비염은 연속적인 발작적 재채기, 맑은 콧물, 코막힘 등의 3대 증상이 특징적입니다.

3. 부비동 점막에 염증이 발생한 부비동염은 상기도감염의 증상과 함께 안면통, 두통 등이 동반되고 누렇거나 푸른 콧물이 보입니다. 상기도감염(URI) 또는 알레르기성 비염이 먼저 발생한 후 이차적으로 세균감염에 의해 발병하는 경우가 많습니다.

101-2 확인사항

(1) 병력청취/신체검진

1. 주요 과거력과 함께 증상의 시작시기와 양상, 동반증상(발열, 인후통, 권태감, 안면통 등)을 확인합니다. 펜라이트를 이용하여 인후부를 직접 살펴볼 수도 있습니다.

2. 코증상이 위주인 경우 유발인자나 악화인자 등도 확인하며 특정시기(주로 봄)에만 발병하는 계절성 알레르기성 비염의 가능성도 고려합니다. 특히 오트리빈®과 같은 국소 비충혈 제거제(topical decongestant)를 사용하고 있는지도 확인합니다.

3. 소아의 감기는 중이염(otitis media, OM)으로 진행되는 경우도 많으므로 필요시 이경으로 외이도, 고막을 관찰할 수 있습니다. 소아의 코증상이 이물질로 인한 경우도 있으므로 비경으로 확인하는 것도 고려합니다.

---

* 급성 상기도감염(acute URI)과 동일한 의미로 사용되기도 합니다.

(2) 관련검사

1. 대부분의 환자의 경우 특별한 검사가 필요하지 않으나 증상이 심하거나 폐렴, 급성 편도염 등이 의심된다면 CXR나 감염관련검사를 시행해 볼 수 있고 부비동염, 특히 만성부비동염 이 의심되면 OMU CT나 X-ray 중 Water's view를 시행합니다. ASO titer는 급성 편도염과 관련되어 A군 베타용혈성 연쇄구균의 감염여부를 확인하는 검사입니다.

2. 기본검사 : CBC, ESR, CRP, CXR 등

3. 추가검사 : ASO-titer, OMU(Osteo-meatal unit) CT , Water's view 등

10장
일
반
병
동
콜

101-3 치료

(1) 기본적 치료

1. 바이러스성 감기의 경우 약물적 치료가 이환기간을 단축시키기 어려우므로 대증적 치료가 위주가 됩니다. 적절한 휴식과 함께 몸을 따뜻이 하고 수분공급 등이 충분히 되도록 합니다. 콧물, 비폐색 등의 코증상이나 인후증상, 기침 등의 다양한 증상이 골고루 나타나는 경우 는 바이러스성인 경우가 대부분입니다.

2. 성인의 경우 일반감기에서 38℃를 넘기는 경우는 거의 없고 대개 1주 이내에 호전되며 세 균성폐렴, 기관지염, 중이염, 부비동염 등과 같은 세균성 합병증으로 진행되지 않는 한 항 생제도 권장되지 않습니다. 단 체온 38℃ 이상, 일주일 이상 호전반응이 없을시, 상악골부 위 통증(maxillary pain)이나 호흡곤란 등의 경우라면 원인이 바이러스성이 아닌 세균성일 가능성이 높으므로 항생제 투여를 고려할 수 있습니다..

3. 감기로 치료받은 환자가 며칠 지난후 콜라색 또는 갈색뇨(dark urine)로 내원하였다면 PSGN*을 의심할 수 있습니다. PSGN은 고혈압, 신부전 등이 이어질 수 있으므로 항생제 사용, 입원치료 등을 고려합니다.

(2) 한약치료(예) - 변증에 따라 시행

1. 傷寒感冒

　1) 보험제제 : 葛根湯 葛根解肌湯 九味羌活湯 蔘蘇飮 人蔘敗毒散 柴胡桂枝湯

　2) 비보험제제 : 香蘇散 銀翹散 防風解毒湯

2. 鼻淵, 鼻塞 (鼻衄, 鼻涕)

　1) 보험제제 : 小靑龍湯 荊芥蓮翹湯

---

* PSGN : 연쇄상구균 감염 후 사구체신염 (Post-streptococcal glomerulonephritis)

2) 비보험제제 : 通竅湯

3. 咳嗽, 咽喉

1) 보험제제 : 柴梗半夏湯 杏蘇湯

2) 비보험제제 : 麥門冬湯 定喘化痰降氣湯 杏蘇淸氣湯

4. 임상연구

1) 麻黃附子細辛湯 : RCT 연구에서 발열, 기침 등의 증상이 acetaminophen이 포함된 종합 감기제 보다 빠르게 회복 [4]

2) 小柴胡湯 : 구고(口苦), 인건(咽乾), 식욕부진, 권태감 등을 동반한 만성기 감기환자의 증상을 위약군보다 개선 [5]

3) 辛夷淸肺湯, 四逆散 : 만성 비염과 부비동염에 효과 [6]

4) 양한방 병행치료의 효과 : 알러지성 비염에 있어서 병행치료군이 양약단독군에 비해 부작용은 적으면서 보다 나은 증상개선 효과 [7]

5) Systemic review : 한약의 복용이 감기증상에서 빨리 회복하는데 도움을 주는 것으로 보이나 보다 높은 단계의 RCT가 필요 [8]

6) 十全大補湯의 중이염에 대한 효과 : 중이염에 취약한 소아(otitis-prone children)*를 대상으로 3개월간 十全大補湯을 복용시킨 결과 발병률, 발열지속기간, 항생제투여율 모두 감소함. 연구 종료 후 2/3의 환아에서 재발경향이 있었으나 한약 재투여 후 다시 감소하는 효과 [9]

7) 감기 및 독감의 예방 – 보중익기탕 투여군이 비투여군보다 인플루엔자 감염률이 유의하게 낮음 [14]

8) 쌍황련(雙黃連) 혈맥주입요법 : 금은화, 황금, 연교로 구성된 쌍황련 제제 혈맥주입 (injection) 치료의 발열, 기침, 인후통 등의 증상호전도가 양약 대조군에 비하여 우수 [15]

(3) 침구치료(예) – 변증에 따라 시행

1. 傷寒感冒

1) 정경침 : 風池 列缺 合谷 外關 迎香, [風寒] 風門 支正 [風熱] 尺澤 魚際 [挾濕] 中脘 足三里 陽陵泉 [挾暑] 大椎 曲池 [氣虛] 足三里 [陰虛] 肺兪 支正 復溜

2) 사암침 : [傷寒1日-膀胱正格#] 商陽(+) 三里(-), [傷寒2日-胃正格#] 三里(+) 臨泣(-), [傷寒3日-膽正格#] 俠谿(+) 商陽(-)

---

* Otitis-prone children : a) 6개월간 3회 이상 발병, b) 12개월간 4회 이상 발병, c) 2세 이전에 4회 이상 발병한 경우 중 어느 하나에 속할 때

　3) 동씨침 : 又三 [頭痛] 大白,

　4) 이침 : 肺 氣管 內鼻 咽喉 耳尖

2. 鼻淵, 鼻塞

　1) 정경침 : 迎香 合谷 印堂 太淵 足三里, [肺虛] 肺兪 風門, [脾虛] 脾兪 胃兪 [腎虛] 腎兪 命門, [痰多] 豐隆 - 안면부를 제외한 부위는 溫鍼이나 灸法도 可

　2) 사암침 : [鼻塞-폐정격] 太白 太淵(+) 少府 魚際(-), [鼻涕-위승격#] 臨泣 陷谷(+) 陽谷 解谿(-) [鼻塞-삼초정격#] 臨泣 中渚(+) 通谷 俠谿(-)

　3) 동씨침 : 木穴 門金 側三里 駟馬穴-迎香

　4) 이침 : 肺 氣管 內鼻 咽喉 耳尖

3. 咳嗽, 咽喉

　1) 정경침 : 肺兪 太淵 尺澤 風門 列缺 天突 大椎, [風寒] 風池 合谷, [風熱] 大椎 曲池, [燥熱] 尺澤 外關 復溜, [濕痰] 足三里 豐隆 中脘, [肝火] 行間 魚際, [肺腎陰虛] 腎兪 膏肓 太谿, [脾腎陽虛] 脾兪 腎兪 中脘 足三里, [唾血] 孔最 [盜汗] 陰郄 [咽痛] 少商 扶突

　2) 사암침 : [熱痰咳-濕在心] 大敦 少衝(+) 太白 太谿(-) 天突(斜), [風嗽-濕在肝] 大敦 涌泉(+) 太白 太衝(-) 膝關 曲泉(橫), [氣咳-濕在肺] 天突 陰谷 經渠(+) 尺澤 陰陵泉(-), [寒喘-濕在腎(腎正格)] 經渠 復溜(+) 太白 太谿(-), [喉熱] 陽谷(+) 陷谷 液門 中渚(-), [喉痺] 經渠(+) 崑崙 液門 中渚(-)

　3) 동씨침 : 又三 土水 / 火主

　4) 이침 : 肺 氣管 腎 副腎 交感 平喘

4. 임상연구

　1) 알러지성 비염에 대한 침치료 : 6세 이상의 소아를 대상으로 시행한 RCT 연구에서 足三里, 印堂(EX-HN3), 上迎香(EX-HN8) 등의 8주 침치료가 유의하게 증상을 완화 [10]

　2) 알러지성 비염에 대한 침치료 : 성인 238명을 대상으로 한 RCT 연구에서 合谷 迎香 四白 足三里 上星 四神總 등의 4주 침치료로 유의한 효과 [13]

　3) 지속성 알러지성 비염 : 16-70세의 성인을 대상으로 한 RCT 연구로서 迎香, 印堂, 風池의 자침을 기본으로 하고 증상에 따라 合谷, 足三里, 氣海 등을 추가한 침치료로 관련증상들이 유의하게 개선 [11]

　4) 알러지성 비염에 대한 침치료의 체계적 고찰(systematic review) : 계절성(seasonal) 알러지성비염 보다는 통년성(perennial) 알러지성비염에 더 뚜렷한 개선효과 [12]

(4) 양약치료

1. 일반적으로 증상에 따라 대증적 치료를 위주로 합니다. 단 폐렴, 부비동염 등 세균성 감염

이 의심된다면 항생제 사용을 고려해야 합니다.

2. 코증상 : 콧물, 코막힘 등의 증상이 위주라면 Pseudoephedrine과 같은 경구용 비충혈제거제 (oral decongestants)를 사용하고 또는 알레르기에 의한 콧물이라면 Pheniramine과 같은 항히스타민제도 사용할 수 있습니다. (Ex. Pseudoephedrine 1T tid, Pheniramine 1T tid) 단 비강에 직접 분무하는 Topical nasal decongestant(비점막충혈 완화제)는 추천하지 않거나 일주일 이내의 단기 사용으로 제한합니다. 심한 비염증상에는 전신부작용의 우려가 적은 국소 스테로이드제(비강내 분무제)가 처방되기도 하는데 사용후 2-7일이 경과해야 최대효과를 보이고 비강내로 분무되는 방향이 어긋나면 출혈, 비중격천공 등이 발생할 수 있습니다.

Tip Topical nasal decongestant (비점막충혈 완화제)

1. 교감신경계에 존재하여 혈관수축을 주 작용으로 하는 α1 receptor의 작용제(agonist)가 주로 사용되며 코막힘을 신속히 해결해 주는 효과 때문에 사용이 선호됩니다.

2. 하지만 지속적으로 반복 사용시 α1 receptor가 퇴화되는 하향조절(down-regulation)이 되면 resistence를 유발하고 결국에는 rebound 현상으로 비충혈이 더욱 심해지는 약물성 비염(rhinitis medicamentosa)이 유발될 수 있습니다. 따라서 일반적으로 7일 이내의 단기 사용만 권장됩니다.

3. 기침, 가래 : Mucolytics(점액용해제)가 사용되거나 Codeine이 함유된 코푸시럽처럼 Cough suppressants(진해제)가 사용될 수 있습니다.

4. 발열, 염증 : Acetaminophen이나 NSAIDs의 사용도 고려합니다. (Ex. Tylenol ER 650mg 1T tid 또는 Ibuprofen 1T tid)

Tip NSAID와 Acetaminophen(타이레놀)의 차이

- NSAID와 아세트아미노펜 모두 해열 및 진통작용을 가집니다. 다만 NSAID가 염증상태에서 활성화 되어있는 COX(cylooxygenase)-2를 억제하여 염증유도물질인 프로스타글란딘(Prostaglandin, PG)의 생성을 막는 소염기전을 가지는 반면 아세트아미노펜은 COX-2를 약하게 억제하므로 항염증효과는 미미한 편입니다.

- NSAID는 위점막보호나 신혈류 유지, 혈소판 응집기능도 하는 COX-1까지 동시에 억제하므로 복용시 위장장애를 유발할 수 있고 그 외에 신장 장애, 혈소판 억제, 천식 악화 등의 부작용도 유발할 수 있습니다 (좌약형 NSAID도 동일). 반면 아세트아미노펜은 위장장애 등의 부작용은 적은 편이나 과량복용 또는 간상태가 좋지 않을 경우, 음주 후 복용시 간손상이 유발될 수 있습니다.

- 최근에는 COX-1에는 작용하지 않으면서 COX-2만 선택적으로 억제하는 celecoxib제제(ex.쎄

레브렉스) 등도 개발되어 위장관련 부작용이나 혈소판 억제 부작용은 적어졌지만 이와 별도로 심혈관 관련 부작용이 보고된 바 있습니다.

- 소아에서는 아스피린이나 타이레놀 ER(서방정, Extended Release)의 사용은 추천되지 않습니다. 아스피린은 라이증후군(Rye syndrome)을 유발할 수 있고 타이레놀 ER은 반감기가 길어서 오용될 우려가 있기 때문입니다.

REFERENCES

1. 강남세브란스병원 가정의학과. Current clinical manual. 한국의학. 2010.
2. 이진우. The root of ambulatory care. 군자출판사. 2006.
3. Kent RN et al. The Osler medical handbook. Saunders. 2006.
4. Homma Y, Takaoka K, Yozawa H, et al. Effectiveness of Mao-bushi-saishin-to in treating common cold syndrome. Nihon Toyo Igaku Zasshi (Japanese Journal of Oriental Medicine) 1996;47:245-52.
5. Kaji M, Kashiwagi S, Yamakido M, et al. A double-blind, placebo-controlled study of TSUMURA Shosaikoto (TJ-9) for common cold. Japanese Journal of Clinical and Experimental Study. 2001; 78: 2252-68.
6. Sakurada T, Ikeda K, Takasaka T, et al. Clinical effectiveness of Kampo medicine for chronic rhinitis and sinusitis. Jibiinkoka Rinsho (Practica otologica) 1992;85:1341-6
7. Su-Hyeon Jeong, Sung-Wan Kim, Soo-Jin Jeong, Won-Chul Lee. The effect of a cooperative system of Oriental and Western medicine in the treatment of allergic rhinitis. Korean Journal of Oriental Medicine. 2003;24(4):64-70.
8. Wu Tet al. Chinese medicinal herbs for the common cold. Cochrane Database Syst Rev. 2007;(1):CD004782.
9. Maruyama Y, Hoshida S, Furukawa M, Ito M. Effects of Japanese herbal medicine, Juzen-taiho-to, in otitis-prone children--a preliminary study. Acta Otolaryngol. 2009;129(1):14-8.
10. Ng DK, Chow PY, Ming SP et al. A double-blind, randomized, placebo-controlled trial of acupuncture for the treatment of childhood persistent allergic rhinitis. Pediatrics. 2004;114(5):1242-7.
11. Xue CC, An X, Cheung TP et al. Acupuncture for persistent allergic rhinitis: a randomised, sham-controlled trial. Med J Aust. 2007 Sep 17;187(6):337-41.
12. Lee MS, Pittler MH, Shin BC et al. Acupuncture for allergic rhinitis: a systematic review. Ann Allergy Asthma Immunol. 2009;102(4):269-7.
13. Choi SM et al. A multicenter, randomized, controlled trial testing the effects of acupuncture on allergic rhinitis. Allergy. 2013;68(3):365-74.
14. Masanori Niimi.Prevention of 2009 pandemic influenza A/H1N1 virus infection by administration of hochuekkito, a Japanese herbal medicine. BMJ. 15 December, 2009
15. Zang H et al. Chinese medicine injection shuanghuanglian for treatment of acute upper respiratory tract infection: a systematic review of randomized controlled trials. Evid Based Complement Alternat Med. 2009;23(12):1721-5.

10장

일
반
병
동
콜

기침/가래

- 기침(Cough), 가래(sputum)는 일반감기의 흔한 증상 중 하나지만 다른 원인으로 발생하는 경우도 많아 별도의 장으로 분리하였습니다.

102-1 개요

1. 급성기침은 발병 3주 이내의 기침으로 감기, 기관지염, 알레르기성 비염, 부비동염, COPD의 악화 등이 주요 원인이 됩니다. 3-8주 정도 된 기침은 아급성기침(subacute cough)으로 분류하며 감기에 걸린 후 3주 이상 기침이 지속되거나 천식 등에 의해 보입니다.

2. 8주 이상 지속되는 기침을 만성기침으로 정의하는데 가장 흔한 원인 3가지는 1)후비루증후군(postnasal drip syndrome, PNS), 2)천식(Asthma), 3)위식도역류증(GERD) 입니다. 호흡기와 무관하게 심질환(CHF 등)으로 발생하는 경우도 있고 흡연자인 경우는 COPD나 폐암 등의 가능성도 고려해야 합니다.

3. 적절한 검사를 해도 원인이 발견되지 않는 경우 심인성 기침(psychogenic cough)으로 보기도 합니다.

102-2 확인사항

(1) 병력청취

1. 주요 과거력과 함께 기침의 시작시기와 양상, 동반증상(발열, 객담, 흉통, 호흡곤란, 객혈, 후비루, 속쓰림, 체중감소 등)을 확인합니다. 객담(sputum)은 기관지염, 폐렴 등에서 흔하고 천식이나 폐암에서는 잘 관찰되지 않습니다.

2. 만성기침에서 특히 식사후 또는 취침시 심하거나 속쓰림이 있을 때 기침이 심해진다면 GERD를 의심하고 아침에 일어날 때 심하거나 코가 목 뒤로 넘어가는 후비루 증상이 있으면 후비루증후군(PNS)에 의한 기침을 의심합니다. 온도변화나 운동과 관련되면 천식과 관련되어 있을 수 있습니다.

3. 흡연도 주요한 원인인자이므로 흡연력도 확인합니다.

4. 혈압약 복용여부도 확인하는데 이는 혈압약으로 종종 처방되는 ACE inhibitor의 흔한 부작

용 중 하나가 마른기침(dry cough)이기 때문입니다. 보통 복용 3주 또는 6개월 후부터 기침
이 발생하고 약물 중단 수일에서 수주내에 호전됩니다. ACE inhibitor의 이런 단점을 개선
한 ARB제제도 출시되었으나 드물지만 역시 기침을 호소하는 경우도 있으므로 주의합니다.

(2) 신체검진

1. 청진을 통해 호흡음, 심음을 확인하고 비강이나 인후부도 검진합니다. 청색증이나 곤봉지
   등 만성적인 폐질환시 동반될 수 있는 증상도 확인합니다.

(3) 관련검사

1. 흉부X선검사(CXR)가 가장 기본이며 이상이 발견되거나 또는 보존적 치료로 증상호전이
   없으면 기관지내시경(bronchoscopy)이나 폐의 미세구조까지 관찰할 수 있는 고해상도
   CT(high Resolution CT = HRCT) 등의 시행을 고려합니다. 폐기능검사는 천식, COPD 등의
   감별시 유용하고 24시간 식도산도 검사는 GERD 의심시 고려될 수 있습니다.
2. 기본검사 : X-ray (CXR, Water's view), 폐기능검사(PFT), Sputum culture
3. 추가검사 : Chest CT(HRCT), Bronchoscopy, 24시간 식도산도 검사

102-3 치료

(1) 일반적 관리

1. 흡연을 중단하거나 복용하던 ACE inhibitor를 ARB 등 다른 항고혈압제제로 변경하여 유발
   요인을 배제합니다.
2. 건조한 환경이라면 가습기 등을 이용할 수 있고 평소 수분섭취를 충분히 하도록 합니다.

(2) 한약치료(예) – 변증에 따라 시행

1. **보험제제** : 柴梗半夏湯 滋陰降火湯 杏蘇湯
2. **비보험제제** : 麥門冬湯 定喘化痰降氣湯 杏蘇淸氣湯 淸上補下湯

(3) 침구치료(예) – 변증에 따라 시행

1. **정경침** : 肺兪 太淵 尺澤 風門 列缺 天突 大椎, [風寒] 風池 合谷, [風熱] 大椎 曲池, [燥熱]
   尺澤 外關 復溜, [濕痰] 足三里 豊隆 中脘, [肝火] 行間 魚際, [肺腎陰虛] 腎兪 膏肓 太谿,
   [脾腎兩虛] 脾兪 腎兪 中脘 足三里, [唾血] 孔最 [盜汗] 陰郄 [咽痛] 少商 扶突
2. **사암침** : [熱痰咳-濕在心] 大敦 少衝(+) 太白 太谿(-) 天突(斜), [風嗽-濕在肺] 大敦 涌泉(+)

太白 太衝(-) 膝關 曲泉(橫), [氣咳-濕在肺] 天突 陰谷 經渠(+) 尺澤 陰陵泉(-), [寒喘-濕在腎(腎正格)] 經渠 復溜(+) 太白 太谿(-), [喉熱 陽谷(+) 陷谷 液門 中渚(-), [喉痺] 經渠(+) 崑崙 液門 中渚(-)

3. **동씨침** : 叉三 木穴 大白

4. **이침** : 神門 腎 沈 心

5. **구법**(灸法) : 肺兪 膏肓 灸

6. **연구현황**

　1) 小靑龍湯 : 수양성 가래(watery sputum), 수포음(crackle) 및 기침 등이 동반된 경도에서 중등도의 기관지염 환자에 투여하여 위약군보다 유의한 개선효과 [4]

　2) 連翹敗毒散, 小靑龍湯 : 風熱形 감기에서는 차이가 없었으나 風寒形 감기에서 유의하게 증상을 경감 [5]

　3) 麥門冬湯 : 진해제(antitussive) 투여에도 불구하고 감기 후 3주 이상 만성기침을 하는 환자들에게 투여하여 대조군에 비하여 빠른 증상 경감효과 [6]

(4) 양약치료

　1. 기저질환에 대한 치료가 기본이 되고 가래 등이 있다면 대증적 요법을 시행할 수 있습니다.

　2. 거담제(expectorants)는 기관지 분비물의 점성을 낮추고 기관섬모운동도 촉진해 기침으로 배출을 쉽게하는 역할을 하며 아이비엽, Guaifenesin 등이 사용됩니다. 점액용해제(mucolytics)는 폐의 점액(mucus)을 분해해 호흡기 분비물을 묽게 하는 역할을 하며 Ambroxol, Acetylcysteine 등이 대표적입니다. (Ex. Ivy leaf extract 1P tid, Ambroxol 1T tid)

　3. 한편 codeine과 같이 호흡중추 및 말초기관에 작용하여 기침을 억제하는 진해제(cough suppressants)도 많이 사용됩니다. (Ex. 코푸시럽 20mL tid)

　4. 후비루증후군에는 Pseudoephedrine과 같은 경구용 비충혈제거제(oral decongestants)나 Pheniramine과 같은 항히스타민제 사용을 고려합니다. GERD가 의심되면 우선 위산분비를 억제하는 PPI(proton pump inhibitor)를 투여하여 반응을 보는 방법도 있으며 증상의 호전이 있다면 일단 GERD가 원인으로 간주할 수 있습니다. 천식이나 기타 기도과민성 증상에는 Albuterol(Ventolin®), Budesonide(Pulmicort®) 등을 흡입하는 방식도 고려합니다.

REFERENCES

1. 강남세브란스병원 가정의학과. Current clinical manual. 한국의학. 2010.
2. 이진우. The root of ambulatory care. 군자출판사. 2006.
3. Kent RN et al. The Osler medical handbook. Saunders. 2006.
4. Miyamoto T, Inoue H, Kitamura S, et al. Effect of TSUMURA Sho-seiryu-to (TJ-19) on bronchitis in a double-blind placebo-controlled study. Journal of Clinical Therapeutics & Medicine. 2001;17: 1189-214.
5. Byun JS, Yang SY, Jeong IC et al. Effects of So-cheong-ryong-tang and Yeon-gyo-pae-dok-san on the common cold: randomized, double blind, placebo controlled trial. J Ethnopharmacol. 2011;133(2):642-6.
6. Irifune K, Hamada H, Ito R et al. Antitussive effect of bakumondoto a fixed kampo medicine (six herbal components) for treatment of post-infectious prolonged cough: controlled clinical pilot study with 19 patients. Phytomedicine. 2011;18(8-9):630-3.

10장

일
반
병
동
콜

103 딸꾹질

103-1 개요

1. 딸꾹질(Hiccup)은 횡격막의 불수의적 경련에 의해 성대가 비정상적으로 갑자기 폐쇄되면서 특징적인 소리가 나는 현상입니다. 48시간 이상 지속되는 딸꾹질은 지속성 딸꾹질로 분류합니다.
2. 흔히 보이는 딸꾹질은 음식물을 급히 먹을 때 또는 지나치게 차거나 매운 음식을 먹다가 횡격막이 자극되어 생기며 또는 스트레스, 흥분 등 정신적 원인으로 발생할 수 있습니다. 수면시에 딸꾹질이 감소하면 정신적 원인을 의심합니다.
3. 기질적 원인으로 인한 경우는 전해질 이상, 요독증, 악성종양, 심질환(MI, 부정맥 등), 인두염, 위식도역류증, 알코올중독, 약물유발성 등이 해당합니다.

103-2 확인사항

1. 일상적인 딸꾹질의 경우 추가적인 검사는 불필요하지만 반복적이고 지속적으로 발생하거나 쉽게 호전되지 않는다면 원인검사를 시행해 볼 수 있습니다. 투시검사(Fluoroscopy)는 횡격막 운동을 관찰해서 꾀병과 기질적 이상을 감별할 수 있습니다.
2. 기본검사 : Electrolytes, LFT, BUN/Cr, CXR, EKG 등
3. 추가검사 : Chest CT, 투시검사(Fluoroscopy) 등

103-3 치료

(1) 기본적 치료
1. 숨 참기, 놀라게 하기, 찬물 세수, 혀 잡아당기기, 물 마시기, 설탕 한 숟가락을 혀에 녹여 먹는 방법 등 다양한 비약물적 방법이 있으며 일부 타당한 기전들이 인정되기도 합니다.
2. 설압자나 면봉 등으로 목젖(uvula)을 자극하는 방법도 가능하며 호전이 없거나 의식이 없는 환자의 경우에는 L-tube를 삽입한 후 제거하거나 위 내용물을 흡인해 봅니다. 인두자극효과와 위장내 압력을 줄이는 효과로 딸꾹질이 멈추는 것을 기대할 수 있습니다.

3. 전해질이상, 위식도역류증(GERD), 종양 등 기질적 원인이 있다면 이에 대한 치료를 합니다.

(2) 한약치료(예) – 변증에 따라 시행

1. 보험제제 : 平胃散 不換金正氣散 등

2. 비보험제제 : 芍藥甘草湯 등

(3) 침구치료(예) – 변증에 따라 시행

1. 정경침 : 膈兪 內關 中脘 翳風 [食積] 內庭 足三里 [氣滯] 膻中 太衝 [胃寒] 胃兪 梁門 關元

2. 사암침 : [肺呃逆-大腸正格#] 三里 曲池(+) 陽谷 解谿(-), [心呃逆-心正格] 大敦 少衝(+) 陰谷 少海(-), [冷呃逆-腎正格] 經渠 復溜(+) 太白 太谿(-), [濕呃逆-脾正格] 少府 大都(+) 大敦 隱白(-), [風呃逆-肝正格] 陰谷 曲泉(+) 經渠 中封(-)

3. 이침 : 耳中 交感 胃 肝 脾

4. 구법(灸法) : 膈兪 乾薑附搗 뜸 또는 灸

5. 임상연구

　1) 종양 환자의 완고한 딸꾹질 : 간전이가 있는 위암환자 및 전이성 폐암 환자의 완고한 딸꾹질에 中脘 內關 足三里 太衝 公孫 膈兪의 자침 및 수기자극으로 효과를 본 증례 [3]

　2) 주요경혈에 근적외선 : 완고한 딸꾹질에 內關 足三里 至陽에 근적외선을 매일 3분씩 8일간 조사하여 효과를 본 35례를 보고 [4]

(4) 양약치료

1. 항정신병제(Antipsychotics)로 사용되는 Chlorpromazine, Haloperidol 등이 많이 사용되며 경구 또는 IV로 투여될 수 있습니다. (ex. Chlorpromazine 20mg 1T tid 또는 1A IV prn)

2. 또는 도파민 D2 길항제로 위장운동을 촉진하는 Metoclopramide을 사용하거나 항경련제인 Phenytoin, Valproic acid가 사용될 수 있습니다. 근이완제인 Baclofen을 시도해 보기도 합니다. (ex. Metoclopramide 1A IV)

REFERENCES

1. 강남세브란스병원 가정의학과. Current clinical manual. 한국의학. 2010.
2. 김노경 외. 암진료가이드. 일조각. 2005.
3. Schiff E, River Y, Oliven A, Odeh M. Acupuncture therapy for persistent hiccups. Am J Med Sci. 2002 Mar;323(3):166-8.
4. Chang CC, Chang YC, Chang ST et al. Efficacy of near-infrared irradiation on intractable hiccup in custom-set acupoints: evidence-based analysis of treatment outcome and associated factors. Scand J Gastroenterol. 2008;43(5):538-44.

배뇨장애/요실금

104-1 개요

1. 배뇨장애는 크게 방광자극증상과 폐쇄증상으로 구분되며 또는 요실금(urinary incontinence, 소변찔끔증)을 포함시키기도 합니다.

2. 방광자극증상은 방광내의 염증, 이물 또는 종양 등으로 생기며 아래의 증상들이 대표적입니다.

    1) 빈뇨(frequency) : 하루 8회 이상의 배뇨

    2) 야간뇨(nocturia) : 수면 중 2회 이상 배뇨

    3) 절박뇨(urgency) : 배뇨하고 싶은 느낌이 들면 참지 못하고 즉시 배뇨를 하려는 상태

    4) 배뇨통(dysuria) : 배뇨시 요도 주위에서 느껴지는 통증이나 작열감

3. 방광폐쇄증상은 주로 전립선비대증이나 요도 협착 등으로 생기는 증상으로 다음의 증상들이 대표적입니다.

    1) 배뇨지연(hesitancy) : 쉽게 배뇨시작이 되지 않는 상태

    2) 세뇨 또는 약뇨(narrow or weak stream) : 소변줄기가 가늘어지는 것

    3) 복부힘주기(abdominal straining) : 배에 힘을 주어야 배뇨가 되는 상태

    4) 잔뇨감(residual urine sense) : 배뇨 후에도 소변이 남아있는 느낌

    5) 점적뇨(dribbling) : 배뇨가 완료된 후에도 소변이 조금씩 떨어지는 상태

104-2 확인사항

(1) 병력청취/신체검진

1. 증상의 시작시기와 양상, 동반증상(배뇨통, 발열, 오한, 혈뇨, 농뇨 등)을 확인합니다. 혈뇨가 있다면 종양이나 염증을 생각해야 하고, 발열이 있다면 요로감염 등을 의심할 수 있습니다. 필요시 배뇨일지(voiding diary), 전립선증상점수표(IPSS) **[참조 : F-6]** 또는 최근 사용이 증가되는 과민성방광 증상점수 설문지 (OABSS F-7)의 작성도 고려합니다.

2. 수술력(특히 하복부나 골반부)이나 산과력을 확인하고 이뇨제나 항고혈압제제, 항우울제 등의 약물복용력도 확인합니다.

3. 하복부 복진을 통하여 방광의 팽만, 치골상부의 압통 등을 확인합니다. 신우신염 등의 가능

성을 확인하기 위해 늑척추각압통(CVA tenderness)을 확인하거나 전립선의 상태를 알아보기 위하여 직장수지검사(DRE)가 시행되기도 합니다.

(2) 관련검사

1. U/A(microscopy 검사포함)가 가장 기본이 되며 폐쇄증상, 신경인성방광 등이 나타나면 배뇨시의 요속, 방광내압, 요도내압 등을 측정하는 요역동학검사(urodynamic study, UDS)를 시행해 볼 수 있습니다. BUN/Cr은 신기능의 이상 또는 요역류로 인한 신손상을 확인하기 위해 시행합니다.

2. 증상이나 성별, 연령에 따라 PSA(전립선암 표지자), KUB(하복부 장기관찰), IVP(intra-venous pyelography, 정맥신우조영술) 등을 고려합니다. IVP는 소변의 배설경로를 따라 들어간 조영제의 분포를 통해 신장, 요로의 이상을 관찰하는 검사법입니다.

3. 기본검사 : U/A c microscopy, BUN/Cr, urine culture, Urodynamic study

4. 추가검사 : PSA, KUB, IVP, transrectal USG, abdomino-pelvis CT, 방광경검사

104-3 치료

(1) 기본적 치료

1. 증상이 경미하면 배뇨훈련, 수분섭취조절, 카페인 및 음주 제한 등의 생활요법을 지도하며 이뇨제 등의 약물복용시 처방변경도 고려합니다. 빈뇨의 경우는 배뇨간격을 1주 간격으로 30분씩 연장하여 최대 4시간까지의 연장을 목표로 시행을 격려합니다.

2. 요로감염(UTI)시에는 항생제치료를 우선 고려합니다. 무증상의 고령인 경우는 항생제 사용이 보류 될 수 있으나 임상증상이 있으면서 UTI가 의심되면 사용하게 됩니다.
   [참조항목 : 55-2]

(2) 한약치료(예) - 변증에 따라 시행

1. **보험제제 :** 五淋散
2. **비보험제제 :** 五苓散 八正散 金木八正散 八味地黃湯
3. 관련한의학적 범주 : 癃閉
4. 마황(麻黃) 사용주의 - Ephedrine, Pseudoephedrine 등에 의한 교감신경 흥분효과 및 신세뇨관 혈관수축작용으로 요저류(urinary retention)가 심해져 배뇨곤란 초래될 수 있으므로 주의가 필요합니다.

10장

일
반
병
동
콜

(3) 침구치료(예) - 변증에 따라 시행

1. **정경침**: 中極 三陰交 委陽 膀胱兪, [濕熱] 曲池 陰陵泉 至陰, [肝鬱氣滯] 合谷 太衝 大敦 肝兪, [氣虛] 氣海 脾兪 胃兪 足三里, [腎陽虛] 氣海 關元 太谿 腎兪

2. **사암침**: [膀胱正格] 商陽 至陰(+) 三里 委中(-), [腎正格] 經渠 復溜(+) 太白 太谿(-), [肺正格] 太白 太淵(+) 少府 魚際(-), [小腸正格] 臨立 後谿(+) 通谷 前谷(-)

3. **동씨침**: 腎關 海豹 木婦 馬快水 / 肩中 雲白 下曲 下三皇

4. **이침**: 腎 膀胱 三焦 交感 神門 皮質下

5. **기타치법**: 氣海 關元 中極에 灸法

6. **연구현황**

   1) 중풍환자 배뇨장애에 대한 灸 : 氣海 關元 中極의 뜸치료로 유의한 잔뇨량 감소효과 [5]

   2) 八味地黃湯, 猪苓湯 : 전립선비대증으로 인한 증상완화에 도움, 배뇨지연 및 요선의 힘 등은 팔미가 더 우월 [6]

   3) 八正散 : 양성전립선비대증 환자의 하부요로증상이 호전 [7]

   4) 加味六味地黃湯* : 침치료, 약침치료와 병행하여 만성전립선염에 유의한 효과 [8]

   5) 전침 : 만성전립선염/만성골반통증후군(chronic prostatitis/chronic pelvic syndrome) 환자에게 6주 간의 中髎, 次髎, 膀胱의 전침치료로 NIH-CPSI, IPSS 등의 지표를 호전. 전립선내 염증과 통증매개물질인 Prostaglandin E2의 감소도 관찰됨. [9] 전립선비대증에도 中髎 의 장침 자입 및 20Hz 전침자극으로 주관적 증상(IPSS)의 호전 관찰. [19]

   6) 三陰交 : 주1회, 회당 30분, 총 12주간 삼음교(三陰交) 혈의 전기적 자극(PTNS) 시행한 RCT 연구에서 과민성방광 증상의 개선이 보고되었으며 후속연구에서 Tolterodine(디트루시톨[18])에 상당하는 개선도를 보여줌. [15,16]

(4) 양약치료 (전립선비대 관련)

1. 남성의 경우 배뇨지연 등 전립선비대(BPH)와 관련된 증상이 위주가 되면 전립선 평활근을 이완시키기 위하여 Doxazosin, Terazosin 등의 알파차단제(alpha blocker)가 사용될 수 있습니다. 다만 이러한 약물은 어지러움, 저혈압 등 전신적인 부작용이 발생할 수 있는데 최근에는 Tamsulosin(하루날) 등 전립선 평활근에만 선택적으로 작용하는 알파차단제(selective alpha blocker)가 많이 사용됩니다.

2. 전립선의 비대가 심하다면 Dutasteride(아보다트) Finasteride(프로스카) 등과 같이 전립선비대의 주원인인 DHT의 전환효소를 억제하는 5알파 환원효소 억제제(5 alpha reductase in-

---

* 六味地黃湯 加 澤蘭, 虎杖根, 川楝子, 金銀花, 蒲公英, 貝母, 苦參, 敗醬草, 魚腥草

hibitor)를 병용하기도 합니다. 일반적으로 초음파상 전립선 용적이 30-40ml 이상으로 비대
해져 있을 때 적용하며 보통 6개월 이상 복용해야 개선효과가 나타납니다. DHT는 남성형
탈모의 원인이기도 하므로 기존 5 alpha reductase inhibitor의 복용량을 1/5 정도로 줄여 탈
모예방 목적으로 투여되기도 합니다. **[참조항목 : 28-7]**

3. 보존적 치료에도 전립선 증상이 지속되면 전립선절제술(transurethral resection of the pros-
tate, TURP)도 시행할 수 있으나 수술 후에도 1/4 정도에서는 부작용 또는 만족스럽지 못
한 결과를 보입니다.[10] 급성 요폐, 심한 혈뇨나 신기능저하까지 초래된 경우 등에도 TURP
가 시행될 수 있으며 최근에는 레이저를 이용한 수술로 대체되는 추세입니다.

(5) 양약치료 (과민성방광 관련)

1. 여성의 경우 빈뇨, 절박뇨 등 과민성방광(overactive bladder, OAB)과 관련된 증상이 흔하
며 약물치료는 방광수축력을 감소시키기 위하여 항콜린제(=항무스카린제)가 주로 사용됩
니다. 항콜린제는 남성에게도 OAB 증상이 있다면 사용될 수 있습니다.

2. 방광 또는 배뇨근의 수축은 부교감신경 말단에서 분비되는 아세틸콜린(ACh)에 의해서 이
루어지는데 항콜린제는 이러한 ACh이 수용체(무스카린성)에 작용하는 것을 경쟁적으로 억
제합니다. 항콜린제가 주로 작용하는 M2(주로 심장쪽 작용), M3 수용체(주로 평활근에 작
용)는 체내 다양한 장기에 분포해 있기 때문에 투약시 입마름, 졸림, 어지러움, 변비 등이
나타날 수 있습니다. Oxybutynin(디트로판®)이 대표적으로 사용되어 온 항콜린제이나 최
근에는 방광에 좀 더 특이적인 Tolterodine(디트루시톨®), Solifenacin(베시케어®),
Fesoterodine(토비애즈®) 등이 많이 사용됩니다.

3. 방광에는 무스카린 수용체 외에도 Beta(β)3 수용체가 존재하여 방광근 이완을 매개하는데
최근에는 β3 adrenoceptor에만 선택적으로 작용하여 입마름, 졸림 등의 부작용이 개선된
약물인 mirabegron 등이 개발되어 사용이 확대되고 있습니다.

4. 과민성방광이 행동요법이나 약물치료로도 반응이 없으면 방광근에 보톡스(Botulinum tox-
in)를 주입하거나 천수 신경조절술(sacral meuromodulation)이 시행되기도 합니다. 보톡스
주입은 시간이 지남에 따라 효과가 감소되므로 반복적 시행이 필요합니다.

104-4 요실금

(1) 개요

1. 요실금은 의도하지 않은 불수의적 배뇨로 사회적 또는 위생적으로 문제를 일으키는 상태를

10장

일
반
병
동
록

의미하며 아래와 같이 구분합니다.

1) **복압성 요실금(stress incontinence)** : 여성요실금의 가장 흔한 원인으로 기침, 재채기, 폭소, 운동 등 복압이 증가하는 상황에서 발생합니다. 난산 등으로 인한 골반근육층의 약화나 요도괄약근의 기능저하 등이 원인입니다.

2) **절박성 요실금(urge incontinence)** : 방광내 소변량과 무관하게 갑자기 강한 요의를 느끼고 참을 수 없이 소변이 나오는 상태로 과민성방광(OAB)도 이 범주에 관련됩니다. 복압성 요실금에 동반되거나 또는 방광염으로 유발되기도 하며 복압성과 절박성이 함께 있는 상태는 혼합요실금(mixed-)으로 따로 분류되기도 합니다.

3) **일류성(溢流性) 요실금(overflow incontinence)** : 요배출이 잘 되지 않아 방광이 팽창된 상태에서 소변이 넘쳐흘러 발생하는 요실금으로 신경인성방광(하반신마비 등), 당뇨, 심한 전립선비대증 등에서 보입니다.

4) **진성 요실금(True incontinence)** : 요의나 유발요인에 무관하게 소변이 배출되는 상태로 선천적 기형이나 수술에 의한 손상, 일부 신경인성방광, 방광질루(vesicovaginal fistula) 등에서 보입니다.

2. 병력청취나 신체검진은 위의 배뇨장애에 준하여 시행하면 되며 검사는 요역동학검사(UDS)가 기본이 됩니다. 이뇨제, 항고혈압제제, 항히스타민제, 감기약 등으로도 요실금이 유발될 수 있으므로 관련여부를 확인하여야 합니다.

3. 특히 배뇨와 관련된 증상뿐 아니라 변비가 있는지도 확인하여 함께 치료하도록 합니다.

(2) 치료

1. 복압성 요실금은 케겔운동, 바이오피드백(biofeedback) 등의 비약물적요법을 우선 시도해봅니다. 효과가 크지는 않으나 Peudoephedrine과 같은 알파수용체 작용제, Imipramine과 같은 항우울제 등의 약물요법을 병행할 수도 있습니다. 보존적 치료에도 호전이 없으면 특수한 테잎으로 요도의 위치를 교정해주는 수술적 접근도 고려하며 테잎의 삽입방식에 따라 TVT(tension- free vaginal tape) 또는 TOT(transobturator tape)로 구분됩니다.

> **Tip** 케겔운동(Kegel's exercise)
>
> ▪ 직장과 질을 조이는 느낌으로 근육을 수축시키는 운동으로 한번에 5-10초간 10회 내외를 한 세트로 하여 하루 3-4번씩 하는 방법이 권장되며 수개월간 지속하여야 합니다.
> ▪ 평소 잘 사용하지 않는 근육을 사용하므로 정확한 교육이 필요합니다.

2. 절박성 요실금은 Biofeedback 등의 행동요법과 함께 과민성방광(OAB)에 준하여 Oxybutynin,

Tolterodine 등과 같은 항콜린제가 사용됩니다.

3. 일류성 요실금은 알파차단제를 시도해 볼 수 있으나 실제적으로는 증상관리가 위주가 되며 간헐적도뇨법(CIC) 등으로 4-6시간마다 자가배뇨하는 방법도 사용합니다.

4. 한의학적 접근은 배뇨장애와 유사한 범주에서 시행할 수 있습니다.

   1) 補中益氣湯 : 여성의 복압성 요실금에 효과. 비만형보다는 마른형에서 더 좋은 효과 [11]

   2) 전침 : 팔료(八髎), 중료(中髎)의 전침 또는 Sacral nerve의 전기적 자극 등이 과민성 방광, 요실금 등의 증상 개선에 효과적 [12,17,18]

   3) 재발성 방광염 침치료 : 재발성 방광염에 대하여 예방적 침치료가 유의한 효과를 보였으며 특히 신허(腎虛) 진단군에서 우월한 효과 [13]

   4) 八味地黃湯 : 과민성 방광 환자에게 투여시 위약군과 유의한 차이가 없었으나 신양허(腎陽虛) 변증군에서는 빈뇨, 절박뇨 등의 증상이 개선 [14]

REFERENCES

1. Current Clinical Manual ; 영동세브란스 가정의학과 ; 한국의학 ; 2006
2. The root of ambulatory care ; 이진우 ; 군자출판사 ; 2006
3. The Washington Manual Survival Guide Series Internship Survival Guide Second edition
4. 암 진료 가이드, 김노경, 일조각, 2005
5. 강경숙, 정은정, 문상관, 고창남, 조기호, 김영석, 배형섭, 이경섭, 중풍환자의 배뇨장애에 대한 灸療法의 효과, 대한한의학회지, 2000;21(4):236-241
6. Sakamoto Y et al. Study of effects Hachimi-jio-gan and Chorei-to on prostatic hypertrophy. Dai 13 Kai Hinyokika Kampo Kenkyukai Koen Shu (Proceedings of the 13th Meeting of the Urological Society for Kampo Medicine) 1996: 7-14
7. 송문구 외. 팔정산으로 하부요로증상이 호전된 양성전립선비대증환자 4례.대한한의학회지.2010;31(1):153-161
8. 이승희 외. 만성전립선염의 치료에 대한 임상적 고찰. 대한한의학회지. 2007; 28(3):156-164
9. Lee SH, Lee BC. Electroacupuncture relieves pain in men with chronic prostatitis/chronic pelvic pain syndrome: three-arm randomized trial. Urology. 2009;73(5):1036-41.
10. Doll HA, Black NA, McPherson K et al. Mortality, morbidity and complications following transurethral resection of the prostate for benign prostatic hypertrophy. J Urol. 1992;147(6):1566-73.
11. Miyabi Inoue et al. The Effect of Hochuekkito on Female Stress Urinary Incontinence. Kampo med 2010;61(6):853-5.
12. Kitakoji H, Terasaki T, Honjo H et al. Effect of acupuncture on the overactive bladder. Nippon Hinyokika Gakkai Zasshi. 1995;86(10):1514-9.
13. Alraek T, Baerheim A. The effect of prophylactic acupuncture treatment in women with recurrent cystitis: kidney patients fare better. J Altern Complement Med. 2003;9(5):651-8
14. Kim D, Choi C et al. Efficacy and safety of Baweidihuang-wan in women with overactive bladder: a randomized, double blind, placebo controlled trial. Int J Clin Exp Med. 2014 Sep 15;7(9):2744-53
15. Peters KM et al. Randomized Trial of PTNS vs Sham in the Treatment of Overactive Bladder Syndrome: the SUmiT Trial. J Urol 2010;183:1438-43.
16. Peters KM et al. Randomized Trial of Percutaneous Tibial Nerve Stimulation Versus Extended-Release Tolterodine. J Urol 2009;182:1055-61.
17. Schmidt RA, Jonas U, Oleson KA et al: Sacral nerve stimulation for treatment of refractory urinary urge incontinence. J Urol 1999; 162: 352.
18. 장명웅 외. 한방 치료로 호전된 배뇨장애 환자 치험 2례. 동의생리병리학회지.2012;26(2):241-247.
19. Wang Y et al. Electroacupuncture for moderate and severe benign prostatic hyperplasia: a randomized controlled trial. PLoS One. 2013;8(4):e59449.

10장
일반 병동콜

피부증상

- 피부관련질환의 범주는 다양하지만 본 장에서는 병동에서 흔히 볼 수 있는 피부발진(rash)이나 가려움(Pruritus) 위주로 다루었습니다. 한방치료는 뒷부분에 별도로 정리하였습니다.

105-1 피부병변

1. 육안 또는 촉진으로 알 수 있는 피부병변은 원발진과 속발진으로 구별합니다. 원발진은 처음으로 나타나는 피부 변화를 의미하고, 원발진이 계속 진행되거나 외상 등의 요인으로 발생한 병변을 속발진이라 합니다.

2. 피부 병변의 검진시에는 분포, 종류 및 모양 등을 살피고 동반증상(통증, 작열감, 가려움, 발열 등)을 확인합니다. 특히 약물과의 관련성도 고려합니다. 보통 일반적인 검진만으로 병변의 특징을 확인하는 경우가 많지만 확대경 검사, 우드등 검사(진균감염, 백반증), KOH 검사(진균감염), Tzanck 검사(바이러스감염), serum IgE(알러지), 피부생검 등을 시행하기도 합니다.

- **원발진(primary lesion)의 종류**

① macule(반점) : 융기나 함몰이 없는 색조의 변화. 주근깨, 백반증 등. 1cm 이상은 반(patch)으로 분류.

② papule(구진) : 직경 1cm미만의 작고 단단한 융기성 병변. 사마귀, 융기된 점 등.

③ plaque(판) : 구진이 커지거나 서로 융합된 넓고 편평한 병변

④ nodule(결절) : 구진보다 크고 종양보다 작은 단단한 피부 병변.

⑤ tumor(종양) : 연하거나 단단한 지름 2cm 이상의 덩어리

⑥ wheal(팽진) : 두드러기 등에서 흔히 보이는 일시적인 부종성 병변.

⑦ vesicle(소수포) : 맑은 액체가 포함된 물집. 지름 1cm 미만. 수두, 대상포진 등.

⑧ bulla(대수포) : 맑은 액체가 포함된 물집. 지름 1cm 이상.

⑨ pustule(농포) : 농을 포함한 융기성 병변. 농가진, 여드름 등.

- **속발진(secondary lesion)의 종류**

① scale(인설) : 피부 표면으로부터 탈락되는, 건조하거나 습한 각질 덩어리.

② excoriation(찰상) : 가려워 긁거나 물리적 자극으로 생기는 병변

③ fissure(열창) : 표피에 생기는 선상의 틈.

④ crust(가피) : 혈청, 농, 혈액 등이 건조되어 생긴 병변

⑤ erosion(미란) : 수포가 터진 후 표피가 떨어져 나간 병변. 반흔이 생기지 않음.

⑥ ulces(궤양) : 표피와 함께 진피까지 소실된 병변. 반흔을 남기며 치유됨.

⑦ scar(반흔) : 진피와 심부에 생긴 피부 손상부에 새로운 결체조직의 증식으로 생긴 흉터

⑧ atrophy(위축) : 신체 일부의 크기가 감소. 진피 위축시에는 피부함몰이 관찰됨.

⑨ lichenification(태선화) : 표피 전체와 진피의 일부가 가죽처럼 두꺼워진 상태

10장

일반 병동콜

105-2 피부발진

(1) 개요

1. 피부발진(skin rash)은 피부에 macule(반점)이나 papule(구진)을 중심으로 나타나는 증상입니다. 전신적으로 발생하는 경우는 세균이나 바이러스 등과 연관되어 나타나는 경우가 많고 대개 발열이나 다른 전신 증상을 동반합니다.

2. 수포도 발견된다면 대상포진(Herpes Zoster)나 수두(varicella) 등을 의심할 수 있으며 보통 피부과 의뢰로 진행합니다. 등이나 체간부의 통증을 호소하여 내원하였다가 신체검진상 피부에 구진, 수포 등이 발견되어 대상포진 의증으로 전원되는 경우도 상당수 있으므로 주의해야 합니다.

3. 일반적인 피부발진은 약진(drug eruption)에 의한 경우가 많으므로 약물복용력을 꼭 확인해야 합니다. 특히 항생제, 항경련제, 소염진통제(NSAID) 등에서 자주 발생할 수 있으며 필수적인 약이 아니라면 중단하거나 또는 다른 약물로의 변경을 고려합니다.

(2) 치료

1. 급성으로 발생한 피부 발진의 경우 호흡곤란이나 천명(wheezing), 혈압저하 여부 등도 확인해서 아나필락시스를 감별해야 합니다. 만일 아나필락시스라면 수액공급과 함께 에피네프린(IV 또는 Sc), 항히스타민제(IV 또는 IM) 및 IV 스테로이드의 사용도 고려합니다.

2. 가볍게 나타나는 증상이라면 해당부위를 차갑게 압박하고, 연고도포 등의 대증적 치료를 위주로 합니다. 약물은 항히스타민제(ex. Hydroxyzine 25mg 1T tid)가 주로 투여되며 피부 증상이 심하면 외용스테로이드제(topical steroid)뿐 아니라 경구용 스테로이드도 고려합니다. (ex. prednisolone)

Tip 약물부작용에 의한 중증피부증상

1. SJS (Stevens-Johnson syndrome) : 약물 또는 감염에 의해 주로 발생하는 SJS(스티븐스 존 슨 증후군)은 고열과 함께 구강내를 포함한 안면부, 손, 발 등에 수포성 발진이 나타나는 것이 일반적이며 각막염(keratitis), 포도막염(uveitis) 등의 안구증상이 동반되기도 합니다. 피부가 벗 겨지는 것은 신체표면의 10% 이하이고 SJS으로 인한 사망률은 1-3% 정도입니다.

2. TEN (toxic epidermal necrolysis) : 약물에 의해 주로 발생하는 TEN(독성표피괴사용해)는 피 부증상 중 가장 위험한 상태 중 하나로 ICU급 관리가 요구되기도 합니다. 1-3일 전부터 발열, 인후통, 안구작열감(burning eyes) 등이 나타나다가 피부증상이 발현되는 것이 전형적이며 표 피가 벗겨지고 통증, 홍반, 수포 등이 동반됩니다. 피부가 벗겨지는 것(sloughing)은 신체표면 의 30% 이상이며 sepsis나 ARDS로 진행하기도 쉬워 사망률은 25-35%에 이릅니다.

3. SJS, TEN의 치료 : 스테로이드, Immunoglobulin 등이 사용되며 감염의 증거시 항생제도 고려 합니다. 안구증상이 있으면 안과 consult도 잊지 말아야 합니다.

105-3 피부 가려움증 (= Pruritus, itching)

(1) 개요

1. 피부가려움 또는 소양증(pruritus)에서 국소적인 가려움은 감염 및 피부 질환과 관련이 있지 만 특별한 피부병변 없이 전신적으로 가렵다면 요독증, 폐쇄성 담도질환, 갑상선질환, 당 뇨 등 다양한 전신적 원인을 의심할 수 있습니다. 황달시 소양증이 유발되는 것도 Bilirubin 이 피부에 자극이 되기 때문입니다.

2. 복용하고 있는 약물이 있으면 약물부작용의 가능성도 고려하지만 특별한 원인을 찾기 힘든 본태성 소양증도 많은 편이며 또는 심리적 원인으로 유발되는 경우도 있습니다.

(2) 치료

1. 평소 로션 등 피부보습제를 이용하여 피부가 건조하지 않게 하고 면소재의 옷을 입습니다. 가렵다고 계속 긁으면 2차적인 피부손상이 올 수 있으므로 주의를 주며 인지장애가 있는 환자들에게는 손톱 끝을 잘 깎아주거나 면장갑을 착용시키는 방법도 사용합니다.

2. 피부외용제(topical agent)는 흔히 벌레물린데 사용하는 menthol 포함제제도 고려될 수 있으 나 증상 지속시 외용(topical) 스테로이드연고도 사용됩니다.

3. 약물치료는 항히스타민제가 주로 사용됩니다. (ex. Hydroxyzine 10mg 1T tid/ Cetirizine 10mg 1T qd) 심한 소양증이 지속되면 항우울제가 사용되기도 합니다. (ex. Amitriptyline 1T qd)

105-4 한의학적 접근

(1) 한약치료(예) - 변증에 따라 시행

1. 보험제제 : 連翹敗毒散 黃連解毒湯 八物湯 平胃散 등

2. 비보험제제 : 防風通聖散 溫淸飮 十味敗毒散 등

3. 외용제 : 紫雲膏 등

(2) 침구치료(예) - 변증에 따라 시행

1. 정경침 : 合谷 曲池 足三里 三陰交 隱白, [血虛] 膈兪 血海, [風熱] 大椎 風池 [胃熱] 中脘 足
   三里

2. 사암침 : [燥證, 皮痺- 肺正格] 太白 太淵(+) 少府 魚際(-), [肌痺-胃勝格] 臨立 陷谷(+) 商陽
   厲兌(-), [脈痺(血虛)-小腸正格] 臨立 後谿(+) 通谷 前谷(-), [大腸正格] 三里 曲池(+) 陽谷
   陽谿(-)

3. 동씨침 : 駟馬穴 耳背(瀉血)

4. 이침 : 병변부 상응부위 / 肺 皮質下 神門 過敏區(=風溪)

5. 연구현황

   1) 十味敗毒散 : 습진, 피부염에 대한 효과가 항히스타민제와 유사한 정도로 효과 [4]

   2) 黃連解毒湯 : 十味敗毒散과 유사한 정도로 여드름(痤瘡)에 효과를 보임. [5]

   3) 慈雲膏 : 외용제인 慈雲膏를 아토피크림과 병용도포시 각종 지표를 유의하게 호전시켰
   고 창상감염부위에 Gentamicin과 병행했을 경우에도 효과적인 항균력을 보이면서도 창
   상치유를 촉진 [6,7]

   4) 대상포진 급성통증에 대한 침치료 : 中脘, 關元, 曲池, 合谷, 內廷, 血海, 行間, 內關 등
   의 경혈과 아시혈, 이침 등을 병행하여 약물치료군과 유사한 정도의 진통효과 [8]

   5) 요독증성 소양증 : 혈액투석환자의 요독증성 소양증(uremic pruritus) 환자에 曲池의 자
   침으로 유의한 효과 [9]

REFERENCES

1. Margaret WM. Handbook of dermatology. Wiley-Blackwell, 2009.

2. Thomas M. De Fer et al. The Washington Manual Survival Guide Series Internship Survival Guide.
   3rd edition. Lippincott, 2008.

3. Uptodate Desktop. version 19.1. 2011

4. Kobayashi K, Ohkawara A. Therapeutic effect of jumihaidokuto on chronic eczema and atopic
   dermatitis. Hifuka ni okeru Kampo Chiryo no Genkyo (Current Situation of Kampo Therapy in
   Dermatology) 1994; 5:25-34

5. Ohkuma M. Treatment of acne by Chinese drugs and external application. Wakan Iyaku Gakkaishi (Journal of Medical and Pharmaceutical Society for WAKAN-YAKU) 1993;10:131-4.
6. 여의주, 한재경, 김윤희. 아토피 피부염 동물 모델에서 아토피 크림과 자운고의 병용도포가 피부염에 미치는 영향. 대한한방소아과학회지 23(1). 37-72, 2009.
7. 김수경, 최해윤, 지선영, 이상곤. 慈雲膏와 Gentamicin 倂用이 創傷治癒및 創傷感染에 미치는 影響에 關한 研究. 대한본초학회지. 2004;19(4):137-160.
8. Ursini T, Tontodonati M, Manzoli L et al. Acupuncture for the treatment of severe acute pain in herpes zoster: results of a nested, open-label, randomized trial in the VZV Pain Study. BMC Complement Altern Med. 2011;11:46.
9. Che-Yi C, Wen CY, Min-Tsung K et al. Acupuncture in haemodialysis patients at the Quchi (LI11) acupoint for refractory uraemic pruritus. Nephrol Dial Transplant. 2005 Sep;20(9):1912-5.

106

부종

106-1 개요

1. 부종(Edema)은 간질액(interstitial fluid)이 비정상적으로 증가되어 있는 상태를 말하며, 크게 전신부종(generalized edema)과 국소부종(localized edema)으로 구분됩니다.

2. 전신부종은 심질환(CHF 등), 간질환(Liver cirrhosis 등), 신질환(신부전, 신증후군) 등으로 일어날 수 있고 또는 약물복용*, 내분비계 이상, 임신, 염분 과다섭취, 이뇨제 남용 등으로 발생할 수 있습니다. 전신부종이라고 하더라도 보행이 가능한 경우에는 부종이 하지부에 주로 보이며 보행이 불가능한 경우에는 천골부위(둔부)에 잘 관찰됩니다.

3. 국소부종은 염증성 질환 또는 국소적인 혈관이나 림프배액(lymphatic drainage)의 폐색으로 주로 발생하고 또는 국소적으로 감염이나 열, 기계적인 손상으로 발생하기도 합니다.

4. 특별한 기저질환 없이 발생하는 특발성 부종(idiopathic edema)은 여성에게 흔하며 생리주기와는 무관하게 주기적으로 발생합니다.

Tip   유방암 수술과 림프부종

- 림프부종의 흔한 예로 유방암 수술(mastectomy 등)을 시행한 쪽의 팔에 부종이 오는 것을 들 수 있는데 일단 발생한 림프부종은 회복되기 어려우므로 예방에 특히 주의합니다. 수술을 시행한 쪽의 팔에 IV line을 잡지 않거나 혈압측정, 채혈 등을 시행하지 않는 것도 이러한 이유 때문이며 해당부위의 자침이나 사혈, 온열치료 등도 적극적으로 하지 않는 것이 권장됩니다.

106-2 확인사항

(1) 병력청취/신체검진

1. 주요 과거력과 함께 증상의 시작시기와 양상, 동반증상(통증, 전신적 또는 국소적 열감 등)을 확인합니다. 약물사용력(특히 이뇨제, NSAIDS, CCB, 베타차단제 등)도 확인합니다.

2. 급성으로 통증을 동반하며 오는 국소부종은 cellulitis, DVT, compartment syndrome 등을

---

* 주요 유발약물 : NSAIDs, 항고혈압제제 (CCB, β blocker, Hydralazine, Clonidine 등), 호르몬제제 (Glucocorticoids, Anabolic steroids, Estrogens, Progestins 등), 기타 (Thiazolidinediones, Cyclosporine, Interleukin 2 등) – Source : Chertow GM

의심할 수 있습니다. 국소적 염증(Cellulitis)이나 DVT 등의 경우 전신적 발열 또는 부종부위의 열감이 동반될 수 있고 특히 한쪽의 하지만 부었으며 통증이 동반된다면 DVT를 의심합니다. 전신적 원인이나 림프부종의 경우에는 통증이 동반되지 않습니다.

3. 국소적 부종이라면 부종 부위를 직접 눌러 보는 것도 필요하며 압박 부위는 보통 경골(pretibial area) 전면부가 많이 이용됩니다. 손으로 압박한 후 함요된 흔적이 나타나면 함요부종(pitting edema) 이라고 하며 심질환, 신질환 등의 원인으로 주로 발생합니다.

4. 부종부위를 압박해도 함요되지 않는 비함요부종(non-pitting edema)은 팔, 다리에 많이 발생하는데 보통 이뇨제 등의 치료에도 효과가 잘 나타나지 않습니다. Non-pitting edema의 원인은 림프부종(lymphedema)이 많고 갑상선기능저하증에도 발생할 수 있습니다(pretibial myxedema).*

5. 활동시의 호흡곤란(dyspnea)이 뚜렷하거나 기좌호흡(orthopnea)** 등이 동반되어 있는 부종이라면 심장성 원인일 가능성이 높습니다. 심장원인으로 추정되면 Echocardiography(심초음파) 등이 시행되며 CXR상에도 심장비대(cardiomegaly)가 보일 수 있습니다.

(2) 관련검사

1. 간기능(특히 Albumin 포함)이나 신기능을 확인하며 또는 갑상선기능검사(TFT)도 시행합니다.

2. 기본검사 : LFT, BUN/Cr, TFT, CXR, U/A c microscopy

3. 추가검사 : 심장초음파, 하지 venography(하지 DVT 의심시)

> **Tip** Compartment syndrome
>
> - 하퇴부(슬개골 이하)를 크게 4개의 근육군으로 나눌 수 있는데 이 근육군들은 각기 단단한 근막으로 쌓여 있습니다. 만일 골절, 출혈, 염증, 장시간 압박 등의 요인으로 이렇게 나뉘어진 4개의 구획 중에서 어느 한 구획에 삼출물들이 생기면 구획내 압력이 높아져서 그 구획내에서 통증을 유발하게 되며 이를 구획증후군(compartment syndrome)이라고 합니다.
> - 급성(Acute) 발병시에는 절대적 수술적응증으로 치료시기(ex. 12시간 이내)를 놓치면 조직이 괴사되어 하지를 절단해야 할 수도 있습니다.

---

* 경골의 앞부분에 non-pitting edema가 나타나며 이를 경골전 점액수종(pretibial myxedema)으로 지칭합니다.

** Orthopnea(기좌호흡) : 누워있으면 호흡곤란이 더욱 심해지므로 앉거나 서서 상반신을 구부리고 호흡을 하게 되며 천식, 폐기종, 심부전, 흉막삼출, 심낭삼출, 복수(ascites) 등에서 주로 관찰됩니다.

106-3 치료

(1) 기본적 치료

1. 기저질환에 대한 원인치료가 기본이며 보다 정확한 추적관찰이 요구되는 경우는 체중을 매일 측정하여 기록하도록 합니다. 병동환자의 경우 I/O check도 병행하여 소변량의 변화양상을 확인합니다.

2. 특발성 부종이라면 염분섭취 감량, 앙와위(supine position)로 휴식 취하기, 압박스타킹 착용 등의 보존적 치료방법이 활용됩니다. 압박스타킹은 기타 다른 원인으로 인한 하지의 부종에도 사용되며 기상 후 일어서기 전에 착용하도록 환자에게 교육합니다.

3. 암성복수나 국소적인 부종은 약물적 치료로 제거하기 어려운 편이므로 무리하게 이뇨제가 남용되어 탈수 등이 유발되지 않도록 주의합니다. 일반적으로 폐부종만이 응급으로 부종을 제거해야 하는 경우로 간주됩니다.

(2) 한약치료(예) – 변증에 따라 시행

1. **비보험제제**: 五苓散 防己黃芪湯 八正散 金木八正散 八味地黃湯 등

(3) 침구치료(예) – 변증에 따라 시행

1. **정경침** : 中脘 天樞 足三里 水分 水道 氣海, [肝水] 肝兪 期門 太衝 陽陵泉, [心水] 心兪 巨闕 神門, [脾水] 脾兪 胃兪, [肺水] 肺兪 列缺 大椎 合谷 尺澤, [腎水] 腎兪 命門 太谿 復溜

2. **사암침** : [內傷濕-脾正格] 少府 大都(+) 大敦 隱白(-), [外傷濕-胃正格] 陽谷 解谿(+) 臨立 陷谷(-), [腎正格] 經渠 復溜(+) 太白 太谿(-)

3. **동씨침** : 通天 下三皇 / 通腎 通胃 通背

4. **이침** : 肺 脾 肝 交感 內分泌 皮質下 神門 胸 大腸

5. **구법(灸法)** : 中脘 天樞 下腹部의 灸法

6. **연구현황**

   1) 柴苓湯 : 외상 또는 수술(total hip arthroplasty) 후의 하지부종에 효과적 [4,5]

(4) 양약치료

1. 폐부종 등과 같이 긴급한 경우에는 효과가 강한 Furosemide(Lasix)를 IV로 투여하고 긴급하지 않은 경우에는 경구이뇨제를 투여합니다. (Ex. Furosemide(라식스®) 20mg 1A IV, Spinorolactone(알닥톤®) 25mg 1T bid)

2. 심부전(HF), 신증후군(NS), primary sodium retention으로 인한 전신부종에 이뇨제를 쓰면 빨리 반응하며 24시간에 2-3리터가 빠지기도 합니다.

3. 검사 상 Albumin이 2.5g/dL보다 저하되어 있다면 심한 영양결핍, 간경화, 신증후군 등을 의심할 수 있고 필요시 알부민 수액을 공급합니다.

REFERENCES

1. Chertow GM. Approach to the patient with edema, in Cardiology for the Primary Care Physician, 2nd ed. Saunders. 2003. pp 117-128
2. O'Brien JG, Chennubhotla SA, Chennubhotla RV. Treatment of edema. Am Fam Physician. 20051;71(11):2111-7.
3. 이진우. The root of ambulatory care. 군자출판사. 2006.
4. Kishida Y, Miki H, Nishii T et al. Therapeutic effects of Saireito (TJ-114), a traditional Japanese herbal medicine, on postoperative edema and inflammation after total hip arthroplasty. Phytomedicine.2007;14(9):581-6.
5. Igarashi I. Clinical study of traditional Chinese medicine therapy for post-operative or post-traumatic swelling in lower extremities. Seikeigeka (Orthopedic Surgery) 1993; 44: 127-31.

107 근골격계 질환

- 본 장에서는 근골격계 증상에 대하여 각 부위별로 간략히 설명하고 예시적인 치료법들을 일부 소개하였습니다. 실제 임상에서의 다양한 근골격계 증상의 진단과 치료에는 내용상 부족하므로 참고하시기 바랍니다.

107-1 개요

(1) 근골격계 통증의 일반적 접근

1. 일반적인 근골격계의 통증은 기본적인 문진, 시진, 촉진 및 이학적 검사의 시행과 함께 외상성인지 여부와 동반증상(발열, 감각저하, 근력저하, 피부변화) 등을 살펴서 감염이나 골절 등을 배제해야 합니다. 일반적인 증상의 양상과 다른 경우에도 추가적 검사를 위하여 관련과에 의뢰하도록 합니다.

2. 각 부위별로 관련된 영상검사(X-ray)의 예는 [30장] X선 검사를 **[참조항목 : 34-4]** , 관련된 이학적검사는 [4장] 근골격계 검진 항목을 참조하시기 바랍니다. **[참조항목 : 4-1]**

3. 통증을 호소하는 부위 자체의 이상이 있는 경우가 흔하지만, 신경이 압박되거나 하는 등의 이유로 신경경로를 따라 퍼지는 방사통(radiating pain)이나 내장기관에서 유래한 경우도 많으면서 신경경로와는 무관하게 병소에서 떨어진 신체부위에 통증을 느끼는 연관통(referred pain)의 가능성도 고려합니다.

4. 환자상태에 따라 통증유발부위에 대한 적절한 휴식을 권장하거나 증상재발을 예방하기 위한 자가운동, 자세조절법 등을 지도합니다. 필요시 해당 부위에 대한 고정요법이나 테이핑 치료(貼帶療法) 등을 병행할 수 있습니다.

(2) 일반적 치료 (한의학적 치료)

1. 침치료는 선혈(選穴)의 원칙에 따라 통증이 발생한 주변부의 정경혈, 기혈 또는 아시혈(經筋刺法 포함) 등을 위주로 자침하는 근위취혈(近位取穴), 관련된 부위와 떨어진 원격부위의 경혈 등에 자침하는 원위취혈(原位取穴), 또는 두 가지 방법을 함께 사용하는 취혈방법 등으로 구분됩니다.

2. 원위취혈(原位取穴)의 방법만 사용된 경우에는 환자의 상태에 따라 해당 통증부위를 움직이게 하거나 자극하는 동기요법(動氣療法)을 적용하는 방법도 좋습니다. 통증의 양상이나

연관통 유무에 따라 관련된 부위의 배수혈(背兪穴), 복모혈(腹募穴)이나 척추 후관절(facet joint) 부위에 위치한 협척혈(夾脊, EX-B2)의 활용을 고려할 수 있습니다.

3. 침의 진통효과는 다양한 기전이 복합적으로 작용하는 것으로 이해되고 있으며 **[참조항목 : 75-6]** 각종 분석에서 일부 연구의 질이 높지 않으나 다양한 질환에서의 효과가 입증된 바 있고 [1] 만성통증의 진통제 사용량도 줄이는 등 병행치료시의 효과도 보고되었습니다.[2]

4. 침치료의 효과를 증대시키기 위하여 환자의 상태에 따라 전침 **[참조 : 75-1]**, 보사법 **[참조 : A2-3]**, 일정시간(ex. 5분) 마다의 행침(行鍼) 등을 적용하는 것도 좋습니다. 실제 진료시에는 임상의의 판단에 따라 간접구, 직접구, 습식부항(또는 刺絡法), 건식부항, 약침요법(蜂毒藥鍼 포함), 추나요법(整胃推拿, 經筋推拿, 導引推拿), 온열요법, 한랭요법 등 다양한 치료법들이 단독 또는 병행의 방법으로 치료에 적용됩니다.

5. 한약의 경우 보험제로는 五積散, 九味羌活湯이나 또는 병인에 따라 葛根湯, 芎夏湯, 補中益氣湯 등으로 접근하기도 하지만 종류가 많지 않아 선택의 폭이 넓지 않은 편입니다. 비보험제로는 변증별 원인과 임상증상에 따라 獨活寄生湯, 烏藥順氣散, 當歸鬚散, 芍藥甘草湯, 桂枝加朮附湯, 活絡湯, 靈仙除痛飮, 疎風活血湯, 大羌活湯, 大防風湯 등 다양한 처방들이 제시됩니다. **[참조 : C3-2]**

(3) 일반적 치료 (양약)

1. 근골격계 통증의 대증적 완화를 위한 경구약물요법으로는 NSAIDs와 Acetaminophen(타이레놀®)가 가장 대표적입니다. NSAIDs의 경우에는 위장관 부작용이 흔하므로 GI Bleeding의 부작용이 감소한 선택적 COX-2 억제제가 사용되기도 하지만 관상동맥질환 등의 위험성이 보고된 바 있습니다. **[참조항목 : 101-3 (TIP)]**

2. 통증의 원인에 따라 근경련에 의한 통증에는 근이완제인 Baclofen 등이 사용되고 신경병증성 통증(neuropathic pain) 때문이라면 Gabapentin, Pregabalin 등이 사용될 수 있습니다.

3. 경구용 약물 이외에 캡사이신(capsaicin) 크림 도포나 피부첩부제(파스) 등의 외용제가 사용될 수 있고 주사제로는 관절염의 경우 중등도 이상일 경우 Corticosteroid를 주입하기도 하지만 반복 사용시 연골의 손상이나 전신적 부작용이 초래될 수 있기 때문에 최근에는 인체 구성물질과 동일한 Hyaluronic acid 유도체를 주입하는 방법이 이용되기도 합니다. (개인별 차이가 있으나 보통 주 1회 간격으로 3회 주입, 재시행은 6개월 이후)

(4) 골관절염과 류마티스 관절염

1. **골관절염(osteoarthritis, OA)** : 퇴행성(degenerative)으로 발생하는 관절염으로 비대칭성, 골극(osteophyte), 관절간격소실 등의 특징이 있습니다. 손 DIP, 무릎, 고관절 등에서 호발합니다.

2. 류마티스 관절염 (rheumatoid arthritis, RA) : 면역관련(immune-mediated) 질환으로 분류되는 RA는 골관절염에 비하여 빈도는 적지만 발병시 더 고통스러운 경우가 많습니다.

1) 1987년 제시된 미국 류마토이드학회 기준으로 다음 7가지 중 최소 4가지 이상시 진단됩니다. (단 1~4는 6주 이상 지속시 인정) [3]

1. 조조강직	관절의 기상 후 강직(morning stiffness)이 1시간 이상 지속
2. 3개 이상의 관절염	14개 관절 (좌우 PIP, MCP, wrist, elbow, knee, ankle, MTP) 중 3개 이상의 관절에서 부종 또는 연부조직의 종창*
3. 손의 관절염	손목, MCP, PIP 중 적어도 1곳
4. 대칭성 관절염	좌우 대칭으로 나타나는 관절염 (양측성의 PIP, MCP, MTP 침범은 완전한 대칭이 아니어도 허용)
5. 류마티스 결절	골돌출부, 신전부 또는 관절주위의 피하결절
6. RF	류마토이드 인자(rheumatoid factor, RF)의 이상
7. 방사선적 변화	손과 손목의 방사선 사진에서 골미란 또는 비대칭의 골밀도저하(decalcification) 소견

2) 2010년 개정된 새로운 류마티스 관절염의 기준은 다음과 같으며 10점 만점에 6점 이상이면 진단할 수 있습니다. [3] 1987년 기준과 비교시, 이미 진행한 상태보다는 초기단계에서의 감별에 주안이 되었고, 검사상 항CCP항체(ACPA) **[참조 : 27-12]** 가 추가되었습니다.

대분류	항목	점수
관절관련 **큰관절** (shoulder, elbow, hip, knee, ankle) **작은관절**(MCP, PIP, Thumb IP, 2nd-5th MTP, wrists)	큰관절 1개에 침범	0
	큰관절 2-10개에 침범	1
	작은 관절 1-3개에 침범 (큰관절침범과 무관하게)	2
	작은 관절 4-10개에 침범 (큰관절침범과 무관하게)	3
	10개를 초과하는 관절침범 (적어도 1개의 작은관절 포함)	5
혈청혈액검사 (적어도 1개의 검사필요)	RF 및 ACPA 모두 음성	0
	RF 약양성 또는 ACPA 약양성 (참고치 3배 이하)	2
	RF 강양성 또는 ACPA 강양성 (참고치 3배 초과)	3
급성기 반응인자 (적어도 1개의 검사필요)	정상 CRP 및 정상 ESR일 경우	0
	비정상 CRP 또는 비정상 ESR일 경우	1
증상지속기간	6개월 미만	0
	6개월 이상	1

3) RA 증상의 경중을 판단할 때에는 DAS 28 (disease acivity score-28)이 많이 활용되며 계

---

* MCP : Meta-Carpo-Phalangeal 중수수지관절
  PIP : Proximal Inter-Phalangeal 근위지간 관절
  MTP : Meta-Tarso-Phalangeal joint 중족지 관절

산이 복잡하므로 온라인 사이트(또는 모바일 어플리케이션)를 이용하여 결과값을 산출하면 됩니다. 질병활성도 분류는 아래의 표와 같습니다.

DAS 28 점수	질병활성도 분류
2.6 이하	관해 (remmission)
2.6 〈 DAS28 ≤ 3.2	낮은 활성도 (low activity)
3.2 〈 DAS28 ≤ 5.1	중등도의 활성도 (moderate activity)
〉5.1	고도의 활성도 (high activity)

3. RA의 대표적인 치료약물군 중 하나인 DMARDs (disease-modifying antirheumatic drugs)는 Methotrexate(MTX), Sulfasalazine(SSZ), Hydroxychloroquine(HCQ) 등이 대표적인데 이미 진행된 병적상태를 되돌리지는 못하나 RA의 진행을 느리게 하거나 예방하는 효과가 있습니다. 보통 1가지의 DMARD 만 투여되기 보다는 2-3가지 DMARD의 병용투여가 선호됩니다. 최근에는 TNF-alpha inhibitor, Anakinra (IL-1 receptor antagonist)와 같은 생물학적(biologic) DMARD도 속속 개발되고 있습니다.

4. 관절염 등의 근골격계 증상은 한의학에서 痺證의 범주에서 접근하기도 하며 원인에 따라 風痺, 寒痺, 濕痺 등으로 구분합니다. 류마티스성 관절염(RA)의 경우 관절변형의 모양을 묘사한 鶴膝風, 통증 양상과 관련된 白虎歷節風 등과 유사한 범주로 접근합니다.

107-2 경항부

(1) 개요

1. 경항통(Neck pain)은 기본적으로 병력청취, 이학적 검사 등을 통해 경추의 이상을 감별해야 합니다. 경추의 영상진단 의뢰는 다음의 Canadian C-spine rules에 의하여 시행여부를 결정할 수 있습니다. [4]

[Canadian C-spine rules]

다음중 1번 질문에 "예" 라고 하거나, 2번 또는 3번 질문에 "아니오" 라 한다면 영상학적 진단을 고려해야 합니다.

1. 경추를 고정(immobilization)시켜야 할 고위험요소가 있는가?
   - 65세 이상 또는 위험한 기전으로의 손상 (1m 이상의 낙상, 머리 쪽의 수직적 압박, 전동용 놀이차량(motorized recreational vehicles), 자전거 충돌, 고속(high speed)/전복(rollover)/탈출(ejection)이 동반된 자동차 사고 등)
   - 사지부의 무감각, 저림

2. 경추의 가동범위를 스스로 평가할 수 있는 저위험요소가 있는가?
- 단순 후방추돌 교통사고
- 현장에서 보행이 가능한 상태 (Ambulatory at any time at scene)
- 현장에서 경항통이 없는 상태 (No neck pain at scene)
- 경추 가운데 부분의 압통은 없는 상태

3. 통증여부와는 무관하게 환자가 의사의 지시에 의하여 스스로 좌우로 45도씩 돌릴 수 있는가?

2. 방사통 여부를 확인해야 하며 경추의 이상은 손저림 등으로 나타나기도 하므로 주의해야 합니다. 경부의 신경병증(cervical myelopathy), 추간판탈출증(HNP)은 신경압박정도에 따라 수술적 방법이 필요할 수 있습니다.

3. 한의학적으로는 項强, 頸項痛, 斜頸, 落枕 등의 범주에서 접근할 수 있으며 芍藥甘草湯, 回首散 등의 제제약이 사용될 수 있습니다.

(2) 침구치료 (예)

1. 정경침 : 大椎 天柱 風府 風池 後谿 申脈 中渚 承漿 夾脊(頸椎部)

2. 경근자법 : 흉쇄유돌근 승모근 다열근 견갑거근 경판상근 극하근 사각근 등

3. 동씨침 : 正筋 正宗 / 重子 重仙 (+承漿)

4. 이침 : 頸項 頸椎 肩 腎 神門

5. 기타 : 약침, 봉약침, 手鍼(落枕穴), 추나요법

6. 임상연구

1) 만성경항통 : 6년간의 코호트 연구 결과 68%에서 침치료가 효과적이었으며 50%에서는 6개월 이상 치료효과가 지속 [5]

2) 만성경항통 : 만성 경항통을 호소하는 직장여성 환자들을 대상으로 肩井, 風門, 大椎, 肩中兪, 肩外兪, 合谷, 曲池, 風市에 5 Hz 전침 및 이침요법(神門, 頸椎, 肩 등)을 시행한 RCT연구에서 증상완화, 사회적기능의 회복에도 유의하게 효과. 이렇게 대조군에 비하여 우월한 상태는 6개월, 3년 추적검사시에도 지속 [6]

3) 경항부 주위의 근육에서 발통점을 찾아 시행한 아시혈 침치료(trigger point acupuncture)가 경혈에 대한 침치료보다 우월한 통증개선 효과 [7]

107-3 견관절

(1) 개요

1. 유착성 관절낭염(adhesive capsulitis)이 정식진단명인 동결견(frozen shoulder) 또는 오십견 (五十肩)은 수동적 ROM의 제한이 보이고 어깨의 심한 통증 등을 호소하는 경우가 많습니다. 무리하지 않는 범위(운동시 심한 통증 또는 30분 이상의 통증이 지속되지 않는 강도)에서 어깨의 ROM을 늘리는 적극적인 운동이 좋고 보통 1년 전후의 이환기간이 지나면 자연 회복 되는 경우가 많습니다.

2. 충돌증후군이나 회전근개 파열 등은 보통 통증을 유발하는 자세를 피하면서 어깨를 무리하여 사용하지 않고 안정시켜 주는 것이 더 권장됩니다. 충돌증후군은 급성기의 약 2주간, 회전근개 파열은 약 4-8주까지는 불편감을 유발하는 자세나 운동을 피하도록 합니다.

3. 회전근개파열(rotator cuff tear) : 4-6주 후에도 근력이 회복되지 않고 통증이 지속된다면 수술적 치료가 필요할 수 있습니다.

(2) 침구치료 (예)

1. 정경침 : 肩髃 肩髎 曲池 阿是穴 / 淸冷(豐隆),尺松(太衝) - 巨刺 [風寒外襲] 肩井 肩貞 風池 外關 合谷, [背痛] 曲垣 天宗, [上膊痛] 臑兪 肩髃 肩髎 肩前 曲池

2. 사암침 : [痛痺-대장승격] 陽谷 陽谿(+) 通谷 二間(-), 통처에 대응하는 경락유주부위에 따른 正格 또는 勝格 (三焦正格 등)

3. 동씨침 : 腎關 / 側三里 側下三里 / 重子 重仙 / 足天金 足五金 / 四花中(환측)

4. 이침 : 肩 鎖骨 神門

5. 기타 : 약침, 봉약침, 추나요법

6. 임상연구

   1) 충돌증후군(impingement syndrome) : 臂臑 肩髃 巨髎 合谷 中府 등에 침치료를 시행하여 초음파 치료보다 우수한 치료효과[8]

   2) 條口(ST38) : 어깨의 통증에 대하여 條口의 단혈(單穴) 자침만으로도 대조군에 비하여 유의한 통증감소 및 관절기능향상 효과[9]

107-4 주관절

(1) 개요

1. 통증의 양상 및 손상범위에 따라 외측 상과염(lateral epicondylitis)에 해당하는 테니스 엘보우(tennis elbow)와 내측상과염(medial epicondylitis)에 해당하는 골프 엘보우(golf elbow)로 구분될 수 있습니다. 주관절 부위가 무리되지 않도록 안정을 취하거나 압박대를 사용하는 것도 도움이 됩니다.

(2) 침구치료 (예)

1. 정경침 : 曲池 手三里 合谷 天井 陽小海 阿是穴
2. 동씨침 : 靈骨 / 中九里
3. 기타 : 통증 부위를 중심으로 약침, 봉약침을 시행

107-5 완관절 및 수지부

(1) 개요

1. 방아쇠수지(trigger finger) : 휴식이나 스테로이드 주사요법 등의 보존적 치료가 위주이나 최근에는 국소마취하에 간단한 수술적 치료로 해결하기도 합니다.
2. 손목의 이상시에는 손목에 부담이 가는 동작은 피하고 손목을 8자로 돌리면서 풀어주는 동작을 무리하지 않게 합니다. 테이핑을 사용하여 해당 부위를 고정하거나 보조하는 방법을 병행할 수 있습니다.

(2) 침구치료 (예)

1. 정경침 : 陽池 陽谿 陽谷 外關
2. 사암침 : [小腸正格] 臨立 後谿(+) 通谷 前谷(-), [瘀血-肺正格+] 太白 太淵(+) 曲池(-)
3. 동씨침 : 腎關 側三里 側下三里
4. 기타 : 약침, 봉약침, 아시혈 뜸치료

107-6 흉협부

(1) 개요

1. 흉통의 경우에 해당하는 경우는 별도의 장을 참조하시기 바라며 **[참조항목 : 84-3]** 본 항목에서는 협통(脇痛)을 위주로 설명합니다.

2. 등 쪽이나 흉협부의 통증을 호소하는 경우 피부부위를 직접 살펴서 발진이나 딱지가 보이는 경우는 대상포진(Herpes Zoster)을 의심해야 하며 주로 통증이 일측성이거나 피부분절을 따라 발생하는 특징이 있습니다.

3. 늑골 골절일 때는 수술이나 깁스 대신 안정을 위주로 보존적 치료를 합니다.

(2) 침구치료 (예)

1. 정경침 : 支溝 陽陵泉, [肝鬱氣滯] 期門 太衝, [瘀血] 膈兪 肝兪 太衝, [肝血不足] 肝兪 腎兪 三陰交 足三里 行間 등

2. 사암침 : [右脇痛-폐정격] 太白 太淵(+) 少府 魚際(-), [左脇痛-간정격] 陰谷 曲泉(+) 經渠 中封(-)

3. 동씨침 : 駟馬 (+ 支溝 陽陵泉) / 重子 重仙

107-7 요천추부

(1) 개요

1. 추간판탈출증(HNP 또는 HIVD[*]) : 추간판(수핵)이 탈출되어 신경자극을 유발하는 상태로 요통과 함께 방사통, 감각이상, 근력저하 등 신경학적 증상이 동반되는 경우가 많습니다. 요통이 아닌 하지방사통만 호소하거나, 신경학적 증상만 보이고 통증이 없는 경우도 있으므로 주의합니다. 양하지로의 동통, 항문주위의 감각저하, 배뇨 기능의 이상이 있으면 마미증후군(Cauda equina syndrome)을 의심해 보아야 하며, 이 경우 응급수술이 필요합니다.

2. 척추관협착증(spinal stenosis) : 척추관이 퇴행성 변화 등으로 좁아진 상태로서 요통은 없거나 심하지 않은 편입니다. 휴식시에는 증상이 별로 없으나 서있거나 걸을 때 엉치부 통증, 하지부 감각이상 또는 방사통이 양측성으로 나타나는 경우가 많으며, 허리를 굽히거나 쪼그려 앉으면 좁아진 척추관이 다시 넓어져 증상이 호전됩니다. 보존적 치료로 효과가 없으

---

[*] HNP(Herniation of nucleus purposus) HIVD(Herniation of intervertebral disc)

면 수술적치료를 시행합니다.

3. 압박골절(compression fracture) : 통증이 심하지 않은 경우도 많으며 골다공증이 있는 노인의 경우 가벼운 낙상으로도 발생할 수 있으므로 주의해야 합니다. 척추 3주 중 전주에만 해당하는 (anterior only) 급성골절이면 보조기(TLSO)를 착용하면서 보존적 치료를 우선 진행합니다.

4. 척추질환의 영상검사 (선호검사 순)

추간판 탈출증 (Disc Herniation)	MRI 〉 CT
감염 (Infection)	MRI 〉 CT, bone scan
염증성 관절질환 (Inflammatory, Arthropathy)	X-ray 〉 CT
불안정성 (Instability)	X-ray
신생물 (Neoplasm)	MRI 〉 CT, bone scan
척추전방전위증 (Spondylolisthesis)	X-ray 〉 CT
협착증 (Stenosis)	CT 〉 MRI
외상 (Trauma)	MRI (연부조직) 〉 CT(뼈), X-ray

5. 하지로 방산통이 있거나 헛기침 등을 시켰을 때 척추부위 통증이 유발되면 공간점유병변을 의심할 수 있습니다.

(2) 침구치료 (예)

1. 정경침 : 腎兪 腰陽關 大腸兪 夾脊六(腰椎部) 阿是穴 [寒濕痹阻] 環跳 勝負 委中 崑崙, [氣血瘀滯] 膈兪 次髎 委中 陽陵泉 飛揚, [腎虛] 命門 氣海兪 關元兪 委中 崑崙 太谿, [挫閃腰痛] 水溝 後谿 委中 養老 攢竹

   (cf. 十種腰痛 : 腎虛, 痰飮, 食積, 挫閃, 瘀血, 風, 寒, 濕, 濕熱, 氣)

2. 사암침 : [項脊如鍾-담정격] 通谷 俠谿(+) 商陽 竅陰(-), [筋骨如折-대장정격] 三里 曲池(+) 陽谷 陽谿(-), [屈身刺痛-신정격] 經渠 復溜(+) 太白 太谿(-), [張弓弩弦-폐정격] 太白 太淵(+) 少府 魚際(-), [瘀血-肺正格+] 太白 太淵(+) 曲池(-)

3. 동씨침 : 靈骨-大白/ 中白-下白 / 水金-水通 / 馬金水-馬快水 / 二角明 / 腕順1,2

4. 이침 : 腰椎 腎 神門 皮質下

5. 기타 : 약침, 봉약침, 추나요법 (장골교정법, 복합후하방장골교정법, 단순후하방장골교정법, 좌위흉추교정법, 앙와위경추교정법 등) [10]

6. 임상연구

   1) 침치료 임상연구 및 비용대비효과 관련 : 침치료가 만성요통에 대한 유의한 개선효과를 보였을 뿐 아니라 비용대비효과 측면에서도 유리. [11] 또한 기존치료에 더하여 시행하는

것도 cost-effective함. [12]

2) 습식부항 : 요통에 습부항을 병행하는 것이 기존의 보존적 치료보다 우월한 효과 [13]

3) 추나치료 : 급성요통시 침치료와 함께 추나치료를 병행했을 때 더 좋은 효과 [10]

4) 八味地黃湯 : 요추 척추관협착증에 투여시 일정한 효과가 있다는 보고 [14]

5) 委中刺絡 : 委中에 靑筋이 보일 경우 刺絡을 시행하여 유의한 개선 효과 [15]

107-8 슬관절

(1) 개요

1. 슬관절은 체중의 부하를 지속적으로 받는 부위이므로 급성손상을 제외하면 병정이 비교적 만성적이고 퇴행성변화도 흔히 관찰되는 부위입니다.

2. 필요한 이학적 검사 : 인대 관련(Anterior & posterior draw sign, Lachman test, Varus/Valgus stress test) 반월판 관련(McMurray's test, Apley's compression test, Apley's distraction test), 슬개골 관련(Patello-femoral grinding test)

3. 영상의뢰시 검사 : X-ray검사는 Knee AP, Lateral(OA 의심시 standing)을 기본으로 시행합니다. 인대나 반월판(meniscus) 손상의 확인은 Knee MRI를 시행해야 합니다.

4. 급성손상시에는 Ottawa Knee Rule을 이용하여 방사선검사가 필요한 경우를 감별할 수 있으며 국내 연구에서 민감도 100%(특이도 46.4%)로 골절소견을 감별했다는 결과가 발표되기도 하였습니다. 5번 항목은 절뚝거림에 관계없이 각 하지가 2번 이상 체중을 지지하지 못하는 상태를 의미합니다. [16]

[Ottawa Knee Rule]

- 다음 5가지 중 1가지 이상일 때 X-ray 검사를 고려

1) 55세 이상 (Age 55 years or older)

2) 슬개골에만 보이는 압통 (Isolated tenderness of patella)

3) 비골두의 압통 (Tenderness at head of fibula)

4) 슬관절의 90도 굴곡 불능 (Inability to flex to 90 degrees)

5) 손상즉시 및 진료실에서 4걸음 이상 걷지 못할 때 (Inability to bear weight both immediately and in the emergency department : 4 steps)

---

5. 한의학에서의 슬관절 질환은 鶴膝風, 歷節風, 膝腫痛, 脚氣 등으로 접근할 수 있습니다. 침치료시 슬관절의 관절낭 내부에의 심자(深刺)시에는 특히 감염관리에 주의해야 합니다.

(2) 침구치료 (예)

1. 정경침 : 膝眼 鶴頂 膝陽關 陽陵泉 阿是穴 [腫痛 梁丘 血海 陰陵泉] [肝腎陰虛] 肝兪 腎兪 足三里 三陰交 등

2. 사암침 : [筋彎(屈伸不利)-간정격] 陰谷 曲泉(+) 經渠 中峰(-), [痠痹-폐정격] 太白 太淵(+) 經渠 中峰(-), [脚足寒-신정격#] 涌泉 然谷(+) 環兆(-), [通風-담정격] 通谷 俠谿(+) 商陽 竅陰(-), [胃痹-방광정격] 商陽 至陰(+) 三里 委中(-), [着痹-비승격] 大敦 隱白(+) 經渠 商丘 (-)

3. 동씨침 : 腎關 肩中 / 三金 (放血) / 內關 / 膽穴

4. 이침 : 膝 腎 神門

5. 기타 : 약침, 봉약침, 추나요법

6. 임상연구

1) 슬관절염 : 26주 간의 RCT 연구결과 침치료가 통증, 기능의 두 측면에서 모두 효과적 [17] 또 다른 RCT 연구에서도 긍정적인 효과를 보임. [18]

2) 말단부 관절염 : 메타분석결과 침치료가 유의하고 안전한 치료효과를 보였으며 특히 슬관절염(knee OA)에 좋은 효과. [19]

(3) 주의사항

1. 대부분의 만성적인 상태의 경우 체중감소가 관절의 부하를 줄이므로 도움이 되고 지나친 휴식보다는 적절한 운동을 통해 근력강화와 관절의 유연성을 확보하는 것이 좋습니다. 수영이나 자전거 등 체중이 부하되지 않는 근력운동도 권장됩니다.

2. 슬와부에 물혹이 있는 베이커 낭종(Baker's cyst)은 관절액이 관절낭의 약한 부분으로 빠져나와 물혹을 형성한 것으로 퇴행성 관절염에서 많이 보입니다. 주사기 등으로 흡인할 수 있으나 흡인 이후에도 재발하는 경우가 대부분입니다.

107-9 족관절 (염좌)

(1) 개요

1. 흔히 발목을 삐어서 오는 경우(ankle sprain)가 많은 부위입니다. 노인의 경우 가벼운 점프나 낙상으로 발 주변의 뼈에 골절이 오는 경우도 상당수 있으니 주의해야 합니다.

2. 필요한 이학적 검사 : Ankle anterior drawer test, Ankle inversion stress test, Thompson test 등

3. 영상의뢰시 검사 : X-ray검사는 AP, Lateral, Mortise 등을 시행할 수 있습니다. 발(Foot) 부

위의 이상이 의심되면 AP, Oblique를 시행합니다.

4. 급성손상시에는 Ottawa Ankle Rule로 골절의 가능성을 추정하고 방사선검사를 의뢰할 수 있습니다. 민감도가 99.6%에 달하므로 골절을 놓치는 경우는 드물지만, 특이도가 40% 정도이므로 실제 골절이 아닌 경우도 많음에 유의합니다. 중족부의 골절을 감별하는 [Ottawa Foot Rule]도 Ankle Rule에 포함하는 경우가 일반적입니다. [20]

[Ottawa Ankle Rule]

– 내과/외과 주변(Malleolar zone)의 통증이 있으면서 다음 3가지 중 1가지 이상일 때 X-ray 검사를 고려
  1) A 영역의 압통 – 내과(medial malleolus) 끝에서 경골(tibia) 후방을 따라 상방 6cm 범위
  2) B 영역의 압통 – 외과(lateral malleolus) 끝에서 비골(fibula) 후방을 따라 상방 6cm 범위
  3) 손상즉시 및 진료실에서 4걸음 이상 걷지 못할 때

[Ottawa Foot Rule]

– 중족부(midfoot zone)에 통증이 있으면서 다음 3가지 중 1가지 이상일 때 X-ray 검사를 고려
  1) C 영역의 압통 – 제5중족골 기저부(Base of 5th metatarsal bone) 부위
  2) D 영역의 압통 – 주상골(Navicular bone) 부위
  3) 손상즉시 및 진료실에서 4걸음 이상 걷지 못할 때

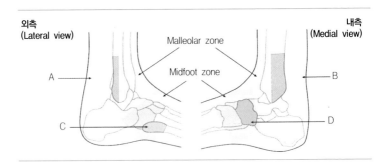

외측 (Lateral view)　　　　　　　　　　　　　　내측 (Medial view)
Malleolar zone
Midfoot zone
A　　　　　　　B
C　　　　　　　D

(2) 침구치료 (예)

1. 정경침 : 解谿 崑崙 丘墟 翳風
2. 사암침 : [通風-담정격] 通谷 俠谿(+) 商陽 竅陰(-), [瘀血-폐정격+] 太白 太淵(+) 曲池(-)
3. 동씨침 : 小節 / 五虎4 / 少府(-), [足跟痛] 骨關-木關
4. 이침 : 胸 神門 肝 膽
5. 기타 : 약침, 봉약침, 습부항 등

6. 임상연구

1) 족관절염좌의 深刺/淺刺의 차이 : 무작위 대조시험에서 深刺의 진통효과가 더 우월 [28)]

(3) 주의사항

1. 족관절 염좌의 대부분은 발목이 안쪽으로 뒤틀리는 내반손상으로 발생하며 특히 전거비인
대(ATF)가 가장 많이 손상을 받는 부위입니다. 반복적으로 손상을 받으면 만성적인 불안
정성으로 진행될 수 있습니다. 발목 주위의 주요 인대의 분포는 그림과 같습니다.

10장
일
반
병
동
콜

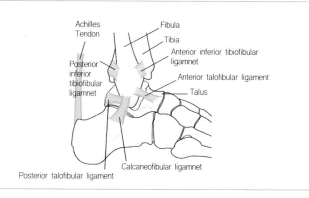

- Achilles Tendon
- Fibula
- Tibia
- Anterior inferior tibiofibular ligamnet
- Posterior inferior tibiofibular ligamnet
- Anterior talofibular ligament
- Talus
- Calcaneofibular ligamnet
- Posterior talofibular ligament

AITF (Anterior inferior tibiofibular) 전하경비인대
ATF (Anterior talofibular) 전거비인대
CF (calcaneo-fibular) 종비인대 / PTF (Posterior talofibular) 후거비인대

2. 인대손상의 정도는 1도에서 3도까지로 구분합니다. 1도는 불안정성을 나타내지 않는 불완
전 파열로 일상적인 염좌가 이에 해당하고, 2도 손상은 약간의 불안정성이 있는 부분파열,
3도 손상은 불안정성이 현저한 완전파열을 말합니다.

3. 골절이 아닌 경우의 족관절 염좌의 초기처치는 Protection(보호), Rest(휴식), Ice(냉찜질),
Compression(압박), Elevation(거상)의 방법을 활용하며 줄여서 PRICE로 부르기도 합니다.
P에 해당하는 보호처치는 상태에 따라서 반깁스나 탄력붕대, 테이핑 등을 활용하기도 하
는데 일반적으로 급성기 (1도:1-3일, 2도:2-4일, 3도:3-7일)동안에는 안정 및 적절한 체중
부하 제한이 권장되고, 아급성기에는 (1도:2-4일, 2도:3-5일, 3도:4-8일) 필요에 따라 보호
기구를 사용하거나 비체중 부하운동을 시작하는 것이 권장됩니다. I에 해당하는 냉찜질은
급성기 이후에는 핫팩 등의 온찜질로 변경될 수 있습니다.

4. 발목염좌는 비교적 흔한 증상이지만 항응고제, 항혈소판제를 복용하고 있거나 당뇨, 인지

장애 등이 동반된 경우는 초기증상이 심하지 않아도 주의하여 관찰하여야 합니다.

Tip 섬유근통(fibromyalgia)에 대한 침의 효과

1. 만성적인 전신의 통증, 피로, 수면장애, 우울감 등과 함께 신체 곳곳의 압통점(tender point)을 특징으로 하는 섬유근통은 정확한 원인은 밝혀지지 않은 질환입니다. 남성보다는 여성에서 더 많이 발생하는 특징이 있으며 약물치료로는 항우울제, 항전간제 등이 흔히 처방되고 통증이 심하면 Tramadol 등 강한 진통제가 사용되기도 합니다.

2. 섬유근통에 침치료를 적용하는 것에 대한 임상연구도 많이 시행되었으며 각종 RCT에 대한 systematic review에서도 유의한 효과가 있는 것으로 발표되었습니다. [24,25]

3. 침치료과 더불어 부항치료도 병행하는 것이 보다 나은 효과를 보이기도 했고 주1회 보다는 주 3회의 치료가 더 효과가 좋았다는 보고도 있었습니다. 기존약물치료에 부가적으로 침치료를 적용하는 방법도 효과적입니다. [26,27]

REFERENCES

1. Lee MS, Ernst E. Acupuncture for pain: an overview of Cochrane reviews. Chin J Integr Med. 2011;17(3):187–9.
2. Zheng Z, Guo RJ, Helme RD et al. The effect of electroacupuncture on opioid-like medication consumption by chronic pain patients: a pilot randomized controlled clinical trial. Eur J Pain. 2008;12(5):671–6.
3. Aletaha D, Neogi T, Silman AJ et al. 2010 Rheumatoid arthritis classification criteria: an American College of Rheumatology/European League Against Rheumatism collaborative initiative. Arthritis Rheum 2010;62:2569–81.
4. Ian G. Stiell et al. The Canadian C-Spine Rule versus the NEXUS Low-Risk Criteria in Patients with Trauma. NEJM. 2003;349(26):2510–2518.
5. Blossfeldt P. Acupuncture for chronic neck pain--a cohort study in an NHS pain clinic. Acupunct Med. 2004 Sep;22(3):146–51.
6. He D, Hostmark AT, Veiersted KB et al. Effect of intensive acupuncture on pain-related social and psychological variables for women with chronic neck and shoulder pain--an RCT with six month and three year follow up. Acupunct Med. 2005;23(2):52–61.
7. Itoh K, Katsumi Y, Hirota S, Kitakoji H. Randomised trial of trigger point acupuncture compared with other acupuncture for treatment of chronic neck pain. Complement Ther Med. 2007;15(3):172–9
8. Johansson KM, Adolfsson LE, Foldevi MO. Effects of acupuncture versus ultrasound in patients with impingement syndrome: randomized clinical trial. Phys Ther. 2005;85(6):490–501.
9. Vas J, Ortega C, Olmo V et al. Single-point acupuncture and physiotherapy for the treatment of painful shoulder: a multicentre randomized controlled trial. Rheumatology (Oxford). 2008;47(6):887–93.
10. 한창, 김지형, 류기준 외. 급성요통을 주소로 내원한 환자치료에 있어 추나치료의 효과에 대한 임상적 고찰. 척추신경추나의학회지. 2009;4(1):1–6.
11. Ratcliffe J, Thomas KJ, MacPherson H, Brazier J. A randomised controlled trial of acupuncture care for persistent low back pain: cost effectiveness analysis. BMJ. 2006;333(7569):626.
12. Kim N et al. An economic analysis of usual care and acupuncture collaborative treatment on chronic low back pain. BMC Complement Altern Med. 2010 25;10(1):74.
13. Farhadi K, Schwebel DC, Saeb M et al. The effectiveness of wet-cupping for nonspecific low back pain in Iran: a randomized controlled trial. Complement Ther Med. 2009;17(1):9–15.
14. Hayashi Y, Saito E, Takahashi O. Usefulness of hachimijiogan for lumbar spinal stenosis. Geriatric Medicine 1994; 32: 585–91

15. 이상훈, 정병식, 윤형석. 委中穴 刺絡의 腰痛에 對한 治療效果. 대한침구학회지 2002;19(1):65-75.

16. 한상국, 송형곤, 송근정, 정연권, 심민섭, 최필조. 슬부 외상환자에서 Ottawa Knee Rule의 유용성에 관한 연구. 대한외상학회지. 2003;16(2):124-8.

17. Berman BM, Lao L, Langenberg P et al. Effectiveness of acupuncture as adjunctive therapy in osteoarthritis of the knee: a randomized, controlled trial. Ann Intern Med. 2004;141(12):901-10.

18. Witt C, Brinkhaus B, Jena S et al. Acupuncture in patients with osteoarthritis of the knee: a randomised trial. Lancet. 2005;366(9480):136-143.

19. Kwon YD, Pittler MH, Ernst E. Acupuncture for peripheral joint osteoarthritis: a systematic review and meta-analysis. Rheumatology. 2006;45(11):1331-7.

20. Bachmann LM, Kolb E, Koller MT, Steurer J, ter Riet G. Accuracy of Ottawa Ankle Rules to exclude fractures of the ankle and mid-foot: systematic review. BMJ. 2003;326(7386):417-423.

21. Harris RE, Tian X, Williams DA et al. Treatment of fibromyalgia with formula acupuncture: investigation of needle placement, needle stimulation, and treatment frequency. J Altern Complement Med. 2005 Aug;11(4):663-71.

22. Cao H, Liu J, Lewith GT. Traditional Chinese Medicine for treatment of fibromyalgia: a systematic review of randomized controlled trials. J Altern Complement Med. 2010 Apr;16(4):397-409

23. Jang ZY, Li CD, Qiu L et al. Combination of acupuncture, cupping and medicine for treatment of fibromyalgia syndrome: a multi-central randomized controlled trial. Zhongguo Zhen Jiu. 2010 Apr;30(4):265-9.

24. Harris RE, Tian X, Williams DA et al. Treatment of fibromyalgia with formula acupuncture. J Altern Complement Med. 2005 Aug;11(4):663-71.

25. Cao H, Liu J, Lewith GT. Traditional Chinese Medicine for treatment of fibromyalgia: a systematic review of randomized controlled trials. J Altern Complement Med. 2010;16(4):397-409

26. Jang ZY et al. Combination of acupuncture, cupping and medicine for treatment of fibromyalgia syndrome: a multi-central randomized controlled trial. Zhongguo Zhen Jiu. 2010;30(4) :265-9

27. Targino RA, Imamura M, Kaziyama HH et al. A randomized controlled trial of acupuncture added to usual treatment for fibromyalgia. J Rehabil Med. 2008;40(7):582-8.

28. 박준성, 김우영, 백승태 외. 무작위 대조 시험을 통한 족관절 염좌의 자침 중 심자와 천자의 비교 연구 :준비 조사. 대한침구학회지 2004;21(5):137-147.

29. Arnett FC, Edworthy SM, Bloch DA et al. The American Rheumatism Association 1987 revised criteria for the classification of rheumatoid arthritis. Arthritis Rheum 1988;31:315-24.

기타콜/응급실

108-1 낙상 (Falls)

1. 낙상이 발생한 정황을 확인하고 환자의 의식수준, 통증을 확인합니다. 신경학적 검진이나 다른 손상여부를 세밀히 살펴며 이에 대한 내용을 차트에 상세히 기록합니다.

2. 기본검사 예 : Vital sign, EKG, BST / X-ray / Brain CT
   - 혈압저하, 심질환, 저혈당 등도 낙상을 유발한 원인이 될 수 있으므로 검사해야 하며 환자의 복약리스트를 검토하여 항고혈압제, 경구혈당강하제, 진정제 등 약물관련성 여부도 고려합니다.

3. 머리에 충격이 가해졌거나 의식수준에 이상이 있는 경우, 또는 응고장애가 있거나 항응고제를 복용하고 있는 상태라면 Brain CT 시행을 고려합니다. 필요시 낙상후 24시간 동안 2-4시간 간격으로 신경학적 이상이나 의식장애 여부를 확인할 수 있습니다.

4. 충격이 가해졌거나 통증을 호소하는 부위에 X-ray를 찍어 골절이나 다른 이상을 확인합니다. 특히 노인의 경우 고관절 부위에서의 골절이 흔하므로 주의하도록 합니다.

5. 추가적인 낙상발생을 막기 위해 예방적 조치도 시행합니다. **[참조항목 : 58-3 (3)]**

108-2 검사전 금식

1. 많은 검사들이 전날 밤부터의 금식(midnight NPO)를 요구하고 있으며 특히 조영제(contrast media)를 사용하는 검사는 조영제 부작용으로 의식을 잃거나 구토발생시 이물질이 기도를 막아 생명을 위협할 수도 있기 때문에 금식이 필요합니다.

   1) 6시간 금식이 필요한 영상검사 : CT, MRI, 혈관조영술, 인터벤션 등 조영제를 이용한 각종 검사 등

   2) 12시간 금식이 필요한 영상검사 : 상부위장관조영술, 소장조영술, 대장조영술, IVP(정맥신우조영술, Intravenous pyelography), 상복부 초음파검사 등

2. 신방광초음파(Kidney & bladder sono)는 금식할 필요가 없으며 대신 검사전 방광에 소변이 차 있어야 하므로 미리 적절한 수분섭취가 필요합니다.

3. 심장스트레스검사는 베타차단제나 CCB를 금하기도 하고 조영제를 사용하는 영상검사의

경우는 48시간 (또는 24시간) 전부터 metformin의 복용이 금지됩니다. 환자상태 및 약물의 종류에 따라 소량의 약물 복용은 허용되기도 합니다.

108-3 라인/시술 후 출혈

1. 멸균된(sterile) 조건에서 기존의 드레싱을 제거하고 약 15분간 압박을 가합니다. 중간에 압박을 풀거나 출혈부위를 살피지 말고 지속적으로 압박하도록 합니다. 의료진이나 간병인이 압박할 수 있고 또는 모래주머니(sandbag)도 사용됩니다. 출혈부위가 넓을 경우 간단한 suture도 도움이 됩니다.

2. 이후 출혈이 멈추면 폐쇄성 드레싱(occlusive dressing)을 적용합니다. 출혈이 멈추지 않으면 응고장애가 원인일 수 있으므로 추가적 검사가 필요하며 아스피린, 와파린 등의 복용력도 확인합니다.

10장

일
반
병
동
콜

> **Tip** IV라인 미확보
>
> 1. PO로의 투여가 가능한지 판단하고 IV 라인이 반드시 필요함에도 확보되지 않는 경우 주사실이나 다른 병동의 도움을 얻어야 하기도 합니다.
> 2. 또는 중심정맥(C-line)으로 접근하기도 하며 subclavian central line을 잡는 경우가 일반적이지만 일정기간 이상 유치해야 할 경우는 PICC(peripherally inserted central catheter)를 시행하기도 합니다. 이러한 C-line은 보통 30일마다 교체해 주어야 하는데 항암치료 등으로 일정주기 마다 정맥접근이 필요한 경우는 체내에 삽입되어 비교적 일상생활이 자유로운 Chemoport를 시술하기도 합니다. [참조항목 : 5-6]

108-4 치과 관련 증상

(1) 치통 (Toothache)

1. 원칙적으로 치과진료를 받아야 하나 야간, 공휴일 등 진료가 어려운 경우라면 병동에서 보존적 관리를 시행합니다. 일반적으로는 소염진통제가 위주가 되며 NSAIDs, AAP 등을 활용할 수 있습니다.

2. 한약처방 : 淸胃散, 當歸鬚散飮 등

3. 정경침 : 合谷, 足三里

4. 사암침 : [上齒痛-위승격] 通谷 內庭(+) 陽谷 解谿(-), [下齒痛-폐한격#] 陰陵泉 尺澤(+) 三

里懸鐘(-), [風齒痛-대장정격] 三里 曲池(+) 陽谷 陽谿(-)

5. 임상연구 : 合谷에 대한 연구가 많이 되어 있으며 단순 치통뿐 아니라 치과적 수술 후의 국소통증에도 유의한 진통효과가 보고되었습니다. [8]

(2) 치아탈락 (Avulsion of teeth)

1. 즉각적으로 빠진 치아를 원래의 자리로 위치(reduction)시키도록 하며 또는 치과진료를 받을 때까지 입안에 넣은 상태에서 대기하도록 합니다. Golden time인 30분 이내에 원위치 시키는 것이 좋습니다.

2. 소아의 유치는 원위치 시키지 않는데 6-12세의 경우는 유치와 영구치가 섞여 있을 수 있으므로 구분해서 결정하여야 합니다.

108-5 비출혈 (Epistaxis)

(1) 개요

1. 출혈이 시작된 계기를 확인하며 특히 외상성이 아니라면 고혈압, 응고장애(coagulopathy), 간경화(LC), 만성신부전(CRF) 등의 기저질환과 와파린, 아스피린 등의 약물복용 여부도 확인합니다. 일반적으로는 원인을 알 수 없는 특발성(idiopathic)인 경우가 가장 많습니다.

2. 필요시 CBC, PT, aPTT 등의 검사를 시행하며 대량출혈의 경우는 수혈 가능성을 고려하여 혈액형 검사를 함께 시행할 수 있습니다.

3. 90% 이상의 비출혈은 비강 전방에 위치한 키셀바흐 부위(Kiesselbach's plexus)에서 유래하며 일반적인 보존적처치로 대처할 수 있습니다. 후비강부의 출혈(posterior bleeding)은 혈액이 코로 나오기 보다는 주로 입으로 나오거나 목 뒤로 넘어가게 되는데 지혈이 쉽지 않은 경우가 많고 대개 입원치료로 진행됩니다.

(2) 일반적 관리

1. 침대 상체를 세워서 편안히 앉는 자세에서 Bosmin액(epinephrine 희석액)을 거즈에 적신 후 10분 동안 압박합니다. 출혈이 지속되면 질산은(AgNO₃)이나 전기를 이용한 소작(cautery)지혈이 필요할 수 있습니다.

2. 바셀린거즈, 탐폰 등을 비강안으로 충전할 수도 있으며 이 과정을 nasal packing 이라고 합니다. (epinephrine 희석액 처리 후 삽입도 가능) 이 때 충분한 압력으로 10분 이상은 충전되어야 하며 환자 임의로 제거하지 않도록 주의를 줍니다. 최근에는 비강에 삽입한 후 수분을 가하면 부풀어 올라 효과적으로 비강안에서 충전되는 Merocel 제품도 많이 사용됩니다.

3. BP가 높다면 적절히 강하시켜 주어야 하고 너무 낮다면 수액을 공급합니다. 기저상태에 따라 지혈기능이 있는 transamine을 투여하거나 와파린 복용자라면 Vitamin K 투여도 고려합니다.

(3) 한의학적 접근 (만성경향 위주로 적용)

1. 정경침 : [肺熱] 上星 合谷 少商 風府 天府, [肝火] 行間 兌端 曲泉 涌泉 委中

2. 사암침 : [鼻衄-脾正格] 少府 大都(+) 大敦 隱白(-)

3. 동씨침 : 六完 肩中

4. 한약제제 : 三黃瀉心湯 黃連解毒湯 (犀角地黃湯) 滋陰降火湯

108-6 화상 (Burn)

(1) 화상의 분류

1도	표피에만 발생. 통증, 홍반 등이 있으나 물집은 없음. 흉터 없이 7일 정도 후 회복
2도	(superficial : 표재성화상) 상부 진피까지 침범한 것으로 물집(Blister)이 있으며 2-3주 후 회복
	(deep : 심재성화상) 하부 진피까지 침범한 것으로 통증을 못느끼는 경우도 있음. 흉터가 남음
3도	피하지방층까지 손상된 상태로 심각한 흉터가 남음. 감염예방이 필수적.
4도	지방층과 근육, 뼈까지 침범한 상태로 치명적일 수 있음

- 최근에는 1도를 Superficial, 2도를 Superficial partial-thicknes, Deep partial-thickness 3도를 Full-thickness burn으로 부르기도 합니다. [3]

(2) 중화상(Major burn)의 기준

1. 2도 이상의 화상이 총 체표면적의 25% 이상 (단 10세 이하 50세 이상에서는 20% 이상)

2. 3도 이상의 화상이 총 체표면적의 10% 이상

3. 전기화상, 안면부나 눈/귀/회음부/관절부의 화상, 흡입화상(inhalation burn), 골절이나 주요조직소상이 동반된 화상 등

(3) 경화상(Minor burn)의 일반적 관리

1. 일단 화상부위를 차가운 물로 식혀야 합니다. 흐르는 물에 30분 정도 식힌 뒤 살바던 연고(Silvaden cream)를 도포하고 거즈로 싸서 드레싱을 하거나, 또는 미보연고(MEBO)*를 도

포하고 건조하지 않도록 수시로 재도포할 수 있으며 이러한 연고들은 환부 도포시 통증유 발이 적은 장점이 있습니다. 단 실바딘은 색소침착(pigmentation) 가능성 때문에 안면부에 는 잘 사용하지 않습니다. [4]

2. 수포가 있다면 주사기로 흡인할 수 있으나 감염에 취약해질 수 있으므로 주의하여야 합니다. 피부가 탈락하거나 벗겨진 부분이 크다면 이를 제거할 수 있고 해당 부위에 분비물이 많으면 자주 드레싱을 교환해 주어야 합니다. 화상부위의 상태에 따라 항생연고의 도포도 고려합니다.

3. 침치료 : 2도 화상의 환부 및 환부 주변에 자침하여 흉터 없이 치료된 증례가 보고된 바 있고 사의경험방(四醫經驗方) 등의 문헌에도 화상창(火傷瘡) 부위의 붉은 부분(紅暈)을 細針 으로 淺刺하는 내용이 소개되어 있습니다. [5,6]

4. 한방외용제 : 화상부위에 대한 자운고, 난황유 등의 피부도포가 미보연고와 동등한 수준의 회복도를 보였고 난황유는 모근부(hair follicle)의 재생도 관찰됨이 보고되었습니다. [7]

REFERENCES

1. Thomas M. De Fer et al. The Washington Manual Survival Guide Series Internship Survival Guide. 3rd edition. Lippincott. 2008.
2. Shane Marshall. On Call Principles and Protocols. 4th. Saunders. 2004
3. Uptodate Desktop. version 19.1. 2011
4. Hirsch T, Ashkar W, Schumacher O et al. Moist Exposed Burn Ointment (MEBO) in partial thickness burns - a randomized, comparative open mono-center study on the efficacy of dermaheal (MEBO) ointment on thermal 2nd degree burns compared to conventional therapy. Eur J Med Res. 2008;13(11):505-10.
5. 채득기. 국역 사의경험방(四醫經驗方). 한국한의학연구원. 2008. p.74
6. 원승환, 위종성, 최은주, 권기록. 수부의 표재성 2도 화상의 침치료 1례에 관한 임상적 고찰. 대한침구학회지. 2005;22(1):13-17
7. 지규용. 火傷治療劑의 조직학적 修復效果 연구. 동의생리병리학회지. 2002;16(4):774-781.
8. Lao L, Bergman S, Hamilton GR, Langenberg P, Berman B. Evaluation of acupuncture for pain control after oral surgery: a placebo-controlled trial. Arch Otolaryngol Head Neck Surg. 1999; 125(5):567-72.

---

* MEBO(Moist exposed burn ointment) : 胡麻(참기름), 蜂蠟 등의 기질에 黃連, 黃柏, 黃芩, 地龍, 罌粟殼 등이 포함된 연고제

경혈, 침구
참고자료

A1 경혈위치

A1-1 개요

(1) 경혈위치 안내

1. 본 장에서는 WHO 표준기호가 부여된 14경맥 및 경외기혈을 중심으로 중국어 병음과 함께 혈위에 대한 간략한 설명을 덧붙였고 이어서 동씨침 및 평형침 혈위를 수록하였습니다.

2. WHO 표준경혈에 중어병음도 같이 실은 이유는 국외에서 출판된 영문서적이나 논문 등의 경우 보통 WHO 기호와 함께 중어병음도 같이 제시되어 있으므로 눈에 익히면 빠른 이해에 도움이 되기 때문입니다. 이와 별도로 참조항목 **G-1** 에는 중어병음 알파벳 순으로 경혈명과 WHO 표준기호를 제시하였습니다.

(2) 14경맥 및 경외기혈

1	수태음폐경	LU	Lung Meridian
2	수양명대장경	LI	Large Intestine Meridian
3	족양명위경	ST	Stomach Meridian
4	족태음비경	SP	Spleen Meridian
5	수소음심경	HT	Heart Meridian
6	수태양소장경	SI	Small Intestine Meridian
7	족태양방광경	BL	Bladder Meridian
8	족소음신경	KI	Kidney Meridian
9	수궐음심포경	PC	Pericardium Meridian
10	수소양삼초경	TE	Triple Energizer Meridian
11	족소양담경	GB	Gall Bladder Meridian
12	족궐음간경	LR	Liver Meridian
13	독맥	GV (RN)	Governor Vessel (Renmai)
14	임맥	CV (DU)	Conception Vessel (Dumai)
15	경외기혈	EX	Extra points

1. WHO의 표준 용어(standard nomenclature) 제정 이전에는 문헌별로 서로 다른 약자가 쓰였는데 문헌에 따라 수소음심경은 HT대신 HE라고 표기되기도 하고 수소양삼초경도 TE대신 TB(triple burner)로 표기하거나 이에 중국어 병음을 따서 San Jiao로 표현한 문헌도 있습니다.

중국어권에서 발표된 문헌에는 임맥(任脈, Renmai)을 CV대신 RN으로 표기하거나 독맥(督脈, Dumai)을 GV대신 DU로 표기한 경우도 상당수 있습니다. (ex. 百會(GV20)를 DU20로 표기)

2. 경외기혈은 부위에 따라 5가지로 분류되며 각각 두경부는 EX-HN(head and neck), 흉복부는 EX-CA(chest and abdomen), 배부는 EX-B(back), 상지부는 EX-UE(upper extremities), 하지부는 EX-LE(lower extremities)로 구분합니다. 1991년 48개 경외기혈이 지정된 바 있습니다.

A1-2 골도분촌

(1) 골도분촌법(骨度分寸法) / B-cun (Proportional bone cun)

두면부	전발제(anterior hairline) 중점 - 후발제(posterior hairline) 중점	12촌
	양 미간(眉間) - 전발제(anterior hairline) 중점	3촌
	앞이마 머리선의 양쪽 모서리(額角, bilateral corner) 사이	9촌
	양쪽 유돌기(乳突起, mastoid process) 사이	9촌
흉복부	흉골상절흔(suprasternal notch) - 흉골검상관절(xiphisternal junction) 중점	9촌
	흉골검상관절(xiphisternal junction) 중점 - 배꼽(臍, umbilicus) 중심	8촌
	배꼽 중심 - 치골결합(pubic symphysis) 상연	5촌
	양쪽 유두(乳頭) 사이	8촌
배부	양쪽 견갑골 내측연 사이	6촌
상지부	앞/뒤 겨드랑주름(axillary fold) -주관절 횡문(cubital crease)	9촌
	주관절 횡문(cubital crease) - 완관절 횡문(wrist crease)	12촌
하지부	치골결합상연- 슬개골 상연 (base of patella)	18촌
	슬개골 하연(Apex of patella) 또는 슬와중앙 - 내과첨(內踝尖, medial malleolus prominence) * 슬개골 하연-음릉천(SP9)까지 2촌, 음릉천(SP9)에서 내과첨까지 13촌	15촌
	대전자(greater trochanter) 외융기(prominence) - 슬와횡문(popliteal crease)	19촌
	둔부주름(gluteal fold) - 슬와횡문	14촌
	슬와횡문 - 외과첨(外踝尖, lateral malleolus prominence)	16촌
	내과첨 - 발바닥	3촌

(2) 지촌법(指寸法) / F-cun (Finger cun)

중지를 구부릴 때 생기는 두 개의 요골쪽 주름(radial crease) 사이의 길이	1지촌
엄지손가락 관절(interphalangeal joint)의 가로폭	1지촌
2,3,4,5지 손가락을 펴서 나란히 모아 생기는 근위부 손가락관절의 가로폭	3지촌

(3) 참고그림

- 단위는 촌(寸)이며 전신그림은 골도분촌 (B-cun), 손그림은 지촌법 (F-cun)에 의한 방법으로 활용됩니다.

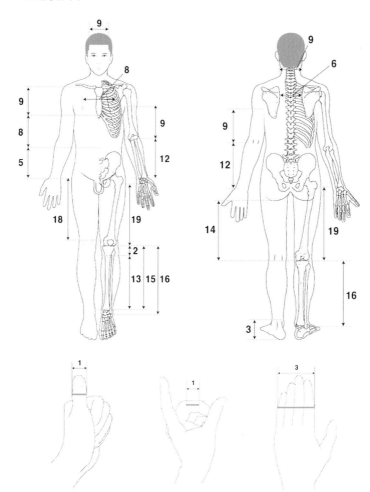

A1-3 경혈색인 및 혈위기호 (가나다순)

* 숫자로 기호표시된 혈위는 동씨침혈위(일부 혈위는 DT, VT, A로 시작), BP-로 시작되는 혈위는 평형침혈위, 나머지는 WHO 표준혈위

각손(角孫) TE20	고방(庫房) ST14	금이(金耳) 99.05	담(膽) 11.13
간문(肝門) 33.11	고황(膏肓) BL43	금전상(金前上) 88.24	담낭(膽囊) EX-LE6
간병혈(肝病穴) BP-UE4	곡골(曲骨) CV2	금전하(金前下) 88.23	담수(膽兪) BL19
간사(間使) PC5	곡릉(曲陵) 33.16	금진(金津) EX-HN12	당양(當陽) EX-HN2
간수(肝兪) BL18	곡빈(曲鬢) GB7	급구혈(急救穴) BP-HN3	대간(大間) 11.01
감모1(感冒一) 88.07	곡원(曲垣) SI13	급맥(急脈) LR12	대거(大巨) ST27
감모2(感冒二) 88.08	곡지(曲池) LI11	기각(其角) 33.02	대골공(大骨空) EX-UE5
감모삼(感冒三) DT.12	곡차(曲差) BL4	기단(氣端) EX-LE12	대도(大都) SP2
감모혈(感冒穴) BP-UE10	곡천(曲泉) LR8	기문(箕門) SP11	대돈(大敦) LR1
강간(強間) GV18	곡택(曲澤) PC3	기문(其門) 33.01	대릉(大陵) PC7
강당혈(降糖穴) BP-UE6	곤륜(崑崙) BL60	기문(期門) LR14	대맥(帶脈) GB26
강압혈(降壓穴) BP-LE13	공손(公孫) SP4	기사(氣舍) ST11	대백(大白) 22.04
강지혈(降脂穴) BP-LE5	공최(孔最) LU6	기정(其正) 33.03	대영(大迎) ST5
거골(巨骨) LI16	과민혈(過敏穴) BP-LE3	기충(氣衝) ST30	대장수(大腸兪) BL25
거궐(巨闕) CV14	과통혈(踝痛穴) BP-UE7	기해(氣海) CV6	대저(大杼) BL11
거료(居髎) GB29	관골(髖骨) EX-LE1	기해수(氣海兪) BL24	대종(大鐘) KI4
거료(巨髎) ST3	관문(關門) ST22	기혈(氣穴) KI13	대추(大椎) GV14
건리(建里) CV11	관원(關元) CV4	기호(氣戶) ST13	대포(大包) SP21
격관(膈關) BL46	관원수(關元兪) BL26	기황(其黃) 88.14	대혁(大赫) KI12
격수(膈兪) BL17	관충(關衝) TE1	낙각(絡却) BL8	대횡(大橫) SP15
견료(肩髎) TE14	광명(光明) 77.28	낙통(落通) 44.14	도도(陶道) GV13
견배혈(肩背穴) BP-LE1	광명(光明) GB37	난미(闌尾) EX-LE7	독비(犢鼻) ST35
견외수(肩外兪) SI14	교신(交信) KI8	내과첨(內踝尖) EX-LE8	독수(督兪) BL16
견우(肩髃) LI15	구미(鳩尾) CV15	내관(內關) PC6	독음(獨陰) EX-LE11
견정(肩井) GB21	구허(丘墟) GB40	내슬안(內膝眼) EX-LE4	동자료(瞳子髎) GB1
견정(肩貞) SI9	구후(九猴) DT.06	내영향(內迎香) EX-HN9	두구음(頭竅陰) GB11
견중(肩中) 44.06	구후(球後) EX-HN7	내정(內庭) ST44	두유(頭維) ST8
견중수(肩中兪) SI15	궁병혈(宮病穴) BP-LE12	내통관(內通關) 88.29	두임읍(頭臨泣) GB15
견통혈(肩痛穴) BP-LE6	관료(顴髎) SI18	내통산(內通山) 88.30	두통혈(頭痛穴) BP-LE11
결분(缺盆) ST12	궐음수(厥陰兪) BL14	내통천(內通天) 88.31	둔통혈(臀痛穴) BP-UE1
경거(經渠) LU8	귀래(歸來) ST29	노궁(勞宮) PC8	마금수(馬金水) 1010.13
경골(京骨) BL64	극문(郄門) PC4	노수(臑兪) SI10	마쾌수(馬快水) 1010.14
경문(京門) GB25	극천(極泉) HT1	노식(顱息) TE19	면탄혈(面癱穴) BP-A2
경백로(頸百勞) EX-HN15	근축(筋縮) GV8	노호(臑會) TE13	명목혈(明目穴) BP-HN7
경통혈(頸痛穴) BP-UE9	금림(金林) DT.09	뇌공(腦空) GB19	명문(命門) GV4
계맥(瘈脈) TE18	금문(金門) BL63	뇌호(腦戶) GV17	명황(明黃) 88.12
	금오(金五) VT.03	누곡(漏谷) SP7	목(木) 11.17

목두(木斗) 66.07
목류(木留) 66.06
목부(木婦) 66.02
목염(木炎) 11.20
목이(木耳) 99.02
목지(木枝) 1010.18
목창(目窓) GB16
목화(木火) 11.10
문금(門金) 66.05
미충(眉衝) BL3
박구(搏球) 77.04
방광수(膀胱俞) BL28
배면(背面) 44.07
백충와(百蟲窩) EX-LE3
백호(魄戶) BL42
백환수(白環俞) BL30
백회(百會) GV20
병풍(秉風) SI12
보랑(步廊) KI22
복결(腹結) SP14
복삼(僕參) BL61
복애(腹哀) SP16
복원(復原) 11.22
복토(伏兔) ST32
복통곡(腹通谷) KI20
본신(本神) GB13
부간(浮間) 11.03
부과(婦科) 11.24
부극(浮郄) BL38
부돌(扶突) LI18
부류(復溜) KI7
부백(浮白) GB10
부분(附分) BL41
부사(府舍) SP13
부소이십삼(腑巢二十三) VT.05
부양(跗陽) BL59
부장(腑腸) 77.12
부정(富頂) 44.04
부쾌(腑快) 1010.15
분금(金金) 44.01
분지상(分枝上) DT.01
분지하(分枝下) DT.02
불용(不容) ST19

비관(髀關) ST31
비근(痞根) EX-B4
비뇨(腎臑) LI14
비수(脾俞) BL20
비양(飛揚) BL58
비염혈(鼻炎穴) BP-HN5
비익(鼻翼) 1010.22
비종(脾重) 11.18
사독(四瀆) TE9
사마상(駟馬上) 88.18
사마중(駟馬中) 88.17
사마하(駟馬下) 88.19
사만(四滿) KI14
사백(四白) ST2
사봉(四縫) EX-UE10
사부1(四腑一) 1010.11
사부2(四腑二) 1010.10
사신총(四神聰) EX-HN1
사죽공(絲竹空) TE23
사지(四肢) 77.20
사화리(四花里) 77.13
사화문(四花門) 77.10
사화상(四花上) 77.08
사화외(四花外) 77.14
사화중(四花中) 77.09
사화하(四花下) 77.11
삼간(三間) LI3
삼강(三江) DT.15
삼금(三金) DT.07
삼안(三眼) 11.21
삼양락(三陽絡) TE8
삼음교(三陰交) SP6
삼중(三重) 77.07
삼차1(三叉一) A.02
삼차2(三叉二) A.03
삼차3(三叉三) A.04
삼초수(三焦俞) BL22
상거허(上巨虛) ST37
상곡(上曲) 44.16
상곡(商曲) KI17
상관(上關) GB3
상구(商丘) SP5
상구리(上九里) 88.26
상렴(上廉) LI9

상료(上髎) BL31
상류(上瘤) 55.06
상리(上里) 1010.09
상백(上白) 22.03
상성(上星) GV23
상순(上唇) 77.15
상양(商陽) LI1
상영향(上迎香) EX-HN8
상완(上脘) CV13
상천(上泉) 88.22
석관(石關) KI18
석문(石門) CV5
선기(璇璣) CV21
성뇌혈(醒腦穴) BP-HN8
소간(小間) 11.02
소골공(小骨空) EX-UE6
소락(素髎) TE12
소료(素髎) GV25
소부(少府) HT8
소상(少商) LU11
소장수(小腸俞) BL27
소절(小節) A.05
소충(少衝) HT9
소택(少澤) SI1
소해(少海) HT3
소해(小海) SI8
속골(束骨) BL65
솔곡(率谷) GB8
수곡(水曲) 66.09
수구(水溝) GV26
수금(水金) 1010.20
수도(水道) ST28
수돌(水突) ST10
수부(水腑) DT.14
수부(俞府) KI27
수분(水分) CV9
수삼리(手三里) LI10
수상(水相) 66.14
수선(水仙) 66.15
수영(首英) 44.03
수오금(手五金) 33.08
수오리(手五里) LI13
수유(水愈) 44.17
수이(水耳) 99.06

수정(水晶) 66.13
수중(水中) DT.13
수천(水泉) KI5
수천금(手千金) 33.09
수통(水通) 1010.19
수해(手解) 22.10
슬관(膝關) LR7
슬안(膝眼) EX-LE5
슬양관(膝陽關) GB33
슬통혈(膝痛穴) BP-UE2
승광(承光) BL6
승근(承筋) BL56
승령(承靈) GB18
승만(承滿) ST20
승부(承扶) BL36
승산(承山) BL57
승읍(承泣) ST1
승장(承漿) CV24
승제혈(升提穴) BP-HN1
식두(食竇) SP17
신관(腎關) 77.17
신궐(神闕) CV8
신당(神堂) BL44
신도(神道) GV11
신맥(申脈) BL62
신문(神門) HT7
신병혈(腎病穴) BP-LE9
신봉(神封) KI23
신쇠혈(神衰穴) BP-A3
신수(腎俞) BL23
신장(神藏) KI25
신정(神庭) GV24
신주(身柱) GV12
신회(顖會) GV22
실음(失音) 88.32
심문(心門) 33.12
심병혈(心病穴) BP-UE4
심상(心常) 11.19
심수(心俞) BL15
심슬(心膝) 11.09
십선(十宣) EX-UE11
십이후(十二猴) VT.02
십칠추(十七椎) EX-B8
쌍봉(雙鳳) DT.05

A1-4 WHO 표준경혈위치 (14경맥 혈위+경혈가)

위치설명에서 (*)표시가 된 부분은 경혈위치를 간략히 설명하는 과정에서 WHO 표준경혈위치의 설명과 차이가 있거나 복수의 혈위가 인정된 경혈들로 표 말미에 추가적인 설명을 덧붙였습니다.

WHO	한글	한문	중어병음	부위	간략한 위치
1. 수태음폐경(LU) [Lung Meridian]					
手太陰肺十一穴 中府雲門天府訣 俠白尺澤孔最存 列缺經渠太淵涉 魚際少商如韭葉					
수태음폐십일혈 중부운문천부결 협백척택공최존 열결경거태연섭 어제소상여구엽					
LU1	중부	中府	Zhong Fu	전흉부	정중외측 6촌, 雲門下 1촌
LU2	운문	雲門	Yun Men	전흉부	정중외측 6촌, 鎖骨下窩
LU3	천부	天府	Tian Fu	상완 전외측	전액와횡문下 3촌, biceps 외측연
LU4	협백	俠白	Xia Bai	상완 전외측	전액와횡문下 4촌, biceps 외측연
LU5	척택	尺澤	Chi Ze	주관절	주횡문 위, biceps 외측 함요처
LU6	공최	孔最	Kong Zui	전완 전외측	태연上 7촌 [척택-태연 10촌]
LU7	열결	列缺	Lie Que	전완 요측	완횡문上 1.5촌, 두 개의 腱 사이
LU8	경거	經渠	Jing Qu	전완 전외측	태연上 1촌 [척택-태연 10촌]
LU9	태연	太淵	Tai Yuan	완관절,전외측	완횡문 위, 요골동맥 應手處
LU10	어제	魚際	Yu Ji	손바닥	제1중수골의 중점, 적백육제
LU11	소상	少商	Shao Shang	수지부	제1지, 요측 爪甲根角 0.1촌
2. 수양명대장경(LI) [Large Intestine Meridian]					
手陽明起於商陽 二間三間合谷藏 陽谿偏歷溫溜長 下廉上廉手三里 曲池肘髎五里近 臂臑肩髃巨骨當					
天鼎扶突禾髎接 鼻傍五分處迎香					
수양명기어상양 이간삼간합곡장 양계편력온류장 하렴상렴수삼리 곡지주료오리근 비노견우거골당					
천정부돌화료접 비방오분처영향					
LI1	상양	商陽	Shang Yang	수지부	제2지, 요측 爪甲根角 0.1촌
LI2	이간	二間	Er Jian	수지부	제2지, 本節 前 요측 함요처
LI3	삼간	三間	San Jian	수지부	제2지, 本節 後 요측 함요처
LI4	합곡	合谷	He Gu	손등	제1,2지 岐骨間 함요처
LI5	양계	陽谿	Yang Xi	완관절,후외측	Anatomical snuffbox
LI6	편력	偏歷	Pian Li	전완 후외측	완횡문上 3촌 [陽谿-曲池 10촌]
LI7	온류	溫溜	Wen Liu	전완 후외측	완횡문上 5촌 [陽谿-曲池 10촌]
LI8	하렴	下廉	Xia Lian	전완 후외측	주횡문下 4촌 [陽谿-曲池 10촌]
LI9	상렴	上廉	Shang Lian	전완 후외측	주횡문下 3촌 [陽谿-曲池 10촌]
LI10	수삼리	手三里	Shou San Li	전완 후외측	주횡문下 2촌 [陽谿-曲池 10촌]
LI11	곡지	曲池	Qu Chi	주관절 측면	굴곡시 주횡문 외측단 함요처
LI12	주료	肘髎	Zhou Liao	주관절,후외측	상완골 외측연의 外上髁 상방
LI13	수오리	手五里	Shou Wu Li	상완 외측	곡지上3촌[曲池-肩髃10촌]
LI14	비노	臂臑	Bi Nao	상완 외측	곡지上7촌[曲池-肩髃10촌]
LI15	견우	肩髃	Jian Yu	견갑대	어깨 외전시 肩峰 전방 함요처
LI16	거골	巨骨	Ju Gu	견갑대	鎖骨 肩峰端-肩胛棘 사이 함요처
LI17	천정	天鼎	Tian Ding	전경부	扶突 직하 1촌, SCM 후연
LI18	부돌	扶突	Fu Tu	전경부	結喉 외측의 SCM 正中
LI19	화료	禾髎	He Liao	안면부	水溝 외측 0.5촌 (*)
LI20	영향	迎香	Ying Xiang	안면부	鼻脣溝 위, 鼻翼根部 수평선상 (*)

3. 족양명위경(ST) [Stomach Meridian]

四十五穴足陽明 承泣四白巨髎經 地倉大迎登頰車 下關頭維對人迎 水突氣舍連缺盆 氣戶庫房屋翳屯
膺窓乳中下乳根 不容承滿出梁門 關門太乙滑肉起 天樞外陵大巨裏 水道歸來達氣衝 髀關伏兔走陰市
梁丘犢鼻足三里 上巨虛連條口底 下巨虛下有豐隆 解谿衝陽陷谷中 內庭厲兌陽明穴 大趾次趾之端終
사십오혈족양명 승읍사백거료경 지창대영등협거 하관두유대인영 수돌기사연결분 기호고방옥예둔
응창유중하유근 불용승만출양문 관문태을활육기 천추외릉대거리 수도귀래달기충 비관복토주음시
양구독비족삼리 상거허연조구저 하거허하유풍륭 해계충양함곡중 내정여태양명혈 대지차지지단종

ST1	승읍	承泣	Cheng Qi	안면부	동공 직하, 안구-안와하연 사이
ST2	사백	四白	Si Bai	안면부	동공 직하, 眼窩下孔
ST3	거료	巨髎	Ju Liao	안면부	동공 직하, 鼻孔下方과 수평
ST4	지창	地倉	Di Cang	안면부	口角 외측 0.4촌
ST5	대영	大迎	Da Ying	안면부	하악각 전방, 咬筋 부착부 전연
ST6	협거	頰車	Jia Che	안면부	하악각 전상방, 咀嚼시 咬筋융기부
ST7	하관	下關	Xia Guan	안면부	上關직하의 顴骨下緣 (*)
ST8	두유	頭維	Tou Wei	머리	神庭외측 4.5촌, 額角з髮際 0.5촌
ST9	인영	人迎	Ren Ying	전경부	結喉 외측, SCM 전방의 동맥應手處
ST10	수돌	水突	Shui Tu	전경부	人迎-氣舍의 중간, SCM 바로 앞.
ST11	기사	氣舍	Qi She	전경부	人迎 직하방, 天突 외측 1.5촌
ST12	결분	缺盆	Que Pen	전경부	天突 외측 4촌, 쇄골상방 함요처
ST13	기호	氣戶	Qi Hu	전흉부	璇璣 외측 4촌, 쇄골하연
ST14	고방	庫房	Ku Fang	전흉부	華蓋 외측 4촌, 제1늑간
ST15	옥예	屋翳	Wu Yi	전흉부	紫宮 외측 4촌, 제2늑간
ST16	응창	膺窓	Ying Chuang	전흉부	玉堂 외측 4촌, 제3늑간
ST17	유중	乳中	Ru Zhong	전흉부	膻中외측4촌,乳頭중앙
ST18	유근	乳根	Ru Gen	전흉부	中庭 외측 4촌, 유방하연 (*)
ST19	불용	不容	Bu Rong	상복부	巨闕(臍上6촌) 외측 2촌
ST20	승만	承滿	Cheng Man	상복부	上脘(臍上5촌) 외측 2촌
ST21	양문	梁門	Liang Men	상복부	中脘(臍上4촌) 외측 2촌
ST22	관문	關門	Guan Men	상복부	建里(臍上3촌) 외측 2촌
ST23	태을	太乙	Tai Yi	상복부	下脘(臍上2촌) 외측 2촌
ST24	활육문	滑肉門	Hua Rou Men	상복부	水分(臍上1촌) 외측 2촌
ST25	천추	天樞	Tian Shu	상복부	臍中 외측 2촌
ST26	외릉	外陵	Wai Ling	하복부	陰交(臍下1촌) 외측 2촌
ST27	대거	大巨	Da Ju	하복부	石門(臍下2촌) 외측 2촌
ST28	수도	水道	Shui Dao	하복부	關元(臍下3촌) 외측 2촌
ST29	귀래	歸來	Gui Lai	하복부	中極(臍下4촌) 외측 2촌
ST30	기충	氣衝	Qi Chong	서혜부	曲骨(臍下5촌) 외측 2촌
ST31	비관	髀關	Bi Guan	대퇴전면	슬개골 외상연上 12촌
ST32	복토	伏兔	Fu Tu	대퇴전외측	슬개골 외상연上 6촌
ST33	음시	陰市	Yin Shi	대퇴전외측	슬개골 외상연上 3촌
ST34	양구	梁丘	Liang Qiu	대퇴전외측	슬개골 외상연上 2촌
ST35	독비	犢鼻	Du Bi	슬관절 전면	외슬안(外膝眼)
ST36	족삼리	足三里	Zu San Li	하퇴전면	犢鼻下 3촌 [독비-해계 16촌]
ST37	상거허	上巨虛	Shang Ju Xu	하퇴전면	犢鼻下 6촌 [독비-해계 16촌]
ST38	조구	條口	Tiao Kou	하퇴전면	犢鼻下 8촌 [독비-해계 16촌]
ST39	하거허	下巨虛	Xia Ju Xu	하퇴전면	犢鼻下 9촌 [독비-해계 16촌]
ST40	풍륭	豐隆	Feng Long	하퇴전외측	條口(독비-해계의 중점) 후방1촌
ST41	해계	解谿	Jie Xi	발목 전면	내과-외과의 중앙, 양근건사이
ST42	충양	衝陽	Chong Yang	발등	解谿下 1.5촌, 족배동맥 위

ST43	함곡	陷谷	Xian Gu	발등	제2,3족지 本節 後 2촌 함요처
ST44	내정	內庭	Nei Ting	발등	제2,3족지 本節사이 적백육제
ST45	여태	厲兌	Li Dui	족지부	제2족지 외측 爪甲根角 0.1촌

4. 족태음비경(SP) [Spleen Meridian]

二十一穴脾中洲 隱白在足大趾頭 大都太白公孫盛 商丘三陰交可求 漏谷地機陰陵泉 血海箕門衝門開
府舍腹結大橫排 復哀食竇連天谿 胸鄉周榮大包隨 左右合而四十二
이십일혈비중주 은백재족대지두 대도태백공손성 상구삼음교가구 누곡지기음릉천 혈해기문충문개
부사복결대횡배 복애식두연천계 흉향주영대포수 좌우합이사십이

SP1	은백	隱白	Yin Bai	족지부	제1족지 외측 爪甲根角 0.1촌
SP2	대도	大都	Da Du	족지부	제1족지 내측 本節 前 적백육제
SP3	태백	太白	Tai Bai	족내측	제1족지 내측 本節 後 적백육제
SP4	공손	公孫	Gong Sun	족내측	제1중족골 기저부 전하방 함요처
SP5	상구	商丘	Shang Qui	족내측	족내과 전하방의 함요처
SP6	삼음교	三陰交	San Yin Jiao	하퇴 경골측	내과첨上 3촌, 경골 후연
SP7	누곡	漏谷	Lou Gu	하퇴 경골측	내과첨上 6촌, 경골 후연
SP8	지기	地機	Di Ji	하퇴 경골측	음릉천下 3촌, 경골 후연
SP9	음릉천	陰陵泉	Yin Ling Quan	하퇴 경골측	경골내측과(condyle)下 경골-비복근간
SP10	혈해	血海	Xue Hai	대퇴 전내측	슬개골 내상연上 2촌
SP11	기문	箕門	Ji Men	대퇴 내측	슬개골 내상연上 8촌 (*)
SP12	충문	衝門	Chong Men	서혜부	曲骨(치골결합 상연) 외측 4촌
SP13	부사	府舍	Fu She	하복부	中極(臍下4촌)외측 4촌, 직하 3分
SP14	복결	腹結	Fu Jie	하복부	陰交(臍下1촌)외측 4촌, 직하 3分
SP15	대횡	大橫	Da Heng	상복부	神闕(臍中) 외측 4촌
SP16	복애	腹哀	Fu Ai	상복부	建里(臍上3촌) 외측 4촌
SP17	식두	食竇	Shi Dou	전흉부	中庭 외측 6촌 (제5늑골간)
SP18	천계	天谿	Tian Xi	전흉부	膻中 외측6촌(제4늑골간)
SP19	흉향	胸鄉	Xiong Xiang	전흉부	玉堂 외측 6촌 (제3늑골간)
SP20	주영	周榮	Zhou Rong	전흉부	紫宮 외측 6촌 (제2늑골간)
SP21	대포	大包	Da Bao	측흉부	腋中線 직하, 제6늑골간

5. 수소음심경(HT) [Heart Meridian]

九穴午時手少陰 極泉靑靈少海深 靈道通里陰極逐 神門少府少衝尋
구혈오시수소음 극천청령소해심 영도통리음극수 신문소부소충심

HT1	극천	極泉	Ji Quan	액와부	액와 정중의 동맥 應手處
HT2	청령	靑靈	Qing Ling	상완 내측	少海上 3촌 [극천-소해 9촌]
HT3	소해	少海	Shao Hai	주관절, 전내측	주횡문 內刖端~상완골 內上顆 중점
HT4	영도	靈道	Ling Dao	전완 전내측	완횡문上 1.5촌 [소해~신문 10촌]
HT5	통리	通里	Tong Li	전완 전내측	완횡문上 1촌 [소해~신문 10촌]
HT6	음극	陰郄	Yin Xi	전완 전내측	완횡문上 0.5촌 [소해~신문 10촌]
HT7	신문	神門	Shen Men	손바닥	완횡문상 척측수근굴근건의 요측
HT8	소부	少府	Shao Fu	손바닥	제 4,5중수골 사이 함요처
HT9	소충	少衝	Shao Chong	수지부	제5지 요측 爪甲根角 0.1촌

6. 수태양소장경(SI) [Small Intestine Meridian]

手太陽穴一十九 少澤前谷後谿藪 腕骨陽谷養老繩 支正小海外輔肘 肩貞臑兪接天宗 髎外秉風曲垣着
肩外兪連肩中兪 天窓乃與天容偶 銳骨之端上顴髎 聽宮耳前珠上走
수태양혈일십구 소택전곡후계수 완골양곡양노승 지정소해외보주 견정노수접천종 요외병풍곡원착
견외수연견중수 천창내여천용우 예골지단상권료 청궁이전주상주

| SI1 | 소택 | 少澤 | Shao Ze | 수지부 | 제5지 척측 爪甲根角 0.1촌 |
| SI2 | 전곡 | 前谷 | Qian Gu | 수지부 | 제5지 本節 前 척측연 함요처 |

SI3	후계	後谿	Hou Xi	손등	제5지 本節 後 척측연 함요처
SI4	완골	腕骨	Wan Gu	완관절,후내측	제5중수골 기저부–삼각골 사이
SI5	양곡	陽谷	Yang Gu	완관절,후내측	척골경상돌기–삼각골 사이 함요처
SI6	양로	養老	Yang Lao	전완 후내측	완횡문上 1촌, 尺骨頭 요측함요처
SI7	지정	支正	Zhi Zheng	전완 후내측	완횡문上 5촌 [양곡–小海 12촌]
SI8	소해	小海	Xiao Hai	주관절,후내측	肘頭– 상완골 內上顆 사이 함요처
SI9	견정	肩貞	Jian Zhen	견갑대	후액와횡문上 1촌
SI10	노수	臑兪	Nao Shu	견갑대	후액와횡문上, 肩胛棘 하방 함요처
SI11	천종	天宗	Tian Zong	견갑부	肩胛棘중앙–견갑하각 선상 상방1/3
SI12	병풍	秉風	Bing Feng	견갑부	견갑극상연 중간점
SI13	곡원	曲壇	Qu Yuan	견갑부	견갑극상연내측단
SI14	견외수	肩外兪	Jian Wai Shu	윗등	제1흉추 극돌기下, 외측 1.5촌
SI15	견중수	肩中兪	Jian Zhong Zhu	윗등	제7경추 극돌기下, 외측 2촌
SI16	천창	天窓	Tian Chuang	전경부	結喉 외측, SCM 후연
SI17	천용	天容	Tian Rong	전경부	하악각 후방, SCM 전연
SI18	권료	顴髎	Quan Liao	안면부	외안각 직하방의 관골 하연 함요처
SI19	청궁	聽宮	Ting Gong	안면부	耳珠 중앙의 전방 함요처

7. 족태양방광경(BL) [Bladder Meridian]

足太陽經六十七 睛明目內紅肉藏 攢竹眉衝與曲差 五處寸半上承光 通天絡却玉枕昻 天柱後際大筋外
大杼背部第二行 風門肺兪厥陰兪 心兪督兪膈兪强 肝膽脾胃俱埃次 三焦腎氣海大腸 關元小腸到膀胱
中膂白環仔細量 自从大杼至白環 各各節外寸半長 上髎次髎中復下 一空二空腰踝當 會陽陰尾骨外取
附分侠脊第三行 魄門膏肓與神堂 譩譆膈關魂門九 胃網盲舍仍胃倉 肓門志室胞肓續 二十椎下秩邊場
承扶臀橫紋中央 殷門浮郄到委陽 委中合陽承筋是 承山飛揚踝跗陽 崑崙僕參連申脈 金門京骨束骨忙
通谷至陰小趾傍 左右合once三十四
족태양경육십칠 정명목내홍육장 찬죽미충여곡차 오처촌반상승광 통천낙각옥침망 천주후제대근외
대저배부제이행 풍문폐수궐음수 심수독수격수강 간담비위구애차 삼초신기해대장 관원소장도방광
중려백환자세량 자종대저지백환 각각절외촌반장 상료차료중부하 일공이공요과당 회양음미골외취
부분협척제삼행 백호고황여신당 의희격관혼문구 위망맹사잉위창 황문지실포황속 이십추하질변장
승부둔횡문중앙 은문부극도위양 위중합양승근시 승산비양과부양 곤륜복삼연신맥 금문경골속골망
통곡지음소지방 좌우합백삼십사

BL1	정명	睛明	Jing Ming	안면부	내안각 상내측 0.1촌
BL2	찬죽	攢竹	Zan Zhu	머리	眉 내측단 함요처
BL3	미충	眉衝	Mei Chong	머리	찬죽 상방으로 전발제上 0.5촌
BL4	곡차	曲差	Qu Chai	머리	정중외측 1.5촌, 전발제上 0.5촌
BL5	오처	五處	Wu Chu	머리	정중외측 1.5촌, 전발제上 1촌
BL6	승광	承光	Cheng Guang	머리	정중외측 1.5촌, 전발제上 2.5촌
BL7	통천	通天	Tong Tian	머리	정중외측 1.5촌, 전발제上 4촌
BL8	낙각	絡却	Luo Que	머리	정중외측 1.5촌, 전발제上 5.5촌
BL9	옥침	玉枕	Yu Zhen	머리	腦戸(외후두융기上) 외측 1.3촌
BL10	천주	天柱	Tian Zhu	후경부	瘂門과수평,승모근외측함요처
BL11	대저	大杼	Da Zhu	윗등	제1흉추 극돌기下, 외측 1.5촌
BL12	풍문	風門	Feng Men	윗등	제2흉추 극돌기下, 외측 1.5촌
BL13	폐수	肺兪	Fei Shu	윗등	제3흉추 극돌기下, 외측 1.5촌
BL14	궐음수	厥陰兪	Jue Yin Shu	윗등	제4흉추 극돌기下, 외측 1.5촌
BL15	심수	心兪	Xin Shu	윗등	제5흉추 극돌기下, 외측 1.5촌
BL16	독수	督兪	Du Shu	윗등	제6흉추 극돌기下, 외측 1.5촌
BL17	격수	膈兪	Ge Shu	윗등	제7흉추 극돌기下, 외측 1.5촌
BL18	간수	肝兪	Gan Shu	윗등	제9흉추 극돌기下, 외측 1.5촌

부록 A

경혈, 침구참고자료

BL19	담수	膽兪	Dan Shu	윗등	제10흉추 극돌기下, 외측 1.5촌
BL20	비수	脾兪	Pi Shu	윗등	제11흉추 극돌기下, 외측 1.5촌
BL21	위수	胃兪	Wei Shu	윗등	제12흉추 극돌기下, 외측 1.5촌
BL22	삼초수	三焦兪	San Jiao Shu	요부	제1요추 극돌기下, 외측 1.5촌
BL23	신수	腎兪	Shen Shu	요부	제2요추 극돌기下, 외측 1.5촌
BL24	기해수	氣海兪	Qi Hai Shu	요부	제3요추 극돌기下, 외측 1.5촌
BL25	대장수	大腸兪	Da Chang Shu	요부	제4요추 극돌기下, 외측 1.5촌
BL26	관원수	關元兪	Guan Yuan Shu	요부	제5요추 극돌기下, 외측 1.5촌
BL27	소장수	小腸兪	Xiao Chang Shu	천골부	제1천추공 외측 1.5촌
BL28	방광수	膀胱兪	Pang Guang Shu	천골부	제2천추공 외측 1.5촌
BL29	중려수	中膂兪	Zhong Lu Shu	천골부	제3천추공 외측 1.5촌
BL30	백환수	白環兪	Bai Huan Shu	천골부	제4천추공 외측 1.5촌
BL31	상료	上髎	Shang Liao	천골부	제1천추공
BL32	차료	次髎	Ci Liao	천골부	제2천추공
BL33	중료	中髎	Zhong Liao	천골부	제3천추공
BL34	하료	下髎	Xia Liao	천골부	제4천추공
BL35	회양	會陽	Hui Yang	둔부	尾骨端 외측 0.5촌
BL36	승부	承扶	Cheng Fu	둔부	둔부횡문 正中
BL37	은문	殷門	Yin Men	대퇴후면	승부 下 6촌 [승부-위중 14촌]
BL38	부극	浮郄	Fu Xi	슬관절 후면	위양上 1촌
BL39	위양	委陽	Wei Yang	슬관절 후면	슬와횡문 위, 대퇴이두근건 내측
BL40	위중	委中	Wei Zhong	슬관절 후면	슬와횡문 正中
BL41	부분	附分	Fu Fen	윗등	제2흉추 극돌기下, 외측 3촌
BL42	백호	魄戶	Po Hu	윗등	제3흉추 극돌기下, 외측 3촌
BL43	고황	膏肓	Gao Huan Shu	윗등	제4흉추 극돌기下, 외측 3촌
BL44	신당	神堂	Shen Tang	윗등	제5흉추 극돌기下, 외측 3촌
BL45	의희	譩譆	Yi Xi	윗등	제6흉추 극돌기下, 외측 3촌
BL46	격관	膈關	Ge Guan	윗등	제7흉추 극돌기下, 외측 3촌
BL47	혼문	魂門	Hun Men	윗등	제9흉추 극돌기下, 외측 3촌
BL48	양강	陽綱	Yang Gang	윗등	제10흉추 극돌기下, 외측 3촌
BL49	의사	意舍	Yi She	윗등	제11흉추 극돌기下, 외측 3촌
BL50	위창	胃倉	Wei Cang	윗등	제12흉추 극돌기下, 외측 3촌
BL51	황문	肓門	Huang Men	요부	제1요추 극돌기下, 외측 3촌
BL52	지실	志室	Zhi Shi	요부	제2요추 극돌기下, 외측 3촌
BL53	포황	胞肓	Bao Huang	천골부	제2천추공 외측 3촌
BL54	질변	秩邊	Zhi Bian	천골부	제4천추공 외측 3촌
BL55	합양	合陽	Hey Yng	하퇴후면	위중下 2촌 [위중-곤륜 16촌]
BL56	승근	承筋	Cheng Jin	하퇴후면	위중下 5촌 [위중-곤륜 16촌]
BL57	승산	承山	Cheng Shan	하퇴후면	위중下 8촌, 腓腹筋 筋頭 분리부
BL58	비양	飛陽	Fei Yang	하퇴 후측면	곤륜上 7촌 [위중-곤륜 16촌]
BL59	부양	跗陽	Fu Yang	하퇴 후측면	곤륜上 3촌 [위중-곤륜 16촌]
BL60	곤륜	崑崙	Kun Lun	발목 후측면	외과첨-종골건 사이 함요처
BL61	복삼	僕參	Pu Can	발목측면	곤륜 하방의 적백육제
BL62	신맥	申脈	Shen Mai	족외측	외과첨 하방의 함요처
BL63	금문	金門	Jin Men	발등	제5중족골 조면 후방 함요처
BL64	경골	京骨	Jing Gu	족외측	제5중족골조면전방적백육제
BL65	속골	束骨	Shu Gu	족외측	제5족지 本節 後 함요처
BL66	족통곡	足通谷	Tong Gu	족지부	제5족지 외측 本節 前 함요처
BL67	지음	至陰	Zhi Yin	족지부	제5족지 외측 爪甲根角 0.1촌

8. 족소음신경(KI) [Kidney Meridian]

足少陰穴二十七 湧泉然谷太谿溢 大鍾水泉通照海 復溜交信築賓實 陰谷膝內跗骨後 已上從足走至膝

橫骨大赫連氣穴 四滿中注肓兪臍 商曲石關陰都密 通谷幽門半寸關 折量腹上分十一 步廊神封膺靈墟
神藏彧中兪府畢
족소음혈이십칠 용천연곡태계일 대종수천조해심 부류교신축빈실 음곡슬내부골후 이상종족주지슬
횡골대혁연기혈 사만중주황수제 상곡석관음도밀 통곡유문반촌벽 절량복상분십일 보랑신봉응영허
신장욱중수부필

KI1	용천	湧泉	Yong Quan	발바닥	족지굴곡시 2,3중족골 사이 함요처
KI2	연곡	然谷	Ran Gu	족내측	내과 전하방의 주상골下 적백육제
KI3	태계	太谿	Tai Xi	발목 후내측	내과첨-踵骨腱 사이 함요처
KI4	대종	大鐘	Da Zhong	족내측	太谿후하방, 踵骨 위 함요처
KI5	수천	水泉	Shui quan	족내측	太谿下 1촌 (태계-발바닥 3촌)
KI6	조해	照海	Zhao Hai	족내측	족내과첨下 1촌
KI7	부류	復溜	Fu Liu	하퇴 후내측	족내과첨上 2촌, 踵骨腱 앞쪽
KI8	교신	交信	Jiao Xin	하퇴 내측	족내과첨上 2촌, 경골후연
KI9	축빈	築賓	Zhu Bin	하퇴 후내측	족내과첨上 5촌
KI10	음곡	陰谷	Yin Gu	슬관절후,내측	슬와횡문 내측단 2개의 건 사이 (*)
KI11	횡골	橫骨	Heng Gu	하복부	曲骨(치골결합상연) 외측 0.5촌
KI12	대혁	大赫	Da He	하복부	中極(臍下4촌) 외측 0.5촌
KI13	기혈	氣穴	Qi Xue	하복부	關元(臍下3촌) 외측 0.5촌
KI14	사만	四滿	Si Man	하복부	石門(臍下2촌) 외측 0.5촌
KI15	중주	中注	Zhong Zhu	하복부	陰交(臍下1촌) 외측 0.5촌
KI16	황수	肓兪	Huan Shu	상복부	神闕(臍中) 외측 0.5촌
KI17	상곡	商曲	Shang Qu	상복부	下脘(臍上2촌) 외측 0.5촌
KI18	석관	石關	Shi Guan	상복부	建里(臍上3촌) 외측 0.5촌
KI19	음도	陰都	Yin Du	상복부	中脘(臍上4촌) 외측 0.5촌
KI20	복통곡	腹通谷	Tong Gu	상복부	上脘(臍上5촌) 외측 0.5촌
KI21	유문	幽門	You Men	상복부	巨闕(臍上6촌) 외측 0.5촌
KI22	보랑	步廊	Bu Lang	전흉부	中庭외측 2촌 (제5늑골간)
KI23	신봉	神封	Shen Feng	전흉부	膻中외측2촌(제4늑골간)
KI24	영허	靈墟	Ling Xu	전흉부	玉堂외측 2촌 (제3늑골간)
KI25	신장	神藏	Shen Cang	전흉부	紫宮외측 2촌 (제2늑골간)
KI26	욱중	彧中	Yu Zhong	전흉부	華蓋외측 2촌 (제1늑골간)
KI27	수부	兪府	Shu Fu	전흉부	璇璣외측 2촌 (쇄골직하방)

9. 수궐음심포경(PC) [Pericardium Meridian]

九穴心包手厥陰 天池天泉曲澤深 郄門間使內關對 大陵勞宮中衝侵
구혈심포수궐음 천지천천곡택심 극문간사내관대 대릉노궁중충침

PC1	천지	天池	Tian Chi	전흉부	乳頭외측 2촌 (제4늑골간)
PC2	천천	天泉	Tian Quan	상완 전면	전액와횡문下 2촌, biceps 兩頭中
PC3	곡택	曲澤	Qu Ze	주관절 전면	주횡문 biceps 건의 내측 함요처
PC4	극문	郄門	Xi Men	전완 전면	완횡문上 5촌 [곡택-대릉 12촌]
PC5	간사	間使	Jian Shi	전완 전면	완횡문上 3촌 [곡택-대릉 12촌]
PC6	내관	內關	Nei Guan	전완 전면	완횡문上 2촌 [곡택-대릉 12촌]
PC7	대릉	大陵	Da Ling	완관절 전면	수장면 완횡문 정중
PC8	노궁	勞宮	Lao Gong	수장부	제2,3 중수골 사이 (*)
PC9	중충	中衝	Zhong Chong	수지부	제3지 끝부위 (*)

10.수소양삼초경(TE) [Triple Energizer Meridian]

二十三穴手少陽 關衝液門中渚傍 陽池外關支溝會 會宗三陽四瀆配 天井合去清冷淵 消濼臑會肩髎偏
天髎天牖全翳風 瘈脈顱息角孫通 耳門和髎絲竹空
이십삼혈수소양 관충액문중저방 양지외관지구회 회종삼양사독배 천정합거청냉연 소락노회견료편

천료천유동예풍 계맥노식각손통 이문화료사죽공

TE1	관충	關衝	Guan Chong	수지부	제4지 척측 爪甲根角 0.1촌
TE2	액문	液門	Ye Men	손등	제4,5지 本節 사이 적백육제
TE3	중저	中渚	Zhong Zhu	손등	제4,5지 本節 後 함요처
TE4	양지	陽池	Yang Chi	완관절 후면	완횡문 중앙의 함요처
TE5	외관	外關	Wai Guan	전완 후면	완횡문上 2촌 [양지-肘尖 12촌]
TE6	지구	支溝	Zhi Gou	전완 후면	완횡문上 3촌 [양지-肘尖 12촌]
TE7	회종	會宗	Hui Zong	전완 후면	완횡문上 3촌, 척골의 요측경계면
TE8	삼양락	三陽絡	San Yang Luo	전완 후면	완횡문上 4촌 [양지-肘尖 12촌]
TE9	사독	四瀆	Si Du	전완 후면	완횡문上 7촌 [양지-肘尖 12촌]
TE10	천정	天井	Tian Jing	주관절 후면	肘尖上 1촌 [肘尖-견료 12촌]
TE11	청랭연	淸冷淵	Qing Leng Yuan	상완 후면	肘尖上 2촌 [肘尖-견료 12촌]
TE12	소락	消濼	Xiao Luo	상완 후면	肘尖上 5촌 [肘尖-견료 12촌]
TE13	노회	臑會	Nao Hui	상완 후면	肩髎下3촌[肘尖-견료12촌]
TE14	견료	肩髎	Jian Liao	견갑대	어깨 외전시 肩峰 전방 함요처
TE15	천료	天髎	Tian Liao	견갑부	견정(肩井)-곡원의 중점
TE16	천유	天牖	Tian You	전경부	SCM 후방의 하악각과 수평지점
TE17	예풍	翳風	Yi Feng	전경부	耳垂 후방의 함요처
TE18	계맥	瘈脈	Qi Mai	머리	翳風-角孫을 잇는 곡선의 하방1/3
TE19	노식	顱息	Lu Xi	머리	翳風-角孫을 잇는 곡선의 상방1/3
TE20	각손	角孫	Jiao Sun	머리	귓바퀴를 접어 耳上角尖이 닿는 곳
TE21	이문	耳門	Er Men	안면부	耳珠 上切痕 전방의 함요처
TE22	화료	和髎	He Liao	머리	耳珠根 전방, 측두동맥 뒷쪽
TE23	사죽공	絲竹空	Si Zhu Kong	머리	眉 외측단 함요처

11. 족소양담경(GB) [Gall Bladder Meridian]

少陽足經瞳子髎 四十四穴行迢迢 聽會上關頜厭集 懸顱懸釐曲鬢翹 率谷天衝浮白次 竅陰完骨本神邀
陽白臨泣目窓開 正營承靈腦空搖 風池肩井淵腋部 輒筋日月京門媱 帶脈五樞維道續 居髎環跳風市招
中瀆陽關陽陵穴 陽交外丘光明育 陽輔懸鍾丘墟外 足臨泣地五俠谿 第四指端竅陰畢

소양족경동자료 사십사혈행행초초 청화상관함염집 현로현리곡빈교 솔곡천충부백차 규음완골본신요
양백임읍목창개 정영승영뇌공요 풍지견정연액부 첩근일월경문묘 대맥오추유도속 거료환도풍시초
중독양관양릉혈 양교외구광명소 양보현종구허외 족임읍지오협계 제사지단규음필

GB1	동자료	瞳子髎	Tong Zi Liao	머리	외안각 외측 0.5촌 함요처
GB2	청회	聽會	Ting Hui	안면부	耳珠 下切痕 전방의 함요처
GB3	상관	上關	Shang Guan	머리	觀骨弓 상연의 중앙 함요처
GB4	함염	頜厭	Han Yan	머리	두유-곡빈을 잇는 곡선상 상방 1/4
GB5	현로	懸顱	Xuan Lu	머리	두유-곡빈을 잇는 곡선상 중점
GB6	현리	懸釐	Xuan Li	머리	두유-곡빈을 잇는 곡선상 하방 1/4
GB7	곡빈	曲鬢	Qu Bin	머리	耳尖 전방1촌
GB8	솔곡	率谷	Shuai Gu	머리	耳尖 上1.5촌
GB9	천충	天衝	Tian Chong	머리	率谷 후방 0.5촌
GB10	부백	浮白	Fu Bai	머리	천충-완골을 잇는 곡선상 상방 1/3
GB11	두규음	頭竅陰	Tou Qiao Yin	머리	천충-완골을 잇는 곡선상 하 1/3
GB12	완골	完骨	Wan Gu	전경부	乳樣突起 후하방 함요처
GB13	본신	本神	Ben Shen	머리	정중외측 3촌, 전발제上 0.5촌
GB14	양백	陽白	Yang Bai	머리	동공 직상방, 眉上 1촌
GB15	두임읍	頭臨泣	Tou Lin Qi	머리	동공 직상방, 전발제上 0.5촌
GB16	목창	目窓	Mu Chuang	머리	동공 직상방, 전발제上 1.5촌
GB17	정영	正營	Zheng Ying	머리	동공 직상방, 전발제上 2.5촌
GB18	승령	承靈	Cheng Ling	머리	동공 직상방, 전발제上 4촌

GB19	뇌공	腦空	Nao Kong	머리	풍지 직상방, 뇌호와 수평선상
GB20	풍지	風池	Feng Chi	후경부	후두골 하방의 SCM-승모근 사이
GB21	견정	肩井	Jian Jing	후경부	대추-肩峰을 잇는 선의 중점
GB22	연액	淵腋	Yuan Ye	측흉부	제4늑골간,腋中線직하
GB23	첩근	輒筋	Zhe Jin	측흉부	제4늑골간, 腋中線 전방 1촌
GB24	일월	日月	Ri Yue	전흉부	정중외측 4촌, 제6늑골간
GB25	경문	京門	Jing Men	측복부	제12늑골단
GB26	대맥	帶脈	Dai Mai	측복부	제11늑골 하방, 臍와 수평선상
GB27	오추	五樞	Wu Shu	하복부	ASIS 내측, 臍下3촌과 수평선상
GB28	유도	維道	Wei Dao	하복부	ASIS 내하방 0.5촌
GB29	거료	居髎	Ju Liao	둔부	ASIA-大轉子의 중점
GB30	환도	環跳	Huan Tiao	둔부	大轉子-薦骨裂孔 선상의 외측1/3 (*)
GB31	풍시	風市	Feng Shi	대퇴외측	기립시 중지의 끝이 닿는 곳
GB32	중독	中瀆	Zhong Du	대퇴외측	슬와횡문上 7촌, 장경인대 후방
GB33	슬양관	膝陽關	Xi Yang Guan	슬관절 외측	대퇴골 外上踝 후방, 靭帶-腱 사이
GB34	양릉천	陽陵泉	Yang Ling Quan	하퇴 외측	腓骨頭 전하방 함요처
GB35	양교	陽交	Yang Jiao	하퇴 외측	외과첨上 7촌, 비골후연
GB36	외구	外丘	Wai Qui	하퇴 외측	외과첨上 7촌, 비골전연
GB37	광명	光明	Guang Ming	하퇴 외측	외과첨上 5촌, 비골전연
GB38	양보	陽輔	Yang Fu	하퇴 외측	외과첨上 4촌, 비골전연
GB39	현종	懸鐘	Xuan Zhong	하퇴 외측	외과첨上 3촌, 비골전연
GB40	구허	丘墟	Qiu Xu	족관절,전외측	외과전하방, 장지신근 외측 함요처
GB41	족임읍	足臨泣	Zu Lin Qi	발등	제4,5중족골 기저부 전방 함요처
GB42	지오회	地五會	Di Wu Hui	발등	제4,5중족골 기저, 본절 後 함요처
GB43	협계	俠谿	Jia Xi	발등	제4,5족지本節사이2적백육제
GB44	족규음	足竅陰	Zu Qiao Yin	족지	제4족지 외측 爪甲根角 0.1촌

12. 족궐음간경(LR) [Liver Meridian]

一十四穴厥陰 大敦行間太衝浸 中封蠡溝中都近 膝關曲泉陰包臨 五里陰廉急脈系 章門常對期門深
일십사혈족궐음 대돈행간태충침 중봉여구중도근 슬관곡천음포림 오리음렴급맥계 장문상대기문심

LR1	대돈	大敦	Da Dun	족지	제1족지 외측 爪甲根角 0.1촌
LR2	행간	行間	Xing Jian	발등	제1,2족지 本節 사이 적백육제
LR3	태충	太衝	Tai Chong	발등	제1,2중족골 기저부 전방 함요처
LR4	중봉	中封	Zhong Feng	족관절 전내측	내과 전방, 상구-해계의 중간
LR5	여구	蠡溝	Li Gou	하퇴 전내측	내과첨上 5촌, 경골내측연
LR6	중도	中都	Zhong Du	하퇴 전내측	내과첨上 7촌, 경골내측연
LR7	슬관	膝關	Xi Guan	하퇴 내측	음릉천 후방 1촌
LR8	곡천	曲泉	Qu Quan	슬관절 내측	슬와횡문 내측단, 腱 내측 함요처
LR9	음포	陰包	Yin Bao	대퇴 내측	슬내골 내상연上 4촌
LR10	족오리	足五里	Zu Wu Li	대퇴 내측	기충下 3촌
LR11	음렴	陰廉	Yin Lian	대퇴 내측	기충下 2촌
LR12	급맥	急脈	Ji Mai	서혜부	곡골(치골결합상연) 외측 2.5촌
LR13	장문	章門	Zhang Men	측복부	제11늑골단
LR14	기문	期門	Qi Men	전흉부	정중외측 4촌, 제6늑골간

13. 독맥(GV) [Governor Vessel]

督脈行背之中行 二十八穴始長强 腰俞陽關入命門 懸樞脊中中樞長 筋縮至陽歸靈臺 神道身柱陶道開
大椎瘂門連風府 腦戶强間後頂排 百會前頂通顖會 上星神庭素髎對 水溝兌端在脣上 齦交入齒縫之內
독맥행배지중행 이십팔혈시장강 요수양관입명문 현추척중중추장 근축지양귀영대 신도신주도도개
대추아문연풍부 뇌호강간후정배 백회전정통신회 상성신정소료대 수구태단재순상 은교입치봉지내

| GV1 | 장강 | 長强 | Chang Qiang | 회음부 | 미골단-항문의 중점 |

GV2	요수	腰俞	Yao Shu	천골부	정중선, 천골열공
GV3	요양관	腰陽關	Yao Yang Guan	요부	제4요추(L4) 극돌기下
GV4	명문	命門	Ming Men	요부	제2요추(L2) 극돌기下
GV5	현추	懸樞	Xuan Shu	요부	제1요추(L1) 극돌기下
GV6	척중	脊中	Ji Zhong	윗등	제11흉추(T11) 극돌기下
GV7	중추	中樞	Zhong Shu	윗등	제10흉추(T10) 극돌기下
GV8	근축	筋縮	Jin Suo	윗등	제9흉추(T9) 극돌기下
GV9	지양	至陽	Zhi Yang	윗등	제7흉추(T7) 극돌기下
GV10	영대	靈臺	Ling Tai	윗등	제6흉추(T6) 극돌기下
GV11	신도	神道	Shen Dao	윗등	제5흉추(T5) 극돌기下
GV12	신주	身柱	Shen Zhu	윗등	제3흉추(T3) 극돌기下
GV13	도도	陶道	Tao Dao	윗등	제1흉추(T1) 극돌기下
GV14	대추	大椎	Da Zhui	후경부	제7경추(C7) 극돌기下
GV15	아문	啞門	Ya Men	후경부	풍부下 0.5촌
GV16	풍부	風府	Feng Fu	후경부	외후두융기下
GV17	뇌호	腦戶	Nao Hu	머리	외후두융기上
GV18	강간	強間	Qiang Jian	머리	후발제上 4촌
GV19	후정	後頂	Hou Ding	머리	후발제上 5.5촌
GV20	백회	百會	Bai Hui	머리	전발제上 5촌, 兩耳尖 연결선
GV21	전정	前頂	Qian Ding	머리	전발제上 3촌
GV22	신회	顖會	Xin Hui	머리	전발제上 2촌
GV23	상성	上星	Shang Xing	머리	전발제上 1촌
GV24	신정	神庭	Shen Ting	머리	전발제上 0.5촌
GV25	소료	素髎	Su Liao	안면부	鼻尖端 정중앙
GV26	수구	水溝	Shui Gou	안면부	人中 (*)
GV27	태단	兌端	Dui Duan	안면부	上唇 상단 중앙
GV28	은교	齦交	Yin Jiao	안면부	설소대의 齒齦部 부착부

14. 임맥(CV) [Conception Vessel]

任脈二四起會陰 曲骨中極關元銳 石門氣海陰交仍 神闕水分下脘配 建里中上脘相連 巨闕鳩尾蔽骨下
中庭膻中慕玉堂 紫宮華蓋璇璣也 天突結喉至廉泉 脣下宛宛承漿舍
임맥이사기회음 곡골중극관원예 석문기해음교잉 신궐수분하완배 건리중상완련 거궐구미폐골하
중정전중모옥당 자궁화개선기야 천돌결후시염천 순하완완승장사

CV1	회음	會陰	Hui Yin	회음부	陰囊(大陰脣)후연-肛門의 중점
CV2	곡골	曲骨	Qu Gu	하복부	정중선, 치골결합 상연
CV3	중극	中極	Zhong Ji	하복부	정중선, 臍下 4촌
CV4	관원	關元	Guan Yuan	하복부	정중선, 臍下 3촌
CV5	석문	石門	Shi Men	하복부	정중선, 臍下 2촌
CV6	기해	氣海	Qi Hai	하복부	정중선, 臍下 1.5촌
CV7	음교	陰交	Yin Jiao	하복부	정중선, 臍下 1촌
CV8	신궐	神闕	Shen Que	상복부	臍 정중앙
CV9	수분	水分	Shui Fen	상복부	정중선, 臍上 1촌
CV10	하완	下脘	Xia Guan	상복부	정중선, 臍上 2촌
CV11	건리	建里	Jian Li	상복부	정중선, 臍上 3촌
CV12	중완	中脘	Zhon Guan	상복부	정중선, 臍上 4촌
CV13	상완	上脘	Shan Guan	상복부	정중선, 臍上 5촌
CV14	거궐	巨闕	Ju Que	상복부	정중선, 臍上 6촌
CV15	구미	鳩尾	Jiu Wei	상흉부	흉골검상관절下 1촌
CV16	중정	中庭	Zhong Ting	전흉부	흉골검상관절 중점
CV17	전중(단중)	膻中	Shan Zhong	전흉부	정중선, 제4늑간, 양 유두 사이
CV18	옥당	玉堂	Yu Tang	전흉부	정중선, 제3늑간

CV19	자궁	紫宮	Zi Gong	전흉부	정중선, 제2늑골간
CV20	화개	華蓋	Hua Gai	전흉부	정중선, 제1늑골간
CV21	선기	璇機	Xuan Ji	전흉부	정중선, 天突下 1촌
CV22	천돌	天突	Tian Tu	전경부	정중선, 胸骨上窩 중앙
CV23	염천	廉泉	Lian Quan	전경부	정중선, 結喉 상방 함요처
CV24	승장	承漿	Cheng Jiang	안면부	頤橫溝 중앙

15. 경외기혈(EX) [Extra points]

EX-HN1	사신총	四神聰	Sishencong	머리	百會 전후좌우 각1촌, 총 4개혈
EX-HN2	당양	當陽	Dangyang	안면부	동공 직상방, 전발제上 1촌
EX-HN3	인당	印堂	Yintang	안면부	양미간 사이
EX-HN4	어요	魚腰	Yuyao	안면부	동공 직상방, 눈썹 중앙
EX-HN5	태양	太陽	Taiyang	안면부	외안각 후방 1촌
EX-HN6	이첨	耳尖	Erjian	귀	귀를 접었을 때 귓바퀴 끝
EX-HN7	구후	球後	Qiuhou	안면부	안와하연, 외측 1/4지점
EX-HN8	상영향	上迎香	Shangyingxiang	안면부	코옆 비순구의 상단
EX-HN9	내영향	內迎香	Neiyingxiang	안면부	비공내의 上迎香과 상대되는 곳
EX-HN10	취천	聚泉	Juquan	구강부	혀의 정중도랑 위 중점
EX-HN11	해천	海泉	Haiquan	구강부	설하의 설소대 중앙
EX-HN12	금진	金津	Jinjin	구강부	설하의 좌측 정맥 위
EX-HN13	옥액	玉液	Yuye	구강부	설하의 우측 정맥 위
EX-HN14	예명	翳明	Yiming	머리	翳風 후방 1촌
EX-HN15	경백로	頸百勞	Jingbailao	후경부	大椎上 2촌, 외측 1촌
EX-CA1	자궁	子宮	Zigong	하복부	中極(臍下4촌) 외측 3촌
EX-B1	정천	定喘	Dingchuan	후경부	제7경추 극돌기下, 외측 0.5촌
EX-B2	협척	夾脊	Jiaji	배부(背部)	T1-L5 후관절 부위, 총 34개혈
EX-B3	위완하수	胃脘下俞	Weiwanxiashu	윗등	제8흉추 극돌기下, 외측 1.5촌
EX-B4	비근	痞根	Pigen	요부	제1요추 극돌기下, 외측 3.5촌
EX-B5	하극수	下極俞	Xiajishu	요부	제3요추 극돌기下
EX-B6	요의	腰宜	Yaoyi	요부	제4요추 극돌기下, 외측 3촌
EX-B7	요안	腰眼	Yaoyan	요부	제4요추 극돌기下, 외측 3.5촌
EX-B8	십칠추	十七椎	Shiqizhui	요부	제5요추 극돌기下
EX-B9	요기	腰奇	Yaoqi	천골부	미골단上 2촌
EX-UE1	주첨	肘尖	Zhoujian	주관절	肘頭 끝단
EX-UE2	이백	二白	Erbai	전완 전면	완횡문上 4촌 좌우, 총 4개혈
EX-UE3	중천	中泉	Zhongquan	손등	陽池-陽谿의 중간
EX-UE4	중괴	中魁	Zhongkui	수지부	손등쪽 제3지 근위지간관절 중앙
EX-UE5	대골공	大骨空	Dagukong	수지부	손등쪽, 제1지 지간관절 중앙
EX-UE6	소골공	小骨空	Xiaogukong	수지부	손등쪽 제5지 첫마디 횡문중앙
EX-UE7	요통점	腰痛点	Yaotongdian	손등	2,3중수골/4,5중수골 사이
EX-UE8	외노궁	外勞宮	Wailaogong	손등	2,3중수골 사이, 노궁 대측
EX-UE9	팔사	八邪	Baxie	손등	각 수지 사이 적백육제
EX-UE10	사봉	四縫	Sifeng	손바닥	제2-5지 근위지간관절 횡문중앙
EX-UE11	십선	十宣	Shixuan	수지부	열손가락 끝, 총 10개혈
EX-LE1	관골	髖骨	Kuangu	대퇴전면	梁丘 내외측 1.5촌, 총 4개
EX-LE2	학정	鶴頂	Heding	슬관절	슬개골 상연 함요처
EX-LE3	백충와	百蟲窩	Baichongwo	대퇴전면	血海 직상 1촌
EX-LE4	내슬안	內膝眼	Neixiyan	슬관절 전면	內膝眼
EX-LE5	슬안	膝眼	Xiyan	슬관절 전면	內外膝眼, 총 4개
EX-LE6	담낭	膽囊	Dannang	하퇴 외측	陽陵泉下 2촌
EX-LE7	난미	闌尾	Lanwei	하퇴 외측	足三里下 2촌
EX-LE8	내과첨	內踝尖	Neihuaijian	족관절 내측	內踝 최융기부

EX-LE9	외과첨	外踝尖	Waihuaijian	족관절 외측	外踝 최융기부
EX-LE10	팔풍	八風	Bafeng	발등	각 발가락 사이, 총 8개
EX-LE11	독음	獨陰	Duyin	족저부	제2족지 底部 횡문중점
EX-LE12	기단	氣端	Qiduan	족지부	열 발가락 끝, 총 10개

Tip WHO 표준경혈위치와 비교해야 할 경혈 - (*) 표시

- 다음의 6개 경혈은 2007년 발표된 WHO 표준경혈위치에서 복수의 위치로 인정되었습니다.

  1. LI19 화료(禾髎) 1) 인중 도랑(philtrum) 중점과 수평선상에서 비공(nostril)의 외측경계 아래 지점. 2) 또는 인중도랑 상방 1/3의 수평선상에서 비공의 외측경계 아래지점.

  2. LI20 영향(迎香) 1) 코입술고랑(nasolabial sulcus)에서 비익(ala of the nose) 외연의 중점과 같은 높이. 2) 또는 코입술고랑에서 비익 하단과 같은 높이

  3. PC8 노궁(勞宮) 1) 제2,3중수골(metacarpal bone)사이, 중수지관절(metacarpophalangeal joint) 근위부(proximal)의 함요처. 2) 또는 3,4 중수골 사이의 함요처.

  4. PC9 중충(中衝) 1) 중지의 끝부위(tip). 2) 또는 중지 손톱의 요측 뿌리각(radial corner)에서 근위쪽(proximal)으로 0.1지촌(指寸) 떨어진 곳. 손톱의 가로-세로 경계선이 만나는 지점.

  5. GB30 환도(環跳) 1) 대전자(greater trochanter)융기 - 천골열공(sacral hiatus)을 잇는 선상의 외측 1/3지점. 2) 또는 대전자~전상장골극(ASIS)을 잇는 선상의 외측 1/3지점.

  6. GV26 수구(水溝) 1) 인중 도랑(philtrum)의 중점. 2) 또는 인중도랑의 상방 1/3 지점.

- 다음의 3개 경혈은 위의 경혈위치표의 간략설명이 WHO 표준경혈위치와 차이가 있습니다. 아래는 WHO 표준경혈위치에 의한 설명입니다.

  1. ST7 하관(下關) 관골궁(zygomatic arch) 하연의 중점과 하악절흔(mandibular notch) 사이의 함요처

  2. SP11 기문(箕門) 슬개골 내상연과 충문(SP12)을 이은 선상에서 상방 1/3 지점. 봉공근 (sartorius)과 장내전근(adductor longus) 사이의 대퇴동맥(femoral artery) 위.

  3. KI10 음곡(陰谷) 슬와횡문(popliteal crease) 위, 반건형근(semitendinosus)건 바로 외측.

A1-5 동씨침(董氏鍼) 혈위

- 동씨침 관련 문헌마다 혈위 수나 위치에 조금씩 차이가 있으나 본 장에서는 Qpuncture, Inc.의 Master Tung Acupuncture의 혈위기호를 기준으로 위치를 설명하였습니다.

- 대표적 문헌 중 하나인 董氏奇穴鍼灸學(楊維杰 著, 中醫古籍出版社, 2002년판)에서 五五부위에 배속되어 있는 海豹(66.01), 木婦(66.02)는 六六부위에, 六六부위에 배속되어 있던 花骨1-4(55.02 -55.55)는 五五부위에 배속되어 있으며, 추가적 혈위(addendum) 7개의 설명도 포함하였습니다.

혈위기호	인체부위	혈위수
11	一一부위 (手指部)	27
22	二二부위 (手掌部)	11
33	三三부위 (前腕部)	16
44	四四부위 (上腕部)	17
55	五五부위 (足底部)	6
66	六六부위 (足背部)	15
77	七七부위 (下腿部)	28
88	八八부위 (大腿部)	32
99	九九부위 (耳介部)	8
1010	十十부위 (頭面部)	25
DT	dorsal trunk (後背部)	17
VT	ventral trunk (前胸部)	5
A	addendum (추가혈위)	7
(계)		214

주1) 위치설명에서 [제2지 2절]은 집게손가락(index finger =2nd finger)의 두번째 지절관절(middle phalanx)을 지칭하고, [제3지 1절]은 중지(middle finge r=3rd finger)의 첫번째 지절관절(proximal phalanx)을 지칭합니다.

주2) 혈위수의 합계는 별도로 지칭하지 않는 한 편측(unilateral)의 혈위개수의 합을 의미합니다.

기호	한글	한문	중어병음	간략한 위치
(1) 11부위 (수지부)				
11.01	대간	大間	Da Jian	手掌, 제2지 1절 정중앙에서 요측 0.3촌
11.02	소간	小間	Xiao Jian	手掌, 제2지 1절의 大間(11.01)에서 0.2촌 원위처

11.03	부간	浮間	Fu Jian	제2지 2절 중앙에서 요측0.2촌선상, 3등분점의 원위처
11.04	외간	外間	Wai Jian	제2지 2절 중앙에서 요측0.2촌선상, 3등분점의 근위처
11.05	중간	中間	Zhong Jian	手掌, 제2지 1절의 정중앙
11.06	환소	还巢	Huan Chao	手掌, 제4지 2절의 척측 외측면 정중앙
11.07	지사마	指駟馬	Zhi Si Ma	手背, 제2지 2절 중앙에서 척측0.2촌선상 4등분점 3곳
11.08	지오금	指五金	Zhi Wu Jin	手背, 제2지 1절 중앙에서 척측0.2촌선상 3등분점.
	지천금	指千金	Zhi Qian Jin	원위처는 指五金, 근위처는 指千金
11.09	심슬	心膝	Xin Xi	手背, 제3지 2절의 요측(&척측) 적백육제의 중점, 2곳
11.10	목화	木火	Mu Huo	手背, 제3지 3절 횡문 중앙
11.11	폐심	肺心	Fei Xin	手背, 제3지 2절 중앙선상 3등분점 2곳
11.12	이각명	二角明	Er Jiao Ming	手背, 제3지 1절 중앙선상 3등분점 2곳
11.13	담	膽	Dan	手背, 제3지 1절의 요측(&척측) 적백육제의 중점, 2곳
11.14	지삼중	指三重	Zhi San Zhong	手背, 제4지 2절 중앙에서 척측0.2촌선상 4등분점 3곳
11.15	지신	指肾	Zhi Shen	手背, 제4지 1절 중앙에서 척측0.2촌선상 4등분점 3곳
11.16	화슬	火膝	Huo Xi	手背, 제5지 척측 爪甲根角 후방 0.2촌
11.17	목	木	Mu	手掌, 제2지 1절 중앙에서 척측0.2촌선상 3등분점 2곳
11.18	비종	脾肿	Pi Zhong	手掌, 제3지 2절 중앙선상 3등분점 2곳
11.19	심상	心常	Xin Chang	手掌, 제3지 1절 중앙에서 척측0.2촌선상 3등분점 2곳
11.20	목염	木炎	Mu Yan	手掌, 제4지 2절 중앙에서 척측0.2촌선상 3등분점 2곳
11.21	삼안	三眼	San Yan	手掌, 제4지 1절 중앙에서 요측0.2촌선상 3등분점 원위처
11.22	복원	復原	Fu Yuan	手掌, 제4지 1절 중앙에서 척측0.2촌선상 4등분점 3곳
11.23	안황	眼黃	Yan Huang	手掌, 제5지 2절의 정중앙
11.24	부과	婦科	Fu Ke	手背, 제1지 1절의 척측0.3촌선상 3등분점의 2곳
11.25	지연	止涎	Zhi Xian	手背, 제1지 1절 요측0.3촌선상의 3등분점의 2곳
11.26	제오	制汙	Zhi Wu	手背, 제1지 1절 중앙선상의 4등분점의 3곳
11.27	오호	五虎	Wu Hu	手掌, 제1지 1절 요측 적백육제상의 6등분점의 5곳. (가장 원위부가 五虎1, 가장 근위부가 五虎5)
(2) 22부위 (수장부)				
22.01	중자	重子	Chong Zi	手掌, 제1중수골과 제2중수골의 사이, 虎口下 1촌
22.02	중선	重仙	Chong Xian	手掌, 제1~2중수골이 만나는 곳. 靈骨(22.05)의 대측
22.03	상백	上白	Shang Bai	手背, 제2-3중수골 사이, 중수지관절 근위부 함요처
22.04	대백	大白	Da Bai	手背, 제2지 요측 중수지관절 근위부 함요처
22.05	영골	靈骨	Ling Gu	手背, 제1,2중수골의 연접부, 重仙(22.02)의 대측
22.06	중백	中白	Zhong Bai	手背, 제4-5중수골 사이, 중수지관절 근위부 함요처
22.07	하백	下白	Xia Bai	手背, 제4-5중수골 사이. 中白(22.06) 후방 1촌처.
22.08	완순1	腕順一	Wan Shun Yi	제5중수골 척측 적백육제, 완횡문에서 2.5촌 원위부
22.09	완순2	腕順二	Wan Shun Er	제5중수골 척측 적백육제, 완횡문에서 1.5촌 원위부
22.10	수해	手解	Shou Jie	手掌, 제4-5중수골 사이. 주먹쥐어 제5지끝이 닿는 곳
22.11	토수	土水	Tu Shui	手掌, 제1중수골 요측 적백육제 중점 및 상하 0.5촌. 즉 魚際(LU10) 및 上下 0.5촌처 등 3혈
(3) 33부위 (전완부)				
33.01	기문	其門	Qi Men	陽谿(LI5)-曲池(LI11)를 이은 선상에서 완횡문上 2촌
33.02	기각	其角	Qi Jiao	陽谿(LI5)-曲池(LI11)를 이은 선상에서 완횡문上 4촌
33.03	기정	其正	Qi Zheng	陽谿(LI5)-曲池(LI11)를 이은 선상에서 완횡문上 6촌
33.04	화천	火串	Huo Chuan	手背, 요골(radius)-척골(ulna) 사이의 완횡문上 3촌.
33.05	화릉	火陵	Huo Ling	火串(33.04)上 2촌 = 완횡문上 5촌
33.06	화산	火山	Huo Shan	火陵(33.05)上 1.5촌 = 완횡문上 6.5촌
33.07	화부해	火腑海	Huo Fau Hai	火山(33.06)上 2촌 = 완횡문上 8.5촌
33.08	수오금	手五金	Shou Wu Jin	척골 외측, 두상골(pisiform bone) or 완횡문上 6.5촌
33.09	수천금	手千金	Shou Qian Jin	척골 외측, 手五金(33.08) 上 1.5촌
33.10	장문	腸門	Chang Men	척골 내측, 완횡문上 3촌

33.11	간문	肝門	Gan Men	척골 내측, 완횡문上 6촌
33.12	심문	心門	Xin Men	주관절下 1.5촌의 척골 내측면의 함요처
33.13	인사	人士	Ren Shi	手掌, 요골 내측, 완횡문上 4촌
33.14	지사	地士	Di Shi	手掌, 요골 내측, 완횡문上 7촌
33.15	천사	天士	Tian Shi	手掌, 요골 내측, 완횡문上 10촌
33.16	곡릉	曲陵	Qu Ling	주횡문 위, 상완이두근(biceps)건의 외측 함요처

(4) 44부위 (상완부)

44.01	분금	分金	Fen Jin	상완전면, 주횡문上 1.5촌. 肺經선상에 위치
44.02	후추	後椎	Hou Zhui	상완후면, 주두(olecranon)上2.5촌. 三焦經선상에 위치
44.03	수영	首英	Shou Ying	상완후면, 주두(olecranon)上4.5촌. 三焦經선상에 위치
44.04	부정	富頂	Fu Ding	상완후면, 주두(olecranon)上7촌. 三焦經선상에 위치
44.05	후지	後枝	Hou Zhi	상완후면, 주두(olecranon)上8촌. 三焦經선상에 위치
44.06	견중	肩中	Jian Zhong	상완외측, 견봉(acromion)下 2.5촌
44.07	배면	背面	Bei Mian	견봉(acromion)의 중앙, 팔 거수시 함요처
44.08	인종	人宗	Ren Zong	곡지(LI11)上3촌의 상완외측-이두근 사이의 함요처
44.09	지종	地宗	Di Zong	人宗(44.08)上 3촌 (= 주횡문上 6촌)
44.10	천종	天宗	Tian Zong	地宗(44.09)上 3촌 (= 주횡문上 9촌)
44.11	운백	雲白	Yun Bai	肩中(44.06)上 1촌
44.12	이백	李白	Li Bai	雲白(44.11)에서 2촌 하방에서 약간 전방
44.13	지통	支通	Zhi Tong	상완의 후면부, 首英(44.03)에서 내측으로 1촌
44.14	낙통	落通	Luo Tong	상완의 후면부, 富頂(44.04)에서 내측으로 1촌
44.15	하곡	下曲	Xia Qu	상완의 후면부, 後枝(44.05)에서 내측으로 1촌
44.16	상곡	上曲	Shang Qu	상완의 측면부, 肩中(44.06)에서 후방으로 1촌
44.17	수유	水愈	Shui Yu	背面(44.07)에서 약간 비스듬히 후하방으로 1촌

(5) 55부위 (족저부)

55.01	화포	火包	Huo Bao	족저부, 제2족지 원위부 횡문의 정중앙
55.02	화골1	花骨一	Hua Gu Yi	족저부, 제1,2 중족골 사이. 5등분점의 4곳
55.03	화골2	花骨二	Hua Gu Er	족저부, 제2,3 중족골 사이. 0.5촌 간격으로 2곳
55.04	화골3	花骨三	Hua Gu San	족저부, 제3,4 중족골 사이.
55.05	화골4	花骨四	Hua Gu Si	족저부, 제4,5 중족골 사이.
55.06	상류	上瘤	Shang Liu	족저부, 발뒤꿈치(heel) 전연의 정중앙

(6) 66부위 (족배부)

66.01	해표	海豹	Hai Bao	제1족지 내측, 본절 중앙의 적백육제. 대도(SP2)전방
66.02	목부	木婦	Mu Fu	足背, 제2족지 2절 정중앙에서 0.3촌 외측
66.03	화경	火硬	Huo Ying	足背, 제1-2족지 사이, 行間(LR2)후방 0.5촌
66.04	화주	火主	Huo Zhu	제1-2중족골 연접부 함요처. 火硬(66.03)후방 1촌.
66.05	문금	門金	Men Jin	제2-3중족골 연접부 함요처. 陷谷(ST43)함요처.
66.06	목류	木留	Mu Liu	제3-4중족골 연접부 함요처. 중족지관절 후방 1.5촌
66.07	목두	木斗	Mu Dou	제3-4중족골 사이의 중족지관절 후방 0.5촌
66.08	육완	六完	Liu Wan	제4-5중족골 사이의 중족지관절 후방 0.5촌
66.09	수곡	水曲	Shui Qu	제4-5중족골 사이. 六完(66.08) 후방 1촌
66.10	화련	火連	Huo Lian	제1족지 내측, 중족지관절 1.5촌 후방.
66.11	화국	火菊	Huo Ju	제1족지 내측, 火連(66.10)후방 1촌. 公孫(SP4)에 상응
66.12	화산	火散	Huo San	제1족지 내측, 火菊(66.11)후방 1촌
66.13	수정	水晶	Shui Jing	족내과점의 직하 2촌
66.14	수상	水相	Shui Xiang	족내과 직후방, 아킬레스건 전연의 함요처.
66.15	수선	水仙	Shui Xian	水相(66.14)하방 2촌. 아킬레스건 전연의 함요처.

(7) 77부위 (하퇴부)

77.01	정근	正筋	Zheng Jin	아킬레스건 중앙, 족저上3.5촌처. 내-외과점 연결선상.
77.02	정종	正宗	Zheng Zong	正筋(77.01)上 2촌
77.03	정사	正士	Zheng Shi	正宗(77.02)上 2촌

77.04	박구	搏球	Bo Qiu	正士(77.03)上 2.5촌
77.05	일중	一重	Yi Zhong	족외과첨 직상3촌에서 전방으로 1촌처
77.06	이중	二重	Er Zhong	一重(77.05)上 2촌
77.07	삼중	三重	San Zhong	二重(77.06)上 2촌
77.08	사화상	四花上	Si Hua Shang	犢鼻(ST35=外膝眼)下 3촌, 경골 외연. (足三里 내측)
77.09	사화중	四花中	Si Hua Zhong	四花上(77.08)下 4.5촌 =외슬안下 7.5촌 (條口 上0.5촌)
77.10	사화부	四花副	Si Hua Fu	四花中(77.09)下 2.5촌 =외슬안下 10촌 (條口 下2촌)
77.11	사화하	四花下	Si Hua Xia	四花副(77.10)下 2.5촌 =외슬안下 12.5촌 (條口 下4.5촌)
77.12	부장	腑腸	Fu Chang	四花下(77.11)上 1.5촌 =외슬안下 11촌 (條口 下3촌)
77.13	사화리	四花里	Si Hua Li	四花中(77.09)에서 내측 1.2촌처, 경골 외연
77.14	사화외	四花外	Si Hua Wai	四花中(77.09)에서 외측 1.5촌처
77.15	상순	上唇	Shang Chun	슬개골 정중앙 하연
77.16	하순	下唇	Xia Chun	슬개골 정중앙 하연의 하방 1촌처
77.17	천황	天皇	Tian Huang	경골내측과(condyle) 하연함요처. 陰陵泉(SP9)에 상응
77.17	천황부 (신관)	天皇副 (腎關)	Tian Huang Fu (Shen Guan)	天皇(77.17)下 1.5촌
77.18	지황	地皇	Di Huang	족내과上 7촌, 경골내측연
77.20	사지	四肢	Si Zhi	족내과上 4촌, 경골내측연
77.21	인황	人皇	Ren Huang	족내과上 3촌, 경골내측연
77.22	측삼리	側三里	Ce San Li	四花上(77.08)에서 외측 1.5촌
77.23	측하삼리	側下三里	Ce Xia San Li	側三里(77.22)下 2촌
77.24	족천금	足千金	Zu Qian Jin	側下三里(77.23) 외측(후방) 0.5촌에서 直下2촌
77.25	족오금	足五金	Zu Wu Jin	足千金(77.24)下 2촌
77.26	칠호	七虎	Qi Hu	족외과 후방 1.5촌에서 상방 2촌, 4촌, 6촌처 등 3곳
77.27	외삼관	外三關	Wai San Guan	족외과첨~腓骨頭(fibula head)연결선상 4등분점의 3곳
77.28	광명	光明	Guang Ming	족외과첨 후방 1촌에서 상방 2촌
(8) 88부위 (대퇴부)				
88.01	통관	通關	Tong Guan	대퇴전면 정중선상, 슬횡문上 5촌
88.02	통산	通山	Tong Shan	通關(88.01)上 2촌
88.03	통천	通天	Tong Tian	通關(88.01)上 4촌
88.04	저매일	姐妹一	Jie Mei Yi	通山(88.02) 내측 1촌에서 상방 1촌
88.05	저매이	姐妹二	Jie Mei Er	通山(88.02) 내측 1촌에서 상방 3.5촌 [姐妹1 上2.5촌]
88.06	저매삼	姐妹三	Jie Mei San	通山(88.02) 내측 1촌에서 상방 6촌 [姐妹2 上2.5촌]
88.07	감모1	感冒一	Gan Mao One	姐妹2(88.05)에서 내측 1촌
88.08	감모2	感冒二	Gan Mao Er	姐妹3(88.06)에서 내측 1촌
88.09	통신	通腎	Tong Shen	슬개골 내측 상연
88.10	통위	通胃	Tong Wei	通腎(88.09)上 2촌
88.11	통배	通背	Tong Bei	通腎(88.09)上 4촌
88.12	명황	明黃	Ming Huang	대퇴내측부의 정중앙
88.13	천황	天黃	Tian Huang	明黃(88.12)上 3촌
88.14	기황	其黃	Qi Huang	明黃(88.12)下 3촌
88.15	화지	火枝	Huo Zhi	明黃(88.12)下 1.5촌 [其黃(88.14)上 1.5촌]
88.16	화전	火全	Huo Quan	明黃(88.12)下 4.5촌 [其黃(88.14)下 1.5촌]
88.17	사마중	駟馬中	Si Ma Zhong	風市(GB31, 기립시 中指尖의 접촉처) 전방 3촌
88.18	사마상	駟馬上	Si Ma Shang	駟馬中(88.17)上 2촌
88.19	사마하	駟馬下	Si Ma Xia	駟馬中(88.17)下 2촌
88.20	하천	下泉	Xia Quan	대퇴외측면, 슬관절외측 정중앙上 2.5촌
88.21	중천	中泉	Zhong Quan	대퇴외측면, 슬관절외측 정중앙上 4.5촌 [下泉 上2촌]
88.22	상천	上泉	Shang Quan	대퇴외측면, 슬관절외측 정중앙上 6.5촌 [中泉 上2촌]
88.23	금전하	金前下	Jin Qian Xia	슬개골 외상연上 1촌
88.24	금전상	金前上	Jin Qian Shang	슬개골 외상연上 2.5촌 [金前下 上1.5촌]

88.25	중구리	中九里	Zhong Jiu Li	대퇴외측 정중앙 [風市(GB31)에 상응]
88.26	상구리	上九里	Shang Jiu Li	中九里(88.25) 전방 1.5촌
88.27	하구리	下九里	Xia Jiu Li	中九里(88.25) 후방 1.5촌
88.28	해	解	Jie	슬개골 외상연上 1촌의 내측 0.3촌 [梁丘(ST34)下1촌]
88.29	내통관	內通關	Nei Tong Guan	通關(88.01)내측 0.5촌
88.30	내통산	內通山	Nei Tong Shan	通山(88.02)내측 0.5촌
88.31	내통천	內通天	Nei Tong Tian	通天(88.03)내측 0.5촌
88.32	실음	失音	Shi Yin	슬개골 내측 정중앙 및 하방 2촌의 2곳.

(9) 99부위 (이개부)

99.01	이환	耳環	Er Huan	이수(ear lobe) 표면의 중앙 [耳鍼의 肝點에 상응]
99.02	목이	木耳	Mu Er	귀 뒤쪽 상반부의 횡혈관(橫血管)下 0.3촌
99.03	화이	火耳	Huo Er	대이륜(anti-helix) 외연의 중심 [耳鍼의 膝點에 상응]
99.04	토이	土耳	Tu Er	이갑강(concha)의 중앙 [耳鍼의 脾에 상응]
99.05	금이	金耳	Jin Er	耳殼背面의 외연 상단처 [다른책: 水耳(99.06)上 0.3촌]
99.06	수이	水耳	Shui Er	대이륜(anti-helix) 외연의 하단
99.07	이배	耳背	Er Bei	木耳(99.02)上 0.3촌
99.08	이삼	耳三	Er San	이륜(helix) 외연을 따라 가장 위, 아래 및 중점의 3곳. 각각 (耳上,耳中,耳下)으로 명칭

(10) 1010부위 (두면부)

1010.01	정회	正會	Zheng Hui	두정부 정중앙, 兩耳尖 연결선 [百會(GV20)에 상응]
1010.02	주원	州圓	Zhou Yuan	正會(1010.01) 외측 1.3촌
1010.03	주곤	州崑	Zhou Kun	州圓(1010.02) 후방 1.5촌
1010.04	주륜	州崙	Zhou Lun	州圓(1010.02) 전방 1.5촌
1010.05	전회	前會	Qian Hui	正會(1010.01) 전방 1.5촌
1010.06	후회	后會	Hou Hui	正會(1010.01) 후방 1.6촌
1010.07	총추	總樞	Zong Shu	후발제 정중앙 상방 0.8촌
1010.08	진정	鎭靜	Zheng Jing	양미간사이 상방 0.3촌 [印堂(EX-HN3)에 상응]
1010.09	상리	上里	Shang Li	눈썹(eyebrow) 내측단에서 상방 0.2촌
1010.10	사부2	四腑二	Si Fu Er	눈썹(eyebrow) 중앙에서 상방 0.2촌
1010.11	사부1	四腑一	Si Fu Yi	눈썹(eyebrow) 외측단에서 상방 0.2촌
1010.12	정본	正本	Zheng Ben	비첨부(nose tip)
1010.13	마금수	馬金水	Ma Jin Shui	외안각(outer canthus) 직하의 관골하연 함요처
1010.14	마쾌수	馬快水	Ma Kuai Shui	馬金水(1010.13)下 0.4촌
1010.15	부쾌	腑快	Fu Kuai	鼻翼根部 수평선상 외측 0.5촌 [迎香(LI20)에 상응]
1010.16	육쾌	六快	Liu Kuai	인중도랑(philtrum groove)의 중점에서 외측 1.4촌
1010.17	칠쾌	七快	Qi Kuai	口角(angle of mouth) 외측 0.5촌 [地倉(ST4)에 상응]
1010.18	목지	木枝	Mu Zhi	馬金水(1010.13) 외상방 1촌처
1010.19	수통	水通	Shui Tong	口角(angle of mouth) 하방 0.5촌
1010.20	수금	水金	Shui Jin	水通(1010.19)에서 내측 하방으로 0.5촌
1010.21	옥화	玉火	Yu Huo	동공직하, 관골하연의 함요처
1010.22	비익	鼻翼	Bi Yi	鼻翼(ala of the nose) 상연의 함중처
1010.23	주화	州火	Zhou Huo	이첨(ear apex)上 1.5촌
1010.24	주금	州金	Zhou Jin	州火(1010.23) 후방 1촌
1010.25	주수	州水	Zhou Shui	외후두융기의 중앙 및 상방 0.8촌의 2곳

(11) DT (후배부) [dorsal trunk]

DT.01	분지상	分枝上	Fen Zhi Shang	견갑골—상완골 연접부 직하함요처. 견갑관절下 1촌.
DT.02	분지하	分枝下	Fen Zhi Xia	分枝上(DT.01)하방 1.5촌에서 약간 안쪽
DT.03	칠성	七星	Qi Xing	[총 7개혈] 1)總樞(1010.07), 2)總樞 下1촌 및 좌우 0.8촌 의 3곳, 3)總樞 下2촌 및 좌우 0.8촌의 3곳
DT.04	오령	五嶺	Wu Ling	[1선] T2-T11극돌기下 총 10개혈 [2선] 1선에서 4횡지 (3指寸) 외측, T2-T9 Level, 총 8개혈 [3선] 2선에서 4

				횡지(3指寸) 외측, T2-T8 Level, 총 7개혈
DT.05	쌍봉	雙鳳	Shuang Feng	[총 7개혈] T2-T8 극돌기下에서 외측 1.5촌,
DT.06	구후	九猴	Jiu Hou	[총 9개혈] 1)T1극돌기下에 외측 3촌 2)T2-T3극돌기下에서 외측 1.5촌, 3촌, 6촌 지점, 3)T4극돌기下에서 외측 1.5촌, 3촌 지점
DT.07	삼금	三金	San Jin	[총 3개혈] T3-T5극돌기下에서 외측 3촌
DT.08	정지	精枝	Jing Zhi	[총 2개혈] T2-T3극돌기下에서 외측 6촌
DT.09	금림	金林	Jin Lin	[총 3개혈] T4-T6극돌기下에서 외측 6촌
DT.10	정주	頂柱	Ding Zhu	[총 11개혈] 1)T4-T9극돌기下에서 외측 3촌, 2)T4-T8극돌기下에서 외측 6촌
DT.11	후심	後心	Hou Xin	[총 13개혈] 1)T4-T9극돌기下, 2)T4-T7극돌기下에서 외측 1.5촌, 3)T4-T6극돌기下에서 외측 3촌
DT.12	감모삼	感冒三	Gan Mao San	[좌우합 총3혈] T1극돌기下 및 T3극돌기下 외측 3촌
DT.13	수중	水中	Shui Zhong	L1극돌기下 외측 1.5촌
DT.14	수부	水腑	Shui Fu	L2극돌기下 외측 1.5촌
DT.15	삼강	三江	San Jiang	[총 13개혈] L1극돌기下부터 이하 7혈, L2극돌기下 외측 3촌으로부터 이하 6혈
DT.16	쌍하	雙河	Shuang He	L2극돌기下 외측 3촌부터 이하 6혈
DT.17	충소	冲霄	Chong Xiao	[총 3개혈] 천골 중앙부 및 下, 2촌처
(12) VT (전흉부) [vental trunk]				
VT.01	후아구	喉蛾九	Hou E Jiu	[좌우합 총9혈] 갑상연골 융기부(Adam's apple), 직상1촌, 직상1.5촌 및 좌우로 외측 1.5촌처
VT.02	십이후	十二猴	Shi Er Hou	[좌우합 총12혈] 쇄골과 평행선상의 하방 1.3촌 3곳, 하방 1.5촌의 3곳
VT.03	금오	金五	Jin Wu	[총 5개혈] 정중선상을 따라 天突(CV22)에서 玉堂(CV18)까지의 5개 임맥 경혈
VT.04	위모칠	胃毛七	Wei Mao Qi	[좌우합 총7혈] 정중선상의 임맥을 따라 鳩尾(CV15), 巨闕(CV14), 上脘(CV13)의 3혈 및 巨闕, 上脘의 좌우외측 1.5촌처의 4혈
VT.05	부소이십삼	腑巢二十三	Fu Chao	[좌우합 총23혈] 臍(umbilicus)를 중심으로 1촌간격으로 하여 1)직상방 2개, 직하방 5개 등 7곳, 2)가장 위쪽 1개혈과 가장 아래쪽 3개혈을 제외한 혈 및 臍의 좌우 외측 1촌처와 2촌처 등 16곳
(13) A (추가혈위) [addendum]				
A.01	칠리	七里	Qi Li	中九里(88.25)下 2촌
A.02	삼차1	三叉一	San Cha Yi	八邪(EX-UE9)에서 2,3지 사이
A.03	삼차2	三叉二	San Cha Er	八邪(EX-UE9)에서 3,4지 사이
A.04	삼차3	三叉三	San Cha San	八邪(EX-UE9)에서 4,5지 사이
A.05	소절	小節	Xiao Jie	手掌, 제1지 중수지관절의 근위부 적백육제, 肺經선상
A.06	차백	次白	Ci Bai	手背, 제3-4중수골 사이, 중수지관절 근위부 함요처
A.07	야맹	夜盲	Ye Mang	手掌, 제5지 3절의 정중앙

A1-6 평형침(平衡鍼) 혈위

- 평형침(平衡鍼)은 문헌마다 새로운 혈이 추가, 삭제되거나 혈명 등이 조금씩 다른 부분이 있습니다. BP(balance acupuncture point)로 시작하는 혈위기호도 최근문헌(新)의 기호와 이전문헌(舊)의 기호가 다른 부분이 있어 함께 비교하여 표기하였습니다.

- 간략한 위치설명은 편의상 정경혈위를 기준으로 하여 설명하였고 본래의 취혈위치와 일부 차이가 있을 수 있습니다. 교차취혈 항목은 좌병우치(左病右治), 우병좌치(右病左治)의 방법이 적용될 수 있는 혈위를 표시한 것이며 기타 자세한 혈위별 취혈원칙, 자침방법 등은 관련서적을 참고하시기 바랍니다.

한글	한문	기호1(舊)	기호2(新)	부위	간략한 위치	교차취혈
1. 두경부 [Head and Neck]						
승제혈	升提穴	BP-HN1	BP-HN1	두정부	百會(GV20) 전방 1촌. 전방 자입	
요통혈	腰痛穴	BP-HN2	BP-HN2	안면부	印堂(EX-HN3)上1.5촌. 하방 자입	
급구혈	急救穴	–	BP-HN3	안면부	水溝(GV26). 上斜刺	
편탄혈	偏癱穴	BP-HN3	BP-HN4	측두부	率谷(GB8). 外眼角 방향 자입	교차취혈
위통혈	胃痛穴	BP-HN4	BP-HN5	안면부	承漿(CV24) 양방 1촌. 承漿을 지나도록 橫刺	
비염혈	鼻炎穴	BP-HN5	BP-HN6	안면부	顴髎(SI18)下1촌. 비익 방향 자입	교차취혈
이통혈	牙痛穴	BP-HN6	BP-HN7	측두부	聽會(GB2) 또는 下0.5촌. 하방 자입	교차취혈
명목혈	明目穴	BP-HN7	BP-HN8	측두부	翳風(TE17). 반대편 內眼角 방향	교차취혈
성뇌혈	醒腦穴	BP-HN8	BP-HN9	후두부	腦戶(GV17) 또는 上1촌. 하방 자입	
2. 흉복부 [Anterior]						
통경혈	痛經穴	BP-A1	BP-A1	전흉부	紫宮(CV19) 또는 膻中(CV17). 하방자입	
면탄혈	面癱穴	BP-A2	BP-A2	전경부	天突(CV22) 외측 1촌, 上2촌. 頸項방향	교차취혈
신쇠혈	神衰穴	BP-A3	–	복부	神闕(CV8). 구법(灸法),안압(按壓) 위주	
3. 척배부 [Back]						
좌창혈	痤瘡穴	BP-B1	BP-B1	후경부	大椎(GV14). 자락법(刺絡法) 위주	
피로혈	疲勞穴	BP-B2	–	후경부	肩井(GB21). 안압(按壓) 위주	
유선혈	乳腺穴	BP-B3	BP-B3	견갑부	天宗(SI11). 下斜刺 또는 直刺	
4. 상지부 [Upper Extremities]						
둔통혈	臀痛穴	BP-UE1	BP-UE1	견갑대	肩貞(SI9). 腋窩 방향 자입	교차취혈
슬통혈	膝痛穴	BP-UE2	BP-UE2	주관절 측면	曲池(LI11) 또는 후방 0.5촌	교차취혈
치창혈	痔瘡穴	BP-UE3	BP-UE3	전완후면	四瀆(TE9)上1촌. 上斜刺	
심병혈	心病穴	BP-UE4	BP-UE4	전완 후면	우측 支溝(TE6)上 1촌. 上斜刺	교차취혈
간병혈	肝病穴	BP-UE4	BP-UE5	전완 후면	좌측 支溝(TE6)上 1촌. 上斜刺	
폐병혈	肺病穴	BP-UE5	BP-UE6	전완 전면	內關(PC6)上 6촌. 上斜刺	
강당혈	降糖穴	BP-UE6	BP-UE7	전완 전면	內關(PC6)上 2촌. 上斜刺	
과통혈	踝痛穴	BP-UE7	BP-UE8	완관절 전면	太淵(LU9), 大陵(PC7)을 향해 橫刺	교차취혈
인통혈	咽痛穴	BP-UE8	BP-UE9	수배부	合谷(LI4)	
경통혈	頸痛穴	BP-UE9	BP-UE10	수배부	液門(TE2). 4,5 중수골 골간사이 자입	교차취혈
감모혈	感冒穴	BP-UE10	BP-UE11	수배부	八邪(EX-UE9)에서 3,4지 사이	
지마혈	指麻穴	BP-UE11	BP-UE12	수배부	後谿(SI3)	
5. 하지부 [Lower Extremities]						
견배혈	肩背穴	BP-LE1	BP-LE1	둔부	環跳(GB30) 내측 1촌	교차취혈
이롱혈	耳聾穴	BP-LE2	BP-LE2	대퇴 외측	風市(GB31) 또는 上1.5촌. 下斜刺.	교차취혈
과민혈	過敏穴	BP-LE3	BP-LE3	대퇴 내측	血海(SP10)上 7촌	교차취혈

부록
A

경혈,침구참고자료

주통혈	肘痛穴	BP-LE4	BP-LE4	슬관절 전면	犢鼻(ST35) =外膝眼	교차취혈
강지혈	降脂穴	BP-LE5	BP-LE5	하퇴 외측	陽陵泉(GB34)下 1.5촌	
견통혈	肩痛穴	BP-LE6	BP-LE6	하퇴 전면	足三里下2촌,外1촌 또는 足三里下2촌	교차취혈
전간혈	癲癇穴	BP-LE7	BP-LE7	하퇴 전면	條口(ST38)	
조신혈	調神穴	BP-LE8	BP-LE8	하퇴 후면	承山(BL56)	
신병혈	腎病穴	BP-LE9	BP-LE9	하퇴 외측	陽輔(GB38)	
완통혈	腕痛穴	BP-LE10	BP-LE10	족배부	丘墟(GB40) 또는 解谿(ST41). 中封(LR4)을 향하여 橫刺	교차취혈
두통혈	頭痛穴	BP-LE11	BP-LE11	족배부	行間(LR2)上 1촌 또는 行間(LR2)-太衝(LR3) 사이	교차취혈
궁병혈	宮病穴	BP-LE12	BP-LE12	하퇴 경골측	三陰交(SP6)上 1촌	
강압혈	降壓穴	BP-LE13	BP-LE13	족내측	照海(KI6)下 1촌	

> **Tip** ## 평형침 혈위의 이명(異名)

- 문헌에 따라 다음과 같이 다른 이명(異名)으로 지칭되기도 합니다.

승제혈(升提穴)	BP-HN1	제면혈(提免穴)
아통혈(牙痛穴)	BP-HN7	실어혈(失語穴)
치창혈(痔瘡穴)	BP-UE3	지통혈(止痛穴)
심병혈(心病穴)	BP-UE4	흉통혈(胸痛穴) = (舊 BP-UE4)
간병혈(肝病穴)	BP-UE5	
과통혈(踝痛穴)	BP-UE8	실면혈(失眠穴)
강지혈(降脂穴)	BP-LE5	복통혈(腹痛穴)
견통혈(肩痛穴)	BP-LE6	중평혈(中平穴), 견주혈(肩主穴), 평형혈(平衡穴)
조신혈(調神穴)	BP-LE8	정렬혈(精裂穴), 우울혈(憂鬱穴)
완통혈(腕痛穴)	BP-LE10	광명혈(光明穴)
궁병혈(宮病穴)	BP-LE12	이산혈(利産穴)

REFERENCES

1. World Health Organization. WHO Standard Acupuncture Point Locations in the Western Pacific Region. 2008
2. World Health Organization. Standard Acupuncture Nomenclature, 2nd edition. 1993
3. WHO 서태평양지역사무처. WHO WPRO 표준경혈위치. 엘스비어코리아. 2009
4. 안영기. 경혈학총서. 성보사. 1991
5. Master Tung Acupuncture. Qpuncture, Inc.
6. 楊維杰. 董氏奇穴鍼灸學. 中醫古籍出版社. 2002.
7. 王文遠. 中國平衡針灸. 北京科学技术出版社. 1998.
8. 王文遠. 王文遠平衡針治疗頸肩腰腿痛. 中国中医药出版社. 2010.
9. 왕문원. 왕씨평형침법. 대종출판사. 2004
10. 왕문원. 평형침구학. 의성당. 2011

A2 침구도표 및 이침

A2-1 오수혈(五兪穴)

經絡	流注	起始	終止	流注時間	井 (臟木/腑金)	榮 (火/水)	兪 (土/木)	經 (金/火)	合 (水/土)	原	絡	郄	募	背兪
肺	胸→手	中府	少商	3-5	少商	魚際	太淵	經渠	尺澤	太淵	列缺	孔最	中府	肺兪
大腸	手→頭	商陽	迎香	5-7	商陽	二間	三間	陽谿	曲池	合谷	偏歷	溫溜	天樞	大腸兪
胃	頭→足	承泣	厲兌	7-9	厲兌	內庭	陷谷	解谿	三里	衝陽	豊隆	梁丘	中脘	胃兪
脾	足→胸	隱白	大包	9-11	隱白	大都	太白	商丘	陰陵	太白	公孫/大包	地機	章門	脾兪
心	胸→手	極泉	少衝	11-13	少衝	少府	神門	靈道	少海	神門	通里	陰郄	巨闕	心兪
小腸	手→頭	少澤	聽宮	13-15	少澤	前谷	後谿	陽谷	小海	腕骨	支正	養老	關元	小腸兪
膀胱	頭→足	睛明	至陰	15-17	至陰	通谷	束骨	崑崙	委中	京骨	飛揚	金門	中極	膀胱兪
腎	足→胸	湧泉	兪府	17-19	湧泉	然谷	太谿	復溜	陰谷	太谿	大鐘	水泉	京門	腎兪
心包	胸→手	天池	中衝	19-21	中衝	勞宮	大陵	間使	曲澤	大陵	內關	郄門	膻中	厥陰兪
三焦	手→頭	關衝	絲竹空	21-23	關衝	液門	中渚	支溝	天井	陽池	外關	會宗	石門	三焦兪
膽	頭→足	瞳子髎	足竅陰	23-1	竅陰	俠谿	臨泣	陽輔	陽陵	丘墟	光明	外丘	日月	膽兪
肝	足→腹	大敦	期門	1-3	大敦	行間	太衝	中封	曲泉	太衝	蠡溝	中都	期門	肝兪

A2-2 사암침법(舍岩鍼法)

(1) 표1 : 정격-승격 도표

	正格 正形		正格 變形	勝格 正形		勝格 變形
肺	(補土) 太白 太淵	(瀉火) 少府 魚際	(補水) 陰谷 尺澤	(補火) 少府 魚際	(瀉水) 陰谷 尺澤	(瀉土) 太白 太淵
大腸	(補土) 三里 曲池	(瀉火) 陽谷 陽谿	(補水) 通谷 二間	(補火) 陽谷 陽谿	(瀉水) 通谷 二間	(瀉土) 三里 曲池
胃	(補火) 陽谷 解谿	(瀉木) 臨泣 陷谷	(補金) 商陽 厲兌	(補木) 臨泣 陷谷	(瀉金) 商陽 厲兌	(瀉火) 陽谷 解谿
脾	(補火) 少府 大都	(瀉木) 大敦 隱白	(補金) 經渠 商丘	(補木) 大敦 隱白	(瀉金) 經渠 商丘	(瀉火) 少府 大都
心	(補木) 大敦 少衝	(瀉水) 陰谷 少海	(補土) 太白 神門	(補水) 陰谷 少海	(瀉土) 太白 神門	(瀉木) 大敦 少衝
小腸	(補木) 臨泣 後谿	(瀉水) 通谷 前谷	(補土) 三里 小海	(補水) 通谷 前谷	(瀉土) 三里 小海	(瀉木) 臨泣 後谿
膀胱	(補金) 商陽 至陰	(瀉土) 三里 委中	(補木) 臨泣 束骨	(補土) 三里 委中	(瀉木) 臨泣 束骨	(瀉金) 商陽 至陰
腎	(補金) 經渠 復溜	(瀉土) 太白 太谿	(補木) 大敦 湧泉	(補土) 太白 太谿	(瀉木) 大敦 湧泉	(瀉金) 經渠 復溜
心包	(補木) 大敦 中衝	(瀉水) 陰谷 曲澤	(補土) 太白 大陵	(補水) 陰谷 曲澤	(瀉土) 太白 大陵	(瀉木) 大敦 中衝
三焦	(補木) 臨泣 中渚	(瀉水) 通谷 液門	(補土) 三里 天井	(補水) 通谷 液門	(瀉土) 三里 天井	(瀉木) 臨泣 中渚
膽	(補水) 通谷 俠谿	(瀉金) 商陽 竅陰	(補火) 陽谷 陽輔	(補金) 商陽 竅陰	(瀉火) 陽谷 陽輔	(瀉水) 通谷 俠谿
肝	(補水) 陰谷 曲泉	(瀉金) 經渠 中封	(補火) 少府 行間	(補金) 經渠 中封	(瀉火) 少府 行間	(瀉水) 陰谷 曲泉
	補母	瀉官	補子	補官	瀉子	瀉母

(2) 표2 : 열격-한격 도표

[표2]	熱格 − 寒格							
經絡	熱格(熱補)				寒格(寒補)			
	補		瀉		補		瀉	
肺	少府	魚際	陰谷	尺澤	陰谷	尺澤	少府	魚際
大腸	陽谷	陽谿	通谷	二間	通谷	二間	陽谷	陽谿
胃	陽谷	解谿	通谷	內庭	通谷	內庭	陽谷	解谿
脾	少府	大都	陰谷	陰陵泉	陰谷	陰陵泉	少府	大都
心	少府	然谷	陰谷	少海	陰谷	少海	少府	然谷
小腸	陽谷	崑崙	通谷	前谷	通谷	前谷	陽谷	崑崙
膀胱	陽谷	崑崙	通谷	前谷	通谷	前谷	陽谷	崑崙
腎	少府	然谷	少海	陰谷	少海	陰谷	少府	然谷
心包	少府	勞宮	少海	曲澤	少海	曲澤	少府	勞宮
三焦	崑崙	支溝	通谷	液門	通谷	液門	崑崙	支溝
膽	陽谷	陽輔	通谷	俠谿	通谷	俠谿	陽谷	陽輔
肝	少府	行間	曲泉	陰谷	曲泉	陰谷	少府	行間
	火補		水瀉		水補		火瀉	

(3) 표3 : [참고] 舍岩道人鍼灸要訣 및 舍岩鍼灸正傳의 열격-한격 도표

[표3]	鍼灸正傳								鍼灸要訣			
經絡	熱格				寒格				熱格		寒格	
	補		瀉		補		瀉		補	瀉	補	瀉
肺	大都	魚際	少府	尺澤	少海	尺澤	然谷	魚際				太白 太淵
大腸	解谿	陽谿	前谷	二間	前谷	二間	崑崙	陽谿				陽谷 陽谿
胃	陽谷	解谿	俠谿	內庭	俠谿	內庭	陽谷	解谿				委中 三里
脾	少府	大都	曲泉	陰陵泉	曲泉	陰陵泉	魚際	大都				太白 太谿
心	行間	少府	陰谷	少海	陰谷	少海	大都	少府				少府 然谷
小腸	陽谷	陽輔	通谷	前谷	通谷	前谷	解谿	陽谷	표2와 동일	표2와 동일	표2와 동일	三里 小海
膀胱	陽谿	崑崙	內庭	通谷	內庭	通谷	陽輔	崑崙				三里 委中
腎	魚際	然谷	陰陵泉	陰谷	陰陵泉	陰谷	行間	然谷				太白 太谿
心包	行間	勞宮	陰谷	曲澤	陰谷	曲澤	大都	勞宮				太白 大陵
三焦	陽輔	支溝	通谷	液門	通谷	液門	解谿	支溝				崑崙 支溝
膽	崑崙	陽輔	二間	俠谿	二間	俠谿	陽谷	陽輔				委中 陽陵泉
肝	然谷	行間	尺澤	曲泉	尺澤	曲泉	少府	行間				太白 太衝

* 특히 寒格에서 [鍼灸要訣]은 大腸, 心, 三焦經을 제외하고는 水補-土瀉 원칙을 사용하고 있으나 [鍼灸正傳]에서는 水補-火瀉를 위주로 적용

- 瘀血方 : 太白 太淵(+) 曲池(-) (惑加 外關 瀉)

- 痰飮方 : 少府 魚際(+) 尺澤 陰谷(-)

- 勞極方 : 經渠 少府 太白(+) 氣海 心兪(-)

- 相火方 : 中脘(正) 陰谷 大都(+) 支溝 崑崙(-) (惑 大都 대신 大敦)

- 胃痺方 : 商陽 至陰(+) 三里 委中(-)
- 酒痰方 : 太白 太淵(+) 大敦 隱白(-)
- 喉痺方 : 經渠(+) 掖門 中渚 崑崙(-)
- 喉熱方 : 陽谷(+) 陷谷 掖門 中渚(-)

A2-3 보사법(補瀉法)

(1) 기본보사법

1. 捻轉補瀉 : 일반적으로 左轉(大指進前)은 補法, 右轉(大指退後)은 瀉法으로 간주하며 * 또는 12경락의 手足, 左右, 陰陽 및 性別에 따라 補瀉를 시행하기도 합니다.

女午前 男午後				女午後 男午前				女	男
陽經		陰經		陽經		陰經		督脈	
右手	左手	右手	左手	右手	左手	右手	左手		
右補左瀉	左補右瀉	左補右瀉	右補左瀉	左補右瀉	右補左瀉	右補左瀉	左補右瀉	右補左瀉	左補右瀉
右足	左足	右足	左足	右足	左足	右足	左足	任脈	
左補右瀉	右補左瀉	右補左瀉	左補右瀉	右補左瀉	左補右瀉	左補右瀉	右補左瀉	左補右瀉	右補左瀉

2. 九六補瀉 : 9는 陽으로 補法에 속하고, 6은 陰으로 瀉法에 속합니다. 補法에는 9회 염전하고 잠시 멈춘 후 다시 반복하여 총 3차례를 시행하고 重病에는 9회 염전을 9차례 반복(총 81회)하기도 합니다. 瀉法에서는 6회 염전하고 잠시 멈춘 후 다시 반복하여 총 3차례를 시행하고 重病에는 6회 염전을 6차례 반복(총 36회)하거나 8회 염전을 8차례 반복(총 64회)하기도 합니다. 捻轉補瀉에 九六補瀉를 더하여 시행하는 방식이 많이 활용됩니다.

3. 迎隨補瀉 : 자침시의 鍼尖이 경락의 주행 방향에 따라 향하면 補法이고, 반대 방향으로 鍼尖이 향하면 瀉法이 됩니다.

4. 呼吸補瀉 : 호기시 자침하고 흡기시 출침하는 것이 補法(呼入吸出)이고, 흡기시 자침하고 호기시 출침하는 것이 瀉法(吸入呼出)입니다.

5. 徐疾補瀉 : 補法에서는 천천히 자입하고 신속히 퇴침(徐進疾退)하며 瀉法에서는 신속히 자입하고 천천히 퇴침(疾進徐退)하도록 합니다. 또는 補法에서는 유침시간을 비교적 길게 하고 瀉法에서는 유침시간을 비교적 짧게 합니다.

6. 開闔補瀉 : 발침한 후에 신속히 鍼孔을 막으면 補法, 막지 않거나 오히려 침을 흔들어 鍼孔을 크게 하는 방법은 瀉法입니다.

---

* 임윤경, 김태한, 정연탁. 대학경락경혈학실습. 초락당. 2008. (또는 大指進前(補法)을 右轉, 大指退後(瀉法)를 左轉으로 보는 의견도 있음)

(2) 종합보사법

1. 燒山火法 : 소산화법은 주로 冷證 등의 경우에 熱을 補하는 것을 목적으로 합니다. 자입시의 깊이에 따라 天-地-人의 3개의 층 즉, 淺部, 中部, 深部로 나누어 조작합니다.

　1) 呼氣시에 자입하여 天部에 이른 후 침을 빠르게 내리누르고 천천히 들어올리는 緊按慢提의 방법을 9회 시행 (또는 九陽數의 방법으로 염전)

　2) 이후 人部로 조금 더 깊게 자입하여 동일한 조작을 9회 시행

　3) 이후 地部로 더 깊게 자입하여 동일한 조작을 9회 시행

　4) 熱感을 얻은 후에는 침을 地部에서 天部까지 올리고 약간 멈춘 후 흡기시에 완만하게 출침하고 신속히 鍼孔을 막음

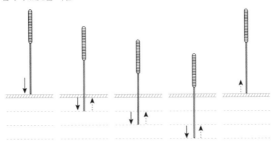

2. 透天涼法 : 투천량법은 주로 熱證 등의 경우에 淸熱瀉火의 효과를 목적으로 합니다.

　1) 吸氣시에 자입하여 天部에 이른 후 침을 완만하게 地部까지 이르게 하여 천천히 내리누르고 빠르게 들어올리는 緊提慢按의 방법을 6회 시행 (또는 六陰數의 방법으로 염전)

　2) 이후 人部로 빠르게 退鍼하여 동일한 조작을 6회 시행

　3) 이후 天部로 빠르게 退鍼하여 동일한 조작을 6회 시행

　4) 凉感을 얻은 후에는 호기시에 침을 天部로부터 신속히 출침하고 鍼孔은 막지 않음.

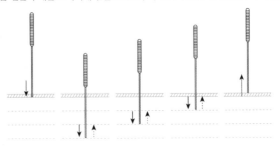

3. 子午搗臼法 : 자오도구법은 先補後瀉의 방법으로 주로 내상질환에 많이 응용됩니다. 九陽 數로 大指進의 補去을 사용하며 자입하며 이후 六陰數로 大指退의 瀉去을 사용하며 출침 합니다. 때로는 徐疾補瀉의 방법을 겸하여 조작하기도 합니다.

4. 運氣法 : 운기법은 자침 후에 六陰數로 염전하여 환자가 鍼感을 느끼면, 이후 鍼尖이 病所 를 향하도록 斜刺하고 환자에게는 호흡을 5회 시키도록 하는 방법입니다(運氣法治疼痛病 先用六數氣滿後 更到其鍼吸五口 除痛針氣朝病所). 주로 동통질환에 많이 응용됩니다.

A2-4 太極鍼法

- 心이 一身의 主宰가 되므로 각 체질별로 心經의 五行穴에서 찾아 보해주고 각 체질에서 原 穴을 선택하여 偏大之臟은 瀉해주고 偏小之臟은 補해주는 원리로 운용합니다.
  - 太陽人 : 少府補 (太鍾補 太淵瀉)
  - 太陰人 : 靈道補 (太淵補 太鍾瀉)
  - 少陽人 : 少海補 (太白瀉 太谿補)
  - 少陰人 : 神門補 (太白補 合谷瀉) : 腎無瀉去이므로 腎을 직접 瀉하지 않고 그의 黨與인 大腸의 原穴인 合谷을 瀉

A2-5 침술 항목별 적응경혈

부록
A

경혈, 침구 참고 자료

급여분류번호 (침술명)	적응경혈명	
하-3 (안와내)	承泣, 睛明	
하-4 (비강내)	內迎香	
하-5 (복강내)	上脘, 中脘, 下脘, 氣海, 關元, 中極, 天樞, 大橫	
하-6 (관절내)	(顎關節) 上關, 下關 (肩部) 肩髃, 臑兪 (肘部) 曲池, 少海, 天井 (手部) 陽谿, 陽池, 陽谷, 大陵	(股部) 環跳 (膝部) 犢鼻, 膝眼 (足部) 丘墟, 申脈, 照海, 中封
하-7 (척추간)	大椎, 風府, 脊中, 命門, 身柱, 神道, 至陽, 筋縮, 腰陽關	
하-8 (투자법)	地倉-頰車(四白), 太陽-率谷, 內關-外關, 三陰交-懸鍾, 合谷-後谿, 肩髎-極泉, 崑崙-太谿, 耳門-聽宮, 瞳子髎-顴髎, 印堂-攢竹, 顴髎-迎香, 曲池-手三里, 曲池-尺澤, 絲竹空-率谷, 列缺-太淵, 風池-風府, 陽陵泉-陰陵泉, 合谷-勞宮, 瞳子髎-魚腰, 間使-支溝, 膝關-膝眼, 液門-陽池	

A2-6 이침(耳鍼)의 활용

(1) 부위별 명칭

부위	한글명	영문명	상응부위
耳輪	이륜	Helix	
耳輪脚	이륜각	Helix crus	주변에 소화기관 분포
耳輪尾	이륜미	Helix cauda	
耳輪結節	이륜결절	Helix tubercle	(=Darwin's tubercle)
對耳輪	대이륜	Antehelix	척추부
對耳輪上脚	대이륜상각	Superior antehelix crus	하지부, 둔부
對耳輪下脚	대이륜하각	Inferior antehelix crus	
三角窩	삼각와	Triangular fossa	골반부, 생식기관
耳舟(=舟上窩)	이주(=주상와)	Scapha	상지부
耳屏(=耳珠)	이병(=이주)	Tragus	
屏上切痕	병상절흔	Supratragic notch	
屏間切痕(=珠間切痕)	병간절흔(=주간절흔)	Intertragic notch	
對耳屏(=對耳珠)	대이병(=대이주)	Antetragus	두부(頭部)
耳甲艇	이갑정	Cymba conchae	흉강, 복강내 장기
耳甲腔	이갑강	Cavum conchae	
輪屏切痕	윤병절흔	Helix-tragic notch	
耳垂	이수	Ear lobe	안면부
外耳道	외이도	External auditory meatus	

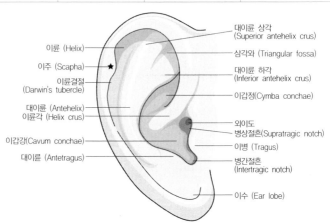

(2) 주요 耳穴

부위	주요 이혈
이륜(Helix)	이첨(ear apex) 요도(urethra) 이중(耳中, midear) 외생식기(external genitalia) 치핵점(hemorrhoid) 간양(liver yang)
대이륜(Antehelix)	경추(cervical vertebrae) 흉추(thoracic-) 요추(lumbar-) 복(abdomen)
대이륜상각(superior)	슬(knee) 과(踝, ankle) 근(跟, heel) 지(toe)
대이륜하각(inferior)	교감(sympathetic) 좌골신경(sciatic nerve)
삼각와(Triangular fossa)	신문(shinmen), 강압(lower blood pressure)=각와상(角窩上), 자궁(uterus)=내생식기(內生殖器), 골반강(pelvic cavity)=분강(盆腔)
이주(Scapha)	쇄골(clavicle) 견(shoulder) 주(elbow) 완(wrist) 과민점(allergy)=풍계(風溪)
이병(Tragus)	부신(adrenal)=신상선(腎上線) 인후(throat) 내비(內鼻, inner nose) 외비(外鼻, external nose) 갈점(渴點, thirst)=상병(上屛) 기점(飢點, hunger)=하병(下屛)
대이병(Antetragus)	뇌점(brain)=연중(緣中), 피질하(皮質下, subcortex)=대뇌피질, 침(枕, occipit)=후두(後頭), 평천(平喘, stop wheezing)=대병첨(對屛尖), 액(額, forehead)
이갑정(Cymba conchae)	간(liver) 췌담(pancrease/gall bladder) 대장(large intestine) 소장(small intestine) 신(kidney) 방광(bladder) 전립선(prostate)=정각(艇角)
이갑강(Cavum conchae)	구(mouth) 식도(esophagus) 심(heart) 폐(lung) 기관지(bronchi) 비(spleen) 위(stomach) 내분비(endocrine) 혈액점(blood)
이수(Ear lobe)	설(tongue) 내이(inner ear) 편도(tonsil-4개) 안(eye) 면협(面頰, face area) 승압점(raise blood pressure) 발치마취점(tooth extraction anesthetic-2개)

(3) 관련 耳穴 예시

1. 장부별 : 간 심 비 폐 신 담 소장 대장 위 방광 삼초 등
2. 소화기계 : 교감 신문 비 위 대장 소장 간 담 내분비 피질하 침(枕) 액(額) 등
3. 호흡기계 : 기관지 인후 평천 부신 교감 신문 등
4. 순환기계 : 심 내분비 부신 피질하 교감 혈액점 신문 등
5. 신경정신계 : 침(枕) 액(額) 뇌점 신문 내분비 피질하 침 부신 이첨 등

6. 비뇨생식기계 : 신 방광 요도 외생식기 자궁 난소 고환 교감 신문 내분비 피질하 등

7. 내분비계 : 내분비 피질하 침 부신 뇌 고환 난소 등

8. 산부인과질환 : 자궁 난소 신 내분비 교감 외생식기

9. 이비인후계질환 : 공통(신문 내분비 부신 침 피질하) 耳(내이 외이 신)f, 鼻(내비 외비 폐 액 뇌점) 咽喉(인후 폐 심 편도)

10. 안과 관련질환 : 안 간 신 내분비 부신 신문 등

11. 이침에 대한 연구 결과 통증부위와 이침혈 부위의 전기전도성의 일치도는 75.2%로 보고 되었고,[3] 또 다른 연구에서는 심질환이 있는 경우에 심점(心點)의 전기전도성(electrical conductivity)이 정상인보다 유의하게 높음이 보고되었습니다.[4]

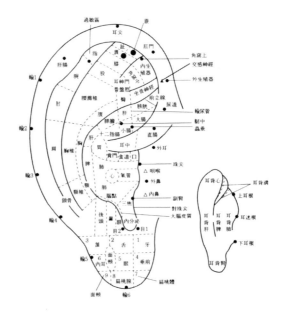

[처방예시]

– 금연 : 신문 내분비 폐 인후 구 내비 외비 등

– 금주 : 후두 피질하 액 간양 등

– 비만 : 신문 내분비 기점 뇌점 위 등

* 3일 간격으로 주 2회 내원. 좌우로 번갈아 가며 실시. 금연침의 경우 4주 이상 시행 후 결과판단

REFERENCES

1. 김용기. 耳針. 명문당. 1992
2. 대한침구학회 교재편찬위원회. 침구학(中). 집문사. 2008
3. Oleson TD, Kroening RJ, Bresler DE. An experimental evaluation of auricular diagnosis: the somatotopic mapping or musculoskeletal pain at ear acupuncture points. Pain. 1980;8(2):217-29.
4. Saku K, Mukaino Y, Ying H, Arakawa K. Characteristics of reactive electropermeable points on the auricles of coronary heart disease patients. Clin Cardiol. 1993 May;16(5):415-9.

부록
A

경혈,
침
구
참
고
자
료

A3 약침제제

A3-1 개요

1. 침구요법과 약물요법이 결합된 약침요법(pharmacopuncture)은 馬王堆 醫書(BC 168년)에 봉독(蜂毒)의 사용이 처음 기록되어 있으며 1950-60년대를 거쳐 본격적으로 사용되어 중국에서는 水鍼療法 또는 穴位注射療法으로, 한국에서는 약침요법이라는 이름으로 발전되어 왔습니다.
2. 본 장에서는 임상의 편의를 위하여 각종 논문들을 참조함과 아울러 팔강약침 위주의 대한약침학회 및 경락장약침 위주의 국제경락면역요법학회에서 제시된 처방들을 기준으로 간략히 설명하고 중국의 일부 약침제제를 소개하였습니다.

A3-2 약침처방 (예)

(1) 대한약침학회 기준 [1-4,7]

분류	처방	구성약물	비고
동물성약침	봉약침	蜂毒	消炎鎭痛, 免疫調節, 抗菌
	Sweet BV	蜂毒	(일부 효소를 제거하여 과민반응 억제)
	자하거	紫河車	補腎益精, 補胏定喘
	오공	蜈蚣	祛風 鎭痙 解毒 通絡止痛
	두꺼비독	蟾酥	解毒 止痛 消腫 强心
	살모사독	蛇毒	祛風 解毒 止痛
산삼약침	산삼	山蔘蔘	大補元氣 (血脈注入藥鍼)
경락장 약침	JsD (I)	胡桃	潤濟 - 上焦 및 呼吸器 관련
	CC (N)	鹿茸	潤濟 - 溫性潤劑
	CF (HO)	紅花子	潤濟 - 老人, 潤不足 甚
	CFC (HN)	紅花子 鹿茸	潤濟 - 退行性 脊椎關節疾患
	BUM (CO)	熊膽 牛黃 麝香	氣劑 - 急性炎症, 急性痛症 : 消炎鎭痛
	BU (OK)	熊膽 牛黃	氣劑 - 慢性炎症, 慢性痛症 : 消炎鎭痛 (虛證)
팔강	간양상항	鱉甲 釣鉤藤 石決明 白芍藥 丹蔘 益母草 白何首烏 酸棗仁

약침		女貞實 甘菊 牧丹皮 梔子 天麻 川楝子	
	간기울결	白芍藥 丹蔘 益母草 女貞實 白何首烏 酸棗仁 香附子 柴胡 鬱金 甘草 靑皮	
	간혈허	白芍藥 白何首烏 女貞實 酸棗仁 熟地黃 阿膠 枸杞子 續斷 當歸 川芎	
	심화왕	黃連 黃芩 黃白 梔子 蓮子肉 百合	
	중기하함2	人蔘 黃芪 白朮 白茯苓 黃精 陳皮 大棗 甘草	
	폐음허	玄蔘 百合 麥門冬 天花粉 沙蔘 貝母 枇杷葉	
	신양허2	牛膝 車前子 熟地黃 女貞實 山藥 山茱萸 枸杞子 白茯苓 牧丹皮 澤瀉 肉桂 附子 鹿茸	
	신음허2	牛膝 車前子 熟地黃 女貞實 山藥 山茱萸 枸杞子 白茯苓 牧丹皮 澤瀉	
	온성어혈	玄胡索 乳香 沒藥 當歸	
	중성어혈	梔子 玄胡索 乳香 沒藥 桃仁 赤芍藥 丹蔘 蘇木	
	소염	蒲公英 金銀花 生地黃 連翹 黃連 黃芩 黃白 梔子	
	좌골신경통5	續斷 狗脊 骨碎補 海桐皮 羌活 獨活 秦艽 桂枝 牛膝 杜冲 玄胡索 乳香 沒藥	
	황련해독탕	黃連 黃芩 黃白 梔子	

* 팔강약침 부분은 다용처방 위주로 수록

(2) 국제경락면역요법학회 기준 [3-6]

분류	처방	구성약물	비고
윤제 (潤劑)	I	胡桃	潤不足, 上焦 및 呼吸器 관련
	HO	紅花	潤不足, 瘀血
	HN	紅花, 鹿茸	退行性疾患, 閉經期, 內分泌 관련
	CS	朱木(25%, 100%)	鎭痛, 潤劑中氣濟
기제 (氣劑)	OK	牛黃 > 麝香, 熊膽	慢性炎症疾患 (老人, 小兒)
	V	牛黃 < 麝香, 熊膽	急性炎症疾患
	MOK	[OK] + 腦下垂體	心疾患, 甲狀腺疾患, 氣劑中潤劑
	AI	金銀花, 枇杷	皮膚疾患
	HA	[AI] + 潤劑	頭皮疾患
	CO	牛黃, 麝香, 熊膽	鼻疾患

* OK, V, CO는 구성약물은 같으나 서로 다른 비율로 조성

(3) [참고] 중약제제

1. 단미제 : 黃芪, 魚腥草, 刺五加, 人蔘, 益母草, 威靈仙, 板藍根, 鴉膽子 등

2. 복합제 : 복방단삼주사액(丹蔘, 薑黃), 복방당귀주사액(當歸, 川芎, 紅花), 복방시호주사액

(柴胡, 細辛), 은황주사액(金銀花, 黃芩) 등

REFERENCES

1. 대한약침학회 학술위원회. 약침학. 엘스비어코리아. 2008.
2. 박봉기, 조정효, 손창규. 무작위 배정 비교 임상 시험을 통한 국내의 약침 연구에 대한 체계적 고찰. 대한한의학회지. 2009;30(5):115-126.
3. 김수범. 中風의 藥針療法. 대한약침학회지 1997;1(1):126-137.
4. 임윤경, 김태한, 정연탁. 대학경락경혈학실습. 초락당. 2008.
5. 정철, 정진호, 이마성. 면역약침학 임상편. 경락의학사. 2011.
6. 육태한. 藥鍼治療를 통한 腰痛患者의 好轉度에 관한 臨床的 觀察. 대한한의학회지. 1995;16(1):184-197.
7. 대한약침학회 학술위원회. 약침의학연구소. 약침학. 2판. 엘스비어코리아. 2011.

부록B

주요 본초 목록

B

본초 정리

B-1 개요

1. 학부교육과정에 포함되는 기본적인 본초 외에 국내외에서 사용되는 주요 본초를 망라하여 수록하였고 본초의 실제적인 사용에 도움을 줄 수 있는 본초기원, 약리학, 한약자원학, 시중 유통정보 등의 내용 뿐 아니라 약성가 등 주요 문헌에서의 기술내용도 포함하였습니다.
2. 각 항목별 내용은 다음과 같이 구성되었습니다.
   1) 상단항목 : 본초명(한글) – 한자 – 중국어병음 – 성미귀경 – 효능
   2) 중간항목 : 과(科)명 – 기원– 약리학적 특징 – 기타 참고사항
   3) 하단항목 : 약성가 및 주요문헌 내용소개

[본문 예시]

자소엽	紫蘇葉	Zisuye 辛溫 肺脾 / 解表散寒 行氣和胃
	꿀풀과	차조기(차즈기)의 잎 및 끝가지 (KP) ■ 해열, 항염증, 항알러지, 항균, 항종양, 기타 (위장운동촉진, 항당뇨, 항우울) ▸ [참고] 소자(蘇子): 차조기의 열매
		[합편] 紫蘇味辛解風寒 梗能下氣脹可安 자소미신해풍한 경능하기창가안 [중마] 紫蘇味辛 風寒發散 梗下諸氣 消除脹滿 (散藥) [신편/유고] 少陰人要藥 : 解脾之表邪

3. 국가별 본초기원의 비교는 한국한의학연구원 한약표준표본관 (boncho.kiom.re.kr)에서 주로 도움을 받았습니다. 약재 기원에서의 각 국가별 약전의 약어는 아래와 같으며 KP는 11개정(일부 10개정), KHP 4개정, CP 2015년판(일부 2010년판), JP 16개정 기준입니다.
   - KP : 대한약전(Korean Pharmacopoeia)
   - KHP: 대한약전외한약(생약)규격집 (Korean Herbal Pharmacopoeia)
   - CP : 중국약전(Chinese Pharmacopoeia)
   - JP : 일본약전(Japanese Pharmacopoeia)
4. 약리학 내용은 참고문헌 [9], [10], [11], [12], [13]을 주로 참고하였고 그 외의 내용이나 희귀약재에 관한 약리학적 특성은 〈中華本草〉 또는 관련논문 등을 인용하였습니다. 각각의 약리적 효능에 관한 참고문헌은 분량 관계로 별도로 표시하지 않았으며 대신 위의 참고문헌(9~13) 또는 논문검색을 통해 확인하시기 바랍니다.

5. 약리학적 특성 관련내용 중 임신, 수유기의 투여에 관한 내용은 〈중국약전(CP)〉 및 〈국민 행복카드 한의약진료 매뉴얼(2015)〉의 한약안전사용 권고안에 의한 것이며 대부분 전문가의 진단을 거친 처방에서는 부작용보고가 없어 대체적으로 안전하다고 생각하나 고용량의 동물실험 등에서 부작용 및 독성이 나타났으므로 주의를 기울여 사용하도록 권고된 부분이므로 참고하시기 바랍니다.

6. 본초의 이명, 산지별 명칭 또는 시중의 한약유통정보 등은 관련 문헌과 함께 국내외 한약관련업체의 인터넷자료도 함께 참조한 내용입니다.

7. [합편]은 방약합편(方藥合編) 약성가를, [중매]는 의감중마(醫鑑重磨) 약성가를, [약징]은 吉益東洞의 약징(藥徵)의 내용을 의미하고, [신편/유고]는 동의사상신편(東醫四象新編) 및 동무유고(東武遺稿)에 나오는 사상체질별 약물분류 내용임을 의미합니다.

8. 약징 항목 중 (약징-속편)으로 표기된 부분은 약징의 내용을 보완한 村井大年(村井琴山)의 약징속편(藥徵續編) 내용임을 의미하고 약증(藥證)으로 표기된 부분은 황황(黃煌) 교수가 吉益東洞과 유사한 방식으로 상한론내 처방분석을 통하여 약물의 특성을 정리한 부분[30]을 비교하고자 함께 수록하였습니다.

B-2 본초 효능별 분류

1. 가나다순으로 정리한 본초목록은 본초교과서 효능분류를 기준으로 아래의 표와 같이 표시한 숫자로 기준으로 분류하였습니다. 학부교육과정 외에 추가적으로 수록한 약재는 각 효능에 해당하는 장(障) 또는 마지막의 [21.기타]에 수록하였습니다.

1.1	해표약 – 발산풍한약	發散風寒藥
1.2	해표약 – 발산풍열약	發散風熱藥
2.1	청열약 – 청열사화약	淸熱藥 – 淸熱瀉火藥
2.2	청열약 – 청열조습약	淸熱燥濕藥
2.3	청열약 – 청열양혈약	淸熱凉血藥
2.4	청열약 – 청열해독약	淸熱解毒藥
2.5	청열약 – 청허열약	淸虛熱藥
3.1	사하약 – 공하약	瀉下藥 – 攻下藥
3.2	사하약 – 윤하약	瀉下藥 – 潤下藥
3.3	사하약 – 준하축수약	峻下逐水藥
4.1	거풍습약 – 거풍습지비통약	祛風濕藥 – 祛風濕止痺痛藥
4.2	거풍습약 – 서근활락약	舒筋活絡藥
4.3	거풍습약 – 거풍습강근골약	祛風濕强筋骨藥
5	방향화습약	芳香化濕藥
6.1	이수삼습약 – 이수퇴종약	利水滲濕藥 – 利水退腫藥

6.2	이수삼습약 – 이뇨통림약	利尿通淋藥
6.3	이수삼습약 – 이습퇴황약	利濕退黃藥
7	온리약	溫裏藥
8	이기약	理氣藥
9	소식약	消食藥
10	구충약	驅蟲藥
11.1	지혈약 – 수렴지혈약	止血藥 – 收斂止血藥
11.2	지혈약 – 양혈지혈약	凉血止血藥
11.3	지혈약 – 화어지혈약	化瘀止血藥
11.4	지혈약 – 온경지혈약	溫經止血藥
12	지혈약 – 활혈거어약	活血祛瘀藥
13.1	화담지해평천약 – 온화한담약	化痰止咳平喘藥 – 溫化寒痰藥
13.2	화담지해평천약 – 청화열담약	淸化熱痰藥
13.3	화담지해평천약 – 지해평천약	止咳平喘藥
14	안신약	安神藥
15.1	평간약 – 평간식풍약	平肝藥 – 平肝息風藥
15.2	평간약 – 평간잠양약	平肝潛陽藥
16	개규약	開竅藥
17.1	보익약 – 보기약	補益藥 – 補氣藥
17.2	보익약 – 보양약	補陽藥
17.3	보익약 – 보혈약	補血藥
17.4	보익약 – 보음약	補陰藥
18.1	수삽약 – 지한약	收澁藥 – 止汗藥
18.2	수삽약 – 지사약	止瀉藥
18.3	수삽약 – 삽정축뇨지대약	澁精縮尿止帶藥
19	용토약	涌吐藥
20	외용약	外用藥
21	기타 (가나다순)	其他

Tip **본초명, 이명 찾아보기**

▪ 본 책 말미의 색인 중 [본초명 색인]에 본초명, 이명, 민간명, 유통명 등이 망라되어 색인되어 있으니 참조하여 활용하시기 바랍니다.

부록
B

주요본초목록

B-3 본초정리 (본초명, 이명, 민간명 검색: 권말의 [본초명 색인] 참조)

본초명	과(科)명	중어병음, 성미귀경, 효능 / 기원, 약리학적 특징, 참고사항 / 주요문헌
1장	**해표약**	
1.1	**해표약(解表藥) – 발산풍한약(發散風寒藥)**	
마황	麻黃	Mahuang 辛微苦溫 肺膀胱 / 發汗散寒 宣肺平喘 利水消腫
	마황과	초마황 및 동속식물의 草質莖 (KP) ■ Ephedrine, Pseudoephedrine에 의한 교감신경 흥분효과 / 발한, 발열, 호흡기계(기관지평활근이완, 항천식) 순환계(혈압상승, 심박수증가) 신경계(불면, 진전유발, 운동량증가), 항균, 항비만 / 비뇨기계(이뇨작용, 또는 용량에 따라 요저류 유발- Ephedrine 등에 의한 신세뇨관 혈관수축작용으로 배뇨곤란 초래가능) / 수유시 주의하여 사용[49] ► 도핑대상성분(ephedrine) 함유 한약재 ► **[참조항목: 77-1]**
		[합편] 麻黃味辛能出汗 身熱頭痛風寒散 마황미신능출한 신열두통풍한산 [중마] 麻黃味辛 解表出汗 身熱頭疼 風寒發散 (散藥) [약징] 主治 喘咳水氣也 旁治 惡風 惡寒 無汗 身疼 骨節痛 一身黃腫 (cf. 약증: 主治 黃腫, 兼治咳喘及惡寒無汗而身痛者) [신편/유고] 太陰人要藥 : 解肺之表邪
계지	桂枝	Guizhi 辛甘溫 心肺膀胱 / 發汗解肌 溫經通脈 助陽化氣
	녹나무과	육계의 어린가지 (KHP) ■ 신남산(cinnamic acid) 신남알데히드(cinnamaldehyde) 등 함유 - 순환계(말초혈관확장, 혈류량증가, 혈압강하, 심근보호), 해열, 항염증, 항균, 항바이러스, 진통, 신경계(항불안, 항우울, 항경련), 면역작용(T cell 증식촉진), 내분비계(혈당강하, 인슐린저항성 개선) 기타(항궤양, 항종양, 이뇨, 성기능향상, 과용량시 유산초래) ► 임신시 주의하여 사용(愼用) (CP) ► [이명] 유계(柳桂) ► [참고] 계엽병(桂葉柄 : 육계나무의 잎꼭지. 계지보다 향이 강해 대용품으로 활용 ► [참고] 상한론(傷寒論)의 계지는 거피(去皮)후 사용으로 되어있으며 현재의 肉桂, 桂心에 해당. 현재처럼 가지(柳桂)를 이용한 기록은 송대(宋代)이후[17] / 또는 기미가 강하면 육계, 옅으면 계지로 보기도 하며(藥性賦) 또는 표증이 있으면 계지, 없으면 육계를 사용(王綿之)[36] ► [육계(肉桂) 참조]
		[합편] 桂枝小梗行手臂 止汗舒筋手足痺 계지소경행수비 지한서근수족비 [중마] 桂枝小梗 橫行手臂 止汗舒筋 治手足痺 (散藥) [약징] 主治 衝逆也 旁治 奔豚 頭痛 發熱 惡風 汗出 身痛 (cf. 약증: 主治 氣上衝) [신편/유고] 少陰人要藥
자소엽	紫蘇葉	Zisuye 辛溫 肺脾 / 解表散寒 行氣和胃
	꿀풀과	차조기(차즈기)의 잎 및 끝가지 (KP) ■ 해열, 항염증, 항알러지, 항균, 항종양, 기타(위장운동촉진, 항당뇨, 항우울) ► [참고] 소자(蘇子): 차조기의 열매
		[합편] 紫蘇味辛解風寒 梗能下氣脹可安 자소미신해풍한 경능하기창가안 [중마] 紫蘇味辛 風寒發散 梗下諸氣 消除脹滿 (散藥) [신편/유고] 少陰人要藥 : 解脾之表邪

형개	荊芥	Jingjie 辛微溫 肺肝 / 發表散風 透疹
	꿀풀과	형개의 꽃대(花穗) (KP) ■ 해열, 소염, 항균, 진통, 항염증, 기타(가려움증개선, 히스타민유리억제, 지혈작용(荊芥炭), 항산화효과)

▶ 초탄(炒炭)하면 苦澁해지고 便血 崩漏 등에 대한 지혈작용 위주
▶ [참고] 형개수(荊芥穗): 형개 꽃대만 채취한 것 (과거에는 줄기도 포함해 유통됨)

[합편] 荊芥味辛淸頭目 表寒祛風癰瘀癭 형개미신청두목 표한거풍창어축
[중마] 荊芥味辛 能淸頭目 表汗祛風 治癰消瘀 (散藥)
[신편/유고] 少陽人要藥

강활	羌活	Qianghuo 辛苦溫 膀胱腎 / 散寒祛風 除濕止痛
	산형과	강호리의 뿌리, 중국강활, 관엽강활의 근경 및 뿌리 (KP) ■ 항염증, 항알러지, 진통, 항부정맥, 비염억제, 항산화효과

▶ [참고] 잠강활(蠶羌活) : 중국강활로서 강활의 모양이 누에(蠶)형태임을 비유 / 강호리 : 한국강활로서 재래종인 남강활과 개량종인 북강활로 구분하기도 하고 실험상 유사한 약리활성 보이나 일부 정유성분의 차이가 존재[37] (북강활이 남강활보다 근경이 크고 수확량이 많음) ▶ 중국유래처방에는 잠강활, 국내유래처방(ex. 동의수세보원)에는 강호리의 사용을 고려할 수 있음

[합편] 羌活微溫祛風濕 身痛頭疼筋骨急 강활미온거풍습 신통두동근골급
[중마] 羌活辛溫 祛風除濕 身痛頭疼 舒筋活骨 (散藥)
[신편/유고] 少陽人要藥 : 解腎氣之表邪 而羌活優力

백지	白芷	Baizhi 辛溫 肺胃大腸 / 散風除濕 通竅止痛 消腫排膿
	산형과	구릿대의 뿌리 (KP) ■ 해열, 진통, 항염증, 항균, 항종양, 신경계(중추신경흥분작용), 혈관확장, 간보호, 광(光)감작작용(백반증개선), CYP3A를 현저히 억제

[합편] 白芷辛溫排膿往 陽明頭疼風熱痒 백지신온배농왕 양명두동풍열양
[중마] 白芷辛溫 漏下赤白 寒熱頭風 長肌潤澤 (散藥)
[신편/유고] 太陰人要藥

방풍	防風	Fangfeng 辛甘溫 膀胱肝脾 / 解表祛風 勝濕 止痙
	산형과	방풍(Saposhnikovia divaricata Schischkin)의 뿌리 (KP) ■ 항염증, 진통, 해열, 면역증강, 항바이러스작용

▶ [이명] 기원방풍, 관방풍(關防風), 동방풍(東防風)
▶ [참고] 해방풍(海防風 =갯방풍 =원방풍 =빈방풍)은 補陰의 효능을 가진 북사삼(北沙蔘, Glehnia littoralis)의 이명이므로 구별에 주의
▶ [참고] 식방풍(植防風=빈해전호濱海前胡): 산형과 갯기름나물(Peucedanum japonicum T)의 뿌리(KHP)로서 KP, CP에 수재된 방풍(기원방풍)의 대용품으로 사용되어온 품목. 잎과 줄기는 식용 사용(=방풍나물).

[합편] 防風甘溫骨節痹 諸風口噤頭暈類 방풍감온골절비 제풍구금두훈류
[중마] 防風甘溫 能除頭暈 骨節痹疼 諸風口噤 (散藥)
[신편/유고] 少陽人要藥 : 解腎氣之表邪 而羌活優力

고본	藁本	Gaoben 辛溫 膀胱 / 祛風散寒 除濕止痛
	산형과	고본, 중국고본 또는 요고본의 근경 및 뿌리 (KHP) ■ Ligustilide 등 함유(천궁과 유사) – 항염증, 해열, 진통, 항경련, 평활근(자궁, 장관)수축억제, 항산화효과

		[합편] 藁本氣溫祛風能 兼治寒濕巓頂疼 고본기온거풍능 겸치한습전정동
		[중마] 藁本氣溫 除巓頂痛 祛風悅顔 疝瘕陰腫 (和藥)
		[신편/유고] 太陰人要藥
신이	辛夷	Xinyihua 辛溫 肺胃 / 散風寒 通鼻竅
	목련과	백목련의 꽃봉오리 (KHP) ■ 항염증작용, 면역계(히스타민분비 억제), 혈관신생억제, 혈압강하, 혈소판응집억제, 항비만활성
		[합편] 辛夷味辛鼻流涕 香臭不聞通竅劑 신이미신비류체 항취불문통규제
세신	細辛	Xixin 辛溫 心肺腎 / 祛風散寒 通竅止痛 溫肺化飮
	쥐방울과	민족도리풀(=北細辛) 또는 서울족도리풀의 뿌리 및 근경 (KP) ■ 해열, 진정, 진통작용(NMDA수용체에 관여), 항염증, 항알러지작용. 기관지육이완, 순환계(심수축력 및 박동수 증가), 항종양, 멜라닌생성억제, 국소마취효과
		▶ [참고] 쥐방울과에 속하는 약물로 약용부위(뿌리)가 아닌 지상부에는 aristolochic acid가 함유되어 신독성이 유발될 수 있으므로 주의 / 장기간섭취시 간세포손상 우려 (정유성분인 safrole 관련) / CP에서는 1일 3g 이하사용 권장
		[합편] 細辛辛溫通關竅 少陰頭痛風濕要 세신신온통관규 소음두통풍습요
		[중마] 細辛辛溫 欬逆頭痛 利竅通關 拘攣皆用 (散藥)
		[약징] 主治 宿飮停水也 故治 水氣在心下而咳滿 或上逆 或脇痛 (cf. 약증: 主治 惡寒不渴, 兼治 咳 厥冷 疼痛者)
		[신편/유고] 少陰人要藥
생강	生薑	Shengjiang 辛溫 肺脾胃 / 解表散寒 溫中止嘔 化痰止咳 解毒
	생강과	생강의 신선한 근경 (KHP) ■ 진저롤(gingerol) 함유 - 소화기계(위배출속도증가, 항궤양, 위산분비억제, 구토억제, 간보호), 진정, 진통, 항균, 항염증, 항종양, 항당뇨, 지질저하, 항산화, 호흡기계(기관지염증반응억제, 해열) 혈압관련(혈압상승효과 있으나 일부 성분은 혈압저하활성: Ca2+ 채널 차단 등)
		▶ [건강(乾薑)] 참조
		▶ [참고] 생강피(生薑皮) : 辛凉無毒하고 入脾肺하여 和脾行水의 효능
		[합편] 生薑性溫能祛穢 暢神開胃吐痰咳 생강성온능거예 창신개위토담해
		[약징- 속편] 主治 嘔 故兼治 乾嘔 噦嘔逆 (cf. 약증: 主治 惡心嘔吐)
향유	香薷	Xiangru 辛微溫 肺胃 / 發汗解暑 和中利濕
	꿀풀과	향유의 꽃필 때의 전초 (KHP) ■ 항염증(COX2 억제), 항바이러스, 해열, 진통, 심혈관계(지질저하, 혈관이완, 심근보호) ▶ 해표(解表)시 후하, 이습(利濕)시 같이 당전
		[합편] 香薷味辛治傷暑 霍亂便澁腫煩去 향유미신치상서 곽란변삽종번거
		[중마] 香薷味辛 消暑利便 霍亂吐下 水腫更散 (和藥)
		[신편/유고] 少陰人要藥
총백	蔥白	Congbai 辛溫 肺胃 / 發表通陽 解毒殺蟲
	백합과	파의 신선한 비늘줄기 (KHP) ■ 혈관확장, 항균작용, 항산화효과
		[합편] 蔥白辛溫能發汗 傷寒頭疼腫痛散 총백신온능발한 상한두동종통산
		[중마] 蔥白辛溫 發表出汗 傷寒頭疼 腫痛皆散 (散藥)
		[신편/유고] 少陰人 : 解脾之表邪

정류	檉柳	Chengliu 辛平 心肺胃 / 消風解表 透疹解毒
	위성류과	위성류의 어린가지와 잎 (KHP) ■ 진해, 간보호, 항균, 해열작용 ▶ [이명] 서하류(西河柳)

창이자	蒼耳子	Cangerzi 辛苦溫有毒 肺 / 散風除濕 通鼻竅
	국화과	도꼬마리의 성숙과실 (KP) ■ 항알러지, 항염증, 진통, 항균, 항당뇨, 항종양 ▶ 과량 복용시 간독성, 신장, 소화기 및 CNS 증상 우려: CP에서는 1일 3~10g 이내 권장
		[합편] 蒼耳子苦疥癬瘡 風濕痛痒無不當 창이자고개선창 풍습통양무부당 [신편/유고] 太陰人要藥

1장　　해표약

1.2　　해표약(解表藥) – 발산풍열약(發散風熱藥)

박하	薄荷	Bohe 辛凉 肺肝 / 宣散風熱 淸頭目 透疹
	꿀풀과	박하의 지상부 (KP) ■ 소화기계(위운동항진, 이담, 항경련), 항균, 항알러지, 중추억 제작용, 피부자극효과, 혈관확장 및 해열효과 ▶ 발산(發散)의 목적으로는 후하, 소간 (疏肝) 등의 목적으로는 다른약물과 같이 탕전고려[50]
		[합편] 薄荷味辛淸頭目 風痰骨蒸俱可服 박하미신청두목 풍담골증구가복 [중마] 薄荷味辛 最淸頭目 祛風化痰 下氣消食 (散藥) [신편/유고] 少陽人要藥

우방자	牛蒡子	Niebangzi 辛苦寒 肺胃 / 疏散風熱 宣肺透疹 解毒利咽
	국화과	우엉의 성숙과실 (KP) ■ 항염증, 간보호, 항균, 항당뇨, 기타(진해, 이뇨, 항산화, 항 종양) ▶ [이명] 대력자(大力子), 서점자(鼠粘子) 악실(惡實)
		[합편] 鼠粘子辛消瘡痛 風熱咽疼癰疹屬 서점자신소창독 풍열인동은진속 [중마] 鼠粘子辛 能消瘡毒 癮疹風熱 咽痛可逐 (和藥) [신편/유고] 少陽人要藥

상엽	桑葉	Sangye 甘苦寒 肺肝 / 疏散風熱 淸肺潤燥 淸肝明目
	뽕나무과	뽕나무의 잎 (KHP) ■ 혈당강하, 혈압강하, 지질저하, 항염증, 항종양, 항산화, 기타 (미백, 항우울, 지질대사조절) ▶ [참고] 뽕나무의 어린가지는 상지(桑枝), 뿌리껍질은 상백피(桑白皮), 완전히 익기 전의 열매는 상심자(桑椹子)로서 약용

국화	菊花	Juhua 甘苦微寒 肺肝 / 散風淸熱 平肝明目
	국화과	국화의 꽃 (KHP) ■ 순환계(관상동맥확장, 심혈관보호, 혈압강하), 신경계(항불안, 기 억력개선, 수면연장, 신경보호) 항염증, 진통, 항미생물, 기타(해열, 항종양, 간보호)
		[합편] 菊花味甘除熱風 頭眩眼赤收淚功 국화미감제열풍 두현안적수루공 [중마] 菊花味甘 祛風除熱 頭眩眼赤 收淚殊功 (補藥) [신편/유고] 감국(甘菊) – 太陰人要藥: 開皮毛

갈근	葛根	Gegen 甘辛凉 脾胃 / 解肌退熱 生津 透疹 升陽止瀉
	콩과	칡(Pueraria lobata Ohwi)의 뿌리 (KP) ■ 순환계(주로 푸에라린 puerarin의 작용 :

미세순환개선, 혈관평활근 이완, 혈관내피손상억제, 혈압강하, 혈소판응집억제, 항부정맥) 알코올관련(주로 다이드진 daidzin의 작용 : 알코올 대사촉진, 알코올 흡수저해, 의존성 억제, 간보호) 내분비계(당대사촉진, 혈당강하, 망막합병증개선, 골형성촉진) 항종양, 해열, 신경세포보호, 장관경련길항, 항피로.

▶ [참고] CP에는 감갈등(甘葛藤, Pueraria thomsonii)의 뿌리를 [분갈(粉葛)] 품목으로 수재하여 갈근과 함께 사용하며 칡은 자갈(紫葛) 또는 야갈(野葛)로 명명

[합편] 葛根味甘解傷寒 酒毒溫痲渴幷安 갈근미감해상한 주독온학갈병안
[중마] 乾葛味甘 傷寒發表 溫痲往來 止渴解酒 (散藥)
[약징] 主治 項背强也 旁治 喘而汗出 (cf. 약증: 主治 項背强痛 下利而渴者)
[신편/유고] 太陰人要藥

<附藥> **갈화**	葛花	**Gehua** 甘凉 脾胃 / 解酒毒 醒脾和胃
	콩과	칡의 꽃봉오리 또는 막 피기 시작한 꽃 (KHP) ■ 알콜대사 촉진, 간보호, 혈당강하
시호	柴胡	**Chaihu** 苦微寒 肝膽 / 和解表裏 疏肝 升陽
	산형과	시호 또는 그 변종의 뿌리 (KP) ■ 사이코사포닌(saikosaponin) 함유 - 해열, 진통, 진정, 항염증, 항균, 항바이러스, 항알러리아, 면역계(전식억제, 히스타민유리감소, 면역증강), 소화기계(항궤양, 간보호), 기타(항종양, 항우울, 혈소판응집억제) ▶ [참고] 원시호(元柴胡) 또는 산시호: 야생시호 / 식시호(植柴胡): 재배시호 (종자에 따라 재래종인 토시호, 일본 삼도(三島)지방에서 유래한 삼도시호(=황시호=일시호), 국내개발 개량종인 장수시호 등으로 명명) / 죽시호(竹柴胡 =개시호 =대엽시호): 독성이 보고되어 사용금지 ▶ [참고] CP : 북시호와 남시호로 구분되어 유통 (일반적인 시호가 주로 북시호 = 남시호는 상대적으로 가늘고 부드러워 연시호(軟柴胡) 또는 세시호(細柴胡)로 명명) cf. 남시호의 다른 이명: 참시호, 홍시호(紅柴胡), 협엽시호(狹葉柴胡)
		[합편] 柴胡味苦瀉肝火 寒熱往來痲疾可 시호미고사간화 한열왕래학질가 [중마] 柴胡味平 解結除煩 寒熱邪氣 推陳致新 (散藥) [약징] 主治 胸脇苦滿也 旁治 寒熱往來 腹中痛 脇下痞硬 (cf. 약증: 主治 往來寒熱 而胸脇苦滿者) [신편/유고] 少陽人要藥 (cf. 동무유고에서는 혼용: 少陽人, 太陽人)
승마	升麻	**Shengma** 辛微甘微寒 肺脾胃大腸 / 發表透疹 淸熱解毒 升擧陽氣
	미나리아재비과	승마 및 동속식물의 근경 (KP) ■ 해열, 항염증, 진통, 항산화, 항혈전효과, 내분비계 (GDH와 관련된 인슐린분비조절) / 임신 1기시 주의하여 사용[49] ▶ [참고] 흑승마(black cohosh) : 여성호르몬 유사작용
		[합편] 升麻性寒淸胃能 解毒升擧幷牙疼 승마성한청위능 해독승거병아동 [중마] 升麻苦平 解毒殺鬼 瘟疫寒熱 口瘡淸胃 (散藥) [신편/유고] 太陰人要藥
만형자	蔓荊子	**Manjingzi** 辛苦微寒 膀胱肝胃 / 疏散風熱 淸利頭目
	마편초과	순비기나무의 성숙과실 (KP) ■ 진통, 항염증, 항종양, 기타(항산화, 혈중 Prolactin 저하, 거담평천)
		[합편] 蔓荊子苦頭痛痊 眼淚耳庸幷拘攣 만형자고두통전 안루습비병구련 [중마] 蔓荊味苦 頭痛能醫 拘攣濕庸 淚眼堪除 (和藥)

담두시	淡豆豉	Danduchi 苦辛寒 肺胃 / 解表 除煩 宣發鬱熱
	콩과	두시(豆豉): 콩의 성숙종자를 삶아서 발효시킨 것 (KHP) ▪ 미약한 발한작용, 건위 ▶ 소금의 첨가 및 짠맛 여부에 따라 담두시(淡豆豉)와 함두시(鹹豆豉)로 구분 ▶ [참고] 발효의 방법은 콩을 삶아 청국장처럼 발효시키거나 또는 상엽(桑葉)과 청호(靑蒿)를 달인 물에 불린 후 쪄서 향기가 날 때까지 발효시키는 방법 등이 일반적 ▶ [이명] 향시(香豉): 발효과정 중에 발생하는 특유의 향에서 유래한 명칭
		[합편] 淡豆豉寒懊牢恙 傷實頭疼兼理 담두시한오뇌양 상한두동겸리장 [약징] 香豉(향시): 主治 心中懊憹也 旁治 心中結痛 及心中滿而煩也

선태(선퇴)	蟬蛻(蟬退)	Chantui 甘寒 肺肝 / 散風除熱 利竅 透疹 退翳 解痙
	매미과	말매미가 성충이 될 때 허물 (KHP) ▪ 면역계(아나필락시스 억제, 히스타민분비억제) 항염증, 항산화효과, 신경계(항경련, 횡문근긴장저하, 진정, 해열작용)
		[합편] 蟬退甘平除風驚 并治疳熱醫侵睛 선퇴감평제풍경 병치감열예침정 [중마] 蟬退甘平 消風定驚 殺疳除熱 退醫侵睛 (和藥)

부평	浮萍	Fuping 辛寒 肺 / 宣散風熱 透疹 利尿
	개구리밥과	개구리밥의 전초 (KHP) ▪ 이뇨, 항응고작용
		[합편] 浮萍辛寒利水腫 暴熱身痒脚脾重 부평신한리수종 폭열신양각비중 [신편/유고] 太陰人要藥

목적	木賊	Muzei 甘苦平 肺肝 / 散風熱 退目翳
	속새과	속새의 지상부 (KHP) ▪ 이뇨, 지질저하작용
		[합편] 木賊味甘益肝臟 退翳止經消積良 목적미감익간장 퇴예지경소적량 [중마] 木賊味甘 盆肝退腎 能止月經 更消積聚 (和藥) [신편/유고] 少陽人要藥

2장 청열약

2.1 청열약(淸熱藥) – 청열사화약(淸熱瀉火藥)

석고	石膏	Shigao 辛甘大寒 肺胃 / (生用)淸熱瀉火 除煩止渴 (煆敷)生肌斂瘡
	광물류	황산염광물 석고. 황산칼슘수화물(CaSO4·2H2O) 95% 이상 함유 (KHP) ▪ 해열, 지갈, 진정, 진경작용(흡수된 Ca^{2+}의 작용으로 신경 및 근의 흥분성 억제) ▶ 경석고(硬石膏, Anhydrate) : 수분이 거의 없는 무수석고(CaSO4). 약용으로 흔히 사용하는 일반석고(CaSO4·2H2O)는 이와 대비하여 연석고(軟石膏, Gypsum) 또는 수석고(水石膏)로 부르기도 함 ▶ 응성석고 : 중국 호북성 응성(應城)지역에서 채취한 양품의 석고 ▶ 현정석(玄精石) : 오랜 세월에 걸쳐 뭉쳐진 황산칼슘수화물 주성분의 광석(KHP) ▶ [참고] 한수석(寒水石)
		[합편] 石膏大寒瀉胃火 發渴頭痛解肌可 석고대한사위화 발갈두통해기가 [중마] 石膏甘寒 能瀉胃火 發渴頭痛 殺蟲亦可 (寒藥) [약징] 主治 煩渴也 旁治 譫語 煩躁 身熱 (cf. 약증: 主治 身熱汗出而煩渴 脈滑數或 浮大 洪大者)

		[신편/유고] 少陽人要藥 : 爲腎元帥之藥 能驅逐腎元虛弱而 不能制外熱 熱氣侮腎周 而凌侵於胃之四圍者
지모	知母	Zhimu 苦甘寒 肺胃腎 / 淸熱瀉火 生津潤燥
	백합과	지모의 근경 (KP) ▪ 내분비계(혈당강하, 인슐린분비촉진) 해열, 항균, 항종양, 혈소판 응집억제, 신경계(기억력개선, 신경세포보호, 항우울)
		[합편] 知母味苦熱渴除 骨蒸有汗痰咳舒 지모미고열갈제 골증유한담해서 [중마] 知母味苦 熱渴能除 膈中惡氣 浮腫皆舒 (寒藥) [약징- 속편] 主治 煩熱 (cf. 약증: 主治 汗出而煩) [신편/유고] 少陽人要藥 : 壯腎而有內守之力
노근	蘆根	Lugen 甘寒 肺胃 / 淸熱生津 除煩止嘔 利尿
	벼과	갈대의 뿌리 또는 근경 (KHP) ▪ 해열, 진통, 진정, 평활근억제 ▶ [이명] 위근(葦根) ▶ [참고] 위경(葦莖) : 갈대의 줄기 (治 上焦煩熱)→ 구하기 어려워 노근으로 대체
		[신편/유고] 太陽人要藥 : 治乾嘔噎 五啞 煩悶
천화분	天花粉	(栝樓根) Tianhuafen 甘微苦酸微寒 肺胃 / 淸熱生津 消腫排膿
(괄루근)	박과	하눌타리 또는 쌍변괄루의 뿌리 (KP) ▪ 항당뇨작용(혈당강하, 췌장 beta cell의 손상억제) 항종양, 항바이러스, 유산유도효과(태반조직의 손상초래) ▶ 임신시 주의하여 사용(愼用) (CP) ▶ [이명] 과루근(瓜蔞根) ▶ 하눌타리의 씨앗은 괄루인(括蔞仁)
		[합편] 天花粉寒除熱痰 排膿消毒煩渴堪 천화분한제열담 배농소독번갈감 [중마] 天花粉寒 止渴祛煩 排膿消毒 善除熱痰 (寒藥) [약징- 속편] 栝蔞根(과루근) : 主治 渴 (cf. 약증: 主治 渴者) [신편/유고] 少陽人要藥
죽엽	竹葉	Zhuye 辛苦寒 心肺胃 / 淸熱除煩 生津利尿
	벼과	솜대(淡竹)의 잎 ▪ 항산화, 해열, 지질저하, 항염증, 심근보호, 혈관보호작용 ▶ [참고] 담죽엽(淡竹葉)과 유사하나 죽엽은 淸心熱, 담죽엽은 利尿의 효능이 보다 우수 (죽엽과 담죽엽이 구별된 것은 명대 본초강목(本草綱目) 이후) [19]
		[합편] 竹葉味甘止煩渴 定喘安眠痰可劃 죽엽미감지번갈 정천안면담가철 [중마] 竹葉味甘 退熱安眠 化痰定喘 止渴消煩 (和藥)
치자	梔子	Zhizi 苦寒 心肝肺胃三焦 / 瀉火除煩 淸熱利尿 凉血解毒
	꼭두서니과	치자나무의 성숙과실 (KP) ▪ Geniposide, Crocin 등 함유 - 소화기계(항궤양, 위산분비억제, 간보호, 담즙분비촉진) 신경계(진정, 수면연장, 항우울, 체온강하) 혈압강하, 항균, 항염증, 항알러지, 항당뇨, 항비만, 망막변성억제, 항산화효과 ▶ [참고] 산치자(山梔子) : 치자의 이명 또는 재배하지 않은 야생치자
		[합편] 梔子性寒降小便 吐衄鬱煩胃火煽 치자성한강소변 토뉵울번위화선 [중마] 梔子性寒 解鬱除煩 吐衄胃痛 火降小便 (寒藥) [약징] 主治 心煩也 旁治 發黃 (cf. 약증: 主治 煩熱而胸中窒者, 兼治黃疸 腹痛 咽 喉疼痛 衄血 血淋 目赤) [신편/유고] 少陽人要藥 : 醒腎之眞氣

하고초	夏枯草	Xiakucao 辛苦寒 肝膽 / 淸火 明目 散結 消腫
	꿀풀과	꿀풀의 꽃대 (KP) ▪ 항염증, 항균, 항바이러스, 항알러지, 혈압강하, 이뇨, 기타(지질저하, 혈당강하, 면역증강(일부문헌 면역억제), 항에스트로겐, 항산화효과)
		[합편] 夏枯草苦癭癭瘤 破癥散結濕痺瘳 하고초고라영류 파징산결습비추 [신편/유고] 少陽人要藥
담죽엽	淡竹葉	Danzhuye 甘淡寒 心胃小腸 / 淸心火 除煩熱 利小便
	벼과	조릿대물의 꽃피기 전의 지상부 (KHP) ▪ 해열, 이뇨작용 ▶ [죽엽(竹葉) 참조]
한수석	寒水石	Hanshuishi 辛鹹寒 心胃腎 / 淸熱降火 利竅 消腫
	광물류	황산염광물 석고. 주로 황산칼슘수화물($CaSO_4 \cdot 2H_2O$) 함유 (KHP) ▪ 古方에서는 응수석(凝水石)을, 唐宋代에서는 석고(軟石膏)를, 明代 이후는 주로 방해석(方解石)을 한수석으로 사용 [5] ▶ [이명] 응수석(凝水石) ▶ CP에서는 북한수석(北寒水石), 남한수석(南寒水石)으로 구별함 : 북한수석은 석고(硬石膏, $CaSO_4$ =Anhydrate), 남한수석은 방해석(方解石, $CaCO_3$ =calcite)
		[합편] 凝水石寒壓丹石 堅牙明目熱渴胼 응수석한압단석 견아명목열갈벽
압척초	鴨跖草	Yazhicao 甘淡寒 肺胃小腸膀胱 / 淸熱解毒 利水消腫
	닭의장풀과	닭의장풀(Commelina communis L)의 지상부 ▪ 진통, 항균, 항염증작용
곡정초	穀精草	Gujingcao 辛甘平 肝肺 / 疏散風熱 明目退腎
	곡정초과	곡정초의 꽃대가 붙어 있는 두상화서 (KHP) ▪ 항균, 항염증작용
		[합편] 穀精草辛牙齒痛 口瘡咽痺眼腎骨 곡정초신아치통 구창인비안예몽
밀몽화	密蒙花	Mimenghua 甘微寒 肝 / 淸熱養肝 明目退腎
	마전과	밀몽화의 꽃봉오리 또는 화서 (KHP) ▪ 항염증, 이담, 간보호, 진경, 항종양, 항균
		[합편] 密蒙花甘能明目 虛腎靑盲效最速 밀몽화감능명목 허예청맹효최속 [중마] 蜜蒙花甘 主能明目 虛腎靑盲 服之效速 (和藥)
청상자	靑葙子	Qingxiangzi 苦微寒 肝 / 祛風熱 淸肝火 明目退腎
	비름과	개맨드라미의 씨 (KHP) ▪ 안구관련작용, 혈압강하
		[합편] 靑箱子苦肝臟熱 赤障靑盲俱可說 청상자고간장열 적장청맹구가설 [신편/유고] 少陽人要藥
괴각	槐角	Huaijue 苦寒 肝大腸 / 淸熱瀉火 凉血止血
	콩과	회화나무의 성숙과실 (KHP) ▪ 심수축력 증강, 항산화, 지질저하, 항염증, 혈관저항력유지
야명사	夜明砂	Yemingsha 辛寒 肝 / 淸肝明目 散瘀消積 軟堅散結
	애기박쥐과	안주애기박쥐 또는 근연동물의 분변 (KHP)
		[합편] 夜明砂能下死胎 小兒無辜癲癲材 야명사능하사태 소아무고라력재

다엽	茶葉	Chaye 苦甘辛寒 心肺胃肝腎 / 淸利頭目 除煩止渴 利尿 淸熱解毒 下氣消食
	차나무과	차나무의 잎 (KHP) ▪ catechin, caffeine 등 함유 - 항염증, 항산화, 항종양, 혈압강하, 항미생물작용 ▸ 녹차(綠茶) 홍차(紅茶) 화차(花茶) 등은 가공방법에 따라 구분
연자심	蓮子心	Lianzixin 苦寒 心肺腎 / 淸心安神 止血澁精
	수련과	연꽃의 성숙종자 중의 어린 잎 및 배근 (KHP) ▸ [연자육(蓮子肉)] 참조

2장 청열약

2.2 청열약(淸熱藥) – 청열조습약(淸熱燥濕藥)

황금	黃芩	Huangqin 苦寒 肺膽胃大腸小腸 / 淸熱燥濕 瀉火解毒 止血 安胎
	꿀풀과	속썩은풀(황금)의 뿌리(KP) ▪ 바이칼린(Baicalin), 바이칼레인(baicalein), wogonin 등 함유 - 항염증, 항바이러스, 해열, 항알러지, 신경계(기억력개선, 진정, 신경보호) 순환계(혈압강하, 지질저하, 항산화효과) 항종양, 항비만, 이담, 간보호, 항HIV활성, 유산억제[88]
		▸ 조금(條芩)=자금(子芩) : 내외가 실한 1년생 이하의 어린뿌리로 체중하달(體重下達)하여 청대장열(淸大腸熱)
		▸ 고금(枯芩): 2~3년생 이상되어 속이 비어 있는 것으로 체경달상(體輕達上)하여 청폐화(淸肺火)
		▸ 편금(片芩) : 고금이 더 진행되어 뿌리 일부가 깨진 것
		[합편] 黃芩苦寒瀉肺火 子淸大腸濕熱可 황금고한사폐화 자청대장습열가 [중마] 黃芩苦寒 枯瀉肺火 子淸大腸 濕熱皆可 (寒藥) [약징] 主治 心下痞也 旁治 胸脇滿 嘔吐 下利也 (cf. 약증: 主治 煩熱而出血者, 兼治利 熱痞 熱痢等) [신편/유고] 太陰人要藥 : 收斂肺元
황련	黃連	Huanglian 苦寒 心脾胃肝膽大腸 / 淸熱燥濕 淸心除煩 瀉火解毒 (酒黃連: 善淸上焦火熱)
	미나리아재비과	황련의 근경 (KP) ▪ 베르베린(Berberine) 등 함유 - 항염증, 항균, 항말라리아작용, 콜레스테롤 저하, mucin 분비증가, 항궤양, 항부정맥, 항비만, 지질저하 / 임신1기 시 사용에 주의[49] / G6PD 결핍환자에게 금기되기도 했으나 실제 임상연구 결과 안전성 보고[24]
		▸ [참고] 천황련(川黃連 Coptis chinensis) : 중국황련으로 사천(四川)지방에서 주로 재배. 천련(川連) 또는 미련(味連)이라고도 함
		▸ [참고] 일황련(日黃連 Coptis japonica) : 일본 원산의 재배황련
		▸ [참고] 모황련(毛黃連) : 황련의 수염뿌리 (또는 황련의 위품인 깽깽이풀의 이명)
		[합편] 黃連味苦主淸熱 除痞明目止痢泄 황련미고주청열 제비명목지리설 [중마] 黃連味苦 瀉心除痞 淸熱明目 厚腸止痢 (寒藥) [약징] 主治 心中煩悸也 旁治 心下痞 吐下 腹中痛 (cf. 약증: 主治 心中煩, 兼治心下痞 下利) [신편/유고] 少陽人要藥 : 醒腎之眞氣
황백	黃柏	Huangbai 苦寒 腎膀胱大腸 / 淸熱燥濕 瀉火解毒 退虛熱 (鹽黃柏: 滋陰降火)
	운향과	황벽나무의 수피 (KP) ▪ 베르베린(Berberine) 함유 - 항염증, 항미생물(항균, 항진

균), 항산화효과, 항종양, 항궤양, 기억력개선, 관절보호, 신경보호, 면역억제작용
[합편] 黃柏苦寒主降火 濕熱骨蒸下floor可 황백고한주강화 습열골증하절가
[중마] 黃柏苦寒 最長降火 血痔漏下 陰蝕皆可 (寒藥)

[약징] 항목 없음 (cf. 약증: 主治 身黃 發熱而小便不利目赤者, 兼治熱利)
[신편/유고] 少陽人要藥 : 收斂腎元

용담초	龍膽草	Longdancao 苦寒 肝膽 / 淸熱燥濕 瀉肝膽火

용담과 | 용담의 뿌리 및 근경 (KP) ■ 소화기계(위액분비촉진, 간보호, 담즙분비촉진, 진경), 항균, 항염증, 혈압강하, 이뇨작용 ▶ [이명] 초용담(草龍膽)

[합편] 龍膽苦寒眼赤疼 下焦濕腫肝熱乘 용담고한안적동 하초습종간열승
[중마] 龍膽苦寒 療眼赤疼 兼續折傷 殺蟲定驚 (寒藥)

고삼	苦蔘	Kushen 苦寒 心肝胃大腸膀胱 / 淸熱燥濕 祛風殺蟲 利尿

콩과 | 고삼의 뿌리 (KP) ■ 순환계(혈압강하, 심실성빈맥억제, 심근허혈억제), 소화기계(사하억제, 항궤양), 항염증, 항미생물, 항종양, 기타(이뇨, 항천식, 조골세포형성) ▶ [민간명] 쓴너삼, 도둑놈의 지팡이

[합편] 苦蔘味苦主科科 眉脫腸風下血痳 고삼미고주외과 미탈장풍하혈리
[중마] 苦蔘味苦 癰腫瘡疥 下血腸風 眉脫赤癩 (和藥)

백선피	白鮮皮	Baixianpi 苦寒 脾胃膀胱 / 淸熱燥濕 祛風解毒

운향과 | 백선의 근피 (KP) ■ 항진균, 항염증, 항알러지, 항종양, 면역계(Histamine, serotonin 유리억제), 기타(근이완, 뇌세포보호, 백반증치료) ▶ 간독성사례 보고 ▶ [민간명] 봉삼 봉황삼

[합편] 白蘚皮寒治疥癩 疽淋痹瘤功不淺 백선피한치개선 달림비탄공불천

대두황권	大豆黃卷	Dadouhuangjuan 甘平 脾胃 / 淸解表邪 分利濕熱

콩과 | 콩의 성숙종자를 발아시킨 것 (KHP) ■ [담두시(淡豆豉) 참조]

[합편] 大豆黃卷治筋攣 消水脹滿膝痛floor 대두황권치근련 소수창만슬통전
[신편/유고] 太陰人要藥

화피	樺皮	Huapi 苦寒 胃 / 淸熱利濕 祛痰止咳 消腫解毒

자작나무과 | 만주자작나무 또는 동속식물의 수피 (KHP) ■ 항염증, 항바이러스, 항산화효과 ▶ [참고] 국내에서는 주로 장미과 참벚나무(왕벚나무) 수피인 앵피(櫻皮 - KHP 수재)가 화피로 다움됨 ▶ [참고] JP에서는 참나무과 상수리나무 수피인 박속(樸樕 : Quercus Bark) 수재: 항염증, 피부질환 치료 등 화피와 유사한 목적으로 사용

[합편] 樺皮苦平乳癰疽 肺風floor疹痘毒散 화피고평유옹달 폐풍은진두독산
[신편/유고] 太陰人要藥

2장	청열약

2.3 청열약(淸熱藥) - 청열양혈약(淸熱凉血藥)

서각	犀角	Xijiao 苦鹹寒 心肝胃 / 凉血止血 解seq化斑 安神定驚

	무소과	코뿔소의 뿔 ■ 해열, 진정작용, 혈압에 영향
		▶ [참고] 서각방(犀角鎊): 서각을 대패밥처럼 얇게 깎은 것
		▶ [참고] CITES 국제거래금지 품목 – 水牛角 등으로 대용
		[합편] 犀角酸寒化毒邪 消腫血熱兼制蛇 서각산한화독사 소종혈열병제사
		[중마] 犀角酸寒 化毒䤽邪 解熱止血 消除毒蛇 (和藥)

지황 (생지 황, 건지황)	地黃	Dihuang 생지황(生地黃) 甘苦寒 心肝腎 / 清熱生津 凉血止血
		Dihuang 건지황(乾地黃) 甘寒 心肝腎 / 清熱凉血 養陰生津
	현삼과	지황의 뿌리 (KP) ■ Catalpol 함유 (숙지황 등으로 법제시 함량이 감소) / 내분비계 (혈당강하, 족부궤양 등 당뇨합병증억제) 항염증, 항알러지, 항종양, 이뇨, 사하, 신경 계(기억력개선, 신경세포사멸 억제), 간보호, 심근보호, 신장손상억제
		▶ [숙지황(熟地黃) 참조]
		▶ [참고] 신선한 지황은 生地黃, 말린 지황은 乾地黃 – 건지황도 한번 쪄서 말린 것 은 숙건지황(熟乾地黃)또는 숙변(熟卞), 그냥 말린 것은 생건지황(生乾地黃) 또는 색 변(色卞)으로 구분하기도 함
		▶ [참고] 중국(CP)에서는 신선한 지황이 선지황(鮮地黃) 말린지황은 생지황(生地黃)
		[합편] 生地微寒清濕熱 骨蒸煩勞消瘀血 생지미한청습열 골증번노소어혈
		[합편] 生乾地凉除藏熱 心䑏血虛衄吐血 생건지량제한열 심담혈허폐토혈
		[중마] 乾地甘平 能除寒熱 長肌塡髓 逐瘀療折 (補藥)
		[약징] 地黃(지황) : 主治 血證 及水病也 (cf. 약증: 主治 血證)
		[신편/유고] 生地黃– 少陽人要藥 : 開腎之胃氣 而消食進食

현삼	玄參	Xuanshen 甘苦鹹寒 肺胃腎 / 凉血滋陰 瀉火解毒
	현삼과	현삼 또는 중국현삼의 뿌리 (KP) ■ 순환계(강심, 혈압강하, 혈관확장, 항산화) 신경 계(뇌신경세포보호, 기억력개선), 간보호, 항균작용 ▶ [이명] 원삼(元參)
		[합편] 玄參苦寒清相火 消腫骨蒸補腎可 현삼고한청상화 소종골증보신가
		[중마] 玄參味苦 寒熱血䫽 消腫下乳 補腎亦可 (寒藥)
		[신편/유고] 少陽人要藥

목단피	牡丹皮	Mudanpi 苦辛微寒 心肝腎 / 清熱凉血 活血散瘀
	작약과	목단(모란)의 근피 (KP) ■ 패오놀(paeonol) 등 함유 – 항염증, 항균, 항바이러스, 진경, 진통, 항산화효과, 순환계(혈압강하, 동맥경화억제, 혈소판응집억제), 신경계(신 경세포보호, 기억력개선) 기타(항종양, 내당능증강, 간보호, 혈소판응집저해)
		▶ 임신시 주의하여 사용(愼用) (CP)
		[합편] 牡丹苦寒通經血 無干骨蒸血分熱 목단고한통경혈 무한골증혈분열
		[중마] 牡丹辛寒 破血除䄃 寒熱可祛 療瘡亦能 (和藥)
		[약징] 항목 없음 (cf. 약증: 主治 少腹痛而出血者)
		[신편/유고] 少陽人要藥 : 錯綜腎氣 參伍勻調

적작약	赤芍藥	Chishaoyao 苦微寒 肝 / 清熱凉血 散瘀止痛
	작약과	작약(함박꽃)의 뿌리 (KP) ■ [백작약(白芍藥) 참조] KP 및 JP는 적작약, 백작약 구 별없이 작약(P. lactiflora)으로 통일
		[합편] 赤芍酸寒能散瘀 破血通經産後怕 적작산한능산어 파혈통경산후파

자초 (자근)	紫草(紫根)	Zicao 甘寒 心肝 / 凉血活血 解毒透疹
	지치과	지치, 신강자초 또는 내몽자초의 뿌리 (KP) ▪ 항염증, 해열, 항균, 혈당강하, 항종양 작용 ▶ [참고] 지치는 단단하여 경자초(硬紫草), 신강자초 및 내몽자초는 질이 부드러워 연자초(軟紫草)로 분류하며 CP에서는 연자초만 [자초] 품목으로 수재
		[합편] 紫草苦寒通九竅 利水消膨痘疹專 자초고한통구규 리수소팽두진요 [중마] 紫草甘溫 能通九竅 利水消膨 痘疹最要 (通藥) [신편/유고] 太陰人要藥

2.4 청열약(清熱藥) – 청열해독약(清熱解毒藥)

금은화	金銀花	Jinyinhua 甘寒 肺胃心 / 清熱解毒 凉散風熱 凉血止痢
	인동과	인동덩굴의 꽃봉오리 또는 막 피기 시작한 꽃 (KP) ▪ 항균, 항바이러스, 항염증, 혈소판응집억제, 지질저하, 신경보호, 면역증강작용 ▶ 완전히 개화한 꽃은 사용부적합 ▶ [참조] 인동(忍冬): 인동덩굴의 잎 및 줄기
		[합편] 金銀花甘癰善退 未成卽散已成潰 금은화감옹선퇴 미성즉산기성궤 [중마] 金銀花甘 療癰無對 未成則散 已成則清 (和藥) [신편/유고] 少陽人要藥
연교	連翹	Lianqiao 苦微寒 心肺膽 / 清熱解毒 消腫散結
	물푸레나무과	의성개나리 또는 연교의 열매 (KP) ▪ Forsythiaside 함유 – 항염증, 항균, 해열, 항알러지, 강심, 혈소판활성억제, 간보호, 항산화효과
		[합편] 連翹苦寒消癰毒 氣聚血凝濕熱屬 연교고한소옹독 기취혈응습열속 [중마] 連翹苦寒 能消癰毒 氣聚血凝 濕熱堪逐 (寒藥) [신편/유고] 少陽人要藥
포공영	蒲公英	Pugongying 苦甘寒 肝胃 / 清熱解毒 消腫散結 利尿通淋
	국화과	민들레의 전초 (KHP) ▪ 항염증, 항균, 항알러지, 면역증강, 항피로, 항종양, 간보호, 기타(이뇨, 담즙분비촉진, 혈액응고억제) / 고환무게 및 정자운동성감소 [39]
		[합편] 蒲公英苦除食毒 消腫潰堅結核屬 포공영고제식독 소종궤견결핵속 [신편/유고] 太陰人要藥
자화지정	紫花地丁	Zihuadiding 苦辛寒 心肝 / 清熱解毒 凉血消腫
	제비꽃과	제비꽃의 전초 (KHP) ▪ 항균, 해열, 항염증작용
대청엽	大青葉	Daqingye 苦寒 心肺胃 / 清熱解毒 凉血 消斑
	십자화과,마디풀과(=여뀌과)	숭람(菘藍=대청, 십자화과) 또는 요람(蓼藍=쪽, 마디풀과)의 잎 (KHP) ▪ 항미생물, 항염증, 항종양, 해열, 면역증강작용 ▶ 잎을 발효시킨 것은 청대, 뿌리는 판람근 ▶ [참고] CP에서는 숭람의 잎만 수재. 요람의 잎은 요대청엽(蓼大青葉)으로 수재
판람근	板藍根	Banlangen 苦寒 心胃 / 清熱解毒 凉血 利咽

	십자화과	숭람(菘藍=대청)의 뿌리 (KHP) ■ 항미생물, 항종양, 면역증강, 혈소판응집억제작용 ▶ 약용부위에 따라 뿌리는 판람근, 잎은 대청엽, 잎의 발효가공품은 청대로 분류 ▶ [참고] CP에서는 마람(馬藍)의 뿌리는 남판람근(南板藍根) 명칭으로 별도 수재, 이와 대비하여 숭람의 뿌리를 북판람근으로 부르기도 함
청대	靑黛	Qingdai 鹹寒 肝肺胃 / 淸熱解毒 凉血 定驚
	여뀌과 (=마디풀과)	쪽(=요람) 또는 마람(馬藍)의 잎을 발효시켜 얻은 가루 (KHP) ■ 항종양, 항균, 만성과립구백혈병 치료 ▶ [참고] CP에서는 숭람의 잎도 포함 ▶ 약용부위에 따라 뿌리는 판람근, 잎은 대청엽, 잎의 발효가공품은 청대로 분류
		[합편] 靑黛酸寒平肝木 驚癇疳痢除熱毒 청대산한평간목 경간감리제열독 [중마] 靑黛苦平 能解諸毒 殺鬼消瘀 令頭不白 (寒藥) [신편/유고] 少陽人要藥
우황	牛黃	Niuhuang 甘凉 心肝 / 淸心 豁痰 開竅 凉肝 息風 解毒
	소과	소의 담낭 중에 생긴 결석 (KP) ■ 신경계(뇌허혈개선, 진정(GABA증가), 진경, 해열), 순환계(심근보호, 혈압강하, 죽상동맥경화개선, 항혈전), 기타(이담, 간보호, 항염증) ▶ 임신시 주의하여 사용(愼用) (CP)
		[합편] 牛黃味苦治驚癇 安魂定魄風痰刪 우황미고치경간 안혼정백풍담산 [중마] 牛黃味苦 大治風痰 安魂定魄 驚癇靈平 (通藥) [신편/유고] 太陰人要藥 : 壯肺而有充足內外之力
마발	馬勃	Mabo 辛平 肺 / 淸肺利咽 止血
	마발과	탈피마발, 대마발 또는 자색마발의 자실체 (KHP) ■ 항미생물, 지혈작용
마치현	馬齒莧	Machihuan 酸寒 大腸肝 / 淸熱解毒 凉血止血
	쇠비름과	쇠비름의 전초 (KHP) ■ 항미생물, 자궁수축, 소장수축, 항산화효과
		[합편] 馬齒莧寒消腫痢 渴淋毒蟲皆得利 마치현한소종리 갈림독충개득리 [신편/유고] 少陽人要藥
백두옹	白頭翁	Baitouweng 苦寒 胃大腸 / 淸熱解毒 凉血止痢
	미나리아재비과	할미꽃 또는 백두옹의 뿌리 (KHP) ■ 항원충(항아메바, 트리코모나스) 항균, 항종양작용
		[약징] 主治熱利下重也
진피	秦皮	Qinpi 苦澁寒 肝膽大腸 / 淸熱燥濕 收澁 明目
	물푸레나무과	물푸레나무 또는 근연식물의 수피 또는 가지껍질 (KHP) ■ 항균, 항염증, 진통, 진해거담, 평활근억제작용 ▶ [참고] 진피(陳皮)와 구별하기 위하여 목진피(木秦皮)라고 부르기도 함
		[합편] 秦皮苦寒治熱痢 煎洗目腫兼風淚 진피고한치열리 전세목종겸풍루
아담자	鴉膽子	Yadanzi 苦寒有小毒 大腸肝 / 淸熱解毒 截瘧治痢 腐蝕贅疣
	소태나무과	아담자의 성숙과실을 건조한 것 ■ 항궤양, 면역증강, 구충, 항종양작용

패장초	敗醬草	Baijiangcao 辛苦微寒 肝胃大腸 / 淸熱解毒 消腫排膿 祛瘀止痛
	마타리과	뚝갈 또는 마타리의 뿌리 (KHP) ▪ 항염증, 진통, 항균, 항바이러스, 진정, 혈관신생 촉진, 항산화

백화사설초	白花蛇舌草	Baihuasheshecao 微苦甘寒 胃大腸小腸 / 淸熱利濕 解毒消癰
	꼭두서니과	두잎갈퀴의 전초 (KHP) ▪ 면역증강, 항균, 항종양작용
		[합편] 花蛇溫毒治大風 癰瘓喎斜癩疥通 화사온독치대풍 단탄괘사라개통
		[중마] 花蛇溫毒 癰瘓喎斜 大風癩疥 諸毒彌佳 (寫藥)

웅담	熊膽	Xiongdan 苦寒 肝膽心 / 淸熱解毒 止痙 明目
	곰과	불곰 또는 기타 근연동물의 담즙을 말린 것 (KHP) ▪ Tauro-ursodeoxycholic acid (가수분해시 taurine과 UDCA로 됨) 함유 - 항염증, 이담, 진경, 진정, 진통, 항종양(간암) ▶ [참고] CITES 품목 - 저담(猪膽) 또는 황련으로 대체 46)
		[합편] 熊膽味苦熱蒸疸 惡瘡蟲痔疳痼散 웅담미고열증달 악창충치감간산
		[중마] 熊膽味苦 熱蒸有疸 惡瘡蟲痔 疳痼並散 (和藥)
		[신편/유고] 太陰人要藥 : 爲肺元帥之藥 能胹逐侮肺之邪 而其功如 脾之炮附子 腎之石膏也

백렴	白蘞	Bailian 苦微寒 心胃肝 / 淸熱解毒 消癰散結
	포도과	가회톱의 덩이뿌리 (KHP) ▪ 항균, 항종양, 진통작용
		[합편] 白蘞微寒癰疔瘡 兒瘧驚癇女陰腫 백렴미한옹정창 아학경간여음종
		[신편/유고] 太陰人要藥

누로	漏蘆	Loulu 苦寒 胃 / 淸熱解毒 消癰 下乳汁 舒筋通脈
	국화과	뻐꾹채, 절굿대 또는 큰절굿대의 뿌리 (KHP) ▪ 항균, 동맥경화억제, 간보호, 중추신경흥분, 항산화효과 ▶ CP에서는 뻐꾹채는 기주누로(祁州漏蘆), 큰절굿대는 우주누로(禹州漏蘆)로 명칭을 구분 ▶ 임신시 주의하여 사용(愼用) (CP)
		[합편] 漏蘆性寒祛瘡毒 補血排膿生肌肉 누로성한거창독 보혈배농생기육

산자고	山慈姑	Shancigu 甘微辛有小毒 肝脾 / 淸熱解毒 化痰散結
	난초과	약난초 또는 독산란의 헛비늘줄기 (KHP) ▪ 항염증, 항종양, 혈압강하, 통풍억제
		[합편] 慈菰辛苦面腫疽 蛇虺癰癤疹瘡可除 자고신고면종저 사훼은진창가제

녹두	綠豆	Ludou 甘寒 心胃 / 淸熱解毒 消暑止渴
	콩과	녹두의 종자 (KHP) ▪ 지질저하, 항종양, 항산화, 이뇨작용
		[합편] 綠豆氣寒解百毒 並治煩渴諸熱屬 녹두기한해백독 병치번갈제열속

야국화	野菊花	Yajuhua 甘苦微寒 肝心 / 淸熱解毒 散風淸熱 平肝明目
	국화과	감국의 꽃 (KHP: '감국'으로 수재) ▪ [국화(菊花) 참조]
		[합편] 菊花味甘除熱風 頭眩目赤收漏功 국화미감제열풍 두현목적수루공

인동등	忍冬藤	Rendongteng 甘寒 肺胃 / 淸熱解毒 疏風通絡
	인동과	인동덩굴의 덩굴성 줄기 (KP) ▪ 항염증, 항균, 지질저하, 혈소판활성 억제, 간보호, 신경보호, 당뇨병성신병증 개선효과 ▶ [참고] 금은화(金銀花): 인동덩굴의 꽃봉오리 또는 막 피기 시작한 꽃
		[합편] 忍冬甘寒外感初 熱痢熱渴並癰疽 인동감한외감초 열리열갈병옹저 [신편/유고] 少陽人要藥
조휴	蚤休	Zaoxiu 苦微寒有小毒 肝 / 淸熱解毒 消腫止痛 熄風定驚
	백합과	운남중루 또는 칠엽일지화의 근경(CP) 또는 삿갓나물의 근경 ▪ 항균, 항종양, 항사독(抗蛇毒), 진해, 지혈, 진정진통작용 ▶ [이명] 중루(重樓) 칠엽일지화(七葉一枝花) 초하차(草河車)
반변련	半邊蓮	Banbianlian 辛平 心肺小腸 / 淸熱解毒 利尿消腫
	초롱꽃과	수염가래꽃의 전초 (KHP) ▪ 이뇨, 호흡흥분, 항사독, 이담, 구토유발작용
토복령	土茯苓	Tufuling 甘淡平 肝胃 / 除濕 解毒 通利關節
	백합과	청미래덩굴(=발계) 또는 광엽발계의 근경 (KHP) ▪ 항염증, 항산화, 항종양, 해독작용, 항경련, 신장손상억제, 혈중요산감소 ▶ CP, JP에서는 광엽발계(Smilax glabra Roxb)만 수재 ▶ [이명] 발계(菝葜) 산귀래(山歸來) 선유량(仙遺粮)
		[합편] 土茯苓淡可當穀 止瀉去風輕粉毒 토복령담가당곡 지사거풍경분독 [신편/유고] 太陰人要藥
어성초	魚腥草	Yuxingcao 辛微寒 肺 / 淸熱解毒 消癰排膿 利尿通淋
	삼백초과	약모밀의 지상부 (KHP) ▪ 항균, 항진균, 항바이러스, 항염, 항종양, 이뇨작용. 항산화효과 ▶ [이명] 즙채(蕺菜), 중약(重藥)
사간	射干	Shegan 苦寒 肺 / 淸熱解毒 祛痰 利咽
	붓꽃과	범부채의 근경 (KHP) ▪ 항염증, 진통, 간보호, 항종양, 항균, 기타(aldose reductase 등에 작용하여 당뇨합병증 예방)
		[합편] 射干苦味辛通經瘀 喉痺咽口火癰毒除 사간미신통경어 후비구얼옹독제 [신편/유고] 太陰人要藥
산두근	山豆根	Shandougen 苦寒有毒 肺胃 / 淸熱解毒 消腫利咽
	콩과	월남괴의 뿌리 및 근경 (KHP) ▪ 항염증, 해열, 항궤양, 항종양작용
		[합편] 山豆根苦咽腫痛 蛇蟲所傷並可送 산두근고인종통 사충소상병가송 [중마] 山豆根苦 療咽腫痛 敷蛇蟲傷 可救急用 (和藥)
권삼(자삼)	拳參(紫參)	Quanshen 苦澁微寒 肺肝大腸 / 淸熱解毒 消腫 止血
	여뀌과	범꼬리의 근경 (KHP) ▪ 항균, 진통, 지혈, 항종양작용 ▶ [참고] 금궤요략(金匱要略)에 등장하는 자삼은 기원이 불명확하며 또는 자완(紫菀)으로 보기도 함
금교맥	金蕎麥	Jinqiaomai 微辛澁凉 肺 / 淸熱解毒 排膿祛瘀

	여뀌과	금교맥의 뿌리줄기 ▪ 항균, 해열, 항염증, 항종양, 거담작용
대혈등	大血藤	Daxueteng 苦平 肝大腸 / 淸熱解毒 活血 祛風 止痛
	으름덩굴과	대혈등의 덩굴줄기 ▪ 항균, 항혈소판응집, 위장평활근억제
반지련	半枝蓮	Banzhilian 辛苦凉 肺肝胃 / 淸熱解毒 活血化瘀 利尿 抗癌
	꿀풀과	반지련의 지상부 (KHP) ▪ 항종양, 이뇨, 혈압강하, 항균, 지해거담작용
번백초	川白草	Fanbaicao 甘微苦平 肝胃大腸 / 淸熱解毒 止血消腫
	장미과	솜양지꽃의 뿌리 또는 뿌리를 포함한 전초
와송	瓦松	Wasong 酸苦凉 肝肺 / 凉血止血 淸熱解毒 收濕斂瘡
	돌나물과	바위솔 또는 기타 동속식물의 전초 (KHP)
용규	龍葵	Longkui 苦寒 肺肝胃 / 淸熱解毒 活血消腫
	가지과	까마중의 지상부 (KHP) ▪ 진해, 거담, 항염증, 항종양, 간보호, 항궤양, 신장보호, 중추신경억제효과
		[합편] 龍葵甘寒去熱睡 跌撲傷損小便利 용규감한거열수 질박상손소변리
위릉채	萎陵菜	Weilingcai 苦寒 肝大腸 / 淸熱解毒 凉血止痢
	장미과	딱지꽃의 전초 (KHP) ▪ 항미생물, 장관억제작용
저담	猪膽	Zhudan 苦寒 肝膽肺大腸 / 淸熱通便 淸膽凉肝 止咳平喘 解毒痔瘡 降血壓
	멧돼지과	멧돼지 또는 돼지의 담즙 (KHP) ▪ 항염증, 진경, 진통작용. 주로 웅담의 대용약물
천심련	穿心蓮	Chuanxinlian 苦寒 心肺大腸膀胱 / 淸熱解毒 凉血消腫 燥濕
	쥐꼬리망초과	천심련의 지상부를 말린 것 ▪ 항염증, 해열, 항균, 항바이러스, 혈압강하, 혈소판응집 억제, 항종양, 면역증강작용 ▶ [이명] 일견희(一見喜)
호이초	虎耳草	Huercao 苦辛寒有毒 肺脾大腸 / 祛風淸熱 解毒消腫 凉血止血
	범의귀과	바위취의 전초 (KHP)

2장 청열약

2.5 청열약(淸熱藥) – 청허열약(淸虛熱藥)

청호	靑蒿	Qinghao 苦辛寒 肝膽 / 淸熱解暑 除蒸 截瘧
	국화과	개똥쑥(Artemisia annua L) 또는 개사철쑥(Artemisia apiacea H)의 지상부 (KHP) ▪ 해열, 항균, 항말라리아(Artemisinin), 항산화작용 / 알테미시닌 (Artemisinin) 성분은 말라리아 표준치료제 ▶ CP에서는 개똥쑥만 수재 ▶ [이명] 황화호(黃花蒿)
		[합편] 靑蒿氣寒童熱膏 虛寒盜汗骨蒸勞 청호기한동열고 허한도한골증로 [신편/유고] 少陽人要藥

백미	白薇	Baiwei 苦鹹寒 胃肝腎 / 淸熱凉血 利尿通淋 解毒療瘡
	박주가리과	백미꽃 또는 만생백미의 뿌리 및 근경 (KHP) ▪ 해열, 이뇨, 항종양, 항염증작용
		[합편] 白薇大寒鬼邪却 不省人事風與癎 백미대한귀사각 불성인사풍여학 [중마] 白薇味苦 中風寒熱 溫癎往來 忽忽狂感 (和藥) [신편/유고] 太陰人要藥
지골피	地骨皮	Digupi 甘寒 肺肝腎 / 凉血除蒸 淸肺降火
	가지과	구기자나무 또는 영하구기의 근피 (KP) ▪ 해열, 혈압강하, 혈당강하, 항균작용. 항산화, 간보호효과 ▶ 열매는 구기자(枸杞子)
		[합편] 地骨皮寒能解肌 蒸汗熱血降陰宜 지골피한능해기 증한열혈강음의 [중마] 地骨皮寒 解肌退熱 有汗骨蒸 降陰養血 (寒藥) [신편/유고] 少陽人要藥 : 開腎之胃氣 而消食進食
은시호	銀柴胡	Yinchaihu 甘微寒 肝胃 / 淸虛熱 除疳熱
	석죽과	은시호 또는 대나물의 뿌리 (KHP) ▪ 해열, 항염증, 거담, 지질저하작용 ▶ CP에서는 은시호만 수재
호황련	胡黃連	Huhuanglian 苦寒 肝胃大腸 / 退虛熱 除疳熱 淸濕熱
	현삼과	호황련 또는 서장호황련의 근경 (KHP) ▪ 간기능(간보호, 담즙분비촉진, 고지혈증 및 지방간개선) 기타(항균, 항종양, 항당뇨작용)
		[합편] 胡黃連苦骨蒸類 盜汗虛驚兒疳痢 호황련고골증류 도한허경아감리 [중마] 胡黃連苦 補肝悅顔 小兒疳痢 盜汗驚癎 (寒藥)
율초	律草	Lucao 甘苦寒無毒 肺腎大腸 / 淸退虛熱 利尿 解毒 止瀉痢
	봉나무과	한삼덩굴의 지상부 (KHP) ▪ 항균, 산소공급증가작용

3.1   사하약(瀉下藥) − 공하약(攻下藥)

대황	大黃	Dahuang 苦寒 脾胃大腸肝心包 / 瀉熱通腸 凉血解毒 逐瘀經痛 ① 酒大黃: 淸上焦血分熱毒 ② 熟大黃: 瀉下力緩, 瀉火解毒 ③ 炭大黃: 凉血化瘀止血
	여뀌과 (=마디풀과)	장엽대황, 탕구트대황 또는 약용대황의 근경 (KP) ▪ 소화기계(사하작용-emodin, sennoside, rhein의 함량과 비례하여 효과, 항궤양, 간섬유화 억제, 담즙분비촉진) 항미생물, 항종양, 지혈(혈소판응집억제), 이뇨, 항염증해열 / 장내세균에 의해 대사된 수시간 후에 약효, 극소량 투여시에는 탄닌 때문에 오히려 지사효과[9] ▶ 사하(瀉下) 목적으로는 후하, 청열(淸熱) 목적으로는 다른 약과 같이 탕전[50] ▶ 임신시 주의하여 사용(愼用) (CP) ▶ [참고] KHP에 수재된 종대황(種大黃)은 대황의 위품으로 다른 효능의 품종 ▶ [참고] 당고특대황(唐古特大黃) : 탕구트대황의 음역 / 금문(錦紋)대황 : 뿌리의 횡단면에 금문이 있는 장엽대황, 탕구트대황 또는 약용대황을 지칭 (종대황은 제외)
		[합편] 大黃苦寒破血瘀 快腸通腸精聚除 대황고한파혈어 쾌격통장적취제 [중마] 大黃苦寒 破血消瘀 快胸通腸 破除積聚 (瀉藥)

[약징] 主通利結毒也 故能治 胸滿 腹滿 腹痛 及便閉 小便不利 旁治 發黃 瘀血 腫膿 (cf. 약증: 主治 痛而閉 煩而熱 脈滑實者, 兼治心下痞 吐血衄血 經水不利 黃疸 嘔吐 癰疽疔瘡等)
[신편/유고] 太陰人要藥 : 通肺之痢便

망초 芒硝 Mangxiao 鹹苦寒 胃大腸 / 瀉熱通便 潤燥軟堅 淸火消腫

광물류

황산염광물 망초를 정제한 것 (KHP) ■ 황산나트륨(Sodium Sulfate, Na2S04) 함유 - 사하작용(삼투압성 사하효과), 담즙분비촉진
► [이명] 소석(消石) 초석(硝石: 아래내용 참조) 원명분(元明粉) 마아초(馬牙硝)
► [참고] 박초(朴硝): 망초보다 정제가 덜 된 상태 / 현명분(玄明粉): 망초를 풍화건조(風化乾燥) 또는 반복수치하여 약력이 완만해진 상태 / 마아초(馬牙硝): 망초의 이명 또는 박초를 수치하여 말의 이빨처럼 하얗고 모가 나 있는 상태 / 초석(硝石): 망초의 이명 또는 질산칼륨(KNO3) 주성분의 광물
► 망초, 현명분 : 임신시 주의하여 사용 (CP)

[합편] 芒硝苦寒除實熱 積聚燥痰及便窒 망초고한제실열 적취조담급변질
[합편] 玄明粉辛除宿垢 化積消痰諸熱歐 현명분신제숙구 화적소담제열구
[중마] 芒硝苦寒 實熱積聚 推陳致新 疎通藏府 (和藥)
[중마] 玄明粉辛 善除宿垢 化積消痰 諸熱可療(和藥)
[약징] 主軟堅也 故能治 心下痞堅 心下石硬 少腹急結 結胸 燥屎 大便硬 而旁治 宿食腹滿 少腹腫痞之等 諸般難解之毒也 (cf. 약증: 主治便祕 舌面乾躁而譫語者)
[신편/유고] 少陽人要藥

노회 蘆薈 Luhui 苦寒 肝大腸 / 瀉下 淸肝熱 殺蟲

백합과

알로에의 잎에서 얻은 액즙을 건조한 것 (KHP) ■ 소화기계(건위, 사하, 항궤양, 간보호작용), 상처유합촉진, 항종양, 항염증, 항진균, 항종양작용
► 임신시 주의하여 사용(愼用) (CP)

[합편] 蘆薈氣寒殺蟲疳 癲癎驚搐俱可堪 로회기한살충감 전간경휵구가감
[중마] 蘆薈氣寒 殺蟲消疳 癲癎驚搐 服之立安 (和藥)
[신편/유고] 少陽人要藥

번사엽 (센나엽) 番瀉葉 Fanxieye 甘苦寒 大腸 / 瀉下通便

콩과

협엽번사 또는 첨엽번사의 작은 잎 (KP) ■ 사하작용
► 임신시 주의하여 사용(愼用) (CP)

3장 사하약

3.2 사하약(瀉下藥) - 윤하약(潤下藥)

화마인 火麻仁 Huomaren 甘平 脾胃大腸 / 潤燥 滑腸 通便

뽕나무과

삼(大麻)의 성숙종자 (KHP) ■ 사하작용(장점막에서의 Cl-의 이동에 영향), 혈당강하, 기억력개선, 지질저하작용 ► 도핑대상성분(cannabinol) 함유 한약재
► [이명] 마인(麻仁), 마자인(麻子仁)

[합편] 火麻味甘瘦可泄 下乳催生潤腸結 화마미감수가설 하유최생윤장결
[신편/유고] 마자인(麻子仁) - 太陰人要藥

욱리인	郁李仁	Yuliren 辛甘苦平 脾大腸小腸 / 潤燥滑腸 下氣 利水
	장미과	이스라지 또는 양이스라지나무의 씨 (KHP) ■ 사하, 이뇨, 항염증작용
		▶ 임신시 주의하여 사용(愼用) (CP)
		[합편] 郁李仁酸能潤燥 破血消腫便可導 욱리인산능윤조 파혈소종변가도
		[중마] 郁李仁酸 破血潤燥 消腫利便 關格通導 (通藥)

<h2>3장   사하약</h2>

3.3   사하약(瀉下藥) – 준하축수약(峻下逐水藥)

감수	甘遂	Gansui 苦寒有毒 肺腎大腸 / 瀉水逐飲 消腫散結
	대극과	감수의 코르크층을 벗긴 덩이뿌리 (KHP) ■ 면역억제, 사하작용
		▶ 독성주의한약재 (KFDA 고시) ▶ 임신시 사용금기 (CP)
		[합편] 甘遂苦寒破嗽痰 面浮蠱脹利水堪 감수고한파징담 면부고창리수감
		[약징] 主利水也 旁治 掣痛 咳煩 短氣 小便難 心下滿
		[신편/유고] 少陽人要藥：通腎之結胸
대극	大戟	Daji 苦辛寒有毒 肺脾腎 / 瀉水逐飲
	대극과	대극(Euphorbia pekinensis)의 뿌리 (KHP) ■ 사하, 이뇨, 항미생물, 혈관확장작용
		▶ [참고] CP에는 꼭두서니과 홍대극(紅大戟, Knoxia valerianoides)의 뿌리도 수재하며 KHP의 대극은 [경대극(京大戟)] 명칭으로 수재
		▶ 임신시 사용금기 (CP)
		[합편] 大戟甘寒最利便 水腫嗽堅功暝眩 대극감한최이변 수종징견공명현
		[중마] 大戟甘寒 消水利便 腫脹嗽堅 其功暝眩 (瀉藥)
		[약징] 主利水也 旁治 掣痛 咳煩
		[신편/유고] 少陽人要藥
원화	芫花	Yuanhua 苦辛溫有毒 肺脾腎 / 瀉水逐飲 解毒殺蟲
	팥꽃나무과	팥꽃나무의 꽃봉오리 (KHP) ■ 이뇨, 사하, 항균, 항바이러스, 항염증, 항종양작용
		▶ 임신시 사용금기 (CP)
		[합편] 芫花苦寒消脹蠱 瀉嗽止咳痰可吐 원화고한소창고 사습지해담가토
		[중마] 芫花寒苦 能消脹蠱 利水瀉濕 止咳瘀吐 (瀉藥)
		[약징] 主逐水也 旁治 咳 掣痛
견우자	牽牛子	Qiannuizi 苦寒有毒 肺腎大腸 / 瀉水通便 消痰滌飲 殺蟲攻積
	메꽃과	나팔꽃 또는 둥근잎나팔꽃의 성숙종자 (KP) ■ 소화기계(사하작용) 실증, 항진균작용
		▶ [참고] 표면의 색에 따라 흑축(黑丑)과 백축(白丑)으로 구분되나 효과는 유사
		▶ 임신시 사용금기 (CP)
		[합편] 牽牛苦寒利水腫 蠱脹痃癖散滯壅 견우고한리수종 고창현벽산체옹
		[중마] 黑丑苦寒 利水消腫 蠱脹痃癖 散滯除壅 (瀉藥)
상륙	商陸	Shanglu 苦寒有毒 肺脾腎大腸 / 逐水消腫 通利二便 解毒散結
	상륙과	자리공 또는 미국자리공의 뿌리 (KHP) ■ 이뇨, 항종양, 진해거담, 항염증, 항균, 면

		역조절작용 ▶ 임신시 사용금기 (CP)
		[합편] 商陸辛甘赤白異 赤者腫消白水利 상륙신감적백이 적자종소백수리 [중마] 商陸辛甘 赤白各異 赤者消腫 白利水氣 (瀉藥)
파두	巴豆	**Badou 辛熱大毒 胃大腸 / 峻下積滯 破癥瘕 逐水消腫**
	대극과	파두의 씨 (KP) ■ 준하, 피부자극, 항균, 종양생성촉진 ▶ 독성주의한약재 (KFDA 고시) ▶ 임신시 사용금기 (CP)
		[합편] 巴豆辛熱治寒崇 胃寒瘀積大通利 파두신열치담수 위한징적대통리 [중마] 巴豆辛熱 除胃寒積 破癥消痰 大能通利 (瀉藥) [약징-속편] 主治 心腹胸膈之毒 旁兼治 心腹卒痛 脹滿 吐膿 [신편/유고] 少陰人要藥 : 脾之關格通
속수자	績隨子	**Xusuizi 辛溫有毒 肝腎大腸 / 逐水消腫 破癥殺蟲**
	대극과	속수자의 씨 (KHP) ■ 위점막자극 ▶ [이명] 천금자(千金子) : CP에서는 이 명칭으로 수재 ▶ 독성주의한약재 (KFDA 고시) ▶ 임신시 사용금기 (CP)
		[합편] 續隨子辛蠱毒瘡 通經消積莫過嘗 속수자신고독창 통경소적막과상 [신편/유고] 太陰人要藥
피마자	蓖麻子	**Bimazi 甘辛平有毒 肺大腸 / 消腫拔毒 瀉下通滯**
	대극과	피마자의 씨 (KHP) ■ 사하, 피임작용 ▶ [이명] 비마자, 아주까리
		[합편] 蓖麻子辛滯崇開 塗頂收肚足下胎 비마자신체수개 도정수두족하태

<table>
<tr><td style="background:gray">4장</td><td style="background:gray">거풍습약</td></tr>
</table>

4.1 거풍습약(祛風濕藥) – 거풍습지비통약(祛風濕止痺痛藥)

독활	獨活	**Duhuo 辛苦微溫 腎膀胱 / 祛風除濕 通痺解表止痛**
	두릅나무과	독활(Aralia continentalis K. 민간명: 땃두릅, 땅두릅)의 뿌리 (KP) / 산형과 중치모당귀(Angelicae Pubescentis Radix, 重齒毛當歸)의 뿌리 (CP) ■ 진통, 항염증, 혈소판응집억제, 항천식, 연골보호작용 ▶ 중국유래처방에는 중치모당귀, 국내유래처방(ex. 동의수세보원)에는 땃두릅(땅두릅)의 사용이 고려될 수 있음 ▶ [참조] JP에서는 땃두릅은 독활(獨活)로, 중치모당귀는 당독활(唐獨活)로 구별
		[합편] 獨活甘苦項難舒 兩足濕痺風可除 독활감고항난서 양족습비풍가제 [중마] 獨活甘溫 頸項難舒 兩足濕痺 諸風能除 (散藥) [신편/유고] 少陽人要藥
위령선	威靈仙	**Weilingxian 辛鹹溫 膀胱 / 祛風除濕 通絡止痛**
	미나리아재비과	으아리, 가는잎사위질빵 또는 위령선의 뿌리 및 근경 (KHP) ■ 항염증(연골세포 chondrocyte의 사멸억제), 혈당강하, 혈압강하, 담즙분비촉진, 간보호, 항종양
		[합편] 威靈苦溫腰膝冷 積痰痃癖風濕並 위령고온요슬냉 적담현벽풍습병 [중마] 威靈苦溫 腰膝冷痛 積痰痃癖 風濕通用 (通藥) [신편/유고] 太陰人要藥

방기	防己	Fangji 苦辛寒 膀胱腎脾肺 / 祛風止痛 利水消腫
	새모래덩굴과 (=방기과)	1) 방기(靑風藤=靑藤)의 덩굴성줄기 및 근경(KP, JP) 2) 분방기(粉防己=漢防己)의 뿌리(CP) ■ KP, JP에 수재된 방기는 CP에서 청풍등(靑風藤) 약명으로 수재되어 있으며 sinomenine이 주요활성성분 : 진통, 진경, 항염증, 항알러지, 항부정맥, 항산화효과 / CP에 수재된 방기는 분방기(粉防己)로서 tetrandrine이 주성분 : 항염증, 진통, 항과민(히스타민유리억제), 신경계에 작용, 기타(근이완, 이뇨, 진해작용) ▸ 광방기(廣防己), 한중방기(漢中防己) : 쥐방울과 방기로 신독성이 있어 사용금지 **[참조항목: 80-7]** ▸ 목방기 : 새모래덩굴과 댕댕이덩굴의 뿌리로서 KHP에 수재되어 있으나 중국 현지에서 통용되는 木防己의 뜻과는 구별되므로 주의 ▸ [참고] 현재 중국내에서 유통되는 방기는 1)한방기 2) 목방기로 크게 구분하는데 1)한방기는 분방기를 2) 목방기는 광방기, 한중방기를 지칭하고 때때로 댕댕이덩굴 기원의 목방기를 포함하기도 함 (출처: CP 2010)
		[합편] 防己氣寒癰腫滅 風濕脚痛膀胱熱 방기기한옹종멸 풍습각통방광열 [중마] 防己氣寒 風濕脚痛 熱積膀胱 消癰散腫 (和藥) [약징] 主治 水也 (cf. 약증: 主治 下肢水腫)
진교	秦艽	Qinjiao 苦辛微寒 胃肝膽 / 祛風濕 舒筋絡 淸虛熱 淸濕熱
	용담과	큰잎용담, 마화진교, 조경진교 또는 소진교의 뿌리 (KHP) ■ 항염증, 항미생물효과, 기타(혈압강하, 혈당상승, 항종양) ▸ [참고] 진범(秦艽) : 미나리아재비과. 진통작용 등이 강한 편이나 유독한 약재로서 진교, 한진교(韓秦艽) 오독도기 등으로도 불려 용담과 진교와의 혼동우려 [15,40]
		[합편] 秦艽微寒治濕功 下血骨蒸肢節風 진구미한치습공 하혈골증지절풍 [중마] 秦艽苦平 除濕痺攣 肢節風痛 利下小便 (和藥)
해동피	海桐皮	Haitongpi 苦辛平 肝 / 祛風濕 通經絡 殺蟲
	두릅나무과	음나무(엄나무)의 수피 (KP) ■ 항염증작용(kinin억제), 항미생물작용(항진균, 항말라리아), 항산화효과, 항종양, 위벽보호, 지질저하, 혈당강하작용 ▸ [참고] CP에서는 콩과에 속하는 자동(刺桐)의 수피로 수재
		[합편] 海桐皮苦腰脚痺 疳癬風氣瀉與痢 해동피고요각비 감선풍기사여리 [중마] 海桐皮苦 腰脚麻痺 瀉痢疳癬 善除風氣 (和藥)
초오	草烏	Caowu 辛苦熱大毒 心肝腎脾 / 祛風除濕 溫經止痛 麻醉止痛
	미나리아재비과	이삭바꽃, 놋젓가락나물 또는 세잎돌쩌귀의 덩이뿌리 (KHP) ■ [부자(附子) 참조] ▸ 독성주의한약재 (KFDA 고시) ▸ 임신시 사용금기 (CP)
		[합편] 草烏熱毒治腫毒 風寒濕痺皆可督 초오열독치종독 풍한습비개가독
잠사	蠶沙	Cansha 甘辛溫 肝脾胃 / 祛風除濕 和胃化濁
	누에과	집누에의 분변 ■ 항염증, 항종양, 조혈촉진작용 ▸ [이명] 원잠사(原蠶沙) 만잠사(晚蠶沙) ▸ [참고] 누에의 유충은 백강잠(白殭蠶) [백강잠 항목 참조], 교미직전의 숫누에나방은 원잠아(原蠶蛾 : 補腎壯陽 澁精 止血 解毒의 효능), 누에허물은 잠태(蠶蛻) 또는 잠퇴(蠶退 : 祛風止血 明目退翳의 효능)

마전자	馬錢子	Maqianzi 苦寒大毒 肝脾 / 通絡止痛 散結消腫
	마전과	마전의 성숙종자 (KP: '호미카'로 수재) ■ 중추신경흥분, 항염증, 진통, 항균, 위액분비촉진 ▶ 독성주의한약재 (KFDA 고시) ▶ 도핑대상성분(strychnine) 함유 한약재 ▶ 임신시 사용금기 (CP)
정공등	丁公藤	Dinggongteng 辛溫有小毒 肝脾胃 / 祛風濕 消腫止痛
	메꽃과	정공등(Erycibe obtusifolia B) 또는 광엽정공등의 덩굴성 줄기 (KHP) ■ 항염증, 진통작용 ▶ 임신시 사용금기 (CP) ▶ [참조] 마가목(馬加木) : 정공등과는 관련이 없는 풍목으로 마가목의 민간명이 정공등이라 유통상 혼동이 초래되어 왔음.
		[합편] 丁公藤溫治腎衰 風濕痺嗽及烏毳 정공등온치신쇠 풍습비수급오자 [신편/유고] 少陰人要藥
노로통	路路通	Lulutong 苦平 肝腎 / 祛風通絡 利水除濕 通經 下乳
	조록나무과	풍향수의 성숙과실 (KHP) ■ 항염증작용
신근초	伸筋草	Shenjincao 辛苦溫 肝脾腎 / 祛風散寒 除濕消腫 舒筋活血
	석송과	석송의 전초 (KHP) ■ 진통 해열 수면시간연장

4.2 거풍습약(祛風濕藥) – 서근활락약(舒筋活絡藥)

목과	木瓜	Mugua 酸溫 肝脾 / 舒筋活絡 和胃化濕
	장미과	모과나무 또는 명자나무의 성숙과실 (KHP) ■ 항염증(관절염모델에 효과), 항소양, 항응고, 항균, 지질저하, 혈당저하
		[합편] 木苽味酸脚腫漏 霍亂轉筋膝拘急 목고미산각종습 곽란전근슬구급 [중매] 木瓜味酸 平肝斂肺 霍亂吐下 轉筋能止 (收藥) [신편/유고] 太陽人要藥 : 止嘔逆 煎汁飮之
낙석등	絡石藤	Luoshiteng 苦微寒 心肝腎 / 祛風通絡 凉血消腫
	협죽도과	털마삭줄 또는 마삭줄의 잎이 있는 덩굴성 줄기 (KHP) ■ 항염증, 항균, 항종양, 항통풍작용
상지	桑枝	Sangzhi 苦平 肝 / 祛風濕 利關節
	뽕나무과	뽕나무 또는 기타 동속 근연식물의 어린 가지 (KHP) ■ 항염증, 면역증강, 항균, 혈압강하, 지질강하작용 ▶ [참고] 뽕나무의 잎은 상엽(桑葉), 뿌리껍질은 상백피(桑白皮), 완전히 익기 전의 열매는 상심자(桑椹子)로서 약용
백화사	白花蛇	Baihuashe 甘鹹溫有毒 肝 / 祛風 通絡 止痙
	살모사과	오보사의 내장을 뺀 몸체 (KHP) ■ 진정, 최면, 진통, 혈압강하작용 ▶ [참고] CP에서는 살모사과 기사(蘄蛇=五步蛇)와 코브라과 금전백화사(金錢白花蛇=銀環蛇)로 별도 수재
		[합편] 花蛇溫毒治大風 癱瘓喎斜癩疥通 화사온독치대풍 탄탄와사나개통

희렴초	豨薟草	Xixiancao 苦寒 肝腎 / 祛風濕 通經絡 利關節 淸熱解毒
	국화과	털진득찰 또는 진득찰의 지상부 (KHP) ▪ 항염증, 항균, 면역억제, 심혈관계(혈압강하, 혈혈확장, 항혈전작용) ► [이명] 희첨(豨薟)
		[합편] 豨薟味苦除風濕 鬚髮耳目功皆及 희렴미감제풍습 수발이목공개급
서장경	徐長卿	Xuchanmgqing 辛溫 肝胃 / 祛風通絡 止痛解毒
	박주가리과	산해박의 뿌리 및 근경 (KHP) ▪ 진정, 진통, 해열, 지질저하, 동맥경화억제작용
사과락	絲瓜絡	Sigualuo 甘平 肺胃肝 / 通經活絡 淸熱化痰
	박과	수세미 오이의 열매 중 섬유질의 망상조직 (KHP) ▪ 진통, 진정, 진해평천, 항균, 항염증작용
		[합편] 絲瓜性冷主惡瘡 痘疹乳疽行腫各 사과성랭주악창 두진유저정종방
오초사	烏梢蛇	Wushaoshe 甘鹹平 肝 / 祛風 通絡 止痙
	유사과	오초사의 건조체
취오동	臭梧桐	Chouwutong 辛苦甘凉 肝 / 祛風濕 止痛 降血壓
	마편초과	누리장나무의 어린가지와 잎 ▪ 혈압강하, 진통, 진정작용
해풍등	海風藤	Haifengteng 辛苦微溫 肝 / 祛風濕 通經絡 止痺痛
	후추과	바람등칡의 덩굴줄기 (KHP) ▪ 항혈전, 심근혈류량증가, 항내독소작용

4장 거풍습약

4.3 거풍습약(祛風濕藥) – 거풍습강근골약(祛風濕强筋骨藥)

오가피	五加皮	Wujiapi 辛苦溫 肝腎 / 祛風濕 補肝腎 强筋骨
	두릅나무과	오갈피나무 또는 동속식물의 근피 및 수피 (KP) ▪ 면역증강, 항염증, 항알러지, 소화기계(항궤양, 간독성억제) 항종양, 항균, 지질저하, 혈당강하, 강심, 항피로, 신경세포보호, 성장촉진
		► [자오가(刺五加)] 참조 : 가시오가피는 고전문헌에는 별도로 구별되지 않았으나 러시아에서의 강장효능연구 등으로 높이 평가되기 시작하였으며 CP에는 1977년부터 오가피와 별도로 수재
		[합편] 五加皮寒祛風痺 健步益精源餘備 오가피한거풍비 건보익정력여비
		[중매] 五加皮溫 祛風痺 健步堅筋 添精益髓 (補藥)
		[신편/유고] 太陽人要藥 : 治兩脚疼痺 骨節攣急 拺癖 小兒三歲 不能行 服此 便行走
호골	虎骨	Hugu 辛溫 肝腎 / 祛風定痛 强筋健骨 鎭痙
	고양이과	호랑이의 골격 ► [참고] CITES 국제거래금지 품목
		[합편] 虎骨味辛治脚膝 壯筋定痛追風疾 호골미신치각슬 장근정통추풍질
		[신편/유고] 太陰人要藥
곡기생	槲寄生	Hujisheng 苦平 肝腎 / 祛風濕 補肝腎 强筋骨 安胎

	겨우살이과	겨우살이의 잎, 줄기, 가지 (KHP) ■ 혈압강화, 혈소판응집억제, 항종양, 항심허혈
상기생	桑寄生	Sangjisheng 苦甘平 肝腎 / 補肝腎 強筋骨 祛風濕 安胎
	겨우살이과	뽕나무겨우살이 또는 상기생의 잎, 줄기 및 가지 (KHP) ■ 순환계(혈압강하, 관상동맥이완), 항종양, 간보호, 이뇨작용 [합편] 寄生甘苦腰痛麻 續筋壯骨風濕佳 기생감고요통마 속근장골풍습가
		[중마] 寄生甘苦 腰痛頑麻 續筋壯骨 風濕尤佳 (補藥) [신편/유고] 太陰人要藥

5.   방향화습약(芳香化濕藥)

창출	蒼朮	Cangzhu 辛苦溫 脾胃肝 / 燥濕健脾 祛風散寒 明目
	국화과	모창출(= 남창출 Atractylodes lancea DC) 또는 북창출(= 적창출 Atractylodes chinensis K)의 근경 (KP) ■ 아트락틸로딘(atractylodin), 베타-오데스몰(β- eudesmol), 아트락틸론(Atractylone) 등 함유 – 소화기계(위배출 촉진, 항궤양) 진정, 혈관이완, 항균, 혈당강하, 이뇨작용 ▶ [참고] 관창출(關蒼朮), 동창출(東蒼朮)은 삽주(Atractylodes japonica)를 지칭하는 명칭 : 백출(白朮) 항목 참조 ▶ 모창출(茅蒼朮) : 중국 안휘성 모산(茅山) 지역에서 주로 유래한 창출
		[합편] 蒼朮甘溫能發汗 除濕寬中除障可捍 창출감온능발한 제습관중장가한 [중마] 蒼朮甘溫 健脾燥濕 發汗寬中 更祛障疫 (補藥) [약징] 朮(출) : 主利水也 故能治 小便自利 不利 旁治 身煩疼 痰飮 失精 眩冒 下利 喜唾 [신편/유고] 少陰人要藥
후박	厚朴	Houpo 苦辛溫 脾胃肺大腸 / 燥濕消痰 下氣除滿
	목련과	일본목련, 후박 또는 요엽후박의 수피 (KP) ■ 호노키올(honokiol), 마그놀롤(magnolol) 등 함유 – 소화기계(항궤양, 구토억제, 진경, 소화촉진) 신경계(진정(GABA 생성증가), 근이완, 수면연장, 기억력개선, 뇌세포보호, 항우울-serotonin 활성관련) 항천식(기관지평활근 수축억제, glucocorticoid 생성촉진) 기타(혈소판응집억제, 항균, 항종양, 항산화효과) ▶ 당후박(唐厚朴) : 중국 또는 베트남산지의 후박 ▶ 토후박(土厚朴) : 녹나무과의 다른 기원으로 후박의 위품. 섬후박이라고도 함.
		[합편] 厚朴苦溫消脹滿 痰氣瀉痢不可緩 후박고온소창만 담기사리불가완 [중마] 厚朴苦溫 消脹除滿 痰氣瀉痢 其功不緩 (通藥) [약징] 主治 胸腹脹滿也 旁治 腹痛 (cf. 약증: 主治 腹滿 胸滿, 兼治咳喘 便秘) [신편/유고] 少陰人要藥
곽향	藿香	Huoxiang 辛微溫 脾胃肺 / 芳香化濁 開胃止嘔 發表解暑
	꿀풀과	배초향(Agastache rugosa)의 지상부 (KHP) 또는 광곽향(廣藿香, Pogostemonis Herba)의 지상부 (KP) ■ 소화기계(위액분비촉진, 항구토, 항궤양) 항균, 항진균, 항바이러스, 항종양, 항염증, 혈압강하작용 ▶ KP에서는 곽향(배초향)과 광곽향이 별도항목/ CP에서는 광곽향만 곽향으로 수재

		▶ [참고] 곽경(藿梗) : 곽향의 줄기부분 / 광곽향(廣藿香): 중국 광동(廣東)에서 유래
		[합편] 藿香辛溫止嘔吐 發散風寒霍亂主 곽향신온지구토 발산풍한곽란주 [중마] 藿香辛溫 能止嘔吐 發散風寒 霍亂爲主 (散藥) [신편/유고] 少陰人要藥 : 安氣定魄
사인	砂仁	Sharen 辛溫 脾胃腎 / 化濕開胃 溫脾止瀉 理氣安胎
	생강과	녹각사 또는 양춘사의 성숙과실 또는 씨의 덩어리 (KP) ▪ 소화기계(위액분비촉진, 장관운동증가, 항궤양) 진통, 골형성유도 ▶ 축사(縮砂): 사인의 이명 / 공사인(貢砂仁): 과거에 조공 등을 위한 양품의 사인
		[합편] 砂仁溫胃養胃進食 善通經胎安痛息 사인온양위진식 선통경태안통식 [중마] 砂仁性溫 養胃進食 止痛安胎 通經破滯 (通藥) [신편/유고] 少陰人要藥
백두구	白豆蔲	Baidoukou 辛溫 肺脾胃 / 化濕消痞 行氣溫中 開胃消食
	생강과	백두구 또는 자바백두구의 성숙과실 (KP) ▪ 소화기계(위액 및 담즙분비촉진, 연동운 동촉진) 항균작용
		[합편] 白蔲辛溫調元氣 能祛寒嘔醒脾胃 백구신온조원기 능거장예구번위 [중마] 白蔲辛溫 消食下氣 能治精冷 止嘔翻胃 (熱藥) [신편/유고] 少陰人要藥
초두구	草豆蔲	Caodoukou 辛溫 脾胃 / 燥濕健脾 溫胃止嘔
	생강과	초두구의 씨 (KP) ▪ 소화기계(건위, 항구토) 항산화, 항종양, 소양억제(피부도포시)
		[합편] 草蔲辛溫食無味 嘔吐作痛寒犯胃 초구신온식무미 구토작통한범위 [중마] 草蔲辛溫 治寒犯胃 作痛嘔吐 不食能治 (熱藥)
초과	草果	Caoguo 辛溫 脾胃 / 燥濕溫中 除痰截瘧
	생강과	초과의 성숙과실 (KP) ▪ 건위, 진통작용
		[합편] 草果味辛消食脹 截瘧逐痰辟瘟瘴 초과미신소식창 절학축담벽온장 [중마] 草果味辛 消食除脹 截瘧逐痰 辟瘟祛瘴 (熱藥) [신편/유고] 少陰人要藥
패란	佩蘭	Peilan 辛平 脾胃肺 / 芳香化濕 醒脾開胃 發表解暑
	국화과	벌등골나물의 지상부 (KHP) ▪ 항염증, 건위작용
소두구	小豆蔲	Xiaodoukou 辛甘溫 脾胃 / 消食驅蟲 芳香化濕
	생강과	소두구의 성숙과실 (KP) ▪ 담즙분비촉진, 식욕증진, 이뇨, 혈압강하, 수면연장, 항균

6장	이수삼습약

6.1　이수삼습약(利水渗濕藥) – 이수퇴종약(利水退腫藥)

복령	茯苓	Fuling 茯苓(甘淡平 心脾腎) 赤茯苓(甘淡平 心脾膀胱) 茯苓皮(甘淡平 心脾腎) / 茯苓(利水渗濕 健脾寧心) 赤茯苓(行水 分利濕熱) 茯苓皮(利水消腫)

| | 구멍장이버섯과 | 복령의 균핵 (KP) ■ 이뇨, 면역증강(IL, TNF-alpha 분비촉진), 진정수면, 항산화, 항염증, 항궤양, 혈당강하, 신염(nephritis) 억제, 항종양작용 |

▶ [참고] KP, CP, JP 모두 백복령, 적복령 구별없이 복령으로 수재 –

▶ [참고] 실제 통복령 단면을 보면 적-백 부분이 같이 분포하는 경우가 많으며 바깥에서부터 (복령피)-(적복령)-(백복령)-(복신)의 단계별 분포를 보임. 일반적으로는 적복령은 증숙발효단계로 담홍색을 띄는 단계, 백복령은 증숙이 거의 끝나 흰색을 띄는 단계, 복신은 완전히 증숙되어 수분이 증발되고 단단해진 단계 35)

▶ [참고] 일반적으로 이수(利水)는 복령피)적복령)백복령)복신 순으로 강하고 건비(健脾)는 백복령)복신)적복령)복령피의 순서로 강하며 안신력(安神力)은 복신)백복령)적복령)복령피의 순서로 강함. 5,35)

▶ [복신(茯神)] 참조

▶ 칼복령 : 대나무 칼로 비교적 두껍게 썰은 복령

[합편] 茯苓味淡利竅美 白化痰涎赤通水 복령미담이규미 백화담연적통수
[중마] 茯苓味淡 滲濕利竅 白化痰涎 赤通水道 (補藥)
[약징] 主治 悸 及肉瞤筋惕也 旁治 小便不利 頭眩 煩躁 (cf. 약증: 主治 眩悸 口渴而小便不利者)
[신편/유고] 少陽人要藥 : 固腎立腎

복신

茯神   Fushen   甘淡平 心脾 / 寧心安神 利水

| | 구멍장이버섯과 | 소나무 뿌리에 기생하는 복령의 균핵으로 속에 소나무 뿌리를 감싸고 있는 것 (KHP) ■ [복령(茯苓)] 참조 ▶ 복신목(茯神木): 복신에서 얻어진 소나무 뿌리 |

[합편] 茯神補心善鎭驚 怳惚健忘怒恚情 복신보심선진경 황홀건망노에정
[중마] 茯神補心 善鎭驚悸 怳惚健忘 兼除怒恚 (補藥)

저령

猪苓   Zhuling   甘淡平 腎膀胱 / 利水滲濕

| | 구멍장이버섯과 | 저령의 균핵 (KP) ■ 이뇨작용(세뇨관에서의 수분재흡수 억제), 항종양, 면역강화, 항균, 간보호작용 |

[합편] 猪苓味淡水濕緊 消腫通淋多損腎 저령미담수습긴 소종통림다손신
[중마] 猪苓味淡 利水通淋 消腫除濕 多服損腎 (通藥)
[약징] 主治 渴而小便不利也 (cf. 약증: 主治 小便不利者)
[신편/유고] 少陽人要藥 : 滌腎之穢氣

택사

澤瀉   Zexie   甘寒 腎膀胱 / 利小便 清濕熱

| | 택사과 | 질경이택사의 덩이줄기 (KP) ■ 이뇨작용, 순환계(관상동맥확장, 혈압저하) 내분비(지질저하, 지방생성억제, 혈당강하: alpha-glucosidase 활성억제) 항알러지, 항염증 ▶ 물 추출물 보다 에탄올 추출물의 이뇨작용이 뚜렷하나 고농도(20-80mg/Kg) 투여시 이뇨가 오히려 억제됨 45) |

[합편] 澤瀉苦寒治腫渴 除濕通淋陰汗渴 택사고한치종갈 제습통림음한알
[중마] 澤瀉苦寒 消腫止渴 除濕通淋 陰汗自渴 (通藥)
[약징] 主治 小便不利 冒眩也 旁治 渴 (cf. 약증: 主治 冒眩而口渴 小便不利者)
[신편/유고] 少陽人要藥 : 壯腎而有外攘之勢

의이인

薏苡仁   Yiyiren   甘淡涼 脾胃肺 / 健脾滲濕 除痺止瀉 清熱排膿

| | 벼과 | 율무의 성숙종자 (KP) ■ 항궤양, 항종양, 항알러지, 항염증, 면역증강, 내분비계(혈중 Leptin 억제를 통한 항비만효과, 성호르몬 분비억제, 배란촉진, 혈당강하, 지질감소, |

		골다공증완화) / 임신시 복용주의(태자흡수 증가) [44]
		[합편] 薏苡味甘除濕痺 治肺癰痿拘攣類 의이미감제습비 치폐옹위구련류
		[중마] 薏苡味甘 專除濕痺 筋脈拘攣 肺癰肺痿 (補藥)
		[약징] 主治 浮腫也
		[신편/유고] 太陰人要藥 : 開肺之胃氣 而消食進食
동과피	冬瓜皮	Dongguapi 甘凉 脾小腸 / 利尿消腫
	박과	동아의 열매의 겉껍질 (KHP) ■ 이뇨, 혈당강하 작용
		[합편] 冬瓜甘寒熱渴釋 利大小腸壓丹石 동과감한열갈석 이대소장압단석
		[신편/유고] 太陰人要藥
적소두	赤小豆	Chixiaodou 甘酸平 心小腸 / 利水消腫 解毒排膿
	콩과	팥 또는 덩굴팥의 씨 (KHP) ■ 항균, 정자 첨체(尖體)의 효소인 acrosin 활성억제
		[합편] 赤豆酸平腫滿收 排膿消渴並利溲 적두산평종만수 배농소갈병이수
누고	螻蛄	Lougu 鹹寒小毒 膀胱大腸小腸 / 利水通淋 消腫解毒
	땅강아지과	땅강아지 또는 근연곤충의 건조체 (KHP)
옥미수 (옥촉서예)	玉米鬚	(玉蜀黍蕊) Yumixu 甘平 膀胱肝膽 / 利尿退腫 利膽退黃 降血糖 止血
	벼과	옥수수의 암술대와 암술머리 (KHP) ■ 이뇨, 혈당강하, 혈압강하 ▶ [이명] 옥발(玉髮)
택칠	澤漆	Zeqi 辛苦微寒有毒 肺大腸小腸 / 利水退腫 化痰止咳 散結解毒
	대극과	등대풀의 전초 ■ 항균, 혈관확장, 기관지확장, 항종양작용

6장　이수삼습약

6.2　이수삼습약(利水滲濕藥) – 이뇨통림약(利尿通淋藥)

차전자	車前子	Cheqianzi 甘微寒 肝腎膀小腸 / 淸熱利尿 滲濕通淋 明目 袪痰
	질경이과	질경이 또는 털질경이의 성숙종자 (KP) ■ 이뇨작용(수분, NaCl, 요산배설증가) 항알러지, 항염증, 진통, 진해, 항산화, 항우울
		▶ [참고] 차전초(車前草) : 甘寒 肝腎膀胱 / 淸熱利尿 凉血 解毒의 효능
		[합편] 車前氣寒眼赤疾 小便通利大便實 차전기한안적질 소변통리대편실
		[중마] 車前氣溫 止痛利水 强陰益精 令人有子 (通藥)
		[신편/유고] 少陽人要藥
목통	木通	Mutong 苦寒 心小腸膀胱 / 淸熱利尿 通利血脈
	으름덩굴과	으름덩굴의 줄기 (KP) ■ 이뇨, 항염증, 기타(지질저하, 진정, 진통, 혈관염증개선)
		▶ [참고] 쥐방울과 관목통(關木通)은 aristolochic acid가 함유되어 신독성이 유발될 수 있으므로 사용금지
		▶ [예지자(預知子) 참조] 으름덩굴의 성숙과실

[합편] 木通性寒滯可寧 小腸熱閉及通經 목통성한체가녕 소장열폐급통경
[중마] 木通性寒 小腸熱閉 利經通竅 最能導滯 (通藥)
[신편/유고] 少陽人要藥 : 壯腎而有充足內外之力

활석	滑石	Huashi 甘淡寒 膀胱肺胃 / 利水通淋 清熱解暑 祛濕斂瘡
	광물류	천연의 함수규산마그네슘, 때로는 소량의 규산알루미늄 함유 (KHP) ■ 함수규산마그네슘(3MgO-4SiO2-H2O). 흡착, 수렴, 지사작용. 상처부위보호 및 분비물흡수

▶ [참고] JP에서는 함수규산알루미늄을 주성분으로 하는 연활석(軟滑石)을 사용

[합편] 滑石沈寒滑利竅 解渴除煩淸熱療 활석침한활리규 해갈제번청열료
[중마] 滑石甘寒 除濕利竅 分水實腸 解渴捷效 (通藥)
[약징] 主治 小便不利也 旁治 渴也 (cf. 약증: 主治 小便不利且赤者, 兼治渴)
[신편/유고] 少陽人 : 滌腎之穢氣

통초	通草	Tongcao 甘淡微寒 肺胃 / 清熱利尿 通氣下乳
	두릅나무과	통탈목의 줄기의 수(髓) (KHP) ■ 이뇨, 간보호, 해열, 항염증 작용

▶ 임신시 주의하여 사용(愼用) (CP) ▶ 유통과정 중 쥐방울과 관목통(關木通: aristolochic acid가 함유되어 신독성 유발)과의 혼용에 주의
▶ [참고] 상한론에 기재된 통초(通草)는 으름덩굴과의 목통(木通)을 의미

[합편] 通草味甘治膀胱 消癰散腫通乳房 통초미감치방광 소옹산종통유방

해금사	海金沙	Haijinsha 甘鹹寒 膀胱小腸 / 清利濕熱 通淋止痛
	실고사리과	실고사리의 포자 (KHP) ■ 이담, 결석배출작용

[합편] 海金砂寒通小腸 濕熱腫滿淋亦當 해금사한통소장 습열종만임역당
[신편/유고] 少陽人要藥

석위	石韋	Shiwei 苦甘微寒 肺膀胱 / 利尿通淋 清肺化痰 止血
	고란초과	석위, 애기석위 또는 세뿔석위의 잎 (KHP) ■ 진해평천, 거담, 항바이러스, 이뇨배석

비해	萆薢	Beixie 苦平 肝胃膀胱 / 利濕濁 祛風濕
	마과	도코로마의 근경 (KHP) ■ 항균, 항종양, 골밀도증가, 항동맥경화작용

[합편] 萆薢甘溫三氣痺 腰背冷疼添精嗣 비해감온삼기비 요배냉동첨정이

지부자	地膚子	Difuzi 辛苦寒 腎膀胱 / 清熱利濕 祛風止痒
	명아주과	댑싸리의 성숙과실 (KP) ■ 항균, 항과민, 이뇨, 항염증, 항종양작용

[합편] 地膚子寒除瘙痒 去膀胱熱功最廣 지부자한제소양 거방광열공최광
[중마] 地膚子甘 補中益精 清熱利水 却老聰明 (補藥)
[신편/유고] 少陽人要藥

편축	萹蓄	Bianxu 苦微寒 膀胱 / 利尿通淋 殺蟲 止痒
	여뀌과	마디풀의 전초 (KHP) ■ 이뇨작용, 간섬유화 억제, 항균, 혈압강하, 항동맥경화. 항산화, 정자운동능향상, 치은염개선

		[합편] 萹蓄味苦瘙疥息 疽痔兒蟨女陰蝕 편축미고소개식 저치아회녀음식
구맥	瞿麥	Qumai 苦寒 心小腸 / 利尿通淋 破血通經
	석죽과	술패랭이꽃 또는 패랭이꽃의 지상부 (KHP) ■ 이뇨, 심장억제, 장관평활근흥분, 항종양, 항알러지작용 ► 임신시 주의하여 사용 (CP)
		[합편] 瞿麥辛寒除淋零 目能墮胎及通經 구맥신한제림령 차능타태급경 [중마] 瞿麥辛寒 專治淋病 目能墮胎 通經立應 (通藥) [신편/유고] 少陽人要藥
동규자	冬葵子	Dongkuizi 甘寒 大腸小腸膀胱 / 利水通淋 潤腸通便 下乳
	아욱과	아욱의 씨 (KHP) ■ 항균, 혈당강하작용
		[합편] 冬葵子寒治槰方 滑胎易産通乳房 동규자한치룡방 활태이산통유방 [신편/유고] 少陽人要藥
등심초	燈心草	Dengxingcao 甘淡微寒 心肺小腸 / 淸心火 利小便
	골풀과	골풀의 줄기의 수(髓) (KP) ■ 항균, 신경계(GABA수용체 발현증가-항우울, 수면개선)
		[합편] 燈草味甘利小水 槢閉成淋濕腫止 등초미감이소수 륭폐성림습종지 [중마] 燈心味甘 通利小水 槢閉成淋 濕腫爲最 (通藥) [신편/유고] 少陽人要藥
삼백초	三白草	Sanbaicao 苦辛寒 肺膀胱 / 淸熱解毒 利尿消腫
	삼백초과	삼백초의 지상부 (KHP) ■ 항염, 간보호, 뇌세포보호, 혈당강하, 항종양작용
유백피	楡白皮	Yubaipi 甘平 脾肺膀胱 / 利水通淋 祛痰 消腫解毒
	느릅나무과	왕느릅나무의 주피를 제거한 수피 (KHP) ■ 항균, 혈압강하, 소화기계(궤양성대장염 등에 효과) ► [이명] 유근피(楡根皮) : 주로 뿌리껍질을 의미
		[합편] 楡皮味甘利關節 通水除淋腫痛轍 유피미감리관절 통수제림종통철 [신편/유고] 太陰人要藥

<table>
<tr><td>6장</td><td>이수삼습약</td></tr>
</table>

6.3 이수삼습약(利水滲濕藥) – 이습퇴황약(利濕退黃藥)

인진호	茵陳蒿	Yinchenhao 苦辛微寒 脾胃肝膽 / 淸濕熱 退黃疸
	국화과	사철쑥(Artemisia capillaris T)의 지상부 (KHP) ■ 간기능관련(간세포보호, 담즙분비증가) 순환계(지질저하, 관상동맥확장, 혈압저하, 혈소판응집억제), 항균, 항바이러스, 항염증, 해열, 항산화효과 ► 개똥쑥은 청호(靑蒿) 황해쑥은 애엽(艾葉) 사철쑥은 인진호(茵蔯蒿) ► [참고] 한인진(韓茵蔯: 국화과 더위지기의 지상부 :KHP)도 대용되나 효능미약 ► [참고] 채취 시기에 따라 봄에 채취한 어린 싹은 면인진(綿茵蔯), 가을에 꽃이 피기 시작할 때 채취한 것은 인진호(茵蔯蒿) 또는 화인진(花茵蔯)으로 불림. ► KP, CP에서는 인진의 지상부를 사용하나 JP에서는 인진의 두상화서(頭狀花序, capitulum)를 수재/ CP에서는 비쑥(濱蒿, Artemisia scoparia W)도 인진으로 수재

[합편] 茵蔯味苦退疸黃 瀉濕利水淸熱良 인진미고퇴달황 사습리수청열량
[중마] 茵蔯味苦 退熱除黃 瀉濕利水 淸熱爲凉 (和藥)
[약징] 主治 發黃也
[신편/유고] 少陰人要藥

금전초	金錢草	**Jinqiancao** 甘寒微寒 肝膽腎膀胱 / 淸熱利濕 通淋 消腫
	앵초과	과로황의 전초 (KHP) ■ 이뇨, 결석억제, 항균, 항염증, 간보호작용
		▶ [참고] 문헌마다 콩과(광금전초: KHP), 메꽃과, 꿀풀과 등 기원식물이 혼재

수분초	垂盆草	**Chuipencao** 甘淡酸凉 肝膽小腸 / 淸熱解毒 利濕退黃
	돌나물과	돌나물의 신선한 또는 건조한 전초 ■ 간보호, 항균작용

7장 온리약

7. 온리약(溫裏藥)

부자	附子	**Fuzi** 辛甘熱有毒 心脾腎 / 回陽補火 散寒除濕

미나리아재비과 오두의 자근을 가공하여 만든 염부자, 부자편(附子片) 및 포부자 (KP) ■ [부자, 초오, 오두 모두 aconitine에 의한 유사한 기전으로 설명] 순환계(Higenamine : Adrenergic β 흥분성 강심작용으로 심박수와 심근수축력 증가 / aconitine: Na+ channel 활성화에 의한 Ca2+ 이온농도증가로 심근수축력증가 및 고용량시 부정맥 초래), 체온상승, 말초순환촉진, 진통, 항염증, 연골보호작용 43)

▶ [참고] aconitine은 신경독성 분 아니라 직접적으로 심근에 작용하여 부정맥을 초래함 (Na+ channel 활성화에 의한 Ca2+ 이온농도증가 기전 - 단 고압가열처리시 aconine 또는 benzoylaconine으로 전환되어 독성이 약화되고 또한 염부자의 경우 생부자보다 aconitine이 1/10로 감소)

▶ 독성주의한약재 (KFDA 고시) ▶ 임신시 사용금기 (CP) ▶ [참조항목: 77-3]

▶ 니부자(泥附子): 토사, 이물질 등만 제거한 수치하기 전의 생부자

▶ 염부자(鹽附子): 보존과 운송의 편의를 위해 소금물(또는 간수)에 재운후 건조한 부자. 건조가 완료되지 않은 염부자는 별도로 수부자(水附子)라고도 함

▶ 제부자(制附子): 니부자 상태에서 간수 처리 및 가열 포제한 것으로 제부편(制附片)이라고도 함. 가공방법에 따라 흑순편(黑順片=부자편: 껍질을 벗기지 않고 가공) 및 백부편(白附片: 껍질을 벗기고 가공)으로 구분.

▶ 포부자(炮附子): (1) 염부자 상태에서 포제하여 염분과 독성을 줄인 부자 ex. 담부편 (2) 또는 제부자도 포함하여 임상에서 바로 사용할 수 있도록 독성이 감소된 법제부자의 총칭 - 포제의 장소에 따라 당포부자(唐炮附子: 중국에서 가공한 것), 경포부자(京炮附子: 국내에서 가공한 것)로 구분 (3) 또는 젖은 헝겊에 싸서 잿불에 구워 독성을 감소시킨 부자

▶ 담부편(淡附片): 염부자를 물에 씻어내고 흑두, 감초로 삶아 포제한 부자

▶ 천웅(天雄) : 부자(附子)의 이명 또는 부자나 초오 중 크기가 큰 것

[합편] 附子辛熱走不留 厥逆回陽宜急投 부자신열주불류 궐역회양의급투
[중마] 附子大熱 性走不守 四肢厥逆 回陽功有 (熱藥)
[약징] 主逐水也 故能治 惡寒 身體四肢 及骨節疼痛 或沈重 或不仁 或厥冷 而旁治 腹痛 失精 下利 (cf. 약증: 主治 脈沈微與痛症)
[신편/유고] 少陰人要藥 : 爲脾元帥之藥 能驅逐脾元虛弱而不能除外冷 冷氣侮悔周旋 凌侵於胃之四圍者

천오 (천오두)

川烏(川烏頭)　　Chuanwu　辛熱有毒 脾命門 / 祛寒濕 散風邪 溫經 止痛

미나리아재비과

오두의 모근의 덩이뿌리 (KHP) ▪ [부자(附子) 참조] – 오두의 자근(子根)이 부자
- ▶ 독성주의약재 (KFDA 고시)
- ▶ 천오 : 임신시 사용금기 (CP) / 제천오 : 임신시 주의하여 사용(愼用) (CP)

[합편] 川烏大熱搜骨風 濕痺寒疼破積功 천오대열수골풍 습비한동파적공
[중마] 川烏苦熱　搜風入骨　濕痺寒疼　破積之物 (熱藥)
[약징] 항목 없음　(cf. 약증: 主治 腹中劇痛 或關節疼痛而手足逆冷 脈沈緊者)

건강

乾薑　　Ganjiang　辛熱 脾胃肺 / 溫中逐寒 回陽通脈 (炮薑: 溫經止血 溫中止瀉)

생강과

생강의 근경을 말린것 (KP) ▪ [생강(生薑) 참조] 생강보다 진저롤(6-gingerol)의 함
량은 감소하나 대신 진저롤이 탈수화되며 생강에는 거의 없던 쇼가올(6-shogaol)이
검출됨. 발한작용은 생강보다 약한 편
- ▶ 일반적으로 신선한 생강 3~4근을 건조하면 건강 1근 생산

[합편] 乾薑味辛解風寒 炮苦逐冷虛熱安 건강미신해풍한 포고축냉허열안
[중마] 乾薑甘辛　表解風寒　炮則逐冷　虛熱尤堪 (熱藥)
[약징] 主治 結滯水毒也旁治 嘔吐 咳 下利 厥冷 煩躁 腹痛胸痛 腰痛 (cf. 약증: 主治 多涎唾而不渴者)
[신편/유고] 少陰人要藥 : 溫肉理

육계

肉桂　　Rougui　辛甘熱 腎脾膀胱 / 補元陽 暖脾胃 除積冷 通血脈

녹나무과

육계의 수피 (KP) ▪ [계지(桂枝) 참조]
- ▶ [이명] 계피(桂皮: 과거 명칭으로 현재 KP에서는 '육계'로 용어통일, 또는 현재 JP에서 육계를 지칭하는 명칭), 계심(桂心: 육계나무의 줄기껍질에서 주피와 겉껍질층을 벗겨낸 것 – KHP), 관계(官桂: 관가에 납품하던 양품의 육계 또는 둥글게 말린 육계)
- ▶ [참고] 육계의 등급: 베트남산 잉바이(Yen Bai) 산지의 경우 육계수령, 정유함량에 따라 YB1(최상급), YB2, YB3, YB4 이하(등급외)로 구분
- ▶ 임신시 주의하여 사용(愼用) (CP)

[합편] 肉桂辛熱通血脈 溫補虛寒腹痛劇　육계신열통혈맥 온보허한복통극
[합편] 桂心苦辛心腹今 下剋失音蟲瘀請　계심고신심복랭 하문실음충어정
[중마] 肉桂辛熱　善通血脈　腹痛虛寒　溫補可得 (熱藥)
[약징] 계지(桂枝): 主治 衝逆也 旁治 奔豚 頭痛 發熱 惡風 汗出 身痛
[신편/유고] 少陰人要藥 : 壯脾而有充足內外之力

오수유

吳茱萸　　Wuzhuyu　辛苦熱有毒 肝脾胃腎 / 散寒止痛 降逆止嘔 助陽止瀉

운향과

오수유, 석호 또는 소모오수유의 열매 (KP) ▪ 진통효과(Evodiamine 의 감각신경
탈감작 기전) 소화기계(위장운동억제, 위점막보호, 구토억제) 순환계(혈압강하, 혈관확장) 자궁수축, 항치매, 항비만, 항염증, 항균작용
- ▶ 강한 쓴맛을 줄이기 위해 감초탕(甘草煮) 또는 소금물(鹽煮)에 제제. 또는 실험상 끓는물에 3회 탕포(湯炮)하면 苦味의 원인인 Limonin은 소실되면서 진통소염작용은 보존 [51]

[합편] 吳茱辛熱疝可安 通治酸水臍腹寒　오수신열산가안 통치산수제복한
[중마] 吳茱苦熱　能調疝氣　臍腹寒疼　酸水通治 (熱藥)
[약징] 主治 嘔而胸滿也　(cf. 약증: 主治 腹痛 頭痛而乾嘔 手足厥冷 脈細者)

촉초(산초)	蜀椒(山椒)	Shujiao　辛溫有毒　脾肺腎 / 溫中散寒　除濕止痛　殺蟲　解魚腥毒
	운향과	초피나무(=제피), 산초나무(靑椒) 또는 화초(花椒)의 성숙과실껍질 (KP) ▪ 건위, 항균, 살충, 해독작용, 국소지각마비, 항산화효과 ▶ [이명] 천초(川椒) 화초(花椒) ▶ CP에서는 산초나무, 화초만 수재 / JP에서는 초피나무만 수재 ▶ 천초(川椒) : 촉초의 이명으로 꼭두서니과 천초근(茜草根)과의 혼동에 주의 ▶ [참고] 초목(椒目): 산초나무의 종자로서 성미가 辛苦溫하고 入脾膀胱하며 利水消腫, 祛痰平喘의 효능
		[합편] 川椒辛熱目可晒 祛邪蟲冷溫不猛 천초신열목가병 거사충랭온부맹 [중마] 川椒辛熱 祛邪逐冷 明目殺蟲 溫而不猛 (熱藥)

필발	蓽撥	Biba　辛熱　脾胃 / 溫中　散寒　下氣　止痛
	후추과	필발의 덜 익은 열매 (KHP) ▪ 지질저하, 항종양효과, 항균작용 [합편] 蓽撥辛溫下氣易 痃癖陰疝霍瀉痢 필발신온하기이 현벽음산곽사리
		[중마] 蓽撥味辛　溫中下氣　消食痃癖　霍亂瀉痢 (熱藥)

필징가	蓽澄茄	Bichengjia　辛溫　脾胃 / 溫暖脾胃　健胃消食
	후추과	필징가 또는 산계초의 덜 익은 열매 (KHP) ▪ 항균, 항바이러스, 일본 주혈흡충(간디스토마) 억제 , 진해, 평천, 항궤양, 이담, 항산화효과
		[합편] 蓽澄茄辛消痰食 逐鬼除脹噦可息 필징가신소담식 축귀제창해가식

정향	丁香	Dingxiang　辛溫　脾胃腎 / 溫中降逆　補腎助陽
	정향나무과	정향의 꽃봉오리 (KP) ▪ 소화기계(pepsin 분비촉진, 항궤양, 이담) 진경, 항염증, 항균, 항진균, 항바이러스, 혈소판응집억제, 항비만, 항당뇨
		[합편] 丁香辛熱溫胃虛 心腹疼痛寒嘔除 정향신열온위허 심복동통한구제 [중마] 丁香辛熱　能除寒嘔　心腹疼痛　溫胃可曖 (熱藥) [신편/유고] 少陰人要藥 : 開胃之胃氣 而曖鷄舌香消食進食

고량강	高良薑	Gaolianjiang　辛熱　脾胃 / 溫胃散寒　消食止痛
	생강과	고량강의 근경 (KP) ▪ 혈중지질감소, 구토억제, 항염증, 항균, 항바이러스, 항산화 ▶ [이명] 양강(良薑)
		[합편] 良薑性熱下氣良 轉筋霍亂酒食傷 량강성열하기량 전근곽란주식상 [중마] 良薑性熱　下氣溫中　轉筋霍亂　酒食能攻 (熱藥) [신편/유고] 少陰人要藥

소회향	小茴香	Xiahuixiang　辛溫　肝腎脾胃 / 溫腎散寒　和胃理氣
	산형과	회향의 성숙과실 (KP) ▪ 소화기계(연동운동촉진, 항궤양, 간보호) 진통, 항균, 살충작용. 최유, 에스트로겐 유사작용 ▶ 시라자(蒔蘿子:산형과 시라의 열매 –KHP)도 소회향으로 대용되나 효능미약 [5]
		[합편] 小茴性溫除疝氣 治腰腹疼兼煖胃 소회성온제산기 치요복동겸난위 [중마] 茴香性溫　能除疝氣　腹痛腰疼　調中煖胃 (熱藥)

호초(후추)	胡椒	Hujiao　辛熱　胃大腸 / 溫中　下氣消痰　解毒

| 후추과 | 후추의 미성숙과실 (KHP) ■ 건위, 진정(중추신경억제), 진통, 항균, 항종양, 살충, 이담작용 |

[합편] 胡椒味辛下氣滯 心腹冷痛跌撲劑 호초미신하기체 심복냉통질박제
[중마] 胡椒味辛　心腹冷痛　下氣溫中　跌撲堪用 (熱藥)

8장　이기약

8.　이기약(理氣藥)

| 진피 | 陳皮 | Chenpi　辛苦溫 脾肺 / 理氣健脾 燥濕化痰 |
| | 운향과 | 귤나무의 성숙과실껍질 (KP) ■ 헤스페리딘(Hesperidin) 함유 - 소화기계(위장관 이완작용, 항궤양, 위액분비촉진, 간보호) 순환계(관상동맥확장, 혈압상승, 지질저하) 신경계(항불안, 인지기능개선) 자궁수축억제, 항염증, 항알러지, 진해거담작용
▶ [참고] 귤피(橘皮) : 진피의 이명 또는 귤껍질로서 묵히지 않은 것
▶ [참고] 귤홍(橘紅) : 거백(去白)한 진피, 즉 진피의 흰부분을 없앤 상태. 문헌에 의하면 補脾胃 할때는 유백(留白)하고 理氣調中 할때는 거백하나 현재 국내에서 생산되는 품종은 껍질의 흰부분이 얇아 실제적인 의미는 크지 않음
▶ [참고] 귤핵(橘核) : 귤나무의 잘 익은 씨 (KHP) ■ 苦平하고 肝腎膀胱에 入하여 理氣散結止痛의 효능
▶ [참고] 산물진피 : 제주도에서 주로 자생하는 재래종인 산물(Citrus sunki) 또는 산귤의 껍질로 기미가 강함 |

[합편] 陳皮甘溫順氣功 和脾留白痰取紅 진피감온순기공 화비류백담취홍
[중마] 陳皮甘溫　順氣寬膈　留白和脾　消痰去白 (通藥)
[약징] 橘皮(귤피) : 主治 呃逆也 旁治 胸痺停痰
[신편/유고] 少陰人要藥 : 錯綜脾氣 參伍勻調

| 청피 | 青皮 | Qingpi　苦辛微溫 肝膽 / 疏肝破氣 散結消滯 |
| | 운향과 | 귤나무의 덜 익은 열매껍질 (KP) ■ 헤스페리딘(Hesperidin) 함유 - 면역계(알러지억제, 히스타민분비억제) 내분비(지질저하, 항당뇨) 항염증(COX2 발현억제), 항산화효과, 간보호, 항종양, 항비만 / 진피에 비해 위장관운동에 큰 영향을 주지 못함 [38] |

[합편] 青皮苦寒攻氣滯 平肝安脾下食劑 청피고한공기체 평간안비하식제
[중마] 青皮苦寒　能攻氣滯　削堅平肝　安脾下食 (通藥)
[신편/유고] 少陰人要藥

| 지실 | 枳實 | Zhishi　苦辛酸寒 脾胃 / 破氣消積 化痰散結 |
| | 운향과 | 탱자나무의 미성숙과실 (KP) ■ 소화기계(위장관운동촉진, 항궤양, 간손상억제), 순환계(강심, 혈소판응집억제, 지질저하), 항염증, 과민반응억제(IgE 생성억제), 거담(기관지 mucin 분비량증가), 골다공증개선, 항종양, 기억력개선
▶ 임신시 주의하여 사용(愼用) (CP)
▶ [참고] CP에서는 광귤나무(=산등酸橙) 또는 당귤나무(=첨등甛橙)의 미성숙과실
▶ [참고] KP의 지실(탱자나무열매)을 中華本草 등에서는 구귤(枸橘)로 별도분류
▶ [참고] 상한론(傷寒論)에서의 지실은 오늘날의 지각(枳殼)에 해당한다는 의견 [23] |

[합편] 枳實味苦消食恬 破積化痰是長技 지실미고소식비 파적화담시장기
[중마] 枳實味苦　消食除恬　破積化痰　沖牆倒壁 (通藥)

		[약징] 主治 結實之毒也 旁治 胸滿 胸痺 腹滿 腹痛 (cf. 약증: 主治 胸腹痞滿而痛 且大便不通者) [신편/유고] 少陰人要藥
지각	枳殼	**Zhike 苦辛凉 肺脾大腸 / 理氣寬中 行痰 消積**
	운향과	광귤나무(=산등酸橙) 또는 하귤의 미성숙과실 (KHP) ■ 소화기계(위장관 운동에 영향, 항궤양) 순환계(혈압상승효과, 심혈량량 증가) 자궁수축, 이뇨, 항비만효과 ▶ 임신시 주의하여 사용(愼用) (CP) ▶ [참고] 대대화(代代花) : 광귤나무(酸橙)의 꽃으로 지각의 효능과 유사
		[합편] 枳殼微溫解氣結 寬腸消脹不可缺 지각미온해기결 관장소창불가결 [중마] 枳殼微溫 快氣寬腸 胸中氣結 脹滿堪嘗 (通藥)
목향	木香	**Muxiang 辛苦溫 脾胃大腸三焦膽 / 行氣止痛 健脾消食**
	국화과	목향(Aucklandia lappa Decne)의 뿌리 (KHP) ■ 소화기계(항궤양, 장관운동촉진, 간보호) 호흡기계(기관지경련 억제) 항종양, 항염증, 항미생물작용 ▶ 운목향(雲木香) : 중국 운남(雲南) 유래의 목향. 당목향(唐木香)으로 부르기도 함 ▶ 토목향(土木香), 청목향(青木香, 쥐방울과): 목향과 다른 기원식물이므로 구별이 필요하며 특히 청목향은 유통이 금지된 독성약재
		[합편] 木香微溫能和胃 行肝瀉肺散滯氣 목향미온능화위 행간사폐산체기 [중마] 木香辛溫 辟邪强志 淋露偏寒 引藥行氣 (通藥) [신편/유고] 少陰人要藥 : 開脾之胃氣而消食進食
향부자	香附子	**Xiangfuzi 辛微甘苦平 肝脾三焦 / 理氣解鬱 調經止痛**
	사초과	향부자의 근경 (KP) ■ 소화기계(장관평활근억제, 지사작용) 항염증, 진통, 항균, 항말라리아, 항종양, 신경계(신경세포보호, 진정-GABA신경계 조절) 항비만, 항당뇨, 기타(해열, 자궁수축력과 긴장도를 감소, 항혈소판억제) ▶ 동변향부자(또는 便香附) : 鹹寒한 성미를 가진 童便(▶ 인뇨(人尿) 항목 참조)에 침윤한 후에 꺼내어 가공한 것으로 滋陰降火 止血 消瘀의 효능 증강
		[합편] 香附味甘消宿食 開鬱調經痛可息 향부미감소숙식 개울조경통가식 [중마] 香附味辛 快氣開鬱 止痛調經 更消宿食 (通藥) [신편/유고] 少陰人要藥 : 開脾之胃氣 而消食進食
오약	烏藥	**Wuyao 辛溫 脾肺腎膀胱 / 順氣止痛 溫腎散寒**
	녹나무과	오약의 뿌리 (KP) ■ 항염증, 진통, 장연동촉진, 지혈, 파골세포분화억제, 항산화효과 ▶ [이명] 천태오약(天台烏藥): 중국 절강성 천태산 지역의 양품의 오약임을 의미
		[합편] 烏藥辛溫心腹脹 小便滑數順氣暢 오약신온심복창 소변활삭순기창 [중마] 烏藥辛溫 心腹脹疼 小便滑數 順氣通用 (通藥)
침향	沈香	**Chenxiang 辛苦溫 腎脾胃 / 行氣止痛 溫胃止嘔 納氣平喘**
	팥꽃나무과	침향나무의 수지가 침착한 수간목 (KHP) ■ 진정, 항불안, 장관평활근경련 완화, 항균작용
		[합편] 沈香煖胃兼逐邪 降氣衛氣功難加 침향난위겸축사 강기위기공난가 [중마] 沈香辛溫 消腫伐鬼 霍亂腹痛 通天徹地 (通藥)

천련자	川楝子	Chuanlianzi　苦寒有小毒　肝胃小腸 /　舒肝行氣止痛　驅蟲
	멀구슬나무과	천련 또는 멀구슬나무의 열매 (KHP) ▪ 살충, 항균, 항염증, 진통, 항산화, 항치매 / 간독성 보고 ▶ [참조] 나무의 수피(근피)는 고련피(苦楝皮) ▶ [이명] 고련자(苦楝子) 금령자(金鈴子)
		[합편] 楝子味苦治傷寒 能止疼痛積聚功 련자미고치상한 능지동통적취공 [중마] 練子味苦　膀胱疝氣　中濕傷寒　利水之劑 (通藥) [신편/유고] 少陰人要藥
여지핵	荔枝核	Lizhihe　甘微苦溫　肝腎 /　行氣散結　祛寒止痛
	무환자나무과	여지의 씨 (KHP) ▪ 혈당강하작용 ▶ [참조] 리치(Litchi): 여지의 민간명 또는 국내에 과일로 수입될 때의 명칭
		[합편] 荔枝核甘平智神益 止渴好顔疝用核 여지감평지신익 지갈호안산용핵 [신편/유고] 太陰人要藥
청목향	靑木香	Qingmuxiang　辛苦寒　肝胃 /　平肝止痛　解毒消腫
	쥐방울과	마두령의 뿌리 ▪ 평활근운동억제, 혈압강하. aristolochic acid 함유로 신독성 주의 (국내 유통금지품목)
해백	薤白	Xiebai　辛苦溫　肺胃大腸 /　通陽散結　行氣導滯
	백합과	산달래 또는 염부추의 근경 (KHP) ▪ 항동맥경화, 항산화, 항균 작용
		[약징] 主治 心胸痛而喘息 咳唾也 旁治 背痛 心中痞 (cf. 약증: 主治 胸腹痛, 兼治 咳唾喘息 裏急後重)
단향 (백단향)	檀香(白檀香)	Tanxiang　辛溫　脾胃肺 /　理氣和胃
	단향과	단향나무 줄기의 심재 (KHP) ▪ 건위, 항균, 항바이러스, 기타(마비작용(白檀油), 암예방효과) ▶ [참고] 자단향(紫檀香) : 콩과 자단의 심재 / 鹹平 入肝 / 消腫止血定痛 / 항염증, 항균, 진경, 혈당강하, 항궤양효과 (백단향의 효능과 다름에 주의)
		[합편] 檀香味辛善治噤 升胃進食鬼氣沖 단향미신선치곽 승위진식귀기각 [중마] 檀香味辛　消腫毒風　霍亂中惡　伐鬼殺蟲 (通藥)
시체	柿蔕	Shidi　苦澁平　肺胃 /　降逆下氣
	감나무과	감나무의 열매에 붙어있는 꽃받침 (KHP) ▪ 진정, 항심박이상작용
매괴화	玫瑰花	Meiguihua　甘微苦溫　肝脾 /　理氣解鬱　和血散瘀
	장미과	해당화의 꽃봉오리 (KHP) ▪ 항바이러스, 이담, 항종양작용 ▶ [참고] 국내에서는 해당화의 뿌리를 대상으로 한 연구가 보고(혈당강하, 지질저하, 혈압강하, 항산화)
대복피	大腹皮	Dafupi　辛微溫　脾胃大腸小腸 /　下氣寬中　行水消腫
	야자과	빈랑의 열매껍질 (KP) ▪ 대복피는 tannin 주성분, 빈랑자는 alkaloid와 steroid, tannin류 등이 함유 - 위장운동촉진, 장관수축작용
		[중마] 腹皮微溫　能下膈氣　安胃健脾　浮腫消去 (通藥)

토목향	土木香	Tumuxiang 辛苦溫 肺肝脾 / 健脾和胃 行氣止痛
	국화과	토목향의 뿌리 (KHP) ▪ 구충, 항균작용
감송향	甘松香	Gansongxiang 辛甘溫 脾胃 / 行氣止痛 開鬱醒脾
	마타리과	감송 또는 시엽감송의 뿌리 및 근경 (KHP) ▪ 진정, 항경련, 순환계(혈압강하, 심근 허혈제거)
		[합편] 甘松味香浴肌香 除心腹痛惡氣良 감송미향욕기향 제심복통악기량

9장   소식약

9.   소식약(消食藥)

산사	山楂	Shanzha 酸甘微溫 脾胃肝 / 消食健胃 行氣散瘀
	장미과	산사나무의 성숙과실 (KP) ▪ 소화기계(소화액분비촉진, 위장평활근 수축력증가) 순환계(지질저하, 혈압저하, 항부정맥, 관상동맥확장) 기관지염증 억제, 항비만, 항산화 ► [참고] 초삼선(焦三仙) : 焦山査, 焦神麵, 麥芽焦 등 3가지 약재를 섞은 것
		[합편] 山査味甘磨肉食 療紅健胃膨瘡息 산사미감마육식 요산건위팽창식 [중마] 山査味甘 消磨宿食 療紅催瘡 消膨健胃 (通藥) [신편/유고] 少陰人要藥
신곡	神麯	Shenqu 甘辛溫 脾胃 / 健脾和胃 消食調中
		밀가루 또는 밀기울에 팥가루, 으깬 살구씨, 개동쑥즙, 도꼬마리즙, 버들여뀌즙 등의 재료를 반죽하여 누룩균으로 발효시킨 누룩 (KHP) ▪ Vitamin B, 효소류(amylase, lipase) 등의 보조효소 작용으로 소화보조
		[합편] 神麴味甘善開胃 消食破結下痰氣 신국미감선개위 소식파결하담기 [중마] 神麴味甘 開胃消食 破結逐痰 調中下氣 (通藥) [신편/유고] 동무유고에서는 혼용(少陰人 : 開脾之胃氣 而消食進食 / 少陽人)
맥아	麥芽	Maiya 甘溫 脾胃肝 / 行氣消食 健脾開胃 退乳消脹
	벼과	보리의 성숙과실을 발아시킨것 (KHP) ▪ 건위소화(amylase 등 소화효소함유), 정장 작용, 혈당강하, 유즙분비억제 (dopamine D2 수용체에 작용해 프로락틴 분비억제)
		[합편] 麥芽甘溫消宿食 行血散滯腹脹息 맥아감온소숙식 행혈산체복창식 [중마] 麥芽甘溫 能消宿食 心腹膨脹 行血散滯 (通藥) [신편/유고] 少陽人 : 開腎之胃氣 而消食進食
곡아	穀芽	Guya 甘平 脾胃 / 健脾開胃 和中消食
	벼과	벼의 성숙과실을 싹내어 말린 것 (KHP) ▪ 건위작용
내복자	萊菔子	Laifuzi 辛甘平 肺脾胃 / 消食除脹 降氣化痰
	십자화과	무의 성숙종자 (KP) ▪ 소화기계(위장운동증강, 담낭수축력증가) 항돌연변이, 항종양, 항균, 혈압강하(muscarinic 수용체 활성화) ► [이명] 나복자蘿蔔子)
		[합편] 萊菔子辛治喘咳 下氣消脹功難對 내복자신치천해 하기소창공난대

[중마] 蘿苴子辛　喘咳下氣　倒壁冲牆　脹滿消去 (通藥)
[신편/유고] 太陰人要藥

계내금 | 鷄內金

Jineijin　甘平 脾胃小腸膀胱 / 健胃消食 澁精止遺

꿩과

닭의 모래주머니의 내막 (KHP) ▪ 건위(단백질 및 소화효소 함유, 위장운동촉진), 방사선 스트론튬(Sr)의 배설증가작용 ▶ [이명] 계비치(鷄肶胵)

[합편] 鷄內金寒瀃精洩　噎痢崩漏更除熱 계내금한닉정설 금리붕루갱제열

9장　구충약

9.　구충약(驅蟲藥)

사군자 | 使君子

Shijunzi　甘溫 脾胃 / 殺蟲 消積

사군자과

사군자의 열매 (KHP) ▪ 구충, 항염증, 해열, 항산화효과

[합편] 使君甘溫治諸蟲　消疳淸濁瀉痢功 사군감온치제충 소감청탁사리공
[중마] 使君甘溫　消疳淸濁　瀉痢諸蟲　總能除却 (和藥)
[신편/유고] 太陰人要藥

고련피 | 苦楝皮

Kulianpi　苦寒微毒 肝小腸膀胱 / 驅蟲 療癬

멀구슬나무과

멀구슬나무 또는 천련의 수피 또는 근피 (KHP) ▪ 구충, 살충, 항말라리아, 항균, 항염, 항종양작용 ▶ [참조] 열매는 천련자(川楝子) ▶ 임신시 주의하여 사용 (CP)

[신편/유고] 고련근(苦楝根) – 少陰人要藥

빈랑 | 檳榔

Binlang　苦辛溫 胃大腸 / 驅蟲消積 降氣 行水 截瘧

야자과

빈랑의 성숙종자 (KP) ▪ 소화기계(위장연동운동증가, 담즙분비촉진) 신경계(arecoline 등에 의한 부교감신경 흥분효과, 항우울) 항균, 구충, 콜레스테롤저하 / 장기투여시 융모세포막 이상 유발해 영양흡수장애 초래[9] / 주기적으로 씹는 경우 구강점막의 섬유화 유발(구강암 관련) ▶ [이명] 대복자(大腹子)

[합편] 檳榔辛溫痰水腫　破氣殺蟲除後重 빈랑신온담수옹 파기살충제후중
[중마] 檳榔辛溫　破氣殺蟲　逐水祛痰　專除後重 (通藥)
[신편/유고] 少陽人要藥 (cf. 동무유고: 少陰人)

뇌환 | 雷丸

Leiwan　微苦寒 胃大腸 / 消積 殺蟲

구멍장이버섯

뇌환의 균핵 (KHP) ▪ 구충, 항미생물, 항종양, 항염증작용

[합편] 雷丸味苦善殺蟲　癲癎蠱毒治兒功 뇌환미고선살충 전간고독치아공

학슬 | 鶴虱

Heshi　苦辛平有毒 脾胃 / 驅蟲消積

국화과

담배풀의 열매 (KHP) ▪ 항균작용
[합편] 鶴虱苦辛殺蟲毒　心腹卒痛蛔堪逐 학슬미고살충독 심복졸통회감축

비자 | 榧子

Feizi　甘平 肺胃大腸 / 驅蟲消積 潤燥通便

주목과

비자나무 또는 비(榧)의 씨 (KHP) ▪ 구충, 간보호, 뇌세포보호효과

		[신편/유고] 비실(榧實) – 太陰人要藥
무이	蕪荑	Wuyi 苦辛溫 脾胃 / 殺蟲 消積
	느릅나무과	왕느릅나무 또는 동속식물의 씨에 그 나무의 껍질과 황토를 섞어서 발효시킨 것 (KHP) ▪ 항말라리아, 살충, 항균작용
		[합편] 蕪荑味辛驅邪蟲 疥癬痔㿗滯及風 무이미신구사충 개선치영체급풍
관중	貫衆	Guanzhong 苦凉有小毒 肝胃 / 淸熱解毒 驅蟲
	면마과	관중의 뿌리줄기와 잎의 殘基 ▪ 구충, 평활근흥분, 임신억제작용, 항미생물작용
		[합편] 貫衆寒毒宜嫩蟲 漆瘡骨硬症痘通 관중한독의충 칠창골경혈증통 [신편/유고] 少陰人要藥

11장　지혈약

11.　지혈약(止血藥) – 수렴지혈약(收斂止血藥)

선학초 (용아초)	仙鶴草	(龍芽草) Xianhecao 苦澁平 肺肝脾 / 收斂止血 截瘧 止痢 解毒
	장미과	짚신나물 또는 동속식물의 전초 (KHP) ▪ 지혈작용(혈소판형성촉진 : 그러나 다른 문헌에서는 출혈시간연장, 혈소판응집억제도 보고[42]). 항종양, 항균, 구충작용(촌충) ► [이명] 낭아초(狼牙草): 겨울이 지나고 난 싹으로 이리(狼)의 이빨모양을 비유
백급	白及	Baiji 苦甘澁微寒 肺肝胃 / 收斂止血 消腫生肌
	난초과	자란의 덩이줄기 (KHP) ▪ 지혈, 항균, 항종양, 피부보호, 신섬유화억제.
		[합편] 白及味苦收斂多 腫毒瘡癰主外科 백급미고수렴다 종독창양주외과 [중마] 白及味苦 功專收斂 腫毒瘡癰 外科最善 (收藥) [신편/유고] 太陰人要藥
종려피	棕櫚皮	Zonglupi 苦澁平 肺肝大腸 / 收斂止血
	야자과	종려 또는 동속식물의 잎자루가 오래 묵어 이루어진 헛줄기의 겉껍질 (KHP) ▪ 지혈, 자궁수축작용　► [이명] 종피(棕皮)
		[합편] 棕櫚皮澁專主血 吐衄崩帶血淋瀝 종려피삽전주혈 토뉵붕대혈림질 [신편/유고] 太陰人要藥
우절	藕節	Oujie 甘澁平 心胃肝 / 散瘀止血
	수련과	연꽃의 근경의 마디 (KHP) ▪ 지혈, 혈당강하, 수면연장, 뇌세포보호, 지사, 면역계조절작용, 항산화효과　► [이명] 연근(蓮根)

11장　지혈약

11.2　지혈약(止血藥) – 양혈지혈약(凉血止血藥)

대계	大薊	Daji 苦甘凉 心肝 / 凉血止血 祛瘀消腫
	국화과	엉경퀴(Cirsium japonicum DC) 또는 근연식물의 전초 (KHP) ▪ 지혈, 혈압강하,

기억력개선, 간보호, 항산화, 항우울, 항종양, 항당뇨, 항균작용
▶ [참고] 중국, 대만 등에서는 관습적으로 뿌리도 약용으로 사용하며 이를 대계근(大薊根)으로 구별하기도 함
▶ [참조] 수비계(水飛薊 / 영문명: milk thistle) - 국화과 흰무늬엉겅퀴(Silybum marianum)의 성숙과실로서 苦涼 入肝膽하면서 淸熱解毒 疏肝利膽의 효능→ 주로 간보호효과(실리마린silymarin 성분이 주역할)에 대한 임상연구가 다수 발표
(cf. 국내자생 엉겅퀴 종에도 실리마린이 높은 농도로 함유되어 있음 [32])

[합편] 大小薊苦消腫血 吐衄唾咯崩漏絶 대소계고소종혈 토뉵타각붕루절

소계	小薊	Xiaoji 甘苦涼 心肝 / 凉血止血 祛瘀消腫
	국화과	조뱅이 또는 큰조뱅이의 전초 (KHP) ▪ 혈압강하(일부문헌은 혈압상승), 지혈시간단축, 항균작용

[합편] 大小薊苦消腫血 吐衄唾咯崩漏絶 대소계고소종혈 토뉵타각붕루절

지유	地楡	Diyu 苦酸澁微寒 肝大腸 / 凉血止血 解毒斂瘡
	장미과	오이풀 또는 장엽지유의 뿌리 (KHP) ▪ 지혈, 지사, 피부보호(주름개선, 색소침착억제), 항균, 항염증, 항종양, 항산화, 지질저하, 신경세포보호작용

[합편] 地楡沈寒血熱用 痢崩金瘡止血痛 지유침한혈열용 이붕금창병지통
[중마] 地楡沈寒 血熱堪用 血痢帶崩 金瘡止痛 (寒藥)
[신편/유고] 少陽人要藥

괴화 (괴미)	槐花(槐米)	Huaihua 苦微寒 肝大腸 / 凉血止血 淸肝瀉火
	콩과	회화나무의 꽃봉오리(槐米)와 꽃(槐花) (KP) ▪ 루틴(Rutin) 함유 - 혈액계(항응고 및 지혈작용성분 공존. 혈관투과성억제), 항염증, 항알러지, 항산화, 항균, 지질강하작용
▶ [참고] 괴윤(槐潤) : 회화나무의 수지

[합편] 槐花味苦殺蛔蟲 熱痢痔漏及腸風 괴화미고살회충 열리치루급장풍
[중마] 槐花味苦 痔瘻腸風 大腸熱痢 更殺蛔蟲 (和藥)

측백엽	側柏葉	Cebaiye 苦澁寒 肺肝大腸 / 凉血止血 生髮烏鬚
	측백나무과	측백나무의 어린 가지와 잎 (KHP) ▪ 지혈, 진해거담, 항혈전, 뇌세포보호, 항염, 항알러지, 간보호작용 ▶ [참고] 백자인(柏子仁): 측백나무의 씨

[합편] 側柏葉苦生鬚眉 吐衄崩痢濕尪治 측백엽고생수미 토뉵붕리습병치

저마근	苧麻根	Zhumagen 甘寒 心肝 / 凉血止血 淸熱安胎 利尿 解毒
	쐐기풀과	모시풀의 뿌리 (KHP) ▪ 지혈, 항균작용, 자궁평활근 활동억제

[합편] 苧根味甘補陰血 胎漏丹毒産後熱 저근미감보음혈 태루단독산후열

백모근	白茅根	Baimaogen 甘寒 肺胃膀胱 / 凉血止血 淸熱利尿
	벼과	띠(絲茅)의 근경 (KP) ▪ 이뇨, 지혈, 항염증, 면역증강작용

[합편] 茅根味甘善通關 吐衄客熱瘀尪刪 모근미감선통관 토뉵객열어병산

양제근	羊蹄根	Yangtigen 苦寒有小毒 心肝大腸 / 凉血止血 殺蟲療癬

| | 여뀌과 | 참소리쟁이 또는 토대황의 뿌리 (KHP) ► [민간명] : 소리쟁이 소루쟁이 |

11.3   지혈약(止血藥) – 화어지혈약(化瘀止血藥)

삼칠근	三七根	Sanqi 甘微苦溫 肝胃 / 散瘀止血 消腫定痛
	두릅나무과	삼칠의 뿌리 및 근경 (KHP) ■ 심혈관(항부정맥, 심근보호, 항산화효과, 동맥경화억제, 혈소판응집억제, 지혈) 내분비계(phytoestrogen 작용, 지질저하) 신경계(기억력개선, 신경독성억제), 면역증강, 항종양, 항산화효과 ► [이명] 전칠(田七) ► 임신시 주의하여 사용(愼用) (CP)
		[합편] 三七苦溫專主血 外摻內服痛自撤 삼칠고온전주혈 외섬내복통자철 [신편/유고] 少陰人要藥
포황	蒲黃	Puhuang 甘平 肝心包 / 止血 化瘀 通淋
	부들과	부들 또는 동속식물의 꽃가루 (KHP) ■ 순환계(지혈, 혈압강하, 항부정맥효과), 지질저하, 항염증, 항당뇨, 자궁수축효과 ► 임신시 주의하여 사용(愼用) (CP) ► [이명] 포회(蒲灰)
		[합편] 蒲黃味甘崩疼主 生則破血炒可補 포황미감붕동주 생즉파혈초가보 [중마] 蒲黃味甘 逐瘀止崩 補血須炒 行血用生 (和藥) [신편/유고] 太陰人要藥
천초근	茜草根	Qiancaogen 苦寒 肝 / 凉血 止血 祛瘀 通經
	꼭두서니과	꼭두서니 또는 동속 근연식물의 뿌리 (KHP) ■ 혈액계(백혈구수 증가, 골수세포분화촉진, 혈소판응집억제- 그러나 법제하면 지혈작용[41]) 진해거담, 간보호, 항염증, 항종양, 항균, 진경, 건선억제 ► 운향과 촉초(蜀椒=山椒)의 이명이 천초(川椒)이므로 구별에 주의
		[합편] 茜草味苦主諸血 損傷蠱毒及虛熱 천초미고주제혈 손상고독급허열
화예석	花蕊石	Huaruishi 甘澀平 肝心 / 止血化瘀
	광물류	Ca과 Mg이 주성분인 사문암 ■ 진경, 혈액응고시간 단축작용
		[합편] 花蕊石寒止諸血 治金瘡出産後洩 화예석한지제혈 치금창출산후설

11.4   지혈약(止血藥) – 온경지혈약(溫經止血藥)

애엽	艾葉	Aiye 辛苦溫有小毒 肝脾腎 / 散寒止痛 溫經止血
	국화과	황해쑥(Artemisia argyi.), 쑥 또는 산쑥의 잎 및 어린줄기 (KHP) ■ 혈액계(항응고, 혈소판응집억제, PT연장 cf. 일부 문헌에서는 지혈작용), 항궤양, 간보호, 진정, 혈압강하, 항천식, 진해거담, 항염증, 항균, 항당뇨, 항종양, 항당뇨 ► [참고] 개똥쑥은 청호(靑蒿) 사철쑥은 인진호(茵蔯蒿) [합편] 艾葉溫平驅鬼邪 胎漏心疼並可加 애엽온평구귀사 태루심동병가가 [중마] 艾葉溫平 歐邪逐鬼 漏血安胎 心疼卽愈 (和藥)

		[약징] 芎歸膠艾湯 主治 漏下下血也
복룡간	伏龍肝	Fulonggan 辛溫 脾胃 / 溫中燥濕 止嘔止血
	광물류	가마솥아래 오래 불땐 곳의 黃土 ▪ 혈액응고시간 단축, 구토억제 ▶ [이명] 조심토(灶心土) ▶ 구하기 어려워 적석지(赤石脂)로 대용되기도 함
		[합편] 伏龍肝溫心煩寬 胎疫血咳俱可安 복룡간온심번관 태역혈해구가안

<table>
<tr><td>12장</td><td>활혈거어약</td></tr>
</table>

12. 활혈거어약(活血祛瘀藥)

천궁	川芎	Chuanxiong 辛溫 肝膽心包 / 活血行氣 祛風止痛
	산형과	천궁(=일천궁) 또는 중국천궁의 근경 (KP) ▪ Ligustilide, Tetramethylpyrazine (TMP) 등 함유 – 순환계(혈관확장, 혈류순환촉진, 혈압강하, 지질개선, 혈액응고억제) 신경계(진정, 근이완, 신경세포보호), 항염증, 항산화, 면역증강, 진통작용 ▶ [이명] 궁궁(芎藭) ▶ [참고] 토천궁(土川芎) : 일천궁보다 향이 강하고 정유성분이 많은 천궁으로 중국 천궁과 같은 기원으로 분류(한약재감별도감, 2009). 거유(去油)하여 사용하기도 함
		[합편] 川芎性溫心頭疼 養新生血開鬱升 천궁성온지두동 양신생혈개울승 [중마] 川芎性溫 能止頭疼 養新生血 開鬱上行 (補藥) [약징] 항목 없음 (cf. 약증: 主治 腹痛) [신편/유고] 少陰人要藥 : 壯脾而外攘之勢
유향	乳香	Ruxiang 辛苦溫 心肝脾 / 活血止痛 消腫生肌
	감람과	유향나무 또는 근연식물의 줄기에 상처를 내어 얻은 수지 (KHP) ▪ 항염증, 진통, 항궤양, 항종양작용 ▶ 임신시 주의하여 사용(愼用) (CP)
		[합편] 乳香辛苦止痛奇 心腹即安瘡生肌 유향신고지통기 심복즉안창생기 [중마] 乳香辛苦 療諸惡瘡 生氣止痛 心腹尤良 (和藥) [신편/유고] 少陽人要藥
몰약	沒藥	Moyao 苦平 肝脾 / 活血止痛 消腫生肌
	감람나무과	몰약수 또는 합지수에서 얻은 고무수지 (전자: 천연몰약, 후자: 교질몰약) (KP) ▪ 항염증, 항균, 항기생충작용(주혈흡충), 기타(위점막보호, 항당뇨, 혈전억제, 수렴, 진통, 방부)
		[합편] 沒藥溫平能破血 撲損瘡傷痛可絶 몰약온평능파혈 박손창상통가절 [중마] 沒藥溫平 治瘡止痛 跌打損傷 破血通用 (和藥) [신편/유고] 少陽人要藥
현호색	玄胡索	Yanhusuo 辛苦溫 肝脾 / 活血散瘀 理氣止痛
	양귀비과	들현호색 또는 연호색의 덩이줄기 (KP) ▪ 진통, 근이완, 진정작용, 신경계(흥분성 신경전달물질인 Glutamate 감소), 순환계(혈압강하, 혈소판응집 억제), 항알러지, 항염증, 소화계(위산분비억제, 항궤양효과) ▶ [참고] 초자(醋炙)하면 진통작용이 있는 알칼로이드인 tetrahydropalmatine 등의 함량이 증가해 止痛작용 증가 ▶ [이명] 원호(元胡) 연호색(延胡索)

		[합편] 延胡氣溫治撲跌 心腹卒痛廾諸血 연호기온치박질 심복졸통병제혈
		[중마] 延胡氣溫 心腹卒痛 通經活血 跌撲血崩 (通藥)
		[신편/유고] 少陰人要藥

울금

鬱金	Yujin 辛苦寒 心肝膽 / 活血止痛 行氣解鬱 清心凉血 疏肝利膽
생강과	온울금, 강황, 광서아출 또는 봉아출의 덩이뿌리 (KP) ▪ 커큐민(curcumin) 함유 – 소화기계(항궤양, 담즙분비촉진, 간보호) 항종양작용(특히 curcumin이 주로 작용하며 다양한 기전으로 항종양효과), 항염증, 항산화효과, 순환계(혈관이완, 혈소판응집억제, 혈압강하) 신경계(기억력개선, 항치매, 항우울) 기타(지방분해, 면역증강)
	▶ [참고] 강황(薑黃), 아출(莪朮) : 약용부위에 따라 덩이뿌리(塊根)는 울금, 뿌리줄기(根莖)는 강황 또는 아출의 범주로 분류 – 아래의 분류참조[22] 1) 근경 根莖 뿌리줄기 (=땅속줄기) Rhizome (=rootstock) / 땅밑에서 주로 수평으로 뻗으며 다소 비대해진 줄기조직 ex. 생강 연근 산약 2) 괴경 塊莖 덩이줄기 tuber / 줄기조직이 비대해진 것 ex. 감자 반하 택사 3) 괴근 塊根 덩이뿌리 tuberous root / 뿌리조직이 비대해진것 ex.고구마 하수오 ▶ [참고] JP에서는 울금/강황 구분없음 – 즉 JP에서의 울금은 [KP, CP]에서의 강황(Curcuma longa)에 해당
	[합편] 鬱金味苦破諸血 淋溺見血及鬱結 울금미고파제혈 임익견혈급울결 [신편/유고] 少陰人要藥 (cf. 동무유고: 太陰人- 滌肺之穢氣)

강황

薑黃	Jianghuang 辛苦溫 肝脾 / 破血行氣 通經止痛
생강과	강황(Curcuma longa)의 근경 (KP) ▪ [울금] 참조
	[합편] 薑黃味辛能破血 消癥下氣心腹結 강황미신능파혈 소옹하기심복결 [중마] 薑黃味辛 消癥破血 心腹結痛 下氣最捷 (通藥)

아출
(봉출)

莪朮 (蓬朮)	Ezhu 辛苦溫 肝脾 / 行氣破血 消積止痛
생강과	봉아출, 광서아출 또는 온울금의 근경 (KP) ▪ [울금] 참조 ▶ CP에서는 온울금의 근경을 편강황(片薑黃) 명칭으로 별도수재 ▶ 아출, 편강황 : 임신시 사용금기 (CP)
	[합편] 莪朮溫苦破痃癖 消瘀通經止痛劇 아출온고파현벽 소어통경지통극 [중마] 蓬朮苦溫 善破痃癖 止痛消瘀 通經是宜 (瀉藥) [사상] 少陰人 : 滌脾之穢氣

삼릉

三稜	Sanleng 辛苦平 肝脾 / 破血行氣 消積止痛
흑삼릉과	흑삼릉의 덩이줄기 (KP) ▪ 항응고, 항종양, 진통, 항염증, 기타(생식독성-기형유발) ▶ 임신시 사용금기 (CP)
	[합편] 三稜味苦利血癖 氣滯作疼虛莫擲 삼릉미고이혈벽 기체작동허막척 [중마] 三稜味苦 利血消癖 氣滯作疼 虛者當忌 (瀉藥) [사상] 少陰人 : 滌脾之穢氣

단삼

丹參	Danshen 苦微寒 心肝 / 活血祛瘀 調經止痛 除煩安神 凉血消癰
꿀풀과	단삼의 뿌리 (KP) ▪ 살비아놀산(salvianolic acid), Tanshinone 등 함유 – 순환계(관상동맥이완, ACE 억제를 통한 혈압강하, 혈관내막 성장억제, 심허혈억제, 콜레스

		테롤저하, 항산화, 혈소판응집억제) 간보호(간섬유화억제, 알콜흡수억제, 황달감소, 간암억제), 신경계(진정, 기억력개선), 항종양, 항염증, 항골다공증(파골세포분화억제) 신장보호, 췌장 / 약물상호작용: 와파린의 작용증강
		[합편] 丹參味苦生新能 破積調經除帶崩 단삼미고생신능 파적조경제대붕 [중마] 丹參苦 心腹走水 破癥除瘕 止煩益氣 (和藥) [신편/유고] 少陰人要藥
호장근	虎杖根	Huzhanggen 苦酸微寒 肝膽肺 / 祛風利濕 散瘀定痛 止咳化痰
	여뀌과(=마디풀과)	호장근의 근경 및 부리 (KHP) ■ 순환계(관상동맥혈류증가, 심근손상억제, 항산화효과, 콜레스테롤저하), 내분비계(estrogen 수용체 활성화) 기타(항균, 항천식작용) ▶ 임신시 주의하여 사용(愼用) (CP)
		[합편] 虎杖溫平治煩渴 諸淋可利通經血 호장온평치번갈 제림가리통경혈 [신편/유고] 少陽人要藥
익모초	益母草	Yimucao 苦辛微寒 心肝膀胱 / 活血調經 利水消腫
	꿀풀과	익모초의 지상부 (KP) ■ 순환계(혈액의 점도개선-혈소판 응고억제, 혈관평활근이완, 혈압강하, 지질저하) 자궁근수축 및 활성증가, 항염증, 이뇨, 면역개선, 항종양, 간보호, 항산화작용 ▶ 임신시 주의하여 사용 (CP) ▶ 익모초의 씨앗은 충울자(茺蔚子) ▶ 최근의 독성연구 결과 과량 또는 만성 복용시 신독성 및 간독성 우려 25)
		[합편] 益母草甘最宜婦 去瘀生新産前後 익모초감최의부 거어생신산전후 [중마] 益母草苦 女科爲主 産後胎前 生新去瘀 (補藥) [신편/유고] 少陰人要藥
도인	桃仁	Taoren 苦甘平 心肝大腸 / 活血祛瘀 潤腸通便
	장미과	복숭아나무 또는 산복사의 성숙종자 (KP) ■ Amygdalin 함유 – 순환계(항응고, 혈액순환촉진) 신경계(뇌내 Ach 함량증가) 진해, 사하, 항종양, 항염증, 간섬유화억제 ▶ 임신시 주의하여 사용(愼用) (CP) ▶ [이명] 도핵(桃核)
		[합편] 桃仁甘寒潤大腸 通經破血癥瘀良 도인감한윤대장 통경파혈징어량 [중마] 桃仁苦寒 能潤大腸 通經破瘀 血瘕堪嘗 (寫藥) [약징 –속편] 主治 瘀血 少腹滿痛 故兼治 腸癰 及婦人經水不利 (cf. 약증: 主治 肌膚甲錯者, 兼治便祕) [신편/유고] 少陰人 : 醒脾之眞氣
홍화	紅花	Honghua 辛溫 心肝 / 活血通經 散瘀止痛
	국화과	잇꽃의 관상화 (KP) ■ 순환계(혈소판응고억제, 항혈전, 혈압강하, 관상동맥혈류량 증가, 항산화효과), 항염증, 항균, 골형성효과(홍화씨), 자궁근 수축, 진통, 진정, 면역증강, 항피로, 에스트로겐 균형화 ▶ [이명] 홍람화(紅藍花) ▶ 임신시 주의하여 사용(愼用) (CP)
		[합편] 紅花辛溫消瘀熱 多則通經少養血 홍화신온소어열 다즉통경소양혈 [신편/유고] 少陽人要藥 (cf. 동무유고: 少陰人 – 醒脾之眞氣)
오령지	五靈脂	Wulingzhi 苦甘溫 心肝 / 活血止痛 散瘀活血
	날쥐과	날쥐의 분변(糞便) (KHP) ■ 위점막보호작용

[합편] 五靈味甘血痢絕　炒則止血生行血　오령미감혈리절 초즉지혈생행혈
[중마] 五靈味甘　血痢能絕　炒則止血　生則行血 (和藥)
[신편/유고] 少陰人要藥

우슬	牛膝	Niuxi　苦酸平　肝腎 / (生用)散瘀血 消癥腫 (熟用)補肝腎 强筋骨
	비름과	쇠무릎(=토우슬) 또는 우슬의 뿌리 (KP) ▪ 항염증, 진통, 골흡수억제, 연골보호, 신경계(기억력개선, 인지증진, 항불안) 면역증강, 혈당강하, 자궁근수축, 항종양작용 ▸ [참고] 회우슬(懷牛膝: 중국 하남성 회경(懷慶)지방의 우슬로 주로 補益肝腎 强壯筋骨) vs 천우슬(川牛膝: 사천성의 우슬(Cyathula officinalis)로 주로 活血祛瘀 通利關節) ▸ KP, CP에서의 우슬은 회우슬 / CP에서는 천우슬이 별도의 항목으로 수재 ▸ 토우슬과 회우슬은 성분, 효능이 유사하나 항균, 항당뇨 효과는 토우슬이, 항산화능은 회우슬이 보다 우수 48) ▸ 우슬, 천우슬 : 임신시 주의하여 사용(愼用) (CP)

[합편] 牛膝味苦濕痺除　補精强足下胎瘀　우슬미고습비제 보정강족하태어
[중마] 牛膝味苦　除濕痺痿　補精强足　破精下胎 (補藥)

천산갑	穿山甲	Chuanshanjia　鹹微寒　肝胃 / 活血通經 下乳 消腫排膿 疏風通絡
	천산갑과	천산갑 또는 동속근연동물의 인갑 (KHP) ▪ 항염증, 혈액응고시간 연장 ▸ 임신시 주의하여 사용(愼用) (CP)

[합편] 穿山甲毒痔癰瘡　吹奶腫痛鬼魅藏　천산갑독치선창 취내종통귀매장
[신편/유고] 太陰人要藥

자충	蟅蟲	Zhechong　鹹寒有小毒　肝 / 破血逐瘀 續筋接骨
	바퀴과	지별(地鼈) 또는 기지별의 암벌레의 몸체(KHP) ▪ 지질저하, 혈전용해작용 ▸ [이명] 지별(地鼈蟲) 토별충(土鼈蟲) 토충(土蟲) ▸ 임신시 사용금기 (CP)

[약징- 속편] 主治 乾血 故兼治 少腹滿痛 及婦人經水不利　(cf. 약증: 主治 經水不利 少腹滿痛)

수질	水蛭	Shuizhi　鹹苦平有小毒　肝 / 破血 逐瘀 通經
	거머리과	참거머리 또는 말거머리의 몸체 (KHP) ▪ hirudin 함유 - 항응고, 혈전억제, 항염증, 동맥경화억제작용 ▸ 임신시 사용금기 (CP)

[합편] 水蛭味鹹破積瘀　通經墮産折傷除　수질미함파적어 통경타산절상제
[약징] 主治 血證也 (cf. 약증: 主治 少腹硬滿 發狂善忘 小便自利者)

맹충	蝱蟲	Mengching　苦微寒有小毒　肝 / 破血逐瘀 通經消癥
	등에과	재등에 또는 기타 동속곤충의 암컷 성충 (KHP) ▪ 응고고작용

[약징- 속편] 主治 瘀血 少腹硬滿 故兼治 發狂 瘀熱 喜忘 及婦人經水不利

택란	澤蘭	Zelan　苦辛微溫　肝脾 / 活血祛瘀 行水消腫
	꿀풀과	쉽싸리의 꽃이 피기 전의 지상부 (KP) ▪ 혈액순환개선, 수술후 장유착방지, 자궁수축, 신손상보호

		[합편] 澤蘭甘苦消癰腫 打撲損傷虛浮重 택란감고소옹종 타박손상허부중 [중매] 澤蘭甘苦 癰腫能消 打撲損傷 肢體虛浮 (和藥) [신편/유고] 太陰人要藥
능소화	凌宵花	Lingxiaohua 甘酸寒 肝心包 / 淸熱凉血 化瘀散結 祛風止痒
	능소화과	능소화 또는 미주능소화의 꽃 (KHP) ■ 혈전형성 억제, 항균, 평활근수축억제 ► [이명] 자위(紫葳) ► 임신시 주의하여 사용(愼用) (CP)
자연동	自然銅	Zirantong 辛平 肝 / 散瘀止痛 接骨續筋
	광물류	황화광물 황철석. 주로 이황화철(FeS2) 함유 (KHP) ■ 골유합 촉진, 항균작용 ► [이명] 산골(山骨)
		[합편] 自然銅凉續筋骨 積瘀折傷痛不發 자연동량속근골 적어절상통불발 [신편/유고] 少陽人要藥
왕불류행	王不留行	Wangbuliuxing 苦平 肝胃 / 活血通經 下乳消腫
	석죽과	장구채(Melandrium firmum R)의 열매가 익었을 때의 지상부 (KHP) ■ 항염증, 해열, 이뇨, 최유작용 ► [참고] CP에서는 석죽과 맥람채(麥藍菜 Vaccaria segetalis G)의 성숙종자를 왕불류행으로 수재 ► 임신시 주의하여 사용(愼用) (CP)
		[합편] 王不留行除風痺 調經催産乳癰類 왕불류행제풍비 조경최산유옹류 [신편/유고] 少陽人要藥
유기노	劉寄奴	Liujinu 辛微苦溫 心肝脾 / 破瘀通經 止血消腫 消食化積
	국화과	외잎쑥(기호:奇蒿)의 전초 (KHP) ■ 혈소판 응집관련작용
소목	蘇木	Sumu 甘鹹平 心肝脾 / 活血破瘀 消腫止痛
	콩과	소목의 심재 (KP) ■ 순환계(혈소판응집억제, 혈관이완, 동맥경화억제), 항염증, 항알러지, 항균, 항종양, 신경계(신경보호효과, 중추신경억제) 면역억제, 간보호, 혈당강하, 항산화효과 ► 임신시 주의하여 사용(愼用) (CP)
		[합편] 蘇木甘鹹行積血 産後月經兼撲跌 소목감함행적혈 산후월경겸박질 [중매] 蘇木甘鹹 能行積血 産後月經 兼撲跌 (瀉藥) [신편/유고] 少陰人要藥
건칠	乾漆	Ganqi 辛苦溫有小毒 肝脾 / 破血祛瘀 消積 殺蟲
	옻나무과	옻나무의 줄기에 상처를 입혀 흘러나온 수액을 건조한 덩어리 (KHP) ■ Urushiol 등 함유 - 평활근경련억제, 항종양, 항산화, 강심작용 (대량복용시 심박억제, 혈압강하) ► 임신시 사용금기 (CP)
		[합편] 乾漆辛溫主殺蟲 通經破瘀追積聚 건칠신온주살충 통경파하추적취 [중매] 乾漆辛溫 通經破瘀 追積殺蟲 效如奔馬 (瀉藥) [신편/유고] 少陰人要藥
조각자	皁角刺	Zaojiaoci 辛溫 肝胃 / 消腫排膿 祛風殺蟲
	콩과	주엽나무 또는 조각자나무의 가시 (KP) ■ 항염증, 항종양작용(주로 조각자나무의 열매인 조협(皀莢)에서 관찰) ► CP는 조각자나무(Gleditsia sinensis)만 품목수재

		[합편] 皀角刺溫下胞蟲 妬乳癰瘡及大風 조각자온하포충 투유옹창급대풍 [신편/유고] 太陰人要藥
혈갈	血竭	Xuejie 甘鹹平 心肝 / 散瘀定痛 止血生肌
	종려과	기린갈 또는 동속식물의 열매에서 삼출된 수지를 가열압착한 덩어리 (KHP)
		[합편] 血竭味鹹跌撲傷 破血功及惡毒瘡 혈갈미함질박상 파혈공급악독창
마편초	馬鞭草	Mabiancao 辛苦凉 肝脾 / 活血散瘀 截瘧 利水消腫
	마편초과	마편초의 지상부 (KHP)
충울자	茺蔚子	Chongweizi 甘辛微寒 心包肝 / 活血調經 清肝明目
	꿀풀과	익모초의 씨 (KHP) ▪ 자궁 및 순환계통에 영향 ▶ [이명] 충위자(茺蔚子)
		[합편] 茺蔚子甘目可明 生食潤肺兼塡精 충울자감목가명 생식윤폐겸전정
권백	卷柏	Juanbai 辛平 肝心 / (生用) 活血通經 (炒炭用) 化瘀止血
	부처손과	부처손 또는 점상권백의 전초 (KHP) ▪ 항종양, 혈당강하, 항알러지, 파골세포억제 ▶ 임신시 주의하여 사용(愼用) (CP)
		[합편] 卷柏味苦癥瘕血 風眩痿躄鬼窄截 권백미고징하혈 풍현위벽귀양절
계혈등	鷄血藤	Jixueteng 苦微甘溫 肝腎 / 活血舒筋 養血調經
	콩과	밀화두의 덩굴성 줄기 (KHP) ▪ 조혈작용(적혈구생성촉진, 골수증식), 혈압강하, 혈소 판응집 억제, 지질저하, 항염증, 항종양, 멜라닌생성억제
아위	阿魏	Awei 辛苦溫 脾胃 / 消積 散痞 驅蟲
	산형과	아위 줄기를 자른 부위에서 삼출된 수지 (KHP) ▪ 건위, 항미생물, 진정효과 ▶ 임신시 사용금기 (CP)
		[합편] 阿魏性溫除癥結 却鬼殺蟲傳尸滅 아위성온제징결 각귀살충전시멸
귀전우	鬼箭羽	Guijianyu 苦寒 肝 / 破血通經 殺蟲
	노박덩굴과	화살나무 줄기에 생긴 날개모양의 코르크 (KHP) ▪ 항종양, 항염증, 심혈관계(심수축 력 증가, 관상동맥 혈류증가), 혈당강하, 항산화효과
서홍화 (번홍화)	西紅花	(番紅花) Xihonghua 甘平 心肝 / 活血化瘀 凉血解毒 解鬱安神
	붓꽃과	사프란의 암술머리 (KP) ▪ 진통, 생리통감소, 뇌세포보호, 항종양작용 ▶ 임신시 주의하여 사용(愼用) (CP)

13장 화담지해평천약

13.1 화담지해평천약(化痰止咳平喘藥)-온화한담약(溫化寒痰藥)

반하	半夏	Banxia 辛溫有毒 脾胃肺 / 化痰止嘔 燥濕降逆 消痞散結
	천남성과	반하의 덩이줄기 (KP) ▪ 호흡기계(진해, 항천식, 점액분비억제) 진토작용(법제반하- 중추성 진토효과) 최토작용(낮은온도로 처리한 반하의 경구투여시) 진정작용(GABA

상승) 항종양작용 / 임신시 주의하여 사용[49] ▶ [참조항목: 76-2 (3)]
▶ [참고] 법반하(法半夏) : 감초, 석회, 백반 (또는 加 생강즙)등을 이용하여 법제 /
강반하(薑半夏): 백반, 생강을 이용하여 법제 / 청반하(淸半夏): 생강 없이 백반수에
넣어 쪄서 법제 / 반하곡(半夏麯) : 강반하를 발효시킨 것 또는 청반하를 덩어리로
만든 것
▶ [참고] 원반하(=진주반하珍珠半夏 = 한반하旱半夏): 기원에 부합하는 일반 반하 /
수반하(水半夏): 기원이 다른 비정품 또는 지해평천의 효능위주.
▶ 독성주의한약재 (KFDA 고시)

[합편] 半夏味辛咳嘔繩 健脾燥濕痰頭疼 반하미신해구승 건비조습담두동
[중매] 半夏味辛　健脾燥黑　痰厥頭疼　嘔嗽堪入 (通藥)
[약징] 主治 痰飮嘔吐也 旁治 心痛 逆滿 咽中痛 咳悸 腹中雷鳴 (cf. 약증: 主治 嘔
而不渴者, 兼治咽痛 失音 咽喉異物感 咳喘 心下悸 等)
[신편/유고] 少陰人要藥 : 消脾痰

천남성	天南星	Tiannanxing　苦辛溫有毒 肺肝脾 / 燥濕化痰 祛風止痙 散結消腫
	천남성과	천남성의 덩이뿌리 (KP) ■ 항경련, 진정, 거담, 항종양 작용

▶ [참고] 우담남성 : 천남성을 우담(牛膽)에 충분히 침윤시킨 후 음지에서 건조한 것
으로 성미가 苦寒으로 변하면서 滌熱痰, 平肝熄風의 작용위주
▶ 독성주의한약재 (KFDA 고시) : 구강인두의 부종 및 통증, 타액분비항진 유발우려
▶ 천남성, 제(制)천남성: 임신시 주의하여 사용(愼用) (CP)

[합편] 南星性熱治痰厥 破傷身强風搐發 남성성열치담궐 파상신강풍휵발
[중매] 南星性熱　能治痰厥　破傷身强　風搐皆安 (通藥)
[신편/유고(炮南星)] 少陰人要藥 : 消脾痰

백부자	白附子	Baifuzi　辛溫有毒 脾胃 / 祛風除濕 定驚搐 解毒 散結止痛
	미나리아재비과	백부자의 덩이뿌리 (KHP) ■ 순환계(항부정맥효과) ▶ [이명] 관백부(關白附)

▶ [참고] CP에서는 천남성과 독각련(獨角蓮)의 덩이줄기를 기원으로 하며 이를 우백
부(禹白附)로 지칭함. 관백부(關白附)는 비정품으로 분류.
▶ 독성주의한약재 (KFDA 고시) ▶ 임신시 주의하여 사용(愼用) (CP)

[합편] 白附辛溫治面病 血痺風瘡中風證 백부신온치면병 혈비풍창중풍증
[중매] 白附辛溫　治面百病　血痺風瘡　中風諸證 (通藥)

개자 (백개자)	芥子(白芥子)	Baijiezi　辛溫 肺 / 溫肺祛痰 理氣散結 通絡止痛
	십자화과	갓(芥, Brassica juncea C) 또는 그 변종의 성숙종자 (KHP) ■ 호흡기계(거담, 점액분비촉진) 기타(항균, 항종양, 항산화, 해독, 혈당개선, 피부자극) ▶ [이명] 겨자

▶ CP에서는 [개자] 항목에 백개(Sinapis alba L) 또는 갓(Brassica juncea C)의
성숙종자를 기원으로 하며 백개는 백개자, 갓은 황개자(黃芥子)로 구분

[합편] 白芥子辛化膈痰 痠蒸痞塊皆可戳 백개자신화협담 학증비괴개가감
[중매] 白芥辛溫　歸肺去惡　胸膈冷痰　喉痺能却 (通藥)

조협	皂莢	Zaojia　辛溫有小毒 肺大腸 / 祛痰開竅 散結消腫
	콩과	조각자나무 또는 주엽나무의 열매 (KHP) ■ 호흡기(항천식, 거담) 항종양, 항알러지

▶ [참조] 조각자나무의 가시는 조각자(皂角刺)
▶ CP에서는 조각자나무(Gleditsia sinensis)의 열매만 조협 품목으로 수재하며 성숙
과실은 대조각(大皂角), 미성숙과실은 저아조(猪牙皂: 형상을 멧돼지 치아에 비유한

		명칭)로 구분 ▶ 당조각(唐皂角)= 중국에서 기원한 조협
		▶ 저아조, 대조각 : 임신시 사용금기 (CP)
		[합편] 牙皂味辛通關竅 敷腫消痛吐痰妙 아조미신통관규 부종소통토담묘
		[중마] 牙皂味辛 通關利竅 敷腫消痛 吐痰最妙 (通業)
선복화	旋覆花	Xuanfuhua 苦辛鹹微溫 肺脾胃大腸 / 消痰行水 降氣止嘔
	국화과	금불초 또는 구아선복화의 꽃 (KHP) ▪ 항염증, 내분비계(혈당강하, 지질저하), 간손상억제, 뇌신경세포보호, 항종양작용 ▶ [이명] 금불초(金佛草)
		[합편] 金沸草寒消痰嗽 逐水明目風可救 금비초한소담수 축수명목풍가구
		[신편/유고] 少陰人要藥
백전	白前	Baiqian 辛苦微溫 肺 / 祛痰降氣 止咳
	박주가리과	유엽백전 또는 원화엽백전의 근경 및 뿌리 (KHP) ▪ 진해평천, 거담작용
묘조초	猫爪草	Maozhaocao 甘辛溫 肝胃 / 化痰散結 解毒消腫
	미나리아재비과	개구리갓의 근경

13장 화담지해평천약

13.2 화담지해평천약(化痰止咳平喘藥)-청화열담약(淸化熱痰藥)

전호	前胡	Qianhu 苦辛微寒 肺 / 祛痰降氣 宣散風熱
	산형과	백화전호(白花前胡) 또는 바디나물(=자화전호紫花前胡)의 뿌리 (KHP) ▪ 호흡기계(거담, 해열, 기관지확장, 기도과민억제) 순환계(관상동맥 혈액순환촉진, 혈소판응고억제, 심근보호, 혈관확장) 기타(항종양, 항염증, 항알러지, 진경작용)
		▶ [참고] CP에서는 백화전호(Peucedanum praeruptorum)만 전호로 취급하며, 자화전호는 별도 품목명으로 수재.
		[합편] 前胡微寒寧嗽痰 寒熱頭痛病可堪 전호미한영수담 한열두통비가감
		[중마] 前胡微寒 寧嗽消痰 寒熱頭痛 痞悶能安 (散業)
		[신편/유고] 少陽人要藥
길경	桔梗	Jiegeng 苦辛平 肺 / 宣肺利咽 祛痰排膿
	초롱꽃과	도라지의 뿌리 (KP) ▪ 사포닌의 주성분으로 platycodin 함유 - 호흡기계(진해거담, mucin 분비촉진, 기도염증억제) 내분비계(혈중TG감소, 항비만, 혈당강하), 항염증-진통작용, 기타(항산화효과, 간보호 항종양, 조골세포분화, 면역증강)
		[합편] 桔梗味苦療咽腫 載業上升開胸壅 길경미고요인종 재약상승개흉옹
		[중마] 桔梗味辛 胸脇痛刺 能安驚悸 亦療喉痹 (散業)
		[약징] 主治 濁唾腫膿也 旁治 咽喉痛 (cf. 약증: 主治 咽痛 咽乾或咳者)
		[신편/유고] 太陰人要藥 : 壯根而有外擄之勢
과루인 (괄루인)	瓜蔞仁	(括蔞仁) Gualouren 甘微苦寒 肺胃大腸 / 潤肺化痰 滑腸通便
	박과	하눌타리의 성숙종자 (KP) ▪ 항염증, 진해거담, 항종양, 순환계(관상동맥이완)
		▶ [참고] 과루(瓜蔞) 또는 과루실(瓜蔞實): 하늘타리의 성숙과실로 淸熱滌痰 寬胸散結 潤燥滑腸의 효능

		▶ 하눌타리의 뿌리는 천화분(天花粉=괄루근=과루근), 과피는 과루피(瓜蔞皮)
		[합편] 瓜蔞仁寒嗽痰세 傷寒結胸解煩渴 과루인한수담철 상한결흉해번갈 [중마] 瓜蔞仁寒 寧嗽化痰 傷寒結胸 退黃悅顔 (寒藥) [약징] 栝蔞實(과루실) : 主治 胸痺也 旁治 痰飮 (cf. 약증: 과루실 -主治 胸中至心 下悶痛而大便不通者) [신편/유고] 少陽人要藥 : 豁腎痰
과루피	瓜蔞皮	Gualoupi 甘寒 肺胃 / 淸熱化痰 理氣寬胸
	박과	하늘타리의 과피 ■ [과루인] 참조 ▶ [이명] 괄루피(括蔞皮)
천패모	川貝母	Chuanbeimu 苦甘微寒 肺心 / 淸熱潤肺 化痰止咳
	백합과	천패모의 비늘줄기 (KP) ■ [절패모(浙貝母) 참조]
절패모	浙貝母	Zhebeimu 苦寒 肺心 / 淸熱散結 化痰止咳
	백합과	중국패모의 비늘줄기 (KP) ■ 진해, 거담, 혈압강하(ACE 억제), 항염증, 항종양 ▶ [참고] 비늘줄기가 작은 천패모는 潤肺化痰止咳하여 肺燥한 허증의 咳嗽에 주로 사용, 비늘줄기가 크고 약성이 보다 강한 절패모는 風熱이나 痰火鬱結의 실증의 해 수에 주로 사용. (천패모는 산출량이 적고 가격이 높아 국내에 흔히 유통되는 패모는 대부분 절패모) ▶ [참고] 평패모(平貝母) : 백합과 평패모의 비늘줄기로서 천패모와 유사한 효능.
		[합편] 貝母微寒痰嗽宜 開鬱除煩肺癰疼 패모미한담수의 개울제번폐옹위 [중마] 貝母辛平 傷寒煩熱 淋瀝喉痺 乳難痙瘁 (通藥) [약징] 主治 胸膈鬱結 痰飮也 [신편/유고] 太陰人要藥
천축황	天竺黃	Tianzhuhuang 甘寒 心肝 / 淸熱化痰 淸心定驚
	벼과	왕대, 청피죽 또는 화사노죽의 마디속에 생긴 덩어리 또는 작은알맹이 (KHP) ■ 뇌 세포보호, 진정, 거담작용
		[합편] 天竺黃甘急慢風 鎭心解熱驅邪功 천축황감급만풍 진심해열구사공 [신편/유고] 太陰人要藥
죽여	竹茹	Zhuru 甘微寒 肺胃 / 淸熱化痰 除煩止嘔
	벼과	솜대, 왕대의 겉껍질을 제거한 중간층 (KHP) [합편] 竹茹止嘔除寒痰 胃熱咳嗽不寐堪 죽여지구제한담 위열해해불매감 [중마] 竹茹止嘔 能除熱痰 胃熱咳嗽 不寐歔安 (和藥) [신편/유고] 太陰人要藥 (cf. 동무유고: 少陽人- 開腎之胃氣 而消食進食)
죽력	竹瀝	Zhuli 甘寒 心肺胃 / 淸熱滑痰 鎭痙通竅
	벼과	솜대 또는 왕대의 줄기에 열을 가할 때 유출되는 즙액 (KHP)
		[합편] 竹瀝味甘除痰火 虛熱渴煩干亦妥 죽력미감제담화 허열갈번한역타 [중마] 竹瀝味甘 除虛痰火 汗熱渴煩 效如開鎖 (和藥) [신편/유고] 少陽人 : 豁腎痰
해부석	海浮石	Haifushi 鹹寒 肺 / 淸肺化痰 軟堅散結

	광물류	산화광물로 화산에서 분출된 암석이 응고하여 이루어진 광물 (KHP) ▶ [이명] 해석(海石)
문합(합각)	文蛤(蛤殼)	**Geqiao 苦鹹寒 肺胃 / 淸熱化痰 軟堅散結 制酸止痛**
	백합과 (Veneridae)	무명조개 또는 백합조개의 껍질 (KHP) ■ 항노화, 항염증, 면역조절작용 ▶ [이명] 합각(蛤殼) 해합각(海蛤殼)
		[약징- 속편] 能治意欲飮水者
청몽석	靑礞石	**Qingmengshi 甘鹹平 肺心肝 / 墜痰下氣 平肝鎭驚**
	광물류	규산염광물 흑운모편암 또는 녹기석
		[합편] 靑礞石寒假金色 墜痰却又消宿食 청몽석한하금색 타담각우소숙식 [중마] 靑蒙石寒 硝假金色 墜痰消食 神妙莫測 (瀉藥) [신편/유고] 太陰人要藥
해조	海藻	**Haizao 苦鹹寒 肝胃腎 / 軟堅散結 消痰 利水**
	해마조과	톳 또는 알쑹이모자반의 전조 (KHP) ■ 갑상선에 영향, 지질강하, 혈압강하, 혈액응고억제작용
		[합편] 海藻鹹寒消癭瘤 利水通關瘢脹積 해조함한소영류 리수통관징창적 [중마] 海藻鹹寒 消癭散瘤 除脹破瘢 利水通關 (和藥) [신편/유고] 太陰人要藥
곤포	昆布	**Kunbu 鹹寒 肝胃腎 / 軟堅散結 消痰 利水**
	다시마과	다시마의 전조 (KHP) ■ 항종양, 혈압강하, 항궤양, 지질저하작용
		[합편] 昆布鹹寒一切腫 瘰癧癭瘤氣結壅 곤포함한일체종 루장영류기결옹 [신편/유고] 太陰人要藥
반대해	胖大海	**Pangdahai 甘寒 肺大腸 / 淸熱潤肺 利咽解毒 潤腸通便**
	벽오동과	반대해의 씨 (KHP) ■ 사하, 혈압강하, 이뇨, 진통, 항염증작용
와릉자	瓦楞子	**Walengzi 鹹平 肺胃肝 / 軟堅散結 消痰化瘀**
	돌조개과	꼬막 또는 피조개의 껍질 (KHP) ■ 위산분비억제
		[합편] 瓦楞肉溫胃冷除 健胃消食補中虛 와릉육온복랭제 건위소식보중허
비파엽	枇杷葉	**Pipaye 苦微寒 肺胃 / 淸肺止咳 降逆止嘔**
	장미과	비파나무의 잎 (KP) ■ 항염증, 진통, 항알러지(소량의 amygdalin 함유), 혈당강하, 지질저하, 항종양, 간보호효과
		[합편] 枇杷葉苦偏理肺 解酒淸上兼吐穢 비파엽고편리폐 해주청상겸토예
동과자	冬瓜子	**Dongguazi 甘凉 肺大腸 / 潤肺化痰 消癰排膿 利水**
	박과	동아의 씨 (KHP) ■ 항염증, 배농, 이뇨작용 ▶ [이명] 동과인(冬瓜仁) 과판(瓜瓣)
		[합편] 冬瓜甘寒熱渴釋 利大小腸壓丹石 동과감한열갈석 리대소장압단석

		[신편/유고] 太陰人要藥
제니	薺苨	Jini 甘寒 肺脾 / 淸熱 解百藥毒 潤燥化痰
	초롱꽃과	모시대(Adenophora remotiflorus Miquel)의 뿌리 (KHP)
		[합편] 薺苨甘寒嗽渴瘡 解百藥毒蛇箭傷 제니감한수갈창 해백약독사전상 [신편/유고] 太陰人要藥
해대	海帶	Haidai 鹹寒 肝胃腎 / 軟堅消痰散結 利水
	거머리말과	거머리말의 전초 (KHP)
		[합편] 海帶味鹹疝可窒 下水軟堅癭瘤結 해대미함산가질 하수연견영류결 [신편/유고] 太陰人要藥

13장 　화담지해평천약

13.3 　화담지해평천약(化痰止咳平喘藥)-지해평천약(止咳平喘藥)

행인	杏仁	Xingren 苦微辛微溫有小毒 肺大腸 / 降氣止咳平喘 潤腸通便
	장미과	살구나무, 개살구나무, 시베리아살구 또는 아르메니아살구의 성숙종자 (KP) ■ 호흡기계(진해, 항천식효과 : Amygdalin등 작용) 항종양, 통변, 항염, 심근보호, 간보호 ▶ [참조] 고행인(苦杏仁=북행인) : 일반적인 대부분의 살구. 첨행인과 비교한 명칭 ▶ [참조] 첨행인(甛杏仁=남행인) : 아르메니아살구로서 감평(甘平)하고 약력이 완만하며 주로 윤폐지해(潤肺止咳)에 치우침
		[합편] 杏仁苦溫風痰喘 大腸氣閉便可軟 행인고온풍담천 대장기폐변가연 [중마] 杏仁溫苦 　風痰咳嗽 　大腸氣閉 　便難功效 (散藥) [약징] 主治 胸間停水也 故治 喘咳 而旁治 短氣 結胸 心痛 形體浮腫 (cf. 약증: 主治 胸滿而喘, 兼治腹脹便秘) [신편/유고] 太陰人要藥 : 潤肺痰
백부근	百部根	Baibu 甘苦微溫 肺 / 潤肺下氣止咳 殺蟲
	백부과	만생백부, 직립백부 또는 대엽백부의 덩이뿌리 (KHP) ■ 진해효과(기관지평활근 수축억제, 호흡중추 흥분억제), 항염증, 항미생물, 살충작용
		[합편] 百部味甘骨蒸療 殺疳蛔蟲久嗽解 백부미감골증채 살감회충구수해
자완	紫菀	Ziwan 辛苦微甘溫 肺 / 潤肺下氣 消痰止咳
	국화과	개미취의 뿌리 및 근경 (KP) ■ 거담, 진해, 항균, 항종양작용
		[합편] 紫菀苦辛痰喘咳 吐膿寒熱並痿躄 자완고신담천해 토농한열병위폐 [중마] 紫菀苦辛 　痰喘咳逆 　肺痿吐膿 　寒熱並除 (通藥)
관동화	款冬花	Kuandonghua 辛微甘溫 肺 / 潤肺下氣 止咳化痰
	국화과	관동의 꽃봉오리 (KP) ■ 호흡기계(진해거담, 호흡흥분작용) 순환계(혈압상승) 항염증, 항종양, 항산화효과 ▶ [민간명] 머위꽃
		[합편] 款花甘溫止喘咳 補劣除煩且理肺 관화감온지천해 보열제번차이폐

[중마] 款花甘溫 理肺消痰 肺癰喘咳 補劣除煩 (通藥)
[신편/유고] 太陰人要藥 : 解肌之表邪

소자	蘇子	Suzi 辛溫 肺大腸 / 降氣消痰 平喘 潤腸
	꿀풀과	차조기(차즈기) 또는 주름소엽의 열매 (KHP) ■ 호흡기계(항천식작용) 기억력개선, 항우울, 장관운동촉진, 식욕억제 ▶ [이명] 자소자(紫蘇子) ▶ [참고] 자소엽(紫蘇葉): 차조기의 잎
		[합편] 蘇子味辛開胸氣 止咳定喘潤心肺 소자미신개담기 지해정천윤심폐 [중마] 蘇子味辛 歐痰降氣 止咳定喘 更潤心肺 (通藥) [신편/유고] 少陰人要藥

상백피	桑白皮	Sangbaipi 甘寒 肺 / 瀉肺平喘 利水消腫
	뽕나무과	뽕나무의 근피 (KP) ■ 호흡기계(진해거담, 항천식, 점액조절작용) 이뇨, 혈압강하, 혈당강하, 항종양, 항균, 항염증. 기타(항우울, 피부미백효과) ▶ [참고] 뽕나무의 잎은 상엽(桑葉), 어린가지는 상지(桑枝), 완전히 익기 전의 열매는 상심자(桑椹子)로서 약용
		[합편] 桑皮甘寒定喊喘 瀉肺火邪功不淺 상피감신정수천 사폐화사공불천 [중마] 桑皮甘寒 益氣補虛 去肺中水 腫脹能除 (通藥) [신편/유고] 太陰人 : 潤肺痰

정력자	葶藶子	Tinglizi 辛苦大寒 肺膀胱 / 瀉肺平喘 行水消腫
	십자화과	다닥냉이 또는 재쑥의 씨 (KHP) ■ 강심, 이뇨, 거담작용
		[합편] 葶藶苦辛利水腫 痰喘肺癰椴椴重 정력고신리수종 담천폐옹징하중 [중마] 葶歷苦辛 利水消腫 痰咳椴椴 治喘肺癰 (通藥) [약징] 主治 水病也 旁治 肺癰結胸 (cf. 약증: 主治 咳喘而胸腹脹滿 鼻塞清涕出 一身面目浮腫者)

마두령	馬兜鈴	Madouling 苦微辛寒 肺大腸 / 淸肺降氣 止咳平喘 淸腸消痔
	쥐방울과	마두령의 성숙과실 ■ aristolochic acid 함유로 신독성 주의, 국내에서는 유통금지품목 ▶ [참고] 마두령의 지상부는 천선등(天仙藤) 뿌리는 청목향(靑木香) ▶ 임신시 사용금기 (CP)
		[합편] 兜鈴苦寒康痔漏 定喘消痰肺熱嗽 두령고한훈치루 정천소담폐열수 [신편/유고] 太陰人要藥

백과	白果	Biaguo 甘苦澁平有小毒 肺 / 斂肺平喘 收澁止帶
	은행나무과	은행나무 열매의 속씨 (KHP) ■ 신경계(인지개선, 항치매효과) 기타(항종양, 항진균작용) / 과량복용시 GABA 합성의 저하로 인한 경련유발 ▶ [은행엽(銀杏葉) 참조]
		[합편] 百果甘苦喘嗽癟 能治白濁且壓酒 백과감고천수구 능치백탁차압주 [신편/유고] 太陰人要藥 : 開肺之胃氣 而消食進食

14장	안신약
14.	**안신약(安神藥)**

주사	朱砂	Zhusha 甘微寒有毒 心 / 鎭心安神 淸熱解毒
	광물류	황화수은(HgS) (KHP) ■ 진정, 항경련작용 ▶ [이명] 단사(丹砂), 진사(辰砂)

> ▶ [참조] 영사(靈砂) : 순도 98% 이상으로 가공된 황화수은(HgS)
> ▶ [참조] 홍분(紅粉) : 적색의 산화수은(HgO)으로 신열대독(辛熱大毒)하여 주로 외용 목적으로 사용 (拔毒除膿 去腐生肌 燥濕殺蟲의 효능)
> ▶ 독성주의한약재 (KFDA 고시) ▶ 주사, 홍분 : 임신시 사용금기 (CP)

[합편] 朱砂味甘定魂魄 鎭心養神鬼邪㕮 주사미감정혼백 진심양신귀사벽
[중마] 水銀性寒 治疥殺蟲 斷絶胎孕 催生沈癮 (瀉藥)
[신편/유고] 영사(靈砂), 주사(朱砂) - 少陽人要藥

자석	磁石	Cishi 辛鹹寒 肝心腎 / 安神鎭驚 平肝潛陽 聰耳明目 納氣平喘
	광물류	산화물광물 적철석 삼산화이철수화물(Fe2O3·nH2O)을 주로 함유 (KHP) ■ 진정, 지혈, 항종양작용 ▶ 임신시 주의하여 사용(愼用) (CP)

> ▶ [이명] 모자석(毛磁石) : 표면의 철가루 등이 털모양으로 꼿꼿이 선 모양을 비유

[합편] 磁石味鹹療金瘡 補腎益精醫勞傷 자석미함료금창 보신익정의로상

용골	龍骨	Longgu 甘澁微寒 心肝 / 平肝潛陽 鎭驚安神 斂汗固精 止血澁腸 生肌斂瘡
	광물	큰 포유동물의 화석화된 뼈 (KP) ■ 주로 탄산칼슘(CaCO3), 미량의 SiO2 등 함유 – 항불안, 항경련, 수면시간연장 ▶ [참고] 용치(龍齒) : 포유동물의 치아화석으로 용골과 유사하나 安神의 작용이 보다 강함

[합편] 龍骨甘平定精可㕮 崩帶腸癰風熱瘸 용골미감정정가간 붕대장옹풍열간
[중마] 龍骨味甘 夢遺精泄 崩帶腸癰 驚癇風熱 (收藥)
[약징] 主治 臍下動也 旁治 煩驚 失精 (cf. 약증: 主治 驚悸而脈扎動者)
[신편/유고] 太陰人要藥

호박	琥珀	Hupo 甘平 心肝膀胱 / 鎭驚安神 散瘀止血 利水通淋
	소나무과	소나무 또는 동속식물의 수지가 땅속에서 오랜 세월을 경과하여 화석이 된 것 (KHP) ■ 진정, 최면, 진경, 진통작용

[합편] 琥珀味甘定魂魄 利水破瘀消癥積 호박미감정혼백 이수파어소징적
[신편/유고] 少陽人要藥

산조인	酸棗仁	Suanzaoren 甘酸平 心肝 / 養心安神 斂汗
	갈매나무과	산조의 성숙종자 (KP) ■ Jujuboside, 산조이닌(sanjoinine) 등 함유 – 진정, 최면, 항불안, 지질저하(LDL, TG감소), 죽상동맥경화증감소, 면역계(히스타민유리 억제, 면역증강), 항염증, 항산화, 항스트레스, 혈소판응집 억제, 통변작용

> ▶ 진정작용 등의 약리학적 효능은 초(炒)산조인이 생(生)산조인보다 우세 [31]
> ▶ [민간명] 묏대추 ▶ 원산조인(元酸棗仁): 기원에 부합하는 산조인 ▶ [참고] 갈매나무과 면조(綿棗: Zizyphus mauritiana)의 종자인 면산조인(綿酸棗仁)은 비정품

[합편] 酸棗味酸汗煩凋 生能少睡炒多眠 산조미산한번건 생능소수초다면
[중마] 酸棗味酸 斂汗去煩 多眠用生 炒用不眠 (收藥)
[약징] 主治 胸膈煩躁 不能眠也
[신편/유고] 太陰人要藥 : 安神定意

백자인	柏子仁	Baiziren 甘平 心腎大腸 / 養心安神 潤腸通便
	측백나무과	측백나무의 씨 (KP) ▪ 항산화효과, 항균, 항박테리아, 기억력개선, 통변작용
		[합편] 柏子味甘汗可閉 扶虛定悸補心劑 백자미감한가폐 부허정계보심제 [중마] 柏子味甘 補心益氣 斂汗扶虛 更除驚悸 (補藥) [신편/유고] 太陰人要藥
원지	遠志	Yuanzhi 苦辛微溫 肺心腎 / 寧心安神 祛痰開竅 消散癰腫
	원지과	원지의 뿌리 (KP) ▪ Tenuigenin, Tenuifolin 함유 – 신경계(진정, 뇌신경보호, 항우울, 기억력개선- Ach 분해억제를 통한 치매동물모델의 학습능력개선) 항균, 항종양, 면역증강(바이러스증식 억제), 기타(거담, 항경련, 혈압강하, 항부정맥, 자궁수축) ▶ [참고] 생용(生用)시 인후 또는 위점막 자극 우려가 있어 보통 감초자(甘草炙)
		[합편] 遠志氣溫驅悸驚 安神鎭心益聰明 원지기온구계경 안신진심익총명 [중마] 遠志氣溫 能歐驚悸 安神鎭心 令人多記 (補藥) [신편/유고] 太陰人要藥 : 醒肺之眞氣
합환피	合歡皮	Hehuanpi 甘平 心肝 / 安神解鬱 活血消腫
	콩과	자귀나무의 수피 (KHP) ▪ 신경계(진정, 항우울, 항불안작용) 기타(자궁수축력증가, 항종양효과,항산화작용)
영지	靈芝	Lingzhi 甘微苦平 心脾肺 / 養心安神 補氣益血 止咳平喘
	구멍장이버섯과	영지 또는 기타 근연종의 자실체 (KHP) ▪ 항종양, 면역증강, 순환계(지질저하, 혈압강하), 신경계(진정, 뇌세포보호), 소화기계(항궤양, 간보호), 진해거담, 혈당강하, 항바이러스작용
야교등	夜交藤	Yejiaoteng 甘微苦平 心肝 / 養心安神 祛風通絡
	여뀌과 (=마디풀과)	하수오의 덩굴줄기 (KHP: 首烏藤으로 수재) ▪ 항산화, 심근보호, 진통, 항염증활성 ▶ [이명] 수오등(首烏藤)
길초근 (힐초)	纈草 Xiecao 辛苦溫 心肝 / 安神 祛風濕 活血止痛	
	마타리과	쥐오줌풀 또는 근연식물의 뿌리 및 근경 (KP) ▪ 진정, 항불안, 항궤양작용

15장   평간약

15.1   평간약(平肝藥) – 평간식풍약(平肝息風藥)

영양각	羚羊角	Lingyangjiao 鹹寒 肝心 / 平肝息風 淸肝明目 淸熱解毒
	소과	영양 또는 고비영양의 뿔 (KHP) ▪ 진정, 해열, 진통, 혈압강하작용
		[합편] 羚羊角寒明目睛 淸肝解毒且却驚 영양각한명목정 청간해독차각경 [중마] 羚羊角寒 明目淸肝 却驚解毒 神智能安 (和藥)
조구등	釣鉤藤	Gouteng 甘微寒 肝心包 / 息風止痙 淸熱平肝
	꼭두서니과	화구등 또는 기타 동속 근연식물의 가시가 달린 어린가지 (KHP) ▪ 신경계(항경련, 진정, 뇌세포보호, 항정신병작용(5HT수용체에 관여), 항치매), 순환계(혈압강하, 항부

		정맥, 동맥경화억제, 혈액순환개선), 기타(항종양, 항산화효과)
		[합편] 鉤藤微寒兒驚癎 手足口眼㖞瘲㾴 구등미한아경간 수족구안계종산 [신편/유고] 少陽人要藥
천마	天麻	Tianma 甘平 肝 / 平肝息風 定驚止痙
	난초과	천마의 덩이줄기 (KP) ▪ Gastrodin 등 함유- 신경계(항경련 및 진정작용-GABA신경계 관여, 항우울, 뇌신경보호 및 항치매효과), 순환계(혈압저하, 심근세포보호, 지질저하), 기타(항염증, 항산화, 항종양, 골보호) ▶ [참고]적전(赤箭): 천마의 지상부 (KHP)
		[합편] 天麻味苦驅頭眩 小兒癎瘈及癱瘓 천마미고구두현 소아간련급탄탄 [합편] 赤箭味苦號定風 殺鬼蠱毒除疝癥 적전미고호정풍 살귀고독제산옹 [중마] 天麻辛溫 能止頭眩 殺蟲鬼精 兼消腫滿 (散藥) [신편/유고] 太陰人要藥
백강잠	白僵蠶	Baijiangcan 鹹辛平 肝肺 / 息風止痙 疏散風熱 化痰散結 清熱解毒 清熱燥濕
	누에과	누에의 유충이 백강병균의 감염에 의한 백강병으로 경직사한 몸체 (KHP) ▪ 최면 및 진정, 항경련(백강잠 표면의 흰가루에 함유된 ammonium oxalate의 작용), 기타(혈당강하, 세포독성 억제, 신경세포성장촉진)
		[합편] 細蠶味鹹治風癎 濕痰喉痺瘡毒瘢 강잠미함치풍간 습담후비창독반 [중마] 細蠶味鹹 諸風驚癎 濕痰喉痺 瘡毒瘢痕 (和藥) [신편/유고] 太陰人要藥
전갈(전충)	全蝎(全蟲)	Quanxie 辛平有毒 肝 / 息風止痙 通絡止痛 解毒散結
	전갈과	감갈의 몸체 (KHP) ▪ 진통, 진경, 진정, 혈압강하, 항종양, 항균작용 ▶ 임신시 사용금기 (CP)
		[합편] 全蝎味辛却風痰 口眼㖞斜癎搐戡 전갈미신각풍담 구안괘사간휵감 [중마] 全蝎味辛 善却風痰 口眼㖞斜 搐搦并戡 (瀉藥) [신편/유고] 太陰人要藥
오공	蜈蚣	Wugong 辛溫有毒 肝 / 息風止痙 解毒散結 通絡止痛
	왕지네과	왕지네의 몸체 (KHP) ▪ 항경련, 항균, 혈압강하, 항염증, 진통, 항종양작용 ▶ 임신시 사용금기 (CP)
		[합편] 蜈蚣味辛蛇虺毒 墮胎逐瘀鬼邪觸 오공미신사훼독 타태축어귀사촉 [신편/유고] 少陽人要藥
구인(지룡)	蚯蚓(地龍)	Qiuyin 鹹寒 肝脾肺 / 清熱定驚 通絡 平喘 利尿
	낚시지렁이과	지렁이, 갈색지렁이의 건조체 (KHP) ▪ 해열, 진정, 항경련, 혈압강하, 기관지확장
		[합편] 蚯蚓氣寒治大熱 傷寒瘟疫狂譫絶 구인기한치대열 상한온역광섬절 [신편/유고] 太陰人要藥
결명자	決明子	Juemingzi 甘苦鹹微寒 肝大腸 / 清肝明目 平肝潛陽 潤腸通便
	콩과	결명차 또는 결명의 성숙종자 (KP) ▪ 심혈관계(혈압강하, 콜레스테롤저하, 항산화효과) 소화기계(위액분비 촉진, 사하작용-anthraquinone 함유), 간보호작용(그러나 일

		부 문헌[34] 에서 간독성 보고) 신경계(기억력개선, 신경세포보호) 기타(항균, 항알러지, 항산화효과)
		[합편] 決明子甘除肝熱 目痛收淚止鼻血 결명자감제간열 목통수루지비혈 [중마] 決明子甘 能除肝熱 目痛收淚 仍止鼻衄 (和藥) [신편/유고] 少陽人要藥
수우각	水牛角	Shuiniujiao 苦寒 心肝 / 淸熱解毒 凉血定驚
	소과	물소의 뿔 – 서각(犀角) 참조 ▶ [참고] 우각방(牛角䚡): 우각을 대패밥처럼 얇게 깎은 것

15.2 평간약(平肝藥) – 평간잠양약(平肝潛陽藥)

석결명	石決明	Shijueming 鹹寒 肝 / 平肝潛陽 淸肝明目
	전복과	말전복 또는 기타 동속근연동물 또는 오분자기의 껍질 (KHP) ■ 탄산칼슘(CaCO3)이 90% 차지, 진정, 진경작용
		[합편] 石決明肉鹹凉劑 最能明目殼消腎 석결명육각소예 최능명목소예 [중마] 石決明鹹 咬之目明 殼消腎膜 久服身輕 (食藥)
모려	牡蠣	Muli 鹹微寒 肝膽腎 / 平肝潛陽 重鎭安神 軟堅散結 收斂固澁 制酸止痛 (煆牡蠣) 收斂固澁 증강
	조개과	굴의 껍질 (KP) ■ 탄산칼슘(Calcium carbonate, CaCO3)이 중량비로 85~90% 차지. Osteoblast의 증식 촉진, 제산, 항궤양, 진정작용 ▶ [참고] 하모려(煆牡蠣): 모려를 강한 불에 달군 것으로 鹹味가 감소하는 대신 澁味가 증가하여 盜汗 自汗 遺精 등에 대한 收斂固澁의 작용이 위주가 됨
		[합편] 牡蠣微寒主澁精 痰汗崩帶脅痛平 모려미한주삽정 담한붕대협통평 [중마] 牡蠣鹹平 溫瘧寒熱 崩帶泄痢 爽堅强骨 (補藥) [약징] 主治 胸腹之動也 旁治 驚狂 煩躁 (cf. 약징: 主治驚悸 口渴而胸脅痞硬者)
진주	珍珠	Zhenzhu 甘鹹寒 心肝 / 安神定驚 淸肝明目 解毒生肌
	진주조개과	진주조개 또는 그 근연동물, 삼각범방 또는 대칭이가 자극을 받아 생성한 구슬(진주) (KHP) ■ 항노화, 항피로, 항산화, 항궤양, 제산작용
		[합편] 珍珠氣寒鎭驚癎 開聾磨腎渴除删 진주기한진경간 개롱마예갈담산 [중마] 珍珠氣寒 鎭驚除癎 開聾磨腎 止渴墜痰 (通藥)
진주모	珍珠母	Zhenzhumu 鹹寒 肝心 / 平肝潛陽 淸肝明目 鎭驚安神
	진주조개과	진주조개 패각(貝殼)에서 진주층을 건조한 것 ■ 항궤양, 위산중화, 항과민작용
대모	玳瑁	Daimao 甘鹹寒 心肝 / 平肝定驚 淸熱解毒
	바다거북과	대모의 背甲을 채취하여 끓는 물 또는 식초로 처리
대자석	代赭石	Daizheshi 苦寒 肝心 / 平肝潛陽 重鎭降逆 凉血止血

	광물류	적철석 광석을 채취한 것 ■ 진정, 장관운동촉진
		[합편] 代赭石寒下胎崩 疳痢驚癇殺鬼能 대자석한하태붕 감리경간살귀능
백질려 (질려자)	白蒺藜	(蒺藜子) Baijili (Jilizi) 辛苦平有小毒 肝 / 平肝解鬱 疏肝解鬱 祛風明目 止痒
	남가새과	남가새의 성숙과실 (KP) ■ 혈압강하, 중추신경계(운동억제), 기타(이뇨, 살충, 간보호, 성기능강화, 지질저하)
		▶ [참고] 보양약(補陽藥)인 사원질려(沙苑蒺藜)와는 다른 약물이므로 주의
		[합편] 蒺藜微苦瘡瘙痒 白癜頭瘡腎目朗 질려미고창소양 백반두창예목랑
		[중매] 蒺藜味苦 療瘡瘙癢 破堅乳難 喉開目朗 (補藥)
		[신편/유고] 太陰人要藥

16장   개규약

16   개규약(開竅藥)

사향	麝香	Shexiang 辛溫 心脾 / 開竅醒神 活血祛瘀 消腫散結 催産下胎
	사향노루과	난쟁이사향노루, 산사향노루 또는 사향노루 수컷의 사향선 분비물 (KHP) ■ l-무스콘 (C16H30O) 함유 – 신경계(진정, 대뇌피질세포보호, BBB 수송능 향상), 순환계(협심증개선, 혈소판응집억제), 항염증, 호흡중추흥분, 남성호르몬작용
		▶ 임신시 사용금기 (CP)
		[합편] 麝香辛緩善通關 伐鬼安驚毒可刪 사향신난선통관 벌귀안경독가산
		[중매] 麝香辛緩 善通關竅 伐鬼安驚 解毒甚妙 (通藥)
		[신편/유고] 太陰人要藥 : 能除肺之久病

빙편 (용뇌)	冰片(龍腦)	Bingpian 辛苦凉 心脾肺 / 開竅醒神 清熱止痛
	용뇌향과	용뇌향의 수간창구에서 흘러 나온 수지 또는 수간과 가지를 썰어 수증기 증류하여 얻은 백색의 결정체 (KHP) ■ Borneol 함유 – 신경계(중추신경흥분, 허혈성뇌손상억제) 기타(피부자극 및 진통효과, 항균, 파골세포분화, 억제방부작용)
		▶ 임신시 주의하여 사용(愼用) (CP)
		[합편] 龍腦迷信治狂躁 喉痺目痛妄言譟 용뇌미신치광조 후비목통망언조
		[중매] 龍腦味辛 心腹邪氣 明目開瞖 催生良劑 (通藥)
		[신편/유고] 太陰人要藥

석창포	石菖蒲	Shichangpu 辛苦溫 心胃 / 化痰開竅 化濕行氣 祛風利痹
	천남성과	석창포의 근경 (KHP) ■ asarone 등 함유 – 신경계(진정, 경련억제, 수면시간 연장, 뇌신경보호, 인지기능개선– 신경전달물질증가) 건위, 심근보호, 진해평천, 지질저하, 살충, 향균, 항알러지작용
		[합편] 菖蒲性溫開心竅 去痺除風出聲妙 창포성온개심규 거비제풍출성묘
		[중매] 菖蒲性溫 開心通竅 祛痺除風 出聲至妙 (補藥)
		[신편/유고] 太陰人要藥 : 錯綜肺氣 參伍匀調

소합향	蘇合香	Suhexiang 辛溫 肺肝 / 開竅醒神 辟穢 止痛
	조록나무과	소합향나무의 수지 (KHP) ■ 신경계(진정, 항경련) 혈액에 대한 효과(항혈전형성(PT

		연장), 항혈소판응집), 기타(항균, 위보호, 상처회복촉진)
		[합편] 蘇合香甘殺鬼惡 蠱毒癎痊夢魘藥 소합향감살귀악 고독간치몽염악 [신편/유고] 少陰人要藥
안식향	安息香	Anxixiang 辛苦平 / 心脾 / 開竅淸神 豁痰辟穢 行氣活血 止痛
	때죽나무과	안식향나무 또는 백화수에서 얻은 수지 (KP) ■ 항균, 항염증작용, 보존제 또는 향료로 응용.
		[합편] 安息香辛辟邪惡 逐鬼消蠱鬼胎落 안식향신벽사악 축귀소고귀태락 [신편/유고] 少陰人要藥
섬수	蟾酥	Chansu 甘辛溫有毒 / 心胃 / 解毒消腫 止痛 開竅辟穢 消積
	두꺼비과	두꺼비 또는 흑광섬서의 독선의 분비물 (KP) ■ 순환계(심수축력증가, 혈압상승, 호흡중추흥분), 항종양, 환각효과, 이뇨, 국소마취작용 ▶ 독성주의한약재 (KFDA 고시) (cf. 섬수로 유발된 심독성을 우황으로 해독[20]) ▶ 임신시 주의하여 사용(愼用) (CP)
		[합편] 蟾蜍氣凉殺疳蟲 瘡毒可祛解瘟疫 섬서기량살감벽 창독가거해온역 [신편/유고] 少陽人要藥
장뇌	樟腦	Zhangnao 辛熱有毒 / 心脾 / 開竅辟穢 除濕殺蟲 消腫止痛
	녹나무과	녹나무의 목부, 가지 또는 잎을 절단하여 수증기류하여 얻은 장뇌유를 냉각시켜 석출한 결정체 (KHP) ▶ [이명] 천연빙편(天然氷片) 우선룡뇌(右旋龍腦) ▶ 천연빙편: 임신시 주의하여 사용(愼用) (CP)

17장 보익약

17.1 보익약(補益藥) – 보기약(補氣藥)

인삼	人蔘	Renshen 甘微苦微溫 / 脾肺心 / 大補元氣 固脫生津 安神
	두릅나무과	인삼의 뿌리 (KP) ■ Ginsenoside 등 함유 – 면역증강, 항피로, 항산화효과, 항염증작용, 신경계(기억력개선, 진정, 항불안, 항스트레스활성) 혈당강하, 지질억제, 항종양, 호르몬작용(estrogenic effect) / 임신, 수시 주의하여 사용[49] ▶ 미삼(尾蔘: KHP) : 인삼의 가는뿌리 또는 잔뿌리 / 홍삼(紅蔘): 고온증기 등으로 찐 후 건조한 인삼 / 백삼(白蔘) : 껍질을 벗겨 말린 인삼 / 피부삼(皮部蔘) : 껍질을 벗기지 않고 말린 것 / 곡삼(曲蔘): 구부려 말린 인삼(작은 인삼이 커보이는 효과) ▶ 편: 인삼 1근(300g)에 들어가는 뿌리수로서 편수가 클수록 작은 인삼 (ex. 한 곽에 20뿌리가 들어가는 20편 인삼이 40뿌리가 들어가는 40편 인삼보다 굵고 큼) ▶ [중국문헌의 관련명칭] 원삼(園蔘): 재배인삼 / 생쇄삼(生曬蔘): 신선한 인삼을 세척후 햇볕이나 불에 쬐어 건조한 것 / 전수생쇄삼(全鬚生曬蔘): 수염뿌리를 제거하지 않은 생쇄삼 ▶ [서양삼] [태자삼] [죽절삼] 항목 참조
		[합편] 人蔘味甘補元氣 止渴生津調榮衛 인삼미감보원기 지갈생진조영위 [중미] 人蔘味甘 大補元氣 止渴生津 調榮衛 (補氣) [약징] 主治 心下痞堅 痞硬 支結也 旁治 不食 嘔吐 喜唾 心痛 腹痛 煩悸 (cf. 약증: 主治 氣液不足)

		[신편/유고] 少陰人要藥 : 補脾和脾
당삼	黨參	Dangshen 甘平 脾肺 / 補中益氣 健脾益肺
	초롱꽃과	만삼 또는 천당삼의 뿌리 (KP) ■ 면역증강, 조혈, 강심작용. 항궤양, 위장관운동촉진, 인지능력개선, 혈압강하, 적혈구용혈개선 ▶ [이명] 만삼(蔓參)
황기	黃芪	Huangqi 甘溫 脾肺 / (生用)益衛固表 利水消腫 托毒 生肌 (炙用)補中益氣
	콩과	황기 또는 몽골황기의 뿌리 (KP) ■ Astragaloside 함유 – 면역증강, 순환계(심근손상억제, 혈압강하) 내분비계(혈당강하, 말초신경병증 억제) 신경계(항스트레스, 기억력개선, 신경세포사멸억제) 창상치유(기저세포증식촉진), 항종양, 항바이러스, 항염증, 이뇨, 간보호, 항산화, 항피로작용 ▶ [민간명] 단너삼
		[합편] 黃芪甘溫收汗表 托瘡生肌虛莫少 황기감온수한표 탁창생기허막소 [중마] 黃芪性溫 收汗固表 托瘡生肌 氣虛莫少 (補藥) [약징] 主治 肌表之水也 故能治 黃汗 盜汗 皮水 又旁治 身體腫 或不仁者 (cf. 약증: 主治 汗出而腫 肌無力者) [신편/유고] 少陰人要藥
백출	白朮	Baizhu 苦甘溫 脾胃 / 補脾益氣 燥濕利水 止汗安胎
	국화과	삽주 (Atractylodes japonica K) 또는 백출 (Atractylodes macrophala K= 기원백출)의 근경 (KP) ■ 아트락틸론(Atractylone) 함유 – 소화기계(항궤양, 간보호, 이담작용) 면역증강, 유산억제(자궁운동억제), 항종양, 이뇨, 혈압강하, 혈당강하, 진정, 항염증작용 ▶ 임신시 주의하여 사용49) (생식독성 보고된 바 있으나 면역학적 부분에 영향을 주어 유산억제효능도 보고.98) 임상연구상 임신시 가장 다용된 약재중 하나로 안전할 것으로 판단되나 고용량시 주의) ▶ [창출(蒼朮) 참조 : 백출은 atractylodin이 거의 없음] ▶ [참고] 국내에서는 관례적으로 삽주의 모근(母根) 또는 거피한 삽주는 백출, 자근(子根) 또는 유피한 삽주는 창출로 구분해서 사용해 왔으나 CP에서는 기원백출(A. macrophala)만 백출로 수재함 / JP는 삽주와 기원백출 모두 백출로 수재하며 삽주는 화백출(和白朮) 또는 일백출(日白朮)로, 기원백출은 당백출(唐白朮)로 명명 ▶ [참고] 신농본초경에는 백출, 창출의 구별없이 출(朮)로만 기재되어 있음. 창출이라는 명칭은 송대(宋代)의 본초연의(本草衍義)부터 등장 ▶ [참고] 삽주 (A. japonica)의 이명 : 관창출(關蒼朮), 동창출(東蒼朮) ▶ [참고] 백출 (A. macrophala)의 이명 : 기원백출, 당백출(唐白朮), 퇴백출(腿白朮: 절단면 형상이 대퇴부와 유사함을 비유), 환삽주, 큰꽃삽주
		[합편] 白朮甘溫健脾胃 止瀉除濕兼痰痞 백출감온건비위 지사제습겸담비 [중마] 白朮味溫 健脾强胃 止瀉除濕 痰無不利 (補藥) [약징] 朮(출) : 主利水也 故能治 小便自利 不利 旁治 身煩疼 痰飮 失精 眩冒 下利喜唾 (cf. 약증: 主治 渴而下利者, 兼治冒眩 四肢沈重疼痛 短氣 心下逆滿 小便不利 水腫) [신편/유고] 少陰人要藥 : 健脾直脾
산약	山藥	Shanyao 甘溫 脾肺腎 / 健脾養胃 生津益肺 補腎澁精
	마과	마 또는 참마의 주피를 제거한 근경을 그대로 또는 쪄서 말린 것(KP) ■ Diogenin (스테로이드 골격을 가진 일종의 saponin)등 함유 – 소화기계(위산분비억제, 위장운동능향상) 항산화, 혈당강하(ACE활성저하), 지질저하, 혈당강하, 항종양, 면역조절작용 / 장기간 복용시 IgE 매개의 천식반응 우려 ▶ [이명] 서여(薯蕷)

▸ [참고] 껍질이 피부점막을 자극할 수 있어 거피(去皮)하여 사용하나 최근에는 표백 목적의 유황처리 우려 때문에 유피(留皮)산약도 유통

[합편] 薯蕷甘溫善補中 理脾止瀉益腎功 서여감온선보중 이비지사익신공
[중마] 山藥甘溫 理脾止瀉 益腎補中 諸虛何怕 (補藥)
[신편/유고] 太陰人要藥 : 壯肺而有內守之力

| 백편두 | 白扁豆 | Baibiandou 甘微溫 脾胃 / 健脾和中 消暑化濕 |
| | 콩과 | 편두의 성숙종자 (KP) ■ 소화효소분비촉진(Cholecystokinin 유리 증가) 이뇨, 항균 |

[합편] 扁豆微凉酒毒却 下氣和中轉筋霍 편두미량주독각 하기화중전근곽
[중마] 扁豆微凉 轉筋止瀉 下氣和中 酒毒能化 (和藥)

| 감초 | 甘草 | Gancao 甘平 心肺脾胃 / 和中緩急 潤肺 解毒 調和諸藥 |
| | 콩과 | 감초 , 광과감초 또는 창과감초의 뿌리 및 근경 (KP) ■ 글리시리진산(glycyrrhizic acid) 함유 - 항염증, 소화기계(위산억제, 항궤양, 진정, 소화불량개선), 내분비계(항안드로젠, 에스트로겐활성, 항당뇨), 해독작용(간보호, GSH 농도증가, 글루쿠론산 포합활성, 항산화) 신경계(항우울, 신경보호, 기억력개선) 호흡기계(항천식, 진해) 항미생물, 항종양, 면역증강, 진통, 자궁근이완 / 임신시 고용량 사용은 주의[49] |

▸ [참조항목: 68-4]

[합편] 甘草甘溫和諸藥 生能瀉火炙溫作 감초감온화제약 생능사화구온작
[중마] 甘草甘溫 調和諸藥 炙則溫中 生則瀉火 (補藥)
[약징] 主治 急迫也 故治 裏急 急痛 攣急而 旁治 厥冷 煩躁 衝逆之等 諸般急迫之毒也 (cf. 약증: 主治 羸瘦, 兼治 咽痛 口舌糜碎 咳嗽 心悸 以及 躁 急 痛 逆 諸症)
[신편/유고(炙甘草)] 少陰人要藥 : 固肌立脾

| 대조 | 大棗 | Dazao 甘溫 脾胃 / 補脾和胃 益氣生津 調營衛 |
| | 갈매나무과 | 대추나무 또는 보은대추나무의 성숙과실 (KP) ■ 항염증(항궤양효과). 항알러지, 신경계(진정, 신경계활성), 기타(변비억제, 항종양, 조혈기능촉진, 신장보호, 지질저하, 혈압강하) ▸ [이명] 홍조(紅棗) |

[합편] 大棗味甘和百藥 益氣養脾滿休嚼 대조미감화백약 익기양비만휴작
[중마] 大棗味甘 調和百藥 益氣養脾 中滿休嚼 (食藥)
[약징] 主治 攣引强急也 旁治 咳嗽 奔豚 煩躁 身疼 脇痛 腹中痛 (cf. 약증: 配伍甘草 主治 動悸 臟躁 / 配伍生姜 主治 嘔吐 咳逆 / 配伍瀉下藥 保護胃氣)
[신편/유고] 少陰人要藥

| 자오가 | 刺五加 | Ciwujia 辛微苦溫 脾腎心 / 補腎强腰 益氣安神 活血通絡 |
| | 두릅나무과 | 가시오갈피나무의 뿌리 및 근경 (KHP) ■ [오가피(五加皮)] 참조 |

| 봉밀 | 蜂蜜 | Fengmi 甘平 肺脾大腸 / 補中 潤燥 止痛 解毒 |
| | 꿀벌과 | 양봉꿀벌 또는 동양꿀벌이 벌집에 모은 감미물 (KP) ■ 항미생물작용, 상처치유촉진, 1세 이하의 소아에게는 Infant botulism을 유발할 수 있어 사용금기 |

[합편] 石蜜甘平須煉熟 潤燥解毒補中速 석밀감평수련숙 윤조해독보중속
[중마] 石蜜甘平 入藥煉熟 益氣補中 潤燥解毒 (補藥)
[약징- 속편] 主治 結毒急痛 兼助諸藥之毒
[신편/유고] 少陰人要藥

이당(교이)	飴糖(膠飴)	Yitang(Jiaoyi) 甘溫 脾胃肺 / 緩中 補虛 生津 潤燥
	벼과	벼 또는 찰벼의 씨를 맥아가루로 당화시켜 농축한 것 (KHP)
		[중마] 飴餳味甘 和脾潤肺 止渴消痰 中滿休餌 (食藥) [약징- 속편] 膠飴之功 蓋似甘草 及能緩諸急

갱미	粳米	Jingmi 甘平 脾胃肺 / 補氣健脾 除煩渴 止瀉痢
	벼과	벼의 열매껍질을 벗긴 씨 (KHP) ▪ 갱미(粳米=멥쌀): 임상에서는 보통 현미를 사용하거나 또는 일부 문헌은 산약으로 대체 (ex.白虎加人蔘以山藥代粳米湯) ▶ 진창미(陳倉米): 햅쌀이 아닌 묵은쌀을 의미하며 性溫한 특성 ▶ 나미(糯米=찹쌀): 찰벼의 열매껍질을 벗긴 씨(KHP). 갱미와 유사하나 보다 性溫하고 補氣健脾 止瀉 縮尿 斂汗의 효능 [6)] ▶ 저두강(杵頭糠): 미강(米糠) 또는 미피강(米皮糠). 벼의 내종피로서 주로 절구공이에 묻은 쌀겨를 의미
		[합편] 粳米甘平和胃主 壯骨益陽渴瀉愈 갱미감평화위주 장골익양갈사유 [합편] 糯米甘寒久反熱 亦能補益霍並輟 나미감한구반열 역능보익곽병철 [합편] 陳倉穀米調和脾 渴煩瀉痢皆可醫 진창곡미조화비 갈번사리개가의 [중마] 粳米甘平 和胃爲主 壯骨益陽 渴瀉皆愈 (食藥) [중마] 糯米甘平 久能生熱 亦能補益 霍亂幷輟 (食藥) [신편/유고] 나미(糯米) : 太陰人要藥 (cf. 동무유고: 少陰人) / 저두강(杵頭糠): 太陽人要藥 - 主噎 食 咽喉寒 (cf. 신축본: 主噎 食不下 咽喉寒) [21)]

서양삼	西洋參	Xiyangshen 甘微苦涼 心肺胃腎 / 補氣養陰 清熱生津
	두릅나무과	서양삼(Panax quinquefolium L)의 근경 ▪ 항피로, 면역증강, 진정, 항심근허혈, 항지질, 항종양효과 ▶ [이명] 화기삼(花期參)

태자삼	太子參	Taizishen 甘微苦平 脾肺 / 補氣健脾 生津潤肺
	석죽과	개별꽃(孩兒參)의 근경 (CP) ▪ 항피로, 면역증강, 항균, 진해작용

죽절삼	竹節參	Zhujieshen 甘苦微溫 肺脾肝 / 補虛强壯 止咳祛痰 散瘀止血 消腫止痛
	두릅나무과	죽절삼의 뿌리줄기 (CP, JP) ▪ 항염증, 항노화, 혈당강하작용 ▶ [참고] 일본에서 인삼 대용으로 다용하였으며 인삼보다 보성(補性)은 약한 편으로 일본문헌에서는 주로 거담(祛痰) 해열(解熱) 건위(健胃)의 효과로 사용 ▶ [이명] 죽절인삼(竹節人參) : JP에서는 이 명칭으로 수재

홍경천	紅景天	Hongjingtian 甘寒 脾肺(心) / 健脾益氣 清肺止咳 活血化瘀
	돌나물과	홍경천 또는 대화(大花)홍경천의 근경 (CP) ▪ 항피로, 항노화, 항부정맥, 심방보호

17장 보익약

17.2 보익약(補益藥) – 보양약(補陽藥)

녹용	鹿茸	Lurong 甘鹹溫 肝腎 / 補腎陽 益精血 强筋骨 調衝任 托瘡毒
	사슴과	매화록, 마록 또는 대록의 숫사슴의 털이 밀생되고 아직 골질화되지 않았거나 약간 골질화된 어린 뿔 (KHP) ▪ 면역증강, 항노화, 항산화, 내분비(성호르몬변화), 발육촉

진, 단백질합성촉진), 조혈, 항염증, 강심 / 녹용의 상부로 갈수록 Amino acid, IGF -1, testosterone 등의 함량이 높아지고 하부로 갈수록 칼슘의 함량이 높아짐 [47]

▶ [참고] 분골(粉骨) : 조직이 치밀한 녹용의 가장 윗부분

[합편] 鹿茸甘溫滋陰主 泄精溺血崩帶愈 녹용감온자음주 설정익혈붕대유
[중마] 鹿茸甘溫 益氣强志 泄精漏血 却老生齒 (補藥)
[신편/유고] 太陰人要藥

녹각	鹿角	Lujiao 鹹溫 肝腎 / 溫腎陽 强筋骨 行血消腫
	사슴과	매화록, 마록 또는 대록의 골질화된 뿔 (KHP) ■ [녹용(鹿茸) 참조]
		[합편] 鹿角鹹溫吐衄血 安胎崩帶虛羸跌 녹각함온토뉵혈 안태붕대허리질
녹각교	鹿角膠	Lujiaojiao 甘鹹溫 肝腎 / 補血 益精
	사슴과	녹각을 절단후 물로 끓여 농축하여 만든 아교질 덩어리 (KHP) ■ [녹용(鹿茸) 참조]
		[합편] 鹿角霜平補諸虛 安胎腰痛崩漏除 녹각상평보제허 안태요통붕루제
녹각상	鹿角霜	Lujiaoshuang 鹹溫 肝腎 / 溫腎陽 收斂止血
	사슴과	녹각을 고아서 교질을 뺀 골질을 건조한 것 ■ [녹용(鹿茸) 참조]
		[합편] 鹿角霜平補諸虛 安胎腰痛崩漏除 녹각상평보제허 안태요통붕루제
파극천	巴戟天	Bajitian 甘辛微溫 肝腎 / 補腎陽 壯筋骨 祛風濕
	꼭두서니과	파극천의 뿌리 (KP) ■ 골형성촉진, 항우울, 혈당강하, 항산화효과
		[합편] 巴戟辛甘補虛損 精滑夢遺壯筋本 파극신감보허손 정활몽유장근본 [중마] 巴戟辛甘 大補虛損 精滑夢遺 强筋固本 (補藥) [신편/유고] 少陰人要藥
육종용	肉蓯蓉	Roucongrong 甘鹹溫 腎大腸 / 補腎陽 益精血 潤腸通便
	열당과	육종용 또는 근연식물의 육질경 (KHP) ■ 항산화, 항피로효과, 비뇨생식기계(rat의 고환, 정낭선의 무게증가), 간보호, 소염진통, 진정, 혈압강하작용
		[합편] 蓯蓉味甘補精血 若驟用之反便滑 총용미감보정혈 약취용지반변활 [중마] 蓯蓉味甘 峻補精血 若驟用之 反動便滑 (補藥) [신편/유고] 少陽人要藥
선모	仙茅	Xianmao 辛溫有小毒 腎肝脾 / 補腎陽 强筋骨 祛寒濕
	수선화과	선모의 근경 (KHP) ■ 면역증강, 항염증, 골흡수억제, 항알러지작용 (mast cell의 탈 과립 억제)
		[합편] 仙茅味辛腰定痺 虛損勞傷陽道起 선모미신요정비 허손노상양도기 [신편/유고] 太陰人要藥
음양곽	淫羊藿	Yinyanghuo 辛甘溫 肝腎 / 補腎壯陽 祛風除濕
	매자나무과	삼지구엽초, 음양곽, 유모음양곽, 무산음양곽 또는 전엽음양곽의 지상부 (KP) ■ 이카 린(icariin) 함유 − 순환계(혈압강하, 심혈관이완) 골대사(골형성촉진 및 골흡수 억제) 성기능흥분(이카린의 PDE-5 저해작용, 정자형성관련세포 증식) 기타(진정, 항천식,

		혈당강하, 면역증강, 항노화) ▶ [이명] 선령비(仙靈脾) 삼지구엽초(三枝九葉草) [합편] 淫羊藿辛陰陽興 堅筋益骨志力增 음양곽신음양흥 견근익골지력증 [신편/유고] 太陰人要藥
호로파	胡蘆巴	Huluba 苦溫 腎肝 / 補腎陽 祛寒濕
	콩과	호로파의 씨 (KHP)
		[합편] 胡巴溫暖補腎臟 脹痛諸疝自膀胱 호파온난보신장 창통제산자방광 [중마] 胡巴溫煖 補腎藏虛 膀胱諸疝 脹痛皆除 (補藥)
두충	杜仲	Duzhong 甘微辛溫 肝腎 / 補肝腎 强筋骨 安胎
	두충과	두충의 수피 (KP) ■ 순환계(혈압강하, 지질저하, 항산화효과) 항피로, 콜라겐 합성촉진, 골밀도증가, 자궁수축억제(鹽杜冲 투여시)[33] [합편] 杜仲辛甘固精能 小便淋澀腰膝疼 두충신감고정능 소변임력요슬동 [중마] 杜沖辛甘 益腎固精 小便淋澀 腰膝酸疼 (補藥) [신편/유고] 少陰人要藥
속단	續斷	Xudan 苦辛微溫 肝腎 / 補肝腎 續筋骨 調血脈
	산토끼꽃과	천속단(川續斷 Dipsacus asperoides)의 뿌리 (KHP) ■ 지혈, 진통, 신경세포보호, 항산화효과, 항염증, 항관절염작용 / 임신시 고용량 사용에 주의[49] ▶ [참고] 청열소종(淸熱消腫)의 효능을 가진 꿀풀과 한속단(韓續斷 Phlomis umbrosa : KHP)과의 구별주의 [합편] 續斷味辛接骨筋 跌撲折傷固精勳 속단미신접골근 질박절상고정훈 [중마] 續斷味辛 接骨續筋 跌撲折傷 固精培根 (補藥) [신편/유고] 太陰人要藥
보골지	補骨脂	Buguzhi 辛苦溫 腎脾 / 溫腎助陽 納氣 止瀉
	콩과	보골지의 씨 (KHP) ■ 내분비계(정자생성에 영향, 골형성촉진) 항산화, 관상동맥확장, 멜라닌생성촉진, 간보호, 항종양, 항균작용, 항우울활성 ■ [이명] 파고지(破故紙) [합편] 破古紙鹽酒炒 腰膝痛及固精巧 파고지온염주초 요슬통급고정교 [중마] 破故紙溫 添精固髓 壯骨逐冷 墮胎能止 (補藥)
구척	狗脊	Gouji 苦甘溫 肝腎 / 補肝腎 除風濕 健腰脚 利關節
	구척과	금모구척의 근경 (KP) ■ 항염증, 성장촉진활성, 파골세포형성 억제, 신경보호효과 [합편] 狗脊味甘治諸痺 腰背膝疼酒蒸試 구척미감치제비 요배슬동주증시
익지인	益智仁	Yizhiren 辛溫 脾腎 / 溫脾 暖腎 固氣 澁精
	생강과	익지의 열매 (KP) ■ 신경계(신경세포보호, 항치매효과), 항궤양, 항염증, 항종양, 살충작용, 면역계(아나필락시스 억제, 항알러지-히스타민 분비억제) [합편] 益智辛溫治嘔要 安神益氣遺精溺 익지신온치구요 안신익기유정익 [중마] 益智辛溫 安神益氣 遺溺遺精 嘔逆皆治 (補藥) [신편/유고] 少陰人要藥

골쇄보	骨碎補	Gushibu 苦溫 肝腎 / 補腎 活血 止血
	고란초과	곡궐의 근경 (KP) ▪ 진통작용, 골형성촉진작용 – 조골세포(osteoblastic cell)의 분화촉진, 파골세포(osteoclast)의 세포사멸유도
		[합편] 骨碎補溫骨節風 折傷血積破血功 골쇄보온골절풍 절상혈적파혈공
동충하초	冬蟲夏草	Dongchongxiacao 甘溫 肺腎 / 補虛損 益精氣 止咳化痰
	매각균과	동충하초균(冬虫夏草菌)이 박쥐나방의 곤충의 유충에서 기생하여 자란 자실체와 유충의 몸체 (KHP) ▪ 코디세핀(Cordycepin) 함유 – 면역기능조절, 성호르몬작용, 항종양, 혈당강하, 지질저하, 간보호, 신경세포보호, 기관지확장작용
합개	蛤蚧	Gejie 鹹平(溫)小毒 肺腎 / 補肺益腎 納氣定喘 助陽益精
	도마뱀붙이과	합개의 내장을 제거한 몸체 (KHP) ▪ 항염증, 진해, 면역증강, 항노화, 혈당강하, 호르몬작용
		[합편] 蛤蚧鹹平嗽肺疼 下淋通水助陽奇 합개함평수폐허 하림통수조양기
호도인 (호도육)	胡桃仁	(胡桃肉)Hutaoren 甘溫 腎肺 / 補腎固精 溫肺定喘 潤腸
	가래나무과	호도나무의 성숙종자 (KHP)
		[합편] 胡桃肉甘能補腎 黑髮皺復過癸緊 호도육감능보신 흑발유복과막긴
자하거	紫河車	Ziheche 甘鹹溫 肺肝腎 / 補氣 養血 益精
		건강한 산부의 태반을 건조한 것 ▪ 항피로, 강장작용, 간세포보호, 멜라닌생성촉진, 상처치유, 최유, 출혈억제, 항산화작용
		[합편] 紫河車甘療虛損 勞療骨蒸培根本 자하거감요허손 노채골증배근본 [신편/유고] 동무유고에서는 혼용(少陰人 : 能除脾之久病 / 少陽人)
토사자	兔絲子	Tusizi 辛甘溫 肝腎脾 / 補肝腎 益精髓 明目 止瀉
	메꽃과	갯실새삼의 씨 (KHP) ▪ 면역증강, 강장작용, 항불임, 간보호, 골형성촉진 ▶ [참고] 전두僊(纏豆藤): 갯실새삼의 전초 또는 줄기
		[합편] 兔絲甘平治夢遺 添精强筋腰膝疼 토사감평치몽유 첨정강근요슬위 [중마] 兔絲甘平 夢遺滑精 腰疼膝冷 添精强筋 (補藥) [신편/유고] 少陽人主要藥
사원질려 (사원자)	沙苑蒺藜	(沙苑子) Shayuanjili 甘溫 肝腎 / 補肝 益腎 明目 固精
	콩과	편경황기의 씨 (KHP) ▪ 혈압저하, 지질저하, 항염증 및 진통작용
쇄양	鎖陽	Suoyang 甘溫 脾腎大腸 / 補腎陽 益精血 潤腸通便
	쇄양과	쇄양의 육질경 (KP) ▪ 신경세포사멸억제, 항산화효과, 항종양작용
구자	韭子	Jiuzi 辛甘溫 肝腎 / 補肝腎 壯陽固精 暖腰膝
	백합과	부추의 씨 (KHP) ▪ [이명] 구채자(韭菜子) 가구자(家韭子)
		[합편] 韭子甘溫尿不禁 腰膝夢遺女白淫 구자감온요불금 요슬몽유여백음

		[신편/유고] 少陰人要藥
양기석	陽起石	Yangqishi 鹹微溫 腎 / 溫補命門
	광물류	규산염광물 각섬석류 투각섬석(Tremolite)
		[합편] 陽起石甘鹹溫氣乏 陰痿不起效甚捷 양기석감신기핍 음위불기효심첩
해구신	海狗腎	Haigoushen 鹹熱 肝腎 / 暖腎壯陽 益精補髓
	물개과	물개의 음경과 고환을 건조한 것 (KHP) ▶ 도핑대상성분(androsterone) 함유
		[합편] 腦肭臍熱補元陽 邪鬼痃癖並勞傷 올눌제열보원양 사귀현벽병노상
해마	海馬	Haima 甘溫 肝腎 / 補腎壯陽 調氣活血
	실고기과	해마 또는 기타 동속근연동물의 동물체 (KHP) ■ 항피로, 항노화, 항염증, 항산화
		[합편] 海馬甘溫催産奇 或用燒腹或手持 해마감온최산기 혹용소복혹수지
사상자	蛇床子	Shechuangzi 辛苦溫 腎脾 / 溫腎助陽 祛風燥濕 殺蟲
	산형과	벌사상자 또는 사상자의 열매 (KHP) ■ 항염증, 항원충, 항알러지, 항소양, 순환계(혈관확장, 혈소판응집억제) 항종양, 기타(5alpha reductase 억제, 음경해면체 평활근 이완, 파골세포의 분화억제, 조골세포분화촉진) ▶ [참고] CP, JP에서는 벌사상자(Cnidium monnieri)만 수재
		[합편] 蛇床辛苦下氣快 溫中祛風瘀瘡疥 사상신고하기쾌 온중거풍어창개 [중마] 蛇床苦溫 下氣溫中 陰痿濕癢 惡瘡祛風 (補藥) [신편/유고] 太陰人要藥
자석영	紫石英	Zishiying 甘溫 心肝 / 溫腎助陽 鎮心安神 降逆氣 暖子宮
	광물류	할로겐화광물 형석. 플루오르화칼슘(CaF2) 함유 (KHP)
		[합편] 紫石英溫心脾定 寒熱邪及女無孕 자석영온심비정 한열사급여무잉

17장	보익약

17.3 보익약(補益藥) - 보혈약(補血藥)

당귀	當歸	Danggui 甘辛溫 心肝脾 / 補血和血 調經止痛 潤燥滑腸
	산형과	참당귀(=토당귀): Angelica gigas의 뿌리 (KP) / 일당귀: Angelica acutiloba의 뿌리 (KHP) ■ 순환계(미세순환개선, 혈소판응집제, 심박수감소, 혈관확장 및 혈압강하), 신경계(기억력개선, 항치매, 진정, 신경보호), 항종양, 진통, 항염증, 면역증강, 항산화, 간보호, 조혈촉진, 상처회복작용 / 와파린 투여상태에서 PT 연장 / 분만촉진목적 외에는 임신시 고용량 사용은 주의[49] ▶ [참고] CP에서는 중국당귀(Angelica sinensis)만 기원식물로 수재 ▶ [참고] 일당귀와 중국당귀는 주요 유효성분(z-ligustilide, ferulic acid 등)이 유사하고 유전적 측면에서도 참당귀보다 근연관계이나 유효성분함량은 중국당귀가 많음. 참당귀는 decursin, decursinol 등이 유효성분 [16] / 보혈(補血)의 목적으로는 일당귀 또는 중국당귀, 활혈(活血)의 목적으로는 참당귀를 주로 활용고려 [5]

▶ [참고] in vitro 연구에서는 당귀의 Estrogen 효과가 확인되었으나 폐경여성 대상의 이중맹검 임상시험에서는 영향이 없는 것으로 보고 [18]

[합편] 當歸性溫主生血 補中扶虛逐瘀結 당귀성온주생혈 보심부허축어결
[중마] 當歸性溫 生血補心 扶虛益損 逐瘀生新 (補藥)
[약징] 항목 없음 (cf. 약증: 主治 婦人腹痛)
[신편/유고] 少陰人要藥 : 壯脾而有內守之功

| 숙지황 | 熟地黃 | Shudihuang 甘微溫 肝腎 / 滋陰補血 益精塡髓 |

현삼과   지황의 뿌리를 포제가공한 것 (KP) ■ Catalpol 함유 (법제과정에서 건지황보다 함량이 감소)- 순환계(혈액유동성촉진, hemoglobin의 산소친화력증가: 법제과정에서 5-HMF 등 생성) 항알러지, 강심, 이뇨, 골형성촉진, 항피로효과

▶ [지황(地黃) 참조]
▶ [참고] 숙지황의 검은색 : 숙지황으로의 법제 과정에서 Catalpol(지황의 지표성분)이 분해되어 생성된 glucose 분자들이 결합한 중합 때문에 검게 보임 [26]
▶ [참고] 숙지황은 송대(宋代)의 본초도경(本草圖經)에 처음 등장

[합편] 熟地微溫滋腎水 補血烏鬚益精髓 숙지미온자신수 보혈오자익정수
[신편/유고] 少陽人要藥 : 補腎和腎

| 백작약 | 白芍藥 | Baishaoyao 苦酸微寒 肝脾 / 養血柔肝 緩中止痛 斂陰收汗 |

작약과   작약 (Paeonia lactiflora Pall. 함박꽃) 또는 동속근연식물의 뿌리 (KP) ■ 패오니플로린(paeoniflorin) 등 함유 – 신경계(신경세포보호, 기억력개선, 항우울, 진정), 진통, 항경련, 항염증, 관절염억제, 순환계(저혈압억제, 동맥경화억제, 혈소판응집억제, 혈관이완, 항산화) 내분비계(혈당강하, 지질저하, 골흡수억제, 당뇨병성신염 억제), 항종양, 위점막보호 / 수유시 주의하여 사용 [49]

▶ [적작약(赤芍藥) 참조]
▶ [참고] 작약의 적/백 구분은 송대(宋代)부터 시작되었고 이후 명확한 구별기준 없이 시대와 지역, 문헌 등에 따라 거피(去皮)된 것 또는 증(蒸)한 것, 꽃의 색이 흰 것, 재배종 등은 백작약으로, 유피(留皮)된 것 또는 증(蒸)하지 않은 것, 꽃의 색이 붉은 것, 야생종 등은 적작약으로 분류하는 등 구별에 혼동 초래
▶ [참고] KP와 JP는 적작약, 백작약 구별없이 작약(P. lactiflora)으로 통일 / CP에서는 백작약은 작약(P. lactiflora)으로, 적작약은 작약(P. lactiflora) 또는 천작약(川芍藥: P. veitchii)으로 규정
▶ [참고] 강작약(江芍藥) : 주로 야산 또는 강원도(또는 북한, 중국 동북지방) 등에서 채취되는 야생작약, 산작약 / 항작(杭芍) : 중국 절강성 항주(杭州) 산지의 양품의 백작약 / 천작약(川芍藥) : 중국 사천성(四川省)에서 주로 생산

[합편] 白芍酸寒腹痛痢 能收能補虛寒忌 백작산한복통리 능수능보허한기
[중마] 芍藥酸平 能收虛汗 腹痛均殺 白收赤散 (收藥)
[약징] 主治 結實而拘攣也 旁治 腹痛 頭痛 身體不仁 疼痛 腹滿 咳逆 下利 腫膿 (cf. 약증: 主治 攣引 尤以脚攣急 腹中急痛 身疼痛)
[신편/유고] 少陰人要藥 : 收斂脾元

| 하수오 | 何首烏 | Heshouwu 苦甘澁溫 肝心腎 / 補肝 益腎 養血 祛風 |

여뀌과   하수오 (Polygonum multiflorum Thunb)의 덩이뿌리 (KP, CP, JP) / 백수오 : (=마디풀과) 박주가리과 은조롱(Cynanchum Wilfordii)의 덩이뿌리 (KHP) ■ 1) 하수오(마디풀과 적하수오 赤何首烏) : 면역계, 순환계(심근세포보호, 지질저하, 동맥경화억제, 항산화효과), 신경계(항노화, 신진대사촉진, 항치매효과, 기억력개선) 간보호, 사하, 항균작

		용 ■ 2) 백수오(박주가리과 백하수오 白何首烏) : 신경세포보호, 항산화, 항종양효과
		▶ [참고] 백수오(=백하수오)는 한국에서 하수오(=적하수오)의 대용으로 사용되어 왔으며 CP, JP에는 공식 수재되지 않은 품목임. 중국의 고서나 중의학 관련자료에서의 하수오는 대부분 적하수오를 의미. ▶ [참고] 이엽우피소(異葉牛皮消): 박주가리과 Cynanchum auriculatum(넓은잎큰조롱)의 덩이뿌리로서 백수오로 혼용우려가 있으며 국내 약전목록에는 없는 유통금지 품목 – 과거 일부 중국문헌에서 백수오에 포함시킨 사례도 있으나 재배형태, 효능, 독성 등에 차이가 있음 ▶ 이엽우피소 이명: 비래학(飛來鶴) 격산소(隔山消)
		[합편] 何首烏甘宜種子 添精黑髮顏光美 하수오감의종자 첨정흑발안광미 [중마] 何首烏甘 添精種子 黑髮悅顏 驅風逐水 (補藥) [신편/유고] 백하오(白何烏), 적하오(赤何烏) – 少陰人要藥
아교	阿膠	Ejiao 甘平 肺肝腎 / 補血滋陰 潤燥 止血
	소과	당나귀 또는 소의 가죽을 물 가열추출하여 지방제거후 농축건조한 교질 (KHP) ■ 지혈작용(혈액점도증가 억제), 미세순환개선, 적혈구생성촉진, 항노화
		[합편] 阿膠甘溫咳膿宜 吐衄胎崩並虛羸 아교감온해농의 토뉵태붕병허리 [중마] 阿膠甘溫 止咳膿血 吐衄胎崩 虛羸可啜 (補藥) [약징- 속편] 主治 諸血證 故兼治 心煩 不得眠者 (cf. 약징: 主治 血證)
용안육	龍眼肉	Longyianrou 甘溫 心脾 / 補益心脾 養血安神
	무환자과	용안의 헛씨껍질 (KP) ■ 진정, 항불안, 스트레스억제, 체중증가, 혈소판응집억제, 혈압강하작용 ▶ [이명] 원육(元肉)
		[합편] 龍眼味甘主歸脾 健忘怔忡益智宜 용안미감주귀비 건망정충익지의 [중마] 龍眼味甘 歸脾益智 健忘怔忡 聰明廣記 (補藥) [신편/유고] 太陰人要藥 : 安神定意

17장 보익약

17.4 보익약(補益藥) – 보음약(補陰藥)

사삼 (남사삼)	沙參(南沙參)	Shashen 甘微寒 肺胃 / 養陰淸肺 袪痰止咳
	초롱꽃과	잔대 또는 사삼의 뿌리 (KHP) ■ saponin 함유 – 거담, 항산화효과, 기도의 염증반응억제, 항비만, 항당뇨효과(alpha-glucosidase 억제) ▶ [참고] 북사삼(北沙蔘: 갯방풍), 양유근(羊乳根: 더덕), 제니(薺苨: 모시대) 등 유사약물군 항목 참조
		[합편] 沙蔘味苦風熱退 消腫排膿補肝肺 사삼미고풍열퇴 소종배농보간폐 [중마] 沙蔘味苦 心腹血結 補肝益肺 兼除寒熱 (補藥) [신편/유고] 太陰人要藥
북사삼 (해방풍)	北沙蔘	(海方風) Beishasan 甘微苦微寒 肺胃 / 養陰潤肺 益胃生津
	산형과	갯방풍 (Glehnia littoralis)의 뿌리 (KP) ■ 해열, 진통, 항균, 항염증작용 ▶ [이명] 갯방풍, 원방풍(元防風), 해방풍(海方風) 빈방풍(浜防風: JP)
맥문동	麥門冬	Maimendongha 甘微苦微寒 肺胃心 / 養陰潤肺 淸心除煩 益胃生津

	백합과	맥문동 또는 소엽맥문동 뿌리의 팽대부 (KP) ■ 호흡기계(기관지점액 분비촉진, 기관지섬모운동 촉진, Th1/Th2 cytokine 조절을 통한 기도과민반응 억제), 순환계(항부정맥, 심근보호, 항혈전) 항균, 항종양, 항염증, 면역증강, 뇌세포보호, 혈당강하, 통변작용
		[합편] 麥門甘寒除虛熱 淸肺補心煩渴撤 맥문감한제허열 청폐보심번갈철 [중마] 麥門甘平 能生脈絶 心腹結氣 口燥虛熱 (補藥) [약증] 항목 없음 (cf. 약증: 主治 羸瘦而氣逆 咽喉不利者) [신편/유고] 太陰人要藥 : 補肺和肺
천문동	天門冬	Tianmendong 甘苦寒 肺腎 / 滋陰潤燥 淸肺生津
	백합과	천문동의 덩이뿌리 (KP) ■ 항염증, 간보호, 진해, 뇌신경세포보호, 항산화, 항종양
		[합편] 天門甘寒療癰瘲 喘嗽熱痰皆可宜 천문감한폐옹위 천수열담개가의 [중마] 天門苦平 風濕偏痺 能除寒熱 保定肺氣 (補藥) [신편/유고] 太陰人要藥 : 開皮毛
석곡	石斛	Shihu 甘微寒 胃腎 / 益胃生津 滋陰淸熱
	난초과	금채석곡 또는 근연식물의 줄기 (KHP) ■ 건위(gastrin 농도증가), 면역조절, 파골세포억제, 해열, 진통, 항động연변이, 항종양, 인지기능개선.
		[합편] 石斛味甘定驚悸 冷陰虛損壯骨餌 석곡미감각경계 냉폐허손장골이 [중마] 石斛味甘 却驚定志 壯骨補虛 善歐冷閉 (補藥) [신편/유고] 少陰人要藥
옥죽	玉竹	Yuzhu 甘微寒 肺胃 / 養陰潤燥 生津止渴
	백합과	둥굴레 또는 근연식물의 근경 (KHP) ■ [황정(黃精) 참조] ▶ [이명] 위유(萎蕤)
황정	黃精	Huangjing 甘平 脾肺腎 / 補氣養陰 健脾 潤肺益腎
	백합과	층층갈고리둥굴레, 진황정, 전황정 또는 다화황정의 근경 (KP) ■ 순환계(심수축력증가, 항혈액작용) 혈당강하, 혈중지질감소, 항미생물, 항종양작용 ▶ [참고] 같은 백합과 식물인 옥죽과 황정은 맛과 성분도 유사하여 시중에서 많이 혼용 ▶ 일반적으로 주로 자연산이 많은 둥굴레는 옥죽(=위유)으로, 주로 재배산으로서 옥죽보다 굵고 큰 층층갈고리둥굴레는 황정으로 분류 ▶ 또는 뿌리줄기의 약 20-30도로 구부러진 중간에 뿌리줄기가 붙어있는 흔적이 있으면 옥죽
		[합편] 黃精味甘安臟腑 五勞七傷皆可補 황정미감안장부 오로칠상개가보
백합	百合	Baihe 甘寒 心肺 / 養陰潤肺 淸心安神
	백합과	참나리, 백합 또는 큰솔나리의 비늘줄기 (KHP) ■ 진해, 항염증, 진정작용
		[합편] 百合味甘安心膽 咳浮癰疽皆可咳 백합미감안심담 해부옹저개가담
구기자	枸杞子	Gouqizi 甘寒 肝腎 / 滋補肝腎 益精明目
	가지과	구기자나무 또는 영하구기의 열매 (KP) ■ 간보호, 호흡기계(mucin 분비촉진), 면역증강, 항피로, 항노화, 혈당강하, 혈당강하, 신경세포보호, 시신경보호(황반침착억제제), 항산화효과 / 임신시 고용량 사용은 주의[49] ▶ [참고] 지골피(地骨皮) : 구기자나무의 뿌리껍질

		[합편] 枸杞甘溫添精髓 明目祛風陽事起 구기감온첨정수 명목거풍양사기 [중마] 枸杞甘溫 強陰固髓 黑髮明目 止渴除痺 (補藥) [신편/유고] 少陽人要藥 : 滋精髓

상심자	桑椹子	Sangshenzi 甘酸寒 心肝腎 / 補血滋陰 生津潤燥
	뽕나무과	뽕나무 또는 기타 동속 근연식물의 완전히 익기 전의 열매 (KHP) ■ Resveratrol 성분의 항염증, 항비만, 항당뇨, 망막변성개선, 항산화, 신경보호, 항균, 지질저하, 항종양 ▶ [참고] 뽕나무의 잎은 상엽(桑葉), 어린가지는 상엽(桑葉), 뿌리껍질은 상백피(桑白皮)로서 약용 ▶ [민간명] 오디
		[합편] 桑椹子甘熱渴歇 解金石毒染鬢髮 상심자감열갈헐 해금석독염빈발 [신편/유고] 흑상심(黑桑椹)- 少陽人 : 安精定志

한련초	旱蓮草	Hanliancao 甘酸寒 肝腎 / 補腎益陰 凉血止血
	국화과	한련초의 전초 (KHP) ■ 출혈억제, 간보호, 면역력 개선효과, 진정, 진통작용, 항산화 효과, 지질감소 ▶ [이명] 묵한련(墨旱蓮) : 줄기를 자르면 나오는 검은 즙이 먹(墨)과 유사함을 비유한 명칭. CP에서는 '묵한련' 명칭으로 수재
		[합편] 旱蓮草甘能止血 生鬚黑髮赤痢泄 한련초감능지혈 생수흑발적리설

여정자	女貞子	Nuzhenzi 甘苦凉 肝腎 / 滋補肝腎 明目烏髮
	물푸레나무과	당광나무 또는 광나무의 열매 (KHP) ■ 백혈구생성촉진, 면역증강, 내분비(골다공증 억제, 항당뇨, 지질저하) 간보호, 항염증, 항종양, 항산화 ▶ [이명] 여정실(女貞實) 동정자(冬青子)
		[합편] 女貞實苦烏髭髮 去風補虛壯筋骨 여정실고오자발 거풍보허장근골 [신편/유고] 少陽人要藥

귀판	龜板	Guiban 鹹甘微寒 肝心腎 / 滋陰潛陽 益腎健骨 養血補心
	남생이과	남생이의 배딱지 또는 등딱지 (KHP) ■ 결핵균억제, 면역기능강화, 간 및 비장에서 핵산합성조절
		[합편] 龜甲味甘滋陰迅 逐瘀續筋醫齪𤺷 귀갑미감자음신 축어속근의로신 [중마] 龜甲甘平 痿瘇嫩皴 四肢重弱 醫顱亦可 (補藥) [신편/유고] 龜鼈 : 少陽人要藥

별갑	鱉甲	Biejie 鹹微寒 肝腎 / 滋陰潛陽 軟堅散結 退熱除蒸
	자라과	자라의 등딱지(背甲) (KHP) ■ 항피로, 기억력개선, 항종양작용
		[합편] 鱉甲酸平嗽骨蒸 散瘀消腫除㾠崩 별갑산평수골증 산어소종제비붕 [중마] 鱉甲鹹平 寒熱㾠瘧 除㾠散堅 陰蝕去惡 (和藥) [신편/유고] 귀별(龜鼈) : 少陽人要藥 (cf. 동무유고: 별갑(鱉甲)- 少陰人)

흑지마	黑芝麻	Heizhima 甘平 肝腎大腸 / 補肝腎 益精血 潤腸燥
	참깨과	참깨의 씨로서 검은색인 것 (KHP) ■ [이명] 호마(胡麻) 호마인(胡麻仁) 흑임자(黑荏子) 흑호마(黑胡麻)
		[중마] 胡麻仁甘 疔腫惡瘡 熟補虛損 筋力能强 (補藥)

저실자	楮實子	Chushizi 甘寒 肝脾腎 / 補腎淸肝 明目 利尿
	뽕나무과	꾸지나무 또는 닥나무의 핵과 (KHP)
		[합편] 楮實味甘治陰痿 壯筋明目補虛奇 저실미감치음위 장근명목보허기 [신편/유고] 少陰人要藥
양유근	羊乳根	Yangrugen 甘辛平 肺肝大腸 / 養陰潤肺 祛痰排膿 淸熱解毒 催乳
	초롱꽃과	더덕의 뿌리 ▶ [참고] 동의보감에서는 더덕을 사삼(沙蔘)으로 기재하였으나 기원 연 구상 더덕은 양유근(羊乳根)에 해당 ▶ [참고] 양유근은 사삼보다 補陰이나 止咳의 효능은 약하나 催乳작용이 있음
해분	海粉	Haifen 甘鹹寒 肺肝 / 淸熱養陰 軟堅消痰
	군소과	군소(Notarchus)가 얕은 바닷가에서 실같이 낳은 알을 긁어모은 덩어리 (KHP) ▶ [이명] 홍해분(紅海粉) ▶ [참고- 동의보감 탕액편] 海粉 : 자해합(紫海蛤: 백합조 개)으로 만든 조개껍데기의 가루로서 治肺燥熱消痰의 효능
		[합편] 紫海蛤所造: 海粉味鹹治頑痰 婦人白帶軟堅堪 해분미함치완담 부인백대연견감
해삼	海蔘	Haishen 鹹溫 腎心 / 補腎益精 養血潤燥 胎中補益
	돌기해삼과	돌기해삼 또는 근연동물의 몸체 (KHP)
		[합편] 海蔘鹹平淸潤津 能補脾腎宜婦人 해삼함평청윤진 능보비신의부인 [중마] 海蔘酸平 淸潤津液 能補脾腎 婦人尤益 (食藥) [신편/유고] 少陽人要藥

18장 수삽약

18.1 수삽약(收澁藥) – 지한약(止汗藥)

부소맥	浮小麥	Fuxiaomai 甘鹹凉 心 / 益氣 除熱 止汗
	벼과	밀의 불완전 성숙한 열매로서 물에 뜨는 것 (KHP) ▪ 지질강하, 간보호작용 ▶ [참고] 소맥(小麥) : 甘凉 入心脾腎하여 養心 益腎 除熱 止渴의 작용
		[합편] 소맥 : 小麥微寒除煩熱 止渴利溲養肝血 소맥미한제번열 지갈이수양간혈 [신편/유고] 소맥(小麥) : 太陰人要藥 (cf. 동무유고: 少陽人)
마황근	麻黃根	Mahuanggen 甘平 心肺 / 收斂 止汗
	마황과	초마황 또는 중마황의 뿌리 및 근경 (KHP) ▪ 혈압강하, 지한작용 ▶ 도핑대상성분(ephedrine) 함유 한약재
나도근	稻稉根	Nuodaogen 甘平 心肝 / 益胃生津 止汗退熱
	벼과	찰벼의 근경 및 뿌리 (KHP)

18장 수삽약

18.2 수삽약(收澁藥) – 지사약(止瀉藥)

가자	訶子	Hezi 苦酸澁溫 肺胃大腸 / 斂肺 澁腸 降火利咽
	사군자과	가자 또는 융모가자의 성숙과실 (KP) ■ 소화기계(위운동촉진, 항궤양) 항균, 항바이러스, 순환계(심박출량증가, 심근보호) 내분비(혈당강하, 지질저하) 항산화, 항종양 ▶ [이명] 가리륵(訶梨勒)
		[합편] 訶子味苦澁腸可 痢嗽痰喘降肺火 가자미고삽장가 이수담천강폐화 [중마] 訶子味苦 澁腸止痢 痰嗽喘急 降火斂肺 (收藥) [신편/유고] 少陽人要藥
육두구	肉豆蔲	Roudoukou 辛溫 脾胃大腸 / 溫中行氣 澁腸止瀉
	육두구과	육두구의 성숙종자 (KP) ■ 소화기계(위액분비촉진, 위장연동운동증가, 항궤양, 대장염억제) 항균, 항염증, 진통, 항혈전, 항당뇨, 항종양, 신경계(기억력개선, 불안유발, 중추신경계억제)
		[합편] 肉蔲辛溫胃虛冷 瀉痢不止功可等 육구신온위허랭 사리부지공가등 [중마] 肉蔲辛溫 脾胃虛冷 中惡吐瀉 功可立等 (熱藥) [신편/유고] 少陰人要藥 : 溫肉理
적석지	赤石脂	Chishizhi 甘酸澁溫 脾胃大腸 / 澁腸 止血 生肌斂瘡
	광물류	규산염광물 다수고령토. 주로 규산알루미늄수화물[Al4(Si4O10)(OH)8 · 4H2O] 함유 (KHP) ■ 지사, 지혈작용 ▶ [참고] 구하기가 쉽지 않은 복룡간(伏龍肝), 황토(黃土)의 대체약물로 사용되기도 함
		[합편] 赤石脂溫固腸胃 淸瘍主肌止瀉利 적석지온고장위 궤양주기지사리 [약징- 속편] 主治 水毒下利 故兼治 便膿血 [신편/유고] 少陰人要藥
오매	烏梅	Wumei 酸澁平 肝脾肺大腸 / 斂肺 澁腸 生津 安蛔
	장미과	매실나무의 미성숙과실로서 연기(燻蒸)를 쪼인 것 (KP) ■ 항균, 살충, 혈류개선, 항과민, 항피로, 기억력개선 ▶ 미가공한 미성숙과실(=청매실)의 다량섭취시 독성물질 (cyanogenic glycoside)에 주의 ▶ [참고] 전통적인 훈증방식은 벤조피렌(benzopyrene) 발생가능성 때문에 최근에는 저온건조 등의 방식으로 변화됨.
		[합편] 烏梅酸澁收斂肺 止渴生津瀉痢退 오매산온수렴폐 지갈생진사리퇴 [중마] 烏梅酸溫 收斂肺氣 止渴生津 能安瀉痢 (收藥) [신편/유고] 太陰人要藥
앵속각	罌粟殼	Yingsuqiao 酸澁平有毒 肺腎大腸 / 斂肺止咳 澁腸 止痛
	양귀비과	양귀비의 잘익은 열매껍질 ■ 마약류 성분인 morphine 함유 - 진통, 최면, 진해, 호흡억제작용 ▶ 도핑대상성분(morphine, codein) 함유 한약재 ▶ 임신시 사용금기 (CP)
		[합편] 粟殼性澁利嗽神 最能劫病亦殺人 속각성삽이수신 최능겁병역살인 [중마] 粟殼性澁 澁嗽效神 最能劫病 亦能殺人 (收藥) [신편/유고] 少陰人要藥
우여량	禹餘糧	Yuyuliang 甘澁平(微寒) 胃大腸 / 澁腸止瀉 收斂止血

	광물류	산화물류 광물인 갈철광(褐鐵鑛: Limonite)의 일종 ► 임신시 주의하여 사용 (CP) ► [참고] 토복령의 異名도 우여량(禹餘糧): 상한론의 우여량(禹餘糧)은 토복령을 지칭하는 경우도 있으므로 주의
		[합편] 禹餘粮寒除煩良 血閉腹疼痢固腸 우여량한제번량 혈폐복동이고장 [신편/유고] 少陰人要藥
석류피	石榴皮	Shiliupi 酸澁溫 大腸 / 澁腸止瀉 止血 驅蟲
	석류나무과	석류나무의 줄기, 가지 및 뿌리의 껍질 (KHP) 석류나무의 과피(CP) ■ 구충작용(조충구제), 항진균, 지사작용, 항산화효과 ► 실제 국내유통은 과피(果皮)가 대부분
		[합편] 石榴酸溫痢崩帶 制殺三蟲過損肺 석류산온이붕대 제살삼충과손폐
춘피 (저백피)	椿皮	(樗白皮) Chunpi 苦澁寒 大腸胃肝 / 淸熱燥濕 收澁止帶 止瀉 止血
	소태나무과	가죽나무의 수피 또는 근피 (KHP) ■ 항미생물작용 (항원충, 항아메바, 항바이러스, 항결핵) 항궤양, 항염증, 항종양작용 ► [이명] 저백피(樗白皮) 저근백피(樗根白皮) 소백피(小白皮) [합편] 樗根味苦腸風痔 瀉痢崩濕澁精髓 저근미고장풍치 사리붕습삽정수
		[중마] 樗皮味苦 瀉痢帶崩 腸風痔漏 燥濕澁精 (收藥) [신편/유고(樗根白皮)] 저근피(樗根皮) - 太陰人要藥 : 醒肺之眞氣
오배자	五倍子	Wubeizi 酸澁寒 肺胃大腸 / 斂肺降火 澁腸止瀉 斂汗止血 收濕斂瘡
	옻나무과	붉나무 또는 홍부양의 잎 위에 주로 오배자면충이 기생하여 만든 벌레집 (KP) ■ 지사 및 지혈작용(다량의 tannin 함유), 항균, 항바이러스, 해독 및 방부작용
		[합편] 五倍苦酸療齒疳 痔癬瘡膿風熱覃 오배고산요치감 치선창농풍열담
노관초 (현초)	老鸛草	(玄草) Laoguancao 辛苦平 肝脾腎 / 祛風濕 通經絡 止瀉痢
	쥐손이풀과	이질풀 또는 근연식물의 지상부 (KP) ■ 소화기계(장관수축억제, 장관의 자발운동 억제, 지사작용 : 그러나 짙은 용액에서는 오히려 연동운동촉진[10]) 항균, 항종양 ► [이명] 현초(玄草) 현지초(玄之草)

18장 수삽약

18.3 수삽약(收澁藥) - 삽정축뇨지대약(澁精縮尿止帶藥)

오미자	五味子	Wuweizi 酸甘溫 肺心腎 / 斂肺固澁 益氣生津 補腎寧心
	오미자과	오미자의 성숙과실 (KP) ■ 쉬잔드린(Schizandrin), 고미신(gomisin) 등 함유 - 호흡기(진해, 거담) 신경계(신경보호, 중추신경흥분(또는 진정), 기억력개선, 항스트레스, schizandrin A 용량에 따라 수면연장효과) 항염증, 항산화, 항피로, 항종양, 간보호, 지질저하, 혈압강하(또는 상승), 항당뇨, 신장보호작용
		[합편] 五味酸溫能止渴 久嗽虛勞金水竭 오미산온능지갈 구수허로금수갈 [중마] 五味酸溫 生精止渴 久嗽虛勞 金水枯竭 (收藥) [약징] 主治 咳而冒者也 (cf. 약증: 主治 咳逆上氣而時冒者) [신편/유고] 太陰人要藥 : 健肺直肺

연자육	蓮子肉	Lianzirou 甘澁平 脾腎心 / 補脾止瀉 益腎澁精 養心安神
	수련과	연꽃의 성숙종자 (KP) ■ 신경계(항불안, 항우울활성, 기억력개선)면역계 관여, 항산화효과, 항부정맥, 간보호, 혈소판응집억제, 해열, 혈당강하작용 ▶ [연자심(蓮子心)] 참조 ▶ [이명] 연육(蓮肉) ▶ [附藥] : 하엽(荷葉) 하경(荷梗)
		[합편] 蓮肉味甘健脾胃 止瀉澁精養心氣 연육미감건비위 지사삽정양심기 [중마] 蓮肉味甘 健脾理胃 止瀉澁精 淸心養氣 (補藥) [신편/유고] 太陰人要藥 : 開肺之胃氣 而消食進食
<附藥> 하엽	荷葉	Heye 苦澁平 心肝脾 / 淸暑利濕 升陽止血
	수련과	연꽃의 잎 (KHP)
<附藥> 하경	荷梗	Hegeng 苦平 脾膀胱 / 解暑淸熱 理氣化濕
	수련과	연꽃의 잎자루(=엽병葉柄) 또는 꽃자루(=화병花柄)
검실(검인)	芡實(芡仁)	Qianshi 甘澁平 脾腎 / 益腎固精 補脾止瀉 祛濕止帶
	수련과	가시연꽃의 성숙종자 (KP) ■ 면역증강, 항산화효과, 심손상보호
		[합편] 芡實味甘能益精 腰膝濕痺酸疼幷 검실미감능익정 요습습비산동병
산수유	山茱萸	Shanzhuyu 酸澁微溫 肝腎 / 補益肝腎 澁精固脫
	층층나무과	산수유나무의 성숙과실 (KP) ■ Loganin, Morroniside 등 함유 – 내분비계(혈당강하, 당뇨병성 신장병증 억제) 비뇨기계(정충운동성증가, 혈관이완작용), 신경계(기억력 손상억제, 신경세포보호) 이뇨, 항천식, 혈압강하, 항알러지, 면역조절, 항산화효과 ▶ [이명] 조피(棗皮)
		[합편] 山茱性溫治腎虛 精髓腰膝耳鳴如 산수성온치신허 정수요습이명여 [중마] 山茱性溫 強陰固髓 溫中除濕 澁出利水 (補藥) [신편/유고] 少陽人要藥 : 健腎直腎
금앵자	金櫻子	Jinyingzi 酸甘澁平 腎膀胱大腸 / 固精縮尿 澁腸止瀉
	장미과	금앵자의 성숙과실 (KP) ■ 항균, 간손상억제, 기억력개선, 항산화효과
		[합편] 金櫻子甘禁滑通 夢遺遺尿寸白蟲 금앵자감금활통 몽유유뇨촌백충
상표초	桑螵蛸	Sangpiaoxiao 甘鹹平 肝腎 / 補腎固精 縮尿 止濁
	사마귀과	사마귀 알이 들어있는 벌레집을 찐 것 (KHP)
		[합편] 桑螵蛸鹹腰痛疝 淋濁精泄虛損患 상표소함요통산 임탁정설허손환 [신편/유고] 太陰人要藥
복분자	覆盆子	Fupenzi 甘酸溫 腎膀胱 / 益腎 固精 縮尿
	장미과	복분자딸기의 미성숙과실 (KP) ■ 내분비계(LH, FSH, estrogen 저하 및 testosterone증가, 골소실억제) 진통, 항염증, 항이뇨, 항산화효과
		[합편] 覆盆子甘益腎精 續嗣烏鬚目可明 복분자감익신정 속사오수목가명 [중마] 覆盆子甘 腎損精竭 黑髮明眸 補虛續絶 (補藥)

		[신편/유고] 少陽人要藥
해표초	海螵蛸	Haipiaoxiao 鹹澀溫 脾腎 / 收斂止血 澀精止帶 制酸 斂瘡
	갑오징어과	갑오징어의 골상내각(骨狀內殼) (KHP) ▪ 항궤양 제산, 지통, 골유합촉진, 지혈작용 ▶ [이명] 오적골(烏賊骨)
		[합편] 海鰾蛸鹹消肝腎功 心疼水腫經瘕通 해표소함소예공 심동수종경징통 [중마] 海鰾蛸鹹 下血除瘕 通經水腫 目腎心疼 (和藥)
백반	白礬	Baifan 酸澀寒 肺脾肝大腸/ (外用)解毒殺蟲 燥濕止痒 (內服)止血止瀉 祛除風痰
	광물류	황산염광물 명반석(alunite)을 가공하여 얻은 결정체 (KHP) ▪ 황산알루미늄칼륨수화물[KAl(SO4)2·12H2O]함유. 수렴, 지사, 지혈, 항염증, 구강청결작용 ▶ [참고] 고백반(枯白礬): 백반을 하용(煆用)한 것으로 止血止瀉의 효능 강화 ▶ [이명] 반석(礬石)
		[합편] 白礬味酸解諸毒 治證難以盡記錄 백반미산해제독 치증난이진기록 [중마] 白礬味酸 收斂解毒 治痰多能 難以盡述 (收藥) [신편/유고] 太陰人要藥
계관화	鷄冠花	Jiguanhua 甘澀凉 肝大腸 / 收斂止血 止帶 止痢
	비름과	맨드라미의 화서 (KHP)

19. 용토약(涌吐藥)

과체	瓜蒂	Guadi 苦寒有毒 脾胃 / 吐風痰宿食 瀉水濕停飮
	박과	참외의 열매꼭지 (KHP) ▪ 최토(melotoxin 성분작용), 간보호, 혈압강하, 항종양
		[합편] 瓜蒂苦寒善吐痰 浮腫黃疸并可堪 과체고한선토담 부종황달병가감 [약징] 主治 胸中有毒 欲吐而不吐也
상산	常山	Changshan 辛苦寒有毒 肺肝心 / 涌吐痰飮 截瘧
	범의귀과	상산의 뿌리 (KHP) ▪ 항말라리아, 항아메바, 최토(dichroine 성분의 작용), 해열, 혈압강하작용 ▶ 임신시 주의하여 사용(愼用) (CP) ▶ [참고] 촉칠(蜀漆) : 상산의 싹(苗葉)으로 성미와 효능은 상산과 유사하나 선발용토(宣發涌吐)의 작용이 더 강한 편[5] / 또는 辛苦溫有毒한 성미로서 除痰 截瘧 消癥瘕 積聚하는 효능[6]
		[합편] 常山苦寒截痰瘧 傷寒熱及水瘡藥 상산고한절담학 상한열급수창약 [중마] 常山苦寒 瘧痰吐痰 解傷寒熱 水脹能寬 (瀉藥) [약징- 속편] 蜀漆 : 主治 胸腹及臍下動劇者 故兼治 驚狂 火逆 瘧疾
담반	膽礬	Danfan 酸辛寒有毒 肝膽 / 催吐 祛腐 解毒
	광물류	황산염류에 속하는 황화구리 광물인 담반(Chalcanthite)의 결정체. (CuSO4·5H2O)
여로	藜蘆	Lilu 苦辛寒有毒 肺胃肝肝 / 涌吐風痰 殺蟲
	백합과	참여로 또는 박새의 근경과 뿌리 (KHP) ▪ 혈압강하, 살충작용

[합편] 黎蘆味辛能發吐 腸澼瀉痢殺虫蠱 여로미신능발토 장벽사리살충고

20장	외용약

20. 외용약(外用藥)

유황	硫黃	Liuhuang 酸溫有毒 腎大腸 / (外用)解毒殺蟲 療瘡 (內服)補火助陽 通便
	광물류	원소광물 유황(Sulfur)이나 유황함유물질을 가공하여 얻은 결정 (KHP) ▶ [이명] 석유황(石硫黃) ▶ 임신시 주의하여 사용(愼用) (CP)
		[합편] 硫黃性熱除疥瘡 逐冷寒邪及壯陽 유황성열제개창 축냉한사급장양 [중마] 硫黃性熱 掃除疥瘡 壯陽逐冷 寒邪敢當 (熱藥)
비석	砒石	Pishi 辛酸熱有毒 肺大腸胃脾 / 祛痰截瘧 殺蟲 蝕惡肉
	광물류	산화물류의 비화(砒華: Arsenolite)의 광물로서 삼산화비소(As2O3) 함유 ▶ [이명] 신석(信石), 비상(砒霜)
		[합편] 砒霜有毒風痰吐 截瘧除哮消沈癍 비상유독풍담토 절학제효소침고
웅황	雄黃	Xionghuang 辛溫有毒 肝大腸 / 燥濕殺蟲 燥濕祛痰 截瘧
	광물류	황화물군으로 이황화비소 (Realgar: As2S2) 함유 ▶ [이명] 석웅황(石雄黃) ▶ 독성주의한약재 (KFDA 고시) ▶ 임신시 사용금기 (CP) ▶ [참고] 자황(雌黃) : 삼황화이비소(As2S3) 성분의 광물로서 辛平有毒하고 燥濕 殺 蟲 解毒의 효능
		[합편] 雄黃甘辛邪毒息 更治蛇慝喉風息 웅황감신사독식 갱치사혜후풍식 [중마] 雄黃甘辛 辟邪解毒 更除蛇慝 喉風慝肉 (和藥) [신편/유고] 少陽人要藥
경분	輕粉	Qingfen 辛寒有毒 大腸小腸 / (外用)殺蟲 攻毒 斂瘡 (內服)祛痰消積 逐水通便
	광물류	염화제일수은(HgCl2)의 결정체 ▶ [참고] 백영사(白靈砂) : 분상(粉霜)이라고도 함. 경분을 정제가공하여 순도를 높인 것. 주로 흰색이므로 영사 등의 황화수은류(주로 붉은색, 紅靈砂)와 구별해 명명 ▶ [참고] 황화수은(HgS)은 [주사(朱砂)], [영사(靈砂)] 항목 참조 ▶ 독성주의한약재 (KFDA 고시) ▶ 임신시 사용금기 (CP)
		[합편] 輕粉性燥外科藥 楊梅諸瘡殺蟲托 경분성조외과약 양매제창살충탁 [신편/유고] 少陽人要藥 : 能除腎之久病
연단	鉛丹	Qiandan 辛鹹寒有毒 心脾肝 / 解毒 生肌 墜痰鎭驚
	광물류	순수한 납(lead)을 가공하여 제조한 사산화삼연(Pb3O4) ▶ 독성주의한약재 (KFDA 고시)
		[합편] 황단: 黃丹微寒消積慝 止痛生肌痰蟲却 황단미한소적학 지통생기담충각
노감석	爐甘石	Luganshi 甘平 胃 / 解毒明目退翳 收濕止痒斂瘡
	광물류	탄산염광물 능아연석(ZnCO3)이나 수아연석으로 된 단일광물집합체 또는 능아연석 위주의 다광물 집합체 (KHP)

		[합편] 爐甘石溫善止血 消腫明目弦腎撤 노감석온선지혈 소종명목현예철 [신편/유고] 少陽人要藥
붕사	硼砂	Pengsha 甘鹹凉 肺胃 / 淸熱消痰 解毒防腐
	광물류	붕사(Borax)의 정제 결정체. 사붕산나트륨 10수화물(Na2B4O7·10H2O) 함유
		[합편] 硼砂味辛喉腫解 膈上熱痰嗽卽瘥 붕사미신후종해 격상열담급즉채 [중미] 鵬砂味辛 療喉腫痛 膈上熱痰 嗽火立中 (和藥)
반묘(반모)	斑猫(斑蝥)	Banmao 辛熱大毒 肝胃腎 / 破血消癥 攻毒蝕瘡
	가뢰과	띠띤가뢰, 남방대반모 또는 줄먹가뢰의 몸체 (KHP) ■ 피부자극(cantharidin의 발포작용), 항진균, 항종양작용 ► 독성주의한약재 (KFDA 고시) ► 임신시 사용금기 (CP)
		[합편] 斑猫有毒主破血 諸瘡燥癧水道沒 반묘유독주파혈 제창라력수도몰 [신편/유고] 少陽人要藥
노봉방	露蜂房	Lufengfang 甘平有毒 胃 / 祛風 攻毒 殺蟲 止痛
	말벌과	어리별쌍살벌 또는 동속근연벌이 만든 집 (KHP) ■ 혈액응고, 강심, 이뇨, 항염, 구충, 살균작용 [합편] 蜂房鹹苦治癰癧 腸癰燥癧牙疼劑 봉방함고치간계 장옹라력아동제
		[중미] 蜂房鹹苦 驚癇癰癧 牙疼腫毒 燥癧腸癰 (和藥)
대풍자	大風子	Dafengzi 辛熱有毒 肝脾腎 / 祛風燥濕 攻毒殺蟲
	이나무과	대풍자 또는 기타 동속 근연식물의 씨 (KHP) ■ 항진균, 항나균(한센병), 구충, 항염증, 항종양작용
목근피	木槿皮	Mujinpi 甘苦凉 大腸肝脾 / 淸熱 利濕 解毒 止痒
	아욱과	무궁화나무의 수피 및 근피 (KHP)
목별자	木鱉子	Mubiezi 苦微甘凉 肝脾胃 / 攻毒療瘡 散結消腫
	박과	목별의 씨 (KHP) ■ 항염증, 혈압강하작용 ► 임신시 주의하여 사용(愼用) (CP)
		[합편] 木鱉甘溫追瘡毒 消腫乳癰腰疼屬 목별감온추창독 소종유옹요동속
영사	靈砂	Lingsha 辛溫有毒 心肺胃 / 祛痰降逆 安神定驚 攻毒殺蟲
	광물류	수은과 유황을 원료로 가열 승화하여 얻은 황화수은. 황화제이수은(HgS) 98% 이상 함유 ■ [주사(朱砂) 참조] 주사보다 유독하여 주의 ► 백영사(白靈砂) : 염화제일수은(HgCl2)으로 [경분(輕粉) 참조] ► 독성주의한약재 (KFDA 고시)
		[합편] 靈砂性溫通血脈 殺鬼辟邪安魂魄 영사성온통혈맥 살귀벽사안혼백 [중미] 靈砂性溫 能通血脈 殺鬼逐邪 安魂定魄 (熱藥) [신편/유고] 少陽人要藥

강향	降香	Jiangxiang 辛溫 肝脾 / 行氣活血 止痛 化瘀止血
	콩과	강향단의 줄기와 부리의 심재 (KHP) ■ 항혈전, 진통작용 ► [이명] 강진향(降眞香)
건율	乾栗	Ganli 甘微鹹平 脾腎 / 益氣健脾 補腎强筋 活血消腫 止血
	참나무과	밤나무의 씨껍질을 벗긴 씨 (KHP) ► [이명] 율자(栗子) 황율(黃栗)
		[합편] 栗子鹹溫益氣奇 厚腸補腎亦耐肌 율자함온익기기 후장보신역내기 [중미] 栗子鹹溫 益氣厚腸 補氣耐肌 略根尤良 (食藥) [신편(黃栗)/유고] 太陰人要藥 : 開肺之胃氣 而消食進食
겐티아나 (구용담)	歐龍膽	Oulongdan (Gentiana) 肝腎 / 强壯 健胃
	용담과	Gentiana lutea Linné 의 부리 및 근경(KP) ■ 용담과 유사, 위액분비촉진, 진경작용 등으로 소화제로 응용
경천	景天	Jingtian 苦酸寒 心肝 / 清熱解毒 止血
	돌나물과	꿩의비름의 지상부(KHP)
계자황	鷄子黃	Jizihuang 甘平 心腎脾 / 滋陰潤燥 養血息風
	꿩과	닭의 낳은 알(鷄卵), 달걀의 노른자 ■ 단백질, 지질(Lecithin), 비타민 등 함유 ► [참조] 계자백(鷄子白) : 달걀의 흰자 부분으로서 성미가 甘凉하고 入脾肺하면서 潤肺利咽 清熱解毒의 효능
고과	苦瓜	Kugua 苦寒 心脾肺 / 清暑滌熱 明目 解毒
	박과	고과(여주)의 열매 ■ 혈당강하작용 ► [민간명] 여주
고두자	苦豆子	Kudouzi 苦寒有毒 胃大腸 / 清熱燥濕 止痛 殺蟲
	콩과	고두자의 전초 및 종자 ■ 항균, 항염증, 항종양, 항부정맥작용
고목	苦木	Kumu 苦寒有毒 肺大腸 / 清熱 祛濕 解毒
	소태나무과	소태나무의 심재(心材)(KP) ■ 건위(위장관혈류량증가), 항균, 항염증작용
고초 (고추)	苦椒	Kujiao 辛熱 心脾 / 溫中散寒 開胃消食
	가지과	고추 또는 그 변종의 열매 (KP) ■ capsaicin 함유 - 소화기(위장관운동항진, 소화액분비촉진), 항당뇨, 항비만, 항종양, 진통작용 ► [이명] 날초(辣椒)
골담초근 (금작근)	骨膽草根	(金雀根) Gudancaogen (Jinquegen) 甘辛平 肺脾 / 補肺健脾 活血祛風
	콩과	골담초 또는 동속식물의 부리 (KHP)
교고람	絞股藍	Jiaogulan 苦微甘凉 肺脾腎 / 益氣健脾 化痰止咳 清熱解毒
	박과	교고람의 지상부
교맥	蕎麥	Qiaomai 甘寒無毒 脾胃大腸 / 實腸胃 益氣力
	여뀌과	메밀의 종자 ■ 루틴(Rutin) 함유 - 혈압강하, 혈당강하, 항산화효과

		[합편] 蕎麥甘寒鍊五臟 益氣動病類相當 교맥감한연오장 익기동병류상당 [중마] 蕎麥甘寒 能鍊五臟 雖有益氣 動病有妨 (食藥) [신편/유고] 太陽人要藥 : 實腸胃 益氣力
구골엽	枸骨葉	Gouguye 苦凉 肝腎 / 清熱養陰 平肝 益腎
	감탕나무과	호랑가시나무의 잎 ■ [이명] 공로엽(功勞葉)
구절초	九折草	Jiuzhecao 苦溫 心脾胃 / 溫中 調經 消化, 治 月經不調 不姙
	국화과	구절초 또는 산구절초의 전초(KHP) ■ 진정, 항염증, 간보호효과
구향충	九香蟲	Jiuxiangchong 鹹溫 肝腎 / 理氣止痛 溫中助陽
	노린재과	구향충의 건조체
금박	金箔	Jinbo 辛苦平 心肝 / 鎭心 安神 解毒
	광물	순금을 얇게 만든 것 (KHP)
		[합편] 金箔味甘安魂魄 癲狂驚癇調血脈 금박미감안혼백 나광경간조혈맥 [중마] 金箔味甘 安魂定魄 癲狂驚癇 能調血脈 (和藥) [신편/유고] 太陰人要藥
금계륵 **(키나)**	金鷄勒	Jinjilei (Cinchona Bark) 微辛微苦寒 肝膽 / 治瘧 解熱
	꼭두서니과	키나나무의 수피 ■ 항말라리아작용(키니네quinine의 원료), 항균, 건위, 항부정맥, 혈소판응집억제 작용
급성자 **(봉선자)**	急性子	(鳳仙子) Jixingzi (Fengxianzi) 微苦辛溫小毒 肝肺 / 破血軟堅 消積, 治經閉
	봉선화과	봉선화의 씨 (KHP) ■ 항종양, 항균, 자궁흥분작용 ▶ 임신시 주의하여 사용 (CP)
		[합편] 鳳仙子溫能軟堅 難産骨鯁喹可痊 봉선자온능연견 난산골경일가전 [신편/유고] 太陰人要藥
나포마	羅布麻	Luobuma 甘微苦凉 / 清熱平肝 利水消腫
	협죽도과	나포마의 잎 ■ 혈압강하, 강심, 항방사선, 항우울작용
낭독	狼毒	Langdu 辛苦平有毒 肝脾肺 / 功毒散結 破積殺蟲 祛痰逐水
	대극과	낭독의 뿌리 ▶ 독성주의한약재 (KFDA 고시)
		[합편] 狼毒味辛㣲積衰 鬼毒惡瘡及風㾍 낭독미신징적쇠 귀독악창급풍위
낭탕근	莨菪根	Langdanggen 苦辛寒有毒 / 截瘧 攻癖 殺蟲
	가지과	사리풀(莨菪 : Hyoscyamus niger L)의 뿌리 ▶ [참고] 천선자(天仙子): 사리풀의 성숙종자로 解痙止痛, 安神定喘의 효능 ▶ [참고] 스코폴리아근(山莨菪 : Scopolia japonica Maxim) : 같은 가지과의 유사 본초이나 CP에서 기원식물이 다름 ▶ 천선자 : 임신시 사용금기 (CP)
녹반	綠礬	Lufan 酸澁寒無毒 肺肝脾大腸 / 燥濕殺蟲 補血消積 解毒斂瘡

	광물류	황산제일철 수화물(FeSO4·7H2O)을 95% 이상 함유 (KHP) ▶ [이명] 조반(皁礬) ▶ 임신시 주의하여 사용(愼用) (CP)
녹악매	綠萼梅	Luemei 酸澁平 肝胃肺 / 平肝和胃 疏暢氣機
	장미과	매실나무의 꽃봉오리(花蕾) ▶ [이명] 녹매화(綠梅花) 매화(梅花)
녹제초	鹿蹄草	Luticao 甘苦溫 肝腎 / 補腎强骨 祛風除濕 止咳 止血
	노루발과	노루발풀 또는 동속식물의 전초 (KHP) ▪ 심혈관계(항부정맥, 혈관확장, 혈압강하) 항염증, 항균, 면역증강작용 ▶ [이명] 녹함초(鹿銜草)
뇌공등	雷公藤	Leigongteng 苦辛大毒 心肝 / 祛風除濕 活血通絡 消腫止痛 殺蟲解毒
	노박덩굴과	뇌공등의 목질부 ▪ 항종양, 항염증, 면역억제, 정자활성감소, 살충작용
다수근	茶樹根	Chashugen 苦凉 心腎 / 强心利尿 活血調經 清熱解毒
	차나무과	차나무의 뿌리 ▪ 카페인(Caffeine) 함유
다투라엽(만 타라엽)	曼陀羅葉	Datura (Mantuoluoye) 辛溫有毒 肺 / 定喘祛風 癲醉止痛
	가지과	독말풀 및 근연식물의 꽃필 때의 잎(KHP) ▪ 진통, 진경, 중추신경흥분 작용
당약	當藥	Dangyao 苦寒 肝胃大腸 / 行滯氣 暖脾胃 消嫩積 解毒殺蟲
	용담과	쓴풀의 꽃이 필 때의 전초(KP) ▪ 소화기계(위액분비촉진, 이담, 위장관운동활성, 진경-항콜린작용) 간보호, 혈당강하효과
당귀등	當歸藤	Dangguiteng 苦澁溫 肝腎 / 補血 活血 强壯腰膝
	자금우과	당귀등(Embelia parviflora Wall)의 뿌리 또는 오래된 줄기 ▶ [이명] 호미초(虎尾草) – 당귀등의 이명으로도 쓰이나 중국의 경우 문헌마다 꿀풀과, 벼과, 앵초과 등의 서로 다른 기원식물들을 지칭
대산	大蒜	Dasuan 辛溫 脾胃肺 / 行氣滯 暖脾胃 消嫩積 解毒殺蟲
	백합과	마늘의 비늘줄기(KHP) ▪ 항균, 항종양, 항산화효과, 신경계(뇌손상보호, 항치매) 순환계(혈소판응집억제, 지질저하) [합편] 大蒜辛溫化肉穀 解毒散癰過損目 大신신온화육곡 해독산옹과손목 [중마] 大蒜辛溫 化肉消穀 解毒散癰 多用傷目 (和藥)
도구초	倒川草	Daokoucao 苦酸微寒 肝肺膀胱 / 活血化瘀 利尿通淋 清熱解表
	비름과	조모우슬(粗毛牛膝)의 전초 ▪ 항균, 혈관확장, 혈압강하, 이뇨
동릉초	冬凌草	Donglingcao 甘苦微寒 肺胃肝 / 清熱解毒 活血止痛
	꿀풀과	동릉초의 지상부
동청	銅靑	Tongqing 寒酸有毒 肝 / 治痰迷驚癇 疳瘡
	광물류	탄산염광물로 구리그릇[銅器]의 바깥에 이산화탄소 또는 아세트산의 작용에 의하여 생긴 녹색의 녹(KHP) ▪ 염기성탄산구리(CuCO3·Cu(OH)2) 함유
등리근	藤梨根	Tengligen 酸澁凉 / 清熱解毒 祛風除濕 利尿止血

	다래나무과	다래나무의 뿌리 ▪ [미후도(獼猴桃) 참조] : 다래나무의 열매
디지털리스엽 (양지황엽)	羊地黃葉	Digitalis 苦濕 心 / 强心利尿
	현삼과	디지털리스의 잎을 건조한 것 ▪ 강심(심근수축력증강), 이뇨, 항종양작용
마가목 (화추)	馬加木(花楸)	Majiamu (Huaqiu) (과실) 甘酸平 (줄기) 苦寒/ 鎭咳去痰 健脾利水
	장미과	화추(花楸 Sorbus pohuashanensis)의 과실, 줄기 또는 줄기껍질 ▪ [참고] 정공등과는 관련이 없으나 민간에서 마가목껍질을 정공피, 과실을 정공실 등의 명칭으로 유통하여 정공등과의 기원상 혼동이 초래되어 왔음.
마미련	馬尾連	Maweilian 苦寒 心肺肝膽大腸 / 淸熱燥濕 瀉火解毒
	미나리아재비과	금사마미련의 또는 동연식물의 근강 ▪ 항균, 혈압강하, 이담, 항종양, 해열, 이뇨
면실자	棉實子	Mianshizi 辛熱小毒 肝脾腎 / 補腎强腰 催乳 止痛 止血
	아욱과	목화 또는 기타 동속 근연식물의 씨 (KHP) ▶ [이명] 면화자(棉花子)
모매근	茅房根	Maomeigen 苦溫凉 肝胃肺膀胱 / 淸熱凉血 散瘀 止痛 利尿消腫
	장미과	멍석딸기(=모매 Rubus parvifolius L)의 뿌리
목천료	木天蓼	Mutianliao 辛溫有小毒 肝腎 / 祛風除濕 溫經止痛 斂皰
	다래나무과	개다래나무 또는 쥐다래나무의 가지 또는 잎 ▶ [참고] 목천료자(木天蓼子) : 목천료의 벌레먹은 열매로서 辛苦溫 入肝腎하여 祛風通絡 活血行氣 散寒止痛의 효능 (민간약으로 痛風治療) – [이명] 충영(蟲癭)
미후도	獼猴桃	Mihoutao 甘酸寒 / 健胃理氣 生津潤燥 淸熱除煩
	다래나무과	다래나무의 열매 ▪ 미후등(獼猴藤) : 다래나무의 덩굴. 주로 미후도의 대체약물로 다용 / 참다래 (키위, Kiwifruit) : 뉴질랜드에서 개발한 미후도의 개량종 ▶ [등리근(藤梨根) 참조] : 다래나무의 뿌리 ▶ [목천료자(木天蓼子) 참조] 개다래나무의 벌레먹은 열매
		[합편] 獼猴桃寒治渴煩 熱壅石淋及胃反 미후도한치갈번 열옹석림급위반 [신편/유고] 太陽人要藥 : 治熱壅 反胃 取汁食
밀타승	密陀僧	Mituoseng 鹹平有毒(일부문헌: 無毒) 肝脾 / 消腫驅蟲 收斂防腐 墜痰鎭驚
	광물류	황화광물 방연석으로 연광석 또는 은광석 제련시 생기는 산화납(PbO) (KHP) ▶ 독성주의한약재 (KFDA 고시)
		[합편] 密陀僧鹹止痔痢 白癜諸瘡並可試 밀타승함지치리 백반제창병가시
발제	荸薺	Baimaoteng 甘寒 肺胃 / 淸熱生津 化痰 消積
	사초과	올방개의 덩이뿌리 ▪ 항균작용 ▶ [이명] 오우(烏芋)
백굴채	白屈菜	Baiqucai 苦凉有毒 肺脾胃 / 鎭咳 止咳 利尿 解毒
	양귀비과	애기동물의 지상부(KHP) ▪ 진경(평활근억제), 신경계(acetylcholinesterase를 억제 활성), 진통, 항종양, 항염증, 항균작용 / 간기능이상시 사용에 주의[9]

백모등	白毛藤	Baimaoteng 甘苦寒 肝膽腎 / 淸熱利濕 解毒消腫
	가지과	백풍등의 전초 ■ 항종양 항염증 항균작용 ▶ [이명] 백영(白英)
백초상	百草霜	Baicaoshuang 苦辛溫 肝脾胃 / 止血 止瀉 消積 淸毒散火
		산초(山草)를 태워 생긴 솥밑의 그을음 및 굴뚝 속에 있는 그을음 재 (KHP)
보두	寶豆	Baodou 苦寒有大毒 脾胃 / 解毒 消腫 殺蟲 止痛 止痢
	마전과	보두나무의 종자 (KHP) ■ 중추신경흥분, 소화촉진, 항균, 항종양작용
		▶ [이명] 여송과 (呂宋果) ▶ 독성주의한약재 (KFDA 고시)
		▶ 도핑대상성분(strychnine) 함유 한약재
		[합편] 寶豆溫毒治喉痺 蛔痛蟲傷並癲癇 보두온독치후비 회통충상병리
봉미초	鳳尾草	Fengweicao 淡微苦寒 心肝大腸 / 淸熱利濕 凉血止血 消腫解毒
	고사리과	봉미초(鳳尾草)의 지상부 또는 뿌리 ■ 항균, 항종양작용
불수	佛手	Foshou 辛苦溫 肝胃脾肺 / 舒肝理氣 和胃化痰
	운향과	불수(佛手)의 열매를 건조한 것 ■ 헤스페리딘(Hesperidin) 함유 – 거담, 평천, 위장 평활근억제, 항염증작용 ▶ [이명] 불수감(佛手柑)
사계청	四季靑	Sijiqing 苦澁凉 / 淸熱解毒 生肌斂瘡 活血止血
	감탕나무과	동청(冬靑, Ilex purpurea Hassk)의 잎
사매	蛇苺	Shemei 甘苦寒 肺肝大腸 / 淸熱凉血 解毒消腫
	장미과	뱀딸기(蛇苺)의 전초 ■ 항종양 면역기능강화 항균 혈압강하작용
산내	山柰	Shannai 辛溫 脾胃 / 溫中除濕 行氣消食 止痛
	생강과	산내의 뿌리줄기 (KHP) ▶ [이명] 삼내자(三乃子, 三奈子)
삼과침	三顆針	Sankezhen 苦寒有毒 肝胃大腸 / 淸熱燥濕 瀉火解毒
	매자나무과	당매자나무 또는 근연식물의 뿌리 ■ 항균, 항종양, 항부정맥작용
서과피	西瓜皮	Xiguapi 甘凉無毒 心胃膀胱 / 淸熱 解渴 利尿
	박과	수박의 겉껍질 또는 외면의 푸른부분을 제거한 것 ■ [이명] 서과취의(西瓜翠衣)
석견천	石見穿	Shijianchuan 辛苦微寒 肝脾 / 活血化瘀 淸熱利濕 散結消腫
	꿀풀과	화서미초(華鼠尾草)의 전초
석상백	石上柏	Shishangbai 甘平 / 淸熱解毒 祛風除濕 抗癌 止血
	부처손과	심록권백(深綠卷柏)의 전초
세네가 (미원지)	美遠志	(Senega) Meiyuanzhi 苦寒 肺 / 淸熱解毒 祛痰 利尿
	원지과	세네가 또는 넓은잎세네가의 뿌리(KP) ■ 진해거담, 항종양, 항염증작용

송엽	松葉	Songye 苦溫 心脾 / 祛風除濕 驅蟲止痒
	소나무과	소나무 또는 동속식물의 잎
송절	松節	Songjie 苦溫 心脾 / 祛風除濕 活絡止痛
	소나무과	소나무 또는 동속식물의 나뭇가지마디
		[신편/유고] 太陽人要藥 : 療脚軟弱 (cf. 동무유고에서는 혼용: 太陽人, 少陽人)
송화분	松花粉	Songhuafen 甘溫 脾肺 / 燥濕 收斂止血
	소나무과	소나무 또는 동속식물의 꽃가루 (KHP)
		[신편/유고: 송화(松花)] 동무유고: 太陽人 (cf. 신편: 太陰人要藥)
수양매근	水楊梅根	Shuiyangmeigen 苦辛凉 肝肺腎 / 清熱解表 活血解毒
	꼭두서니과	수양매의 뿌리
수홍화자	水紅花子	Shuihonghuazi 鹹微寒 肝胃 / 散血消瘀 消積止痛
	여뀌과	홍료(紅蓼)의 성숙과실
순골풍	巡骨風	Xungufeng 辛苦平 肝胃 / 祛風通絡 止痛
	쥐방울과	면모마두령(綿毛馬兜鈴)의 지상부 또는 근경 ▪ 항염증, 항종양작용 ▶ aristolochic acid가 함유되어 과용량시 신독성 주의 ▶ [이명] 심골풍(尋骨風)
스코폴리아 근(산낭탕)	山莨菪	Scopolia (Shanlangdang) 苦辛溫有大毒 / 鎮痛解痙 活血祛瘀 止血生肌
	가지과	미치광이풀(Scopolia japonica Maxim)의 근근(KP) ▪ 부교감신경억제, 진경(위경련), 진통작용, 과량복용시 중추신경흥분 및 마비 ▶ [참고] 낭탕근(莨菪根): 사리풀(莨菪 Hyoscyamus niger L)의 뿌리로 가지과의 유사본초 (CP) – 국내문헌에는 스코폴리아의 이명으로 보기도 함
아마인	亞麻仁	Yamaren 甘平 / 散風濕熱毒 潤腸通便
	아마과	아마의 성숙종자(KP) ▪ 염증수치 저하, 통변작용 ▶ [이명] 아마자(亞麻子: CP) ▶ 독성주의한약재 (KFDA 고시)
아선약	阿仙藥	Axianyao 苦澁凉 心肺 / 收拾斂瘡 化瘀止痛
	꼭두서니과	아선약나무(Gambir)의 잎 및 어린가지에서 얻은 건조수성엑스(KP) ▪ 지사, 항궤양, 항염증 작용 ▶ 중국에서는 방아다(方兒茶)로 불리며 또는 중국약전(CP)에 수재된 콩과식물 아다(兒茶)의 유사약물군으로 간주
야관문	夜關門	Yeguanmen 苦澁凉 肝腎 / 止咳 消腫 (補肝腎 利濕: 해설참조)
	콩과	비수리(Lespedezae cunneatae)의 전초 ▪ 진해거담, 항균작용 ▶ 국내에 흔히 자생하는 잡초로서 민간에서 補腎强壯의 목적으로 일부 사용되기도 하였으나 효능에 관한 추가적 연구 필요
앵도육	櫻桃肉	Yingtaorou 甘溫 / 益氣 祛風濕
	장미과	앵도 및 아스라지의 성숙과육에서 종자를 제거하고 건조

		[합편] 櫻桃甘熱水穀痢 調中益脾令顏媚 앵도감열수곡리 조중익비령안미 [신편/유고] 太陽人要藥
양금화	洋金花	Yangjinhua 辛溫有毒 肺肝 / 止咳平喘 解痙止痛 癲醉止痛
	가지과	털독말풀(백화만다라, 白蔓陀羅)의 잎을 건조한 것 ▶ 임신시 사용금기 (CP)
어교	魚膠	Yujiao 甘鹹平 肝腎 / 止血 散瘀 補肝腎
	–	대구나 대구, 상어나 철갑상어 또는 기타 근연동물의 신선한 부레를 꺼내어 혈관 및 점막을 제거하고 씻은 다음 말리어 편평하게 한 것 (KHP)
어뇌석	魚腦石	Yunaoshi 甘鹹寒 膀胱 / 利尿通淋 清熱解毒
	민어과	참조기 또는 부세의 이석(耳石) ▶ [이명] 어침골(魚枕骨)
영릉향	零陵香	Linglingxiang 辛甘溫 肺 / 祛風寒 闢穢濁
	앵초과	영향물(靈香草)의 전초 (KHP)
영실	營實	Yingshi 苦凉 肝胃 / 清暑和胃 活血止血 解毒
	장미과	찔레꽃의 열매(KHP) ▪ 사하, 이뇨, 지질저하, 진통, 항염증작용
예지자	預知子	Yuzhizi 微苦平 肝胃膀胱 / 疏肝和胃 活血止痛 軟堅散結 利小便
	으름덩굴과	으름덩굴 또는 근연식물의 성숙과실(KHP) ▪ [이명] 팔월찰(八月札) 임하부인(林下婦人) ▶ [목통(木通) 참조] 으름덩굴의 줄기
오골등	烏骨藤	Wuguteng 辛澁溫 肝 / 祛風濕 通絡活血 止血
	포포나무과 (番荔枝科)	백엽과복목(白葉瓜馥木)의 뿌리
와거자	萵苣子	Wojizi 辛苦微溫 胃肝 / 通乳汁 利小便 活血行瘀
	국화과	상추의 씨 ▪ 이뇨, 항부정맥 작용
운대자	蕓薹子	Yuntaizi 辛溫無毒 肝腎 / 行血 破氣 消腫 散結
	십자화과	유채의 씨 (KHP) ▪ 항균, 사하작용
요양화	鬧羊花	Naoyanghua 辛溫有大毒 肝 / 祛風除濕 定痛 殺蟲
	진달래과	양척촉(羊躑躅, Rhododendron molle G)의 꽃 ▪ 진통, 살충, 심박동감소 ▶ 임신시 사용금기 (CP)
운모	雲母	Yunmu 甘溫 脾肺膀胱 / 納氣墜痰 止血斂瘡
	광물류	규산염광물 백운모(白雲母). 주로 규산알루미늄칼륨 함유 (KHP)
		[합편] 雲母甘平治勞傷 除邪益精明目良 운모감평치노상 제사익정명목량 [신편/유고] 太陰人要藥
월계화	月季花	Yuejihua 甘溫無毒 肝腎 / 活血調經 解毒消腫
	장미과	월계화의 꽃을 말린 것 (CP)

유인	蕤仁	Ruiren 甘寒無毒 肝(또는 肝心脾肺) / 疎風散熱 養肝明目 安神
	장미과	유핵 또는 치엽편핵목(또는 單花扁核木)의 성숙한 과핵 (CP) ▸ [이명] 유핵(蕤核)
유칼립투스(안수)	桉樹	Eucalyptus (Anshu) 微辛微苦平 / 消風解熱 防腐 止痒
	도금양과	유칼립투스나무의 잎 ▪ 거담, 진통, 항균, 항염증, 방부, 살충작용 ▸ [참고] 안유(桉油) : 유칼립투스 오일
은행엽(백과엽)	銀杏葉	(白果葉) Yinxingye 苦甘澁平小毒 心肺脾 / 活血養心 斂肺澁腸
	은행나무과	은행나무의 잎(KP) ▪ 순환계(혈관 평활근이완, 심근손상억제, 혈류순환증가, 항산화효과, 혈소판응집억제) 신경계(항우울, 기억력개선, 세포독성억제) / 약물상호작용 유의(warfarin 등)
인뇨	人尿	Ren-niao 鹹寒 心肺腎膀胱 / 滋陰降火 止血散瘀
		건강인의 소변으로서 중간뇨를 채취 – 전통적으로 10세 이하의 건강한 아동(주로 男兒)의 소변을 동변(童便)이라 하여 선호 ▪ Urea, Urokinase(혈전용해기능) 등 함유/임신여성의 소변은 hCG(human chorionic gonadotropin)가 다량 함유되어 관련약물의 원료로 활용 ▸ [이명] 동변(童便) 동자뇨(童子尿) ▸ 단독사용 보다는 주로 향부자(香附子) 등 일부 약재의 법제 등에 활용
		[합편] 童便氣凉撲損瘀 虛勞骨蒸熱嗽除 동변기량박손어 허로골증열수제 [중마] 童便氣凉 撲損瘀血 虛勞上氣 熱嗽尤捷 (和薑) [신편/유고] 동변(童便) : 少陽人要藥 – 溢骨髓
인도사목	印度蛇木	Yindushemu 苦凉 肝 / 降血壓
	협죽도과	인도사목의 뿌리(KHP) ▪ 혈압강하, 진정, 최면작용 : reserpine (과거 항고혈압, 항정신병제제로서 사용되었으나 최근에는 사용감소)의 제조 원료 ▸ [이명] 나부목(蘿芙木)
자위피	刺蝟皮	Ciweipi 苦澁平 胃大腸腎 / 和瘀止痛 收斂止血 澁精縮尿
	고슴도치과	고슴도치의 외피를 말린 것
작상	爵床	Juechuang 苦鹹辛寒 肺肝膀胱 / 淸熱解毒 利濕消積 活血止痛
	쥐꼬리망초과	쥐꼬리망초(=爵床)의 지상부
재백피	梓白皮	Zibaipi 苦寒 膽胃 / 淸熱利濕 降逆止吐 殺蟲止痒
	능소화과	개오동나무의 근피 또는 수피 ▪ 구충작용
적설초	積雪草	Jixuecao 苦辛寒 肝脾腎 / 淸熱利濕 解毒消腫
	산형과	병풀(Centella Asiatica)의 전초 ▪ 진정-안정 피부조직치유 항균 ▸ [이명] 붕대완(崩大碗) ▸ [민간명] 호랑이풀 병풀 센텔라아시아티카
전가근(벨라돈나근)	顚茄根	Dianjiagen (Belladonna) 胃腎膽 / 解痙止痛
	가지과	벨라돈나의 뿌리 (KP) ▪ atropine, scopolamine 등을 함유하며 항콜린성 작용. 부교감신경억제, 분비억제, 진통, 진경, 항염증, 동공산대

접골목	接骨木	Jiegumu　甘苦平 / 祛風 利濕 活血 止痛
	인동과	딱총나무의 줄기 및 가지 (KHP) ▪ 진통, 진정, 이뇨, 골유합촉진
제조	蠐螬	Qicao　鹹微溫 肝 / 破血行瘀 散結消腫
	풍뎅이과	참검정풍뎅이또는 근연곤충의 유충 (KHP) ▶ [민간명] 굼벵이
		[신편/유고] 太陰人要藥
조수피	棗樹皮	Zaoshupi　苦澁溫 肺大腸 / 澁腸止瀉 鎭咳止血
	갈매나무과	대추나무의 수피
종절풍	腫節風	Zhongjiefeng　苦辛平 / 淸熱解毒 祛風活血 消腫止痛
	홀아비꽃대과	초산호의 전주(全株)를 말린 것 ▪ 항균 소염 항종양효과 ▶ [이명] 초산호(草珊瑚) 구절차(九節茶)
지구자	枳椇子	zhijuzi　甘酸平 肺胃大腸 / 利水消腫 解酒毒 (養陰生津 補中益氣 潤腸通便)
	갈매나무과	헛개나무의 열매자루가 달린 열매 또는 씨 (KHP) ▪ 이뇨, 간보호, 항히스타민작용
		[합편] 枳椇甘平解酒擅 止渴去煩通二便 지구감평해주천 지갈거번통이변
지이초	地耳草	Diercao　甘苦凉 / 淸熱利濕 消腫解毒 散瘀止痛
	물레나물과	애기고추나물(地耳草)의 전초 ▪ 항균, 항바이러스, 간보호, 항산화효과 ▶ [이명] 전기황(田基黃)
천골	川骨	Chuangu　甘澁平 (또는 甘寒) / 退虛熱 祛瘀調經 除蒸止汗 止咳 止血
	수련과	개연꽃의 근경 (KHP) ▪ 이뇨, 중추억제, 항종양, 면역억제, 항결핵작용 ▶ 일본에서는 하골(河骨)이라고도 하며 주로 해열, 진통의 목적으로 활용 ▶ [이명] 평봉초(萍蓬草)
천규자	天葵子	Tiankuizi　甘苦寒小毒 肝脾膀胱 / 淸熱解毒 消腫散結 利水通淋
	미나리아재비과	개구리발톱(天葵)의 괴경
천년건	千年健	Qiannianjian　苦辛溫小毒 肝腎胃 / 祛風濕 舒筋活絡 止痛 消腫
	천남성과	천년건의 뿌리줄기 (KHP)
천산룡	穿山龍	Chuanshanlong　苦微寒 脾肺 / 祛風濕 活絡通絡 淸肺化痰
	마과	부채마(穿龍薯蕷)의 뿌리줄기 ▶ [이명] 단풍마
천선등	天仙藤	Tianxianteng　苦溫 肝脾腎 / 行氣活血 通絡止痛
	쥐방울과	마두령 또는 쥐방울덩굴의 지상부를 건조한 것 ▪ aristolochic acid 함유로 신독성 주의　▶ 독성주의한약재 (KFDA 고시) ▶ 임신시 사용금기 (CP)
천수근(하르 파고피툼근)	天授根	Tianshougen (Harpagophytum)　鹹微寒 肝胃 / 祛風濕 止痺痛
	참깨과	악마의 발톱(Harpagophytum procumbens DC)의 뿌리 (KHP) ▪ 항염증, 진통, 항류마티스작용　▶ [이명] 악마의 발톱(Devil's claw), 조구초(爪钓草)

천장각	天漿殼	Tianjiangke 甘辛平 肺腎 / 清肺化痰 散瘀止血
	박주가리과	박주가리(萝藦)의 열매껍질
첨과자	甜瓜子	Tianguazi 甘寒 肺胃大腸 / 清肺潤腸 散結消瘀
	박과	참외의 씨앗 ▪ 구충작용
촉규화	蜀葵花	Shukuihua 甘鹹凉 肝心 / 和血止血 解毒散結
	아욱과	접시꽃의 꽃 (KHP)
토근	吐根	Tugen 苦 脾胃 / 清熱解毒 涌吐
	꼭두서니과	리오토근 또는 카르타게나토근의 뿌리 및 근경 (KP) ▪ 최토, 거담, 항아메바작용
투골초	透骨草	Tougucao 辛溫 肺肝 / 祛風除濕 舒筋活絡 散瘀消腫 解毒目痛
	대극과	지구엽(地構葉)의 전초 (일부자료: 봉선화과 봉선화(鳳仙花)의 전초)
팔각회향	八角回香	Bajiaohuixiang 辛溫 肝腎脾胃 / 溫陽散寒 理氣止痛
	붓순나무과	팔각회향의 열매 (KP) ▪ Shikimic acid 함유 – 항균, 항진균, 항바이러스(Tamiflu 원료), 진통, 진경, 살충, 항산화효과 ▶ [이명] 대회향(大茴香) ▶ shikimic acid 성분으로 항바이러스제제인 타미플루(oseltamivir) 제조
		[합편] 大茴味辛疝脚氣 止膀胱痛嘔秽胃 대회미신산각기 지방광통구번위
포도근	葡萄根	Putaogen 甘澀平 脾腎 / 除風濕 利小便
	포도과	산머루나무의 뿌리
		[합편] 포도: 葡萄甘平痳淋透 益氣强志乾發痘 포도감평비림투 익기강지건발두 [신편/유고] 太陽人要藥 : 止嘔逆噦 濃煎服
한채	菜	Hancai 辛苦微溫 肺肝 / 祛痰止咳 解表散寒 止血解毒 利濕退黃
	십자화과	개갓냉이(Rorippa indica)의 지상부 ▪ 지해 거담 항균 혈압강하
해송자	海松子	Haisongzi 甘溫 肝肺大腸 / 養液 熄風 潤肺 滑腸
	소나무과	잣나무의 씨 (KHP)
		[신편/유고] 太陰人要藥
향다채	香茶菜	Xiangchacai 辛苦凉 肝腎 / 清熱利濕 活血散瘀 解毒消腫
	순형과	향다채의 전초 또는 뿌리
협죽도	夾竹桃	Jiazhucao 苦寒大毒 心 / 强心利尿 祛痰定喘 祛瘀止痛
	협죽도과	협죽도의 잎과 수피
호동루	胡桐淚	Hutonglei 苦鹹大寒無毒 胃 / 清熱化痰 連結
	버드나무과	호양(胡揚)의 수지가 땅 속에 오랫동안 묻혀서 이루어진 것 (KHP)

		[합편] 胡桐淚寒風蟲齒 殺火爍毒㿼始 호동루한풍충치 살화면독나력시 [신편/유고] 少陽人要藥	
홉(홀포)	忽布	**Hubu** 苦微凉 肝胃 / 健胃消食 利尿安神 抗勞消炎	
	뽕나무과	홉의 잘 익은 구과(毬果) (KHP)	
화생의	花生衣	**Huashengyi** 甘微苦澁平 / 止血 散瘀 消腫	
	콩과	땅콩(落花生)의 속껍질(種皮)	
황매목	黃梅木	**Huangmeimu** 辛溫 胃肝 / 溫中行氣 活血散瘀	
	녹나무과	생강나무의 싹이 트기 전에 채취한 어린 가지 (KHP) ▶ [이명] 삼첩풍(三鈷風) 산호초(山胡椒)	
황약자	黃藥子	**Huangyaozi** 苦辛凉 肝胃心肺 / 解毒消腫 化痰散結 凉血止血	
	마과	둥근마(黃獨)의 괴경	
황촉규화	黃蜀葵花	**Huangshukuihua** 甘辛凉 心腎膀胱 / 利尿通淋 活血 止血 消腫解毒	
	아욱과	닥풀의 꽃 또는 꽃부리 ▶ 임신시 주의하여 사용(愼用) (CP)	
훤초근	萱草根	**Xuancaogen** 甘凉有毒 脾肝膀胱 / 淸熱利濕 凉血止血 解毒消腫	
	백합과	원추리의 뿌리 및 뿌리줄기 (KHP) ■ 항균 이뇨작용 ▶ [이명] 황화채근(黃花菜根)	
흑두	黑豆	**Heidou** 甘平 肝腎 / 活血利水 祛風解毒 健脾益腎	
	콩과	콩의 씨로 검은색인 것 (KHP) ■ Isoflavone 등 함유 ▶ 서리태(서리太) : 10월경 서리를 맞은 이후에 수확한 콩으로 내부가 연두빛 / 서목태(鼠目太) : 쥐눈이콩, 약 콩이라고도 하며 서리태보다 크기가 작음	
희수	喜樹	**Xishu** 苦辛寒有毒 脾胃肝 / 淸熱解毒 散結消癥	
	닛사과	희수의 과실 또는 뿌리 및 근피 ■ Camptothecin 함유 (irinotecan 등의 항암약물 원료) - 항종양 면역억제작용	

REFERENCES

1. 전국한의과대학본초학교수 공편, 본초학, 영림사. 2013
2. 대한민국약전 11개정. 식품의약품안전청. 2014
3. 대한민국약전외한약(생약)규격집 제4개정. 식품의약품안전청. 2013
4. 원색한약재감별도감. 식품의약품안전청. 2009
5. 주영승. 운곡본초학. 우석. 2013
6. 國家中醫藥管理局 中華本草 編委會. 中華本草. 上海科學技術出版社, 1998
7. 우석대학교 한의과대학 본초방제학교실. 운곡 한약재의 기원 및 산지총람. 한국학술정보. 2009
8. 한국한의학연구원 한약표준표본관 (http://boncho.kiom.re.kr/herbarium/codex.php)
9. 한방약리학 편찬위원회. 한방약리학. 신일북스 2015.
10. 생약학교재 편찬위원회. 생약학. 동명사. 2014
11. 김용현. 新본초학. 한올. 2014.

12. 祁公任, 陳濤. 現代實用臨床中國藥學 (第2版). 化學工業出版社. 2013

13. 李學林 외. 實用臨床中藥學: 中藥飮片部分. 人民衛生出版社. 2013

14. 김호철. 한약약리학. 집문당. 2001.

15. 조원. 계통본초, 주민출판사. 2013.

16. 김선애외. 참당귀,중국당귀,일당귀 및 구성생화합물의 약리작용에 대한 고찰.대한한의학회지 2011;32(4):1-24

17. 김인락, 이익재. 군신좌사론에 의한 계지탕의 계지 생약명. 동의한의연. 2000(4):33-37.

18. Hirata JD et al. Does dong quai have estrogenic effects in postmenopausal women? A double-blind, placebo-controlled trial. Fertil Steril. 1997;68(6):981-6.

19. 김재환, 주영승. 담죽엽과 죽엽의 기원에 관한 문헌적 고찰. 대한본초학회지. 1996;17(2):5-16.

20. Ma H et al. The novel antidote Bezoar Bovis prevents the cardiotoxicity of Toad (Bufo bufo gargarizans Canto) Venom in mice. Exp Toxicol Pathol. 2012;64(5):417-23.

21. 윤보현 박성식. 동의사상신편에 대한 연구. 사상체질의학회지 2001;13(2):28-48

22. 이규배. 식물형태학 분야에서 사용하는 줄기의 구조에 관한 한글 용어의 분석. J. of the Chosun Natural Science. 2008;3(1):234-246.

23. 황황. 약증과 경방. 옴니허브. 2012 p.315

24. Ho CE et al. From prejudice to evidence: the case of rhizoma coptidis in singapore. Evid Based Complement Alternat Med. 2014;2014:871720.

25. Shang X eta l. Leonurus japonicus Houtt,: ethnopharmacology, phytochemistry and pharmacology of an important traditional Chinese medicine. J Ethnopharmacol 2014;152(1):14-32.

26. 이선동. 한약독성학. 한국학술정보, 2012. p.284

27. 황도연. (辨證論治)方藥合編. 남산당. 2000.

28. 이규준. 의감중마(입문입식). 대성출판사. 2000.

29. 吉益東洞. 藥徵. 청홍. 2006.

30. 黃煌. 張仲景50味藥證. 人民衛生出版社. 1998

31. 이은경 외. 生酸棗仁과 炒酸棗仁의 추출방법에 따른 효능비교연구.동의생리병리학회지.2009;23(6):1416~1422.

32. 유선균 외. 국내에 자생하는 큰엉겅퀴와 고려엉겅퀴의 분자유전학적 및 화학적 분석. Journal of Life Science. 2012;22(8):1120-1125.

33. Wang Q et al. Experimental studies on the significance of processing Eucommia ulmoides Oliv. Zhongguo Zhong Yao Za Zhi. 1989;14(11):661-3, 702.

34. Yuen MF et al. Traditional Chinese medicine causing hepatotoxicity in patients with chronic hepatitis B infection: a 1-year prospective study. Aliment Pharmacol Ther. 2006;24(8):1179-86.

35. 한약재감별정보43 - 복령, 종류별 약효 구분해 사용해야. 한의신문. 2015.8.24.

36. 왕멘즈(王綿之). 방제학강의. 전통의학. 2010.

37. 최호영 외. GC/MS에 의한 남강활과 북강활의 정유 비교 분석. 대한본초학회지.2004;19(4):169-178.

38. Lyu JH et al. Effects of dried Citrus unshiu peels on gastrointestinal motility in rodents. ㄹArch Pharm Res. 2013 May;36(5):641-8.

39. Tahtamouni LH et al. Dandelion (Taraxacum officinale) decreases male rat fertility in vivo. J Ethnopharmacol. 2011 Apr 26;135(1):102-9.

40. 이익섭. '진교'를 찾아서. 식물분류학회지 2009;39(1):58-62.

41. Shan MQ et al. Comparative study on effects of Rubiae Radix et Rhizoma and carbonized Rubiae Radix et Rhizoma on acute blood stasis rat model. Zhongguo Zhong Yao Za Zhi. 2014 Feb;39(3) 493-7.

42. Wang JP et al. Antihemostatic effect of Hsien-Ho-T'sao. Am J Chin Med. 1984;12(1-4):116-23.

43. Tong P et al. Chondroprotective activity of a detoxicated traditional Chinese medicine (Fuzi) of Aconitum carmichaeli Debx against severe-stage osteoarthritis model induced by mono-iodoacetate. J Ethnopharmacol. 2014;151(1):740-4.

44. Tzeng HP et al. The abortifacient effects from the seeds of Coix lachryma-jobi L. var. ma-yuen Stapf. J Toxicol Environ Health A. 2005 Sep;68(17-18):1557-65.

45. Feng YL et al. Diuretic and anti-diuretic activities of the ethanol and aqueous extracts of Alismatis rhizoma. J Ethnopharmacol. 2014;154(2):386-90.

46. Wang N et al. A comparative study on the hepatoprotective action of bear bile and Coptidis Rhizoma aqueous extract on experimental liver fibrosis in rats. BMC Complement Altern Med. 2012 ;12:239.

47. Tseng SH et sl. Comparison of chemical compositions and osteoprotective effects of different

sections of velvet antler. J Ethnopharmacol. 2014;151(1):352-60.

48. 이예슬 외. 토우슬과 회우슬의 에탄올 추출물의 성분 및 생리활성 비교. Korean J Microbiol Biotechnol. 2013;41(4):416-424

49. 김동일 외. 국민행복카드 한의약진료 매뉴얼. 대한한의사협회 연구개발 용역보고서. 2015.

50. 김윤경 외. 전통적인 한약의 전탕법과 복용법에 대한 현대적 고찰. 한국한의학연구원 논문집. 2004;10(2): 63-72.

51. 박성환 외. 한약수치에 관한 연구: 오수유 탕포법. 생약학회지. 2005;26(2):102-108.

52. (주) 옴니허브 www.omniherb.com

53. (주) 광명당제약 www.kmdm.co.kr

부록C

처방목록 및
처방례

C1

주요처방목록

C1-1 개요

(1) 처방범위 및 특징

1. 동의보감, 방약합편 등에 수록된 후세방 뿐 아니라 상한론과 금궤요략을 대상으로 하는 고방, 동의수세보원 등의 사상의학 처방 뿐 아니라 근대 이후의 한국, 중국, 일본 등에서 애용되는 처방들과 비교적 최근의 처방까지 망라하였습니다.

2. 처방용량은 현대적 용량으로의 환산을 위하여 대부분 그램(gram) 단위로 표기하였고 또한 처방별 총량을 함께 기재하여 실제 탕전시 약물용량 조정이 수월하도록 하였습니다.

3. 동일한 명칭의 처방이지만 실제 약물구성이 다른 경우는 A, B 등 알파벳으로 구별하였습니다. 표제어가 다르지만 동일한 명칭의 연속선상에 있거나 이명(異名)이 같은 경우도 A, B로 표기하였습니다. 예) 육미지황원A, 육미지황탕B

(2) 처방용량 환산기준

1. 처방용량의 기본단위인 1錢(돈)은 실제 3.75g이나 편의상 4g으로 조정하여 나머지 단위도 아래와 같이 환산하였습니다. 처방 중 七分(3g)과 八分(3g)의 용량이 함께 사용된 처방은 약재명 뒤에 첨자로 해당 원문의 용량을 표기하였습니다. 온병조변(溫病條辨) 등 청대 이후의 처방은 현대 중국에서 1전(錢) 당 3그램으로 환산하는 방식을 주로 따랐습니다.

원문의 단위 (후세방)	실제환산단위	표기 단위
1兩(1량)	37.5g	40g
1錢半	5.625g	6g
1錢2分~1錢3分	4.5~4.875g	5g
1錢(1돈)	3.75g	4g
9分	3.375g	3.5g
8分	3g	3g
7分	2.6g	3g
6分	2.25g	2.5g
5分	1.87g	2g
4分	1.5g	1.5g
3分	1.12g	1.2g
2分	0.75g	0.8g
1分(1푼)	0.375g	0.4g

2. 기타의 용량, 길이 단위는 '생약(한약)제제 관련 해설서(식품의약품안전청, 2009)'를 참조하였으나 비표준단위는 실제 임상서적이나 논문, 인터넷 자료, 실측자료 등을 고려하여 조정하였습니다. 비표준단위로 기재된 약물들은 " / " 기호로 구분하였고 그램(g)으로 환산된 용량과 함께 약재명 밑에 첨자로 원문에 기재된 단위를 표시하였습니다. (예) / 大棗 ₁₀ 4g

3. 강삼조이(薑三棗二)로 대표되는 생강, 대조 용량의 경우 산림청 임산물 표준규격의 '중(中)'에 해당하는 국내 대조 1개의 평균무게가 1.96g(大棗肉 1.73g, 大棗核 0.23 g)을 밝힌 논문 등을 참조하여 생강(3편) 4g, 대조(2매) 4g으로 일괄환산하였으며, 총백(蔥白)의 경우 자료마다 조금씩 다르게 환산되나 실제 사용되는 임상처방집 등을 참조하여 건조 총백 기준으로 3莖은 4그램, 5莖은 6그램을 용량으로 정하였습니다.

4. 환약으로의 조제되는 약물의 크기단위는 원문 그대로 표기하였으며 실제 환산단위는 다음 표를 참조하시면 됩니다.

환약 크기단위	환산 단위(지름)
탄자대 (彈子大)	14~16 mm
앵두대 (櫻桃大)	8~10 mm
오자대 (梧子大)	5~6 mm
녹두대 (菉豆大)	4~5 mm
참고: 은단대	3 mm

5. 이러한 비표준단위의 환산은 참고적으로 활용하시고 실제 임상에서는 환자의 상태나 약재의 건조도, 품질 등을 종합적으로 고려하여 용량을 조정할 수 있습니다.

C1-2 처방별 참고사항

(1) 고방 (상한금궤방)

1. 상한론, 금궤요략 등에 수록된 처방(이하 고방古方으로 지칭)의 용량은 현재까지도 많은 연구와 논의가 있어 왔으며 시대별, 국가별 처방용량의 차이도 큰 편입니다.

2. 예를 들어 중국에서는 1량을 13.875g 또는 31.125g 등으로 고증하기도 하지만 일반적으로 연령, 체질, 병정, 계절, 약재상태 등에 따라 용량변경이나 약물가감이 비교적 자유로운 편입니다. 일본에서는 1량을 1.42g 또는 1.3g으로 고증하기도 하지만 일반적으로 1량을 1~2g 정도로 환산하는 경우가 많습니다.

3. 본서에서의 고방의 현대적 용량은 현대한방강좌[6]를 저본으로 참고하되 방제학 교과서[8], 도설한방진료요감[12], 고방유취[19], 중국내 출판서적 등 다양한 문헌을 참조하였으며 특히 현대A, B로 구분된 경우, A는 주로 현대한방강좌 및 유사한 처방패턴의 다른 서적내용

을, B는 현재 중국에서 주로 다용되는 처방용량으로서 주로 中醫十大類方[29], 경방사용수첩[31] 등을 참조한 용량을 실었습니다. 추가적으로 원문 내용 및 일본약전의 보험등재처방(JP)의 경우 보험등재용량을 함께 실었습니다.

[본문 예시]

계지가대황탕 桂枝加大黃湯	【상한금궤】和解止痛功裏
	〈태음병-279〉 本太陽病 醫反下之 腹滿時痛.. 大實痛者
	【방극】治桂枝加芍藥湯證 而有停滯者
	【JP】 체허(體虛)한 자로서 복부팽만 장내정체감 복통 등을 동반한 자의 급성장염 습관성변비 숙변 후중감
계지가작약탕 加 대황	1)현대A: 芍藥 12 桂枝 生薑 大棗 6 甘草 4 大黃 2~4g [36~38g] (또는 大黃 2~8g) [12]
▶ 一名 계지가작약대황탕(桂枝加芍藥大黃湯)	2)현대B: 芍藥 30 桂枝 生薑 15 大棗 20 甘草 大黃 10g [100g]
	3)원문: 芍藥 6량 桂枝 生薑 3량 大棗 12매 甘草 大黃 2량
	▶【JP】 芍藥 6 桂皮(JP) 大棗 4 甘草 大黃 2 生薑(JP) 1g [19g]

4. 처방용량 중 부자, 오수유 등 일부 약물의 용량은 복용시의 안전성 및 편의를 위하여 조절된 부분도 있으며 참고로 중국내 처방의 현대환산용량 중 부자는 일반적으로 별도의 표기가 없더라도 수치를 거친 포부자(煟附子) 또는 부자편(附子片) 등을 의미합니다.

5. 상한론 출전처방은 출전 편명(篇名)과 함께 해당 조문번호(교서서 조문번호 기준) 및 조문의 해당처방 관련내용을 발췌수록하였고 생략된 부분은 ...로 표시하였습니다.

6. 【방극】부분은 吉益東洞의 방극(方極)을 실었고 아울러 필요한 경우에는 이들의 내용을 수정 또는 보완한 방극산정(方極刪定)의 내용을 함께 포함하였습니다.

7. 편명확인시 해당 처방의 치료목표와 출전편명이 다를 수 있는데, 예를 들어 조위승기탕의 경우 실제는 양명병을 주된 치료대상으로 하지만 관련 조문은 태양병편에 가장 많이 수록되어 있고 또는 태양소양합병에 사용되는 시호계지탕은 관련 조문이 태양병편에만 수록되어 있는 등 실제 임상과 조문의 해당편명이 일치하지 않는 경우도 있으므로 참고하시기 바랍니다.

8. 금궤요략의 경우는 해당 편명의 명칭이 긴 경우가 많아 아래와 같이 숫자로 표기하였습니다. 예를 들어 〈금궤21〉로 표기된 조문은 해당 조문이 〈21. 婦人産後病脈證治第二十一〉에 수록된 내용임을 의미합니다.

	편명	편명(한글)
1	臟腑經絡先後病脈證第一	장부경락선후병맥증제일
2	痙濕暍病脈證治第二	경습갈병맥증치제이
3	百合狐惑陰陽毒病脈証治第三	백합호혹음양독병맥증치제삼
4	瘧病脈證幷治第四	학병맥증병치제사
5	中風歷節病脈證幷治第五	중풍력절병맥증병치제오

6	血痹虛勞病脈證幷治第六	혈비허노병맥증병치제육
7	肺痿肺癰咳嗽上氣病脈證治第七	폐위폐옹해수상기병맥증치제칠
8	奔豚氣病脈證治第八	분돈기병맥증치제팔
9	胸痹心痛短氣病脈證治第九	흉비심통단기병맥증치제구
10	腹滿寒疝宿食病脈證治第十	복만한산숙식병맥증치제십
11	五臟風寒積聚病脈證幷治第十一	오장풍한적취병맥증병치제십일
12	痰飮咳嗽病脈證治第十二	담음해수병맥증치제십이
13	消渴小便利淋病脈證幷治第十三	소갈소변리임병맥증병치제십삼
14	水氣病脈證幷治第十四	수기병맥증병치제십사
15	黃疸病脈證幷治第十五	황달병맥증병치제십오
16	驚悸吐衄下血胸滿瘀血病脈證治第十六	경계토뉵하혈흉만어혈병맥증치제십육
17	嘔吐噦下利病脈證治第十七	구토홰하리병맥증치제십칠
18	瘡癰腸癰浸淫病脈證幷治第十八	창옹장옹침음병맥증병치제십팔
19	趺蹶手指臂腫轉筋陰狐疝蚘蟲病脈證治第十九	부궐수지비종전근음호회충병맥증치제십구
20	婦人姙娠病脈證幷治第二十	부인임신병맥증병치제이십
21	婦人產後病脈證治第二十一	부인산후병맥증치제이십일
22	婦人雜病脈證幷治第二十二	부인잡병맥증병치제이십이

9. 상한론, 금궤요략에는 본래 수록되어 있지 않으나 이를 바탕으로 후세에 가감된 일부 처방 들도 〈상한금궤〉 항목으로 분류하였습니다.

Tip 처방별 용량의 결정

1. 본서의 후세방(방약합편, 동의보감) 및 사상방(동의수세보원) 출전의 처방은 1첩 용량 기준이며 일반적으로 탕전기준으로 1일 2첩 분량으로 복용합니다.
2. 본서의 고방(상한금궤방)에 기재된 용량은 1일 분량입니다.
   1) 현대A는 주로 국내문헌에서 많이 사용된 용량으로 일반적으로 일본문헌에 기재된 분량의 2 배 정도인 경우가 많습니다.
   2) 현대B는 현대중국의 문헌에서 많이 사용되는 용량입니다.
   3) 일본약전(JP)의 처방용량도 1일 분량을 의미합니다.
3. 고방(상한금궤방)의 경우 다양한 문헌의 용량이 소개되어 오히려 혼란스러울 수 있으나 실제 임 상에서는 부자(附子)류나 사하약, 마황제, 기타 유독약물이 아니라면 환자의 상태나 약재의 품 질, 탕전방식 등을 종합적으로 고려하여 용량을 조정할 수 있습니다.
4. 일본처방은 보통 엑기스제제(1일 7.5g)로 출시된 용량 기준이나 빠른 효과를 위해 2-3일분 용량 (15~20g)을 하루에 사용하는 의견들도 있는 만큼 참고하여 용량을 결정합니다. [95]

Tip 국가별 처방량의 차이

1. 일반적으로 한국, 중국과 비교하여 일본의 처방용량은 크게 적은 편입니다.
2. 이는 (1) 한국인, 중국인 등과 비교할 때 체격이나 소화력의 차이 등으로 보기도 하지만 (2) 평

상시 일본의 음식문화도 향신료를 강하게 사용하기 보다는 비교적 소식에 담백한 음식이 많은 편이고 (3) 기후가 비교적 온화하고 수질에 있어서도 미네랄 함유가 적어 추출률이 높은 연수 (軟水)가 많은 편이며 (4) 일본내에서 자생하는 한약재의 종류가 적고, 많은 양을 타국에서 수입해야 하기 때문에 약을 적게 사용하는 관습이 생긴 점 (5) 처방기술에 있어서 개별 약재들의 효능을 중시하며 가감하기보다는 처방마다의 방증(方證)을 중심으로 발전한 점 (6) 한약물의 수치, 법제 방법에 있어서도 차이가 있는 점 등을 고려할 수 있습니다. [37,38]

3. 국내에서 가장 많이 참조되는 동의보감의 경우, 집례(集例)에 1첩당 7~8전(錢)에서 1량(兩)까지의 용량을 기준으로 한 서적(古今醫鑑, 萬病回春)의 법(法)을 참조했다는 내용에서 보듯 기존의 서적에서의 처방용량을 첩당 30~40g 내외로 조정한 경우가 많으며 이는 1일 2첩 기준시, 1일 총량 60~80g에 해당합니다.

(2) 후세방(온병처방 포함)

1. 방약합편 처방은 출전을 병기하였고 특히 동의보감의 경우 해당처방이 표제로 등장하는 문(門)과 원출전이 되는 서적명도 같이 병기하였습니다.

   [예] 보중익기탕 【上-22/ 보감-內傷/ 동원】

   : 방약합편의 상통22번 처방으로 동의보감의 내상문(內傷門)에서 인용한 처방이며 원출전은 동원십서(東垣十書)가 됩니다.

2. 동의보감에서 여러번 등장하는 처방은 주된 문(門)만 병기하였습니다. 예를 들어 방약합편 상통(上通) 34번 처방인 고진음자(固眞飮子)는 동의보감의 정문(精門)과 허로문(虛勞門) 등에 소개되어 있으나 약재구성 및 처방해설은 허로문에 있으므로 [上-34/ 보감-虛勞]으로 표기하였습니다.

3. 동의보감에서의 인용서별 약자의 전체 명칭은 다음과 같습니다 : 동원(동원십서) 寶鑑(위생보감) 입문(의학입문) 직지(직지방) 단심(단계심법부여) 정전(의학정전) 중경(중경전서= 상한론, 금궤요략) 회춘(만병회춘) 의감(고금의감古今醫鑑) 득효(세의득효방) 三因(삼인방) 良方(부인양방) 宣明(선명론방)

4. 방약합편 상·중·하통에는 포함되어 있지 않으나 남산당 간행 방약합편 증보방에 수록된 처방(주로 이상화 선생의 변증방약정전辨證方藥正傳 유래처방)은 【합편-增補】 로 표기하였습니다.

5. 청강의감(晴崗醫鑑)의 경우는 각종 임상논문, 실험논문 등에서 발표되어 약물구성이 공개된 처방 위주로 표제처방으로 수록하였고 또는 기존의 방약합편 또는 동의보감 처방에서 가감이 이루어진 내용이 있는 경우는 해당 가감내용을 괄호로 덧붙였습니다. 대표처방으로 제시된 일부처방 위주로 정리하였으므로 보다 다양한 처방 및 증상에 따른 가감법은 실제 책을 참고하시기 바랍니다.

(3) 사상의학 처방

1. 가장 표준적인 텍스트라고 할 수 있는 동의수세보원(신축본) 처방 뿐 아니라 동의사상신편 (東醫四象新編, 이하 신편으로 약칭), 갑오본 등의 관련 처방도 함께 수록하였습니다. 각 처방에 별도로 사상의학 처방임을 표시하는 대신 처방해설란에 각 체질별로 태양인, 소양 인, 소음인, 태음인 등을 표시하고 처방출전을 기재하였습니다. 신축본 신정방(新定方)의 경우는 출전과 함께 별도로 신정방임을 표시하였습니다.

   [예] 갈근부평탕 【태음인/ 신축-신정방】

2. 신정방이라 할지라도 동의수세보원에는 주치증 등의 별도의 처방설명이 없고 신편에는 처방해설이 있는 경우는 신편의 처방설명내용을 수록하고 【신편】 으로 표기하였습니다.

3. 갑오본이나 동의사상신편에만 수록된 처방에는 출전에 표기하여 신축본 처방과 구별될 수 있도록 하였습니다. [예] 【소음인/ 갑오, 신편】

(4) 일본처방(JP)

1. 일본내 의료보험 적용 148개 처방의 약물구성과 일본약전(日本藥局方 Japanese Pharmacopoeia, JP) 등에 수록된 주치증을 수록하였습니다. 주치증은 출시회사마다 조금씩 다른데 가장 공통적인 내용위주로 정리하였고, 부가적이거나 일부 회사의 사용설명서에만 기재된 내용은 주로 괄호 안에 기재하였습니다.

2. 주치증 설명 중 "여성의 자율신경실조증(血道症)" 은 일본어 "血の道症"을 의역한 것으로 생리전증후군(PMS) 갱년기장애 자율신경실조증 등 여성호르몬의 변화와 관련된 정신신경 및 신체증상이나 또는 주로 어혈이 원인이 된 부인병의 증상들을 의미합니다. 위아토니는 위무력증으로 번역하였습니다.

3. 처방구성중 계피(桂皮)는 일본약국방(JP)의 품목명으로 이는 대한약전(KP)의 육계에 해당하므로 혼동을 줄이기 위해 桂皮(JP)로 표기하였습니다. 생강(生薑)의 경우 실제 제조시 건생강(乾生薑), 즉 생강건조엑스를 사용하여 오히려 건강(乾薑)의 용량에 상당하므로 별도로 生薑(JP)로 구별하여 표기하였으며 탕전 형태로 처방할 경우는 이를 감안하여 건강(乾薑)을 사용하거나 또는 생강으로 사용할 경우 표사용량의 3-4배 이상 증량하여 사용할 수 있습니다.

C1-3 처방별 구성 및 주치증

| 가감감로음 | 加減甘露飮 | 【보감-口舌/ 本事】治 胃熱口臭 口瘡 牙宣 |

熟地黃 生地黃 天門冬 黃芩 枇杷葉 茵陳 枳殼 石斛 甘草 1량 犀角 0.3
량 ▣ [9.3량=372g] 1회 8g 水煎服
▶ 【화제국방】 감로음(甘露飮): 去 서각 加 맥문동

| 가감복맥탕 | 加減復脈湯 | 【온병조변】 溫病後期 陰液虧虛 手足心熱 口燥咽乾 脈虛大
【滋陰 養血 潤燥】 |

자감초탕 去 인삼 계지 생강 대조 加 작약

炙甘草 乾地黃 白芍藥 18 麥門冬 15 阿膠 麻子仁 9g [87g]
▶ 구역탕(救逆湯): 去 마자인 加 용골 12 모려 24 (不安 動悸)
▶ 일갑복맥탕(一甲): 去 마자인 加 모려 30 (大便唐)
▶ 이갑복맥탕(二甲): 加 모려 15 별갑 24 (痙厥)
▶ 삼갑복맥탕(三甲): 加 모려 15 별갑 24 구판 30 (滋陰熄風)

| 가감생맥산 | 加減生脈散 | 【온병조변】 治 太陰伏暑 舌赤 口渴 汗多 【養陰生津 凉血淸熱】 |

麥門冬 沙蔘 生地黃 9 牧丹皮 6 五味子 3g [36g]

| 가감석홍전 | 加減惜紅煎 | 【晴崗】 胞宮濕熱로 인한 赤帶下, 下血 등의 止血, 止帶 |

地楡草 白芍藥炒 12 山藥炒 白朮 續斷炒 6 荊芥炒黑 炙甘草 3 / 烏
梅 ▣ 6 五味子 1g [59g] [7,49]

| 가감섭영전 | 加減攝營煎 | (수비전) 참조 |

| 가감시평탕 | 加減柴平湯 | (시평탕) 참조 |

| 가감양격산 | 加減凉隔散 | 【보감-火/ 정전】退六經之熱 又治熱在上焦 |

連翹 8 甘草 6 梔子 黃芩 桔梗 薄荷 竹葉 2g [24g]

| 가감용회환 | 加減龍薈丸 | 【보감-耳/ 의감】治痰火上升耳鳴 |

草龍膽(酒洗) 當歸(酒洗) 梔子炒 黃芩 靑皮 40 大黃(酒蒸) 靑黛 柴胡 20
蘆薈 牛膽南星 12 木香 10 麝香 2g [296g] 녹두대 호환, 1회 20환

| 가감위령탕A | 加減胃苓湯A | 【下49/ 보감-黃疸/ 의감】治 黃疸 飮食無味 脈濇而濡 |

蒼朮 厚朴 陳皮 澤瀉 赤茯苓 猪苓 白朮 白芍藥 4 藿香 半夏 大腹皮 山
査 蘿葍子 三稜 蓬朮 靑皮 2 / 生薑 ▣ 4 大棗 4g [56g]

| 가감위령탕B | 加減胃苓湯B | 【晴崗】 脾胃失運으로 顔面 腹部의 浮腫, 尿少, 不欲食 |

평위산+사령산 加味

蒼朮 10 澤瀉 8 白朮 赤茯苓 厚朴 6 陳皮 猪苓 車前子 大腹皮 4 草果
木香 2g [56g]

| 가감윤조탕 | 加減潤燥湯 | 【보감-風/ 회춘】治左半身不遂 屬血虛與死血 |

白芍藥(酒炒) 8 當歸 5 川芎 白茯苓 白朮 南星 半夏 天麻 4 生地黃(酒
炒) 熟地黃(薑汁炒) 陳皮(鹽水洗) 牛膝(酒洗) 黃芩(酒炒) 酸棗仁炒 3 桃

		仁 羌活 防風 薄桂 2.5 紅花(酒洗) 甘草炙 1.5 黃栢(酒炒) 1.2g [69.2g]
가감일음전	加減一陰煎	(일음전) 참조
가감청비음	加減淸脾飮	【中76/ 보감-痎瘧: 加減淸脾湯/ 득효】治 諸瘧
동의보감에는 가감청비탕(加減淸脾湯)으로 수록		小柴胡湯(中25) 人蔘養胃湯(中16) 合方 加 桃枝 柳枝 各三寸 / 生薑 6 大棗 4g
가감청심탕	加減淸心湯	【태음인/ 신편】【신편】治 滯崇
		薏苡仁 麻黃 12 蘿葍子 蓮肉 8 桔梗 麥門冬 五味子 黃芩 石菖蒲 4g [60g]
가감통순산	加減通順散	(통순산) 참조
가감팔미환	加減八味丸	【上40 육미지황원 附方/ 보감-消渴】消渴久服 永除消疾 即腎氣元也 【보감-腎臟】專補腎水 兼補命門火
육미지황원 加 오미자 육계		熟地黃 2량 五味子(略炒) 1.5량 山藥(微炒) 山茱萸 1량 澤瀉(酒蒸) 牡丹皮 白茯苓 0.8량 肉桂 0.5량 [8.4량=336g] 오자대 밀환, 1회 50~70환
가미계궁탕	加味桂芎湯	(계궁탕) 참조
가미고본환	加味固本丸	【보감-聲音/ 입문】治男女聲音不淸 或失音
		生乾地黃 熟地黃 當歸 黃栢(蜜灸) 白茯苓 40 天門冬(鹽炒) 麥門冬(鹽炒) 知母 訶子 阿膠珠 20 人蔘 12 / 烏梅 30g 人乳 牛乳 梨汁 200mL [342g+600mL] 黃豆大 밀환, 1회 80-100환
가미귀비탕	加味歸脾湯	【上98/ 보감-胞/ 良方】治 肝脾怒鬱 月經不通【JP】體虛하면서 혈색이 나쁜 (또는 면색창백한) 사람의 빈혈, 불면, 정신불안, 신경증
귀비탕 加 시호 치자		人蔘 黃芪 白朮 白茯神 酸棗仁炒 龍眼肉 當歸 遠志 柴胡 梔子 4 木香 2 甘草 1.2 / 生薑 6 大棗 4g [53.2g] ▶【JP】 人蔘 白朮(蒼朮) 茯苓 酸棗仁 龍眼肉 柴胡 3 黃芪 當歸 梔子 2 遠志 1.5 木香 甘草 生薑(JP) 大棗 1g [29.5g]
가미대보탕A	加味大補湯A	【上3/ 보감-風/ 회춘】治 左癱右瘓 氣血大虛
		黃芪蜜灸 人蔘 白朮 白茯苓 當歸 川芎 白芍藥 熟地黃 3 烏藥 牛膝 杜冲 木瓜 防風 羌活 獨活 薏苡仁 2 附子炮 沈香 木香 肉桂 甘草 1.2 / 生薑 4 大棗 4g [54g]
가미대보탕B	加味大補湯B	(십전대보탕A) 참조
가미보정산	加味普正散	(향갈탕) 참조
가미불환금정기산	加味不換金正氣散	【보감-瘧疾/ 직지】治瘧疾寒熱往來 或挾風邪 或內氣虛㑃
		蒼朮 橘紅 半夏麴 藿香葉 厚朴 5 甘草灸 4 白茯苓 川芎 3 木香 2 / 生薑 6 大棗 4g [47g]
가미사군자탕	加味四君子湯	(천사군자탕) 참조

가미사물탕A	加味四物湯A	【보감-胞/ 득효】治經斷後多年 忽然再行 遂成崩漏 腹痛寒熱

熟地黃 白芍藥 川芎 當歸 人蔘 吳茱萸 4 / 生薑 ₅ 4 大棗 ₅ 4g
[32g]

가미사물탕B	加味四物湯B	【보감-咽喉/ 회춘】治虛火喉痹 喉痛 喉瘡 最能降火

桔梗 甘草 5 熟地黃 白芍藥 3 當歸 川芎 黃栢(蜜水炒) 知母 天花粉 2g
[26g: 竹瀝 1잔(鍾)과 복용]

가미사물탕C	加味四物湯C	【보감-足/ 정전】治濕熱 兩脚疲軟無力

熟地黃 8 當歸身 麥門冬 黃栢 蒼朮 4 白芍藥 川芎 杜沖 3 人蔘 黃連 2
知母 牛膝 1.2 / 五味子 ₁ 1g [40.4g]
▶ 麥門冬 5 當歸 川芎 芍藥 熟地黃 蒼朮 3 人蔘 牛膝 2 黃連 黃栢 知
母 杜沖 五味子 1.5g [31.5g] ²⁴⁾

가미사백산A	加味瀉白散A	(사백산) 참조

가미사백산B	加味瀉白散B	【丁茶山先生小兒科祕方(小兒醫方)- 咳嗽】治：食熱入肺

山楂(去核) 桑白皮 6 地骨皮 橘皮 4 杏仁 黃芩 貝母 蘇子 甘草 2 / 生
薑 ₃ 3g [33g]

가미사칠탕A	加味四七湯A	【下70/ 보감-痰飮/ 의감】治 痰氣鬱結 窒碍咽喉之間 喀之不出 嚥之不下 謂 之梅核氣【보감-咽喉/ 의감】治梅核氣 妙不可述

半夏 陳皮 赤茯苓 4 神麯 枳實 南星炮 3 厚朴 蘇葉 縮砂 靑皮 檳榔 2
白豆蔲 益智仁 1.2 / 生薑 ₅ 6g [39.4g]
▶ [보감-咽喉] 청피 3 백두구 2.5 빈랑 익지인 1.2g / 나머지 各 4g

가미사칠탕B	加味四七湯B	【보감-精神/ 득효】治心氣鬱滯 豁痰散驚

半夏製 8 赤茯苓 厚朴 5 茯神 紫蘇葉 3 遠志(薑製) 甘草炙 2 / 生薑 ₅
8 大棗 ₄ 4 石菖蒲 ₂ 2g [42g]

가미산화탕	加味散火湯	【소양인/ 신편】【신편】治咽喉 ∘滯祟 加 苦蔘 三錢 ∘眼疾 加 黃栢 二錢 ∘ 積滯腹痛 加 苦蔘 三錢

石膏 20 生地黃 忍冬藤 連翹 8 梔子 薄荷 知母 防風 荊芥 4g [64g]

가미석홍전	加味惜紅煎	【晴崗】治 婦人子宮下血 大腸出血 (腸風, 腸毒)

地楡炒 12 續斷炒 白芍藥炒 白朮 山藥炒 8 荊芥炒黑 甘草炙 3 乾薑炒
黑 2 / 烏梅 ₆ 6 五味子 ₁ 1g [62g] ⁷·⁴⁹⁾

가미소요산A	加味逍遙散A	【합편-增補】治 肝經鬱火 胸脇脹痛 感 作寒熱甚 【방제/ 內科摘要】疏肝健脾 淸熱寧心 【JP】體虛한 여성으로 易疲勞 어깨결림 정신불안 및 때때로 변비 경향자의 냉증 허약체질 월경불순 월경통 갱년기장애 여성자율신경실조증(血道症) (또는 두통 頭重 상기 신경증)

소요산 去 맥문동, 加 목단피 치자
【보험처방】
▶ 一名 단치소요산(丹梔逍遙散)

當歸 芍藥 白朮 茯苓 柴胡 牧丹皮 梔子 甘草 4 薄荷 2g [34g]
▶ 當歸 芍藥 白朮 茯苓 柴胡 6 牧丹皮 梔子 4 甘草 3 乾薑 薄荷 2
[45g] ⁹·¹²⁾

		▶【JP】當歸 芍藥 白朮(蒼朮) 茯苓 柴胡 3 梔子 牧丹皮 2 甘草 1.5 薄 荷 生薑(JP) 1g 〔24.5g〕(또는 生薑 0.5~)
가미소요산B	加味逍遙散B	【보감-婦人/ 입문】血虛煩熱 潮熱盜汗 痰嗽似勞
		白芍藥 白朮 5 知母 地骨皮 當歸 4 白茯苓 麥門冬 生地黃 3 梔子 黃栢 2 桔梗 甘草 1.2g 〔37.4g〕
가미소요산C	加味逍遙散C	【下62/ 보감-血/ 입문】治 痰中見血
		牧丹皮 白朮 6 當歸 赤芍藥 桃仁 貝母 4 山梔 黃芩 3 桔梗 3 靑 皮 2 甘草 1.2g 〔40.2g〕
		▶ [보감-血] 去 청피 적작약 代 백작약
가미수비전	加味壽脾煎	(수비전) 참조
가미시평탕	加味柴平湯	(시평탕) 참조
가미십전탕 십전대보탕 加 진피 오약 오미자	加味十全湯	【上94/ 보감-癰疽/ 득효】治 癰疽 潰後 補氣血 排膿 生肌 人蔘 白朮 白茯苓 甘草 熟地黃 當歸 川芎 白芍藥炒 黃芪(酒蒸) 桂心 陳 皮 烏藥 五味子 3 / 生薑 4 大棗 4g 〔47g〕
가미온담탕A 온담탕 加 향부자 인삼 복령 시호 맥문동 길경 ▶ 一名 삼호온담탕(蔘胡溫膽湯)	加味溫膽湯A	【中91/ 보감-神/ 經驗方, 입문】治 心膽虛怯 觸事易驚 香附子 10 橘紅 5 半夏 枳實 竹茹 3 人蔘 白茯苓 柴胡 麥門 冬 桔梗 2.5 甘草 1.5 / 生薑 4 大棗 4g 〔46g〕 ▶ [참조] 귀인안심탕(歸仁安心湯) : 加 산조인炒 20 당귀 용안육 4 백복 신 원지 3g [9]
가미온담탕B 온담탕 加 산조인 오미자 원지 인삼 숙지황	加味溫膽湯B	【보감-夢/ 회춘】治心膽虛怯 觸事易驚 夢寐不祥 虛煩不得睡 半夏 14 陳皮 9 竹茹 枳實 6 酸棗仁炒 遠志 五味子 人蔘 熟地黃 白茯苓 甘草 4 / 生薑 6 大棗 4g 〔73g〕
가미온담탕C 온담탕 加 맥문동 황금 황련 노근	加味溫膽湯C	【의종금감】淸化熱痰 和胃降逆止嘔 麥門冬 6 半夏薑制 陳皮 茯苓 枳實 竹茹 黃芩 蘆根 3 黃連 2.5 甘草 1.5g / 生薑 4 大棗 4g 〔39g〕
가미육군자탕 육군자탕 加 향부자 목향 사인 소엽	加味六君子湯	【보감-內傷/ 회춘】治 食厥 - 凡人卒然暈倒 口噤不能言 目不識人 四肢不擧 香附子 6 白朮 白茯苓 陳皮 半夏 4 人蔘 3 木香 縮砂 2 甘草 1.2 / 生 薑 4 大棗 4 蘇葉 4g 〔42.2g〕
가미이진탕A	加味二陳湯A	【下53/ 보감-精/ 의감】治 濕痰滲爲遺精 半夏薑製 赤茯苓 梔子炒黑 6 陳皮 白朮 桔梗 升麻 柴胡 甘草 4 石菖蒲 3 知母 黃栢 1.2 / 生薑 4g 〔51.4g〕
가미이진탕B	加味二陳湯B	【보감-痰飮/ 회춘】治 痰厥 半夏製 陳皮 白茯苓 當歸 枳實 桔梗 杏仁 4 良薑 縮砂 2 木香 桂皮 甘 草 1.2 / 生薑 6g 〔41.6g〕
가미이진탕C	加味二陳湯C	【보감-咽喉/ 의감】治 梅核氣

		二陳湯 (= 半夏 8 橘皮 赤茯苓 4 甘草炙 2g) 加 枳殼 桔梗 黃芩 梔子 蘇子 白豆蔲 3 / 生薑 ◦ 4g [40g]
가미익기탕	加味益氣湯	【보감-寒/ 회춘】治勞力感寒證
		羌活 6 人蔘 黃芪 防風 柴胡 4 白朮 陳皮 當歸 3 甘草 2 升麻 黃栢(酒炒) 0.8 / 生薑 ◦ 4g [38.6g] (熱甚: 加 황금(酒炒) 1.2g)
가미자주환	加味磁朱丸	【下112/ 보감-眼/ 직지】治 眼昏 久服能明目
		磁石(醋煅七次水飛) 80 朱砂(水飛) 40 沈香 20g [140g]
가미전씨백출산	加味錢氏白朮散	【보감-消渴/ 득효】治消渴不能食 又治消中善飢
전씨백출산 加 시호 지각 오미자		葛根 8 人蔘 白朮 白茯苓 藿香 甘草 4 木香 柴胡 枳殼 五味子 2g [36g]
가미정리탕	加味正理湯	(정리탕) 참조
가미조중익기탕	加味調中益氣湯	【보감-頭/ 동원】治 氣血俱虛頭痛
		黃芪(蜜炒) 4 人蔘 蒼朮 甘草 3 陳皮 當歸 川芎 2 木香 升麻 柴胡 細辛 蔓荊子 1.2g [25g]
가미지패산	加味芷貝散	【中139/ 보감-乳/ 회춘】治 乳癰 腫硬 作痛
		白芷 貝母 天花粉 金銀花 皂角刺 穿山甲土炒 當歸尾 瓜蔞仁 甘草 4g [36g - 酒水各半煎]
가미지황탕	加味地黃湯	【소양인/ 신편】위수열리열병【신편】婦人 月經不調 血色黑 ◦大便不通 加 石膏 一兩 ◦淋疾 加 澤瀉 五錢
		熟地黃 生地黃 16 山茱萸 白茯苓 澤瀉 牡丹皮 玄蔘 8 羌活 獨活 荊芥 防風 4g [88g]
가미진해탕	加味鎭咳湯	治 久嗽 乾咳
금수육군전 加味方		熟地黃 蘿葍子 8 黃芪 白朮 白茯苓 6 半夏 陳皮 當歸 麥門冬 桔梗 前胡 五味子 蘇葉 貝母 甘草 4g [74g] [83] (또는 去 소엽 패모 加 백개자 상백피 황금) [84]
가미창백산	加味蒼栢散	【보감-足/ 입문】治 濕熱脚氣 痠痙
		蒼朮 4 白朮 3 ◦ 知母 黃栢 黃芩 2.5 當歸 芍藥 生地黃 1.5 木瓜 檳榔 羌活 獨活 木通 防己 牛膝 1.2 甘草 0.4g / 生薑 ◦ 4g [31.8g]
가미청심탕	加味淸心湯	【태음인/ 신편】간수열리열병【신편】衄血 吐血 下血 怔忡 皆有效 ◦加 大黃二錢 治婦人月經時 全身疼 又有帶下證
청심연자탕 加 의이인		薏苡仁 20 連子肉 山藥 8 天門冬 麥門冬 遠志 石菖蒲 酸棗仁 龍眼肉 梔子仁 黃芩 蘿葍子 4 甘菊 ◦ 2g [74g]
가미치중탕	加味治中湯	【晴崗】過勞, 氣血虛衰로 인한 胃痙攣, 痙攣性疼痛, 腹痛
소건중탕 加 청피 소회향 목향 (去 교이 代 용안육)		龍眼肉 20g 白芍藥 12g 甘草 6g 桂枝 乾薑炒 靑皮 小茴香 4g 木香 3g [57g]

가미통심음	加味通心飮	【보감-前陰/ 득효】治小腸疝氣熱痛 小便不通
통심음 去 맥문동 加 지각 천련자 차전초		瞿麥 木通 梔子 黃芩 連翹 枳殼 川楝子 甘草 4 / 燈心 0.6 車前草 2g [34.6g]

가미팔물탕	加味八物湯	【소음인/ 신편】【신편】治 胎漏 下血症
		人蔘 當歸 黃芪 川芎 艾葉 8 白朮 白芍藥 陳皮 甘草灸 香附子炒 4 / 大棗 12g [72g]

가미팔진탕	加味八珍湯	【上110/ 의종손익】治 素禀虛弱 胎元不固 乃壯養氣血終始 以此多用
팔물탕 去인삼 代해삼, 加 진피 사인		海蔘 12~20 白朮 白茯苓 甘草 熟地黃 白芍藥 川芎 當歸 5 陳皮 砂仁 4g [51~59g]
		▶ 보생팔진탕 참조

가미패독산	加味敗毒散	【보감-足/ 득효】治 三陽經脚氣流注 脚踝軟熱赤腫 寒熱自汗 【경악전서】解利足三陽熱毒 寒熱如虐
인삼패독산 加 대황 창출		人蔘 柴胡 前胡 羌活 獨活 枳殼 桔梗 川芎 赤茯苓 大黃 蒼朮 甘草 4 / 生薑 4 薄荷 2g [54g]

가미하출탕	加味夏朮湯	(반하백출천마탕A) 참조

가미한소탕	加味寒少湯	【태음인/ 신편】【신편】治 瘀血證
		續斷 40 葛根 16 黃芩 藁本 8 蘿蔔子 桔梗 升麻 白芷 4g [88g]

각병연수탕	却病延壽湯	【보감-身形/ 입문】治 老人小水短少 (=小便短少)
		人蔘 白朮 4 牛膝 白芍藥 3 陳皮 白茯苓 山査肉 當歸 甘草 2 / 生薑 4g [28g]
		▶ 春, 加 천궁 / 夏, 加 황금 맥문동 / 秋冬, 倍 당귀 생강

갈근가반하탕	葛根加半夏湯	【상한금궤】發汗解表 降逆止嘔 〈태양병-33〉太陽陽明合病 不下利 但嘔者 【방극】治葛根湯證 而嘔者
		1)현대: 葛根 12 半夏 8 麻黃 生薑 大棗 6 桂枝 芍藥 甘草 4g [50g] (또는 葛根 8 半夏 6~ [48g]) 43)
		2)원문: 葛根 4량 半夏 0.5승 麻黃 生薑 3량 大棗 12매 桂枝 甘草 芍藥 2량 (다른조문: 生薑 2량)

갈근가출부탕	葛根加朮附湯	【JP】오한발열 두통 및 경항부와 견배부의 긴장감이 있는 자의 어깨결림, 견갑부 신경통, 상반신 관절류마티스증 【解肌發表 散寒祛濕止痛】
갈근탕 加 창출 부자		▶【JP】葛根 4 麻黃 大棗 蒼朮 3 桂皮(JP) 芍藥 甘草 2 生薑(JP) 1 炮附子 0.5g [20.5g]

갈근금련탕	葛根芩連湯	= (갈근황금황련탕)

갈근나복자탕	葛根蘿葍子湯	【태음인/ 신축-補遺方】위완수한표한병〈表熱證〉泄瀉
		葛根 薏苡仁 12 麥門冬 6 蘿葍子 桔梗 石菖蒲 黃芩 五味子 麻黃 4g [54g]

갈근대승기탕	葛根大承氣湯	(갈근승기탕) 참조

갈근부평탕	葛根浮萍湯	【태음인/ 신축-신정방】 간수열리열병 - 治 浮腫 裏熱者

葛根 12 蘿葍子 黃芩 8 浮萍 大黃 4 / 蟾蜍 6~10g [42~46g]
▶[신편] 고본부평탕(藁本浮萍湯): 加 고본 8g

갈근승기탕	葛根承氣湯	【태음인/ 신축-신정방】 간수열리열병
		【신편】 治溫病 增寒壯熱燥澁 。頭面項頰赤痛 。裏熱不飮食 譫語發狂 熱生風 兩手厥冷 兩脚伸而不屈 。大便不通

열다한소탕 去 고본 나복자 加 대황

葛根 16 黃芩 大黃 8 升麻 桔梗 白芷 4g [44g]
▶ [신축본] 갈근대승기탕(葛根大承氣湯): 加 대황 8g (cf.신편에서는 대황 대신 加 황금 8g)
▶ [신편] 나복자승기탕(蘿葍子承氣湯): 加 나복자 8g

갈근탕	葛根湯	【상한금궤】 發汗解表 舒經脈
		〈태양병-31〉 項背强几几 無汗惡風 (32) 太陽陽明合病 必自下利
		〈금궤2〉 太陽病 無汗而小便反少 氣上衝胸 口噤不得語 欲作剛痓
		【방극】 治項背强急 發熱 惡風 或喘 或身疼者
		【JP】 無汗 두통 발열 오한 어깨결림 등이 동반된 비교적 體實者의 감기 비염 초기열성질환 염증질환 어깨결림 두드러기 등

【보험처방】

1)현대A: 葛根 8~12 麻黃 生薑 大棗 10 桂枝 芍藥 甘草 4g [38~42g]
2) 현대B : 葛根 30 大棗 20 生薑 15 桂枝 芍藥 10 麻黃 5~10 甘草 5g [95~100g]
3)원문: 葛根 4량 麻黃 生薑 3량 大棗 12매 桂枝 芍藥 2량
【보험처방(醫學入門 출전)】 葛根 12 麻黃 芍藥 6 桂枝 4 甘草 3 / 生薑 4 大棗 4g [41g]
▶【JP】 葛根 4 麻黃 大棗 3 桂皮(JP) 芍藥 甘草 生薑(JP) 2g [24g]

갈근탕가천궁신이	葛根湯加川芎辛夷	【JP】 코막힘 축농증 만성비염【解表發 通竅】

▶【JP】 葛根 4 麻黃 大棗 3 桂皮(JP) 芍藥 川芎 辛夷 甘草 2 生薑(JP) 1g [21g]

갈근해기탕A	葛根解肌湯A	【中12/ 보감-寒/ 의감, 회춘】 治 陽明經病 目疼 鼻乾 不得臥 宜解肌

【보험처방】
▶ 一名 시갈해기탕(柴葛解肌湯) / 또는 시갈해기탕A 加 승마

葛根 黃芩 柴胡 赤芍藥 羌活 桔梗 白芷 石膏 升麻 4 甘草 2 / 生薑 4 大棗 4g [46g] (또는 葛根 黃芩 6 升麻 甘草 3 나머지 各 4g) [7]
▶ 시갈해기탕A 참조

갈근해기탕B	葛根解肌湯B	【보감-瘟疫/ 입문】 治春疫 發熱而渴

갈근탕 加 황금

葛根 12 麻黃 黃芩 4 芍藥 6 桂枝 4 甘草 3 / 生薑 4 大棗 4g [41g]

갈근해기탕C	葛根解肌湯C	【태음인/ 갑오, 신축-신정방】 간수열리열병 〈陽毒發斑〉
		【신편】 治 陽毒 面赤斑 咽喉痛 唾膿血 。微惡寒 發熱 目疼 鼻乾 潮汗 閉澁 消渴 狂譫 身熱 腹滿 自利 長感 痕疹 寒厥五日無汗者服

▶ [신편] 葛根 12 升麻 8 黃芩 杏仁 6 桔梗 白芷 大黃 山棗仁炒 4g

[48g] (或去 大黃) [9]
▶ [갑오본] 신편 처방에서 減 황금 행인 4g [44g]
▶ [신축본] 葛根 12 黃芩 藁本 6 桔梗 升麻 白芷 4g [36g]

갈근황금황련탕	葛根黃芩黃連湯

【상한금궤】解表清裏〈太陽병-34〉太陽病 桂枝證 醫反下之 利遂不止 脈促.. 喘而汗出者【방극】治項背强急 心悸而下利者

▶ 一名 갈근금련탕(葛根芩連湯)

1)현대: 葛根 12 黃連 黃芩 6 甘草 4g [28g] [12] (또는 葛根 15 黃連 黃芩 9 甘草 6g) [8]
2)현대B: 葛根 30-40 黃連 黃芩 10 甘草 6-10g [56-70g] (또는 葛根 24 黃連 黃芩 9 甘草 6g) [19.30]
3)원문: 葛根 0.5근 黃芩 黃連 3량 甘草 2량

갈화해정탕	葛花解酲湯

【보감-內傷/ 동원】治飲酒過傷 嘔吐痰逆 手足戰搖 精神昏亂 飲食減少

▶ 一名 갈화해성탕(葛花解醒湯)

葛花 縮砂 白豆蔲 20 靑皮 12 白朮 乾生薑 神麴 澤瀉 8 人蔘 猪苓 茯苓 橘皮 6 木香 2g [138g] / 분말하여 1회 12g 씩 복용

감강영출탕	甘薑苓朮湯

= (영강출감탕)

감길탕	甘桔湯

【中128/ 보감-寒/ 海藏】治 少陰客寒 咽痛

桔梗 14 甘草 6g [20g]
▶ [보감-寒] 길경 3량 감초 1량, 1회 20g
▶ 길경탕(桔梗湯)A. 필용방감길탕 참조

감두탕	甘豆湯

【보감-解毒/ 本草】解百藥百物毒 - 或加 竹葉 薔薇

甘草 黑豆 20g [40g]

감로소독단	甘露消毒丹

【온열경위】利濕化濁 清熱解毒

▶ 一名 보제해독단(普濟解毒丹)

滑石 15 茵陳 11 黃芩 10 石菖蒲 6 川貝母 木通 5 藿香 連翹 白蔲仁 薄荷 射干 4량 [72량=2880g] 爲丸하여 1일 2회, 1회 9g 복용

감로음	甘露飲

(가감감로음) 참조

감리환	坎离丸

【보감-精/ 입문】治 遺泄精

黃栢 知母 각등분 - 동변으로 법제후 지황으로 오자대 환으로 1회 30-50환

감맥대조탕	甘麥大棗湯

【상한금궤】養心安神 和中緩急〈금궤22〉婦人臟躁 喜悲傷欲哭.. 數欠伸
【방극】治急迫 而狂驚者
【JP】소아야제(夜啼), 여성의 신경증, 불면

▶ 一名 감초소맥대조탕(甘草小麥大棗湯)

1)현대: 小麥 28 甘草 6 大棗 5g [39g]
2)원문: 小麥 1승 甘草 3량 大棗 10매
▶ [JP] 小麥 20 大棗 6 甘草 5g [31g]

감수반하탕	甘遂半夏湯

【상한금궤】祛痰逐飲〈금궤12〉雖利 心下續堅滿.. 此爲留飲欲去故也【방극】治芍藥甘草湯證 而心下䪷滿者

1)현대: 半夏 芍藥 2 甘草 1.4 甘遂 0.6g [6g] (半夏 甘草 12 芍藥 6 甘遂 2~6 蜂蜜 16g) [19]

		2)원문: 半夏 12매 芍藥 5장 甘草 1매 甘遂(大者)3매 蜂蜜 0.5升
감수천일환	甘遂天一丸	【소양인/ 신축-신정방】治 結胸 水入還吐
		甘遂末 4 輕粉末 0.4g : 分作十丸 朱砂爲衣 [4.4g]
감응원	感應元	【下97/ 보감-大便/ 득효】治 赤痢 久痢 赤白膿血 及內傷生冷 霍亂 嘔吐
		丁香 木香 100 百草霜 80 / 杏仁(去尖)◯◯ 60 肉豆蔲 ◯◯ 40 乾薑炮 40 巴豆(去油)◯◯◯ 21g [441g]
감초건강복령백출탕	甘草乾薑茯◯白朮湯	= (영강출감탕)
감초건강탕	甘草乾薑湯	【상한금궤】溫中散寒 健脾化飮 〈태양병-29〉反與桂枝湯.. 得之便厥 咽中乾 煩燥 吐逆者 〈금궤7〉吐涎沫而不咳.. 其人不渴 必遺尿 小便數.. 必眩 多涎唾 【방극】治厥而煩燥 多涎唾者
		1)현대: 甘草 12 乾薑 6g [18g] 2)원문: 甘草 4량 乾薑 2량
감초마황탕 ▶ 一名 마황감초탕(麻黃甘草湯)	甘草麻黃湯	【상한금궤】〈금궤14〉裏水【방극】治喘 急迫 或自汗 或不汗者
		1)현대: 麻黃 8 甘草 4g [12g] 2)원문: 麻黃 4량 甘草 2량
감초부자탕 ▶ 一名 계지감초부자탕(桂枝甘草附子湯)	甘草附子湯	【상한금궤】溫陽散寒 祛濕止痛〈태양병-175〉風濕相搏 骨節疼煩 掣痛不得屈伸 近之則痛劇 汗出短氣 小便不利 惡風 不欲去衣 【방극】治桂枝甘草湯證 而骨節煩疼 小便不利者
		1)현대: 桂枝 8 甘草 白朮 4 附子 2g [18g] 2)원문: 桂枝 4량 甘草 白朮 2량 附子 2매
감초분밀탕	甘草粉蜜湯	【상한금궤】〈금궤19〉蚘蟲之爲病 令人吐涎 心痛 發作有時 【방극】治吐涎 吐蟲 心痛發作有時者
		1)현대: 蜂蜜 12 甘草 6 米粉 3g [21g] 2)원문: 蜜 4량 甘草 2량 粉 1량 ▶ [참고] 粉: 문헌에 따라 연분(鉛粉) 또는 미분(米粉)
감초사심탕	甘草瀉心湯	【상한금궤】益氣和胃 散結消痞 〈태양병-158〉下利 日數十行 穀不化 腹中雷鳴 心下痞硬而滿 乾嘔 心煩不得安 〈금궤3〉狐惑之爲病.. 蝕於喉爲惑 蝕於陰爲狐.. 蝕於上部則聲喝 【방극】治半夏瀉心湯證 而心煩不得安者
		1)현대A: 半夏 12 甘草 8 黃芩 人蔘 乾薑 大棗 6 黃連 2g [46g] 2)현대B: 甘草 大棗 15-20 半夏 黃芩 人蔘(또는 黨叄) 10-15 乾薑 10 黃連 5g [75-95g] 3)원문: 半夏 0.5升 甘草 4량 黃芩 人蔘 乾薑 3량 大棗 12매 黃連 1량
감초소맥대조탕	甘草小麥大棗湯	= (감맥대조탕)
감초탕	甘草湯	【상한금궤】淸熱解毒 緩急止痛 〈소음병-311〉咽痛者 【방극】治病逼迫 及咽急痛者

		1)현대: 甘草 8~12g 2)원문: 甘草 2량
강다탕	薑茶湯	【下100/ 보감-大便/ 의감】治 痢疾腹痛 生薑 春茶 각등분
강당대약방	降糖對藥方	【祝諴予方】氣陰雙補 活血化瘀, 治 糖尿 黃芪 30~50 生地黃 玄蔘 丹蔘 30 蒼朮 葛根 15g [150~170g] ▶ [참고] 강당활혈방(降糖活血方) : 加 익모초 15-30 적작약 15 당귀 천궁 목향 10g 하여 活血化瘀의 효능 강화
강당활혈방	降糖活血方	(강당대약방) 참조
강출관중탕 적백하오관중탕 加 백출	薑朮寬中湯	【소음인/ 신축】위수한리한병〈太陰證〉 白何首烏 赤何首烏 良薑 乾薑 陳皮 靑皮 香附子 益智仁 白朮 4 / 大棗 二 4g [40g]
강출파적탕	薑朮破積湯	【소음인/ 갑오,신편】위수한리한병〈太陰證〉【신편】治 小腹硬滿 胸間㥘寒 。口吐 泄瀉 胃氣虛弱 及食滯黃疸 下利淸水症 白何首烏 良薑 乾薑 陳皮 靑皮 厚朴 枳實 木香 大腹皮 蒼朮 白朮 大蒜 4 白芍藥 甘草灸 2 / 大棗 二 4g [56g]
강화지황탕	降火地黃湯	(형방지황탕) 참조
강활속단탕	羌活續斷湯	【보감-足/ 辨疑】治脚氣 肝腎虛弱 筋攣骨痛 羌活 防風 白芷 細辛 杜冲 牛膝 秦艽 續斷 熟地黃 當歸 人蔘 白芍藥 赤茯苓 桂心 川芎 2 / 生薑 三 4g [34g]
강활승습탕	羌活勝濕湯	【보감-頸項/ 동원】治太陽經中寒濕 項強 或似拔不得回顧【祛風勝濕】 羌活 獨活 8 藁本 防風 甘草 4 川芎 蔓荊子 2g [32g]
강활유풍탕	羌活愈風湯	【中3/ 보감-風/ 회춘】中腑中臟 先用本藥(疎風湯: 中2) 後用此調理 蒼朮 石膏 生地黃 2.5 羌活 防風 當歸 蔓荊子 川芎 細辛 黃芪 枳殼 人蔘 麻黃 白芷 甘菊 薄荷 枸杞子 柴胡 知母 地骨皮 獨活 杜冲 秦艽 黃芩 白芍藥 甘草 1.5 肉桂 0.8g [42.8g]
강활충화탕	羌活冲和湯	= (구미강활탕)
개결도인환	開結導引丸	【보감-足/ 단심】治脚氣 因食積流注 心下痞悶 陳皮 白朮 澤瀉 茯苓 神麴 麥芽 半夏薑製 1량 枳實 靑皮 乾薑 0.5량 巴豆霜 0.15량 [8.65량=346g] 오자대 한, 1회 50-70환
개결서경탕	開結舒經湯	【下131/ 보감-皮/ 의감】治 婦人七情六鬱 氣滯經絡 手足麻痺 蘇葉 陳皮 香附子 烏藥 川芎 蒼朮 羌活 南星 半夏 當歸 3 桂枝 甘草 1.5 / 生薑 三 4g [37g :竹瀝 薑汁과 복용]

개기소담탕	開氣消痰湯	【下74/ 보감-痰飮/ 의감】治 胸中胃脘 至咽門窄挾如線疼痛 及手足俱有核如胡桃者 甚驗
		桔梗 便香附 白彊蠶炒 4 陳皮 片芩 枳殼 3 前胡 半夏 羌活 荊芥 檳榔 射干 威靈仙 2 木香 甘草 1.2 / 生薑 4g [43.4g]
개울화담전	開鬱化痰煎	【晴崗】六鬱湯의 변방/ 慢性食滯로 인한 吞酸, 嘈雜, 積聚, 痞滿. 慢性胃炎
육울탕A 去 천궁 치자 패모 소엽 감초 加 반하 후박 목향 나복자 황금 황련		香附子 10 白朮(蒼朮) 陳皮 厚朴 半夏 赤茯苓 連翹 蘿蔔子 枳實 神麴炒 4 木香 3 黃芩(酒炒) 黃連(酒炒) 2 / 生薑 4g [57g] 7.48) (또는 去 후박 加 과루인 길경 4 하엽 3 감초 2. 治 噫噦 噯氣) 63)
거계가백출탕	去桂加白朮湯	= (백출부자탕)
거원전	擧元煎	【上65/ 경악전서】治 氣虛下陷 血崩 血脫 有不利於歸熟
		人蔘 黃芪炙 12~20 甘草 白朮炒 4~8 升麻炒 2~3g [34~59g]
거풍도담탕	祛風導痰湯	(도담탕) 참조
거풍보혈탕	祛風補血湯	(혈풍탕) 참조
거풍산(거풍탕)	祛風散(祛風湯)	【소음인/ 신축】위수한리한병〈太陰證〉治 虛寒嘔吐 結胸 痰盛 / 半身不隨 風痰
계지반하생강탕 加 지각 청피 오약 남성		生薑 12 桂枝 半夏 8 白芍藥 白朮 陳皮 炙甘草 枳殼 靑皮 烏藥 南星 4g [60g]
거풍제습탕	祛風除濕湯	【보감-風/ 회춘】治右半身不遂 屬氣虛與濕痰
		白朮 5 白茯苓 當歸(酒洗) 陳皮 赤芍藥 半夏 蒼朮 烏藥 枳殼 羌活 黃連 黃芩(並酒炒) 4 人蔘 川芎 桔梗 防風 3 白芷 3 甘草炙 2 / 生薑 6g [72g]
거풍지보단	祛風至寶丹	【보감-風/ 단심】治風中藏 昏冒及風熱
방풍통성산 加味		滑石 1.5량 川芎 當歸 1.25량 甘草 1량 防風 白芍藥 0.75량 白朮 0.65량 石膏 黃芩 桔梗 熟地黃 天麻 人蔘 羌活 獨活 0.5량 梔子 0.3량 連翹 荊芥 薄荷 麻黃 芒硝 黃連 大黃 黃栢 細辛 全蝎 0.25량 [13.95량=558g] 탄자대 밀환, 1회 1환
건강반하인삼환	乾薑半夏人蔘丸	= (건강인삼반하환)
건강부자탕	乾薑附子湯	【상한금궤】回陽救逆 溫脾腎陽〈태양병-61〉晝日煩燥不得眠 夜而安靜 不嘔 不渴 無表證 脈沈微 身無大熱【방극】治厥而煩躁 惡寒者
		1)현대: 乾薑 6 附子 2g [8g]
		2)원문: 乾薑 1량 附子 1매
건강영출탕	乾薑朮湯	= (영강출감탕)
건강인삼반하환	乾薑人蔘半夏丸	【상한금궤】〈금궤20〉姙娠嘔吐不止【방극】治嘔吐不止 心下痞鞕者
▶ 一名 건강반하인삼환(乾薑半夏人蔘丸)		1)현대: 半夏 4 乾薑 人蔘 2g [8g] - 生薑汁으로 밀환
		2)원문: 半夏 2량 乾薑 人蔘 1량 / 生薑汁

건강황금황련인삼탕	乾薑黃芩黃連人蔘湯	【상한금궤】 淸上溫下 淸熱祛寒 回陽救逆 〈궐음병-359〉 寒格更逆吐下 食入口卽吐 【방극】 治心煩 心下痞硬 吐下者
		1)현대: 乾薑 黃芩 黃連 人蔘 6g [24g] 2)원문: 乾薑 黃芩 黃連 人蔘 3량
건령탕	建瓴湯	【醫學衷中參西錄】 肝阳上亢 头目眩晕 耳鸣目胀 心悸健忘 烦躁不宁 舌强言语不利 口眼歪斜 半身麻木不遂 脉弦长而硬
		山藥 懷牛膝 30 代赭石 24 龍骨 牡蠣 地黃 18 白芍藥 栢子仁 12g [162g]
건리탕 이중탕+소건중탕 加減	健理湯	【上83/ 단심】 治 脾胃虛冷 或積聚氣上 心腹刺痛 乃養脾培元之劑也
		人蔘 12~20 乾薑炮 桂枝 8 白朮 白芍藥(酒炒) 4 甘草炙 2g [38~46g] (또는 加 진피 청피 : 一名 치중탕) ▶ 치중탕 참조
건비군자탕 향사육군자탕 去 후박 백두구 익지인 加 신곡 맥아 지실	健脾君子湯	【晴崗】 비위허로 인한 食則倒飽 痞滿 飲食不消 噫噦 噯氣
		白朮 8 人蔘 香附子 橘皮 半夏 6 白茯苓 神麴炒 麥芽炒 枳實 砂仁 4 木香 甘草 2 / 薑5 棗2
건비이사탕	健脾二四湯	(자음건비탕) 참조
건비환A	健脾丸A	【보감-內傷/ 必用】 健脾胃 進飲食 消化水穀
		白朮 5량 白茯苓 白芍藥 半夏(薑製) 3량 陳皮 神麴 山查 當歸(酒洗) 川芎 2량 [24량=960g] 오자대 호환(糊丸), 1회 100환
건비환B	健脾丸B	【證治準繩】 健脾消食 瀉熱導滯
		白朮 75 茯苓 60 人蔘 45 神麴炒 陳皮 砂仁 麥芽炒 山查 山藥 肉豆蔲 30 木香 黃連 甘草 22g [456g]
건비환C	健脾丸C	【의방집해】 健脾 消食 開胃
		枳實 6량 人蔘 白朮 陳皮 麥芽 4량 山查 3량 [25량=1000g] ▶ [참고: 중국약전] 白朮炒 300 黨蔘 陳皮 枳實炒 麥芽炒 200 山查炒 150g
건율저근피탕	乾栗樗根皮湯	【태음인/ 신축-신정방】 위완수한표한병- 治 痢疾
		乾栗 40 樗根白皮 12~20g [52~60g: 或丸服]
건율제조탕	乾栗蠐螬湯	【태음인/ 신축-신정방】 위완수한표한병- 治 浮腫 表症寒多者
		乾栗 100枚 200 蠐螬 10g [210g]
격하축어탕	膈下逐瘀湯	【의림개착】 消中焦膈下之瘀 【活血祛瘀 行氣止痛】
		桃仁 紅花 當歸 甘草 9 川芎 赤芍藥 牡丹皮 烏藥 五靈脂 6 香附子 枳殼 5 玄胡索 3g [79g]
견비탕A	蠲痺湯A	【보감-風/ 입문】 治手冷痺 一云冷痺者 身寒不熱 腰脚沈重 卽寒痺之甚者 【益氣活血 祛風除濕】

		當歸 赤芍藥 黃芪 防風 薑黃 羌活 6 甘草 2 / 生薑 三片 6 大棗 二枚 4g [49g]
견비탕B	蠲痺湯B	【의학심오】風寒濕三氣合而成痺
		當歸 桑枝 12 海風藤 8 羌活 獨活 秦艽 4 川芎 乳香 木香 3 桂心 甘草 炙 2g [57g]
견정산	牽正散	【下2/ 보감-風/ 단심】治 中風喎斜 【祛風 化痰 止痙】
		白附子 白彊蠶 全蝎(並生用) 각등분 - 1회 8g 복용
견중탕 소건중탕 加味方	堅中湯	【千金方】治 虛勞內傷 寒熱 嘔逆吐血
		1)현대: 芍藥 半夏 生薑 甘草 6 桂枝 4 大棗 24 飴糖 적량 (또는 半夏 茯苓 5 桂枝 4 芍藥 大棗 3 生薑(JP) 甘草 1g) 24) 2)원문: 飴糖 3근 芍藥 半夏 生薑 甘草 3량 桂心 2량 大棗 50매 (cf. 千金翼方에는 감초, 계심이 없고 생지황이 있음)
견통도담탕 청상견통탕+도담탕	蠲痛導痰湯	消風 化痰 止痛 - 治 頭痛如刺 眩暈 煩熱 上氣 惡心 清利頭目
		半夏薑制 8 黃芩 羌活 獨活 防風 蒼朮 當歸 川芎 白芷 麥門冬 天南星 陳皮 赤茯苓 枳殼 山査 神麴炒 麥芽炒 4 甘菊 蔓荊子 細辛 甘草 2 / 生薑 6 [86g] 9)
경옥고	瓊玉膏	【上61/ 보감-身形/ 입문】填精 補髓 髮黑 齒生 萬神俱足 除百病【滋陰潤肺 益氣補脾】
		生地黃取汁 16근 白蜜煉 10근 白茯苓末 3근 人蔘末 1.5근 [30.5근 =18300g] (16량=1근 환산)
경험조위탕	經驗調胃湯	(태음조위탕) 참조
계강양위탕	桂薑養胃湯	(인삼양위탕) 참조
계강조초황신부탕 ▶ 一名 계지거작약가마황부자세신탕 (桂枝去芍藥加麻黃附子細辛湯)	桂薑棗草黃辛附湯	【상한금궤】【방극】治桂枝去芍藥湯 麻黃附子細辛湯 二方證相合者
		1)현대: 桂枝 生薑 大棗 6 甘草 麻黃 細辛 4 附子 2g [32g] 2)원문: 桂枝 生薑 3량 大棗 12매 甘草 麻黃 細辛 2량 附子 1매
계궁탕	桂芎湯	【洪家定診祕傳】〈肝臟炎〉治 汗多衰弱 無滯 右脈弱
		桂枝 12 茵蔯 白芍藥 8 川芎 蒼朮 陳皮 灸甘草 4 枳殼 3 / 生薑 4 大棗 二枚 4g [55g] ▶ 가미계궁탕(加味桂芎湯) : <膽囊病黃疸> 加 나복자 12 목향 강황 백선 피 백개자 3g [79g] 하여 治 黃疸
계기고	鷄芪膏	【소음인/ 갑오,신축】治 痎疾 痢疾
		黃芪 40 桂枝 20g/ 鷄 1首(닭 1마리) [60g+ :濃煎服]
계령감로음 육일산+오령산 加 석고 한수석	桂苓甘露飲	【宣明論方】清暑解熱 化氣利濕
		滑石 石膏 寒水石 30 茯苓 豬苓 澤瀉 15 白朮 甘草 6 官桂 3g [150g]

| 계령오미감초탕 桂苓五味甘草湯 | = (영계미감탕) |

| 계마각반탕 桂麻各半湯 | 【상한금궤】 계지탕과 마황탕의 각 1/3을 합방 〈태양병-23〉 與瘧狀 發熱惡寒 熱多寒少.. 面色反有熱色者 未欲解也 以其不能得少汗出 身必痒
【방극】 治桂枝湯 麻黃湯 二方證相半者 |
| ▶ 一名 계지마황각반탕(桂枝麻黃各半湯) | 1)현대: 桂枝 6 芍藥 麻黃 杏仁 生薑 大棗 甘草 4g [30g]
2)원문: 桂枝 1량16수 芍藥 生薑 麻黃 甘草 1량 杏仁 24매 大棗 4매 |

| 계명산A 鷄鳴散A | 【보감-諸傷/ 三因】 治金刃傷 打撲傷 血瘀凝積 煩悶欲絶 |
| ▶ 一名 천금계명산(千金鷄鳴散) | 大黃(酒蒸) 20 當歸尾 12 / 桃仁 12g [44g] - 酒煎 |

| 계명산B 鷄鳴散B | 【證治準繩】 行氣降濁 溫化寒濕, 治 濕脚氣 |
| | 檳榔 陳皮 木瓜 9 桔梗 生薑 5 吳茱萸 紫蘇葉 3g [43g] (또는 增 빈랑 12~15, 加 생강피 5) |

| 계부곽진이중탕 桂附藿陳理中湯
관계부자이중탕 加 곽향 사인 | 【소음인/ 신축-補遺方,갑오】 위수한리한병 〈太陰證〉 下痢淸水 浮腫 |
| | ▶[신편] 人蔘 12 白朮 乾薑 官桂 8 白芍藥 陳皮 炙甘草 藿香 砂仁 4 附子炮 4g(~8g) / 大棗 4g [64~68g] (또는 加 생강 4g) [14]
▶ [갑오본, 신축-補遺方] 인삼 백작약 各 8g ~ |

| 계비탕 啓脾湯 | 【JP/ 회춘】 마르고 안색이 좋지 않으면서 식욕부진 설사 경향자의 위기능허약 만성위염 소화불량 설사 【益氣健脾 消食止瀉】 |
| | 人蔘 白朮 茯苓 蓮肉 山藥 6 山査 陳皮 澤瀉 甘草 生薑 大棗 3g [48g][6] (cf. 만병회춘 원문(啓脾丸)에는 생강 대조 없음)
▶ [JP] 白朮(蒼朮) 茯苓 4 山藥 蓮肉 人蔘 3 山査 澤瀉 陳皮 2 甘草 1g [24g] |

| 계삼고 鷄蔘膏 | 【소음인/ 신축-신정방】 治瘧疾痢疾 神效 。久瘧先用巴豆一錢 通利大便 後數三日連用此方 快效 |
| | 人蔘 40 桂皮(또는 桂心) 4g/ 鷄 1首(닭 1마리) [44g+] (또는 加 胡椒 淸蜜) |

| 계작지모탕 桂芍知母湯 | 【상한금궤】 祛風除濕 散寒止痛 通陽行痹
〈금궤5〉諸肢節疼痛 身體魁羸 脚腫如脫 頭眩短氣 溫溫欲吐 |
| ▶ 一名 계지작약지모탕(桂枝芍藥知母湯) | 1)현대A: 白朮 生薑 10 桂枝 知母 防風 8 芍藥 6 麻黃 甘草 4 附子 2g [60g]
2)현대B: 白朮 生薑 25 桂枝 知母 防風 20 芍藥 麻黃 甘草 附子 10g [150g]
3)원문: 白朮 生薑 5량 桂枝 知母 防風 4량 芍藥 3량 麻黃 甘草 附子 2량 |

| 계장산 鷄腸散 | 【中104/ 보감-小便/ 득효】 治 小兒遺尿 臍寒 陽虛 |
| | 鷄腸燒(=닭의 장) 牡蠣 白茯苓 桑螵蛸蒸 20 辣桂(=육계) 龍骨 10 / 生薑 4 大棗 4g [108g] |

| 계지가갈근탕 桂枝加葛根湯 | 【상한금궤】 解肌祛風 發表 〈태양병-14〉 項背強几几 反汗出惡風者
【방극】 治桂枝湯證 而項背强急者 |

1)현대A: 葛根 8 生薑 桂枝 芍藥 大棗 6 甘草 4g [36g]
2)현대B: 葛根 12 生薑 桂枝 芍藥 大棗 9 甘草 6g [54g]
3)원문: 葛根 4량 生薑 3량 桂枝 芍藥 甘草 2량 大棗 12매 (문헌에 따라 加 麻黃 3량: 현대상한론)

계지가계탕   桂枝加桂湯

【상한금궤】溫通心陽 平衡降逆〈태양병-117〉奔豚 氣從少腹 上衝心者
【방극】治桂枝湯證 而上衝劇者

1)현대*: 桂枝 10 芍藥 生薑 大棗 6 甘草 4g [32g]
2)원문: 桂枝 5량 芍藥 生薑 3량 甘草 2량 大棗 12매

계지가대황탕   桂枝加大黃湯

【상한금궤】和解止痛功實
〈태음병-279〉本太陽病 醫反下之 腹滿時痛.. 大實痛者
【방극】治桂枝加芍藥湯證 而有停滯者
【JP】體虛者로서 복부팽만 장내정체감 복통 등을 동반한 자의 급성장염 습관성변비 숙변 후중감

계지가작약탕 加 대황
▶ 一名 계지가작약대황탕(桂枝加芍藥大黃湯)

1)현대A: 芍藥 12 桂枝 生薑 大棗 6 甘草 4 大黃 2~4g [36~38g] (또는 大黃 2~8g) [12]
2)현대B: 芍藥 30 桂枝 生薑 15 大棗 20 甘草 大黃 10g [100g]
3)원문: 芍藥 6량 桂枝 生薑 3량 大棗 12매 甘草 大黃 2량 (다른문헌: 大黃 1량)
▶【JP】芍藥 6 桂皮(JP) 大棗 4 甘草 大黃 2 生薑(JP) 1g [19g]

계지가부자탕   桂枝加附子湯

【상한금궤】調和營衛 溫通經脈
〈태양병-20〉發汗 遂漏不止 其人惡風 小便難 四肢微急 難以屈伸
【방극】治桂枝湯證 而惡寒 或支節微痛 難以屈伸者

계지탕 加 부자

1)현대A: 桂枝 芍藥 生薑 大棗 甘草 6 附子 2~4g [32~34g]
2)현대B: 桂枝 芍藥 生薑 甘草 15 大棗 20 附子 10g [90g]
3)원문: 桂枝 芍藥 生薑 甘草 3량 大棗 12매 附子 1매

계지가영출부탕   桂枝加苓朮附湯   (계지가출부탕) 참조

계지가용골모려탕   桂枝加龍骨牡蠣湯

【상한금궤】調和營衛 潛鎭固攝〈금궤6〉夫失精家 少腹弦急 陰頭寒 目眩髮落.. 脈得諸芤動微緊 男子失精 女子夢交
【방극】治桂枝湯證 而胸腹有動者
【JP】하복직근 긴장이 있고 신경과민 또는 비교적 허증의 소아야뇨 소아야경(夜鷺) 신경쇠약 遺精 陰萎

1)현대A: 桂枝 芍藥 生薑 大棗 龍骨 牡蠣 6 甘草 4g [40g]
2)현대B: 桂枝 芍藥 生薑 龍骨 牡蠣 15 大棗 20 甘草 5-10g [100-105g]
3)원문: 桂枝 芍藥 生薑 龍骨 牡蠣 3량 甘草 2량 大棗 12매 (다른문헌: 龍骨 牡蠣 용량없음)
▶【JP】桂皮(JP) 芍藥 大棗 4 龍骨 牡蠣 3 甘草 2 生薑(JP) 1.5g [21.5g] (또는 生薑 1g)

계지가작약대황탕   桂枝加芍藥大黃湯   = (계지가대황탕)

계지가작약생강   桂枝加芍藥生薑人參湯

【상한금궤】調和營衛 益氣和營〈태양병-62〉發汗後 身疼痛 脈沈遲
【방극】治桂枝湯證 而心下痞硬 或拘攣 及囁者

인삼탕

▶ 一名 신가탕(新加湯),
계지가작약생강각일량인삼삼량신가탕
(桂枝加芍藥生薑各一兩人蔘三兩新加湯)

1)현대A: 芍藥 生薑 8 人蔘 桂枝 大棗 6 甘草 4g [38g]
2)현대B: 芍藥 生薑 12 人蔘 桂枝 大棗 9 甘草 6g [57g]
3)원문: 芍藥 生薑 4량 桂枝 人蔘 3량 甘草 2량 大棗 12매

계지가작약탕   桂枝加芍藥湯

【상한금궤】解表緩急止痛 〈태음병-279〉 本太陽病 醫反下之 腹滿時痛者
【방극】治桂枝湯證 而腹拘攣甚者 【JP】복부팽만 복통

1)현대: 芍藥 12 桂枝 生薑 大棗 6 甘草 4g [34g]
2)원문: 芍藥 6량 桂枝 生薑 3량 大棗 12매 甘草 2량
▶【JP】芍藥 6 桂皮(JP) 大棗 4 甘草 2 生薑(JP) 1g [17g]

계지가출부탕   桂枝加朮附湯

【JP】관절통 신경통 (또는 冷痛 사지감각마비 굴신불리 등)
【散寒 活絡止痛】

계지탕 加 창출 부자

▶【JP】白朮(蒼朮) 桂皮(JP) 芍藥 大棗 4 甘草 2 生薑(JP) 1 附子 0.5g
[19.5g]
▶ 계지가영출부탕(桂枝加苓朮附湯): 加 茯苓 4g

계지가황기탕   桂枝加黃耆湯

【상한금궤】〈금궤14〉黃汗之病.., 身疼重 煩躁 小便不利〈금궤15〉諸病黃
家.. 脈浮 當以汗解之
【방극】治桂枝湯證 而黃汗 若自汗 盜汗者

1)현대A: 桂枝 芍藥 生薑 大棗 6 甘草 黃芪 4g [32g]
2)현대B: 桂枝 芍藥 生薑 大棗 9 甘草 黃芪 6g [48g]
3)원문: 桂枝 芍藥 生薑 3량 大棗 12매 甘草 黃芪 2량

계지가후박행자탕   桂枝加厚朴杏子湯

【상한금궤】解肌祛風 降逆平喘 〈태양병-43〉下之 微喘者 表未解故也 (18)
喘家【방극】治桂枝湯證 而胸滿微喘者

계지탕 加 후박 행인

1)현대: 桂枝 芍藥 生薑 大棗 6 杏仁 4~6 厚朴 甘草 4g [36~38g]
2)원문: 桂枝 芍藥 生薑 3량 大棗 12매 杏仁 50개 厚朴 甘草 2량

계지감초부자탕   桂枝甘草附子湯

= (감초부자탕)

계지감초용골모려탕   桂枝甘草龍骨牡蠣湯

【상한금궤】溫通心陽 安神除煩 〈태양병-118〉火逆 下之 因燒針 煩躁者
【방극】治胸腹有動 急迫者

1)현대: 甘草 龍骨 牡蠣 4 桂枝 2g [14g] (또는 桂枝 甘草 龍骨 牡蠣
6g) 19)
2)원문: 甘草 龍骨 牡蠣 2량 桂枝 1량

계지감초탕   桂枝甘草湯

【상한금궤】溫通心陽 〈태양병-64〉發汗過多 叉手自冒心 心下悸 欲得按者
【방극】治上衝急迫者

1)현대: 桂枝 8 甘草 4g [12g]
2)원문: 桂枝 4량 甘草 2량

계지거계가복령백출탕   桂枝去桂加茯苓白朮湯

【상한금궤】健脾利水 調和營衛 〈태양병-28〉頭項強痛 翕翕發熱 無汗 心下
滿微痛 小便不利【방극】治桂枝湯證 而悸 小便不利不上衝者

▶ 一名 계지거계가영출탕(桂枝去桂加苓朮湯)

1)현대: 芍藥 大棗 生薑 茯苓 白朮 6 甘草 4g [34g]

		2)원문: 芍藥 生薑 茯苓 白朮 3량 甘草 2량 大棗 12매
계지거작약가마황부자세신탕	桂枝去芍藥加麻黃附子細辛湯	=(계강조초황신부탕)
계지거작약가부자탕	桂枝去芍藥加附子湯	【상한금궤】 調和營衛 溫經復陽 〈태양병-22〉 若微寒者 【방극】 治桂枝去芍藥湯證 而惡寒者
		1)현대: 桂枝 生薑 大棗 6 甘草 4 附子 2g [24g] 2)원문: 桂枝 生薑 3량 大棗 12매 甘草 2량 附子 1매
계지거작약가조협탕	桂枝去芍藥加□莢湯	【상한금궤】 〈금궤7〉 肺痿 吐涎沫 【방극】 治桂枝去芍藥湯證 而吐濁唾涎沫者
		1)현대: 桂枝 生薑 大棗 6 甘草 皂莢 4g [26g] 2)원문: 桂枝 生薑 3량 大棗 12매 甘草 2량 皂莢 1매
계지거작약가촉칠모려용골구역탕	桂枝去芍藥加蜀漆牡蠣龍骨救逆湯	【상한금궤】 溫通心陽 重鎭開竅 〈태양병-112〉 傷寒脈浮 醫以火迫劫之 亡陽 必驚狂 臥起不安者 〈금궤16〉 火邪者 【방극】 治桂枝去芍藥湯證 而胸腹動劇者
▶ 一名 계지구역탕(桂枝救逆湯) 구역탕(救逆湯)		1)현대: 牡蠣 10 龍骨 8 蜀漆 桂枝 生薑 大棗 6 甘草 4g [46g] 2)원문: 牡蠣 5량 龍骨 4량 蜀漆 桂枝 生薑 3량 大棗 12매 甘草 2량
계지거작약탕	桂枝去芍藥湯	【상한금궤】 調和營衛 通胸陽 〈태양병-21〉 下之後 脈促胸滿者 【방극】 治桂枝湯證 而不拘攣者
		1)현대: 桂枝 生薑 大棗 6 甘草 4g [22g] 2)원문: 桂枝 生薑 3량 大棗 12매 甘草 2량
계지마황각반탕	桂枝麻黃各半湯	= (계마각반탕)
계지반하생강탕	桂枝半夏生薑湯	【소음인/ 신축-신정방】 위수한리한병 〈太陰證〉 治虛寒嘔吐 水結胸 等證
		生薑 12 桂枝 半夏 8 白芍藥 白朮 陳皮 炙甘草 4g [44g]
계지복령환	桂枝茯苓丸	【상한금궤】 活血化瘀 緩消癥塊 〈금궤20〉 婦人宿有癥病 經斷未及三月 而得漏下不止.. 當下其癥 【방극】 治拘攣 上衝 心下悸 及經水有變 或胎動者 【JP】 비교적 體實하고 하복부저항이 있는 자(또는 얼굴이 붉거나 상열하한 경향자)의 월경불순 월경통 대하, 자궁 및 부속기관 염증, 갱년기장애 타박 치질 등
		1)현대A: 桂枝 芍藥 茯苓 牡丹皮 桃仁 6g [30g] [8,19] 2)현대B: 桂枝 芍藥 茯苓 牡丹皮 桃仁 15g [75g] 3)원문: 桂枝 茯苓 牡丹 芍藥 桃仁 각등분 ▶【JP】 桂皮(JP) 芍藥 桃仁 茯苓 牡丹皮 4g [20g] (또는 각 3g)
계지복령환가의이인	桂枝茯苓丸加薏苡仁	【JP】 비교적 體實하고 때때로 하복통 어깨결림 頭重 현훈 상열하한 경향자의 월경불순 여성자율신경실조증(血道症) 여드름 기미 수족각화증 【活血化瘀 利水排膿】

		▶【JP】薏苡仁 10 桃仁 桂皮(JP) 茯苓 芍藥 牧丹皮 4g [30g]
계지부자거계가 백출탕	桂枝附子去桂加 白朮湯	= (백출부자탕)
계지부자탕	桂枝附子湯	【상한금궤】溫經散寒 祛風除濕 〈태양병-174〉風濕相搏 身體疼煩 不能自轉 側 不嘔不渴 脈浮虛而澁 【방극】治桂枝去芍藥湯證 而身體疼煩 不能自轉側者
		1)현대: 桂枝 8 生薑 大棗 6 甘草 4 附子 2g [26g] (또는 附子 1~3g) 2)원문: 桂枝 4량 生薑 3량 大棗 12매 甘草 2량 附子 3매
계지생강지실탕	桂枝生薑枳實湯	【상한금궤】〈금궤9〉心中痞 諸逆 心懸痛【방극】治胸滿 上逆 或嘔者
▶一名 계지지실생강탕(桂枝枳實生薑湯)		1)현대*: 枳實 10 桂枝 生薑 6g [22g] 2)원문: 枳實 5매 桂枝 生薑 3량
계지이마황일탕	桂枝二麻黃一湯	【상한금궤】계지탕:마황탕=2:1 〈태양병-25〉若形似瘧 一日再發者 汗出必解 【방극】治桂枝湯證多 麻黃湯證少者
		1)현대: 桂枝 大棗 7 芍藥 生薑 5 甘草 4 麻黃 杏仁 3g [34g] 2)원문: 桂枝 1량17수(銖) 芍藥 生薑 1량6수 大棗 5매 麻黃 16수 杏仁 16개
계지이월비일탕	桂枝二越婢一湯	【상한금궤】계지탕:월비탕=2:1 〈태양병-27〉發熱惡寒 熱多寒少 脈微弱者 此無陽也 不可發汗【방극】治桂枝湯證多 越婢湯證少者
		1)현대*: 生薑 7 大棗 石膏 5 桂枝 芍藥 麻黃 甘草 4g [33g] 2)원문: 生薑 1량2수 大棗 4매 石膏 24수 桂枝 芍藥 麻黃 甘草 18수
계지인삼탕	桂枝人蔘湯	【상한금궤】溫中補虛解表 〈태양병-163〉協熱而利 利下不止 心下痞硬 表裏不解者 【방극】治人蔘湯證 而上衝急迫劇者 【JP】소화기 약한 자의 두통 동계 만성장염 위무력증
인삼탕(=理中湯) 加 계지		1)현대A: 桂枝 甘草 8 白朮 人蔘 乾薑 6g [34g] 2)현대B: 桂枝 甘草 20 白朮 人蔘 乾薑 15g [85g] 3)원문: 桂枝 甘草 4량 白朮 人蔘 乾薑 3량 ▶【JP】桂皮(JP) 4 甘草 蒼朮 人蔘 3 乾薑 2g [15g]
계지작약지모탕	桂枝芍藥知母湯	= (계작지모탕)
계지지실생강탕	桂枝枳實生薑湯	= (계지생강지실탕)
계지탕	桂枝湯	【상한금궤】解肌發表 調和營衛 〈태양병-13〉頭痛 發熱 汗出 惡風 (12) 太陽中風 陽浮而陰弱~ 嗇嗇惡寒 淅淅惡風 翕翕發熱 鼻鳴乾嘔 (15) 下之後 其氣上衝者 (42) 太陽病 外證未 解 脈浮弱者 (53) 營衛而利愈 宜桂枝湯 (54) 臟無他病 時發熱 自汗出 (95) 營弱衛强 故使汗出 欲救邪風 (164) 傷寒大下後 復發汗 心下痞 惡寒 者 表未解也 〈양명병-234〉脈遲 汗出多 微惡寒 (240) 病人煩熱.. 脈浮虛 〈태음병-276〉脈浮者 可發汗 〈궐음병-372〉下利 腹脹滿 身體疼痛者 先溫其裏 乃攻其表..攻表宜桂枝湯 〈곽란-387〉吐利止 身痛不休

〈금궤21〉 産後風續之數十日不解 頭微痛 惡寒 時時有熱.. 汗出
【방극】治上衝 頭痛 發熱 汗出 惡風者
【JP】體虛者의 감기 초기 (또는 미열 오한 自汗을 동반한 감기)

1)현대A: 桂枝 芍藥 生薑 大棗 6 甘草 4g [28g]
2)현대B: 桂枝 芍藥 生薑 15 大棗 20 甘草 10g [75g]
3)원문: 桂枝 芍藥 生薑 3량 甘草 2량 大棗 12매
▶【JP】桂皮(JP) 芍藥 大棗 4 甘草 2 生薑(JP) 1.5g [15.5g]

| 고경환 | 固經丸 | 【보감-胞/ 입문】治 經水過多 |

黃芩 白朮 龜板 40 椿根白皮 28 黃栢炒 12 香附子(童便浸焙) 10 [170g] 오자대 오환, 1회 50~70환

| 고기조위탕 | 固氣調胃湯 | (태초조위탕) 참조 |

| 고본건양단 | 固本健陽丹 | 【보감-婦人/ 회춘】男子 陽脫痿弱 精冷而薄宜 / 凡人無子 多是精血清冷 或 房勞過傷 以致腎水欠旺 不能直射子宮故爾 |

熟地黃 山茱萸 枸杞子 3량 巴戟 人蔘 2량 兔絲子 續斷(酒浸) 遠志製 蛇床子炒 1.5량 白茯神 山藥(酒蒸) 牛膝(酒洗) 杜冲(酒洗切酥炒去絲) 當歸身(酒洗) 肉蓯蓉(酒浸) 五味子 益智仁(鹽水炒) 鹿茸(酥炙) 1량 [28량=1120g] 오자대 밀환, 1회 50~70환

| 고본부평탕 | 藁本浮萍湯 | (갈근부평탕) 참조 |

| 고삼탕 | 苦蔘湯 | 【상한금궤】〈금궤3〉 蝕於下部則咽乾 |

苦蔘 1승

| 고암심신환 | 古庵心腎丸 | 【上36/ 보감-虛勞/ 단심,方廣】治 腎虛有熱 怔忡 盜汗 遺精 |

熟地黃 生乾地黃 山藥 白茯神 120 當歸 澤瀉 黃柏鹽 山茱萸 枸杞子 龜板酥炙 牛膝 黃連 牧丹皮 鹿茸酥炙 40 生甘草 20 朱砂爲衣 40g [940g] 오자대 밀환, 1회 100환

| 고주탕 | 苦酒湯 | = (반하고주탕) |

| 고진음자 | 固眞飮子 | 【上34/ 보감-虛勞/ 입문】治 陰陽兩虛 氣血不足 潮熱自汗 或泄瀉 脈弱 咳嗽痰多 中年人可以常服 |

熟地黃 6 山藥 人蔘 當歸 黃芪蜜炒 黃柏鹽 4 陳皮 白茯苓 3 杜冲炒 甘草炙 3 白朮 澤瀉 山茱萸 破故紙炒 2 五味子 1g [47g]

| 고침무우산 | 高枕無憂散 | 【보감-夢/ 의감】治心膽虛怯 晝夜不睡 百方不效 服此如神 |

人蔘 20 石膏 12 陳皮 半夏 白茯苓 枳實 竹茹 麥門冬 龍眼肉 甘草 6 酸棗仁炒 4g [84g] (또는 加 백복신 20g) 9)

| 곤담환 | 滾痰丸 | 【下75/ 보감-痰飮/ 단심】治 濕熱 痰積 變生百病 【瀉火逐痰】 |

大黃(酒蒸) 黃芩 8량 靑礞石 1량 沈香 0.5량 [17.5량=700g] 오자대 水丸, 1회 40-50환

| 공연단 | 控涎丹 | 【下72/ 보감-痰飮/ 河間, 三因方】治 痰飮 流注作痛 【祛痰逐飮】 |

		甘遂 大戟 白芥子 각등분
공진단	拱辰丹	【上38/ 보감-虛勞/ 득효】稟賦虛弱 但固天元一氣 使水升火降 百病不生
		鹿茸酥炙 當歸 山茱萸 160 麝香 20g [500g] 오자대 糊丸, 1회 70~100환
공진흑원단	拱辰黑元丹	【태음인/ 신축-신정방】간수열리열병 〈肝燥熱證〉虛弱人裏症多者 【신편】虛弱人 裡症寒症者
		鹿茸 160~240 山藥 天門冬 160 蛤蟆 40~80 麝香 20g [540~660g]
과루계지탕	瓜蔞桂枝湯	【상한금궤】解肌發表 生津舒筋〈금궤2〉太陽病 其證備 身體强 几几然 脈反沈遲 此爲痙【방극】治桂枝湯證 而渴者
▶ 一名 괄루계지탕(栝樓~)		1)현대: 桂枝 芍藥 生薑 大棗 6 瓜蔞根 甘草 4g [32g] 2)원문: 桂枝 芍藥 生薑 3량 大棗 12매 瓜蔞根 甘草 2량
과루구맥환	瓜蔞瞿麥丸	【상한금궤】溫腎利水 生津潤燥〈금궤13〉小便不利者 有水氣 其人若渴【방극】治心下悸 小便不利 惡寒而渴者
▶ 一名 괄루구맥환(栝樓~)		1)현대: 茯苓 山藥 6 瓜蔞根 4 瞿麥 2 附子 1~2g [19~20g] 2)원문: 茯苓 山藥 3량 瓜蔞根 2량 瞿麥 1량 附子 1매
과루모려산	瓜蔞牡蠣散	(괄루모려산) 참조
과루지실탕	瓜蔞枳實湯	【下69/ 보담-痰飮/ 회춘】治 痰結 胸滿 氣急
▶ 一名 괄루지실탕(栝樓~)		瓜蔞仁 枳實 桔梗 赤茯苓 貝母 陳皮 片芩 梔子 4 當歸 2.5 縮砂 木香 2 甘草 1.2 / 竹瀝 50mL 薑汁 5mL [35.7g+]
과루해백반하탕	瓜蔞薤白半夏湯	【상한금궤】通陽散結 祛痰寬胸〈금궤9〉胸痺不得臥 心痛徹背者 【방극】治括蔞薤白白酒湯證 而嘔者
▶ 一名 괄루해백반하탕(栝樓~)		1)현대*: 半夏 10~12 瓜蔞實 8 薤白 6g 白酒 400cc (또는 半夏 12 瓜蔞實 6 薤白 9g 淸酒 400~500cc) [12] 2)원문: 半夏 0.5승 括蔞實 1매 薤白 3량 白酒1두(斗)
과루해백백주탕	瓜蔞薤白白酒湯	【상한금궤】通陽散結 行氣祛痰〈금궤9〉胸痺之病 喘息咳唾 胸背痛 短氣 【방극】治胸背痛 喘息 咳唾者
▶ 一名 괄루해백백주탕(栝樓~)		1)현대: 瓜蔞實 8 薤白 16g 白酒 560mL (또는 瓜蔞實 4 薤白 12g 淸酒 400~500mL) [12] 2)원문: 栝樓實 1매 薤白 0.5근 白酒 7승
과민전	過敏煎	【祝諶予方】治 過敏性鼻炎 蕁麻疹【解表和裏】
		銀柴胡 防風 烏梅 五味子 甘草 10g [50g] (또는 加 黃芪 白朮 辛荑 牧丹皮)
과부탕	果附湯	【中68/ 보감-痎瘧/ 입문】治 脾寒 痎疾 面靑 振寒
		草果 附子炮 10 / 生薑 4 大棗 4g [28g] ▶ [보감-痎瘧] 增 생강 8g [32g]
과체산A	瓜蔕散A	【상한금궤】涌吐 痰涎宿食〈태양병-166〉如桂枝證 頭不痛 項不强 寸脈微浮

胸中搓硬.. 此爲胸有寒 當吐之 〈궐음병-355〉 邪結胸中 心下滿而煩 飢不能
食者 病在胸中 〈금궤10〉 宿食在上脘 當吐之
【방극】治溫溫欲吐者

1)현대: 瓜蒂 赤小豆 4 香豉 12g [20g] 44)
2)원문: 瓜蒂 赤小豆 1분(分) 香豉 1합

| 과체산B | 瓜蒂散B | 【태음인/ 신축-신정방】위완수한표한병 – 治 卒中風 胸膽格格 有窒塞聲 及 目眒者 |
| | | 瓜蒂炒黃 1~2g 溫水調下   [1~2g] |

| 곽박하령탕 | 藿朴夏苓湯 | 【醫原】理氣解表化濕 |
| | | 薏苡仁 12 赤茯苓 杏仁 9 藿香 淡豆豉 6 半夏 猪苓 澤瀉 4.5 厚朴 3 白豆蔲 2g   [60.5g] |

곽향정기산A	藿香正氣散	【中14/ 보감-寒/ 의감/ 국방】治 傷寒陰症 與身痛 不分表裏 以此導引經絡 不致變動 【解表化濕 理氣和中】
		藿香 6 蘇葉 4 白朮 半夏製 陳皮 白茯苓 厚朴 桔梗 白芷 大腹皮 甘草 炙 2 / 生薑 4 大棗 4g [36g]
		▶ [中14] 여곽탕(茹藿湯) : 加 香附 8 백편두 4g 하여 治 暑邪

| 곽향정기산B | 藿香正氣散 | 【소음인/ 신축-신정방】위수한리한병 〈太陰證〉大腸怕寒 【신편】治太陽症 大腸怕寒 ·陽明症表不解 太陰症下利淸穀 ·婦人胎衣不出 五倍陳皮 |
| 곽향정기산A 去 길경 백지 후박 복령 , 加 창출 청피 계피 건강 익지인 | | 藿香 6 紫蘇葉 4 蒼朮 白朮 半夏 陳皮 青皮 大腹皮 桂皮 乾薑 益智仁 炙甘草 2 / 生薑   4 大棗   4g [38g] |

| 관계부자이중탕 | 官桂附子理中湯 | 【소음인/ 신축-신정방】위수한리한병 〈少陰證〉 |
| ▶ 一名 부자이중탕(附子理中湯), 인삼부자관계탕(人蔘附子官桂湯) | | 人蔘 12 白朮 乾薑炮 官桂 8 白芍藥 陳皮 炙甘草 4 附子炮 4g(~ 8g) [52~56g] (또는 加 생강 대조 4g [60-64g]) 14.9) |

| 관심II호방 | 冠心II號方 | 活血化瘀 行氣止痛 (영문명: Guanxin II) |
| (관심이호방) | | 丹蔘 30 川芎 赤芍藥 紅花 降香 15g   [90g] 72) (또는 去 강향 加 목향 향부자 7.5g) 96) |

| 관중탕A | 寬中湯A | 【소음인/ 신축】위수한리한병 – 小便不快 陽道不興 四體倦怠 無力者 |
| | | 良薑 乾薑 陳皮 青皮 각등분 또는 各4g [16g] |

| 관중탕B | 寬中湯B | 【소음인/ 신편】【신편】治 胸腹痛 |
| | | 良薑 乾薑 青皮 五靈智 益智仁 4g   [20g] ▶ 관중환 참조 |

| 관중환 | 寬中丸 | 【소음인/ 신축】위수한리한병 – 治 腹痛 |
| 관중탕A 加 오령지 익지인 | | 良薑 乾薑 陳皮 青皮 五靈脂 益智仁 4g   [24g] |

| 괄루모려산 | 括蔞牡蠣散 | 【상한금궤】〈금궤3〉百合病 渴 不差者 |
| ▶ 一名 과루모려산(瓜蔞牡蠣散) | | 瓜蔞根 牡蠣 각등분 |

| 괴화산 | 槐花散 | 【本事方】清腸凉血 疏風行氣, 治 便血 |

槐花炒 側柏葉(焙) 12 荊芥穗 枳殼 6g [36g]

교가산	交加散	【보감-寒】治 風寒感冒 / 五積散性溫 敗毒散性凉 凡人遇些少感冒 取兩藥對半合和煎服
		오적산 合 패독산
교감단	交感丹	【中89/ 보감-氣/ 회춘】治 諸氣鬱滯 能水火升降
		香附子 10량 · 茯神 4량 [14량=560g] - 탄자대 밀환. 1회 1환
교밀탕	膠蜜湯	【上80/ 보감-大便/ 직지】治 老人虛人便祕
		蜂蜜 10mL 葱白 4 阿膠 8 (感加 檳榔 4g) [22~26g+]
교애궁귀탕	膠艾芎歸湯	【上106/ 보감-婦人/ 입문】治 胎動下血 及半産下血
		阿膠 艾葉 川芎 當歸 8 甘草炙 4g [36g] ► 궁귀교애탕 참조
교애사물탕	膠艾四物湯	【上107/ 보감-婦人/ 회춘】治 胎漏腹痛
		熟地黃 當歸 川芎 白芍藥 阿膠珠 條芩 白朮 砂仁 艾葉 香附子炒 4 / 糯米 4g [44g] (또는 去 향부자 加 오매 1g) [7,49]
교태환A	交泰丸A	【보감-內傷/ 회춘】治胸中痞悶嘈雜 (大便稀則胸中頗快 大便堅則痞悶難當)
		大黃 4량 黃連 白朮 吳茱萸 2량 枳實 1량 當歸尾 1.3량 [12.3량=492g 녹두대 호환. 1회 70-80환] 법제 원문참조
교태환B	交泰丸B	【韓氏醫通】交通心腎 淸火安神. 治 心腎不交失眠
		黃連 : 肉桂=10:1 (또는 3:1~ 6:1) 밀환으로 1회 2g
구미강활탕 【보험처방】 ► 一名 강활충화탕(羌活沖和湯)	九味羌活湯	【中11/ 보감-寒/ 卿菴,입문/ 此事難知】不問四時 但有頭痛 骨節痛 發熱 惡寒 無汗 脈浮緊 宜用此 / 治春秋感冒風寒 發熱惡寒 頭痛項强 或無汗 或有汗【發汗祛濕 淸裏熱】
		羌活 防風 6 川芎 白芷 蒼朮 黃芩 生地黃 5 細辛 甘草 2g [41g] ► [보감-寒] 加 生薑 · 大棗 4 葱白 3 [52g] ► 방풍충화탕(防風沖和湯) 참조
구미빈랑탕	九味檳榔湯	【JP(비보험)】심계항진 어깨결림 권태감이 있는 변비경향자의 脚氣, 고혈압, 동맥경화 및 이에 수반하는 두통 (또는 下肢의 피로감, 부종, 통증 등이 있는 상태)【理氣逐水瀉下 - 治 脚氣腫滿 氣促】
		檳榔 4 厚朴 桂皮(JP) 橘皮 生薑 3 蘇葉 1.5 大黃 木香 甘草 1g [20.5g] (또는 加 복령 3 오수유 1g)
구미신공산	九味神功散	【上122/ 제중신편】痘出毒氣太盛 血紅一片 不分地界 或失血 或吐瀉 七日以前諸症 可服解毒
		黃芪蜜炒 人蔘 白芍藥 生地黃 紫草茸 紅花 鼠黏子 4 前胡 甘草 2g [32g]
구미청심원	九味淸心元	【下20/ 보감-火/ 醫說】治 心胸毒熱
		蒲黃 100 犀角 80 黃芩 60 牛黃 48 羚羊角 麝香 龍腦 40 石雄黃 32 /

		金箔 400~1200箔 [840~1640g]
구선왕도고	九仙王道餻	【上27/ 보감-內傷/ 회춘】養神扶元 健脾進食
		蓮肉 山藥炒 白茯苓 薏苡仁 4냥 麥芽炒 白扁豆炒 芡仁 2냥 柿霜 1냥 砂糖 20냥 [43냥=1720g] - 粳米粉으로 떡을 만들어 섭취
구역탕A	救逆湯A	= (계지거작약가촉칠모려용골구역탕)
구역탕B	救逆湯B	(가감복맥탕) 참조
구원심신환	究原心腎丸	【上37/ 보감-虛勞/ 입문】治 虛勞 水火不濟 怔忡 盜汗 遺精 赤濁
		菟絲子(酒浸) 3냥 牛膝 熟地黃 肉蓯蓉 鹿茸 附子炮 人蔘 遠志 白茯神 黃芪 山藥 當歸 龍骨 五味子 1냥 [16냥=640g] 오자대 호환, 1회 70-90환
구풍해독탕	驅風解毒湯	【보감-面: 가미소독음/ 의감,회춘】治 腮腫痛 【淸熱解毒 消腫止痛】
▶ 一名 가미소독음(加味消毒飮)		防風 荊芥 羌活 連翹 牛蒡子 甘草 각등분 (또는 加 길경 석고)
국로고	國老膏	【上96/ 보감-癰疽/ 강목】治 懸癰
		大甘草 40g [40g]
국방안신원	局方安腎元	【보감-腰/ 입문】治腎虛腰痛 下元虛冷 小便滑數
		桃仁 白蒺藜 巴戟 肉蓯蓉 山藥 破故紙 白茯苓 石斛 萆薢 白朮 2.4냥 川 烏炮 肉桂 1.3냥 [26.6냥=1064g] 오자대 밀환, 1회 50-70환
궁귀교애탕	芎歸膠艾湯	【상한금궤】養血止血 調經安胎 〈금궤20〉婦人 有漏下 有半産後下血不絶 有姙娠下血.. 姙娠腹中痛 【방극】治漏下腹中痛者【JP】치질출혈 (또는 冷症 경향자의 산후출혈, 치질 출혈, 외상후출혈 등의 과도한 출혈로 인한 빈혈증)
▶ 一名 교애탕(膠艾湯)		1)현대A: 乾地黃 8~12 芍藥 8 當歸 艾葉 6 川芎 阿膠 甘草 4g [40~44g] (또는 加 淸酒 200ml ~) [19] 2)현대B: 乾地黃 20 芍藥 阿膠 12 當歸 川芎 10 艾葉 6 甘草 3g [73g] 2)원문: 乾地黃 / 芍藥 4냥 當歸 艾葉 3냥 川芎 阿膠 甘草 2냥 淸酒 3 승 (원문에는 건지황 용량 없음) ▶ 【JP】地黃 5 芍藥 當歸 4 艾葉 甘草 川芎 阿膠 3g [25g] ▶ [보감-婦人/ 의학정전 : 교애탕(膠艾湯)] 治 胎漏 安胎 - 熟地黃 黃芪 當歸 艾葉 川芎 阿膠珠 甘草炙 4g [28g] (화제국방에는 去 황기 加 백 작약) ▶ 교애궁귀탕 참조
궁귀별갑산	芎歸鱉甲散	【中73/ 보감-痰瘧/ 입문】治 勞瘧
		鱉甲 8 川芎 當歸 赤茯苓 赤芍藥 半夏 陳皮 靑皮 4 / 生薑 6 大棗 4 烏梅 2g [48g]
궁귀조혈음	芎歸調血飮	【보감-婦人/ 의감】治産後 去血過多 以致發熱 心煩 腹痛 頭暈眼花 或口噤

		神昏 【活血理氣 溫補氣血】
		當歸 川芎 熟地黃 白朮 白茯苓 陳皮 烏藥 便香附 牡丹皮 益母草 乾薑 甘草 3 / 生薑 6 大棗 4g [46g]

(또는 益母草 乾薑 甘草 生薑 大棗 3g 나머지 各 4~5g [51~60g]) [6,12]
▶ [일관당의학] 궁귀조혈음제일가감(芎歸調血飮第一加減) : 加 작약 도인 홍화 우슬 지각 목향 현호색 육계 - 化瘀止痛의 효능강화

궁귀총소이중탕   芎歸 蔥蘇理中湯

관계부자이중탕 加 천궁 당귀 총백 소엽

【소음인/ 신축-補遺方,갑오】 위수한리한병
【신편】治太陰陰毒病 ◦乾霍亂 ◦臟厥 ◦陰盛陽虛 ◦咽喉 ◦太陰少陰陰危者

▶ [신편] 人蔘 12 白朮 乾薑炮 官桂 8 白芍藥 陳皮 川芎 當歸 蘇葉 炙甘草 4 附子炮 4g(~8g)/葱白 6 大棗 4g [74~78g] (또는 加 생강 4g) [14,9]
▶ [갑오본, 신축-補遺方] 인삼 백작약 各 8g 총백 4g ~ 去 관계 代 계지 4g

궁귀탕   芎歸湯

【上112/ 보감-婦人/ 득효】治 産前後諸疾 及血暈 不省 橫産 逆産 死胎不下 血崩不止/ 臨月服之 縮胎易産/ 産後服之 惡血自下

當歸 川芎 20g [40g] ▶ 불수산(佛手散) 참조

궁귀향소산   芎歸香蘇散

향소산C 加 천궁 당귀

【소음인/ 신축-신정방】신수열표열병〈鬱狂證〉鬱狂初證
【신편】治四時瘟疫 太陽症

香附子8 紫蘇葉 川芎 當歸 蒼朮 陳皮 炙甘草 4 /生薑 4 大棗 4 葱白 6g [46g]
▶ [신편] 비전향소산(秘傳香蘇散): 加 民魚鰾 20g (太陽症 脫陰)

궁소산A   芎蘇散A
【보험처방】

【中21/ 보감-寒/ 입문】治 孕婦傷寒 頭痛 寒熱 咳嗽

黃芩 前胡 麥門冬 4 川芎 陳皮 白芍藥 白朮 3 蘇葉 2.5 葛根 2 甘草 1.2 / 葱白 生薑 [29.7+g]

궁소산B   芎蘇散B

궁소산A 去 황금 전호

【보감-婦人/ 淸生】姙婦感冒 風寒頭痛 煩熱

川芎 紫蘇葉 白芍藥 白朮 麥門冬 陳皮 葛根 4 甘草 2/ 生薑 6 葱白 4g [40g]

궁신도담탕   芎辛導痰湯

도담탕 加 천궁 세신

【下105/ 보감-頭/ 寄效】治 痰厥頭痛 每發時 兩頰靑黃 眩運 目不欲開 兀兀 欲吐

半夏 8 川芎 細辛 南星炮 陳皮 赤茯苓 4 枳殼 甘草 2 /生薑 9g [41g]

궁오산   芎烏散

【中119/ 보감-頭/ 입문】治 産後頭痛

川芎 烏藥 각등분

궁지산   芎芷散

【보감-耳/ 입문】治風入耳虛鳴

川芎 6 白芷 蒼朮 陳皮 細辛 石菖蒲 厚朴 半夏 木通 紫蘇葉 辣桂(=육계) 甘草 3 / 生薑 4 葱白 3g [46g]

궁지향소산   芎芷香蘇散

【보감-寒/ 득효】治 傷寒 傷風表證 頭項强 百節痛 陰陽未分皆可服

향소산 加 천궁 백지		香附子 紫蘇葉 8 蒼朮 6 陳皮 川芎 白芷 4 甘草 2 / 生薑 ~ 4 大棗 ~ 4g [44g]
궁하탕	芎夏湯	【中100/ 보감-痰飮/ 직지】逐水 利飮 通用
[보험처방]		川芎 半夏 赤茯苓 4 陳皮 靑皮 枳殼 2 白朮 甘草炙 1g ~ / 生薑 6g [26g]
궁황산	芎黃散	= (응종산)
귀기건중탕	歸芪建中湯	小兒腺病質 虛勞 腹痛 虛證化膿症
당귀건중탕+황기건중탕		餃飴 40 芍藥 12 當歸 8 黃芪 桂枝 甘草 生薑 大棗 6g [90g]
귀기보신탕	歸芪補腎湯	= (기귀보신탕)
귀비탕	歸脾湯	【上66/ 보감-神/ 입문/ 濟生方】治 憂思 勞傷心脾 健忘 怔忡, 又治 每觸遺精【益氣補血 健脾養心】 【JP】體虛하면서 혈색이 나쁜 (또는 면색창백한) 사람의 빈혈, 불면
사군자탕 加 산조인 용안육 당귀 원지 목향		人蔘 黃芪 白朮 白茯神 酸棗仁炒 龍眼肉 當歸 遠志 4 木香 2 甘草 1.2 / 生薑 ~ 6 大棗 ~ 4g [45.2g] (또는 龍眼肉 酸棗仁 8 白朮 茯神 6 遠志 2g ~) [7] ▶【JP】人蔘 黃芪 白朮 茯苓 酸棗仁 龍眼肉 3 當歸 遠志 大棗 2 木香 甘草 生薑(JP) 1g [25g]
귀용탕 ▶ 一名 귀용원(歸茸元)	歸茸湯	【보감-虛勞: 귀용원(歸茸元) / 입문】治虛勞肝損 面無血色 筋緩目暗
		[當歸 鹿茸 각등분] - 오자대 환으로하여 1회 50-70환 ▶ 삼귀용탕(人蔘歸茸湯): 加 인삼 ▶ 가미귀용탕(加味歸茸湯): 白朮 黃芪 當歸 生薑 大棗 4 人蔘 龍眼肉 3 木香 貢砂仁 鹿茸 炙甘草 2g [34g] 하여 小兒의 虛弱을 치료[99]
귀원산	歸原散	【보감-婦人/ 강목】治惡阻 全不入食
		白朮 白茯苓 陳皮 6 半夏 4 人蔘 川芎 當歸 白芍藥 丁香 甘草 2 桔梗 枳殼 0.8 / 生薑 ~ 6 大棗 ~ 4g [45.6g]
귀인안심탕	歸仁安心湯	(가미온담탕) 참조
귀출이경탕	歸朮理經湯	【晴崗】腹中積塊, 經少 或 不通, 陣痛, 血瘕, 帶下
귀출파징탕 去 작약 加현호색 목단피 도인		香附子醋炒 12 當歸 8 赤芍藥, 玄胡索(醋炒) 6 三棱 逢朮 靑皮 烏藥 蘇木 牧丹皮 桃仁 4 官桂 3 紅花 2g [65g] [7,49] ▶ 귀출파징탕 참조
귀출파징탕	歸朮破癥湯	【下155/ 보감-胞/ 醫方集略】治 經閉 腹中有積塊 痰痛
		香附子(醋炒) 6 三棱(醋炒) 蓬朮(醋炒) 赤芍藥 白芍藥 當歸尾 靑皮 4 烏藥 3 紅花 蘇木 官桂 2g [39g: 入酒少許 煎服] ▶ 귀출이경탕 참조
규자복령산	葵子茯苓散	【상한금궤】通竅利水 〈금궤20〉妊娠有水氣 身重 小便不利 洒淅惡寒 起卽頭眩【방극】治小便不利 心下悸 腫滿者
		1)현대: 冬葵子 50g 茯苓 9g (또는 1:1 등분) [19,43]

		2)원문: 葵子 1근 茯苓 3량
귤령보생탕	橘苓保生湯	【晴崗】妊娠 胃弱惡阻
보생탕 去 인삼 오약, 加 복령 사인 초두구 곽향 황금 오매		橘紅 10 白朮 白茯苓 香附子 6 砂仁 4 草豆蔻 藿香 條芩 3 甘草 2 / 烏梅 2 生薑 6g [51g] [7,49]
귤지강탕	橘枳薑湯	= (귤피지실생강탕)
귤피대황박초탕	橘皮大黃朴硝湯	【상한금궤】【방극】治心胸間有宿滯而結者
		1)현대: 大黃 芒硝 6 橘皮 3g [15g] 2)원문: 大黃 朴硝 2량 橘皮 1량
귤피일물탕	橘皮一物湯	【中86/ 보감-氣/ 입문】治 氣結 新水煎服
		橘皮 40g [40g]
귤피전원	橘皮煎元	【上39/ 보감-虛勞/ 입문】治 脾腎俱虛 及久瀉痢
		橘皮 200 甘草 132 當歸 草薢 肉蓯蓉 吳茱萸 厚朴 官桂 陽起石 巴戟 石斛 附子炮 菟絲子 牛膝 鹿茸 杜冲 乾薑 40g [932g]
귤피죽여탕A	橘皮竹茹湯A	【상한금궤】降逆止嘔 益氣淸熱〈금궤17〉噦逆者 【방극】治胸中痺 而吃逆者
		1)현대: 橘皮 生薑 16 大棗 14 甘草 10 竹茹 4~8 人參 2g [62~68g] (또는 生薑 大棗 12 橘皮 8 甘草 6 竹茹 4 人參 3g) [12] 2)원문: 橘皮 竹茹 2승 生薑 0.5근 大棗 30매 甘草 5량 人參 1량
귤피죽여탕B	橘皮竹茹湯B	【中57/ 보감-咳嗽/ 입문】治 胃虛 膈熱 而咳逆
		竹茹 16 橘皮 12 人參 8 甘草 4 / 生薑 6 大棗 4g [50g]
귤피지실생강탕	橘皮枳實生薑湯	【상한금궤】行氣開鬱 和胃化飮〈금궤_9〉胸痺 胸中氣塞 短氣 【방극】治胸中痺滿 而嘔者
▶ 一名 귤지강탕(橘枳薑湯)		1)현대: 橘皮 16 生薑 8 枳實 3g [27g] (또는 2배량) 2)원문: 橘皮 1근 生薑 0.5근 枳實 3량
귤피탕	橘皮湯	【상한금궤】行滯 止嘔〈금궤17〉乾嘔噦 若手足厥者 【방극】治胸中痺 嘔噦者
		1)현대: 生薑 16~18 橘皮 8g [24~26g] 2)원문: 生薑 0.5근 橘皮 4량
귤핵환	橘核丸	【下139】治 四種㿉疝 卵核腫脹 偏有大小 或硬如石 【行氣止痛 軟堅散結】
		橘核炒 海藻鹽 昆布鹽 海帶(鹽水炒) 桃仁(麩炒) 川楝子炒 40 玄胡索 厚朴 枳實 桂心 木香 木通 20g [360g]
금궤당귀산A	金櫃當歸散A	【상한금궤】養血健脾 淸熱安胎〈금궤20〉婦人姙娠 宜常服
▶ 一名 당귀산(當歸散)		1)현대: 當歸 川芎 芍藥 黃芩 8 白朮 4g [36g]

		2)원문: 當歸 芎藭 芍藥 黃芩 1근 白朮 0.5근
금궤당귀산B 金櫃當歸散B		【上109/ 보감-婦人/ 입문】孕婦常服 養血 淸熱 素慣半産者宜服
		黃芩 白朮 當歸 川芎 白芍藥 40g [200g] 1회 12g 복용
금궤신기환 金匱腎氣丸 육미지황원 加 우슬 차전자		【上40 육미지황원 附方】陰虛浮腫
		熟地黃 16 山藥 山茱萸 8 茯苓 澤瀉 牧丹皮 牛膝 車前子 6g [62g] (cf. 우차신기환 : 팔미지황탕 加 우슬 차전자)
금령자산 金鈴子散		【素問病機氣宜保命集】行氣疏肝 活血止痛
		金鈴子(=천련자) 玄胡索 1량 [80g]
금목팔정산 金木八正散		(팔정산) 참조
금백저피환 芩柏樗皮丸		【보감-胞/ 입문】治瘦人帶下 是熱
		黃芩 黃栢 樗根白皮 滑石 川芎 海石 靑黛 當歸 白芍藥 각등분 [각 4g 환산시 : 총 36g] 오자대 호환, 1회 50-70환 ▶ 창백저피환(蒼柏樗皮丸) 참조
금불초산 金沸草散		【보감-咳嗽/ 정전】治肺感風寒咳嗽 聲重痰涎氣濁壅盛 【消風散寒 降氣除痰】
		荊芥穗 8 旋覆花 前胡 6 麻黃 赤茯苓 4 半夏 3 細辛 甘草 1.2 /生薑 4 大棗 4 烏梅 2g [43.4g] (cf. 의방집해: 去마황/ 활인서: 去 적복령,마황 加적작약/ 화제국방: 去적복령,세신 加적작약)
금수육군전 金水六君煎		【上51/ 경악전서】治 肺腎虛寒 水泛爲痰 咳嗽喘急 (氣弱: 不用白芥子)
		熟地黃 12~20 陳皮 6 當歸 半夏 白茯苓 甘草 4 白芥子 3 /生薑 6g [43~51g] (또는 增 숙지황 16 당귀 반하 복령 8 ~) [7] ▶ 가미진해탕 참조
금출탕 芩朮湯		【보감-婦人/ 입문】治懷孕四五月 常墮不安者 內熱甚故也 / 安胎之聖藥也
		子芩 12 白朮 6g [18g] 5-10일에 1회, 급증에는 하루 3-5회
기국지황환 杞菊地黃丸 육미지황원A 加 구기자 국화		滋腎養肝 補血明目
		熟地黃 16 山藥 山茱萸 8 茯苓 澤瀉 牧丹皮 枸杞子 菊花 6g [62g]
기귀보신탕 芪歸補腎湯 보중익기탕+육미 加味方		【診療要鑑】腎氣虛弱으로 인한 夜多遺溺證
		黃芪蜜灸 6 人蔘 白朮 山藥 山茱萸 五味子 當歸 熟地黃 4 石菖蒲 益智仁 甘草 3 陳皮 升麻 肉桂 2 柴胡 1.2 / 生薑 4 大棗 4g [58.2g]
기응환 奇應丸 ▶ 一名 통옥기응환(桶屋奇應丸)		解熱 寧神定驚 調理臟腑 - 소화불량 신경과민 설사 감기 및 소아야제(夜啼) 驚氣 吐乳 疳病 등
		人蔘 58.2 沈香 19.6 牛黃 1.7 熊膽 1.4 沈香 1mg [1일 3회] (또는 加 빙편) (또는 去 우황: 국내 또는 일본 제약사마다 약간씩 구성차이)
기제해독탕 旣濟解毒湯		解熱 寧神定驚 調理臟腑 - 소화불량 신경과민 설사 감기 및 소아야제(夜啼)【보감-火】上焦熱

大黃(酒煨) 黃芩(酒炒) 黃連(酒炒) 桔梗 甘草 4 升麻 柴胡 連翹 當歸身 2g [28g]

기제환	旣濟丸	【보감- 膀胱/ 의감】治膀胱虛 小便不禁

兎絲子(酒製) 益智仁炒 白茯苓 韭子炒 肉蓯蓉(酒洗) 當歸 熟地黃 20 黃栢 知母 並鹽炒 牡蠣煆 山茱萸(酒蒸去核) 12 五味子 4g [224g] 오자대 호환, 1회 100환

기초력황환	己椒藶黃丸	= (방기초목정력대황환)

기침산	起枕散	【下161/ 보감-婦人/ 의감】治 兒枕痛 (治 産後腹痛)

當歸 白芍藥 8 川芎 6 白芷 桂心 蒲黃 牧丹皮 玄胡索 五靈脂 沒藥 3g [43g]

길경백산	桔梗白散	【상한금궤】攻寒除痰 逐水破結 〈태양병-141〉寒實結胸 無熱證者 〈금궤7〉咳而胸滿 振寒脈數 咽乾不渴 時出濁唾腥臭 【방극】治毒在胸咽 或吐下如膿汁者
▶一名 삼물백산(三物白散) 백산(白散)		1)현대: 桔梗 貝母 3 巴豆 1g (3:3:1 비율) [7g] 2)원문: 桔梗 貝母 3분 巴豆 1분

길경지각탕	桔梗枳殼湯	【中134/ 보감-胸/ 직지】治 痞氣胸滿不利 煩悶欲死 不論寒熱通用 又治 傷寒結胸
▶一名 지경탕(枳梗湯)		桔梗 枳殼 8 甘草 4 / 生薑 6g [26g]

길경탕A	桔梗湯A	【상한금궤】宣肺利咽 淸熱解毒 〈소음병-311〉咽痛者 〈금궤7〉咳而胸滿 振寒脈數 咽乾不渴 時出濁唾腥臭 久久吐膿米粥者 【방극】治甘草湯證 而有膿 或粘痰者【보감-寒/ 직지】少陰客寒 咽痛【JP】편도염, 편도주위염으로 인한 인후종통
		1)현대: 桔梗 3 甘草 6g [9g] (또는 桔梗 6~)[19] 2)원문: 桔梗 1량 甘草 2량 (또는 甘草 1량: 類聚方) ▶【JP】甘草 3 桔梗 2g [5g] ▶ 감길탕(甘桔湯) 참조

길경탕B	桔梗湯B	【中153/ 보감-癰疽/ 정전】治 肺癰
		桔梗 貝母 5 瓜蔞仁 薏苡仁 當歸 4 桑白皮 枳殼 黃芪 防風 3 杏仁 百合 甘草 2 / 生薑 6g [46g]

길경탕C	桔梗湯C	【태음인/ 신편】【신편】治 咽喉症
		桔梗 20 黃芩 升麻 白芷 麻黃 藁本 竹茹 8g [68g] (cf. 일부문헌: 길경 一錢) ▶ 신편에 처방명이 동일한 다른 길경탕도 수록: 桔梗 20 杏仁 12 麻黃 8g (治 關格)

나복자승기탕	蘿葍子承氣湯	(갈근승기탕) 참조

난간전	煖肝煎	【上90/ 경악전서】治 肝腎寒 小腹疼痛 疝氣【暖肝溫腎 行氣止痛】
		枸杞子 12 當歸 8~12 白茯苓 烏藥 小茴香 8 肉桂 4~8 木香(或沈香) 4g [52~60g] (또는 加 청피 감초 4g) [7]

▶ [洪家秘傳] 가미난간전 : 加 산사 나복자 8 지각 현호색 귤피 4 세신 방풍 3g [86g] (治 虛弱左斜)

내소산	內消散	【下26/ 보감-內傷/ 회춘】治 傷食 生冷硬物 㿗滿脹痛 大驗
【보험처방】		半夏 陳皮 白茯苓 枳實 山査肉 神麯 砂仁 香附子 三稜 蓬朮 乾薑 4g [44g]

내소화중탕	內消和中湯	食滯㿗悶脹痛 不食
내소산+대화중음 加 창출 곽향 목향 감초		山査肉 麥芽 8 陳皮 厚朴 澤瀉 6 蒼朮 枳實 香附子 半夏 白茯苓 神麯 砂仁 三稜 蓬朮 乾薑 4 藿香 3 木香 甘草 2 / 生薑 4g [85g] 9,86)

내탁강활탕	內托羌活湯	【보감-癰疽/ 동원】治足太陽經分 尻臀發癰疽 堅硬腫痛
		羌活 黃栢(酒製) 8 黃芪 6 防風 藁本 當歸尾 4 連翹 蒼朮 陳皮 甘草 2 肉桂 1.2g [43.2g]

내탁산	內托散	(십선산) 참조

냉부탕	冷附湯	【上58/ 보감-痰病/ 득효】痰疾無過 是痰實 脾實 停于胸膈
		大附子炮 10 生薑 12g [22g]

노강양위탕	露薑養胃湯	【中74/ 보감-痎瘧/ 의감】治 久瘧三五日一發
		生薑 160 / 人蔘養胃湯(中16)과 함께 空心溫服 [160g+]

노강음	露薑陰	【中70/ 보감-痎瘧/ 득효】治 痰瘧
		生薑 160g : 복용법 원문참조

노인신기환	老人腎氣丸	【보감-身形】老人治病 : 小便頻數者 腎氣丸 去澤瀉 加茯神益智
신기환B 去 택사 加 복신 익지인		乾地黃 16 山藥 山茱萸 五味子 8 茯苓 牧丹皮 茯神 益智仁 6g [64g]

녹용대보탕A	鹿茸大補湯A	【上30/ 보감-虛勞/ 입문/ 국방】治 虛勞 少氣 一切虛損
		肉蓗蓉 杜冲 4 白芍藥 白朮 附子炮 人蔘 肉桂 半夏 石斛 五味子 3 鹿茸 黃芪 當歸 白茯苓 熟地黃 2 甘草 1.2 / 生薑 3 大棗 2 4g [51.2g]

녹용대보탕B	鹿茸大補湯B	【태음인/ 신축-신정방】위완수한표한병 - 治 虛弱人 表症寒症多者
		鹿茸 8~16 麥門冬 薏苡仁 6 山藥 天門冬 五味子 杏仁 麻黃 4g [40~48g]
		▶ 십이미녹용대보탕(十二味鹿茸大補湯) 참조

녹용대조탕	鹿茸大造湯	【태음인/ 갑오,신편】위완수한표한병 【신편】治 氣虛補元
		鹿茸 天門冬 麥門冬 8 升麻 葛根 杏仁 山棗仁 黃芩 五味子 4g [48g] (cf. 갑오본: 녹용 12g)

녹포산	綠袍散	【下66/ 보감-血/ 입문】治 齒縫出血不止
		黃柏 薄荷 芒硝 靑黛 각등분/ 龍腦 少許

| 단녹용탕 | 單鹿茸湯 | 【上113/ 제중신편】胞系於腎 以此補腎液 難産最奇 |
| | | 鹿茸酒炙 40g [40g] |

| 단분환 | 丹粉丸 | 【下147】治 楊梅瘡 |
| | | 輕粉 8 黃丹 石雄黃 鐘乳粉 4 琥珀 乳香 枯白礬 2g [26g] |

단삼보혈탕	丹蔘補血湯	治 噎膈 소화성궤양 신경성위장질환【補神 安神 淸熱 制酸 止痛 消化】
		白芍藥 牡蠣 丹蔘 12 山藥炒 8 蘿葍子 白茯神 白扁豆炒 地楡炭 6 當歸
		山査 龍眼肉 山棗仁炒 4 遠志 神麯 3 木香 砂仁 甘草炙 2/ 生薑 4g
		[100g] 9) (또는 丹蔘 當歸 山査 龍眼肉 酸棗仁 8 ~)

| 단삼음 | 丹蔘飮 | 【時方歌括】活血祛瘀 行氣止痛, 治 心胃諸痛 |
| | | 丹蔘 30 檀香 砂仁 5g [40g] |

| 단치소요산 | 丹梔逍遙散 | = (가미소요산A) |

달생산	達生散	【中157/ 보감-婦人/ 단심】孕婦臨月 服二十餘貼 易産 無病
		大腹皮(酒洗) 8 甘草炙 6 當歸 白朮 白芍藥 4 人蔘 陳皮 蘇葉 枳殼 砂
		仁 2 / 靑葱 4g [40g] 75) (또는 去 인삼 代 사삼 or 당삼)

달원음A	達原飮A	【瘟疫論】辟穢化濁 開達膜原【淸熱化濕】
		檳榔 8 黃芩 知母 厚朴 白芍藥 4 草果 甘草 2g [28g : 1錢=4g 환산]
		▶ 시호달원음(柴胡達原飮) 참조

달원음B	達源飮B	【晴崗/ 張氏醫通】治 溫疫, 疫癘壯熱 多汗而渴
달원음A 加味方		檳榔 8 黃芩 柴胡 葛根 6 知母 厚朴 白芍藥 羌活 大黃 4 草果 甘草 2
		/ 生薑 4 大棗 4g [58g]
		▶ 장씨의통 원방은 [달원음A 加 生薑 大棗, 增 知母(8g) 黃芩(6g)]이며
		柴胡 葛根 羌活은 少陽 陽明 太陽證이 있을때 加하고 , 大黃은 裏實不
		通할 때 加

당귀건중탕A	當歸建中湯A	【상한금궤/ 千金】溫補氣血 緩急止痛〈금궤21〉治産後虛羸不足 腹中刺痛不
		止 吸吸少氣 或苦小腹拘急 不能食飮
		【JP】혈색이 좋지 않고 易疲勞한 자의 월경통 하복통 치질 탈항통증
소건중탕 加 당귀		1)현대: 芍藥 12 當歸 8 桂枝 生薑 大棗 6 甘草 4g [42g] (大虛하면
(또는 게지가작약탕 加 당귀)		加 膠飴 20~30g)
		2)원문: 芍藥 6량 當歸 4량 桂枝 生薑 3량 大棗 12매 甘草 2량 (若大虛
		加 膠飴 6량)
		▶【JP】芍藥 5 當歸 桂皮(JP) 大棗 4 甘草 2 生薑(JP) 1g [20g]
		▶ 소건중탕, 황기건중탕 참조

당귀건중탕B	當歸建中湯B	【上45 소건중탕 附方/ 보감-虛勞/ 득효】血虛自汗
		黑糖(膠飴) 40 白芍藥 20 桂枝 12 當歸 甘草炙 4 / 生薑 6 大棗
		8g [94g]

| 당귀백하오관중 | 當歸白何烏寬中 | 【소음인/ 신축】위수한리한병〈太陰證〉【신편】浮腫亦可用 |

탕	湯	
적백하오관중탕 去 적하수오 加 당귀		白何首烏 當歸 良薑 乾薑 陳皮 靑皮 香附子 益智仁 4 / 大棗 ﹍ 4g [36g]
당귀보혈탕A	當歸補血湯A	【上17/ 보감-火/ 동원】肌熱 大渴 目赤 脈洪大而虛 重按無力症 似白虎湯 惟脈不長實 誤服必死【補氣生血】
		黃芪 20 當歸 8g [28g] (cf. 內外傷辨惑論에서는 黃芪:當歸=5:1)
당귀보혈탕B	當歸補血湯B	【中118/ 보감-頭/ 의감】治 血虛頭痛
		[中118/ 고금의감] 生乾地黃 白芍藥 川芎 當歸 片芩 4 防風 柴胡 蔓荊子 2 荊芥 藁本 1.5g [29g]
		▶ [보감-頭] 生乾地黃 白芍藥 川芎 當歸 片芩 8g~ [49g]
당귀보혈탕C	當歸補血湯C	【보감-內傷/ 회춘】治心血少而嘈 兼治驚悸怔忡
		白芍藥 當歸 生地黃 熟地黃 4 白朮 白茯苓 麥門冬 梔子炒 陳皮 3 人蔘 2 甘草 1.2 / 米 ﹍ 2 大棗 ﹍ 4 烏梅 ﹍ 2g [42.2g] 辰砂(水飛) 1.2g과 복용
당귀사역가오수유생강탕	當歸四逆加吳茱萸生薑湯	【상한금궤】溫中祛寒 降逆和胃止嘔 〈궐음병-351/352〉手足厥寒 脈細欲絶.. 內有久寒 【JP】수족냉증 및 하지통 하복통 경향자의 동상 두통 하복통 요통
당귀사역탕A 加 오수유 생강		1)현대: 生薑 16 大棗 12 當歸 桂枝 芍藥 細辛 6 甘草 木通 吳茱萸 4g [64g - 酒水相半煎] 2)원문: 生薑 0.5근 大棗 25매 當歸 桂枝 芍藥 細辛 3량 甘草 通草 2량 吳茱萸 2승 ▶【JP】大棗 5 桂皮(JP) 芍藥 當歸 木通 3 吳茱萸 細辛 甘草 2 生薑(JP) 1g [24g]
당귀사역탕A	當歸四逆湯A	【상한금궤】溫經散寒 養血通脈 〈궐음병-351〉手足厥寒 脈細欲絶
		1)현대A: 大棗 12 當歸 桂枝 芍藥 細辛 6 甘草 木通 4g [44g] (또는 大棗 10 當歸 桂枝 芍藥 木通 6 細辛 甘草 4) [12] 2)현대B: 大棗 30-50 當歸 桂枝 芍藥 15 細辛 5-15 甘草 木通 10g [100-130g] 3)원문: 大棗 25매 當歸 桂枝 芍藥 細辛 3량 甘草 通草(=오늘날의 木通) 2량 (다른조문은 大棗 一法12매)
당귀사역탕B	當歸四逆湯B	【보감-寒/ 입문】治厥陰證 手足厥冷 脈微欲絶
		當歸 白芍藥 8 桂枝 6 細辛 通草 甘草 4 / 大棗 ﹍ 4g [38g]
당귀사역탕C	當歸四逆湯C	【中152/ 보감-前陰/ 강목】治 寒疝 臍下冷痛
		當歸 5 附子炮 官桂 茴香 4 白芍藥 柴胡 3.5 ﹍ 川楝子 玄胡索 白茯苓 3 澤瀉 2g [35g]
당귀산	當歸散	= (금궤당귀산A)
당귀생강양육탕	當歸生薑羊肉湯	【상한금궤】溫中養血 祛寒止痛 〈금궤10〉寒疝腹中痛 及脇痛裏急者 〈금궤21〉產後腹中㽲痛.. 幷治腹中寒疝 虛勞不足

		1)현대: 生薑 10 當歸 6 羊肉 30g [46g] 2)원문: 生薑 5냥 當歸 3냥 羊肉 1근
당귀수산	當歸鬚散	【合編-諸傷門/ 보감-諸傷/ 입문】治 打撲損傷 氣凝血結 胸腹脇痛 當歸尾 6 香附子 赤芍藥 烏藥 蘇木 4 紅花 桃仁 3 桂心 2.5 甘草 2g [32.5g - 酒水相半煎] ▶ 화어전 참조
당귀승기탕A	當歸承氣湯A	【下19/ 보감-燥/ 類聚】治 燥之上藥 當歸 大黃 8 芒硝 3 甘草 2g [21g]
당귀승기탕B	當歸承氣湯B	【下58/ 보감-神/ 保命】治 陽狂奔走 當歸 大黃 14 芒硝 10 甘草 4 / 生薑 6 大棗 20g [68g]
당귀양육탕	當歸羊肉湯	【上117/ 보감-婦人/ 良方】治 蓐勞, 産後虛勞 羊肉 160 生薑 60 當歸 川芎 黃芪 50g [370g]
당귀양혈탕	當歸養血湯	【보감-嘔吐/ 회춘】治 老人痰結血枯成膈噎 當歸 白芍藥炒 熟地黃 白茯苓 4 黃連(吳茱萸同炒) 3 貝母炒 瓜蔞仁 枳實 陳皮 厚朴 香附子 川芎 蘇子 3 沈香(水磨取汁) 2 / 生薑 2g 大棗 4g [51g - 沈香汁 竹瀝 調服]
당귀연교음	當歸連翹飮	【보감-牙齒/ 회춘】治 齒痛 呻風痛甚 開口臭穢 當歸 生地黃 川芎 連翹 防風 荊芥 白芷 羌活 黃芩 梔子 枳殼 甘草 3 細辛 1.2g [37.2g]
당귀염통탕	當歸拈痛湯	= (당귀점통탕)
당귀온중탕	當歸溫中湯	【소음인/ 신편】【신편】治 內傷血氣 當歸 12 白芍藥 10 白何烏 白朮 川芎 桂枝 黃芪 玄胡索 益母草 4 / 生薑 4 大棗 4g [58g]
당귀용회환	當歸龍薈丸	【보감-肝/ 강목/ 宣明】治 肝藏實熱 脇痛【淸肝瀉火 通便 安神定驚】 當歸 草龍膽 黃芩 黃連 黃栢 梔子 40 大黃 蘆薈 靑黛 20 木香 10 麝香 2g [312g] 小豆大 밀환으로 薑湯下 1회 20-30환
당귀육황탕 【보험처방】	當歸六黃湯	【下67/ 보감-津液/ 河間/ 蘭室祕藏】治 盜汗聖藥 乃血虛有火也 【滋陰瀉火 固表止汗】 黃芪 8 生地黃 熟地黃 當歸 4 黃連 黃柏 黃芩 3g [29g]
당귀음	當歸飮	【보감-咳嗽/ 득효】因打撲損傷肺氣 咳嗽吐黑血 大黃 蘇木 生乾地黃 當歸 赤芍藥 각등분 [1회] 12g - 溫酒 調服]
당귀음자	當歸飮子	【보감-諸瘡/ 입문】治遍身疥癬 腫痒 流膿 【JP】냉증경향자의 만성습진(분비물은 적음) 피부소양【疏風養血】

| | | 當歸 赤芍藥 川芎 生地黃 防風 荊芥 白蒺藜 5 何首烏 黃芪 甘草 3 / 生薑 4g [48g]
▶【JP】當歸 5 地黃 4 芍藥 川芎 防風 蒺藜子 3 何首烏 2 黃芪 荊芥 1.5 甘草 1g [27g] |
| --- | --- | --- |
| **당귀작약산** | 當歸芍藥散 | 【상한금궤】養血調肝 健脾利濕
〈금궤20〉婦人懷妊 腹中㽲痛〈금궤22〉婦人腹中諸疾痛
【JP】體虛者로서 냉증 경향으로 빈혈 피로 갱년기증상 頭重 현훈 월경불순 월경통 불임 임신관련증상(부종, 습관성유산, 치질, 복통) 등 |
| 사물탕(去 지황) + 사령산(去 저령) | | 1)현대A: 芍藥 16 川芎 澤瀉 8 茯苓 白朮 4 當歸 3g [43g] (또는 芍藥 12 白朮 茯苓 澤瀉 8 當歸 川芎 6g) [12]
2)현대B: 芍藥 30 川芎 澤瀉 15 茯苓 白朮 12 當歸 10g [94g]
3)원문: 芍藥 1근 川芎 0.5근(一作 3량) 澤瀉 0.5근 茯苓 白朮 4량 當歸 3량
▶【JP】芍藥 澤瀉 茯苓 蒼朮 4 當歸 川芎 3g [22g] |
| **당귀작약탕** | 當歸芍藥湯 | 【下159/ 보감-婦人/ 정전】治 子癎 |
| | | 白芍藥 白朮 6 當歸 白茯苓 澤瀉 條芩 4 檳榔 黃連 木香 甘草 3g [40g] |
| **당귀점통탕(당 귀염통탕)** | 當歸拈痛湯 | 【보감-足/ 위생보감/ 醫學啓源】治 濕熱脚氣腫痛
【祛風除濕 淸熱止痛】 |
| cf. 拈: 점 또는 염으로 발음 | | 羌活 茵蔯 黃芩 甘草 4 知母 澤瀉 赤茯苓 猪苓 白朮 防己 2.5 人蔘 葛根 當歸 蒼朮 苦蔘 升麻 1.5g [40g]
▶ 본래 장원소의 醫學啓源에서 유래하여 이후 이동원의 蘭室秘藏 등에 수록 : 원 처방에는 赤茯苓 防己가 없고 防風이 있음 (참고용량: 羌活 茵蔯 黃芩 甘草 知母 澤瀉 猪苓 白朮 當歸 5 人蔘 葛根 防風 蒼朮 4 苦蔘 升麻 2g [65g]) [12]
▶【의방집해】去 인삼 |
| **당귀탕** | 當歸湯 | 【JP/ 千金方】등(背)의 냉감을 동반한 복부팽만, 복통
【溫中散飮 逐寒止痛】 |
| | | ▶【JP】當歸 半夏 5 桂皮(JP) 厚朴 芍藥 人蔘 3 黃芪 山椒 乾薑 1.5 甘草 1g [27.5g] |
| **당귀패모고삼환** | 當歸貝母苦蔘丸 | 【상한금궤】〈금궤20〉姙娠 小便難 飮食如故 |
| | | 1)현대: 當歸 貝母 苦蔘 8g [24g]
2)원문: 當歸 貝母 苦蔘 4량 |
당귀화혈탕	當歸和血湯	【下142/ 입문】治 腸風射血 濕毒下血
		當歸 升麻 6 槐花炒 靑皮 荊芥 白朮 熟地黃 3 川芎 2g [29g]
당귀황기탕	當歸黃芪湯	【上118/ 보감-婦人/ 당귀황기음(當歸黃芪飮)/ 단심】治 産後脫陰
		黃芪 12 人蔘 當歸 升麻 8 甘草 4g [40g]
대강활탕A	大羌活湯A	【下6/ 보감-風/ 정전/ 위생보감】治 風濕相搏 肢節腫痛 不可屈伸

		羌活 升麻 6 獨活 4 蒼朮 防己 威靈仙 白朮 當歸 赤茯苓 澤瀉 甘草 3g [40g]
대강활탕B	大羌活湯B	【此事難知】發散風寒 祛濕淸熱, 治 風寒濕邪表證 兼有裡證
		生地黃 川芎 知母 10전 羌活 獨活 防風 蒼朮 白朮 細辛 防己 黃芩 黃連 甘草 3전 [60전=240g] 1회 20g 복용
대건중탕	大健中湯	【상한금궤】溫中補虛 降逆止痛 〈금궤10〉 心胸中大寒痛 嘔不能飮食 腹中寒 【방극】治腹大痛 嘔不能飮食 腹皮起如有頭足者 【JP】하복부냉감 및 통증, 복부팽만감
		1)현대A: 飴飴 20 乾薑 8 人蔘 4 蜀椒 2g [34g] (또는 膠飴 30~40g)^{19,43)}
		2)현대B: 飴飴 30 乾薑 20 人蔘 蜀椒 10g [70g]
		3)원문: 飴飴 1승 乾薑 4량 人蔘 2량 蜀椒 2합
		► 【JP】乾薑 5 人蔘 3 山椒 2 / 膠飴 10g [20g]
대금음자	對金飮子	【下28/ 보감-內傷/ 活人心/ 국방】治 酒食傷【和胃消痰】
		陳皮 12 厚朴 蒼朮 甘草 3 / 生薑 □ 4g [25g] (或加 갈근 8 적복령 사인 신곡 4g 尤好 [45g])
		► 【보감-痰飮-酒痰】加 반하 갈근 4g : 대금음자 주담방
		► 평위산 참조
대반하탕	大半夏湯	【상한금궤】補中降逆〈금궤17〉胃反嘔吐者 【방극】治嘔吐 而心下痞鞕者
		1)현대A: 半夏 20 人蔘 3 白蜜 40g [63g] (또는 半夏 48 人蔘 6 白蜜 16g)¹⁹⁾ (또는 半夏 24 人蔘 6 白蜜 20g) ⁴³⁾ 2)현대B: 半夏 60 人蔘 15 白蜜 50g [125g] 3)원문: 半夏 2승 人蔘 3량 白蜜 1승
대방풍탕	大防風湯	【上89/ 보감-足/ 정전/ 국방】治 鶴膝風 去風 順氣 活血 壯筋 【祛風除濕 補氣活血】 【JP】관절종통 굴신불리 등을 동반한 퇴행성관절염, 하지관절 RA, 통풍
		熟地黃 6 白朮 防風 當歸 白芍藥 杜沖 黃芪 4 川芎 牛膝 羌活 人蔘 附子炮 甘草 2 / 生薑 □□ 6 大棗 □ 4g [52g] ► 【JP】熟地黃 蒼朮 防風 當歸 芍藥 杜沖 黃芪 3 川芎 2 牛膝 羌活 人蔘 甘草 大棗 1.5 乾薑 炮附子粉(JP) 1g [32.5g]
대보원전	大補元煎	【경악전서】求本培元 大補氣血
		熟地黃 12 山藥(炒) 枸杞子 當歸 人蔘 杜沖 8 山茱萸 甘草 4g [60g] (원문: 熟地 少則用2-3錢, 多則用2-3兩/ 人蔘 少則用1-2錢, 多則用1-2兩)
대보음환	大補陰丸	【보감-虛勞/ 입문】降陰火 壯腎水之要藥【滋陰降火】
		熟地黃 龜板 6량 黃栢(鹽酒炒) 知母(酒炒) 4량 / 猪脊髓 煉蜜 [20량=800g] 오자대 환, 1회 70-90환
대보탕	大補湯	【소음인/ 신편】【신편】治 虛勞

人蔘 白朮 白芍藥 當歸 川芎 黃芪 肉桂 砂仁 陳皮 炙甘草 4 / 生薑 4 大棗 ᵃ 4 [48g]

▶ [소음인/ 갑오.신편] 회양대보탕(回陽大補湯): 去 사인 진피 加 건강 4 부자 2g [46g]

대분청음	大分淸飮	【下81/ 경악전서】治 積熱閉結 小溲不利 黃疸 尿血 淋閉
		赤茯苓 猪苓 澤瀉 木通 車前子 梔子 枳殼 4g [28g]

대삼오칠산	大三五七散	(삼오칠산) 참조

대속명탕	大續命湯	(속명탕) 참조

대승기탕A   大承氣湯A

【상한금궤】峻下熱結
〈양명병-208〉陽明病 身重 短氣 腹滿而喘 潮熱 手足濈然汗出 (209) 潮熱 大便微硬 (212) 日晡所發潮熱 不惡寒 獨語如見鬼狀, 劇者 不識人 循衣摸床, 微者, 發熱讝語 (215) 讝語 有潮熱 反不能食 (217) 汗出讝語 (220) 潮熱 手足漐漐汗出 大便難而讝語 (238) 陽明病 下之 心中懊憹而煩 胃中有燥屎者 (240) 又如瘧狀 日晡所發熱~ 脈實者 宜下之 (241) 大下後.. 不大便 煩不解 腹滿痛 此有燥屎 (242) 小便不利 大便乍難乍易 微熱 喘冒不能臥者 有燥屎也 (251) 小便不利 屎定硬 乃可攻之 (252) 目中不了了 睛不和 無表裏證 大便難 身微熱 (253) 陽明病 發熱汗多者 急下之 (254) 發汗不解 腹脹滿痛 (255) 腹滿不減 減不足言 (256) 陽明少陽合病.. 脈滑而數者 有宿食也
〈소음병-320〉口燥咽乾者 急下之 (321) 自利清水 色純靑 心下必痛 口乾燥 (322) 腹脹 不大便
〈금궤2〉痙爲病 胸滿 口噤 臥不着席 脚攣急 必齘齒 〈금궤21〉產後.. 惡露 不盡 不大便 煩躁發熱 (21) 病解能食 七八日更發熱者 此爲胃實
【방극】治腹堅滿 若下利臭穢 若有燥屎者 (凡有燥屎者 臍下必磊硬也 肌膚枯燥)
【JP】복부경직 또는 비만경향으로 변비가 있는 자의 급만성변비 고혈압 신경증 식중독

조위승기탕 去 감초 加 지실 후박

1)현대A: 厚朴 24 大黃 芒硝 12 枳實 8g [56g] (또는 망초 6g)[8] (厚朴 16 芒硝 7~12 枳實 10 大黃 8g) [19,43]
2)현대B: 厚朴 枳實 30 大黃 20 芒硝 10g [90g]
3)원문: 厚朴 0.5근 大黃 4량 枳實 5매 芒硝 3합
▶【JP】厚朴 5 枳實 3 大黃 2 芒硝(JP) 1.3g [11.3g]

대승기탕B	大承氣湯B	【下8 소승기탕 附方 / 보감-寒/ 입문/ 중경】大熱 大實 大滿 宜急下者
		大黃 16 厚朴 枳實 芒硝 8g [40g]

대시호탕A   大柴胡湯A

【상한금궤】和解少陽 內瀉熱結
〈태양병-103〉柴胡證仍在者 先與小柴胡 嘔不止 心下急 鬱鬱微煩 (136) 熱 結在裏 往來寒熱 (165) 傷寒發熱 汗出不解 心中痞硬 嘔吐下利
〈금궤10〉按之心下滿痛
【방극】治小柴胡湯證 而心下不痞硬 腹滿拘攣 或嘔者
【JP】비교적 체력이 있는 변비경향자의 간담계질환 고혈압 두드러기 위장질환 신경증 불면

1)현대A: 柴胡 半夏 12 生薑 8 黃芩 枳實 芍藥 大棗 6 大黃 4g [60g] (또는 半夏 8 枳實 生薑 4 ~)[12] (또는 柴胡 16~)[19]

2)현대B: 柴胡 枳實 芍藥 大棗 20 半夏 生薑 15 黃芩 大黃 5~10g [120-130g]

3)원문: 柴胡 0.5근 半夏 0.5승 生薑 5량 黃芩 芍藥 3량 枳實 4매 大棗 12매 大黃 2량

▶【JP】柴胡 6 半夏 4 芍藥 黃芩 大棗 3 枳實 2 生薑(JP) 大黃 1g [23g]

대시호탕B	大柴胡湯B	【下9/ 보감-寒/ 정전/ 중경】治 少陽轉 屬陽明 身熱 便堅 尿赤 譫潮
【보험처방】		柴胡 16 黃芩 白芍藥 10 大黃 8 枳實 6 半夏 4g [54g]
		▶ [보감-寒] 加 생강 ☐ 대조 ☐ 4g
대영전	大營煎	【上47/ 경악전서】眞陰虧損 及婦人經遲血少 筋骨心腹疼痛
		熟地黃 12(또는 20, 28) 當歸 8(또는 12, 20) 枸杞子 杜沖 8 牛膝 6 肉桂 炙甘草 4~8g [50~86g]
대오두전	大烏頭煎	【상한금궤】破積 散寒止痛〈금궤10〉寒疝 繞臍痛 若發則白汗出 手足厥冷 脈沈緊【방극】治毒繞臍絞痛 或自汗出 手足厥冷者
▶ 一名 오두전(烏頭煎)		1)현대: 烏頭 6~12g 蜂蜜 80cc (또는 烏頭 10 蜂蜜 16g) [19]
		2)원문: 大烏頭 5매 蜂蜜 2승
대이향산	大異香散	【下44/ 보감-脹滿/ 입문】治 穀脹 亦治 氣脹
		三棱 蓬朮 青皮 陳皮 藿香 半夏麴 桔梗 益智仁 香附子 枳殼 4 甘草 1.2 / 生薑 ☐ 6 大棗 ☐ 4g [51.2g]
대저담즙	大猪膽汁	【상한금궤】通便〈양명병-233〉津液內竭 雖硬不可攻之 當須自欲大便
		大猪膽 1매 : 灌腸用
대정풍주	大定風珠	【온병조변】滋陰熄風
		白芍藥 乾地黃 麥門冬 18 龜板 鱉甲 牡蠣 炙甘草 12 阿膠 9 麻子仁 五味子 6g / 鷄子黃 2개 [123+g]
대조중탕	大調中湯	【下68 소조중탕 附方/ 보감-痰飮/ 입문】治虛而有痰火
소조중탕+팔물탕		人蔘 白朮 白茯苓 甘草 熟地黃 白芍藥 川芎 當歸 黃連 半夏 瓜蔞仁 5 / 生薑 ☐ 4g [59g]
대조환	大造丸	【上28/ 보감-虛勞/ 集略】脈虛 血氣衰弱
		紫河車 一具/ 生乾地黃 160 龜板 杜沖 天門冬 黃柏 60 牛膝 麥門冬 當歸身 48 人蔘 40 五味子 20g [604g+]
대진교탕	大秦艽湯	【합편-增補/ 보감-風/ 易老】中風 外無六經之形證 內無便尿之阻隔 知爲血弱不能養筋 故手足不能運動 舌强不能言語 宜養血而筋自榮【방제】祛風淸熱 養血活血
		秦艽 石膏 4 羌活 獨活 川芎 白芷 生地黃 熟地黃 當歸 白芍藥 黃芩 白茯苓 防風 白朮 甘草 3 細辛 1.2g [48.2g]
대청룡탕A	大靑龍湯A	【상한금궤】發汗解表 淸熱除煩

마황탕+월비탕		〈태양병-38〉太陽中風 脈浮緊 發熱惡寒 身疼痛 不汗出而煩燥 (39) 傷寒脈浮緩 身不疼 但重 〈금궤_12〉病溢飮者 當發其汗【방극】治喘及咳嗽 渴欲飮水 上衝 或身疼 惡寒者
		1)현대A: 石膏 12 麻黃 6 杏仁 5 生薑 3 桂枝 甘草 大棗 2g [32g] (또는 石膏 16 麻黃 12 生薑 大棗 6 桂枝 甘草 杏仁 4g)¹⁹⁾
		2)현대B: 石膏 50 麻黃 大棗 20 生薑 15 杏仁 桂枝 甘草 10g [135g]
		3)원문: 麻黃 6량 生薑 3량 桂枝 甘草 2량/ 石膏 계자대(鷄子大) 杏仁 40매 大棗 10매

대청룡탕B　大靑龍湯B
【보험처방】

【합편-增補/ 보감-寒/ 중경】治 風寒兩傷

石膏 16 麻黃 12 桂枝 8 杏仁 6 甘草 4 / 生薑 4 大棗 4g [54g]

대칠기탕　大七氣湯

【下41/ 보감-積聚/ 의감】治 五積六聚 心腹痛脹 二便不利

三棱 蓬朮 靑皮 陳皮 桔梗 藿香 益智仁 香附子 官桂 甘草 4 / 生薑 4 大棗 4g [48g]

대토사자원　大兎絲子元

【보감-小便/ 득효】治肾氣虛寒 小便不禁

兎絲子(酒製) 肉蓰蓉(酒浸) 2량 牡蠣煆 五味子 附子炮 鹿茸(酒灸) 1량 桑螵蛸(酒灸) 鷄肶胵(=계내금) 0.5량 [9량=360g] 오자대 호환(糊丸), 1회 70환

대함흉탕　大陷胸湯

【상한금궤】瀉熱逐水 破結
〈태양병-134〉膈内拒痛 胃中空虚 客氣動膈 短氣躁煩 心中懊憹 陽氣内陷 心下因硬 則爲結胸 (135) 結胸熱實 脈沈而緊 心下痛 按之石硬 (136) 但胸無大熱 此爲水結在胸脇内 但頭微汗出者 (137) 不大便五六日 舌上燥而渴 日晡潮熱 從心下至少腹 硬滿而痛 (149) 心下滿而硬痛 此爲結胸
【방극】治結胸 若從心下至少腹鞕滿者

1)현대: 芒硝 24 大黃 12 甘遂 2g [38g] (또는 大黃 6.4 芒硝 4 甘遂 1.2g)¹²⁾ (또는 大黃 16 芒硝 10 甘遂 2g)¹⁹⁾ (또는 大黃 12 芒硝(후하) 10 甘遂 2g)⁴³⁾
2)원문: 大黃 6량 芒消 1승 甘遂 1전비(錢匕)

대함흉환　大陷胸丸

【상한금궤】瀉熱開結 化飮通便〈태양병-131〉結胸者 項亦强 如柔痙狀 下之則和【방극】治結胸 若項背强者

1)현대: 大黃 16 芒硝 12 杏仁 葶藶子 10 甘遂 2g [50g] 蜂蜜과 물을 80cc씩 넣고 탕전
▶ 또는 大黃:芒硝:杏仁:葶藶子:甘遂= 10:7:7:7:1.2 ⁸⁾ (또는 4:5:3:3:3)¹²⁾
2)원문: 大黃 葶藶子 0.5근 芒硝 杏仁 0.5승 甘遂末 1전비(錢匕) 白密 2합

대화중음　大和中飮
【보험처방】

【下25/ 의종손익】治 食滯積聚

山査肉 麥芽 8 陳皮 厚朴 澤瀉 6 枳實 4 砂仁 2g [40g]

대황감수탕　大黃甘遂湯

【상한금궤】祛瘀安養
〈금궤22〉小腹滿 小便微難而不渴.. 水與血俱結在血室
【방극】治小腹滿如敦狀 小便微難 或經水不調者

		1)현대: 大黃 8 甘遂 阿膠 4g [16g] 2)원문: 大黃 4량 甘遂 阿膠 2량
대황감초탕	大黃甘草湯	【상한금궤】〈금궤17〉食已即吐者 【방극】治祕閉急迫者 (방극산정) 治大便祕結 急迫者 【JP】변비
		1)현대: 大黃 8 甘草 2g [10g] 2)원문: 大黃 4량 甘草 1량 ▶【JP】大黃 4 甘草 2g [6g] (또는 甘草 1g)
대황목단피탕A	大黃牧丹皮湯A	【상한금궤】瀉熱破瘀 散結消腫 〈금궤18〉腸癰者 少腹腫痞 按之即痛如淋 小便自調 時時發熱 自汗出 復惡寒 【방극】治臍下有堅塊 按之即痛 及便膿血者【JP】비교적 체력이 있는 자로서 하복통 변비 등의 증상을 동반한 자의 월경불순 월경통 변비 치질
		1)현대A: 冬瓜子 12 桃仁 大黃 芒硝 8 牧丹皮 6g [32g] (또는 冬瓜子 20 芒硝 桃仁 4g~) [19] 2)현대B: 冬瓜子 30 桃仁 15 大黃 芒硝 牧丹皮 10g [75g] 3)원문: 瓜子 0.5승 桃仁 50개 大黃 4량 芒硝 3합 牧丹 1량 ▶【JP】冬瓜子 6 牧丹皮 桃仁 4 大黃 2 芒硝 1.8g [17.8g]
대황목단피탕B	大黃牧丹皮湯B	【보감-癰疽/千金】治腸癰 脈遲緊 膿未成 可下之 (一方 有冬苽仁 無瓜蔞仁)
【보험처방】▶ 一名 대황목단탕(大黃牧丹湯 - 동의보감에는 이 명칭으로 수록)		牧丹皮 桃仁 瓜蔞仁 10 大黃 芒硝 6g [42g]
대황부자탕	大黃附子湯	【상한금궤】溫裏散寒 通便止痛 〈금궤10〉脇下偏痛 發熱 其脈緊弦 【방극】治腹絞痛 惡寒者
		1)현대A: 大黃 6 細辛 4 附子 2g [12g] 2)현대B: 大黃 10-15 細辛 10 附子(先煎) 30g [50-55g] 3)원문: 大黃 3량 細辛 2량 附子 3매
대황소석탕	大黃消石湯	【상한금궤】主濕熱黃疸 腹滿〈금궤15〉黃疸腹滿 小便不利而赤 自汗出 【방극】治發黃 腹中有結毒者
▶ 一名 대황초석탕(大黃硝石湯)		1)현대: 大黃 黃柏 芒硝 8 梔子 3g [27g] (또는 梔子 4~) [12] 2)원문: 大黃 黃柏 消石 4량 梔子 15개
대황자충환	大黃䗪蟲丸	【상한금궤】活血破瘀 通經消痞 〈금궤6〉五勞虛極羸瘦 腹滿不能飮食.. 內有乾血 肌膚甲錯 兩目黯黑
		1) 乾地黃(生地黃) 30 桃仁 杏仁 芍藥 12 甘草 9 大黃 7.5 黃芩 虻蟲 蠐螬 6 水蛭 5 蠐螬 乾漆 3g [111.5g] 2)원문: 地黃 10량 桃仁 杏仁 1승 芍藥 4량 甘草 3량 大黃 10分 黃芩 2량 虻蟲 蠐螬 1승 水蛭 100매 蠐螬 0.5승 乾漆 1량
대황저근피탕	大黃樗根皮湯	【태음인/ 신편】【신편】治 痢疾
		大黃 40-80 樗根皮 28g [68-108g]
대황초석탕	大黃硝石湯	= (대황소석탕)
대황황련사심탕	大黃黃連瀉心湯	【상한금궤】泄熱消痞 〈태양병-154〉心下痞 按之濡 脈關上浮 (164) 心下痞 惡寒者 表未解~ 當先解表~ 解表宜桂枝湯 攻痞宜大黃黃連瀉心湯【방극】

		治心煩 心下硬按之濡者
		1)현대: 大黃 4 黃連 2g [6g] 2)원문: 大黃 2량 黃連 1량
도담탕	導痰湯	【下3/ 보감-痰飮/ 득효】治 中風 痰盛 語澁 眩暈 【燥濕祛痰 行氣開鬱】
이진탕 加 남성 지각		半夏 8 南星炮 枳殼 橘皮 赤茯苓 甘草 4 / 生薑 6g [34g] ▶ 순기도담탕(順氣導痰湯): 加 향부자 오약 침향 목향 ▶ 청열도담탕(淸熱導痰湯): 加 황금 황련 ▶ 거풍도담탕(祛風導痰湯): 加 강활 백출 (cf. 의학입문에서는 加 강활 백출 방풍) ▶ 영신도담탕(寧神導痰湯): 加 원지 석창포 황금 황련 주사 ▶ 척담탕(滌痰湯): 加 인삼 석창포 죽여
도담활혈탕	導痰活血湯	活血化瘀 治中風初期
		香附子 半夏 8 山査 蘿葍子 丹蔘 白蒺藜 白茯苓 6 葛根 釣鉤藤 石菖蒲 桔梗 枳殼 4 木香 桃仁 紅花 川芎 薄荷 3 全蝎 當歸 甘草 2g [87g] [88]
도수복령탕	導水茯苓湯	【奇效良方】行氣化濕 利水消腫
		赤茯苓 澤瀉 白朮 麥門冬 9 桑白皮 蘇葉 檳榔 木瓜 3 大腹皮 陳皮 砂仁 木香 燈心草 2g [58g] (또는 麥門冬 15 檳榔 木瓜 5 陳皮 4.5 ~) ▶ [醫宗金鑑] 去 맥문동 등심초 加 저령
도씨보익탕	陶氏補益湯	= (도씨보중익기탕 : 晴崗醫鑑)
도씨보중익기탕	陶氏補中益氣湯	【上22 보중익기탕 附方/ 보감-寒/ 입문】治 內外感 頭痛 身熱 自汗 (治 外感挾內傷) 黃芪 人蔘 白朮 當歸 生地黃 川芎 柴胡 羌活 防風 3 甘草 2 升麻 1.2g [33.2g] (或去升麻 入葱薑棗) (또는 加 백작약 형개) [7] ▶ [보감-寒] 去 승마, 加 생강 대조 4 세신 총백 2g (元氣不足: 加 승마 1.2g)
도씨생지금련탕	陶氏生地芩連湯	【보감-血/ 입문】治 鼻衄 成流不止 失血過多 譫語失神 閉目撮空 不省人事 生地黃 黃芩 黃連 梔子 川芎 赤芍藥 柴胡 桔梗 犀角鎊 甘草 4 / 大棗 2g [42g]
도씨승양산화탕	陶氏升陽散火湯	【中28/ 보감-寒/ 입문】治 撮空 肝熱乘肺 元氣虛弱 譫語 神昏 人蔘 當歸 白芍藥 柴胡 黃芩 白朮 麥門冬 陳皮 白茯神 甘草 4 / 生薑 4 大棗 4 熟金同煎 [48g]
도씨재조산	陶氏再造散	【보감-寒/ 입문】治 陽虛 不得汗 【참고 · 傷寒六書】재조산(再造散) : 溫陽益氣 散寒解表 人蔘 黃芪 桂枝 附子炮 細辛 羌活 防風 川芎 芍藥炒 甘草 4 / 煨薑 4 大棗 4g [48g] ▶ (또는 黃芪 8 細辛 3 甘草 2 ~)
도씨평위산	陶氏平胃散	【下29/ 보감-內傷/ 입문】治 食積 類傷寒

		蒼朮 6 厚朴 陳皮 白朮 4 黃連 枳實 3 草果 2.5 神麴 山査肉 乾薑 木 香 甘草 2 / 生薑 ⑵ 4g [40.5g]

도인승기탕A	桃仁承氣湯A	【상한금궤】 破血下瘀 〈태양병-106〉 熱結膀胱 其人如狂.. 小腹急結者【방극】 治血證 小腹急結 上衝者 【JP】 비교적 體實하고 상기(上氣) 및 변비경향자의 월경불순 월경통 신경증 요통 변비 고혈압수반증상(두통, 현훈, 어깨결림)
조위승기탕 加 도인 게지 ▶ 一名 도핵승기탕(桃核承氣湯)		1)현대A: 大黃 8 桃仁 4-6 桂枝 芒硝 甘草 4g [26-28g] 2)현대B: 大黃 桃仁 15 桂枝 芒硝 10 甘草 5-10g [55-60g] 3)원문: 大黃 4량 桂枝 50개 桂枝 甘草 芒硝 2량 ▶【JP】桃仁 5 桂皮(JP) 4 大黃 3 甘草 1.5 芒硝(JP) 0.9

도인승기탕B	桃仁承氣湯B	【下13/ 보감-寒/ 단심】治 血結膀胱 小腹結急 便黑 譫語
【보험처방】		大黃 12 桂心 芒硝 8 甘草 4 / 桃仁 ⒀ 4g [36g] (cf. 보험기준처방: 桃仁 10g 비율)

도인승기탕C	桃仁承氣湯C	【瘟疫論】治 蓄血證
		大黃 12 芒硝 當歸 芍藥 牧丹皮 6 / 桃仁⒀ 6g [42g]

도적강기탕	導赤降氣湯	【소양인/ 신축.신편】비수한표한병 〈結胸證〉治 結胸 乾嘔短氣而藥不還吐者
형방도적산 加 복령 택사		生地黃12 木通 8 玄蔘 瓜蔞仁 6 前胡 羌活 獨活 荊芥 防風 茯苓 澤瀉 4g [60g]

도적산	導赤散	【下78/ 보감-小腸/ 소아증직결】治 小腸熱 小便不利 【淸熱利水】
		生地黃 木通 甘草 4 / 燈心 ⑴ 2g [14g] ▶ 동의보감에서는 去 등심 加 죽엽 7片 (또는 生地黃 12 木通 竹葉 8 甘草 4g [32g]) ▶ [참고] 증미도적산(增味導赤散)

도적지유탕	導赤地楡湯	【下91/ 보감-大便/ 集略】治 赤痢 及血痢
		地楡 當歸身 6 赤芍藥炒 黃連 黃芩 槐花炒 4 阿膠珠 荊芥穗 3 甘草炙 2g [36g]

도체탕	導滯湯	【下94/ 보감-大便/ 입문】治 下痢膿血 裏急後重 日夜無度
		白芍藥 8 當歸 黃芩 黃連 4 大黃 3 桂心 木香 檳榔 甘草 1.2g [27.8g] (또는 去 대황 加 진피 후박 산사 4) ⒑⁾ (또는 增 백작약 당귀 황금 加 지각 4) ⁷⁾

도핵승기탕	桃核承氣湯	= (도인승기탕)

도홍사물탕	桃紅四物湯	【의종금감】 養血活血 通絡調經 祛瘀止痛
사물탕 加 도인 홍화		桃仁 當歸 乾地黃 9 芍藥 川芎 紅花 6g [45g]

도화탕	桃花湯	【상한금궤】 溫中澁腸止痢 〈소음병-306〉下利 便膿血 (307) 腹痛 小便不利 下利 便膿血 【방극】治便膿血者 (방극산정)治腹痛下利 便膿血者

	1)현대: 赤石脂 32 粳米 28 乾薑 2g [62g] (赤石脂 30 粳米 30 乾薑 9)[8] (또는 粳米 42 赤石脂 16 乾薑 8)[19]
	2)원문: 赤石脂 1斤 粳米 1升 乾薑 1량

독삼관계이중탕 獨蔘官桂理中湯	【소음인/ 신축-補遺方】위수한리한병 〈少陰證〉
관계부자이중탕 去 부자 增 인삼	人蔘 20 白朮 乾薑炮 官桂 8 白芍藥 陳皮 炙甘草 4 / 大棗 ₂ 4g [60g] (또는 加 생강 4g) [14]

독삼부자이중탕 獨蔘附子理中湯	【소음인/ 신축-補遺方】위수한리한병 〈少陰證〉
독삼관계이중탕 加 부자	人蔘 20 白朮 乾薑炮 官桂 附子 8 白芍藥 陳皮 炙甘草 4 / 大棗 ₂ 4g [68g] (또는 加 생강 4g)

독삼탕 獨蔘湯	【보감-氣/ 醫說】少氣【보감-虛勞/ 活幼新書】治虛勞吐血後 羸弱氣微少
	大人蔘(去蘆) 80g / 大棗 ₅ 10g [90g]

독삼팔물탕 獨蔘八物湯	(팔물군자탕) 참조

독활기생탕 獨活寄生湯	【上88/ 보감-足/ 회춘『備急千金要方』治 肝腎虛弱 筋攣 骨痛 脚膝偏枯 冷痹【祛風濕 止痹痛 益肝腎 補氣血】
팔물탕 去 백출 加祛風濕藥	獨活 桑寄生 當歸 白芍藥 3 熟地黃 川芎 人蔘 白茯苓 牛膝 杜冲 秦艽 細辛 防風 肉桂 2 甘草 1.2 / 生薑 ₃ 4g [37.2g] ▶ [보감-足] 去 상기생(僞品 우려) 代 속단 ▶ 삼비탕 만금탕 강활속단탕 참조

독활지황탕 獨活地黃湯	【소양인/ 신축-신정방】위수열리열병 〈陰虛午熱〉治 食滯痞滿【신편】治食滯痞滿 〈陰虛午熱〉中風口眼 口中有冷涎逆上 亦嘔吐也 間兩日 痛 不發日二貼 朝暮服 限四十貼 口眼喎斜初症
육미지황탕B 去 산약 加 방풍 독활	熟地黃 16 山茱萸 8 茯苓 澤瀉 6 牧丹皮 防風 獨活 4g [48g]

독활탕 獨活湯	【보감-腰/ 동원】治 勞役腰痛如折
	當歸 連翹 6 羌活 獨活 防風 澤瀉 肉桂 4 防己 黃栢 大黃 甘草 2 / 桃仁 ₁₀ 4g [44g - 酒水各半煎]

두림주 豆淋酒	【中165/ 보감-婦人/ 本草】治 産後風
	黑豆(炒熱) ₁ 1되 清酒 ₃ 3되 – 배합하여 밀봉후 주량에 따라 복용

두속오화음 杜續五和飮	【晴崗】五積散 가감방/ 寒濕重著 牽引作痛, 痰滯凝結 腰重不利
오적산 去 마황 길경 지각 백지 건강 加 두충 속단 우슬	蒼朮 8 杜冲 續斷 牛膝 橘皮 半夏 赤茯苓 當歸 白芍藥 川芎 厚朴 桂枝 4 甘草 2 / 生薑 ₃ 4g [58g] [7,55]

레일라정 Layla	活血祛瘀 通絡止痛 – 골관절증의 증상완화
	當歸 木瓜 防風 續斷 五加皮 牛膝 威靈仙 肉桂 秦艽 川芎 天麻 紅花 25% 에탄올연조 405.4mg [1일 2회. 1회 1정]

마계온경탕 麻桂溫經湯	【傷科補要】治損上後 複感寒邪 周身關節疼痛, 治 痛痹
	麻黃 桂枝 赤芍 桃仁 紅花 白芷 細辛 甘草 (또는 加 生薑 葱白)

마계음	麻桂飮	【中31/ 경악전서】 治 傷寒 溫署 陰署 瘧疾 凡陰寒邪不能散者 非此不可
		當歸 12~16 麻黃 8~12 官桂 4~8 甘草炙 4 / 陳皮 ⁽¹⁾ (4g) 生薑 ⁽¹⁾ 9g [41~53g]
마자인환	麻子仁丸	【상한금궤】 潤腸通便 〈양명병-247〉 趺陽脈浮而澁~ 大便則硬 其脾爲約【방극】 治平日 大便祕者 (방극산정) 治胸腹滿 而拘攣 大便祕者 【JP】 급만성변비
		1)현대: 麻子仁 大黃 32 厚朴 杏仁 20 枳實 芍藥 16g [136g] (또는 麻子仁 10 大黃 枳實 8 杏仁 6 厚朴 芍藥 4g [40g])¹⁹⁾ 2)원문: 麻子仁 2升 大黃 1斤 厚朴 1尺 杏仁 1升 枳實 芍藥 0.5근 - 오자대 밀환, 1회 10환 ▶ 【JP】 麻子仁 5 大黃 4 厚朴 杏仁 枳實 芍藥 2 [17g] ▶ [보감-大便/ 局方] 비약환(脾約丸) : 大黃蒸 4량 枳實 厚朴 赤芍藥 2량 麻子仁 1.5량 杏仁 1.25량 [10.75량- 오자대 밀환, 1회 50환] - 治 小便數 大便難 名爲脾約證
마포황금탕	麻蒲黃芩湯	祛痰化濕 活血祛瘀 消食
		麻黃 杏仁 蒲黃 黃芩 12g [48g] (惑加 석창포 나복자 후박 8g) ⁷¹⁾
마행감석탕	麻杏甘石湯	【상한금궤】 宣肺泄熱 止咳平喘 〈태양병-63〉 汗出而喘 無大熱 (162) 下後 汗出而喘 無大熱 【방극】 治麻黃甘草湯證 而咳 煩渴者【JP】 소아천식 기관지천식
▶ 一名 마황행인감초석고탕 (麻黃杏仁甘草石膏湯)		1)현대A: 石膏 16 麻黃 8 杏仁 甘草 4g [32g] (또는 石膏 20 杏仁 8~)¹²⁾ 2)현대B: 石膏 30-40 麻黃 杏仁 15 甘草 10g [70-80g] 3)원문: 石膏 0.5근 麻黃 4량 杏仁 50개 甘草 2량 ▶ 【JP】 石膏 10 麻黃 杏仁 4 甘草 2g [20g]
마행의감탕	麻杏薏甘湯	【상한금궤】 解表祛濕 〈금궤2〉 病者一身盡疼 發熱 日晡所劇者 【방극】 治麻杏甘石湯證 而不煩渴 有水氣者 【JP】 관절통 신경통 근육통 (또는 사마귀, 수장각화증)
▶ 一名 마황행인의이감초탕 (麻黃杏仁薏苡甘草湯)		1)현대: 薏苡仁 12 麻黃 8 甘草 6 杏仁 4g [30g] (또는 薏苡仁 20~)¹²⁾ (또는 薏苡仁 16 麻黃 8 杏仁 甘草 4)¹⁹⁾ 2)원문: 薏苡 麻黃 0.5량 甘草 1량 杏仁 10개 ▶ 【JP】 薏苡仁 10 麻黃 4 杏仁 3 甘草 2g [19g]
마황가출탕	麻黃加朮湯	【상한금궤】 發汗解表 散寒除濕 〈금궤2〉 濕家身煩疼.. 發其汗爲宜 【방극】 治麻黃湯證 而小便不利者
		1)현대: 白朮 8 麻黃 杏仁 6 桂枝 4 甘草 2g [26g] 2)원문: 白朮 4량 麻黃 3량 杏仁 70개 桂枝 2량 甘草 1량
마황감초탕	麻黃甘草湯	= (감초마황탕)
마황금수탕	麻黃金水湯	【태음인/ 신편】【신편】 治傷寒頭痛 喘促
		麻黃 12 款冬花 麥門冬 8 杏仁 升麻 桔梗 葛根 黃芩 五味子 4 /白果 炒 6g [58g]

마황발표탕	麻黃發表湯	【태음인/ 신축-신정방】 위완수한표한병 〈背椎表病〉
		【신편】太陽症 無汗而喘, 或加升麻一錢 白果三箇
		桔梗 12 麻黃 6 麥門冬 黃芩 杏仁 4g [30g]

마황부자감초탕	麻黃附子甘草湯	【상한금궤】 扶陽解表 〈소음병-302〉 二三日無裏證 故微發汗也
		【방극】 治麻黃甘草湯證 而惡寒, 或身微痛者
		1)현대: 麻黃 甘草 4 附子 1g [9g]
		2)원문: 麻黃 甘草 2량 附子 1매

마황부자세신탕	麻黃附子細辛湯	【상한금궤】 助陽解表 〈소음병-301〉 少陰病 始得之 反發熱 脈沈
		【방극】 治麻黃附子甘草湯證 而不急迫, 有痰飮之變者
		【JP】 오한, 미열, 전신권태, 사지냉통, 저혈압성의 두통/현훈 등의 증상이 동반된 감기 기관지염 해수
		1)현대A: 麻黃 細辛 4 附子 2g [10g] (또는 麻黃 8 細辛 6 附子 2g) [12]
		2)현대B: 麻黃 細辛 附子 10g [30g]
		2)원문: 麻黃 細辛 2량 附子 1매
		▶【JP】 麻黃 4 細辛 3 附子(JP) 1g [8g]

마황부자탕	麻黃附子湯	【상한금궤】〈금궤14〉 水之爲病.. 發其汗卽已 脈沈者
		1)현대: 麻黃 6 甘草 4 附子 1g [11g]
		2)원문: 麻黃 3량 甘草 2량 附子 1매

| 마황세신부자탕 | 麻黃細辛附子湯 | = (마황부자세신탕) |

마황순주탕	麻黃醇酒湯	【상한금궤】〈금궤15〉 治黃疸【방극】 治喘而發黃, 或身疼者
		1)현대: 麻黃 6g (美淸酒 200ml에 전탕후 복용-)[19]
		2)원문: 麻黃 3량 醇酒 5승

마황승마탕	麻黃升麻湯	【상한금궤】〈궐음병-357〉 傷寒大下後.. 手足厥逆 咽喉不利 唾膿血 泄利
		1) 麻黃 7.5 升麻 當歸 3.5 知母 黃芩 葳蕤 2.5 石膏 白朮 乾薑 芍藥 天門冬 桂枝 茯苓 甘草 2g [38g]
		2)원문: 麻黃 2.5량 升麻 當歸 1량1분 知母 黃芩 葳蕤 18수 石膏 白朮 乾薑 芍藥 天門冬 桂枝 茯苓 甘草 6수(銖)

마황연교적소두 탕 ▶一名 마황연초적소두탕 (麻黃連軺赤小豆湯)	麻黃連翹赤小豆湯	【상한금궤】 解表淸熱 利濕消黃 〈양명병-262〉 傷寒 瘀熱在裏 身必黃
		1)현대: 赤小豆 28 桑白皮 20 大棗 6 麻黃 連翹根 杏仁 生薑 甘草 4g [74g] (또는 赤小豆 20 杏仁 8 桑白皮 麻黃 連翹 生薑 大棗 6 甘草 2 [60g]) [12]
		2)원문: 赤小豆 1승 梓白皮(代 桑白皮) 1승 大棗 12매 麻黃 連軺(=連翹 根) 生薑 甘草 2량 杏仁 40개

| 마황연초적소두 탕 | 麻黃連軺赤小豆湯 | = (마황연교적소두탕) |

마황적작탕	麻黃赤芍湯	= (영선제통음)
마황정천탕	麻黃定喘湯	【태음인/ 신축-신정방】 위완수한표한병-〈背椎表病〉治 哮喘 【신편】治 胸腹痛 喘氣 麻黃 12 杏仁 6 黃芩 蘿葍子 桑白皮 桔梗 麥門冬 款冬花 4 / 白果(炒黃)기름 12g [54g] (또는 백과 15g) 9)
마황정통탕	麻黃定痛湯	【태음인/ 신축-신정방】 위완수한표한병【신편】治 胸腹痛 薏苡仁 12 麻黃 蘿葍子 8 杏仁 石菖蒲 桔梗 麥門冬 五味子 使君子 龍眼肉 梔子仁 4 / 乾栗기름 12g [72 g]
마황조위탕	麻黃調胃湯	(태음조위탕) 참조
마황좌경탕	麻黃左經湯	【보감-足/ 三因】治 四氣流注足太陽經 腰脚攣痺重痛 增寒發熱 無汗惡寒 或自汗 頭疼 眩暈 羌活 4 麻黃 葛根 白朮 細辛 赤茯苓 防己 桂心 防風 甘草 3g [31g]
마황탕	麻黃湯	【상한금궤】發汗解表 宣肺平喘 〈태양병-35〉頭痛 發熱 身疼腰痛 骨節疼痛 惡風 無汗而喘 (36) 太陽與陽明合病 喘而胸滿 (37) 脈浮細 嗜臥 胸滿脇痛 與小柴胡湯, 脈但浮 與麻黃湯 (46) 其人發煩 目暝 劇者必衄, 陽氣重故也 (51) 脈浮者 可發汗 (52) 脈浮而數 (55) 傷寒 脈浮緊 不發汗 致衄 〈양명병-235〉脈浮 無汗而喘 (231,232) 陽明中風, 脈但浮 無餘證者 【방극】治喘而無汗 頭痛 發熱 惡寒 身體疼者 【JP】 오한 발열 두통 신체통 無汗 등의 증상이 있는 초기감기 독감 관절류 마티스증 천식 유아코막힘 1) 현대A : 麻黃 杏仁 6 桂枝 4 甘草 2g [18g] 2) 현대B : 麻黃 杏仁 15 桂枝 10 甘草 5g [45g] 3) 원문 : 麻黃 3량 桂枝 2량 甘草 1량 杏仁 70개 ▶ 【JP】 麻黃 杏仁 5 桂皮(JP) 4 甘草 1.5g [15.5g]
마황행인감초석고탕	麻黃杏仁甘草石膏湯	= (마행감석탕)
마황행인의이감초탕	麻黃杏仁薏苡甘草湯	= (마행의감탕)
만금문무탕	萬金文武湯	【태음인/ 신편】【신편】治 肺消 葛根 16 海松子 黃芩 藁本 8 天門冬 麥門冬 五味子 桔梗 升麻 白芷 大黃 蘿葍子 4g [72g]
만금탕	萬金湯	【上4/ 보감-風/ 득효】治風 補虛 及手足風 累驗/ 手指無力 독활기생탕 去 상기생 백작약 加 속단 續斷 杜冲 防風 白茯苓 牛膝 人蔘 細辛 桂皮 當歸 甘草 3 川芎 獨活 秦艽 熟地黃 1.5g [36g]
만령단	萬靈丹	= (보안만령단)
만병오령산	萬病五苓散	【下90/ 보감-大便/ 회춘】治 濕瀉 腹不痛 脈細

		赤茯苓 白朮 猪苓 澤瀉 山藥 陳皮 蒼朮 縮砂 肉豆蔻煨 訶子煨 3 桂枝 甘草 2 / 生薑 3 烏梅 2 / 燈心 2g [42g]
만병이진탕	萬病二陳湯	【보감-大便/ 회춘】治 痰濕泄瀉
		半夏 陳皮 赤茯苓 白朮 蒼朮 山藥 4 縮砂 厚朴 木通 車前子炒 甘草灸 2 / 生薑 4 烏梅 2 燈心 2g [42g]
만병해독단	萬病解毒丹	= (자금정)
만억환	萬億丸	【下99】治 大人小兒食滯 無所不可 痢痢亦可
		寒食麵 朱砂 巴豆霜 20g [60g]
만전목통탕	萬全木通湯	【下77/ 보감-小便: 萬全木通散/ 입문】治 膀胱熱 小便難而黃
		滑石 8 木通 赤茯苓 車前子炒 瞿麥 4g [24g]
만형자산	蔓荊子散	【中125/ 보감-耳/ 정전】治 腎經有風熱 耳中熱痛 出膿汁 或鳴或聾
		蔓荊子 赤茯苓 甘菊 麥門冬 前胡 生地黃 桑白皮 赤芍藥 木通 升麻 甘草 3 / 生薑 4 大棗 4g [41g] (또는 加 금은화 포공영) 9)
맥문동원지산	麥門冬遠志散	【태음인/ 신축-신정방】위완수한표한병 【신편】耳目聰明
		麥門冬 12 遠志 石菖蒲 4 五味子 2g [22g]
맥문동탕A	麥門冬湯A	【상한금궤】潤肺益胃 降逆下氣 〈금궤7〉大逆上氣(일부문헌: 火逆上氣) 咽喉不利 【JP】담이 적은 乾咳 또는 뱉기 어려운 기침, 기관지염, 기관지 천식
		1)현대A*: 麥門冬 15 半夏 粳米 10 大棗 6 人蔘 甘草 4g [49g] 2)현대B: 麥門冬 30-70 粳米 30 大棗 20 半夏 人蔘 10-15 甘草 10g [110-160g] 3)원문: 麥門冬 7승 半夏 1승 粳米 3합 大棗 12매 人蔘 甘草 2량 (다른 문헌: 人蔘 3량) ▶【JP】麥門冬 10 半夏 粳米 5 大棗 3 人蔘 甘草 2g [27g]
맥문동탕B	麥門冬湯B	【中29/ 보감-寒/ 海藏】治 勞復 氣欲絶 能起死回生
		甘草炙 12 麥門冬 8 / 粳米 20g(~30g) [40~50g]
맥문동탕C	麥門冬湯C	【태음인/ 신편】위완수한표한병 【신편】治傷寒半表裏 及表熱泄瀉
		麥門冬 12 葛根 桔梗 薏苡仁 8 黃芩 蘿葍子 五味子 4g [48g]
맥미지황환 육미지황원A 加 맥문동 오미자	麥味地黃丸	滋腎養肺, 治 肺腎陰虛咳嗽
		熟地黃 16 山藥 山茱萸 8 茯苓 澤瀉 牧丹皮 麥門冬 6 五味子 4g [60g]
맥탕산	麥湯散	【中181/ 의종손익】治 水痘
		地骨皮 甘草炙 滑石 4 麻黃 人蔘 熟地黃 知母 葶藶 羌活 1.2 / 小麥 1g [19.2g]

명목장수환	明目壯水丸	【보감-眼/ 의감】治肝腎不足 眼目昏暗 常見黑花 多下冷淚. 此壯水之主 以鎮陽光 補腎養肝 生血明目
		黃栢 知母 2.5량 熟地黃 生乾地黃 天門冬 麥門冬 山茱萸 甘菊 2량 枸杞子 1.6량 牛膝 1.3량 人蔘 當歸 五味子 免絲子 白茯神 山藥 栢子仁 澤瀉 牧丹皮 1량 白豆蔲 0.3량 [29.2량=1168g] 오자대 밀환, 1회 100환
모려탕	牡蠣湯	【상한금궤】〈금궤4〉治牝瘧 【방극】治麻黃甘草湯證 而胸中有動者
		1)현대: 牡蠣 麻黃 12 蜀漆 9 甘草 6g [39g] 2)원문: 牡蠣 麻黃 4량 蜀漆 3량 甘草 2량
모려택사산	牡蠣澤瀉湯	【상한금궤】 淸熱逐水 〈음양역차후노복병-395〉 大病差後 腰以下有水氣【방극】治身體水腫 腹中有動 渴而小便不利者
		1)현대: 牡蠣 澤瀉 蜀漆 葶藶子 商陸根 海藻 瓜蔞根 각 3g (또는 6g) [21 or 42g] 2)원문: 牡蠣 澤瀉 蜀漆 葶藶子 商陸根 海藻 瓜蔞根 각등분
모티리톤	Motilitone	行氣化痰 - 기능성 소화불량증
		玄胡索 : 牽牛子 (5:1) 50% 에탄올 연조엑스 30mg [1일 3회, 1회 1정]
목단지황탕	牧丹地黃湯	(형방지황탕) 참조
목방기거석고가복령망초탕	木防己去石膏加茯苓芒硝湯	【상한금궤】【방극】治心下痞堅 而悸者
		1)현대: 人蔘 茯苓 芒硝 8 防己 桂枝 4g [32g] 2)원문: 人蔘 茯苓 4량 芒硝 3합 防己 桂枝 2량
목방기탕	木防己湯	【상한금궤】補虛散飲 〈금궤12〉膈間支飲 其人喘滿 心下痞堅 面色黧黑 脈沈緊 【방극】治心下痞鞕 煩渴者 【JP】 안색이 어둡고 喘滿, 心下痞堅 등이 있는 심장 또는 신질환, 부종, 심장성천식
		1)현대: 石膏 24 人蔘 8 防己 6 桂枝 4g [42g] (또는 石膏 20 防己 8 人蔘 桂枝 6) [12] 2)원문: 石膏(鷄子大) 12매 人蔘 4량 防己 3량 桂枝 2량 ▶[JP] 石膏 10 防己 4 人蔘 桂皮(JP) 3g [20g]
목유산	木萸散	【中45/ 보감-霍亂/ 입문】治 霍亂 吐瀉 轉筋 逆冷
		木瓜 吳茱萸 食鹽 20g [60g]
목유탕	木萸湯	【中150/ 보감-足/ 입문】治 脚氣入腹 喘悶
		木瓜 檳榔 10 吳茱萸 6g [26g]
목통대안탕	木通大安湯	【소양인/ 신축-신정방】위수열리열병 - 治 浮腫
		木通 生地黃 20 赤茯苓 8 澤瀉 車前子 黃連 羌活 荊芥 防風 4g [72g]

목통무우탕	木通無憂湯	【소양인/ 신축,신편】비수한표한병 - 治 浮腫
형방지황탕 加 목통		木通 12 熟地黃 山茱萸 茯苓 澤瀉 8 車前子 羌活 獨活 荊芥 防風 4g [64g]

목향보명단	木香保命丹	【下5/ 보감-風/ 御藥】治 一切中風諸症
		木香 白附子 桂皮 杜冲 厚朴 藁本 獨活 羌活 海桐皮 白芷 甘菊 牛膝酒 浸 白花蛇 全蝎炒 威靈仙 天麻 當歸 蔓荊子 虎骨 天南星 防風 山藥 甘 草酥炙 赤箭 20 朱砂半爲衣 30 麝香 6g [516g]

목향빈랑환A	木香檳榔丸A	【儒門事親】治 濕熱食積 赤白痢疾 裏急後重【行氣導滯 泄熱通便】
		香附子 牽牛子 10 大黃 黃栢 5 木香 檳榔 靑皮 陳皮 莪朮 黃連 3g [48g]
		▶ 원문은 4량, 3량, 1량의 비율로서 총 20량 - 小豆大 수환, 1회 30환
		▶ [의방집해] 加 삼릉 지각 망초
		▶ [위생보감] 加 삼릉 지각 망초 황련 오수유

목향빈랑환B	木香檳榔丸B	【보감-氣/ 瑞竹堂方】治 濕熱氣滯脇痛
목향빈랑환A 加 황금 당귀 지각		大黃 4량 黑丑 黃芩 2량 木香 檳榔 黃連 當歸 枳殼 靑皮 陳皮 香附子 蓬朮 黃栢 1량 [18량=720g] 오다자 수환, 1회 50-70환

목향빈랑환C	木香檳榔丸C	【보감-三焦/ 局方】疎導三焦 快氣潤腸
		半夏麴 皀角 郁李仁 2량 木香 檳榔 枳殼 杏仁 靑皮 1량 [11량=440g] 제법 원문참조

목향순기산A	木香順氣散A	【소음인/ 신축】위수한리한병〈太陰證〉治 中氣病 中氣者 與人相爭 暴怒氣 逆 而暈倒也【보감-氣/ 회춘】治 中氣
		烏藥 香附子 靑皮 陳皮 厚朴 枳殼 半夏 4 木香 縮砂 2 桂枝 乾薑 甘草 炙 1.2 / 生薑 4 大棗 4g [43.6g]
		▶ [보감-氣] 去 대조

목향순기탕B	木香順氣湯B	【中63/ 보감-脹滿/ 寶鑑】治 濁氣在上 生䐜脹 宜先灸中脘 後服此
		厚朴 白茯苓 澤瀉 半夏 4 蒼朮 3 靑皮 陳皮 2.5 草豆蔲 人蔘 當歸 2 木香 乾薑 升麻 柴胡 甘草 1.5 益智仁 吳茱萸 1.2 / 生薑 4g [43.9g]

목향유기음	木香流氣飮	【보감-氣/ 정전】治諸氣痞痛 或腫脹
		陳皮 4 藿香 木香 厚朴 靑皮 香附子 麥門冬 白芷 沈香 3 白朮 肉桂 木 通 檳榔 紫蘇葉 2.5 草果 甘草 2 大腹皮 木瓜 人蔘 蓬朮 丁香皮 半夏 製 赤茯苓 石菖蒲 1.2 / 生薑 4 大棗 4g [58.1g]

목향조기산	木香調氣散	【보감-積聚/ 회춘】治 氣鬱
		烏藥 香附 枳殼 靑皮 陳皮 厚朴 蕪苛(=천궁) 蒼朮 4 木香 縮砂 2 桂皮 甘草 1.2 / 生薑 4g [42.4g]

문무보태음	文武保胎飮	【태음인/ 신편】【신편】治 胎漏下血 熱多者

葛根 16 山藥 黃芩 藁本 8 麥門冬 天門冬 五味子 桔梗 升麻 白芷 阿膠 酸棗仁 鹿角膠 6g [94g]

문합산	文蛤散	【상한금궤】 化痰軟堅 〈태양병-141〉 彌更益煩~ 意欲飮水 反不渴〈금궤13〉 渴欲飮水不止 【방극】 治渴者 (방극산정) 治欲飮水 反不渴者 1): 文蛤 10g 2)원문: 文蛤 5兩
문합탕	文蛤湯	【상한금궤】 淸裏疏表 〈금궤17〉 吐後 渴欲得水而貪飮者.. 兼主微風 脈緊 頭痛 【방극】 治煩渴而喘咳急者 (방극산정) 治大靑龍湯證 而不上衝 咳 喘急者 1)현대: 文蛤 石膏 10 麻黃 杏仁 生薑 大棗 甘草 6g [50g] 2)원문: 文蛤 石膏 5兩 麻黃 生薑 甘草 3兩 杏仁 50枚 大棗 12枚
미맥익기탕	味麥益氣湯	(보중익기탕A) 참조
미맥지황환	味麥地黃丸	= (맥미지황환)
미후등식장탕	獼猴藤植腸湯	【태양인/ 신축-신정방】 內觸小腸病〈嗜膈證〉 彌猴桃(또는 獼猴藤) 16 木瓜 葡萄根 8 蘆根 櫻桃肉 五加皮 松花 4 / 杵頭糠(저두강) 4g [52g]
밀전도	蜜煎導	【상한금궤】〈양명병-233〉 津液內竭 雖硬不可攻之 當須自欲大便 【방극】 治肛門乾燥 大便溢者 蜜 7홉(合): 灌腸用
박하전원	薄荷煎元	【下126/ 제중신편】 消風熱 化痰涎 利咽膈 淸頭目 治鼻衄 大小便血 薄荷 1근(=600g) 桔梗 200 甘草炙 160 防風 川芎 120 砂仁 20g [1220g]
반룡환	斑龍丸	【上62/ 보감-身形/ 정전】 延年益壽 鹿角膠 鹿角霜 菟絲子 柏子仁 熟地黃 8兩 白茯苓 破故紙 4兩 [48兩=1920g]
반석탕	礬石湯	【상한금궤】〈금궤5〉 治脚氣冲心 【방극】 治脚氣 痠弱 不仁 及上入搶心者 1)현대: 白礬(=礬石) 6g : 물에 끓인후 脚湯 2)원문: 礬石 2兩
반석환	礬石丸	【상한금궤】【방극】 治經水不利 下白物者 礬石 3분(分) : 杏仁 1분 - 이 비율로 밀환(棗核大)하여 腟에 삽입
반총산	蟠葱散	【下136/ 보감-前陰/ 입문】治 脾胃虛冷 心腹攻刺 連胸脇 膀胱 小腸 腎氣作痛 蒼朮 甘草 4 三棱 蓬朮 白茯苓 靑皮 3 砂仁 丁香皮 檳榔 2 玄胡索 官桂 乾薑 1.2 / 葱白 2 (~6g) [31.6~37.6g] ▶ 은회반총산(銀茴蟠葱散) : 加 금은화 소회향 하여 膵臟炎, 복강내 염증

질환 등에 응용 [76]

| 반하건강산 | 半夏乾薑散 | 【상한금궤】〈금궤17〉乾嘔 吐逆 吐涎沫【방극】治乾嘔 吐逆 涎沫者 |

1)현대: 半夏 乾薑 4g
2)원문: 半夏 乾薑 각등분

| 반하고주탕 | 半夏苦酒湯 | 【상한금궤】散結袪痰 淸熱消腫 斂瘡止痛 |

〈소음병-312〉咽中傷生瘡 不能語言 聲不出
【방극】治咽中生瘡 音瘂者

1)현대: 半夏 5g 鷄子白(=달걀흰자) 1개 苦酒(=식초) 40ml [19]
2)원문: 半夏 14개 鷄子 1매 苦酒

| 반하금출탕 | 半夏芩朮湯 | 【下132/ 보감-手/ 정전】治 痰飮 臂痛 不能擧 |

半夏 蒼朮 6 片芩 白朮 南星炮 香附子 3 陳皮 赤茯苓 2 威靈仙 甘草 1.2g [30.4g]
▶ [보감-手] 加 생강 6g

| 반하마황환 | 半夏麻黃丸 | 【상한금궤】〈금궤16〉心下悸者【방극】治喘而嘔者 |

半夏 麻黃 각등분: 밀환(小豆大) 하루 3회

| 반하백출천마탕 A | 半夏白朮天麻湯 A | 【中115/ 보감-頭/ 동원】治 脾胃虛弱 痰厥 頭痛如裂 身重如山 四肢厥冷 嘔 吐眩暈 |
| | | 【JP】위장허약자의 하지냉감 두통 현훈 (또는 오심구토 동반) |

【보험처방】

半夏 陳皮 麥芽 6 白朮 神麴炒 4 蒼朮 人蔘 黃芪 天麻 白茯苓 澤瀉 2 乾薑 1.2 黃柏 0.8 / 生薑 6g [46g] (또는 加 천궁 고본 사인) [10]
▶[晴崗] 가미하출탕(加味夏朮湯- 반하백출천마탕과 동일약물. 용량만 다름): 半夏 8 白朮 茯苓 橘皮 6 人蔘 黃芪 蒼朮 神麴炒 麥芽炒 澤瀉 天麻 4 乾薑炒 黃柏 2 / 生薑 6g [64g] [61]
▶[JP] 半夏 白朮 茯苓 陳皮 3 天麻 麥芽 2 人蔘 黃芪 澤瀉 1.5 黃柏 乾薑 1 生薑(JP) 0.5g [23g] (또는 加 神麴 2g)

| 반하백출천마탕 B | 半夏白朮天麻湯 B | 【의학심오】燥濕化痰 平肝熄風 |

白朮 12 半夏 6 天麻 茯苓 橘紅 4 甘草 2 / 生薑 3 大棗 6g [41g] (또는 加 만형자 4g) (또는 減 백출 4g)

| 반하복령탕 | 半夏茯苓湯 | = (적복령탕A) |

반하사심탕A	半夏瀉心湯A	【상한금궤】和胃降逆 開結除痞
		〈금궤17〉嘔而腸鳴 心下痞〈태양병-149〉但滿而不痛者 此爲痞
		【방극】治心下痞硬 腹中雷鳴者
		【JP】심하비경이 있으면서 때때로 식욕부진 오심구토 복명 연변 등이 있는 자의 급만성위장염 소화불량 발효성설사 위하수 트림 구내염 신경증

1)현대A: 半夏 12 黃芩 人蔘 乾薑 大棗 甘草 6 黃連 2g [44g]
2)현대B: 半夏 黃芩 人蔘(또는 黨參) 乾薑 15 大棗 20 甘草 5~15 黃連 5g [90~100g]
3)원문: 半夏 0.5승 黃芩 乾薑 人蔘 甘草 3량 大棗 12매 黃連 1량

		► 【JP】半夏 5 黃芩 人蔘 乾薑 大棗 甘草 2.5 黃連 1g [18.5g]
반하사심탕B	半夏瀉心湯B	【보감-寒/ 중경】治 傷寒嘔而發熱者 若心下滿而不痛 此爲痞 半夏瀉心湯主之 胃虛氣逆者 亦主之
【보험처방】		半夏製 8 黃芩 人蔘 甘草 6 乾薑 4 黃連 2 / 生薑 4 大棗 4g [34g]
반하산급탕	半夏散及湯	【상한금궤】化痰開結 散寒止痛〈소음병-313〉咽中痛 【방극】治咽喉痛 上衝急迫者
		1)현대: 半夏 桂枝 甘草 6g 2)원문: 半夏 桂枝 甘草 각등분
반하온폐탕	半夏溫肺湯	【中97/ 보감-痰飮/ 입문/ 醫學發明】治 中脘 有痰水 吐淸水 脈沈細弦遲 此 胃虛冷也
		半夏 陳皮 旋覆花 人蔘 細辛 桂心 桔梗 白芍藥 白茯苓 甘草 4 / 生薑 6g [46g]
반하후박탕	半夏厚朴湯	【상한금궤】理氣散結 降逆化痰〈금궤22〉婦人咽中如有炙臠 【방극】治咽中如有炙臠 或嘔 心下悸者 【JP】우울감 식도인후이물감이 있으면서 때때로 심계항진 현훈 오심이 있는 자의 불안신경증 신경성위염 입덧 쉰목소리 해수 불면
소반하가복령탕 加 후박 소엽 【보험처방】		1)현대A: 半夏 20 生薑 10 茯苓 8 厚朴 6 蘇葉 4g [48g] (또는 半夏 24~)[19] (또는 半夏 12~)[12] 2)현대B: 半夏 茯苓 20 厚朴 生薑 15 蘇葉 10g [80g] (또는 半夏 茯苓 12 生薑 厚朴 9 蘇葉 6g) [8] 3)원문: 半夏 1승 生薑 5량 茯苓 4량 厚朴 3량 蘇葉 2량 ► 【JP】半夏 6 茯苓 5 厚朴 3 蘇葉 2 生薑(JP) 1g [17g]
방기복령탕	防己茯苓湯	【상한금궤】益氣健脾 溫陽利水 〈금궤14〉皮水爲病 四肢腫 水氣在皮膚中 四肢聶聶動者 【방극】治四肢聶聶動 水氣在皮膚 而上衝者
		1)현대: 茯苓 12 防己 黃芪 桂枝 6 甘草 4g [34g] 2)원문: 茯苓 6량 防己 黃芪 桂枝 3량 甘草 2량
방기지황탕	防己地黃湯	【상한금궤】滋陰凉血 祛風通絡〈금궤〉治病如狂狀妄行 獨語不休 無寒熱 其 脈浮
		生地黃 2근 桂枝 防風 3분 甘草 2분 防己 1분 (다른문헌: 分 대신 錢으로 표기)
방기초목정력대 황환	防己椒目葶藶大 黃丸	【상한금궤】〈금궤12〉腹滿 口舌乾燥 此腸間有水氣 【방극】治腹滿 口舌乾燥 二便澁滯者
► 一名 기초력황환(己椒藶黃丸)		1)현대: 防己 椒目(蜀椒로 代用) 葶藶 大黃 각등분 - 밀환하여 1회 6~8g 씩 하루 3회 2)원문: 防己 椒目 葶藶 大黃 1량
방기황기탕	防己黃芪湯	【상한금궤】益氣祛風 健脾利水 〈금궤2〉風濕 脈浮 身重 汗出惡風者〈금궤14〉治風水 脈浮爲在表 其人或頭

汗出 表無他病 病者但下重 從腰以上爲和 腰以下當腫及陰 難以屈伸
【방극】治水病 身重 汗出 惡寒 小便不利者
【JP】 피부색이 희고 물살이면서 易疲勞 多汗한 자(또는 소변불리 하지부종 슬관절종통 동반자)의 비만 하지관절통 관절염 부종 신염 신증 피부질환 다한증 월경불순

1)현대A*: 黃芪 10 防己 8 白朮 生薑 大棗 6 甘草 4g [40g]
2)현대B: 黃芪 30 防己 白朮 生薑 大棗 15 甘草 3g [93g]
3)원문: 黃芪 1량1분 防己 1량 甘草 0.5량 白朮 7.5전 生薑 4편 大棗 1매
▶【JP】黃芪 防己 5 白朮(蒼朮) 大棗 3 甘草 1.5 生薑(JP) 1g [18g]

방풍충화탕　防風冲和湯

강활충화탕(=구미강활탕) 去 창출 代 백출

【보감-寒/ 입문】治春夏秋感冒風寒 頭痛身熱 自汗惡寒 脈浮緩

羌活 防風 6 白朮 川芎 白芷 生地黃 黃芩 4 細辛 甘草 2 / 生薑 4 葱白 4g [44g]

방풍통성산A　防風通聖散A

【下4/ 보감-風, 火/ 宣明】治 諸風熱 或瘡疹黑陷 或風熱瘡疥 頭生白屑 面鼻紫赤 肺風瘡 大風癩疾 或熱結二便不通 並解酒毒
【一貫堂醫學】臟毒證體質 - 驅瘀藏毒劑【疏風解表 瀉熱通便】
【JP】 복부비만 변비경향자의 고혈압 동반증상(두근거림, 어깨결림, 안면홍조) 비만 부종 변비

滑石 8 甘草 5 石膏 黃芩 桔梗 3 大黃 當歸 川芎 赤芍藥 防風 麻黃 薄荷 連翹 芒硝 2 荊芥 白朮 梔子 1.5g / 生薑 6g [50.5g]
▶ [보감-耳/ 입문] 주제통성산(酒製通聖散) : 去 활석 망초 이후에 나머지 약재를 酒炒 - 治 耳聾(風熱鬱者)
▶ [보감-鼻/ 의감] 황련통성산(黃連通聖散) : 加 황련(酒炒) 박하 - 治 鼻淵
▶【JP】滑石 3 甘草 石膏 黃芩 桔梗 白朮 2 大黃 1.5 當歸 川芎 芍藥 防風 荊芥 麻黃 薄荷 連翹 梔子 1.2 芒硝 0.7 生薑(JP) 0.3g [26.3g]

방풍통성산B　防風通聖散B

【소양인/ 갑오,신편】【신편】治裡熱 陰虛火動 爲消渴 及面目口鼻牙齒之病 。小兒疳氣 肥瘦症

1)갑오본: 滑石 生地黃 8 防風 石膏 4 羌活 獨活 柴胡 前胡 薄荷 荊芥 烏實(=우방자) 梔子 2g [40g]
2)신편: 滑石 生地黃 防風 石膏 羌活 獨活 柴胡 前胡 薄荷 荊芥 烏實 梔子 2g [24g]

배기음　排氣飮

【경악전서】治 氣逆 食滯脹痛

香附子 烏藥 澤瀉 8 藿香 枳殼 陳皮 6 厚朴 木香 4g [50g] (또는 去 택사 加 창출 빈랑 사인 생각. 增 향부자 12) [7]

배농산　排膿散

【상한금궤】治瘡癰 腸癰 【방극】治瘡家 胸腹拘滿 若吐粘痰, 或便膿血者

1)현대: 枳實 芍藥 12 桔梗 4g -鷄子黃(계란노른자)와 함께 복용 [24-28g] (또는 2:2:1 비율)왕황
2)원문: 枳實 16매 芍藥 6분 桔梗 2분 鷄子黃 1매

배농산급탕　排膿散及湯

【華岡靑州】排膿消腫

배농산+배농탕		【JP】 발적, 종창, 동통을 동반한 피부질환 화농증 종기 등 ▶【JP】 大棗 4 桔梗 甘草 枳實 芍藥 3 生薑(JP) 1g　[27g]
배농탕	排膿湯	【상한금궤】 治癰癤 腸癰　【방극】 治膿血及粘痰 急迫者 1)현대: 桔梗 9 大棗 8 甘草 6 生薑 3g　[26g] (또는 桔梗 10 大棗 12~) 12) 2)원문: 桔梗 3량 大棗 10매 甘草 2량 生薑 1량
백강잠산	白殭蠶散	【下110/ 보감-眼/ 입문】 治 肺虛遇風 冷淚出 黃桑葉 40 木賊 旋覆花 荊芥穗 白殭蠶 甘草 12 細辛 20g　[120g] 1회 28g 식후 복용
백개자산	白芥子散	【보감-手/ 득효】 治七情鬱結 營衛凝滯 肩臂背胛牽引作痛 時發時止 白芥子 木鱉子 40 沒藥 木香 桂心 10g　[110g] - 1회 4g 온주(溫酒)와 복용
백두옹가감초아교탕	白頭翁加甘草阿膠湯	【상한금궤】 淸熱治痢 益氣養血 〈금궤21〉 産後下利虛極 【방극】 治白頭翁證 而有血證 急迫者 1)현대: 黃連 黃柏 秦皮 6 白頭翁 甘草 阿膠 4g　[30g] 2)원문: 黃連 黃柏 秦皮 3량 白頭翁 甘草 阿膠 2량
백두옹탕	白頭翁湯	【상한금궤】 淸熱解毒 凉血止痢 〈궐음병-371〉 熱利下重 (373) 下利 欲飮水者 有熱故也 【방극】 治熱利下重 而心悸者 1)현대: 黃連 黃柏 秦皮 9 白頭翁 6g　[33g] 2)원문: 黃連 黃柏 秦皮 3량 白頭翁 2량
백미원	白薇元	【보감-眼/ 득효】 治 漏睛膿出 白薇 20 防風 羌活 白蒺藜炒 石榴皮 10g　[60g] 오자대 호환, 1회 30환
백산	白散	= (길경백산)
백엽탕	柏葉湯	【상한금궤】 〈금궤16〉 吐血不止者 1)현대: 栢葉(=側栢葉) 乾薑 艾葉 9g　[18g] 2)원문: 柏葉 乾薑 艾 3파(把) 馬通汁 1승
백출부자탕 ▶一名 계지부자거계가백출탕 (桂枝附子去桂加白朮湯) 거계기백출탕(去桂加白朮湯)	白朮附子湯	【상한금궤】 溫經散寒 健脾利濕 〈태양병-174〉 風濕相搏 身體疼煩 不能自轉側... 大便硬 小便自利 【방극】 治桂枝附子湯證 而不上衝 大便硬 小便自利者 1)현대: 白朮 8 生薑 大棗 6 甘草 4 附子 2g　[26g] 2)원문: 白朮 4량 生薑 3량 大棗 12매 甘草 2량 附子 3매 (금궤: 상기처방의 1/2 용량)
백출산A	白朮散A	【상한금궤/ 외대비요】 健脾養胎 溫中祛寒 〈금궤20〉 姙娠養胎 1)현대: 白朮 川芎 4 蜀椒 3 牡蠣 2g　[13g]

2)원문: 白朮 苟蔄 4분 蜀椒 3분 牡蠣 2분(分) (다른문헌: 蜀椒 외의 용량 미기재)

백출산B	白朮散B	【上120/ 보감-小兒/ 소아약증직결】治吐瀉日久 津枯 煩滿 引飲 欲成慢驚 【健脾止瀉 退虛熱】
사군자탕 加 갈근 곽향 목향 ▶ 一名 전씨백출산(錢氏白朮散) 칠미백출산(七味白朮散)		葛根 8 人蔘 白朮 白茯苓 木香 藿香 甘草 4g ［32g］ ▶ 가미전씨백출산 증손백출산 참조
백출작약산	白朮芍藥散	= (통사요방)
백출탕	白朮湯	【보감-咳嗽/ 제생방】治濕嗽 痰多 身體重着 脈濡細
【보험처방】		白朮 12 半夏 橘紅 白茯苓 五味子 6 甘草 2 / 生薑　6g ［39.4g］
백통가저담즙탕	白通加猪膽汁湯	【상한금궤】破陰回陽 宣通上下 〈소음병-315〉利不止 厥逆無脈 乾嘔煩
		1)현대: 葱白 2본(本) 乾薑 附子 2 人尿 40 猪膽汁 8g (또는 葱白 4 乾薑 2 附子 2~3 猪膽 4g 人尿 20ml)[19] 2)원문: 葱白 4경(莖) 乾薑 1량 附子 1매 人尿 5합(合) 猪膽汁 1합
백통탕	白通湯	【상한금궤】破陰回陽 宣通陽氣 〈소음병-314〉下利
		1)현대: 葱白 2본(本) 乾薑 附子 2g (또는 葱白 6 乾薑 附子 3g) [19,43] 2)원문: 葱白 4경(莖) 乾薑 1량 附子 1매
백하오군자탕	白何烏君子湯	【소음인/ 신축】신수열표열병 〈鬱狂證〉
팔물군자탕 去 인삼 加 백하수오		白何首烏 8 黃芪 白朮 當歸 川芎 白芍藥 陳皮 炙甘草 4 / 生薑　4 大棗　4g ［44g］
백하오부자이중탕	白何烏附子理中湯	【소음인-신축】위수한리한병 〈太陰證〉【신편】治太陰症 胃寒吐蛔
		白何首烏 白朮炒 白芍藥微炒 桂枝 炮乾薑 8 陳皮 炙甘草 炮附子 4g ［52g］
백하오이중탕	白何烏理中湯	【소음인/ 신축-신정방】위수한리한병 〈太陰證〉
		白何首烏 白朮炒 白芍藥炒 桂枝 乾薑炮 8 陳皮 甘草炙 4g ［48g］
백합고금탕	百合固金湯	【의방집해-趙羲庵】滋腎補肺 養陰淸熱 潤肺化痰
		熟地黃 12 生地黃 8 麥門冬 6 百合 白芍藥炒 當歸 貝母 甘草 4 玄蔘 桔梗 3g ［52g］ (또는 百合 麥門冬 12 ~)
백합지모탕	百合知母湯	【상한금궤】淸熱養陰 〈금궤3〉百合病 發汗後者
		1)현대: 百合 14 知母 9g ［23g］ 2)원문: 百合 7매 知母 3량
백합지황탕	百合地黃湯	【상한금궤】滋陰淸熱 〈금궤3〉百合病 不經吐下發汗 病形如初者
		1)현대: 百合 18 生地黃 12g ［30g］[24] 2)원문: 百合 7매 生地黃汁 1승

백호가계지탕	白虎加桂枝湯	【상한금궤】淸熱通絡止痛〈금궤4〉身無寒但熱 骨節疼煩 時嘔 【방극】治白虎湯證 而上衝者
		1)현대A: 石膏 32 粳米 18 知母 12 桂枝 6 甘草 4g [72g] 2)현대B: 石膏 80 粳米 40 知母 30 桂枝 15 甘草 10g [175g] 3)원문: 石膏 1근 粳米 2합 知母 6량 桂枝 3량 甘草 2량
백호가인삼탕	白虎加人蔘湯	【상한금궤】淸熱益氣生津 〈태양병-26〉大汗出後 大煩渴 脈洪大 (168) 熱結在裏 表裏俱熱 時時惡風 大渴 舌上乾燥而煩 欲飮水數升 (169) 無大熱 口燥渴 心煩 背微惡寒 (170) 渴欲飮水 無表證者 〈양명병-222〉渴欲飮水 口乾舌燥〈금궤2〉汗出惡寒 身熱而渴 【방극】治白虎湯證 而心下痞硬者 【JP】갈증, 열감 (또는 당뇨병초기, 일사병, 열성질환)
		1)현대A: 石膏 32 粳米 18 知母 12 人蔘 6 甘草 4g [72g] 2)현대B: 石膏 80 粳米 40 (또는 山藥 30) 知母 30 人蔘 15 甘草 10g [175g] 3)원문: 石膏 1근 粳米 6합 知母 6량 人蔘 3량 甘草 2량 ▶【JP】石膏 15 粳米 8 知母 5 人蔘 3 甘草 2g [33g] (또는 人蔘 1.5g)
백호탕A	白虎湯A	【상한금궤】淸熱生津〈태양병-176〉傷寒 脈浮滑〈양명병-219〉若自汗出〈궐음병-350〉傷寒脈滑而厥者 裏有熱 【방극】治大渴引飮 煩躁者
		1)현대A: 石膏 32 粳米 18 知母 12 甘草 4g [66g] 2)현대B: 石膏 80 粳米 40 (또는 山藥 30) 知母 30 甘草 10g [160g] 3)원문: 石膏 1근 粳米 6합 知母 6량 甘草 2량
백호탕B	白虎湯B	【下7/ 보감-寒/ 입문/ 중경】治 陽明經病 汗多 煩渴 脈洪大
		石膏 20 知母 8 甘草 3 / 粳米 100g [131g]
벽옥산	碧玉散	(호금청담탕) 참조
보기양혈탕	補氣養血湯	【보감-婦人/ 회춘】治小産後下血不止
		人蔘 黃芪 當歸 白朮 白芍藥(酒炒) 艾葉 阿膠 川芎 靑皮 香附子炒 縮砂 甘草灸 4g [48g]
보비탕	補脾湯	【보감-脾臟/ 三因】治脾藏虛冷 嘔吐泄瀉 飮食不消
		麥芽炒 甘草灸 1.5량 人蔘 白茯苓 草果 乾薑炮 1량 厚朴 陳皮 白朮 0.75량 [8.75량=350g : 20g씩 물에 달여 복용]
보생탕	保生湯	【上105/ 보감-婦人/ 良方】治 惡阻 或惡聞食氣 或吐淸水
		白朮 香附子 烏藥 橘紅 8 人蔘 甘草 4 / 生薑 4g [44g] ▶ 귤령보생탕(橘苓保生湯) 참조
보생팔진탕	保生八珍湯	【晴崗】姙娠虛弱으로 食少氣困 貧血眩暈
가미팔진탕 去 해삼 천궁, 加 사삼, 增 백출		白朮 8 沙蔘 白茯苓 當歸 白芍藥 熟地黃 6 砂仁 橘皮 甘草 4g/生薑

		4 大棗 4g [58g]

보신지황원 補腎地黃元 【보감-消渴/ 단심】治腎消 能降心火 益腎水 止消渴 明耳目

黃栢 600 生地黃 300 白茯苓 160 熟地黃 天門冬 人蔘 甘菊 80 條苓(酒炒) 當歸 枳殼 麥門冬 片苓 40g [1580g -제법 원문참조] 오자대 수환, 1회 70-90환

보신탕 補腎湯 【보감-腰/ 의감】治 腎虛腰痛

破故紙炒 茴香(鹽酒炒) 玄胡索(酒炒) 牛膝(酒洗) 當歸(酒洗) 杜仲(酒炒) 黃栢(鹽酒炒) 知母(鹽酒炒) 4 / 生薑 4g [36g]

보심건비탕 補心健脾湯 【肝系內科學】怔忡 煩心 不安 焦燥 不眠 飲食無味 胃脘痞悶疼痛 嘈雜 便祕

가미온담탕+정전가미이진탕

香附子 9 山棗仁炒 8 山査 麥芽炒 6 陳皮 5 半夏 竹茹 枳實 川芎 蒼朮 白朮 茯苓 厚朴 藿香 砂仁 神麯 甘草 3 木香 2/ 生薑 6g [78g]

보심환 補心丸 【보감-神/ 정전】治 心虛手振

酸棗仁炒 柏子仁 3량 遠志(薑汁炒) 1.5량 當歸 生乾地黃 甘草 1.5량 人蔘 1량 茯神 0.7량 石菖蒲 0.6량 牛膽南星 半夏麴 0.5량 琥珀 0.3량 川芎 麝香 0.1량 / 朱砂 0.5량(爲衣) 金箔 20편 [13.3+량=532+g]- 녹두대환, 1회 70-80환

보아탕 補兒湯 小兒氣血兩虛 食慾不振

십전대보탕 去 인삼 육계 숙지황, 加 補陰藥 理氣藥

黃芪蜜炙 6 當歸 川芎 白芍藥 白朮 茯苓 甘草 龍眼肉 枸杞子 山藥 陳皮 4 白荳蔲 3 砂仁 木香 2 益智仁 1 / 生薑 大棗 4 [62g] (또는 黃芪 龍眼肉 8 ~) 79.80)

보안만령단 保安萬靈丹 【合編-增補/ 外科正宗】治 癰疽 風寒濕痺 走注痰痛 鶴膝風 癱瘓 喎斜 不遂 血氣凝滯 【解毒消癰 舒筋活血 祛風止痛】

▶ 一名 만령단(萬靈丹)

蒼朮 320 麻黃 荊芥 羌活 防風 細辛 川烏(蕩通) 草烏(蕩通) 川芎 石斛 全蝎 當歸 甘草 天麻 何首烏 40 石雄黃 24g [904g] 밀환으로 1일 2회 복용 (또는 去 석웅황 減 천오 초오 25g)100) ▶ [이명] 만령단(萬靈丹)

보양환오탕 補陽還五湯 【의림개착】補氣 活血 通絡

黃芪 120 當歸尾 6 赤芍藥 5 川芎 桃仁 紅花 地龍 3g [143g] (또는 황기 40. 나머지 各 4g [64g])

보원탕A 保元湯A 【上121/ 보감-小兒/ 의감】治 痘疹二三日 根窠雖圓而頂陷 氣虛弱 血難聚 加川芎 官桂

人蔘 8 黃芪 甘草 4 / 生薑 1.5g [17.5g]
▶ [보감-小兒/ 동원] 황기탕(黃芪湯) : 황기 8 인삼 4 감초 2g [14g: 加 백작약 4g 尤妙] - 治慢驚風 大便泄靑色, 一名 保元湯

보원탕B 保元湯B 【博愛心鑑】 小兒元氣不足, 痘疹 【益氣溫陽】

黃芪 12 人蔘 甘草 4 肉桂 2-3g / 生薑 1.5g [23.5-24.5g]

보음익기전 補陰益氣煎 【上10/ 경악전서】治 陰虛 外感寒熱 痃癖 祕結 陰不足 邪外侵 神效

보중익기탕 加 숙지황 산약		熟地黃 12~80 人蔘 山藥 8 當歸 陳皮 甘草 4 升麻 1~2 柴胡 4~8 / 生薑 6g [51~124g]
보음전	保陰煎	【경악전서】 滋陰淸熱 凉血止血, 治 血崩 月經先期
		生地黃 熟地黃 白芍藥 8 山藥 續斷 黃芩 黃栢 6 甘草 4g [52g]
보음탕	補陰湯	【만병회춘】 治 腎虛腰痛
		當歸 茯苓 芍藥 生地黃 熟地黃 陳皮 牛膝 破古紙 杜沖 小茴香 4 知母 黃栢 3 人蔘 2 甘草 1.5 /大棗 4 [53.5g] (또는 當歸 茯苓 6 人蔘 4 甘草 生薑 大棗 2 ~)
보익양위탕	補益養胃湯	脾胃虛 慢性胃炎 元氣不足 食慾不振 無力
보중익기탕+향사양위탕 (去 당귀 창출 승마 시호)		黃芪 6 白朮 山藥 砂仁 山査 甘草 4 香附子 厚朴 陳皮 半夏 白荳蔲 神麯炒 白茯苓 麥芽炒 3 益智仁 木香 人蔘 2 / 生薑 大棗 6g [68g] [9.85]
보장건비탕	保腸健脾湯	健脾消食止瀉 - 급만성장염 설사 과민성대장염
대화중음+삼맥탕 加味		金銀花 20 山査 白朮炒 白芍藥炒 茯苓 白扁豆炒 山藥炒 8 澤瀉 陳皮 厚朴 6 神麯炒 麥芽炒 生薑 4 木香 砂仁 3 甘草炙 2g [106g] [87]
보정탕	保精湯	【보감-精/ 의감】 治 陰虛火動 夜夢 遺精
		當歸 川芎 白芍藥 生地黃(薑汁炒) 麥門冬 黃栢(酒炒) 知母(蜜炒) 黃連(薑汁炒) 梔子(童便炒) 乾薑(炒黑) 牡蠣粉 山茱萸 2g [24g]
보제소독음자	普濟消毒飲子	【보감-溫疫/ 동원】 治天行大頭瘟【淸熱解毒 疏風散邪】
		黃芩 黃連 20 人蔘 12 陳皮 桔梗 玄蔘 柴胡 甘草 8 牛蒡子 馬勃 板藍根(없으면 代 靑黛) 連翹 4 升麻 白殭蠶 2g [112g] ► 보제소독음(普濟消毒飲): 去 인삼 加 박하 4g
보제해독단	普濟解毒丹	= (감로소독단)
보중양위탕		【소음인】 보중익기탕B 合 향사양위탕C
보중익기탕A	補中益氣湯A	【上22/ 보감-內傷/ 동원】 治 勞役太甚 或飲食失節 身熱 自汗 【補中益氣 升陽擧陷】 【JP】 소화기능이 약하고 사지권태가 현저한 體虛者의 中暑 병후체력증강 결핵 식욕부진 위하수 감기 치질 탈항 자궁하수 陰痿 다한증
【보험처방】		黃芪 6 人蔘 白朮 甘草 4 當歸身 陳皮 2 升麻 柴胡 1.2g [24.4g] ►【JP】 黃芪 蒼朮 人蔘 4 當歸 3 柴胡 大棗 陳皮 2 甘草 1.5 升麻 1 生薑(JP) 0.5g [24g] ► [보감- 內傷] 春. 加 형개 방풍 자소엽 천궁 박하 시호 (一名 보중익기탕 춘방)/ 夏. 加 갈근 석고 맥문동 박하. 倍 승마 시호 / 秋. 加 강활 방풍 형개 / 冬. 加 마황 계지 건강 ► [보감- 內傷: 酒病治法] 去 백출 加 반하 백작약 황금 황백 갈근 천궁 하여 治 中酒 頭痛嘔吐眩暈 (一名 보중익기탕 중주방) ► 미맥익기탕(味麥益氣湯): 加 오미자 2~4 맥문동 4~8g - 생맥산 合方 의 의미로서 治 咳嗽 傷暑熱 ► 가감보중익기탕 : 加 맥문동 치자 신이 4 세신 2g 하여 治 鼻塞 鼻淵

頭痛 9)

▶ 택차보중익기탕(澤車補中益氣湯): 加 택사 8 차전자 6 목향 빈랑 2g [42.4g] 益氣 利水通淋하여 脾腎氣虛로 인한 勞淋 등을 治 22.81) (또는 택사 차전자 4 목향 빈랑 3g : 一名 보중이신탕補中利腎湯) 9)

▶ [참조] 보음익기전, 보익양위탕, 익기보혈탕, 익위승양탕, 조중익기탕

보중익기탕B	補中益氣湯B	【소음인/ 신축-신정방】 신수열표열병 〈亡陽證〉 亡陽初證
		【신편】治太陽症之亡陽初證 勞倦虛弱 身熱心煩 自汗 倦怠 疝症
		人蔘 黃芪 12 白朮 當歸 陳皮 炙甘草 4 藿香 蘇葉 2 / 生薑 4 大棗 4g [52g]

보중치습탕	補中治濕湯	【中60/ 보감-浮腫/ 醫林集要】通治水病 補中 行濕 利水
		人蔘 白朮 4 蒼朮 陳皮 赤茯苓 麥門冬 木通 當歸 3 黃芩 2 厚朴 升麻 1.2g [30.4g]

보태음	保胎飮	【태음인/ 신편】【신편】治 胎漏下血 寒者
		乾栗 12 海松子 五味子 麥門冬 石菖蒲 桔梗 麻黃 阿膠 鹿角膠 6 酸棗仁 升麻 4g [70g]

보태지황탕	保胎地黃湯	(육미지황탕B) 참조

보폐양영전	保肺養營煎	【晴崗】四物合二陳湯 변방/ 淸熱祛痰, 滋補津液하여 治 慢性咳嗽
		生乾地黃 白芍藥 沙蔘 6 當歸 麥門冬 白茯苓 橘皮 貝母 桔梗 杏仁 4 五味子 3 甘草 2 / 生薑 4 大棗 4g [59g] 7.59)

보폐원탕	補肺元湯	【태음인/ 신축-신정방】 위완수한표한병 〈胃脘寒證〉
		【신편】治小兒泄瀉十餘次 必發慢驚 以此豫防
		麥門冬 12 桔梗 8 五味子 4g [24g]
		▶ 加 산약 의이인 나복자 4g 則尤妙 : [신편]에서는 산약보폐원탕(山藥補肺元湯) 처방명으로 사용 [36g]

보폐탕	補肺湯	【보감-咳嗽/ 단심】治 勞嗽
		熟地黃 桑白皮(蜜炒) 12 人蔘 黃芪 紫菀 五味子 4g [40g- 봉밀 1수저(一匙)와 같이 복용]

보허생화탕	補虛生化湯	(생화탕) 참조

보허양영탕 십전대보탕 去 육계 加 귤피	補虛養營湯	【晴崗】産後 虛損無力 氣盡血脫
		熟地黃 人蔘 當歸 黃芪 6 白芍藥炒 川芎 白朮 橘皮 白茯苓 甘草 4g/生薑 4 大棗 4g [56g]

보허음	補虛飮	【보감-頭/ 입문】治氣鬱涎盛 面熱怔悸 及風虛眩暈
		人蔘 麥門冬 山藥 4 白茯苓 茯神 3 半夏製 黃芪 3 前胡 熟地黃 2 枳殼 遠志(薑製) 甘草灸 1.2 / 生薑 6 秫米(출미=찰기장) 4g [41.6g]

보허탕	補虛湯	【上116/ 보감-婦人/ 입문】産後當 大補氣血 雖有雜症 末治之

[보험처방]		人蔘 白朮 6 當歸 川芎 黃芪 陳皮 4 甘草 3 / 生薑 4g [35g]
보혈안신탕	補血安神湯	補血 安神 養心 – 血虛로 인한 諸神經症
		山藥炒 當歸 8 龍眼肉 薏苢子 6 麥芽炒 神麯炒 山棗仁炒 白芍藥炒 乾地黃 麥門冬 茯神 4 遠志 川芎 黃芩 五味子 3 甘草 甘菊 1g [70g] ▶ 또는 加 白朮 6 사인 2g 增 건지황 6 감초 2g [81g] 70)
보화환A	保和丸A	【下39/ 보감-積聚/ 의감】一切食傷 及積聚痞塊
		白朮 5량 陳皮 半夏 赤茯苓 神麯 山査肉 3량 連翹 香附子 厚朴 薏苢子炒 2량 枳實 麥芽 黃連 黃芩 1량 [32량=1280g] 오자대 환, 1회 50-70환
보화환B	保和丸B	【보감-積聚/ 단심, 정전】治 食積酒積【消食和胃】
		1) 동의보감(단계심법 인용): 山楂肉 40 半夏薑制 薏苢子炒 黃連炒 陳皮 20 神麯炒 12 麥芽炒 8g [140g] 오자대 환(神麯糊), 1회 50-70환 2) 동의보감(의학정전 인용) : 山楂 5량 神麯 半夏 3량 茯苓 陳皮 薏苢子 連翹 麥芽炒 1량 [16량] 3) 단계심법 원문: 山査 6량 半夏 茯苓 3량 神麯 2량 陳皮 連翹 薏苢子 1량 [17량] (惑加 麥芽)
복령감초탕	茯苓甘草湯	【상한금궤】溫胃化飮 通陽行水 〈태양병-73〉傷寒 汗出.. 不渴者〈궐음병-356〉厥而心下悸 【방극】治心下悸 上衝 而嘔者
		1)현대: 生薑 6 茯苓 4~6 桂枝 4 甘草 2g [16~18g] 2)원문: 生薑 3량 茯苓 桂枝 2량 甘草 1량
복령계지감초대조탕	茯苓桂枝甘草大棗湯	= (영계감조탕)
복령계지백출감초탕	茯苓桂枝白朮甘草湯	= (영계출감탕)
복령계지오미감초탕	茯苓桂枝五味甘草湯	= (영계미감탕)
복령반하탕	茯苓半夏湯	【합편-補遺方/ 보감-嘔吐/ 회춘】治痰飮停胃 嘔吐不止
		半夏 8 赤茯苓 陳皮 蒼朮 厚朴 4 藿香 3 縮砂 乾薑 甘草炙 2 / 生薑 4 烏梅 2g [39g]
복령보심탕A	茯苓補心湯A	【中93/ 보감-血/ 삼인】治 勞心吐血【보감-婦人/ 회춘】虛勞熱嗽無汗
사물탕 + 삼소음 [보험처방]		白芍藥 8 熟地黃 6 當歸 5 川芎 白茯苓 人蔘 半夏 前胡 3 陳皮 枳殼 桔梗 葛根 蘇葉 甘草 2 / 生薑 6 大棗 4g [56g] ▶ [회춘-虛勞] 加 목향
복령보심탕B	茯苓補心湯B	【보감-津液/ 회춘】治心汗 心汗者 心孔有汗 別處無也 因七情鬱結而成
		白茯苓 人蔘 白朮 當歸 生地黃 酸棗仁炒 白芍藥 麥門冬 陳皮 黃連 4

		朱砂 2 甘草 1.2 / 大棗 ₄ 4 烏梅 ₂ 2 浮小麥 ₂ 2g [53.2g]

복령사역탕	茯苓四逆湯	【상한금궤】回陽救逆益陰〈태양병-69〉發汗 若下之 病仍不解 煩躁者 【방극】治四逆加人蔘湯證 而悸者
		1)현대: 茯苓 12 甘草 6 乾薑 4.5 人蔘 3 附子 2g [27.5g] (또는 茯苓 8 甘草 乾薑 人蔘 4 附子 2g)[12] 2)원문: 茯苓 4량 甘草 2량 乾薑 1.5량 人蔘 1량 附子 1매

복령융염탕	茯苓戎鹽湯	【상한금궤】益腎健脾利濕〈금궤13〉小便不利 【방극】治心下痞 小便不利者
		1)현대: 茯苓 16 白朮 4 戎鹽(또는 代 竹鹽) 2g [18g][19] 2)원문: 茯苓 0.5근 白朮 2량 戎鹽(탄환대) 1매

복령음	茯苓飮	【상한금궤- 외대비요】消痰氣 令能食 〈금궤12〉治心胸中有停痰宿水 自吐出水後 心胸間虛 氣滿不能食 【방극】治心下痞鞕 而悸 小便不利 胸滿而自吐宿水者 【JP】오심 속쓰림 요량감소 경향자의 위염 위무력증 위산과다증
▶ 一名 외대복령음(外臺茯苓飮) 사군자탕 去 감초 대조 加 진피 지실 增 생강		1)현대: 生薑 8 茯苓 人蔘 白朮 6 橘皮 5 枳實 4g [35g] (또는 茯苓 10 白朮 8 人蔘 生薑 橘皮 3g [41g])[12] 2)원문: 生薑 4량 茯苓 人蔘 白朮 3량 橘皮 2.5량 枳實 2량 ▶【JP】茯苓 5 白朮(蒼朮) 4 人蔘 陳皮 3 枳實 1.5 生薑(JP) 1g [17.5g]

복령음합반하후 박탕	茯苓飮合半夏厚 朴湯	【JP】우울감 식도인후부 이물감이 있으면서 때때로 심계항진 현훈 오심 속 쓰림 요량감소 등을 동반한 자의 불안신경증 신경성위염 입덧 위산과다 위 염 【理氣化痰】
복령음 + 반하후박탕		▶【JP】半夏 6 茯苓 5 白朮(蒼朮) 4 人蔘 陳皮 厚朴 3 蘇葉 2 枳實 1.5 生薑(JP) 1g [28.5g]

복령택사탕	茯苓澤瀉湯	【상한금궤】〈금궤17〉胃反 吐而渴欲飮水者 【방극】治心下悸 小便不利 上衝及嘔吐 渴欲飮水者
오령산 去 저령 加 생강 감초		1)현대: 茯苓 16 澤瀉 生薑 8 白朮 6 桂枝 甘草 4g [46g] 2)원문: 茯苓 0.5근 澤瀉 生薑 4량 白朮 3량 桂枝 甘草 2량

복령행인감초탕	茯苓杏仁甘草湯	【상한금궤】〈금궤9〉胸痺 胸中氣塞 短氣【방극】治悸 而胸中病者
		1)현대: 茯苓 6 杏仁 4 甘草 2g [12g] 2)원문: 茯苓 3량 杏仁 50개 甘草 1량

복원단	復元丹	【上56/ 보감-浮腫/ 득효】心腎眞火 能生脾肺眞土 今眞火旣虧 不能滋養眞土 土不制水 腫脹 喘急 股冷 舌乾 尿閉
		澤瀉 2.5량 附子炮 2량 木香 茴香 川椒 獨活 厚朴 白朮 橘皮 吳茱萸 桂心 1량 肉豆蔲煨 檳榔 0.5량 [14.5량=580g] 오자대 호환으로 1일 3회. 1회 50환(蘇葉湯下)

복원양영탕	復元養榮湯	【上100/ 壽世保元】治 崩漏過多 心神恍惚 虛暈
		人蔘 6 當歸 白芍藥 黃芪 酸棗仁炒 地楡 白朮 4 荊芥 3 遠志 2 甘草 1.2g [36.2g]

복원활혈탕	復元活血湯	【보감-諸傷/ 寶鑑】治傷損墮落 惡血流於脇下 痛楚不能轉側

		【活血袪瘀 疏肝通絡】
		大黃 10 當歸 7 柴胡 6 穿山甲炒 瓜蔞根 甘草 4 紅花 2/ 桃仁[去皮] 4g [41g - 酒水相半煎] (또는 柴胡 15 桃仁 紅花 6 ~)
복총탕	復聰湯	【보감-耳/ 단심】治痰火上攻 耳鳴 耳聾
		半夏 赤茯苓 陳皮 甘草 蒿蓄 木通 瞿麥 黃栢(炒) 4 / 生薑[五] 4 [36g]
봉수단	封髓丹	【醫方集解/ 醫理眞傳】降心火 益腎水, 使水火旣濟 心腎相交
		黃栢 120 甘草 80 砂仁 60g [260g] 오자대 호환 1회 50환 ▶ 삼재봉수단(三才封髓丹): 加 인삼 숙지황 천문동 으로 滋陰養血 작용 증강
부양조위탕	扶陽助胃湯	【上85/ 보감-胸/ 단심】治 胃脘當心痛 寒氣客於腸胃 卒然痛
		附子炮 8 乾薑炮 6 草豆蔲 益智仁 白芍藥 人蔘 甘草炙 官桂 4 吳茱萸 白朮 陳皮 2 / 生薑[五] 4 大棗[二] 4g [52g]
부익지황환	附益地黃丸	【上103/ 의종손익】治 血虛 月經不調 不能受孕
		熟地黃(酒蒸) 320 便香附子 200 山藥 山茱萸(酒蒸) 益母草(酒焙) 當歸 160 白茯苓 牧丹皮 丹蔘(酒洗) 120 澤瀉(酒蒸) 吳茱萸炮 肉桂 80g [1760g] 오자대 밀환, 1회 100환
부자갱미탕	附子粳米湯	【상한금궤】腥寒氣 和內外〈금궤10〉腹中寒氣 雷鳴切痛 胸脅逆滿 嘔吐 【방극】治腹中雷鳴 切痛 或嘔吐者
		1)현대: 粳米 14 半夏 10 大棗 5 甘草 附子 2g [33g] (또는 粳米 21 半夏 12~)[19] 2)원문: 粳米 半夏 0.5승 大棗 10매 甘草 1량 附子 1매
부자사심탕	附子瀉心湯	【상한금궤】泄熱消痞 扶陽固表〈태양병-155〉心下痞 而後惡寒汗出 【방극】治瀉心湯證 而惡寒者
		1)현대A: 大黃 4 黃連 黃芩 2 附子 1~2g [9~10g] 2)현대B: 大黃 10 黃連 黃芩 5 附子 15g [35g] 3)원문: 大黃 2량 黃連 黃芩 1량 附子 1매
부자이중탕A 이중탕 加 부자	附子理中湯A	【上9/ 보감-寒/ 삼인】治 中寒 口噤 身强直
		附子炮 人蔘 白朮 乾薑炮 甘草 4g [20g]
부자이중탕B	附子理中湯B	(관계부자이중탕) 참조
부자탕	附子湯	【상한금궤】溫經扶陽 除濕止痛 〈소음병-304〉口中和 其背惡寒 (305) 身體痛 手足寒 骨節痛 脈沈 【방극】治身體攣痛 小便不利 心下痞鞕 若腹痛者
		1)현대: 白朮 8 茯苓 芍藥 6 人蔘 4 附子 2g [26g] 2)원문: 白朮 4량 茯苓 芍藥 3량 人蔘 2량 附子 2매
분기음	分氣飮	【中59/ 보감-浮脹/ 득효】治 腫脹 喘急

		桔梗 赤茯苓 陳皮 桑白皮 大腹皮 枳殼 半夏麴 蘇子 蘇葉 4 草果 甘草 2 / 生薑 4 大棗 4g [48g]
분돈탕	奔豚湯	【상한금궤】〈금궤8〉奔豚 氣上冲胸 腹痛 往來寒熱
		1)현대: 葛根 10 半夏 生薑 8 當歸 川芎 芍藥 黃芩 甘草 4 [46g] (또는 加 桂枝 6g) [12]
		2)원문: 生葛 5량 半夏 生薑 4량 當歸 川芎 芍藥 黃芩 甘草 2량 甘李根白皮 1승 (甘李根白皮는 상백피 또는 유근피로 대체하기도 하나 고증 필요)
분소탕	分消湯	【보감-脹滿/ 회춘】治 中滿成鼓脹 滿悶
		蒼朮 白朮 陳皮 厚朴 枳實 赤茯苓 4 香附子 猪苓 澤瀉 大腹皮 3 縮砂 2.5 木香 1.2 / 生薑 3 燈心 2g [44.7g]
		▶ [실비음] 참조: 去 지실 代 지각
분심기음A	分心氣飮A	【中83/ 보감-氣/ 직지】治 七情痞滯 通利大小便 淸而疎快
		蘇葉 5 甘草炙 3 半夏 枳殼 2.5 靑皮 陳皮 木通 桑白皮 木香 赤茯苓 檳榔 蓬朮 麥門冬 桔梗 桂皮 香附子 藿香 2 / 生薑 4 大棗 4 燈心 0.3g [47.3g]
분심기음B	分心氣飮B	【局方/ 입문】消化滯氣 升降陰陽 調順三焦 和胃盡食 / 一切氣不和
분심기음A 去 지각 목향 빈랑 봉출 맥문동 길경 향부자 곽향 加 작약 강활 대복피		桂枝 芍藥 木通 半夏 陳皮 桑白皮 靑皮 羌活 茯苓 4 蘇葉 燈心草 大腹皮 大棗 甘草 3g [54g] [12] (또는 加 시호 치자 황금 사인) [9]
		▶ [局方] 소엽 4兩, 나머지 各 1兩
		▶ [의학입문] 소엽 2分, 나머지 各 5分
불수산	佛手散	【上111/ 보감-婦人/ 회춘】臨月服之 縮胎易産
		當歸 24 川芎 16g [40g] ▷ 加 익모초 12g 尤妙 ▶ 궁귀탕(芎歸湯) 참조
		▶ [회춘] 불수산 : 當歸 24 益母草 20 川芎 16g [60g]
불환금정기산	不換金正氣散	【中15/ 보감-寒/ 입문】治 傷寒陰症 頭身痛 寒熱
평위산 加 곽향 반하 [보험처방]		蒼朮 8 厚朴 陳皮 藿香 半夏 甘草 4 / 生薑 4 大棗 4g [36g]
비급원	備急圓	= (삼물비급환)
비급환	備急丸	【下151/ 보감-救急/ 중경】治 諸卒暴死 暴疾百病 及中惡 客忤 鬼擊 口噤 奄忽氣絶
		大黃 乾薑 巴豆霜 40g [120g]
비아환	肥兒丸	【中167/ 보감-小兒/ 의감】通治諸疳
		胡黃連 20 使君子肉 18 人蔘 黃連 神麴 麥芽 山査肉 14 白朮 白茯苓 甘草炙 12 蘆薈煆 10g [154g]
비약환	脾約丸	(마자인환) 참조
비원전	祕元煎	【上63/ 경악전서】治 遺精 帶濁
		山藥炒 芡仁炒 酸棗仁炒 人蔘 金櫻子 8 白朮炒 白茯苓 6 甘草炙 4 遠

志炒 3 / 五味子 |sæ| 1.5g [60.5g] (또는 去 인삼 백출 감초 加 숙지황 산수유 연자육 현삼) [7]

비전강기탕	祕傳降氣湯	【보감-氣/ 국방】治上氣 及氣不升降 頭目昏眩 腰脚無力

桑白皮 4 陳皮 枳殼 柴胡 甘草灸 2 地骨皮 五加皮 骨碎補 訶子皮 草果 桔梗 半夏麴 1.2 / 生薑 |ᵫ| 4 紫蘇葉 |ᵫ| 1g [21.4g]
▶ [보감-咽喉] 去 진피 加 황금 하여 咽喉生瘡令閉 聲不出者

비전향소산	祕傳香蘇散	(궁귀향소산) 참조

비해분청음	萆薢分清飮	【中105/ 보감-小便/ 정전】治 小便白濁 凝結如糊【溫腎 利濕 分淸化濁】

石菖蒲 烏藥 益智仁 萆薢 白茯苓 4 甘草 2 / 鹽 |ᵫ| 2g [24g] ▶ 단계심법: 白茯苓, 甘草가 없음

비화음	比和飮	【上50/ 보감-嘔吐/ 의감】治 胃虛 嘔吐 聞食卽嘔 聞藥卽嘔

人蔘 白朮 白茯苓 神麴 4 藿香 陳皮 砂仁 甘草 2 / 生薑 |ᵫ| 4 大棗 |ᵫ| 4 陳倉米 |ᵫ| 20(~30g) [52~62g]

빈소산	檳蘇散	【下135/ 보감-足/ 十三方/ 醫部全錄】治 風濕 脚氣 腫痛 拘攣 用此疏通氣道 鳥妙【祛風勝濕 行氣消腫】
향소산B 加 빈랑 강활 우슬 목과		

蒼朮 8 香附子 蘇葉 陳皮 檳榔 羌活 牛膝 木瓜 4 甘草 2 / 生薑 |ᵫ| 4 葱白 |ᵫ| 4g [46g]

빈창산	檳蒼散	【晴崗】脾濕下流로 인한 濕腫脚氣, 下肢浮腫
빈소산 加 방기(增 창출 향부자 우슬 빈랑)		

蒼朮 12 香附子 8 川牛膝 檳榔 6 橘皮 羌活 木瓜 防己 紫蘇葉 4 甘草 2 / 生薑 |ᵫ| 4 葱白 |ᵫ| 3g [61g] [7.54]

사간마황탕	射干麻黃湯	【상한금궤】宣肺散寒 化飮止咳〈금궤7〉咳而上氣 喉中水鷄聲

1)현대: 半夏 10 麻黃 生薑 8 射干 細辛 紫菀 款冬花 五味子 6 大棗 3g [59g]
2)원문: 半夏 8매 麻黃 生薑 4량 射干 13매 細辛 紫菀 款冬花 3량 五味子 0.5승 大棗 7매

사간산	瀉肝散	【보감-眼/ 득효】治風昏暗

大黃 甘草 20 郁李仁 荊芥穗 10g [60g]

사군자탕	四君子湯	【上64/ 보감-氣/ 국방】補眞氣虛弱 治氣短氣少【益氣健脾】 【JP】 마르고 면색창백 피로 식욕부진 경향자의 위장허약 만성위염 속더부룩함 구토 설사

人蔘 白朮 白茯苓 甘草炙 5g [20g]
▶ 【JP】人蔘 白朮(蒼朮) 茯苓 4 甘草 生薑(JP) 大棗 1g [15g]
▶ 참조: 육군자탕 이공산 인삼황기탕A

사궁산	莎芎散	【下59/ 보감-血/ 입문】治 衄血

香附子 160 川芎 80g [240g] 1회 8g

사령산	四苓散	【下10 오령산 附方/ 보감-大便】利水滲濕

오령산 去 육계		澤瀉 10 赤茯苓 白朮 猪苓 6g [28g]
사령오피산	四苓五皮散	【下43/ 보감-浮腫: 四苓五皮湯/ 辨疑】治 浮腫
▶ 一名 사령오피탕(四苓五皮湯)		桑白皮 地骨皮 生薑皮 大腹皮 茯苓皮 猪苓 澤瀉 車前子炒 蒼朮 白朮 陳皮 靑皮 4g [48g]
사마탕A	四磨湯A	【下104/ 보감-大便/ 득효】治 氣滯便祕【行氣降逆 寬胸散結】
		檳榔 沈香 木香 烏藥 각등분
사마탕B	四磨湯B	【보감-咳嗽/ 동원】治七情鬱結 上氣喘急
		人蔘 檳榔 沈香 烏藥 각등분
사묘용안탕	四妙勇安湯	【驗方新編】治 脫疽【淸熱解毒 活血止痛】
		金銀花 玄參 3량 當歸 2량 甘草 1량 [9량: 1량은 30g 또는 40g 환산]
사묘환	四妙丸	(삼묘환A) 참조
사물안신탕	四物安神湯	【中92/ 보감-神/ 회춘】治 心中無血 如魚無水 怔忡 跳動
		當歸 白芍藥 生地黃 熟地黃 人蔘 白朮 白茯神 酸棗仁炒 黃連炒 梔子炒 麥門冬 竹茹 3 / 大棗 4 烏梅 2 辰砂 2 米炒 4 [48g] (또는 去 진사 미초 加 갱미 40g [82g]) [9]
사물오자원	四物五子元	【보감-眼】治 眼昏
		當歸 川芎 熟地黃 白芍藥 枸杞子 覆盆子 地膚子 兎絲子 車前子 각등분 - 오자대 밀환. 1회 50-70환
사물용담탕	四物龍膽湯	【下109/ 보감-眼/ 海藏】治 目赤腫痛 暴作雲腎
		川芎 當歸 赤芍藥 生乾地黃 5 羌活 防風 3 草龍膽 防己 2.5g [31g]
사물탕	四物湯	【上68/ 보감-血/ 국방】通治血病【補血調血】 【JP】피부가 건조하고 안색이 나쁘면서 위장장애가 없는 자의 산후 또는 유산후피로회복 월경불순 냉증 동상 기미 여성자율신경실조증(血道症) (또는 빈혈, 냉증, 복부연약 또는 약간팽만, 변비경향자)
		熟地黃 白芍藥 川芎 當歸 5g [20g] ▶ 【JP】地黃 芍藥 川芎 當歸 3g [12g]
사물황구환	四物黃狗丸	【上104/ 의종손익】治 經血不調 大有養血功
		熟地黃 當歸 川芎 白芍藥 便香附 200 / 黃狗 1마리 [1000g+]
사물황련해독탕	四物黃連解毒湯	【一貫堂醫學】解毒證體質- 養血 兼 淸火
온청음 加 시호 연교 감초		當歸 川芎 地黃 芍藥 黃芩 黃連 黃柏 梔子 柴胡 連翹 甘草 2g [22g] ▶ 참조: 온청음(溫淸飮)
사백산	瀉白散	【下33/ 보감-肺臟/ 입문】治 肺實, 亦治 乾咳 水枯 火炎
▶ 一名 사폐산(瀉肺散)		桑白皮 地骨皮 8 甘草 4g [20g]

▶ 或 加 知母 生地黃 麥門冬 梔子 桔梗 貝母 : 一名 가미사백산(加味瀉白散)

사비산	瀉脾散	= (사향산)
사삼맥문동탕	沙蔘麥門冬湯	【온병조변】清養肺胃 生津潤燥
▶ 一名 사삼맥동탕(沙蔘麥冬湯)		沙蔘 麥門冬 9 玉竹 6 桑葉 生扁豆 天花粉 4.5 甘草 3g [40.5g]
사상자산	蛇床子散	【상한금궤】〈금궤22〉溫陰中坐藥【방극】治下白物 陰中痒 或有小瘡者
		蛇床子仁 : 백분(白粉)을 소량 加하여 분말로 사용
사생환	四生丸	【보감-血/ 단심】治 吐衄血 陽乘於陰 血熱妄行【凉血止血】
		生荷葉 生艾葉 生側柏葉 生地黃 각등분 (또는 荷葉 대신 生薄荷)
사수음	四獸飮	【上57/ 보감-痎瘧/ 득효】治 七情聚痰 五臟氣虛 瘧久不已
		人蔘 白朮 白茯苓 陳皮 半夏 草果 甘草 烏梅 生薑 大棗 4g [40g]
사순청량음A	四順淸凉飮A	【보감-火/ 입문】治 血熱
		大黃蒸 當歸 赤芍藥 甘草炙 5 / 薄荷 4g [24g]
사순청량음B	四順淸凉飮B	【외과정종】治 湯潑火燒 熱毒入裏
		大黃煨 6 當歸 赤芍藥 連翹 羌活 防風 梔子 甘草 3g [27g]
사습탕	瀉濕湯	【中108/ 보감-大便/ 단심】治 洞泄
		白朮炒 12 白芍藥炒 8 陳皮炒 6 防風 4 升麻 2g [32g]
사신환	四神丸	【上75/ 보감-大便/ 회춘】治 脾腎虛 泄瀉及晨泄
		破故紙 4량 肉豆蔲炒 五味子炒 2량 吳茱萸炮 1량 / 生薑 8량 大棗 100매 5량 [22량 = 880g]

▶ 이신환(二神丸) : 파고지 4량 육두구 2량
▶ 삼신환(三神丸) : 파고지 4량 육두구 2량 목향 1량
▶ 육신탕(六神湯) : 파고지 육두구 백출 복령 6 목향 감초 3g / 생강 대조 4g (이상 모두 동의보감 大便門에서 脾腎虛泄을 治하는 처방)

사심탕	瀉心湯	= (삼황사심탕)
사역가인삼탕	四逆加人蔘湯	【상한금궤】回陽救逆 益氣生津 〈곽란병-385〉惡寒 脈微而復利 【방극】治四逆湯證 而心下痞者

1)현대A: 甘草 6 乾薑 4.5 人蔘 3 附子 2g [15.5g] (또는 乾薑 人蔘 4~)[12]
2)현대B: 甘草 乾薑 10 人蔘 5 附子 15g [40g]
3)원문: 甘草炙 2량 乾薑 1.5량 人蔘 1량 附子 1매

사역산	四逆散	【상한금궤】疏肝理脾 和解表裏解鬱 〈소음병-318〉四逆 其人或咳 或悸 或小便不利 或腹中痛 或泄利下重 【JP】비교적 체력이 있으면서 대시호탕과 소시호탕의 중간증인 상태의 담낭염 담석증 위염 위산과다 위궤양 비염 기관지염 신경증 등

지실작약산 加 시호 감초		1)현대A: 柴胡 芍藥 枳實 甘草 8g [32g] 2)현대B: 柴胡 芍藥 枳實 15 甘草 5g [50g] (또는 去 지실 代 지각) 3)원문: 柴胡 芍藥 枳實 甘草 각등분 ▶【JP】 柴胡 5 芍藥 4 枳實 2 甘草 1.5g [12.5g]
사역탕A	四逆湯A	【상한금궤】回陽救逆 〈태양병-29〉若重發汗 復加燒針者 (91) 醫下之 續得下利 淸穀不止 身疼痛 者 急當救裏 (92) 發熱頭痛 脈反沈 若不差 身體疼痛 〈양명병-225〉脈浮而遲 表熱裏寒 下利淸穀 〈태음병-277〉自利不渴 屬太陰 藏有寒故也 〈소음병-323〉脈沈者 急溫之 (324) 膈上有寒飮 乾嘔者 〈궐음병-353〉大汗出 熱不去 內拘急 四肢疼 又下利 厥逆而惡寒 (354) 大 汗 若大下利而厥冷 (372) 下利 腹脹滿 身體疼痛者 先溫其裏 (377) 嘔而 脈弱 小便利 微熱 見厥者 〈곽란-388〉吐利汗出 發熱惡寒 四肢拘急 手足厥冷 (389) 下利淸穀 內寒外 熱 脈微欲絶 【방극】治四肢厥逆 身體疼痛 下利淸穀 或小便淸利者
▶ 一名 회역탕(回逆湯)		1)현대A: 甘草 6 乾薑 4.5 附子 2g [12.5g] 2)현대B: 甘草 乾薑 10 附子 15g [35g] 3)원문: 甘草 2량 乾薑 1.5량 附子 1매
사역탕B	四逆湯B	【上8/ 보감-寒/ 정전】治 三陰 脈遲 身痛 及四肢厥冷 甘草炙 12 乾薑炮 10 / 生附子 10g [32g]
사위탕	瀉胃湯	【下121/ 보감-牙齒/ 회춘】治 牙痛 如神 當歸 川芎 赤芍藥 生地黃 黃連 梔子 牧丹皮 荊芥 薄荷 防風 甘草 4g [44g]
사육탕(사륙탕)	四六湯	사물탕 合 육미지황탕
사제향부환	四製香附丸	【下152/ 보감-胞/ 種杏】治 月候不調 香附米 10량 (4등분하여 4가지 방법으로 법제) / 川芎 當歸 2량 : 제 법 원문참조
사주산	四柱散	【上72/ 보감-大便/ 국방】治 元臟虛寒 大便滑泄 木香 白茯苓 人蔘 附子炮 5 / 生薑 4 大棗 4 鹽 2g [30g] ▶ [참고] 육주산(六柱散) : 사주산 加 가자 육두구
사증모과환	四蒸木瓜丸	【中151/ 三因】治 肝腎脾三經氣虛 風寒濕相搏 或腫或痺 寒熱 嘔吐 黃芪 續斷 / 蒼朮 橘皮 / 威靈仙 琴麻子 / 黃松節 烏藥 20g [160g]
사청환	瀉靑丸	【下106/ 보감-肝臟/ 綱目】治 肝實 【보감-小兒/ 득효】治肝熱 急驚搐搦 當歸 草龍膽 川芎 梔子 大黃 羌活 防風 각등분 → 검실대(芡實大) 밀환, 1회 1환
사칠탕	四七湯	【中82/ 보감-氣/ 국방】治 七氣凝結 狀如破絮 或如梅核 喀不出 嚥不下 胸

		茹
		半夏 8 赤茯苓 6.5 厚朴 5 蘇葉 3 /生薑 炮 9 大棗 灸 4g [35.5g]
사향산	麝香散	【태음인/ 신축-신정방】위완수한표한병【신편】治 中毒吐瀉 。急腹痛
		麝香 1~2 (溫水 或 溫酒調下)
사향소합원	麝香蘇合元	(소합향원A) 참조
사황산A	四黃散A	【보감-諸瘡/ 단심】治 湯火熱油所傷 皮爛肉痛
사황산B(瀉黃散)와 한자 다름에 주의		大黃 黃芩 黃連 黃栢 白芨 각등분
사황산B	瀉黃散B	【보감-脾臟/ 海藏】治脾熱 口瘡 口臭
► 一名 사비산(瀉脾散)		梔子 6 藿香 甘草 4 石膏末 3 防風 2.5g [17.5g]
산밀탕	蒜蜜湯	【소음인/ 신축-신정방】治 痢疾
		白何烏 白朮 白芍藥 桂枝 茵蔯 益母草 赤石脂 罌粟殼 4 / 生薑 炮 4 大棗 灸 4 / 大蒜 炮 3000 淸蜜 煮 5ml [3040g+]
산약보폐원탕	山藥補肺元湯	(보폐원탕) 참조
산조인탕	酸棗仁湯	【상한금궤】養血安神 淸熱除煩 〈금궤6〉虛勞 虛煩不得眠 【방극】治煩燥不得眠者【JP】심신이 허로한 불면
		1)현대A: 酸棗仁 9 茯苓 川芎 知母 4 甘草 2g [23g] (또는 酸棗仁 48~) [19,43] (또는 酸棗仁 20 茯苓 10 川芎 知母 6 甘草 2g)[12] 2)현대B: 酸棗仁 30 茯苓 川芎 知母 10 甘草 5g [65g] 3)원문: 酸棗仁 2승 茯苓 川芎 知母 2량 甘草 1량 ► 【JP】酸棗仁 10 茯苓 5 川芎 知母 3 甘草 1g [22g]
삼갑복맥탕	三甲復脈湯	(가감복맥탕) 참조
삼귀익원탕	蔘歸益元湯	【上14/ 보감-暑/ 회춘】治 注夏病 食減 脈數無力
		當歸 白芍藥 熟地黃 4 白茯苓 麥門冬 陳皮 知母 黃柏 3 人蔘 2 甘草 1.2 / 五味子 炒 1 粳米 炒 4 大棗 灸 2g [37.2g] ► [보감] 복령 맥문동 4g ~
삼귤산	蔘橘散	【보감-婦人/ 聖惠】治惡阻病 嘔吐痰水 全不入食
		橘皮 赤茯苓 6 麥門冬 白朮 厚朴 人蔘 甘草 4 / 生薑 炮 9 竹茹 灸 4g [45g]
삼기보폐탕	蔘芪補肺湯	【보감-癰疽/ 입문】治肺癰 咳吐膿血 發熱作渴
		熟地黃 6 牧丹皮 4 人蔘 黃芪 白朮 白茯苓 陳皮 山茱萸 當歸 山藥 五味子 麥門冬 3 甘草灸 2 / 生薑 炮 4g [46g]
삼기음	三氣飮	【上16/ 경악전서】治 風寒濕三氣乘虛 筋骨痺痛 及痢後鶴膝風
		熟地黃 12 杜沖(去絲) 牛膝 當歸 枸杞子 白茯苓 白芍藥 肉桂 細辛(或代 獨活) 白芷 附子炮 甘草灸 4 / 生薑 炮 4g [60g]

삼기탕A	蔘芪湯A	【上71/ 보감-小便/ 회춘】治 氣虛遺尿
		人蔘 黃芪(蜜炒) 白茯苓 當歸 熟地黃 白朮 陳皮 4 益智仁 3 升麻 肉桂 2 甘草 1.2 / 生薑 4 大棗 4g [44.2g]
삼기탕B	蔘芪湯B	【上92/ 보감-後陰/ 회춘】治 肛門虛寒脫出 肺腎虛者 多有此症 宜升之
		人蔘 黃芪(蜜炙) 當歸 生地黃 白芍藥 白茯苓 白朮 4 升麻 桔梗 陳皮 乾薑 2 甘草炙 1.2g [37.2g]
삼기탕C	蔘朮湯C	= (삼출탕)
삼두해정탕	三豆解醒湯	【보감-內傷/ 新方】治中酒發病 頭痛 嘔吐 煩渴 善解酒毒 且多飮不醉 / 因酒 患消渴 尤宜服之
		葛根 黑豆 菉豆 赤小豆 8 蒼朮 6 陳皮 赤茯苓 木瓜 半夏 4 神麴 3 澤瀉 2 乾生薑 1.2 [60.2g] (또는 加 黃連 2g: 夏月及酒渴)
삼령백출산	蔘苓白朮散	【上25/ 보감-內傷/ 입문/ 국방】大病後 調助脾胃 【益氣健脾 滲濕止瀉】
		人蔘 白朮 白茯苓 山藥 甘草炙 12 薏苡仁 蓮肉 桔梗 砂仁 白扁豆 6g [90g] 1)분말하여 1회 8g씩 棗湯과 복용 2) 또는 1량을 취하여 加 생강. 대조 후 전탕 - 人蔘 白朮 白茯苓 山藥 甘草炙 6 薏苡仁 蓮肉 桔梗 砂仁 白扁豆 3 / 生薑 4 大棗 4g [53g]
삼령원	蔘苓元	【보감-肉/ 河間】治胃中結熱 消穀善食 不生肌肉 此名食㑊
		人蔘 石菖蒲 遠志 赤茯苓 地骨皮 牛膝(酒浸) 40g [240g] 오자대 밀환, 1회 30-50환
삼묘산B	三妙散B	【의종금감】淸熱燥濕 引藥下行
		蒼朮 黃柏 檳榔 각등분
삼묘환A	三妙丸A	【보감-足/ 정전】治濕熱下流 兩脚麻木痿弱【淸熱燥濕】
		蒼朮 6 黃柏 4 牛膝 2량 [12량=480g] 오자대 환. 1회 50-70환(薑鹽湯下) ▶ 사묘환(四妙丸) : 삼묘환 加 의이인
삼물백산	三物白散	= (길경백산)
삼물비급환 ▶ 一名 비급원(備急圓)	三物備急丸	【상한금궤】攻逐寒積〈금궤雜療方〉主心腹諸卒暴百病 【방극】治心腹卒痛者
		1)현대: 大黃 乾薑 巴豆 30g (밀환 또는 散劑) [8] 2)원문: 大黃 乾薑 巴豆 1량
삼물황금탕	三物黃芩湯	【상한금궤-千金】淸熱解毒 養血滋陰〈금궤21〉四肢苦煩熱..頭不痛但煩者 【방극】治心胸苦煩者【JP】수족번열
		1)현대A: 乾地黃 12 苦蔘 6 黃芩 3~6g [21~24g]

2)현대B: 乾地黃 30 苦蔘 黃芩 15g [60g]
3)원문: 乾地黃 4량 苦蔘 2량 黃芩 1량
▶ [JP] 地黃 6 黃芩 苦蔘 3g [12g]

| 삼백탕 | 三白湯 | 【中107/ 보감-大便/ 입문】治 一切泄瀉 |
| | | 白朮 白茯苓 白芍藥 6 甘草炙 2g [20g] |

| 삼비탕 | 三痺湯 | 【보감-風/ 良方】治風痺 氣血凝澁 手足拘攣 |
| 독활기생탕 去 상기생 加 황기 속단 | | 黃芪 人蔘 茯苓 當歸 川芎 白芍藥 杜冲 牛膝 續斷 防風 桂皮(桂心) 細辛 甘草 3 生地黃 獨活 秦芃 1.2 / 生薑 6 大棗 4g [52.6g] |

| 삼산탕 | 三疝湯 | 【下140/ 보감-前陰/ 醫學集成】治 膀胱氣腫痛 |
| | | 車前子 9g 茴香 6g 葱白 5g 沙蔘 3g [23g] |

삼소음	蔘蘇飮	【中26/ 보감-寒/ 국방】治 感傷風寒 頭痛 發熱 咳嗽 及内因七情 痰盛 潮熱 【JP】감기 기침【益氣解表 宣肺化痰】
【보험처방】		人蔘 蘇葉 葛根 半夏 前胡 赤茯苓 4 陳皮 桔梗 枳殼 甘草 2g / 生薑 4 大棗 4g [40g] (또는 去 인삼 加 행인 상백피, 增 갈근 8 반하 전호 6g : 一名 淸肺化痰煎) [7]
		▶ [보감-寒] 增 진피 길경 지각 감초 3g
		▶ [JP] 半夏 茯苓 3 葛根 桔梗 陳皮 前胡 2 大棗 人蔘 1.5 甘草 枳實 蘇葉 生薑(JP) 0.5g [20.5g] (또는 加 木香 1g)

| 삼습탕A | 滲濕湯A | 【보감-濕/ 회춘】治 一切濕證 |
| 평위산+오령산 加味方 | | 蒼朮 白朮 赤茯苓 6 陳皮 澤瀉 猪苓 4 香附子 川芎 縮砂 厚朴 3 甘草 1.2 / 生薑 4 燈心 2g [49.2g] |

| 삼습탕B | 滲濕湯B | 【보감-濕/ 국방】治 寒濕所傷 身體重着 如坐水中 小便澁 大便利 |
| | | 赤茯苓 乾薑炮 8 蒼朮 白朮 甘草 4 橘紅 丁香 2 / 生薑 4 大棗 4g [40g] |

| 삼신산 | 三神散 | (석창포원지산A) 참조 |

| 삼신환 | 三神丸 | (사신환) 참조 |

삼오칠산	三五七散	【보감-頭/ 국방】治風寒入腦 頭痛目眩
		防風 8 山茱萸 乾薑炮 赤茯苓 6 附子炮 細辛 3g / 生薑 4 大棗 4g [52g]
		▶ 동의보감 원문은 2량:1.5량:0.75량 비율의 산제를 1회 8g 복용 또는 1회 28g 水煎服
		▶ [천금요방] 대삼오칠산(大三五七散) : 산약 방풍 7량 산수유 건강 5량 천웅(=附子) 세신 3량 으로 治 頭風眩暈 口眼喎斜 耳聾

삼요탕	三拗湯	【中48/ 보감-咳嗽/ 국방】治 感風寒咳嗽 鼻塞 失音【宣肺解表】
		麻黃(不去根節) 杏仁(不去皮尖) 甘草 6 / 生薑 6g [24g]
		▶ 가미삼요탕 : 加 진피 오미자 계피 (治 寒喘)

▶ 오요탕(五拗湯) 참조

| 삼원음 | 蔘圓飮 | 【上84/ 의종손익】治 蛔厥心腹痛 已試溫補而痛勢不止者 卽以此潤之 |
| | | 人蔘 龍眼肉 20~28 橘皮 4 / 生薑 4 烏梅 4g [52~68g] |

| 삼인고 | 三仁膏 | 【下144/ 제중신편】治 癰疽初發 神效 |
| | | 草麻子仁 麻子仁 杏仁留皮尖 각등분 |

| 삼인탕 | 三仁湯 | 【온병조변】清熱利濕 宣暢濕濁 |
| | | 薏苡仁 滑石 18 半夏 杏仁 15 白蔲仁 厚朴 通草 竹葉 6g [90g] * 白蔲仁 : 백두구의 外皮를 제거한 속씨부분 |

| 삼일신기환 | 三一腎氣丸 | 【보감-虛勞/ 方廣】治虛勞 補心腎諸精血 瀉心腎諸藏火濕 |
| | | 熟地黃 生乾地黃 山藥 山茱萸 4량 牡丹皮 白茯苓 澤瀉 珣陽 龜板 3량 牛膝 枸杞子 人蔘 麥門冬 天門冬 2량 知母(鹽炒) 黃栢(鹽炒) 五味子 肉桂 1량 [45량=1800g] 오자대 밀환, 1회 70-90환 |

| 삼자양친탕 | 三子養親湯 | 【中53/ 보감-咳嗽/ 입문/ 韓氏醫通】治 咳嗽 氣急 養脾 進食 【降氣消食化痰】 |
| | | 蘇子 蘿葍子 白芥子 4g [12g] |

| 삼재봉수단 | 三才封髓丹 | (봉수단) 참조 |

| 삼출건비탕 | 蔘朮健脾湯 | 【上21/ 보감-內傷/ 醫方集略】健脾 養胃 運化飮食 |
| 【보험처방】 | | 人蔘 白朮 白茯苓 厚朴 陳皮 山査肉 4 枳實 白芍藥 3 砂仁 神麯 麥芽 甘草 2 / 生薑 4 大棗 4g [46g] |

| 삼출고 | 蔘朮膏 | 【上119/ 보감-婦人/ 단심】治 産後腎損 成淋 |
| | | 人蔘 10 白朮 8 黃芪 6 陳皮 桃仁 白茯苓 4 甘草 2g [38g] |

| 삼출음 | 蔘朮飮 | 【上115/ 보감-小便, 婦人/ 단심】治 孕婦轉腎尿閉 |
| | | 熟地黃 白芍藥 川芎 當歸 人蔘 白朮 半夏 陳皮 4 甘草 2 / 生薑 4g [22g+] |

| 삼출탕 | 蔘朮湯 | 【보감-內傷/ 동원】脾胃虛弱 元氣不能榮於心肺 四肢沈重 食後昏悶沈困 |
| ▶ 一名 삼기탕(蔘芪湯) | | 黃芪 8 蒼朮 4 神麯 3 人蔘 陳皮 青皮 甘草 2 升麻 柴胡 黃栢 當歸身 1.2g [27.8g] |

| 삼합탕 | 三合湯 | 【下129/ 보감-背/ 의감】治 背心一點痛 |
| | | 烏藥順氣散(中10) 合 二陳湯(中99) 香蘇散(中17) 加 羌活 ▶ [보감-背] 오약순기산+이진탕+향소산 加 강활 창출 |

| 삼호온담탕 | 蔘胡溫膽湯 | = (가미온담탕) |

| 삼호작약탕 | 蔘胡芍藥湯 | 【下15/ 보감-寒/ 입문】治 傷寒十四日外 餘熱未盡 或渴煩 大便不快 小便黃 |
| 【보험처방】 | | 生地黃 6 人蔘 柴胡 白芍藥 黃芩 知母 麥門冬 4 枳殼 3 甘草 1.2 / 生 |

		薑 : 4g [38.2g]
삼화산	三和散	【中88/ 보감-氣/ 입문/ 국방】 治 諸氣鬱滯 或脹 或痛
		川芎 4 沈香 蘇葉 大腹皮 羌活 木瓜 2 木香 白朮 檳榔 陳皮 甘草炙 1.2g [20g]
삼화신우환	三花神佑丸	【보감-下】治 一切水濕腫滿 【보감-浮腫】治 中滿腹脹 喘嗽 淋閉 一切水濕 浮腫脹滿
		黑丑(頭末)2량 大黃 1량 芫花 甘遂 大戟 0.5량 輕粉 0.1량 [4.1량 =164g] 小豆大 수환(水丸)으로 최초 1회 5환, 이후 5환씩 증량
삼화탕A	三和湯A	【下45/ 보감-脹滿/ 강목】治 氣脹 大小便不利
		白朮 陳皮 厚朴 4 蘇葉 檳榔 3 木通 大腹皮 白茯苓 枳殼 海金沙 甘草 2g [30g] ► [보감] 加 생강 : 4g
삼화탕B	三和湯B	【합편-增補/ 보감-風/ 易老】 治腑臟俱中風 便尿阻隔不利
		厚朴 大黃 枳實 羌活 각등분
삼황보혈탕	三黃補血湯	【보감-血/ 단심】治六脈虛耗 而衄吐血
		升麻 白芍藥 8 熟地黃 4 當歸 川芎 3 生地黃 柴胡 黃芪 牡丹皮 2 [34g]
삼황사심탕A	三黃瀉心湯A	【상한금궤】瀉火解毒 燥濕泄熱 〈금궤16〉心氣不足 吐血 衄血〈금궤22〉心下卽痞 【방극】治心氣不定 心下痞 按之濡者 【JP】비교적 體實하면서 上氣 안면홍조 정신불안하면서 변비경향자의 고혈압 동반증상 (상기증 어깨결림 이명 頭重 불면 불안), 코피 치질출혈 변비 갱년기장애 여성자율신경실조증(血道症)
► 一名 사심탕(瀉心湯)		1)현대: 大黃 12 黃連 黃芩 6g [24g] 2)원문: 大黃 2량 黃連 黃芩 1량 ► 【JP】黃芩 黃連 大黃 3g [9g]
삼황사심탕B	三黃瀉心湯B	【보감-血/ 중경】治吐血大作 此乃熱之甚也
【보험처방】		大黃 12 生地黃 8 黃連 黃芩 4 [28g]
삼황산	三黃散	【태음인/ 신편】【신편】治 挫閃腰痛
		麻黃 黃芩 蒲黃 石菖蒲 杏仁 각등분 [1회 8g 溫酒 調服]
삼황탕A	三黃湯A	【상한금궤-千金】〈금궤5〉治中風手足拘急 百節疼痛 煩熱心亂 惡寒 不欲飲食
		1)현대: 麻黃 5 獨活 4 黃芩 3 細辛 黃芪 2g [16g] 2)원문: 麻黃 5 獨活 4 黃芩 3 細辛 黃芪 2분(分)
삼황탕B	三黃湯B	【보감-口舌/ 회춘】治 脾熱口甘
		黃連 黃芩 梔子 石膏 芍藥 桔梗 陳皮 茯苓 3 白朮 甘草 1.2 / 烏梅 2g [28.4g]

| 상국음 | 桑菊飮 | 【온병조변】疏風淸熱 宣肺止咳 |
| | | 桑葉 7.5 杏仁 桔梗 蘆根 6 連翹 4.5 菊花 3 薄荷 甘草 2.5g [38g] |

| 상하분소도기탕 | 上下分消導氣湯 | 【보감-氣/ 회춘】治氣鬱 功勝分心氣飮 常患氣惱之人可用此 |
| | | 枳殼 桔梗 桑白皮 川芎 赤茯苓 厚朴 靑皮 香附子(便炒) 2량 黃連(薑汁炒) 半夏製 瓜蔞仁 澤瀉 木通 檳榔 麥芽炒 1량 甘草灸 0.3량 [23.3량=932g] 1회 40g씩 생강 4g과 水煎服 |

| 상행탕 | 桑杏湯 | 【온병조변】淸宣燥熱 潤肺止咳 |
| | | 沙蔘 6 杏仁 4.5 桑葉 貝母 淡豆豉 梔子 梨皮(배의껍질) 3g [25.5g] |

생간건비탕	生肝健脾湯	【肝系内科學】利濕 健脾 安胃 利膽
청간건비탕B 去 작약 반하 대복피 加 지실		茵蔯蒿 20 澤瀉 15 山査 白朮 麥芽炒 8 生薑 6 茯苓 猪苓 厚朴 陳皮 4 藿香 木香 砂仁 蘿葍子 三稜 蓬朮 枳實 靑皮 甘草 3g [108g] (또는 增 곽향 목향 4g) [9]
		▶ 청간건비탕 인진청간탕 참조

생강감초탕	生薑甘草湯	【상한금궤-千金】〈금궤7〉治肺痿 咳唾涎沫不止 咽燥而渴
		【방극】治咳唾 涎沫不止 心下痞鞭 急迫者
		1)현대: 生薑 10 甘草 8 人蔘 大棗 6g [30g]
		2)원문: 生薑 5량 甘草 4량 人蔘 3량 大棗 15매 (다른문헌: 人蔘 2량)

| 생강귤피탕 | 生薑橘皮湯 | 【中46/ 보감-嘔吐/ 활인】治 乾嘔 手足麻冷 |
| | | 橘皮 160 生薑 320g [480g] |

생강반하탕	生薑半夏湯	【상한금궤】和胃化飮 降逆止嘔
		〈금궤17〉胸中似喘不喘 似嘔不嘔 似噦不噦
		【방극】治似喘不喘 似嘔不嘔 似噦不噦 心中憒憒然無奈何者
소반하탕과 동일약물		1)현대: 生薑汁 80 半夏 12g [92g] (또는 生薑汁 40ml 半夏 12g) [19]
		2)원문: 生薑汁 1승 半夏 0.5승

생강사심탕	生薑瀉心湯	【상한금궤】和胃降逆 散水消痞
		〈태양병-157〉心下痞硬 乾噫食臭 脇下有水氣 腹中雷鳴下利
		【방극】治半夏瀉心湯證 而嘔者
		1)현대: 半夏 12 生薑 8 黃芩 人蔘 甘草 大棗 6 乾薑 黃連 2g [48g]
		2)원문: 半夏 0.5승 生薑 4량 黃芩 人蔘 甘草 3량 大棗 12매 乾薑 黃連 1량

| 생료사물탕 | 生料四物湯 | 【中170/ 보감-小兒/ 득효】治 諸瘡 |
| | | 生地黃 赤芍藥 川芎 當歸 防風 1.2 黃芩 薄荷 0.8g [7.6g] |

생맥산	生脈散	【上12/ 보감-暑/ 동원】暑月常服 代熱水飮之 【益氣生津 斂陰止汗】
【보험처방】		麥門冬 8 人蔘 五味子 4g [16g]
		▶ [수세보원] 去 인삼 (夏月代熱水飮之 令人氣湧)
		▶ 가감생맥산 미맥익기탕 참조

생숙음자	生熟飮子	【中110/ 보감-大便/ 省翁】治 大人諸痢 及小兒虛積痢 日夜無度每五錢重水一盞半 溫服
		罌粟殼四枚 16 烏梅一枚 4 大棗 4 生薑一塊 60 木香 4 黑豆十粒 10g/陳皮 二片 訶子 二枚 白朮 二塊 黃芪 當歸 甘草 二寸 ▸ [보감] 增 흑두六十粒 30g
생숙지황탕	生熟地黃湯	(형방지황탕) 참조
생진보혈탕	生津補血湯	【보감-嘔吐/ 회춘】治年少人噎膈 乃胃脘血燥不潤 故便閉塞而食不下
		當歸 白芍藥 熟地黃 生地黃 白茯苓 4 枳實 陳皮 黃連炒 蘇子 貝母 3 縮砂 沈香(水磨取汁) 2 / 生薑片 2g 大棗枚 4g [45g - 沈香汁 調服]
생진양혈탕	生津養血湯	【中65/ 보감-消渴/ 의감】治 上消
		當歸 白芍藥 生地黃 麥門冬 4 川芎 黃連 3 天花粉 3 知母 黃柏 蓮肉 烏梅 薄荷 甘草 2g [37g]
생혈윤부음	生血潤膚飮	【中39/ 보감-燥/ 정전】治 燥症 皮膚肩起 血出
		天門冬 6 生地黃 熟地黃 麥門冬 當歸 黃芪 4 片芩 瓜蔞仁 桃仁 2 升麻 0.8 酒紅花 0.4 / 五味子 1g [34.2g]
생화탕	生化湯	【傅靑註女科】活血化瘀 溫經止痛, 治 産後血瘀留瘀 【晴崗】分娩後 腹中有塊 腹痛 惡露不下
		當歸 24 川芎 9 桃仁 6 乾薑炮 炙甘草 2g [43g] ▸ [晴崗] 가감생화탕: 當歸 16 川芎(去油) 12 桃仁 4 乾薑炒黑 炙甘草 2g [36g - 주수상반전] (또는 去 도인 加 황기 백출 6g : 一名 보허생화탕 治 産後 惡露未淨) 7,49)
서각소독음	犀角消毒飮	【下130/ 보감-皮/ 단심】治 丹毒 及瘢疹 癮疹
		牛蒡子 16 荊芥 防風 8 甘草 4 犀角 6g [42g]
서각승마탕	犀角升麻湯	【中9/ 보감-風/ 寶鑑/ 本事方】治 中風 鼻額間痛 口不可開 左額頰上如糊急 此足陽明經受風毒 血凝滯而然/ 又治 內外風熱 齦腫痛
		犀角 6 升麻 5 羌活 防風 4 川芎 白附子 白芷 黃芩 3 甘草 2g [33g]
서각지황탕	犀角地黃湯	【下60/ 보감-血/ 입문】治 衄血不止 及上焦有瘀血 便黑
		生地黃 12 赤芍藥 8 犀角鎊 牧丹皮 4g [28g]
서경탕	舒經湯	【下133/ 보감-手/ 정전】治 氣血凝滯經絡 臂痛不擧
▸ 一名 통기음자(通氣飮子)		薑黃 8 當歸 海桐皮 白朮 赤芍藥 4 羌活 甘草 2 / 生薑片 4g [32g]
서시옥용산	西施玉容散	【합편-雜方門】治 面上一切酒刺風刺
		綠豆 白芷 白芨 白斂 白殭蠶 白附子 天花粉 40 甘松香 三乃子 藿香 20 零陵香 防風 藁本 8 皂角 4g [368g] -洗面用
서여환	薯蕷丸	【상한금궤】補氣養血 疏風散邪 〈금궤6〉 虛勞諸不足 風氣百疾

薯蕷(=산약) 30 甘草 28 當歸 桂枝 麯(=신곡) 乾地黃 豆黃卷 10 人蔘 阿膠 7 芎藭 芍藥 白朮 麥門冬 杏仁 防風 6 柴胡 桔梗 茯苓 5 乾薑 3 白斂 2분(分) / 大棗(為膏) 100매 [178+ 分: 대조 100매를 30分으로 간주시 총 208分] - 1푼 당 1~3g 환산고려. 탄자대 밀환으로 복용

서주속명탕	西州續命湯	(속명탕) 참조

석결명산　石決明散

【下107/ 보감-眼/ 입문】治 肝熱 眼赤腫 生瞖 或脾熱瞼內鷄冠蜆肉 蟹睛疼痛 或旋螺尖起

石決明 草決明 40 羌活 梔子 木賊 靑葙子 赤芍藥 20 大黃 荊芥 10g [200g] 1회 8g 麥門冬 煎湯 調下

석창포원지산A　石菖蒲遠志散A

【태음인/ 신축-신정방】위완수한표한병 【신편】治卒驚風 牙關緊急 ◦卒中風 眼合 手足拘攣 ◦溫水調下 或皀角吹鼻

石菖蒲 遠志 4 猪牙皀角 1.2g [9.2g]
▶ [신편] 삼신산(三神散): 去 조각 加 용골 4g

석창포원지산B　石菖蒲遠志散B

▶ 一名 원지석창포산(遠志石菖蒲散)

【태음인/ 신축】【신편】耳目聰明

遠志 石菖蒲 각등분

선방패독탕　仙方敗毒湯

선방활명음+패독산 加味

淸熱解毒 活血消腫 散風祛濕 - 小兒外感 및 염증성질환

金銀花 20 連翹 柴胡 天花粉 8 皀角刺 6 白芷 貝母 防風 前胡 羌活 獨活 枳殼 桔梗 川芎 甘草 赤茯苓 玄蔘 荊芥 4 生薑 5 薄荷 2g [110g]

선방활명음A　仙方活命飮A

【합편-增補】治 一切癰疽 【婦人良方】淸熱解毒 消腫潰堅 活血止痛

金銀花 25 陳皮 9 白芷 貝母 防風 赤芍藥 當歸尾 甘草 皀角刺炒 穿山甲炙 天花粉 乳香 沒藥 6g [100g: 酒水各半煎 (또는 水煎)] 8)
▶ 또는 금은화 진피 9 나머지 各 3g [51g] 23) (또는 去 진피 조각자 유향 몰약 加 연교 황기) 7)

선방활명음B　仙方活命飮B

선방활명음A 加 대황

【보감- 癰疽/ 입문】治一切癰疽毒腫 未成者內消 已成者卽潰 排膿 止痛 消毒之聖藥也

大黃 20 金銀花 12 當歸尾 皀角刺 陳皮 6 乳香 貝母 天花粉 白芷 赤芍藥 甘草 4 防風 3 沒藥 2g / 穿山甲 3片 [79g+ / 酒水相半煎]

선복대자탕	旋覆代赭湯	= (선복화대자석탕)

선복화대자석탕　旋覆花代赭石湯

▶ 一名 선복대자탕(旋覆代赭湯)

【상한금궤】降逆化痰 益氣和胃〈태양병-161〉心下痞硬 噫氣不除
【방극】治心下痞硬 噫氣不除者

1)현대: 半夏 10~12 生薑 10 旋覆花 甘草 大棗 6 人蔘 4~6 代赭石 2g [44~48g]
2)원문: 半夏 0.5승 生薑 5량 旋覆花 甘草 3량 大棗 12매 人蔘 2량 代赭石 1량

선복화탕A　旋覆花湯A

【상한금궤】解表溫中化飮〈금궤11〉肝者 其人常欲蹈其胸上 先未苦時 但欲飮熱〈금궤22〉脈弦而大.. 婦人半産漏下

1)현대: 旋覆花 葱白 6g [12g]

2)원문: 旋覆花 3량 葱白 14경(莖) / 新絳 少許
▶ 신강(新絳): 문헌에 따라 茜草로 보기도 하나 고증필요

| 선복화탕B | 旋覆花湯B | 【보감-婦人/ 三因】治産後感冒 風寒咳喘痰盛 |
| | | 旋覆花 赤芍藥 荊芥穗 半夏麴 五味子 麻黃 赤茯苓 杏仁 前胡 甘草 4 / 生薑 4 大棗 4g [48g] |

| 선비탕 | 宣痺湯 | 【온병조변】清熱利濕 宣痺通絡 |
| | | 防己 杏仁 滑石 薏苡仁 15 連翹 梔子 半夏 晩蠶沙 赤小豆皮 9g [105g] |

| 선유량탕 | 仙遺糧湯 | 【下146/ 보감-諸瘡/ 입문】治 楊梅風瘡 誤服輕粉 以致毁肌傷骨 |
| | | 土茯苓 28 防風 木瓜 木通 薏苡仁 白鮮皮 金銀花 2 皂角刺 1.5g [41.5g] |

| 성심산 | 醒心散 | 【中40/ 보감-心臟/ 綱目】治 心虛熱 |
| | | 人蔘 麥門冬 五味子 遠志 白茯神 生地黃 石菖蒲 각등분 |

| 성유탕A | 聖愈湯A | 【의종금감】治一切失血過多 陰虛氣弱 煩熱作渴 睡臥不寧 |
| | | [四物湯] 加 人蔘 黃芪 (또는 去 芍藥) |

| 성유탕B | 聖愈湯B | 【보감-癰疽/ 동원】治癰疽 膿水出多 心煩少睡 能托裏補氣血 |
| | | 熟地黃 生地黃 川芎 人蔘 8 當歸 黃芪 4g [40g] |

| 성향정기산A | 星香正氣散A | 【中4/ 입문】卒中風 人事稍省 關節動活後 用此理氣 |
| 곽향정기산A 加 남성 목향 | | 藿香 6 蘇葉 木香 南星 4 白朮 半夏製 陳皮 白茯苓 厚朴 桔梗 白芷 大腹皮 甘草炙 2 / 生薑 4 大棗 4g [44g] |

| 성향정기산B | 星香正氣散B | 【소음인/ 신축】신수열표열병 – 凡中風 中氣 痰厥 食厥, 先用此方後 隨症治之 |
| 곽향정기산B 加 남성 목향 | | 藿香 6 紫蘇葉 木香 南星 4 蒼朮 白朮 半夏 陳皮 青皮 大腹皮 桂皮 乾薑 益智仁 炙甘草 2 / 生薑 4 大棗 4g [46g] |

| 세간명목탕 | 洗肝明目湯 | 【下108/ 보감-眼/ 회춘】治 一切風熱眼目 赤腫 疼痛 |
| | | 當歸尾 川芎 赤芍藥 生地黃 黃連 黃芩 梔子 石膏 連翹 防風 荊芥 薄荷 羌活 蔓荊子 甘菊 白蒺藜 草決明 桔梗 甘草 2g [38g] (또는 去 석고 加 시호) 7) |

| 세간산 | 洗肝散 | 【보감-肝臟/ 海藏/ 국방】治肝實【疏風散熱 清肝瀉火】 |
| | | 羌活 當歸 薄荷 防風 大黃 川芎 梔子炒 甘草炙 4g [32g] (或加 草龍膽 4g) |

| 세안탕 | 洗眼湯 | 【下113/ 보감-眼/ 단심】治 暴赤眼 |
| | | 當歸 黃連 4 赤芍藥 防風 2 杏仁 2g [14g] |

| 소간탕 | 疏肝湯 | 【만병회춘】治左脇下痛 肝積屬血【疏肝理氣 消瘀止痛】 |

柴胡 當歸 10 芍藥 川芎 桃仁 6 枳殼 靑皮 4 黃連 紅花 2 吳茱萸 1g [51g] 12) (cf. 원문은 오수유 없음. 황련(吳茱萸煎汁炒)이 군약)

소감원	蘇感元	【下98/ 보감-大便/ 득효】治 積痢腹內緊痛

蘇合香元(中90) : 感應元(下97) =4:6

소감패독산	消疳敗毒散	【보감-諸瘡/ 회춘】專治下疳瘡

柴胡 6 黃栢 赤芍藥 赤茯苓 木通 草龍膽 3.5 連翹 荊芥 黃連 蒼朮 知母 3 防風 獨活 2.5 甘草 1.2 / 燈心 ■ 2g [70.7g]

소건중탕A	小建中湯A	【상한금궤】溫中補虛 和裏緩急

〈태양병-100〉腹中急痛 (102) 心中悸而煩
〈금궤6〉虛勞裏急 悸 衄 腹中痛 夢失精 四肢痠疼 手足煩熱 咽乾口燥
〈금궤22〉婦人腹中痛
【방극】治裏急 腹皮拘急 及急痛者
【JP】體虛, 易疲勞하면서 혈색이 좋지 않고 복통 동계 수족열 냉증 빈뇨 또는 다뇨 중 하나가 있는 자의 소아허약체질 피로권태 신경질 만성위장염 소아야뇨증 야제

계지가작약탕 加 교이

1)현대A: 餃飴 40 芍藥 12 桂枝 甘草 生薑 大棗 6g [76g]
2)현대B: 餃飴 芍藥 30 大棗 20~30 桂枝 生薑 15 甘草 10g [120-130g]
3)원문: 膠飴 1升 芍藥 6량 桂枝 生薑 3량 甘草 2량 大棗 12매 (금궤: 甘草 3량 生薑 2량)
▶ 【JP】膠飴 10 芍藥 6 桂皮(JP) 大棗 4 甘草 2 生薑(JP) 1g [27g] (또는 膠飴 20)
▶ 황기건중탕, 당귀건중탕 참조

소건중탕B	小建中湯B	【上45/ 보감-虛勞/ 중경】治 虛勞 裏急 腹痛 夢遺 咽乾

黑糖 40 白芍藥 20 桂枝 12 甘草炙 4 / 生薑 ■ 6 大棗 ■ 8g [90g] (cf. 동의보감: 黑糖 대신 膠飴로 표기)

소경활혈탕	疏經活血湯	【만병회춘】祛風活血止痛 【JP】관절통 신경통 요통 근육통

▶ 【JP】芍藥 2.5 地黃 當歸 川芎 白朮(蒼朮) 茯苓 桃仁 2 牛膝 陳皮 防己 防風 龍膽 威靈仙 羌活 1.5 甘草 白芷 1 生薑(JP) 0.5g [26.5g] (또는 芍藥 6 茯苓 生薑 3 甘草 2 나머지 各 4g)

소계음자	小薊飮子	【濟生方】凉血止血 利水通淋

生地黃 30 小薊 滑石 15 蒲黃 藕節 淡竹葉 梔子 當歸 木通 甘草炙 6g [102g]

소독보영단	消毒保嬰丹	【中174/ 입문】每春秋分時 服一丸 痘毒漸消化

纏豆藤(전두등=갯실새삼) 60 赤豆 ■ 36 黑豆 ■ 16 山査肉 牛蒡子 生地黃 辰砂 40 升麻 連翹 30 荊芥 防風 獨活 甘草 當歸 赤芍藥 黃連 桔梗 20g / 絲瓜 ■ 20g [512g - 李核크기로 丸]

소반산	消瘢散	= (소석반석산)

소반하가복령탕	小半夏加茯苓湯	【상한금궤】 治停飲嘔吐 心下痞悶 頭眩心悸者 〈금궤12〉 卒嘔吐 心下痞 膈間 有水 眩悸者 (12) 先渴後嘔, 爲水停心下 【방극】 治小半夏湯證 而眩悸者 【JP】 체력은 중간 정도인 자의 오심, 구토, 입덧
		1)현대: 半夏 16~24 生薑 16 茯苓 6g [38~46g] 2)원문: 半夏 1升 生薑 0.5斤 茯苓 3량(一法 4량) ▶ 【JP】 半夏 6 茯苓 5 生薑(JP) 1.5g [12.5g]
소반하탕	小半夏湯	【상한금궤】 和胃降逆 消痰化飮 〈금궤12〉 嘔家.. 今反不渴 心下有支飮故也 〈금궤15〉 噦者 〈금궤17〉 諸嘔吐 穀不得下者 【방극】 治吐而不渴者
생강반하탕과 동일약물		1)현대A: 半夏 20~24 生薑 16g [36~40g] 2)현대B: 半夏 生薑 30g [60g] 3)원문: 半夏 1升 生薑 0.5斤
소복축어탕	少腹逐瘀湯	【의림개착】 活血祛瘀 溫經止痛 - 消下焦小腹之瘀
		當歸 蒲黃 9 川芎 赤芍藥 沒藥 五靈脂 6 玄胡索 小茴香 肉桂 3 乾薑 1g [52g]
소삼소음	小蔘蘇飮	【中162/ 보감-婦人/ 雲岐/ 득효】 治 産後敗血 入肺 面黑 發喘
		蘇木 80g [80g- 人蔘末 8g 調服]
소서패독산	消暑敗毒散	【中19 인삼패독산 附方】 治 傷暑
인삼패독산 加 향유 황련		香薷 8 黃連 人蔘 柴胡 前胡 羌活 獨活 枳殼 桔梗 川芎 赤茯苓 甘草 4 / 生薑 4 薄荷 2g [46g]
소석반석산	消石礬石散	【상한금궤】 〈금궤15〉 黃家日哺所發熱 而反惡寒 此爲女勞得之.. 少腹滿 身盡 黃 額上黑 足熱 因作黑疸 其腹脹如水狀 大便必黑 時溏 【방극】 治一身悉黃 腹脹 如水狀 大便黑 時溏者
▶ 一名 소반산(消礬散) 초반산(硝礬散) 초석반석산(硝石礬石散)		1)현대: 芒硝 白礬 各等分 2)원문:消石 礬石 各等分 - 大麥粥과 복용
소속명탕	小續命湯	【中1/ 보감-風/ 입문】 治 一切風初中 無汗 表實
		防風 6 防己 官桂 杏仁 黃芩 白芍藥 人蔘 川芎 麻黃 甘草 4 附子炮 2 / 生薑 4 大棗 4g [52g]
소승기탕A	小承氣湯A	【상한금궤】 瀉熱通便 破滯除滿 〈양명병-208〉 陽明病 潮熱 手足濈然汗出, 腹大滿不通 (209) 恐有燥屎 欲 知之法 少與小承氣湯 (213) 其人多汗 胃中燥 大便必硬 譫語 (214) 譫語 潮熱 脈滑而疾 (250) 太陽病 若吐下汗後 微煩 小便數 大便因硬 (251) 脈 弱 無太陽柴胡證.. 心下硬 〈궐음병-374〉 下利譫語 有燥屎 【방극】 治腹滿 而大便鞭者
		1)현대: 大黃 12 枳實 9~12 厚朴 6g [27~30g] 2)원문: 大黃 4량 枳實 3매 厚朴 2량 ▶ 후박삼물탕 참조
소승기탕B	小承氣湯B	【下8/ 보감-寒/ 입문/ 중경】 治 傷寒裏證 小熱 小實 小滿 宜緩下者

	大黃 16 厚朴 枳實 6g [28g]

소시호탕A 小柴胡湯A

【상한금궤】和解少陽
〈태양병-96〉往來寒熱 胸脇苦滿 嘿嘿不欲飮食 心煩喜嘔 或胸中煩而不嘔 或渴 或腹中痛 或脇下痞硬 或心下悸 小便不利 或不渴 身有微熱 或咳者 (37)
胸滿脇痛 (97) 往來寒熱 休作有時 嘿嘿不欲飮食 (99) 身熱惡風 頸項强 脇下滿 手足溫而渴 (100) 腹中急痛 先與小建中湯 不差者 (101) 傷寒中風 有柴胡證 但見一證便是 不必悉具 (144) 婦人中風 續得寒熱 發作有時 經水適斷 此爲熱入血室 (148) 半在裏半在外 (149) 嘔而發熱
〈양명병-229〉潮熱 大便溏 小便自可 胸脇滿不去 (230) 脇下硬滿 不大便而嘔 (231) 陽明中風.. 腹都滿 脇下及心痛.. 一身及面目悉黃
〈소음병-266〉太陽病不解 轉入少陽 脇下硬滿 乾嘔不能食 往來寒熱
〈궐음병-379〉嘔而發熱
〈음양역차후노복병-394〉傷寒差以後 更發熱
〈금궤15〉諸熱 腹痛而嘔〈금궤21〉産後婦人.. 病痙 鬱冒 大便難..嘔不能食 (21) 四肢苦煩熱 頭痛者
【방극】治胸脇苦滿 心下痞硬 或寒熱往來 或嘔者
【JP】1)만성간염에서의 간기능장애 개선 2)중등도의 체력으로 상복부의 상복부苦滿 舌白苔 口中不和 식욕부진 때때로 미열 오심 등이 있는 자의 각종 급성열성호흡기질환 임파선염 만성위질환 산후회복부전 (또는 감기후기증상 피로 한열왕래)

1)현대A: 柴胡 12~16 半夏 12 黃芩 人蔘 大棗 生薑 甘草 6g [50-54g]
2)현대B: 柴胡 15~30 大棗 20 半夏 黃芩 人蔘 生薑 15 甘草 5~15 g
[100-125g] (또는 去 인삼 代 당삼)
3)원문: 柴胡 0.5근 半夏 0.5승 黃芩 人蔘 生薑 甘草 3량 大棗 12매
▶【JP】柴胡 7 半夏 5 黃芩 人蔘 大棗 3 甘草 2 生薑(JP) 1g [24g]

소시호탕B 小柴胡湯B
【보험처방】

【中25/ 보감-寒/ 입문/ 중경】治 少陽半表裏 往來寒熱

柴胡 12 黃芩 8 人蔘 半夏 4 甘草 2 / 生薑 4 大棗 4g [38g]

소시호탕가길경 석고 小柴胡湯加桔梗 石膏

【JP】인후통을 동반하는 편도염, 편도주위염【和解少陽 淸熱利咽】

▶【JP】石膏 10 柴胡 7 半夏 5 人蔘 黃芩 桔梗 大棗 3 甘草 2 生薑(JP) 1g [37g]

소식청울탕 消食淸鬱湯

【보감-內傷/ 회춘】治 嘈雜

半夏 陳皮 白茯苓 神麴炒 山楂肉 香附子 川芎 麥芽炒 枳殼 梔子炒 黃連(薑汁炒) 蒼朮 藿香 甘草 3 / 生薑 4g [46g]

소아청심원 小兒淸心元

【中168/ 보감-小兒/ 直指小兒方】治 諸熱 及驚熱 煩燥

人蔘 白茯神 防風 朱砂 柴胡 8 / 金箔 30片 [40+g] 오자대 밀환, 1회 1환(竹瀝調下)

소양보위탕 小陽補胃湯

【소양인/ 신편】위수열리열병【신편】治 逆氣 腹痛 頭痛

熟地黃 16 山茱萸 赤茯苓 澤瀉 6 車前子 知母 羌活 獨活 荊芥 防風 4g [58g]

소오침탕	小烏沈湯	【보감-氣/ 국방】治諸氣心腹刺痛

香附子 80 烏藥 40 沈香 甘草 10g [140g] 1회 4g 끓인 소금물(沸鹽湯)과 복용

소요산	逍遙散	【中166/ 보감-婦人/ 입문/ 국방】治 月經不調 及血虛 五心煩熱 寒熱如瘧

白朮 白芍藥 白茯苓 柴胡 當歸 麥門冬 4 甘草 薄荷 2 / 生薑 ▨ 4g
[32g] ▶ 화제국방 원방에는 맥문동이 없음
▶ 가미소요산A, 청간소요산 참조

소자강기탕	蘇子降氣湯	【中87/ 보감-氣/ 국방】治 上氣喘促【降氣平喘 祛痰止咳】

蘇子 半夏麴 4 官桂 陳皮 3 當歸 前胡 厚朴 甘草炙 2 / 蘇葉 ▨ 3 生薑 ▨ 4 大棗 4g [33g] (cf.화제국방 원방은 陳皮가 없음)

소자도담강기탕	蘇子導痰降氣湯	【下37/ 보감-咳嗽/ 필용】治 痰喘 上氣

蘇子 8 半夏 當歸 6 南星 陳皮 4 前胡 厚朴 赤茯苓 枳實 3 甘草 2 / 生薑 ▨ 4 大棗 4g [50g]

소자도담탕	蘇子導痰湯	【소음인/ 신편】【신편】治 痰喘
소자도담강기탕 去 전호 적복령		

蘇子 8 半夏 當歸 6 南星 陳皮 4 厚朴 枳實 3 甘草 2g [36g]

소적정원산 ▸	消積正元散	【下40/ 보감-積聚/ 입문】治 痰飮 氣血鬱結 食積 氣不升降

白朮 6 神麴 香附子 枳實 玄胡索 海粉 4 赤茯苓 陳皮 靑皮 砂仁 麥芽 山査肉 甘草 3 / 生薑 ▨ 4g [51g]

소조중탕	小調中湯	【下68/ 보감-痰飮/ 입문】治 一切痰火 及百般怪病 善調脾胃

甘草 黃連 半夏 瓜蔞仁 5 / 生薑 ▨ 4g [24g] (cf. 대조중탕(大調中湯) = 소조중탕+팔물탕)

소창음자	消脹飮子	【下47/ 보감-脹滿/ 의감】治 單腹 蠱脹

猪苓 澤瀉 人蔘 白朮 赤茯苓 蘿菔子 半夏 陳皮 靑皮 厚朴 蘇葉 香附子 砂仁 木香 檳榔 大腹皮 木通 甘草 2 / 生薑 ▨ 6 大棗 ▨ 4g [46g]

소청룡가석고탕	小靑龍加石膏湯	【상한금궤】解表化飮 淸熱除煩

〈금궤7〉肺脹 咳而上氣 煩躁而喘 脈浮者 心下有水

1)현대: 半夏 10 石膏 8 麻黃 桂枝 芍藥 細辛 乾薑 甘草 五味子 6g
[60g] (또는 半夏 12 石膏 4~) [19]
2)원문: 半夏 五味子 0.5승 麻黃 桂枝 芍藥 細辛 乾薑 甘草 3량 石膏 2량

소청룡탕A	小靑龍湯A	【상한금궤】解表散寒 溫肺化飮

〈태양병-40〉傷寒表不解 心下有水氣 乾嘔 發熱而咳 (41) 傷寒 心下有水氣 咳而微喘 發熱不渴
〈금궤12〉咳逆倚息 不得臥 〈금궤12〉病溢飮者 〈금궤22〉婦人吐涎沫
【방극】治咳喘 上衝 頭痛 發熱 惡風 或乾嘔者
【JP】수양성 가래나 콧물, 코막힘 재채기 천명 해수 流涙 등을 동반하는 비염 감기 천식 기관지염 알러지성결막염 (또는 胸悶 胃內停水 분비물과다)

1)현대A: 半夏 10~12 五味子 麻黃 桂枝 芍藥 細辛 乾薑 甘草 6g
[52~54g]
2)현대B: 半夏 五味子 麻黃 桂枝 芍藥 細辛 乾薑 甘草 10g [80g]
3)원문: 半夏 五味子 0.5승 麻黃 桂枝 芍藥 細辛 乾薑 甘草 3량
▶【JP】半夏 6 麻黃 桂皮(JP) 芍藥 細辛 乾薑 甘草 五味子 3g [27g]

소청룡탕B	小青龍湯B	【中27/ 보감-寒/ 정전/ 중경】治 傷寒表不解 心下有水氣 乾嘔 氣逆 發熱 咳喘/ 服此渴者 裏氣溫 水欲散
【보험처방】		麻黃 白芍藥 五味子 半夏製 6 細辛 乾薑 桂枝 甘草炙 4g [40g]

소체환	消滯丸	【下27/ 보감-內傷/ 의감】消酒食 水氣 痞滿 脹腫 積痛
		黑丑頭末 80 香附子炒 五靈脂 40g [160g]

소침환	燒鍼丸	【中180/ 보감-小兒/ 의감】治 內傷 乳食 吐瀉不止
		黃丹 朱砂 枯白礬 각등분

소풍도담탕	疏風導痰湯	中風濕痰證 言語障碍 眩暈
		半夏 8 南星 陳皮 赤茯苓 4 枳殼 羌活 防風 當歸 川芎 烏藥 白芷 香附子 甘草 3 桂枝 細辛 2 生薑 10g [61g]
		▶ 소풍보심도담탕=소풍탕+도담탕+가미온담탕 가미

소풍산A	消風散A	【中112/ 보감-頭/ 입문】治 諸風上攻 頭目昏眩 鼻塞 耳鳴 麻痒 及婦人血風 頭痒
		荊芥 甘草 4 人蔘 白茯苓 白殭蠶 川芎 防風 藿香 蟬退 羌活 2 陳皮 厚朴 1.2 / 細茶 2g [28.4g]

소풍산B	消風散B	【의종금감/ 外科正宗】風濕侵淫血脈 致生瘡疥 瘙痒不絕 及大人小兒風熱癮疹 偏身雲斑點 乍有乍無者【疏風除濕 淸熱養血】 【JP】분비물이 많고 소양감이 심한 만성피부병(습진 두드러기 무좀 땀띠 피부 소양증)
		石膏 地黃 當歸 蒼朮 防風 牛蒡子 胡麻 知母 苦參 荊芥 蟬退 4 木通 甘草 2g [48g]
		▶【JP】石膏 地黃 當歸 3 蒼朮 防風 木通 牛蒡子 2 胡麻 知母 1.5 苦參 荊芥 蟬退 甘草 1g [24g]

소풍순기원	疏風順氣元	【보감-大便/ 득효】治腸胃積熱 二便燥澁 風祕 氣祕 老人祕結
		大黃酒蒸 5량 車前子炒 2.5량 郁李仁 檳榔 麻子仁 兎絲子酒製 牛膝酒洗 山藥 山茱萸 2량 枳殼 防風 獨活 1량 [24.5량=980g] 오자대 밀환. 1회 50~70환

소풍청영탕	消風淸營湯	【晴崗】血燥風熱로 인한 皮膚病 (瘡疹, 全身瘙痒, 夜間瘙痒)
소풍산 加減方		
		連翹 滑石 6 乾地黃 當歸 白芍藥 川芎 防風 荊芥 4 黃芩(酒炒) 甘草 3 薄荷 2 / 蟬退 2g [46g] [7.60]

| 소풍탕 | 疏風湯 | 【中2/ 보감-風/ 회춘】治 風中腑 手足不仁 先宜解表 後用 [愈風散] 調理 |

		羌活 防風 當歸 川芎 赤茯苓 陳皮 半夏 烏藥 白芷 香附子 3 桂枝 細辛 甘草 1.2 / 生薑 ᄐ 4g [37.6g]
소풍활혈탕	疏風活血湯	【中5/ 보감-風/ 의감】 治 四肢百節流注刺痛 是風濕痰死血所致 其痛處 或腫 或紅
		當歸 川芎 威靈仙 白芷 防己 黃柏 南星 蒼朮 羌活 桂皮 4 紅花 1.2 / 生薑 ᄐ 6g [47.2g]
소함흉탕	小陷胸湯	【상한금궤】 淸熱化痰 寬胸散結 〈태양병-138〉 小結胸病 正在心下 按之則痛 脈浮滑 【방극】治小結胸者 (방극산정) 治病正在心下 按之痛 煩悸而嘔者
		1)현대A: 半夏 15 瓜蔞實 12 黃連 3g [30g] (또는 半夏 12 瓜蔞實 6 黃連 3g) [12] 2)현대B: 半夏 15 瓜蔞實 15~30 黃連 5g [35-50g] (또는 瓜蔞實 20 半夏 12 黃連 6g) [8] 3)원문: 半夏 0.5승 瓜蔞實 1매 黃連 1량
소합향원A ▶ 一名 용뇌소합원(龍腦蘇合元)	蘇合香元A	【中90/ 보감-氣/ 국방】 治 一切氣疾
		白朮 木香 沈香 麝香 丁香 安息香 白檀香 朱砂半爲衣 犀角 訶子皮 香附子 華撥 80 蘇合油 乳香 龍腦 40g [1080g] ▶ 사향소합원(麝香蘇合元) : 去 용뇌
소합향원B	蘇合香元B	【소음인/ 신축】 위수한리한병〈太陰證〉治一切氣痰 中氣 上氣 氣逆 氣痛
		白朮 木香 沈香 丁香 安息香 白檀香 訶子肉 香附子 畢撥 藿香 茴香 桂皮 80 五靈脂 玄胡索 40g [960g]
소활락단	小活絡丹	= (활락단)
속명탕	續命湯	【상한금궤】 祛風淸熱 理氣養血〈금궤5〉治中風痱 身體不能自收持 口不能言 冒昧不知痛處 或拘急不得轉側
		1)현대: 麻黃 桂枝(桂心) 石膏 人蔘 當歸 乾薑 甘草 杏仁 6 川芎 3g [51g] 2)원문: 麻黃 桂枝 石膏 人蔘 當歸 乾薑 甘草 3량 杏仁 40매 川芎 1량 (다른문헌: 川芎 1兩5錢) ▶ [참고: 일본문헌 용량] 石膏 6 杏仁 4 麻黃 桂皮(JP) 人蔘 當歸 3 川芎 乾薑 甘草 2g [28g] ▶ 서주속명탕(西州續命湯) : 去 인삼 加 황금 ▶ 대속명탕(大續命湯) : 속명탕의 다른 이름 또는 서주속명탕 구성에 준함 (문헌마다 처방구성 상이) [82]
수련환	茱連丸	【下92/ 보감-大便/ 단심】 治 赤白痢
		吳茱萸 黃連 80g [160g] 용법 원문참조 ▶ 회금환 참조
수비전	壽脾煎	【上99/ 경악전서】 治 脾虛 不能攝血 或誤用攻伐 犯損脾陰 或婦人無火 崩淋 等症
		人蔘 8g(急者40g) 白朮 當歸 山藥 乾薑炮 8 酸棗仁炒 6 甘草炙 4 遠志 2 / 蓮肉 6g [58~90g] (또는 加 백작약炒 6, 減 건강초 4g : 一名

가미수비전) [7,49] (또는 去 인삼 원지 加 백작약초 8 속단초 지유초 6 천궁 백복령 4 오매 2, 減 건강초 4g : 一名 가감섭영전加減攝營煎) [7]

수자목향고	水煮木香膏	【中111/ 보감-大便/ 袖珍方】治 一切諸痢

罌粟殼蜜炒 120 砂仁 肉豆蔲煨 乳香 30 木香 丁香 訶子 藿香 當歸 黃連 厚朴 陳皮 靑皮 白芍藥 甘草炙 20 枳實 乾薑炮 10g [450g]

수점산	手拈散	【中130/ 보감-胸/ 강목】治 九種心痛 及心脾痛【活血化瘀 理氣止痛】

草果 玄胡索 五靈脂 沒藥 각등분

수태환	壽胎丸	【醫學衷中參書錄】補腎 安胎, 治 滑胎 胎動不安

菟絲子 4량 桑寄生 續斷 阿膠 2량 [10량=400g] 수환으로 하여 1회 6g 복용 (또는 菟絲子 桑寄生 8 續斷 6 阿膠 4g : 탕전시) [97]

숙지황고삼탕	熟地黃苦蔘湯	【소양인/ 신축-신정방】위수열리열병〈下消〉治下消者 【신편】治下消 。胎衣不出

熟地黃 16 山茱萸 8 白茯苓 澤瀉 6 知母 黃柏 苦蔘 4g [48g]

순기도담탕	順氣導痰湯	(도담탕) 참조

순기화중탕A	順氣和中湯A	【中117/ 보감-頭/ 강목】治 氣虛頭痛

黃芪蜜炒 6 人蔘 4 白朮 當歸 白芍藥 陳皮 2 升麻 柴胡 1.2 蔓荊子 細辛 川芎 0.8g [22.8g]

순기화중탕B	順氣和中湯B	【보감-嘔吐/ 의감, 회춘】治嘔吐反胃 嘈雜呑酸 噯膈吐痰水 心腹刺痛

陳皮(鹽水炒) 香附子(醋炒) 梔子(薑汁炒黑) 4 白朮(土炒) 3 / 白茯苓 2 半夏 神麴 黃連 2.5 枳實 2 縮砂 1.2 甘草炙 0.8 / 生薑 4g [29.5g]

순기활혈탕	順氣活血湯	【晴崗】中風後遺症 感 前兆로 手指偏身鈍麻, 疼痛, 不遂, 痺風

香附子 8 烏藥 橘皮 6 半夏 赤茯苓 蒼朮 當歸 川芎 赤芍藥 桔梗 枳殼 4 白芷 木香 3 甘草 2 / 生薑 4g [64g] [7,58]

승강산	升降散	【傷寒溫疫條辨】升淸降濁 散風淸熱

白殭蠶 6 蟬蛻 3 薑黃 9 大黃 12g [30g] (또는 白殭蠶 蟬蛻 10 薑黃 大黃 5g)

승금단	勝金丹	【보감-婦人/ 득효】治月水愆期 久無嗣息 及血癖 氣痛 百般諸疾

牧丹皮 藁本 人蔘 當歸 白茯苓 赤石脂 白芷 肉桂 白薇 川芎 玄胡索 白芍藥 白朮 1량 沈香 甘草 0.5량 [14량=560g] 탄자대 밀환, 1회 1환

승금조위탕	升芩調胃湯	(태음조위탕) 참조

승기조위탕	升氣調胃湯	(태음조위탕) 참조

승마갈근탕	升麻葛根湯	【中22/ 보감-寒/ 국방】治 溫病及時令感冒【JP】초기감기 피부염

葛根 8 白芍藥 升麻 甘草 4 / 生薑 。4 葱白 ㆍ3g [27g]

► 【JP】 葛根 5 芍藥 3 升麻 2 甘草 1.5 生薑(JP) 0.5g [12g]

승마개뇌탕	升麻開腦湯	【태음인/ 갑오,신편】【신편】治寒厥四五日 汗不出
		升麻 12 天門冬 麥門冬 五味子 酸棗仁 桔梗 黃芩 麻黃 杏仁 葛根 款冬花 白芷 大黃 4g [44g]
승마별갑탕	升麻鱉甲湯	【상한금궤】治 陽毒, 瘟疫 〈금궤3〉 陽毒之爲病 面赤斑斑如錦紋 咽喉痛 唾膿血
		1)현대: 升麻 甘草 鱉甲 6 當歸 蜀椒 3 雄黃 1.5g [25.5g] 2)원문: 升麻 甘草 2량 鱉甲炙 1편(片) 當歸 蜀椒 1량 雄黃 0.5량
승마별갑탕거웅 황촉초탕	升麻鱉甲湯去雄 黃蜀椒湯	【상한금궤】〈금궤3〉 陰毒之爲病 面目靑 身痛如被杖 咽喉痛
		1)현대: 升麻 甘草 鱉甲 6 當歸 3g [21g] 2)원문: 升麻 甘草 2량 鱉甲炙 1편(片) 當歸 1량
승마부자탕	升麻附子湯	【中122/ 보감-面/ 입문】治 面寒 面寒胃虛也
		升麻 附子炮 葛根 白芷 黃芪蜜炒 3 人蔘 草豆蔲 甘草炙 2 益智仁 1.2 / 葱白 。4g [26.2g]
승마위풍탕	升麻胃風湯	【中123/ 보감-面/ 동원】治 胃風面腫
		升麻 8 甘草 6 白芷 5 當歸 葛根 蒼朮 4 麻黃(不去節) 2 柴胡 藁本 羌活 黃柏 草豆蔲 1.2 蔓荊子 0.8 / 生薑 。4 大棗 。4g [47.8g]
승마황련탕	升麻黃連湯	【中121/ 보감-面/ 위생보감】治 面熱
		升麻 葛根 4 白芷 3 白芍藥 甘草 2 黃連 1.5 犀角屑 川芎 荊芥穗 薄荷 1.2g [21.3g]
승습탕	勝濕湯	【上15/ 보감-濕/ 제생】治 坐臥濕地 或雨露所襲 身重脚弱 大便泄瀉
		白朮 12 人蔘 乾薑 白芍藥 附子炮 桂枝 白茯苓 甘草 3 / 生薑 。6 大棗 。4g [43g]
승양보위탕 【보험처방】	升陽補胃湯	【보감-後陰/ 동원】治腸澼下血 ㆍㆍ遠散如筋 色紫黑 腰腹沈重 名曰濕毒腸澼
		白芍藥 6 羌活 升麻 黃芪 4 生地黃 獨活 柴胡 防風 牧丹皮 甘草 2 當歸 葛根 1.2 桂心 0.8g [33.2g]
승양산화탕	升陽散火湯	【보감-火/ 동원】治火鬱 及五心煩熱
		升麻 葛根 羌活 獨活 白芍藥 人蔘 4 柴胡 甘草 2.5 防風 2 甘草 1.5g [32.5g]
승양순기탕A	升陽順氣湯A	【보감-神/ 단심】治忿怒傷肝 思慮傷脾 悲哀傷肺 以致各經火動 有傷元氣 發熱不思飮食
		黃芪(蜜炙) 8 人蔘 半夏(薑製) 4 神麴炒 3 當歸 草豆蔲 陳皮 升麻 柴胡 2 黃柏 甘草炙 1g / 生薑 。4g [35g]

승양순기탕B	升陽順氣湯B	【보감-內傷/ 동원】治內傷諸證 春月口淡無味 夏月雖熱猶寒 胸腹滿悶 飢常如飽
보중익기탕 去 백출, 加 초두구 신곡 반하 황백		黃芪 8 半夏 5 草豆蔲 3 神麴 當歸 陳皮 人蔘 2.5 升麻 柴胡 甘草 1.5 黃栢 1.2 / 生薑 ㄧ 4g [35.7g]

승양익기부자탕	升陽益氣附子湯	【소음인/ 신축-신정방】신수열표열병 〈亡陽證〉 亡陽末證
승양익기탕 加 부자		人蔘 桂枝 白芍藥 黃芪 8 白何首烏 官桂 當歸 炙甘草 4 炮附子 4~8 / 生薑 ㄧ 4 大棗 ㄧ 4g [60~64g]

승양익기탕	升陽益氣湯	【소음인/ 신축-신정방】신수열표열병 〈亡陽證〉 亡陽初證
		【신편】治 太陽症而亡陽初證 胃家實 發狂末症
		人蔘 桂枝 黃芪 白芍藥 8 白何首烏 官桂 當歸 炙甘草 4 / 生薑 ㄧ 4 大棗 ㄧ 4g [56g]

승양제습탕A	升陽除濕湯A	【下88/ 보감-大便/ 동원】治 氣虛泄瀉 不思飮食 困倦無力
		蒼朮 6 升麻 柴胡 羌活 防風 神麴 澤瀉 猪苓 3 陳皮 麥芽 甘草炙 2g [33g]

승양제습탕B	升陽除濕湯B	【보감-胞/ 동원】治崩漏不止 因脾胃虛而心包乘之 故血漏而下
		黃芪 蒼朮 羌活 4 柴胡 升麻 防風 藁本 甘草炙 3 蔓荊子 2 獨活 當歸 1.2g [31.4g]

승양제습화혈탕	升陽除濕和血湯	【下143/ 보감-後陰/ 동원】治 腸澼下血 作派有力遠射 腹痛
		白芍藥 6 黃芪 甘草炙 4 陳皮 升麻 3 生地黃 牧丹皮 生甘草 2 當歸 熟地黃 蒼朮 秦艽 肉桂 1.2g [32g]

승양팔물탕	升陽八物湯	【소음인/ 갑오,신편】신수열표열병 〈鬱狂證〉【신편】治太陽陽明症 尤徙
팔물군자탕 增 황기, 去 진피 加 관계		人蔘 黃芪 8 白朮 白芍藥 當歸 川芎 官桂 炙甘草 4 / 生薑 ㄧ 4 大棗 ㄧ 4g [48g]

승지조위탕	升芷調胃湯	(태음조위탕) 참조

승함탕	升陷湯	【의학충중참서록】補氣升陷 - 治胸中大氣下陷 氣短不足以息
		生黃芪 18 知母 9 柴胡 桔梗 4.5 升麻 3g [39g]

시갈해기탕A	柴葛解肌湯A	【傷寒六書】解肌淸熱 緩急止痛
▶ 一名 갈근해기탕(葛根解肌湯) / 또는 갈근해기탕A 去 승마		葛根 柴胡 9 黃芩 芍藥 羌活 6 白芷 5 桔梗 石膏 生薑 大棗 甘草 3g [56g] (또는 葛根 石膏 12g ~ : 원문에는 분량이 기재되지 않음)
		▶ [갈근해기탕A] 참고

시갈해기탕B	柴葛解肌湯B	【합편-增補/ 의학심오】傷寒陽明經證 惡熱 口渴【解肌淸熱】
		生地黃 8 葛根 黃芩 牧丹皮 6 柴胡 5 赤芍藥 知母 貝母 4 甘草 3g [46g]

시건탕	柴健湯	(소시호탕 合 소건중탕)

시경반하탕	柴梗半夏湯	【中135/ 보감-胸/ 입문】治 痰熱盛 胸痞 脇痛
【보험처방】		柴胡 8 瓜蔞仁 半夏 黃芩 枳殼 桔梗 4 靑皮 杏仁 3 甘草 1.5 / 生薑 4g [39.5g] (또는 加 복령 상백피 4 백개자 2, 增 반하 6g) [7]

시귀음	柴歸飮	【中172/ 의종손익】治 痘初起用 此平和養榮之劑
		當歸 8 白芍藥 6 柴胡 荊芥 4 甘草 3 / 生薑 4g [29g]

시네츄라시럽	Synatura	止咳平喘 - 급성 상기도감염, 만성 염증성기관지염으로 인한 기침, 가래
		아이비엽(洋常春藤, Hedera helix):黃連(3:1) 30% 에탄올연조 - 1ml 중 각 2.625mg, 0.875mg함유 [1일 3회, 1회 15mL]

시령탕	柴苓湯	【下14/ 보감-寒/ 단심】治 傷寒陽症 身熱 脈數 煩渴 自利 【JP】오심 식욕부진 구갈 소변량감소 등이 있는 수양성설사 급성위장염 中暑 부종
소시호탕 + 오령산		柴胡 6 澤瀉 5 白朮 猪苓 赤茯苓 3.5₁ 半夏 3₁ 黃芩 人蔘 甘草 2.5₁ 桂心 1.2₁ / 生薑 4g [37.2g]
		▶【JP】柴胡 7 澤瀉 半夏 5 猪苓 茯苓 白朮(蒼朮) 人蔘 黃芩 大棗 3 桂皮(JP) 甘草 2 生薑(JP) 1g [40g]

시박탕	柴朴湯	【JP】불안 우울 인후이물감이 있거나 심계항진 오심 현훈 경향이 있는 사람의 천식 기관지염 기침 불안신경증
소시호탕 + 반하후박탕		▶【JP】柴胡 7 半夏 茯苓 5 黃芩 厚朴 大棗 人蔘 3 甘草 蘇葉 2 生薑(JP) 1g [34g] (또는 半夏 6 ~)

시진탕	柴陳湯	【中69/ 보감-痎瘧/ 입문】治 痰瘧, 痰熱胸痞
소시호탕 + 이진탕		柴胡 半夏 8 人蔘 黃芩 陳皮 赤茯苓 4 甘草 2 / 生薑₁ 4 大棗₁₁ 4g [42g]

시평탕	柴平湯	【中77/ 보감-痎瘧/ 입문】治 諸瘧
소시호탕 + 평위산		柴胡 蒼朮 8 厚朴 陳皮 半夏 黃芩 4 人蔘 甘草 2 / 生薑₁ 4 大棗₁₁ 4 烏梅₁ 2g [46g] (또는 去 오매)
		▶ 가감시평탕(加減柴平湯): 去 인삼 加 석고 지모 8 작약 계지 4 (淸熱의 효능강화) [66]
		▶ [보감-積聚/ 회춘] 가미시평탕(加味柴平湯): 시평탕 去 인삼 加 산사 청피 지각 신곡 삼릉 봉출 (治 積塊有熱)

시함탕	柴陷湯	【보감-胸/ 입문】熱實結胸 及 水結 痰結
		【JP】기침, 기침으로 인한 흉통 (또는 기관지염, 천식, 흉막염원인성흉통) 또는 점도높은 객담
소시호탕 + 소함흉탕		半夏 12 柴胡 瓜蔞仁 8 黃芩 黃連 4 人蔘 3 甘草 2/ 生薑₁₁ 6 大棗₁₁ 4g [51g]
		▶【JP】柴胡 半夏 5 黃芩 瓜蔞仁 大棗 3 人蔘 2 黃連 甘草 1.5 生薑(JP) 1g [25g]

시호가계지탕	柴胡加桂枝湯	【상한금궤】【방극】治小柴胡湯證 而上衝者

1)현대: 柴胡 半夏 12 桂枝 黃芩 人蔘 生薑 大棗 甘草 6g [60g] (또는 柴胡 16 甘草 4~) [19]

| 시호가망초탕 | 柴胡加芒硝湯 | 【상한금궤】和解少陽 淸熱裏實 〈태양병-104〉胸脇滿而嘔 日晡所發潮熱 已而微利~ 先宜服小柴胡湯以解外 後以柴胡加芒硝湯主之 【방극】治小柴胡湯證 而苦滿難解者 |

1)현대: 柴胡 半夏 12 黃芩 人蔘 生薑 大棗 甘草 6 芒硝 4g [58g] (또는 柴胡 16 芒硝 8~12 ~) [19]
2)원문: 柴胡 2량16수 半夏 20수 芒硝 2량 黃芩 人蔘 生薑 甘草 1량 大棗 4매

| 시호가용골모려탕 | 柴胡加龍骨牡蠣湯 | 【상한금궤】和解泄熱 重鎭安神 〈태양병-107〉胸滿煩驚 小便不利 譫語 一身盡重 不可轉側 【JP】비교적 체력이 있고 심계항진 불면 초조 등이 있는 자의 고혈압 동맥경화 만성신질환 신경쇠약 간질 히스테리 소아야제 陰萎 (또는 흉민 臍動悸 갱년기신경증상 변비 뇨량감소 등) |

1)현대A*: 柴胡 8 半夏 5 大黃 4 黃芩 人蔘 大棗 生薑 桂枝 茯苓 龍骨 牡蠣 3g [44g] (또는 柴胡 10 半夏 8 桂枝 茯苓 6 黃芩 人蔘 大棗 生薑 龍骨 牡蠣 5 大黃 2g [62g]) [12]
2)현대B: 柴胡 大棗 15, 黃芩 大黃 5~10 나머지 各 10g [110-120g]
3)원문: 柴胡 4량 半夏 2.5합 大黃 2량 黃芩 人蔘 生薑 桂枝 茯苓 龍骨 牡蠣 1.5량 大棗 6매 (원문에는 鉛丹 1.5량 있으나 실제 사용시에는 보통 제외)
▶【JP】柴胡 5 半夏 4 茯苓 桂枝(JP) 3 黃芩 大棗 人蔘 牡蠣 龍骨 2.5 生薑(JP) 1g [28.5g] (또는 加 大黃 1g)

| 시호거반하가과루탕 | 柴胡去半夏加瓜蔞湯 | 【상한금궤】〈금궤4〉治瘧病發渴者 亦治勞瘧【방극】治小柴胡湯證 而渴 不嘔者 |
| 소시호탕 去半夏 加과루근 | | |

1)현대: 柴胡 12 瓜蔞根 8 黃芩 人蔘 大棗 生薑 甘草 6g [50g] (또는 柴胡 16~) [19]
2)원문: 柴胡 8량 瓜蔞根 4량 人蔘 黃芩 甘草 3량 生薑 2량 大棗 12매

| 시호계강탕 | 柴胡桂薑湯 | = (시호계지건강탕) |

| 시호계지건강탕 | 柴胡桂枝乾薑湯 | 【상한금궤】和解少陽 化飮散結 〈태양병-147〉胸脇滿微結 小便不利 渴而不嘔 但頭汗出 往來寒熱 心煩 〈금궤4〉治瘧寒多 微有熱 或但寒不熱 【방극】治小柴胡湯證 而不嘔 不烜 上衝而渴 腹中有動者 【JP】體虛者로서 냉증 빈혈경향 심계항진 호흡곤란(息切) 신경과민 등이 있는 갱년기장애 여성자율신경실조증(血道症) 신경증 불면 (또는 미열 두한 도한 흉민 臍動悸 피로 대변연 요량감소 구갈 건해) |
| ▶ 一名 시호계강탕(柴胡桂薑湯) | | |

1)현대A*: 柴胡 12 瓜蔞根 8 黃芩 桂枝 6 牡蠣 乾薑 甘草 4g [46g] (또는 柴胡 16 ~) [19]
2)현대B: 柴胡 瓜蔞根 20 桂枝 15 黃芩 牡蠣 10~15 乾薑 甘草 10g [90~100g]
3)원문: 柴胡 0.5근 瓜蔞根 4량 黃芩 桂枝 3량 牡蠣 乾薑 甘草 2량
▶【JP】柴胡 6 瓜蔞根 黃芩 桂皮(JP) 牡蠣 3 乾薑 甘草 2g [22g]

시호계지탕A	柴胡桂枝湯A	【상한금궤】表裏雙解 〈태양병-146〉 發熱微惡寒 肢節煩疼 微嘔 心下支結 外證未去者 〈금궤10〉 心腹卒中痛者 【방극】治小柴胡湯與桂枝湯 二方證 相合者 【JP】 발열한출 오한 신체통 두통 오심 등이 동반된 열성호흡기질환(감기 독감 폐렴 결핵) 또는 심하부긴장동통(위 십이지장 간담췌질환)
소시호탕 + 계지탕		1)현대A*: 柴胡 8 半夏 5 黃芩 桂枝 芍藥 人蔘 生薑 大棗 3 甘草 2g [36g] 2)현대B: 柴胡 15 半夏 黃芩 桂枝 芍藥 人蔘 生薑 大棗 10 甘草 5g [90g] 3)원문: 柴胡 4량 半夏 2.5합 黃芩 桂枝 芍藥 人蔘 生薑 1.5량 大棗 6매 甘草 1량 ▶【JP】柴胡 5 半夏 4 人蔘 黃芩 桂皮(JP) 芍藥 大棗 甘草 2 生薑(JP) 1g [22g] (또는 桂皮 2.5 甘草 1.5 生薑 0.5)
시호계지탕B	柴胡桂枝湯B	【보감-後陰/ 입문】治 少陽病 寒熱乍往乍來 【보감-寒/ 중경】治傷寒動氣築痛
【보험처방】		柴胡 8 桂枝 黃芩 人蔘 芍藥 半夏 4 甘草 2 / 生薑 4 大棗 4g [38g] ▶ [보감-寒] 半夏 3 甘草 2.5 生薑 6 ~ [39.5g]
시호달원음	柴胡達原飲	【重訂通俗傷寒論】宣濕化痰 透達膜原
		檳榔 8 柴胡 枳殼 厚朴 青皮 黃芩 6 桔梗 4 草果 甘草 3 / 荷梗 6g [54g]
시호사물탕	柴胡四物湯	【中163/ 보감-婦人/ 보감】治 産後發熱 及熱入血室 【보감-後陰】治三陰經溫病 或夜發者
소시호탕+사물탕		柴胡 生地黃 8 川芎 赤芍藥 當歸 黃芩 4 人蔘 半夏 甘草 2 / 生薑 4g [42g] ▶ [보감-後癰] 加 대조 4g. 增 인삼 반하 감초 4g [52g]
시호소간탕	柴胡疏肝湯	【합편=增補/ 경악전서】治 怒火傷肝 左脇作痛【疏肝理氣 和血止痛】
【보험처방】 사역산 加 천궁 향부자 진피		柴胡 陳皮 5 香附子 白芍藥 川芎 枳殼 4 甘草 2g [28g] ▶ [참고: 경악전서 원방] 柴胡 陳皮 8 香附子 白芍藥 川芎 枳殼 6 甘草 2g [42g]
시호승마탕	柴胡升麻湯	【보감-聲音/ 의감】治 傷寒咳嗽聲嘶 或咽痛
		柴胡 黃芩 半夏 升麻 葛根 枳實 桔梗 知母 貝母 玄蔘 桑白皮 甘草 3 / 生薑 4g [40g]
시호억간탕	柴胡抑肝湯	【보감-婦人/ 입문】治寡居獨陰無陽 慾心萌而多不遂 以致寒熱類瘧
		柴胡 8 青皮 6 赤芍藥 牡丹皮 4 地骨皮 香附子 梔子 蒼朮 3 川芎 神麴炒 2 生地黃 連翹 1.2 甘草 0.8g [41.2g]
시호음자	柴胡飲子	【보감-火/ 단심】治 肝熱
		柴胡 黃芩 人蔘 當歸 赤芍藥 大黃 甘草 4 / 生薑 4g [32g]

시호청간탕A	柴胡淸肝湯A	【보감-癰疽/ 입문】治鬢疽 及肝膽三焦風熱怒火 以致耳項胸乳脇肋腫痛寒熱
【보험처방】		柴胡 8 梔子 6 黃芩 人蔘 川芎 靑皮 4 連翹 桔梗 3 甘草 2g [38g]
시호청간탕B	柴胡淸肝湯B	【一貫堂醫學】幼年期 解毒證體質, 治 肝膽三焦之風熱【疏肝淸熱】 【JP】소아의 신경증, 만성편도선염, 습진 등
		▶【JP】柴胡 2 黃芩 黃連 黃栢 梔子 當歸 川芎 芍藥 地黃 桔梗 連翹 薄荷 牛蒡子 瓜蔞根(=천화분) 甘草 1.5g [23g]
신가탕	新加湯	= (계지가작약생강인삼탕)
신가향유음	新加香薷飲	【온병조변】祛暑解表 淸熱化濕
향유산 加 금은화 연교		金銀花 9 香薷 扁豆花 厚朴 連翹 6g [27g]
신가황룡탕	新加黃龍湯	【온병조변】益氣養陰 泄熱通便
		生地黃 玄蔘 麥門冬 15 大黃 9 甘草 6 人蔘 當歸 4.5 芒硝 3 / 海蔘 2 薑汁 10g [92g]
신계향소산	神契香蘇散	【中33/ 의종손익】壬申春 運氣盛行 未痛服此預防 痛甚服此解表
		香附子 12 蘇葉 8 蒼朮 6 甘草 2 葱白 2 6g [34g]
신기조위탕	腎氣調胃湯	(태음조위탕) 참조
신기환A	腎氣丸A	= (팔미환) 또는 (팔미지황환)
신기환B	腎氣丸B	【上40 육미지황원 附方/ 보감-虛勞/ 역로】滋肺之源 以生腎水
육미지황원A 加 오미자		1)현대: 乾地黃 16 山藥 山茱萸 五味子 8 茯苓 澤瀉 牧丹皮 6g [58g] (또는 加 구기자 6 생강 대조 4, 減 오미자 2g) [7] 2)원문: 熟地黃 8량 山藥 山茱萸 五味子 4량 白茯苓 牧丹皮 澤瀉 3량
신기환C	腎氣丸C	【소양인/ 신축】위수열리열병【신편】治 虛勞
육미지황탕B 加 복분자		熟地黃 16 枸杞子 山茱萸 8 澤瀉 牧丹皮 白茯苓 五味子 6g [56g]
신력탕	腎瀝湯	【上1/ 보감-風/ 득효】治 腎臟風 語音蹇吃
		生薑 80 磁石碎 70 玄蔘 白芍藥 白茯苓 50 黃芪 川芎 五味子 桂心 當 歸 人蔘 防風 甘草 40 地骨皮 20 / 羊腎 1쌍 [640g+]
신바로캡슐	Shinbaro	活血祛瘀 通絡止痛 - 소염 진통 골관절증
		刺五加 牛膝 防風 杜沖 狗脊 黑豆 건조엑스 300mg [1일 2회, 1회 2캡 슐]
신보원	神保元	【下54/ 보감-氣/ 국방】治 諸氣注痛 又治 心膈痛 腹脇痛 腎氣痛
		全蝎 7 8 巴豆 3 / 木香 胡椒 10 朱砂(半入半衣) 4g [35g]
신비탕	神祕湯	【외대비요】止咳平喘 疏肝解鬱【JP】소아천식 기관지천식 기관지염
		▶【JP】麻黃 5 杏仁 4 厚朴 3 陳皮 2.5 甘草 柴胡 2 蘇葉 1.5g [20g]

신성대침산	神聖代鍼散	【下138/ 보감-前陰/ 정전】治 血積疝痛 及諸疝刺痛 服之神效
		乳香 白芷 沒藥 當歸 川芎 芫青去毒 4g [24g]
신성병	神聖餠	【下145/ 俗方】插入瘡口 去惡生新
		當歸 白芷 爐甘石 乳香 沒藥 石雄黃 熊膽 硼砂 海螵蛸 輕粉 巴豆霜 麝香 朱砂 2 胡桐淚 1.2g [27.2g]
신이산	辛夷散	【제생방】疏風散寒 通竅
		辛夷 細辛 升麻 藁本 羌活 防風 川芎 白芷 木通 甘草 각등분 (또는 去羌活) / 분말하여 1회 9g씩 차(茶淸)와 함께 복용
신이청폐탕	辛夷淸肺湯	【外科正宗】淸肺胃 通鼻竅【JP】코막힘 만성비염 축농증
		▶ [JP] 石膏 麥門冬 5 黃芩 知母 百合 梔子 3 辛夷 枇杷葉 2 升麻 1g [27g]
신착탕	腎著湯	= (영강출감탕)
신출산	神朮散	【中38/ 보감-濕/ 입문】治 霧露山嵐 頭疼 項强
		蒼朮 12 川芎 白芷 細辛 羌活 藁本 甘草 4 / 生薑 三 3 葱白 二 3g [42g] ▶ [보감] 加 생강 五 4g
신통축어탕	身痛逐瘀湯	【의림개착】活血行氣 祛瘀通絡止痛 : 消一身經絡之瘀
		桃仁 紅花 當歸 牛膝 9 川芎 沒藥 五靈脂 蚯蚓 甘草 6 秦艽 羌活 香附子 3 [계75g]
신향산	神香散	【中47/ 경악전서】治 噎噦 脹滿 痰飮 膈噎
		丁香 白豆蔲 4g [8g]
신효과루산	神効瓜蔞散	【中138/ 보감-乳/ 精要, 입문】治 乳癰及妳巖
		黃瓜蔞 甘草 當歸酒焙 20 乳香 沒藥 10g [80g]
신효탁리산	神效托裏散	【보감-癰疽/ 정전】治癰疽腫毒 能托裏排膿
		黃芪 忍冬草 12 當歸 8 甘草 4g [36g]
실비산 (실비음A) cf.실비음(實脾飮)으로 기재되기도 해서 A, B처방구별	實脾散 (實脾飮A)	【中58/ 보감-浮腫/ 제생방】陰水浮腫 先實脾土【溫陽健脾 行氣利水】
		白朮 厚朴 木瓜 草果 大腹皮(=빈랑) 白茯苓 附子炮 4 木香 乾薑炮 甘草炙 2 / 生薑 五 4 大棗 二 4g [42g]
실비음B	實脾飮B	【보감-浮腫/ 회춘】治 水腫膨脹
		蒼朮 白朮 厚朴 赤茯苓 猪苓 澤瀉 縮砂 香附子 枳殼 陳皮 大腹皮 木香 3 / 燈心 一 2g [38g] ▶ [분소탕] 참조: 去枳殼 代枳實

| 실소산 | 失笑散 | 【下160/ 보감-婦人/ 국방】治 産後兒枕 臍腹痛 欲死 【活血祛瘀 散結止痛】 |
| | | 五靈脂 蒲黃炒 각등분 |

| 실장산A | 實腸散A | 【上77/ 보감-大便/ 회춘】治 久痢 不分赤白 用此換出黃糞 |
| | | 山藥炒 40 黃米炒 20g   [60g : 用砂糖 調熱湯] |

| 실장산B | 實腸散B | 【보감-大便/ 직지】治大腸虛寒 腹痛泄寫 |
| | | 厚朴 肉豆蔲煨 訶子皮 縮砂 陳皮 蒼朮 赤茯苓 4 木香 甘草灸 2 / 生薑 4 大棗 4g [40g] |

| 심적환(복방단 삼적환) | 心適丸(復方丹蔘 滴丸) | 活血化瘀 理氣止痛 - 관상동맥경화, 협심증, 고지혈증의 증상 경감 (영문명: Cardiotonic pills) |
| | | (1환당) 丹蔘 17.5mg 三七 3.4mg 龍腦 0.2mg [1일 3회, 1회 10환] |

| 십미도적산 | 十味導赤散 | 【보감-心/ 활인서】治心臟實熱 口舌生瘡 驚悸 煩渴 |
| | | 黃連 黃芩 麥門冬 半夏 地骨皮 茯神 赤芍藥 木通 生地黃 甘草 2 / 生薑 6g [26g] |

| 십미좌산 | 十味挫散 | 【易簡方】治 中風血弱 臂痛連及筋骨 擧動困難 |
| 십전대보탕 去 인삼 감초 加 부자 방풍 | | 防風 6 白朮 茯苓 當歸 川芎 熟地黃 芍藥 5 黃芪 肉桂 生薑 大棗 3 附子 2g [50g][6] (또는 附子 1~2 나머지 各 6g) [12] |

| 십미패독탕 | 十味敗毒湯 | 【JP/ 華岡靑州】화농성 또는 급성 피부질환의 초기, 여드름 습진 두드러기 【祛風化濕 淸熱解毒】 |
| | | ▶【JP】柴胡 桔梗 川芎 茯苓 樸樕* 3 防風 獨活 1.5 荊芥 甘草 生薑 (JP) 1g [21g] *또는 박속(樸樕) 대신 앵피(櫻皮) 사용 (柴胡 桔梗 川芎 茯苓 櫻皮 防風 2.5 獨活 荊芥 甘草 1.5 生薑(JP) 1g [20.5g] |

| 십미화해산 | 十味和解散 | 【보감-寒/ 단심】治外感內傷 頭痛身熱 |
| | | 白朮 16 桔梗 8 當歸 陳皮 枳殼 防風 白芍藥 厚朴 人蔘 甘草 2 / 生薑 4 葱白 4g [48g] |

| 십선산 | 十宣散 | 【보감-癰疽/ 精要, 의감】治一切癰疽瘡癤 已成者速潰 未成者速散 敗膿自出 惡肉自去 止痛 排膿 生肌 其效如神 |
| ▶ 一名 천금내탁산(千金內托散), 배농내보산(排膿內補散) | | 人蔘 黃芪 當歸 川芎 厚朴 桔梗 防風 白芷 肉桂 甘草 각등분 爲末 / (溫酒 또는 木香湯과 함께 1회 12g 복용) ▶【만병회춘】천금내탁산(千金內托散) : 去 육계 加 박하 (或加 금은화) / 人蔘 黃芪 當歸 8g 나머지 各 4g [52g] ▶ [보감-癰疽/ 精義] 내탁산(內托散) : 加 백작약 |

| 십신탕A | 十神湯A | 【中18/ 보감-寒/ 입문】治 兩感風寒 頭痛 寒熱 無汗 |
| | | 葛根 香附子 蘇葉 升麻 白芷 麻黃 川芎 赤芍藥 陳皮 甘草 4 / 生薑 4 葱白 3g [47g] |

십신탕B	十神湯B	【中32/ 보감-瘟疫/ 정전】治 時令不正 瘟疫妄行
승마갈근탕+궁지향소산 加 마황		葛根 8 香附子 蘇葉 升麻 白芷 麻黃 川芎 赤芍藥 陳皮 甘草 4 / 生薑 6 葱白 4g [54g]

십육미유기음	十六味流氣飮	【中140/ 보감-乳/ 정전】治 妳巖
		【보감-癰疽/ 입문】治癰疽 無名惡腫等 疾乃表裏氣血藥也
		蘇葉 6 人蔘 黃芪 當歸 4 川芎 官桂 厚朴 白芷 防風 烏藥 檳榔 白芍藥 枳殼 木香 甘草 2 桔梗 1.2g [41.2g] (또는 加 청피 4g)
		▶ [보감-癰疽] 모든약재 各 용량 2.5g

십이미관중탕	十二味寬中湯	【소음인/ 신축】위수한리한병〈太陰證〉治 四體倦怠 小便不快 陽道不興 將 有浮腫之漸者
적백하오관중탕 加 후박 지실 목향 대복피		白何首烏 赤何首烏 良薑 乾薑 陳皮 靑皮 香附子 益智仁 4 厚朴 枳實 木香 大腹皮 2g/大棗 4g [44g]

십이미녹용대보 탕	十二味鹿茸大補 湯	【태음인/ 東醫四象大典】위완수한표한병
		葛根 龍眼肉 12 藁本 8 天門冬 麥門冬 薏苡仁 6 鹿茸 山藥 五味子 杏 仁 黃芩 升麻 4g [74g] (또는 去 녹용 代 녹각 12g)
		▶ 東醫四象大典 원문에는 鹿茸 2,3,4錢 (8~16g)으로 기재 [39]

십이미지황탕	十二味地黃湯	【소양인/ 신축-신정방】위수열리열병〈陰虛午熱〉
		【신편】治吐血 陰虛午熱 。疝症 。癪症 一名十二味歸腎湯
독활지황탕 去 독활 加 형개 지골피 현삼 구기자 복분자 차전자		熟地黃 16 山茱萸 8 白茯苓 澤瀉 6 牡丹皮 荊芥 防風 地骨皮 玄蔘 枸 杞子 覆盆子 車前子 4g [68g]

십장군환	十將軍丸	【下51/ 보감-痎瘧/ 단심】治 久瘧 及瘧母
		縮砂 檳榔 常山 草果 80 三棱 蓬朮 靑皮 陳皮 烏梅 半夏 40g [560g]

십전대보탕A	十全大補湯A	【上33/ 보감-虛勞/ 海藏/ 국방】治 氣血兩虛
		【JP】병후체력저하 피로권태 식욕부진 도한 수족냉증 빈혈 (또는 저혈압 위 장허약 위하수 출혈 탈항 등)
팔물탕+황기건중탕 (팔물탕 加 황기 육계)		▶ [보감-虛勞] 人蔘 白朮 白茯苓 甘草 熟地黃 白芍藥 當歸 川芎 黃芪 肉桂 4 / 生薑 4 大棗 4g [48g] (cf. 화제국방, 만병회춘 등도 각 약물별로 동일용량) (또는 增 숙지황 인삼 8 백출 황기 6g :一名 가미대 보탕加味大補湯) [7]
		▶ [上33] 팔물탕(各 5g) 加 황기 육계 4 / 생강 4 대조 4g [56g]

십전대보탕B	十全大補湯B	【소음인/ 신축】신수열표열병〈鬱狂證〉
십전대보탕A 去 숙지황 복령 加 백하수오 진피		人蔘 白何首烏 肉桂 黃芪 白朮 當歸 川芎 白芍藥 陳皮 甘草/ 生薑 4 大棗 4g [48g]

십조탕	十棗湯	【상한금궤】攻逐水飮
		〈태양병-152〉心下痞硬滿 引脇下痛 乾嘔短氣 汗出不惡寒〈금궤12〉脈沈而 弦者 懸飮內痛〈금궤12〉夫有支飮家 咳煩 胸中痛者
		【방극】治病在胸腹 掣痛者

		1)현대: 大棗 5 甘遂 大戟 芫花 1g ⁴³⁾
		2)원문: 大棗 10매, 甘遂 大戟 芫花 각등분
십회산	十灰散	【十藥神書】凉血止血
		大薊 小薊 荷葉 側柏葉 茅根 茜草 梔子 大黄 牧丹皮 棕櫚皮 각등분 (또는 각 9g)
쌍금탕	雙金湯	쌍화탕 合 불환금정기산
쌍보환	雙補丸	【上42/ 보감-虛勞: 시제쌍보환(是齊雙補丸)/ 단심】平補氣血 不燥不熱
		熟地黃 菟絲子 8량 [16량=640g] 오자대 호환, 1회 70환, 酒飲下
쌍패탕	雙敗湯	쌍화탕 合 패독산(人蔘敗毒散)
쌍합탕	雙合湯	【보감-皮膚/ 의감】治濕痰死血 作麻木
사물탕+이진탕 加味		當歸 川芎 白芍藥 生乾地黃 半夏 陳皮 白茯苓 白芥子 4 桃仁 3 酒紅花 甘草 1.2g [37.4g:竹瀝 薑汁과 복용]
쌍해산	雙解散	【보감-寒/ 하간】治 傷寒表裏不解 : 益元散通裏 通聖散發表
익원산+방풍통성산		滑石 12 甘草 4 石膏 黃芩 桔梗 3 防風 川芎 當歸 赤芍藥 大黄 麻黄 薄荷 連翹 芒硝 荊芥 白朮 梔子 2 / 生薑 4 葱白 4 豆豉 100g [46g] 54
쌍해음자	雙解飲子	【中75/ 보감-痎瘧/ 국방】治 瘴瘧 及寒瘧 神效
		甘草 40 / 肉豆蔻 草豆蔻 2 厚朴 4 生薑 30 烏梅 4 大棗 4g [86g]
쌍화탕	雙和湯	【上31/ 보감-虛勞/ 국방】治 氣血俱傷 或房室後勞役 或勞役後犯房 及大病後氣乏自汗
황기건중탕+사물탕 去 교이		白芍藥 10 熟地黃 黃芪 當歸 川芎 4 桂皮 甘草 3 / 生薑 4 大棗 4g [40g]
쌍황련	雙黃連	疏風解表 淸熱解毒 - 감기에 따른 발열, 두통
		連翹 75g 金銀花 黃芩 37.5g 연조엑스 [1일 3회, 1회 20ml]
안궁우황환	安宮牛黃丸	【온병조변】淸熱解毒 豁痰開竅
		牛黃 犀角 鬱金 梔子 雄黄 黃連 黃芩 朱砂 30 珍珠 15 麝香 冰片 7.5 / 金箔 [270+g]
안전이천탕	安奠二天湯	【합편-增補/ 傳靑主女科】治 胎動 及妊娠小腹痛 (胎動不安 受胎不實)【補脾腎 固胞胎】
		人蔘 白朮 熟地黃 20 山藥 山茱萸 10 杜沖 6 白扁豆 枸杞子 4 甘草 2g [96g]

안중산	安中散	【화제국방】溫中散寒 理氣止痛 【JP】상복통, 위통이 있거나 만성위염 신경성위염 등
		甘草 10량 玄胡索 良薑 乾薑 茴香 肉桂 5량 牡蠣 4량 [39량=1560g] 1회 8g 복용 ▶【JP】 桂皮(JP) 4 玄胡索 牡蠣 3 茴香 1.5 甘草 縮砂 1 良薑 0.5g [14g] (화제국방 원방에서 去 乾薑 加 縮砂) (또는 加 茯苓 5g : 動悸 동반시)
안태금출탕	安胎芩朮湯	治 姙娠惡阻
		伏龍肝 12 白朮 8 半夏薑制 生薑 6 黃芩 香附子 陳皮 茯苓 4 蘇葉 砂仁 白豆蔲 3 枳殼 靑皮 木香 甘草 2g [65g] 94) (또는 去 복룡간) 40)
안태음A 【보험처방】	安胎飮A	【上108/ 보감-婦人/ 의감】治 胎動五六個月 常服數貼 或加阿膠
		白朮 8 條芩 6 當歸 白芍藥 熟地黃 縮砂 陳皮 4 川芎 蘇葉 3 甘草 1.5g [41.5g] (또는 增 천궁 소엽 4 ~) 7) (또는 去 숙지황 加 용안육 4 녹용 2) 10) (또는 加 복령 택사 6g - 治 姙娠浮腫) 46)
안태음B 동의보감에는 (안태산)으로 소개	安胎飮B	【上123/ 보감-小兒: 안태산(安胎散)/ 정전】治 孕婦痘疹
		人蔘 陳皮 大腹皮 白朮 當歸 川芎 白芍藥 便香附 砂仁 蘇葉 赤茯苓 甘草 1.2 燈心 0.2 糯米 2g [16.4g]
안회이중탕	安蛔理中湯	【上70/ 국방】治 脾虛 蟲痛
		白朮 4 乾薑 人蔘 白茯苓 3g/烏梅 花椒 1g [18g]
야수신방	夜嗽神方	= (육미야수방)
양격산	凉膈散	【下21/ 보감-火/ 국방】積熱 煩燥 口舌生瘡 胃膓燥澁 便尿祕結
		連翹 8 大黃 芒硝 甘草 4 薄荷 黃芩 梔子 2 / 竹葉 7 蜜 2g [35g]
양격산화탕	凉膈散火湯	【소양인/ 신축-신정방】위수열리열병〈上消〉治上消者 【신편】治上消 纏喉風 及脣腫之輕症
		生地黃 忍冬藤 連翹 8 梔子 薄荷 知母 石膏 防風 荊芥 4g [48g]
양단탕 계지탕 加 황금	陽旦湯	【합편-增補/ 보감-寒/ 입문/ 外臺】治傷寒陽證 身大熱 反不欲近衣
		桂枝 芍藥 12 黃芩 8 甘草 4 / 生薑 4 大棗 4g [44g] ▶ 또는 계지탕 本方을 양단탕으로 부르기도 함
양단탕	陽旦湯	= (계지탕)
양독백호탕	陽毒白虎湯	【소양인/ 신축-신정방】위수열리열병〈胸膓熱證〉治陽毒發斑 便祕者【신편】治陽毒發斑 便閉。纏喉風。脣腫而輕者
		石膏 20 (또는 40) 生地黃 16 知母 8 荊芥 防風 牛蒡子 4g [56g (76g)] ▶[신편] 動風 加 강활 독활 4 시호 현삼 치자 인동 박하 2 去 방풍 尤妙
양심탕	養心湯	【보감-神/ 의감】治憂愁思慮傷心 或勤政勞心 以致心神不足 驚悸少睡

		白茯苓 茯神 當歸 生地黃 4 黃芪(蜜灸) 遠志(薑汁炒) 3 川芎 栢子仁 酸棗仁炒 3 半夏 2.5 人蔘 2 甘草灸 肉桂 1.2 / 五味子 2 生薑 4g [43.9g]
양위진식탕	養胃進食湯	【보감-胃/ 필용】治脾胃虛弱 飮食不進 面黃肌瘦 胸膈痞悶 食不消化 或噫氣 呑酸
평위산+사군자 加 신곡 맥아		蒼朮 8 人蔘 白朮 4 陳皮 厚朴 白茯苓 甘草 3 神麴炒 麥芽炒 2 / 生薑 4 大棗 4g [40g]
양음청폐탕	養陰淸肺湯	【重樓玉鑰】養陰淸肺 解毒利咽
		生地黃 12 麥門冬 玄蔘 9 白芍藥炒 貝母 牧丹皮 5 薄荷 甘草 3g [51g]
양의고	兩儀膏	【上48/ 경악전서】治 精氣大虧
		人蔘 300 大熟地黃 600g [900g]
양지탕	良积湯	【治療大槪】治 心下疼痛 嘔吐 右塊痛
영계감조탕 加 반하 지실 양강		半夏 茯苓 4 桂枝 枳實 甘草 大棗 3 良薑 1g [21g]
양폐탕	凉肺湯	【診療要鑑】肺臟熱로 인한 背熱證, 背汗證
		桑白皮 地骨皮 8 黃芩 6 桔梗 麥門冬 梔子 甘草 4 黃連 黃柏 知母 2g [44g]
양혈거풍탕	養血祛風湯	【中113/ 보감-頭/ 의감】治 婦人頭風 十居其半 每發必眩 此肝虛風襲
		當歸 川芎 生乾地黃 防風 荊芥 羌活 細辛 藁本 石膏 蔓荊子 半夏 旋覆花 甘草 2 / 生薑 4 大棗 4g [34g]
양혈사물탕	養血四物湯	【보감-內傷/ 의감】治血虛嘈雜/ 五更心嘈者思慮傷心血虛也
		當歸 川芎 熟地黃 白芍藥 5 半夏 貝母 赤茯苓 香附子 黃連 梔子 3 甘草 2 [40g]
양혈지황탕	凉血地黃湯	【보감-胞/ 입문】治血崩 是腎水陰虛 不能鎭守包絡相火 故血走而崩
		羌活 防風 柴胡 4 生地黃 當歸 知母 2 黃栢 荊芥 細辛 蔓荊子 黃芩 川芎 藁本 黃連 升麻 甘草 1.2 紅花 0.4g [30.4g]
양화이사탕	養化二四湯	【晴崗】氣血虛衰한 虛弱, 老衰者의 肩臂痛
사물탕+이진탕 加味		熟地黃(乾地黃) 白芍藥 當歸 6 川芎 半夏 橘皮 白茯苓 桔梗 枳殼 桂枝 白芷 4 甘草 2 / 生薑 6 大棗 4g [62g] [7.52)
양화탕	陽和湯	【外科全生集】溫陽補血 散寒通滯, 治 陰疽
		熟地黃 30 鹿角膠 9 白芥子 6 肉桂 甘草 3 炮薑炭 麻黃 2g [55g]
억간산	抑肝散	【保嬰撮要】平抑肝氣 鎭驚安神 【JP】신경과민이 있는 허약자의 신경증 불면 소아야제 감증(疳症)
		白朮 茯苓 當歸 釣鉤藤 8 川芎 5 柴胡 甘草 4g [45g]

▶ 【JP】白朮(蒼朮) 茯苓 4 當歸 釣鉤藤 川芎 3 柴胡 2 甘草 1.5g [20.5g] ▶ 억간산가진피반하(抑肝散加陳皮半夏) 참조

억간산가진피반하	抑肝散加陳皮半夏	【JP】신경과민이 있는 허약자의 신경증 불면 소아야제 감증(疳症)
		【疏肝理氣 健脾燥濕 寧心止痛 (또는 臍左邊의 動悸)】
		白朮 茯苓 當歸 釣鉤藤 半夏 8 陳皮 6 川芎 5 柴胡 甘草 4g [59g]
		▶ 【JP】半夏 5 白朮(蒼朮) 茯苓 4 川芎 當歸 釣鉤藤 陳皮 3 柴胡 2 甘草 1.5g [28.5g]

| 여곽탕 | 茹藿湯 | (곽향정기산A) 참조 |

여신산	女神散	【JP】上氣, 眩暈을 동반한 출산전후 신경증, 월경불순, 여성자율신경실조증 (血道症) 등 【理氣活血 氣血雙補 淸心火】
		▶ 【JP】當歸 川芎 白朮(蒼朮) 香附子 3 桂皮(JP) 人蔘 黃芩 檳榔 2 連 木香 甘草 丁香 1g [24g] (또는 상기용량 2배량 加 大黃 1~2g)
		▶ 원문(勿誤藥室方函口訣)에는 大黃 1g이 있음

여신양영전	如神養營煎	【晴崗】血虛로 인한 筋弱無力腰痛
여신탕+사물탕 加 우슬 속단 감초		
		熟地黃 8 當歸 白芍藥 杜冲 川牛膝 6 川芎 續斷 玄胡索 桂心 4 甘草 2 / 生薑 ◦ 4 大棗 ◦ 4g [58g]

여신주	如神炷	【태음인/ 신편】【신편】治 風齒 蟲齒痛 ◦偏頭﹏頂痛
		大黃 藁本 升麻 皂角 麻黃 4g – 右爲末捲作紙炷七條薰鼻自鼻中黃水出

여신탕	如神湯	【中145/ 보감-腰/ 雲岐/ 의학강목】治 挫閃腰痛
		玄胡索 當歸 桂心 杜冲薑炒 각등분

| 여의단 | 如意丹 | (온백원) 참조 |

여택통기탕	麗澤通氣湯	【中127/ 보감-鼻/ 하간/ 蘭室祕藏】治 鼻不聞香臭 此肺有風熱 【益氣升陽 祛風散寒】
		黃芪 4 蒼朮 羌活 獨活 防風 升麻 葛根 3 甘草炙 2 麻黃 川椒 白芷 1.2 / 生薑 ◦ 4 大棗 ◦ 4 葱白 ◦ 3g [38.6g] (또는 增 마황 천초 백지 2 총백 12g) [9]

| 연경기방 | 延經期方 | = (연경산) |

연경산	延經散	【周方藏方】月經延期
▶ 一名 연경기방(延經期方)		
		續斷 蒲黃 枳實 瓜蔞實 紫檀香 滑石 4g [24g] (또는 去 자단향 활석) [21]

연교패독산	連翹敗毒散	【中19 인삼패독산 附方/ 보감-癰疽/ 의감】治 癰疽初發 寒熱甚似傷寒
【보험처방】		
형방패독산A 去 인삼 加 금은화 연교		羌活 獨活 柴胡 前胡 桔梗 川芎 赤茯苓 金銀花 枳殼 連翹 防風 荊芥 薄荷 甘草 3 / 生薑 ◦ 4g

연년반하탕	延年半夏湯	【외대비요】治 左痃癖 胸背痛(左脇痛)
		半夏 10 桔梗 柴胡 鱉甲 檳榔 6 人蔘 4 乾薑 枳實 吳茱萸 2g [44g] (cf. 외대비요 원문은 柴胡 대신 前胡)

연년익수불로단	延年益壽不老丹	【보감-身形/ 필용】養性延年藥【보감-精】能生精補腎

白茯苓 地骨皮 5량 何首烏(赤色) 何首烏(白色) 4량 生乾地黃 熟地黃 天門冬 麥門冬 人蔘 3량 [23량=920g] 오자대 밀환, 1회 30-50환 - 제법 및 약제법제법 원문참조

연령고본단	延齡固本丹	【합편-補遺方/ 보감-身形/ 회춘】治諸虛百損 中年陽事不擧 未至五十鬚髮先白

兎絲子 肉蓯蓉 4량 天門冬 麥門冬 生地黃 熟地黃 山藥 牛膝 杜冲 巴戟 枸杞子 山茱萸 茯苓 五味子 人蔘 木香 栢子仁 2량 覆盆子 車前子 地骨皮 1.5량 石菖蒲 川椒 遠志 甘草 澤瀉 1량 [47.5량=1900g] (cf. 방약합편은 去 甘草)

연부육일탕	連附六一湯	【中131/ 보감-胸/ 입문/ 의학정전】治 熱鬱胃胸痛

黃連 24 附子炮 4 / 生薑 4 大棗 4g [36g] - 熱服

연주음	聯珠飮(連珠飮)	【內科秘錄】血虛眩暈 여성의 자율신경실조증(血液症)
사물탕+영계출감탕		

當歸 川芎 芍藥 熟地黃 茯苓 8 桂枝 6 白朮 甘草 4g [54g] (또는 茯苓 10 桂枝 8 當歸 川芎 芍藥 熟地黃 白朮 6 甘草 4g [52g]) [12]

연진탕	㕁陳湯	【下76/ 회춘】治 小兒蛔蟲

苦楝根皮 8 陳皮 半夏 赤茯苓 4 甘草 2 / 生薑 4g [26g]

열다한소탕	熱多寒少湯	【태음인/ 신축-신정방】간수열리열병 (肝燥熱證)
갈근해기탕C(신축) 加 나복자 增 갈근 황금 고본		【신편】治虛勞夢泄一日內三四日發泄

葛根 16 黃芩 藁本 8 蘿葍子 桔梗 升麻 白芷 4g [48g]
▶ [신편] 청폐사간탕(清肺瀉肝湯): 加 대황 4g (大便秘)
▶ [신편] 정신사간탕(定神瀉肝湯): 去 大黃 加 용골 (大便每日不秘 / 嘔逆 喘吐 煩憒熱證 面色黃赤 手指焦黑 掌背浮腫 手足無力症 加大黃於本方 燥渴引飮 大便秘 小便多如數飲水一斗小便亦一斗 加 藁本大黃 。咽乾燥嗌 與泄瀉症 亦可用)

영감강미신탕	㕁甘薑味辛湯	= (영감오미강신탕)

영감강미신하인탕	㕁甘薑味辛仁湯	【상한금궤】宣肺利氣 化飲袪痰
		〈금궤12〉水去嘔止 其人形腫者 加杏仁主之
영감강미신하탕 加 행인		【방극】治㕁甘薑味辛夏湯證 微浮腫者
▶ 一名 영감오미가강신반하행인탕		【JP】 빈혈 냉증 천명해수(痰多) 등이 있는 기관지염 천식 심장쇠약 신질환
(㕁甘五味加薑辛半夏杏仁湯)		

1)현대: 半夏 10~12 茯苓 8 甘草 乾薑 五味子 細辛 杏仁 6g [48~50g]
2)원문: 半夏 五味子 杏仁 0.5승 茯苓 4량 甘草 乾薑 細辛 3량
▶[JP] 半夏 杏仁 茯苓 4 五味子 3 細辛 乾薑 甘草 2g [21g]

영감강미신하인황탕	㕁甘薑味辛夏仁黃湯	【상한금궤】 〈금궤12〉 若面熱如醉 此爲胃熱上衝熏其面 加大黃以利之【방극】
영감강미신하인탕 加 대황		治㕁甘薑味辛夏仁湯證 而腹中微結者 (방극산정) ~ 而大便微結者
▶ 一名 영감오미가강신반황대황탕		
(㕁甘五味加薑辛杏仁大黃湯)		

1)현대: 半夏 10~12 茯苓 8 甘草 乾薑 五味子 細辛 杏仁 大黃 6g [54~56g]
2)원문: 半夏 五味子 杏仁 0.5승 茯苓 4량 甘草 乾薑 細辛 大黃 3량

영감강미신하탕 ※甘薑味辛夏湯	【상한금궤】〈금궤12〉更咳胸滿.. 支飮者 法當冒 冒者必嘔【방극】治쯤甘五味薑辛湯證 而嘔者
영감오미강신탕 加 반하	1)현대: 半夏 10~12 茯苓 8 甘草 乾薑 五味子 細辛 6g [42~44g] 2)원문: 半夏 五味子 0.5승 茯苓 4량 甘草 乾薑 細辛 3량

영감오미가강신 반하행인탕 ※甘五味加薑辛 半夏杏仁湯	= (영감강미신하인탕)

영감오미가강신 반행대황탕 ※甘五味加薑辛 半杏大黃湯	= (영감강미신하인황탕)

영감오미강신탕 ※甘五味薑辛湯	【상한금궤】溫肺化痰〈금궤12〉衝氣卽低 而反更咳 胸滿 【방극】治쯤桂味甘湯證 而不上衝 痰飮滿者
영계미감탕 去계지 加건강세신 ▶一名 영감강미신탕(苓甘薑味辛湯)	1)현대: 茯苓 8 甘草 五味子 乾薑 細辛 6g [32g] 2)원문: 茯苓 4량 甘草 乾薑 細辛 3량 五味子 0.5승

영강출감탕 ※薑朮甘湯	【상한금궤】祛寒除濕〈금궤11〉腎著之病 其人身體重 腰中冷 如坐水中 形如水狀 反不渴 小便自利 飮食如故 【방극】治心下悸 小便自利 腰中冷如坐水中 若疼重形如水狀者 【JP】허리에 냉감 통증이 있으면서 배뇨량이 증가한 자의 요통 요부냉감 야뇨증 (또는 전신권태 대하증)
▶一名 감초건강복령백출탕 (甘草乾薑茯苓白朮湯) 신착탕(腎著湯) 건강영출탕(乾薑苓朮湯)	1)현대A: 茯苓 乾薑 8 白朮 甘草 4g [24g] (또는 茯苓 12 乾薑 白朮 6 甘草 4g) [12] 2)현대B: 茯苓 乾薑 20 白朮 10-15 甘草 5-10g [55-65g] (또는 乾薑 茯苓 12 白朮 甘草 6g [36g]) [8] 3)원문: 茯苓 乾薑 4량 白朮 甘草 2량 ▶【JP】茯苓 6 白朮 乾薑 3 甘草 2g [14g]

영계감조탕 ※桂甘棗湯	【상한금궤】溫補心陽 化氣降逆行水〈태양병-65〉發汗後 臍下悸 欲作奔豚 【방극】治臍下悸 而攣急上衝者
▶一名 복령계지감초대조탕 (茯苓桂枝甘草大棗湯)	1)현대A: 茯苓 16 大棗 桂枝 8 甘草 4g [36g] 2)현대B: 茯苓 大棗 30 桂枝 20 甘草 10g [90g] 3)원문: 茯苓 0.5근 大棗 15매 桂枝 4량 甘草 2량

영계미감탕 ※桂味甘湯	【상한금궤】治氣逆 氣厥〈금궤12〉氣從小腹上衝胸咽.. 小便難 時復冒者.. 治其氣衝【방극】治心下悸 上衝 咳而急迫者
▶一名 계령오미감초탕(桂苓五味甘草湯) 복령계지오미감초탕(茯苓桂枝五味甘草湯) 영계오미감초탕(苓桂五味甘草湯)	1)현대A: 茯苓 桂枝 8 五味子 甘草 6g [28g] 2)현대B: 茯苓 桂枝 20 五味子 甘草 10g [60g] 3)원문: 茯苓 桂枝 4량 五味子 0.5승 甘草 3량

영계오미감초탕 ※桂五味甘草湯	= (영계미감탕)

영계출감탕 ※桂朮甘湯	【상한금궤】溫陽化飮 健脾利濕〈태양병-67〉心下逆滿 氣上衝胸 走則頭眩 脈沈緊 發汗則動經 身爲振振搖者 〈금궤12〉心下有痰飮 胸脇支滿 目弦 (12) 短氣有微飮 當從小便去之 【방극】治心下悸 上衝 起則頭眩 小便不利者 【JP】현훈, 어찔어찔함이 있고 또는 소변량 감소, 심계항진 등이 있는 자의 신경증 현훈 동계(動悸) 숨참(息切) 두통

▶ 一名 복령계지백출감초탕 (茯苓桂枝白朮甘草湯)		1)현대A: 茯苓 8 桂枝 6 白朮 甘草 4g [22g] 2)현대B: 茯苓 20 桂枝 15 白朮 甘草 10g [55g] (또는 茯苓 12 桂枝 白朮 9 甘草 6g [36g]) 8) 3)원문: 茯苓 4량 桂枝 3량 白朮 甘草 2량 (금궤: 白朮 3량) ▶【JP】茯苓 6 桂皮(JP) 4 白朮(蒼朮) 3 甘草 2g [15g]
영선제통음	靈仙除痛飮	【中6/ 보감-風/ 의감】治 肢節痛腫 屬濕兼風寒而發濕熱 流注肢節之間
▶ 一名 마황적작탕(麻黃赤芍湯)		麻黃 赤芍藥 4 防風 荊芥 羌活 獨活 威靈仙 白芷 蒼朮 片芩 枳實 桔梗 葛根 川芎 2 當歸尾 升麻 甘草 1.2g [35.6g]
영신도담탕	寧神導痰湯	(도담탕) 참조
영양각탕	羚羊角湯	【下157/ 보감-婦人/ 정전】治 子癎
		羚羊角 獨活 酸棗仁炒 五加皮 4 防風 薏苡仁 當歸 川芎 白茯神 杏仁 3 木香 甘草 2 / 生薑 4g [42g]
영위반혼탕	榮衛返魂湯	= (통순산)
오가피장척탕	五加皮壯脊湯	【태양인/ 신축-신정방】外感腰脊病 〈解㑊證〉
		五加皮 16 木瓜 松節 8 葡萄根 蘆根 櫻桃肉 4 / 蕎麥_{五分} 4g [48 g]
오과다	五果茶	【中52/ 제중신편】治 老人氣虛 外感咳嗽
		胡桃_{十枚} 55 銀杏_{十五枚} 10 大棗_{七枚} 14 生栗留外皮_{七枚} 35 生薑_{五片} 30g [144g]
오덕환	五德丸	【上74/ 경악전서】治 脾腎虛寒 飱泄
		補骨脂 乾薑炮 160 吳茱萸 五味子 木香 80g [560g]
오두계지탕	烏頭桂枝湯	【상한금궤】逐病調營 〈금궤10〉寒疝腹中痛 逆冷 手足不仁 身疼痛 【방극】治桂枝湯證 而腹中絞痛 手足厥冷, 或不仁 或身疼痛者
대오두전+계지탕		1)현대: 蜂蜜 60 桂枝 芍藥 生薑 大棗 6 甘草 4 烏頭 2g [90g] (또는 烏頭 10 蜂蜜 16~ : 독성주의) 19) 2)원문: 桂枝湯 5합(合) + 蜜 2근, 烏頭 5매
오두적석지환	烏頭赤石脂丸	【상한금궤】〈금궤9〉心痛徹背 背痛徹心
▶ 一名 적석지환(赤石脂丸)		赤石脂 蜀椒 乾薑 1량 附子 0.5량 烏頭 1분
오두전	烏頭煎	= (대오두전)
오두탕	烏頭湯	【상한금궤】〈금궤5〉病歷節 不可屈伸 疼痛 〈금궤10〉治寒疝腹中絞痛 賊風 入攻五臟【방극】治骨節疼痛不可屈伸 若自汗 或盜汗 若腹絞痛者
		1)현대: 蜂蜜 80 麻黃 芍藥 黃芪 甘草 6 烏頭 2g [106g] (또는 蜜 16 麻黃 芍藥 黃芪 甘草 6 烏頭 10g) 19) 2)원문: 麻黃 芍藥 黃芪 甘草 3량 川烏 5매 蜜 2승
오령산A	五苓散A	【상한금궤】利水滲濕 溫陽化氣 〈태양병-71〉脈浮 小便不利 微熱消渴 (72) 發汗已 脈浮數 煩渴 (73) 傷寒 汗出而渴 (74) 渴欲飮水 水入則吐 名爲水逆 (141) 意欲飮水 反不渴 服文

蛤散 若不差者 (156) 痞不解 渴而口燥煩 小便不利
〈양명병-244〉 惡寒不嘔.. 渴欲飮水
〈곽란병-386〉 霍亂 頭痛發熱 身疼痛 熱多欲飮水
〈금궤12〉 瘦人臍下有悸 吐涎沫而癲眩
【방극】治消渴 小便不利 或渴欲飮水 水入則吐者
【JP】 구갈, 요량감소가 있는 자의 부종 오심 구토 현훈 급성위장염 설사 胃內停水 두통 腎症 요독증 中暑 당뇨

1)현대A: 澤瀉 10 茯苓 猪苓 白朮 6 桂枝 4g [32g]
2)현대B: 澤瀉 30 茯苓 猪苓 白朮 20 桂枝(또는 육계 10g) 15g [100~105g]
3)원문: 澤瀉 1냥6수(銖) 猪苓 茯苓 白朮 18수(銖) 桂皮 0.5냥
▶【JP】 澤瀉 4 猪苓 茯苓 白朮(蒼朮) 3 桂皮(JP) 1.5g [14.5g]

오령산B   五苓散B

【下10/ 보감-寒/ 입문/ 중경】治 太陽入裏 煩渴 小便不利

澤瀉 10 赤茯苓 猪苓 白朮 6 肉桂 2g [30g]
▶ [보감-暑/ 득효] 춘택탕(春澤湯) : 去 육계 加 인삼 (治 暑熱 煩渴)
▶ [참고] 사령산(四苓散)

오령지관중탕   五靈脂寬中湯

적백하오관중탕 加 오령지 익지인

【소음인/ 신축】위수한리한병〈太陰證〉【신편】治 腹痛

白何首烏 赤何首烏 良薑 乾薑 陳皮 靑皮 香附子 益智仁 五靈脂 4 / 大棗 12 4g [40g]

오림산A   五淋散A

[보험처방]

【下84/ 보감-小便/ 의감, 직지】治 五淋【淸熱凉血 利水通淋】

赤芍藥 山梔 8 當歸 赤茯苓 4 條芩 甘草 2g [28g]
▶ [화제국방] 去 황금 (一方: 加 목통 활석 담죽엽 인진)

오림산B   五淋散B

오림산A 加 지황 차전자 목통 택사 활석

【JP】 빈뇨 배뇨통 잔뇨감

▶【JP】 茯苓 6 當歸 地黃 黃芩 車前子 木通 澤瀉 滑石 甘草 3 芍藥 梔子 2g [34g]

오매환A   烏梅丸A

【상한금궤】溫臟安蛔〈궐음병-338〉蛔厥者.. 又主久痢

1)현대A: 黃連 16 乾薑 10 烏梅 細辛 附子 桂枝 人蔘 黃柏 6 當歸 蜀椒 4g [70g] (또는 黃連 14~)[12]
2)현대B: 烏梅 20-30 乾薑 桂枝 人蔘 黃柏 當歸 10 黃連 附子 5-10 蜀椒 細辛 5g [70g]
3)원문: 黃連 16냥 乾薑 10냥 烏梅 300매 細辛 附子 桂枝 人蔘 黃柏 6냥 當歸 蜀椒 4냥

오매환B   烏梅丸B

【中101/ 보감-蟲/ 득효】治 蛔厥心腹痛

烏梅末 30 黃連 30 當歸 川椒 細辛 附子 桂心 人蔘 黃柏 12g [144g] 오자대환, 1회 10-20환

오미백출산   五味白朮散

【보감-婦人/ 단심】治産後腫 宜補中導水行氣

白朮 12 陳皮 6 木通 川芎 赤茯苓 4g / 與點丸(=황금) 25丸 [30g+]
▶ [보감-火/ 海藏] 여점환(與點丸= 청금환): 片芩(酒炒)을 환으로 만든 것으로 治肺火의 효능

오미소독음	五味消毒飮	【의종금감】治 疔瘡腫毒【淸熱解毒 散結消腫】
		金銀花 20 菊花 蒲公英 紫花地丁 紫背天葵子(=천규자) 15g　[80g] [8] (원문은 금은화 3錢 나머지 각 1.2錢)
오복음	五福飮	【경악전서】凡五臟氣血虧損者
		人蔘 熟地黃 當歸 8-12 白朮炒 6 炙甘草 4g　[34-46g] 或加 生薑 4-6g
오복화독단	五福化毒丹	【中178/ 보감-小兒/ 단심】治 熱疳 多生瘡癤 及痘瘡餘毒 口齒出涎血臭氣 雀目
		玄參 40 桔梗 32 人蔘 赤茯苓 馬牙硝 20 靑黛 10 甘草 4 麝香 2 / 金 箔 銀箔　[148g]
오수유부자이중탕	吳茱萸附子理中湯	【소음인/ 신축-신정방】위수한리한병〈少陰證〉【신편】治臟厥 陰盛陽格
		人蔘 白朮 乾薑 官桂 8 白芍藥 陳皮 炙甘草 吳茱萸 小茴香 破故紙 4 炮附子 4~8g　[60~64g]
오수유탕	吳茱萸湯	【상한금궤】溫肝暖胃 降逆止嘔 〈양명병-243〉食穀欲嘔 屬陽明〈소음병-309〉吐利 手足逆冷 煩躁欲死〈궐 음병-378〉乾嘔 吐涎沫 頭痛〈금궤17〉嘔而腹滿者 【방극】治胸滿 心下痞鞕 嘔者 【JP】수족냉증, 體虛者의 습관성편두통 습관성두통 오심구토 (또는 胃部 중 압감 동반)
		1)현대A: 生薑 12 吳茱萸 8 人蔘 大棗 6g　[32g] (또는 生薑 大棗 8 吳 茱萸 6 人蔘 4) [12] 2)현대B: 生薑 大棗 20 吳茱萸 人蔘(또는 黨參) 10g　[60g] 3)원문: 生薑 6량 吳茱萸 1승 人蔘 3량 大棗 12매 ▶【JP】大棗 4 吳茱萸 3 人蔘 2 生薑(JP) 1.5g　[10.5g] (또는 吳茱萸 4 大棗 3)
오약순기산	烏藥順氣散	【中10/ 보감-風/ 국방】治 一切風疾 先服此 疏通氣道 進以風藥 又治 癱瘓 歷節風【袪風順氣 散結行滯】
		麻黃 陳皮 烏藥 6 川芎 白芷 白殭蠶 枳殼 桔梗 4 乾薑 2 甘草 1.2 / 生薑 4 大棗 4g　[49.2g]
오요탕 삼요탕 加 형개 길경	五拗湯	【中48 삼요탕 附方/ 보감-咳嗽/ 단심】
		麻黃 杏仁 甘草 6 荊芥穗 桔梗 4/ 生薑 6g　[32g]
오자연종환	五子衍宗丸	[보감-부인/ 廣嗣] 治 男子無嗣
		枸杞子 9량 菟絲子(酒浸製) 7량 覆盆子 5량 車前子 3량 五味子 1량 [25 량=1000g] 오자대 밀환 1회 50-90환
오자원	五子元	【보감-小便/ 득효】治小便不禁 遇夜愈多 頭眩脚弱 老人虛人多有此證 大能耗 人精液 令人卒死
		兎絲子(酒製) 韭子(略炒) 益智仁 茴香炒 蛇床子炒 각등분 - 오자대 호

		환, 1회 50~70환
오적산	五積散	【中13/ 보감-寒/ 입문/ 국방】治 感傷風寒 頭身痛 四肢逆冷 胸腹作痛 嘔瀉 或傷生冷【發表溫中 順氣化痰 活血消積】 【JP】만성적이면서 증상이 완만한 요통 신경통 관절통 위장염 위무력 두통 냉증 감기 월경통 갱년기장애 (또는 身冷 易疲勞하면서 위장이 약한 체질)

【보험처방】
평위산+이진탕+사물탕 加味
(+건강 육계 마황 지각 길경 백지)

蒼朮 8 麻黃 陳皮 4 厚朴 桔梗 枳殼 當歸 乾薑 白芍藥 白茯苓 2人3 3
川芎 白芷 半夏 桂皮 생1 3 甘草 2.5 / 生薑 4 葱白 4 4g [59.5g]
(또는 去 마황 생강 총백 加 산사 향부자 6 홍화 1.2~2g) [10]
▶ [보험처방] 去 총백
▶【JP】蒼朮 3 陳皮 當歸 半夏 茯苓 2 麻黃 厚朴 桔梗 枳殼 桂皮(JP)
芍藥 川芎 白芷 甘草 生薑(JP) 大棗 1g [22g]
▶ [참조] 두속오화음 증손활혈탕

오패산	烏貝散	制酸止痛 收斂止血 - 위산과다 소화성궤양

海螵蛸(=烏賊骨):貝母:白芨(4:1:1 또는 4:1:0.5)을 세말하여 1회 4g 복용
(또는 15:3:1 비율) [9] (또는 加 三七根 炙甘草) ▶ 국내처방집은 加 白芨
이지만 본래 중국문헌은 오적골, 패모로만 구성 (中國藥典 : 海螵蛸
850g 浙貝母 150g 陳皮油 1.5g / 1일3회, 1회3g 복용)

오피산A	五皮散A	【보감-浮腫/ 단심】因他病 變作水腫 浮虚【利水消腫 理氣健脾】
▶ 一名 오피음(五皮飮)		茯苓皮 大腹皮 桑白皮 陳皮 生薑皮 6g [30g] (또는 복령피 12g)

오피음B	五皮飮B	【醫方集解/ 화제국방】行氣化濕 利水消腫
▶ 一名 오피산(五皮散)		茯苓皮 大腹皮 五加皮 地骨皮 生薑皮 각등분

오향연교탕	五香連翹湯	【보감-癰疽/ 단심】治癰疽 瘡癤 瘰癧 結核 一切毒腫
		大黃 4 連翹 射干 獨活 升麻 桑寄生 沈香 藿香 木香 丁香 甘草 3 麝香 1.2g [35.2g]

오호탕	五虎湯	【보감-咳嗽/ 의감】治 傷寒喘急【宣肺泄熱 止咳平喘】 【JP】기침, 기관지천식
마행감석탕 加 상백피		石膏 20 麻黃 12 杏仁 8 桑白皮 6 甘草 4 / 細茶 川 2 生薑 川 4 葱白 생 3g [59g] ▶【JP】石膏 10 麻黃 杏仁 4 桑白皮 3 甘草 2g [23g]

옥녀전	玉女煎	【경악전서】清胃熱 滋腎陰
		石膏 12~30g 熟地黃 9~30g 麥門冬 6g 知母 牛膝 4.5g [36~75g]

옥병풍산	玉屏風散	【中96/ 보감-津液/ 단심】治 表虚自汗
		白朮 10 防風 黃芪 5g [20g]

옥액탕	玉液湯	【醫學衷中參西錄】益氣滋陰 固腎止渴, 治 消渴
		生山藥 30 生黃芪 知母 15 五味子 天花粉 9 生鷄內金 6g 葛根 4.5g [88.5g]

옥지산	玉池散	【下122/ 보감-牙齒/ 단심】治 風蟲牙痛 動搖潰爛 或變成骨槽風 出膿血 骨

		露
		地骨皮 白芷 細辛 防風 升麻 川芎 當歸 槐花 藁本 甘草 4 / 生薑 4 黑豆 10g [54g] → 含漱하고 뱉어냄
옥천환	玉泉丸	【보감-消渴/ 단심】治消渴口乾
		天花粉 葛根 1.5량 麥門冬 人蔘 白茯苓 黃芪(半生, 半蜜炒) 烏梅 甘草 1 량 [9량=360g] 탄자대 밀환, 1회 1환
옥촉산	玉燭散	【보감-胞/ 단심】治月候凝滯不通 漸成㿗疝
		【보감-癰疽/ 정전】治便毒腫痛
사물탕+조위승기탕		大黃 芒硝 甘草 當歸 白芍藥 川芎 熟地黃 4g [28g]
		▶ [보감-癰疽] 大黃 芒硝 8g~ [36g]
옥추단	玉樞丹	= (자금정)
온경탕A	溫經湯A	【상한금궤】溫經散寒 養血祛瘀 〈금궤22〉 婦人年五十所 病下利數十日不止 暮 卽發熱 少腹裏急 腹滿 手掌煩熱 脣口乾燥 〈금궤22〉 亦主婦人少腹寒 久不受 胎; 兼取崩中去血 或月水來過多 及至期不來
		【JP】手掌煩熱 口脣乾燥한 자의 월경불순 월경통 대하증 갱년기장애 불면 신경증 습진 足腰冷 동상 (또는 두통 요통)
		1)현대A: 麥門冬 10 半夏 8 當歸 川芎 芍藥 人蔘 桂枝 阿膠 牧丹皮 甘 草 生薑 4 吳茱萸 3g [57g]
		2)현대B: 麥門冬 20-30 半夏 當歸 川芎 芍藥 人蔘 桂枝 阿膠 牧丹皮 甘草 生薑 10 吳茱萸 5-10g [125-140g]
		3)원문: 麥門冬 1승 半夏 0.5승 吳茱萸 3량. 이하 모두 2량
		▶【JP】麥門冬 半夏 4 當歸 3 川芎 芍藥 人蔘 桂皮(JP) 阿膠 牧丹皮 甘 草 2 吳茱萸 生薑(JP) 1g [27g]
온경탕B	溫經湯B	【上97/ 보감-胞/ 입문】治 月候不調
▶ 一名 조경산(調經散)		麥門冬 8 當歸 6 人蔘 半夏 白芍藥 川芎 牧丹皮 4 阿膠珠 甘草炙 3 吳 茱萸 肉桂 2 / 生薑 4g [24g]
온담탕	溫膽湯	【中94/ 보감-夢/ 의감/ 三因】治 心膽虛怯 夢寐不祥 虛煩不眠
		【理氣化痰 調和膽胃】
이진탕 加 죽여 지실		半夏 陳皮 白茯苓 枳實 8 竹茹 4 甘草 2 / 生薑 6 大棗 4g [48g] ▶ 가미온담탕 청심온담탕 청신화담전 참조
온백원A	溫白元A	【합편-補遺方/ 보감-積聚/ 국방】治積聚 癥癖 黃疸 鼓脹
		【溫中健脾 逐冷】
		川烏炮 2.5량 吳茱萸 桔梗 柴胡 菖蒲 紫菀 黃連 乾薑炮 肉桂 川椒炒 巴 豆霜 赤茯苓 皀莢炙 厚朴 人蔘 0.5량 [9.5량=380g] 오자대 밀환, 1회 3~7환
		▶ [보감-瘟疫] 여의단(如意丹): 온백원 加 당귀 빈랑 하여 治 瘟疫
온백원B	溫白元B	【소음인/ 신축】【新편】治 積聚 癥癖 黃疸 鼓脹 十種水氣 九種心痛 八種痞 塞 五種癲疾 遠年病 皆可治

川烏炮 100 吳茱萸 乾薑 肉桂 川椒 赤茯苓 厚朴 仁蔘 巴豆霜 20g [260g] 오자대 밀환, 薑湯下 3,5,7환

온비탕 溫脾湯

【천금】溫補脾陽 攻下冷積【JP/비보험】냉증으로 인한 복통, 설사, 변비

사역탕 加 대황 인삼
부자이중탕 去 백출 加 대황

大黃 12 附子 9 人蔘 乾薑 甘草 6g [39g]
▶【JP/비보험】大黃 人蔘 9 附子 乾薑 6 甘草 3g [33g]

온장환 溫臟丸

【中102/ 경악전서】蟲積 旣逐而復生者 多由臟氣虛寒 宜溫健脾胃

人蔘 白朮 白芍藥炒 白茯苓 川椒 當歸 4량 細榧肉(=비자) 使君子肉煨
檳榔 2량 乾薑炮 吳茱萸炮 1량 [32량=1280g]

온청음 溫淸飮

【만병회춘】淸熱解毒 養血調血
【JP】피부색이 나쁘면서 上氣한 자의 월경불순 월경통 여성자율신경실조증 (血道症) 갱년기장애 신경증

사물탕+황련해독탕A

▶【JP】當歸 川芎 地黃 芍藥 3 黃芩 黃連 黃栢 梔子 1.5g [18g] ▶ [참조] 사물황련해독탕 해독사물탕

완대탕 完帶湯

【傅靑註女科】健脾燥濕 疏肝理氣 - 治 濕熱下注 白帶下

白朮炒 山藥炒 40 白芍藥炒 20 蒼朮 車前子炒 12 人蔘 8 甘草 4 柴胡 2.5 黑荊芥穗 陳皮 2g [142.5g]

외대복령음 外臺茯苓飮

= (복령음)

외대황금탕 外臺黃芩湯

= (육물황금탕)

용각산 龍角散

鎭咳 去痰 利咽

桔梗 11.7 甘草 8.3 杏仁 0.83 美遠志(세네가) 0.5mg [1회 0.3g. 1일 3-6회, 물없이 복용]

용뇌고 龍腦膏

【下127/ 보감-咽喉/ 別方】治 喉痺腫痛

薄荷 600 甘草 120 防風 川芎 桔梗 80 焰硝 40 / 白豆蔲 60 砂仁 5 片腦 4g [1069g] 탄자대 밀환

용뇌안신환 龍腦安神丸

【下57/ 보감-神/ 하간】治 五種癲癇 無問新久遠近

白茯苓 120 人蔘 地骨皮 麥門冬 甘草 80 桑白皮 犀角 40 牛黃 20 龍腦 麝香 12 朱砂 馬牙硝 8 / 金箔 35片 [580g+]

용담사간탕A 龍膽瀉肝湯A

【下137/ 보감-前陰/ 입문/ 의종금감】治 肝臟濕氣 男子陰挺 女子陰痒瘡
【淸肝膽瀉火 瀉下焦濕熱】
【JP】비교적 체력이 있고 하복부의 근육긴장 경향이 있는 자의 배뇨통 잔뇨감 소변탁 냉대하 (또는 방광 요도 자궁의 염증)

草龍膽 柴胡 澤瀉 4 木通 車前子 赤茯苓 生地黃 當歸 山梔 黃芩 甘草 2g [28g]
▶ [의종금감, 의방집해] 적복령 없음 / [JP처방] 적복령, 시호 없음
▶【JP】地黃 當歸 木通 5 黃芩 車前子 澤瀉 3 甘草 梔子 龍膽 1~1.5g [27~28.5g]
▶ [참고] 은화사간탕(銀花瀉肝湯): 加 금은화 12 목단피 현호색 산사 신

곡 맥아 생강 3g (생지황은 건지황으로 대제)

용담사간탕B	龍膽瀉肝湯B	【一貫堂醫學】解毒證體質 - 淸熱利濕
용담사간탕A 加 천궁 작약 황련 황백 연교 방풍 박하		當歸 川芎 芍藥 地黃 黃芩 黃連 黃栢 梔子 連翹 甘草 龍膽 澤瀉 木通 車前子 防風 薄荷葉 1.5g [24g]

용담사간탕C	龍膽瀉肝湯C	【보감-口舌/ 강목】治 口苦
		柴胡 4 黃芩 3 生甘草 人蔘 天門冬 黃連 草龍膽 山梔仁 麥門冬 知母 2 / 五味子 1g [24g]

용담산	龍膽散	【보감-津液/ 직지】治 肝熱盜汗
		龍膽草 防風 각등분 - 1회 4g 취침전 미음과 복용

용부탕	茸附湯	【上29/ 보감-虛勞/ 입문】治 氣精血虛耗 潮熱 盜汗
		鹿茸 附子炮 10 / 生薑 9g [29g]

용석산	龍石散	【下119/ 보감-口舌】治 口舌生瘡 咽嗌腫塞
		寒水石煅 120 朱砂 10 龍腦 0.8g [130.8g]

우공산A	禹功散A	【下82/ 제중신편】治 小便不通 百法不能奏效 服此無不愈
		陳皮 半夏薑製 赤茯苓 猪苓 澤瀉 白朮炒 木通 條芩 山梔炒 4 升麻 1.2 甘草 0.8g [38g] - 약복후 토법(吐法: 探痰吐之) 시행

우공산B	禹功散B	【보감-下/ 의감】治寒疝〔行氣消腫 逐水通便〕
		茴香 10 黑丑(頭末) 木香 4g [18g] 1회 8g 薑湯調下 ▶ [儒門事親] 흑축:회향:목향=4:1:1 (惑去 목향)

우귀음	右歸飮	【上46/ 경악전서】此益火之劑 治 陽衰 陰勝〔溫補腎陽〕
좌귀음 去 복령 加 두충 부자 육계		熟地黃 12(~80) 山藥 枸杞子 杜冲 8 山茱萸 附子炮 肉桂 甘草炙 4g [52~120g] (또는 加 당귀 보골지 파극) 7)

우귀환	右歸丸	【경악전서】溫補腎陽 塡精益髓
좌귀환 去 구판교 우슬 加 두충 당귀 부자 육계		熟地黃 24 山藥 山茱萸 枸杞子 菟絲子 鹿角膠 杜仲 12 當歸 附子 9 肉桂 6g [120g]

우슬전	牛膝煎	【中78/ 의종손익】截瘧大效 邪散而氣血微處
		當歸 陳皮 12 牛膝 8g [32g]

우슬탕	牛膝湯	【上156/ 보감-婦人/ 良方】治 産後胞衣不下 腹滿卽殺人
		冬葵子 滑石 8 木通 當歸 牛膝 瞿麥 6g [40g]

우차신기환	牛車腎氣丸	【濟生方】溫補腎陽 化氣行水
		【JP】易疲勞 사지냉감 요량감소(또는 다뇨)로서 때때로 口渴한 자의 하지통 요통 저림 노인성안혼 피부소양감 배뇨곤란 빈뇨 부종

팔미지황탕 加 우슬 차전자 ▶ 一名 제생신기환(濟生腎氣丸)		熟地黃 16 山藥 山茱萸 8 茯苓 澤瀉 牧丹皮 牛膝 車前子 6 肉桂 附子 2g [66g] (cf. 금궤신기환 : 육미지황원 加 우슬 차전자) ▶【JP】地黃 5 山藥 山茱萸 茯苓 澤瀉 牧丹皮 牛膝 車前子 3 桂皮(JP) 附子 1g [28g]
우황고	牛黃膏	【下162/ 보감-婦人/ 玉機】治 産後熱入血室
		朱砂 鬱金 12 牛黃 10 牧丹皮 8 甘草 4 龍腦 2g [48g]
우황양격원	牛黃涼膈元	【下123/ 보감-咽喉/ 국방】治 咽腫 口舌瘡 頜頰腫熱 痰壅
		馬牙硝 寒水石煆 石膏煆 80 甘草爁 40 牛膽南星 30 紫石英(煆水飛) 20 牛黃 龍腦 麝香 6g [348g]
우황청심원A	牛黃淸心元A	【中7/ 보감-神/ 의감】治 卒中風 不省人事 痰涎壅塞 精神昏憒 語言蹇澁 口 眼喎斜 手足不遂 等症/ 又治 脊心熱 夢遺
		山藥 28 甘草炒 20 人蔘 蒲黃炒 神麯炒 10 犀角 8 大豆黃卷炒 官桂 阿 膠炒 7 白芍藥 麥門冬 黃芩 當歸 防風 朱砂水飛 白朮 6 柴胡 桔梗 杏 仁 白茯苓 川芎 牛黃 5 羚羊角 麝香 龍腦 4 石雄黃 3g / 白斂 乾薑炮 3g / 大棗 40g / 金箔 [240g]
우황청심원B	牛黃淸心元B	【태음인/ 신축-신정방】위완수한표열병변【신편】治 卒中風 不省人事 痰涎壅 塞 精神昏憒 言語乾澁 手足不遂 中風眼合等症
		山藥 28 蒲黃炒 10 鹿角 大豆黃卷炒 8 麥門冬 黃芩 6 桔梗 杏仁 牛黃 5 羚羊角 龍腦 麝香 4 白斂 / 金箔70箔 烏梅20枚 - 作 20丸 [96g+]
우황포룡환 포룡환 加진주 호박 우황	牛黃抱龍丸	【中176/ 보감-小兒/ 의감】治 急慢驚風 痰嗽 潮搐
		牛膽南星 40 天竺黃 20 石雄黃 朱砂 10 麝香 眞珠 琥珀 4 牛黃 2 / 金箔 十片 [94g+]
우황해독단	牛黃解毒丹	【中171/ 제중신편】治 小兒胎瘡諸熱
		甘草 金銀花 40 紫草茸 20 牛黃 12g [112g]
운남백약	雲南白藥	化瘀止血 活血止痛 解毒消腫 - 治 跌打損傷 創傷出血 (영문명: Yunnan Baiyao)
		田七(=삼칠) 200 散瘀草 85 山藥 66.5 穿山龍 57.5 老鸛草 36 高良薑 30 白牛膽 25mg/ 酒精 氷片 制草烏 外
웅담산	熊膽散	【태음인/ 신축-신정방】위완수한표열병(寒厥證) 【신편】寒厥六七日 面無汗 卒中風服合手足拘攣者
		熊膽 1~2 (溫水調下) [1~2g]
원지석창포산	遠志石菖蒲散	(석창포원지산B) 참조
월국환	越鞠丸	【단계심법】行氣解鬱
		蒼朮 香附子 川芎 神麯 梔子 각등분
월비가반하탕	越婢加半夏湯	【상한금궤】宣肺泄熱 止咳平喘 〈금궤7〉咳而上氣.. 其人喘 目如脫狀 脈浮大

		【방극】治越婢湯證 而嘔逆者
		1)현대: 石膏 16 半夏 12~16 麻黃 12 大棗 8 生薑 6 甘草 4g [58~62g]
		2)원문: 石膏 0.5근 半夏 0.5승 麻黃 6량 大棗 15매 生薑 3량 甘草 2량
월비가출부탕	越婢加朮附湯	【상한금궤-千金】【방극】治越婢加朮湯證 而惡寒者
		1)현대: 石膏 16 麻黃 12 白朮 大棗 8 生薑 6 甘草 4 附子 2~8g [56~62g]¹⁹⁾
		2)원문: 石膏 0.5근 麻黃 6량 白朮 附子 4량 大棗 15매 生薑 3량 甘草 2량
월비가출탕	越婢加朮湯	【상한금궤】疏風泄熱 發汗利水 〈금궤5〉治肉極 熱則身體津脫 腠理開 汗大泄 厲風氣 下焦脚弱 〈금궤14〉裏水者 一身面目黃腫 其脈沈 小便不利 【방극】治越婢湯證 而小便不利者 【JP】부종 소변불리가 있는 자의 신염 신증(腎症) 각기 관절염 야뇨증 습진 (또는 汗出者)
월비탕 加 백출		1)현대A: 石膏 16 麻黃 12 白朮 大棗 8 生薑 6 甘草 4g [54g] 2)현대B: 石膏 40 麻黃 白朮 20 大棗 30 生薑 15 甘草 10g [135g] 3)원문: 石膏 0.5근 麻黃 6량 白朮 4량 大棗 15매 生薑 3량 甘草 2량 ▶【JP】石膏 8 麻黃 6 蒼朮 4 大棗 3 甘草 2 生薑(JP) 1g [24g]
월비탕	越婢湯	【상한금궤】宣肺泄熱 散水消腫 〈금궤14〉惡風 一身悉腫 脈浮不渴 自汗 無大熱 【방극】治大靑龍湯證 而不咳嗽 上衝者
		1)현대: 石膏 16 麻黃 12 大棗 8 生薑 6 甘草 4g [46g] 2)원문: 石膏 0.5근 麻黃 6량 大棗 15매 生薑 3량 甘草 2량
위경탕	葦莖湯	【상한금궤-千金】淸肺化痰 逐瘀排膿 〈금궤7〉咳有微熱 煩滿 胸中甲錯 是爲肺癰
▶ 一名 천금위경탕(千金葦莖湯)		1)현대A: 薏苡仁 14 冬瓜子 10 蘆根 6 桃仁 4g [34g : 위경은 노근으로 대체]⁶,¹²⁾ 2)현대B: 葦莖 薏苡仁 30g 冬瓜子 24g 桃仁 9g [93g]⁸⁾ 3)원문: 葦莖 1승 薏苡仁 瓜瓣(=동과자) 0.5승 桃仁 50매 (다른문헌: 葦莖 2승)
위관전	胃關煎	【上76/ 경악전서】治 脾腎寒虛 泄瀉 腹痛 冷痢
		熟地黃 12~20 山藥 白扁豆炒 白朮 乾薑炒黑 8 炙甘 4 吳茱萸 3g [51~59g]
위령탕	胃苓湯	【下86/ 보감-大便/ 의감】治 脾胃濕盛 泄瀉腹痛 【祛濕和胃】 【JP】수양성설사, 구토가 있고 구갈, 요량감소 등이 동반된 식중독 中暑 복냉 급성장염 복통 등
평위산+오령산 加味		蒼朮 厚朴 陳皮 澤瀉 赤茯苓 猪苓 白朮 白芍藥 4 官桂 甘草 2g / 生薑 4 大棗 4g [44g] ▶ [단계심법, JP처방] 去 백작약 ▶【JP】蒼朮 厚朴 陳皮 澤瀉 茯苓 猪苓 白朮 2.5 桂皮(JP) 2 生薑(JP)

		大棗 1.5 甘草 1g [23.5g]
위증방	痿證方	【祕方集驗】 腰以下 無力
		當歸 熟地黃 8 芍藥 蒼朮 牛膝 知母 4 黃芪 杜沖 黃栢 2g [38g] (또는 芍藥 蒼朮 牛膝 6 黃芪 4 ~) 12)
위풍탕	胃風湯	【中106/ 보감-大便/ 득효】 治 腸風濕毒泄 瀉下如黑豆汁, 又治 春傷風 至夏 暴瀉
		人蔘 白朮 赤茯苓 當歸 川芎 白芍藥 桂皮 甘草 4 / 粟米(좁쌀) 1비 4g [36g]
유기음자	流氣飮子	【합편-補遺方/ 보감-氣/ 입문】治氣注疼痛 或腫脹
		大腹子(=빈랑) 4 陳皮 赤茯苓 當歸 白芍藥 川芎 黃芪 枳實 半夏製 防風 甘草 3 紫蘇葉 烏藥 靑皮 桔梗 2 木香 1비 1 / 生薑 4 大棗 4g [51g]
유령탕	薷苓湯	【下87/ 보감-大便/ 集略】 治 暑月泄瀉 欲成痢
		澤瀉 5 猪苓 赤茯苓 白朮 香薷 黃連薑炒 白扁豆 厚朴 4 甘草 1.2g [34.2g]
유풍산	愈風散	【中164/ 보감-婦人/ 득효】 治 産後中風
		荊芥略炒末 12g - 두림주(豆淋酒) 調下
유향정통산	乳香定痛散	【보감-諸傷/ 입문】治諸傷損疼痛
		當歸 生芐(=생지황) 赤芍藥 川芎 白芷 牡丹皮 乳香 沒藥 白朮 甘草 각 등분 [1회 8g]
육군자탕	六君子湯	【上69/ 보감-痰飮/ 정전/ 국방】治 氣虛痰盛 【健脾補氣 和中化痰】 【JP】 위장허약 식욕부진 心下痞硬이 있고 易疲勞 빈혈 手足冷 경향자의 위염 위무력증 위하수 소화불량 식욕부진 복통 구토 (또는 軟便경향)
사군자탕 加 반하 진피		半夏 白朮 6 陳皮 赤茯苓 人蔘 4 甘草炙 2 / 生薑 4 大棗 비 4g [34g] (또는 4g 각등분)
		▶【JP】人蔘 蒼朮 半夏 茯苓 4 陳皮 大棗 2 甘草 1 生薑(JP) 0.5g [21.5g]
육린주	毓麟珠	【上102/ 경악전서】治 婦人氣血俱虛 或帶濁 凡種子諸方無以 加此
		熟地黃 菟絲子 當歸 8량 人蔘 白朮炒 白茯苓 白芍藥 杜沖 鹿角霜 川椒 2량 川芎 甘草 1량 [40량=1600g] - 탄자대 밀환, 1회 1~2환
육마탕A	六磨湯A	【下104 사마탕 附方/ 보감-大便/ 직지】治 熱祕
사마탕A 加 대황 지각		檳榔 沈香 木香 烏藥 大黃 枳殼 각등분
육마탕B	六磨湯B	【보감-咳嗽/ 동원】治七情鬱結 上氣喘急
사마탕B 加 목향 지각		人蔘 檳榔 沈香 烏藥 木香 枳殼 각등분
육물황금탕	六物黃芩湯	【상한금궤】〈금궤17〉治乾嘔下利【방극】治心下痞硬 乾嘔 下利 上衝者

▶ 一名 외대황금탕(外臺黃芩湯)	1)현대: 半夏 10~12 黃芩 人蔘 乾薑 大棗 6 桂枝 4g [38~40g] 2)원문: 半夏 0.5승 黃芩 人蔘 乾薑 3량 大棗 12매 桂枝 2량 (다른문헌: 桂枝 1량)

육미야수방　六味夜嗽方

육미지황원 加味方

【보감-咳嗽】治 夜嗽

熟地黃 16 山藥 山茱萸 8 茯苓 澤瀉 牧丹皮 6 天門冬 貝母 橘紅 4 知
母 黃栢 2g [66g]

육미지황원A　六味地黃元

팔미지황환 去 육계 부자

【上40/ 보감-虛勞, 腎臟/ 정전/ 소아증직결】治 腎水不足【滋陰補腎】
【JP】 易疲勞 요량감소(또는 다뇨)이면서 때때로 口渴 경향자의 배뇨곤란 빈
뇨 부종 피부소양감 등

熟地黃(乾地黃) 16 山藥 山茱萸 8 茯苓 澤瀉 牧丹皮 6g [50g] (현대)
▶ 원문: 熟地黃 8량 山藥 山茱萸 4량 白茯苓 牧丹皮 澤瀉 3량 [25량
=1000g] 오자대 밀환, 1회 50~70환
▶【JP】地黃 5 山茱萸 山藥 澤瀉 茯苓 牧丹皮 3g [20g]
▶【참조】 가감팔미환 금궤신기환 기국지황환 신기환 우차신기환 육미야수
방 지백지황환 팔미지황환

육미지황탕B　六味地黃湯

육미지황원A 去 산약 加 구기자

【소양인/ 신편】 위수열리열병【신편】治 虛勞

熟地黃 16 枸杞子 山茱萸 8 澤瀉 牧丹皮 白茯苓 6g [50g]
▶[신편] 보태지황탕(保胎地黃湯): 加 民魚膠 20g 糯米 30g (治 胎漏
下血)

육미환　六味丸

= (육미지황원)

육미회양음　六味回陽飮

이음전A 去 육계 加 인삼 부자

【경악전서】治 陰陽將脫等證【益氣回陽 養血救脫】

人蔘 40 熟地黃 20 當歸身 12 製附子 炮乾薑 8 炙甘草 4g [92g]
▶ 원문에는 인삼 1~2량(或數錢), 숙지황 5錢(或 1량), 제부자 포건강 2~3
錢

육신탕　六神湯

(사신환) 참조

육신환　六神丸

【下102/ 보감-大便/ 입문】治 諸痢要藥

黃連 木香 枳殼 赤茯苓 神麯 麥芽 각등분

육안전　六安煎

【中49/ 경악전서】治 風寒 咳嗽 痰滯 氣逆

半夏 白茯苓 8 陳皮 杏仁 甘草 4 白芥子 3 / 生薑 6g [37g]

육울탕A　六鬱湯A

【下38/ 보감-積聚/ 의감】治 開諸鬱火

香附子 川芎 蒼朮 神麯 梔子 陳皮 赤茯苓 連翹 貝母 枳殼 蘇葉 4 甘草
2 / 生薑 4g [50g]
▶ 육울탕B(단계심법 출전), 개울화담전 참조

육울탕B　六鬱湯B

육울탕A 去 신곡 연교 패모 지각 소엽
加 사인 반하

【보감-積聚/ 단심】通治六鬱

香附子 8 川芎 蒼朮 6 陳皮 半夏製 4 赤茯苓 梔子 3 砂仁 甘草 2g
[38g]
▶ 氣鬱 加 목향 빈랑 오약 소엽, 濕鬱 加 백출 강활 방기, 熱鬱 加 황련

		연교. 痰鬱 加 남성 과루인 해분. 血鬱 加 도인 목단피 구즙(韭汁). 食鬱 加 산사 신국 맥아
육일산	六一散	= (익원산)
육주산	六柱散	(사주산) 참조
육화탕	六和湯	【中36/ 보감-暑/ 의감】治 傷暑 心脾 嘔瀉 或霍亂 轉筋 或腫痛 香薷 厚朴 6 赤茯苓 藿香 白扁豆 木瓜 4 縮砂 半夏 杏仁 人蔘 甘草 2 / 生薑 4 大棗 4g [46g] ▶ [보감-暑] 청서육화탕(淸暑六和湯): 육화탕 加 黃連 4g
윤기고	潤肌膏	(자운고) 참조
윤장탕	潤腸湯	【JP/ 만병회춘】변비【潤燥滑腸】 ▶ [JP] 地黃 6 當歸 3 黃芩 枳實 杏仁 厚朴 桃仁 麻子仁 大黃 2 甘草 1.5 g [24.5g] (또는 去 지황, 加 숙지황 3 건지황 2)
윤폐청간탕	潤肺淸肝湯	(한다열소탕) 참조
윤혈음	潤血飮	【上79/ 제중신편】治 老人虛人便祕 牛膝 肉蓯蓉 當歸 8 枳殼 郁李仁 6 升麻 4 / 生薑 4g [44g]
은교산	銀翹散	【온병조변】辛凉透表 淸熱解毒 金銀花 連翹 30 桔梗 薄荷 牛蒡子 18 甘草 淡豆鼓 15 竹葉 荊芥穗 12g [168g] 1회 18g, 1일 3-4회 복용 ▶ 또는 원문에 鮮葦根과 전당하는 내용에 근거하여 加 노근(蘆根) 15-30g ▶ 시중제제약 또는 中成藥 : 去 노근 加 영양각(水牛角)하여 淸熱 및 息風
은화사간탕	銀花瀉肝湯	(용담사간탕A) 참조
을자탕	乙字湯	【JP】변비 경향자의 치질, 치열, 탈항, 변비 등【淸熱瀉滯 凉血解毒】 ▶ [JP] 當歸 6 柴胡 5 黃芩 3 甘草 2 升麻 1.5 大黃 1g [18.5g] (또는 升麻 1 大黃 0.5)
음양쌍보탕 십전대보탕 + 육미지황탕 + 오자연종환 加味	陰陽雙補湯	治 氣血兩虛 腎虛 熟地黃 當歸 川芎 白芍藥 人蔘 白朮 茯苓 甘草 黃芪 桂枝(또는 桂皮) 山藥 山茱萸 牧丹皮 澤瀉 五味子 枸杞子 菟絲子 車前子 覆盆子 蓮子肉 黃栢(鹽水炒) 杜沖 4g [88g] (또는 去 인삼 加 백하수오 4 부자 1.2-2g)[10] (또는 去 숙지황 加 용안육)[9] (또는 加 녹용 4 부자 2) [34] (또는 加 용안육 4g) [67,68]
응신산	凝神散	【上24/ 보감-內傷/ 입문】治 內傷熱中 收斂胃氣 淸凉肌表 人蔘 白朮 白茯苓 山藥 4 白扁豆 粳米 知母 生地黃 甘草 2 地骨皮 麥門冬 竹葉 1.2 / 生薑 4 大棗 4g [37.6g]

응종산	應鍾散	【家塾方】諸上衝轉變不治 結毒瘤疾
▶ 一名 궁황산(芎黃散)		川芎:大黃=3:1 또는 1:1 ³⁶) (또는 6:10)¹⁹)
의이부자산	薏苡附子散	【상한금궤】〈금궤9〉胸痺緩急者【방극】治胸中痺 惡寒者
		1)현대: 薏苡仁 16 附子 2g [18g] (또는 3:2의 비율) ⁴³) 2)원문: 薏苡仁 15량 大附子 10매
의이부자패장산	薏苡附子敗醬散	【상한금궤】排膿消腫 〈금궤18〉腸癰之爲病 其身甲錯 腹皮急 按之濡如腫狀 腹無積聚 身無熱 【방극】治身甲錯 腹皮急 按之濡如腫狀 腹無積聚者
		1)현대: 薏苡仁 16 敗醬 8 附子 2g [26g] 2)원문: 薏苡仁 10분 敗醬 5분 附子 2분(分)
의이인조위탕	薏苡仁調胃湯	【태음인/ 신편】【신편】治 大泄無度
		薏苡仁 40 乾栗 薢蕷子 8 麥門冬 五味子 石菖蒲 桔梗 麻黃 4g [76g]
의이인탕	薏苡仁湯	【奇效良方】溫經散寒 祛濕止痛【JP】관절통 근육통
		▶【JP】薏苡仁 8 白朮(蒼朮) 當歸 麻黃 4 桂皮(JP) 芍藥 3 甘草 2g [28g]
이갑복맥탕	二甲復脈湯	(가감복맥탕) 참조
이공산	異功散	【上64 사군자탕 附方/ 보감-胃腑/ 동원】治脾胃虛弱 不思飮食 腹痛自利 【益氣健脾 行氣化滯】
사군자탕 加 진피		人蔘 白朮 白茯苓 陳皮 甘草炙 4 / 生薑 ⁴ 4 大棗 ² 4g [28g]
이기거풍산	理氣祛風散	【中8/ 보감-風/ 의감】治 中風 口眼喎斜
		羌活 獨活 枳殼 靑皮 陳皮 烏藥 桔梗 南星 半夏 天麻 川芎 白芷 荊芥 防風 白芍藥 甘草 ⁰·⁵ / 生薑 ⁵ 6g [54g] ▶ 洪家秘傳: 加 현삼 산사 7 우슬⁴·⁵ 나복자 신곡 3g 하여 治 風痰左病右斜 ▶ [참조] 가미이기거풍산(견정산 합방): 去 반하. 加 백부자 백강잠 3g
이모산A	二母散A	【보감-咳嗽/ 입문】治諸般咳嗽 兼治痰喘
		知母 貝母 1량 巴豆(十粒作霜) [1회 1g(一字) - 생강 4g과 함께 취침전 복용] ▶ [丹溪心法附餘] 지모 패모 생강 4g [救急仙方] 지모 패모 각등분
이모산B	二母散B	【보감-婦人/ 聖惠】治産後 惡露流入肺經 咳嗽
		桃仁 杏仁 8 知母 貝母 白茯苓 人蔘 4g [32g]
이모영수탕	二母寧嗽湯	【보감-咳嗽/ 의감】治傷飮食 胃火上炎 衝逼肺氣 痰嗽久不愈 一服卽差
		石膏 8 貝母 知母 6 梔子 黃芩 5 桑白皮 赤茯苓 瓜蔞仁 陳皮 4 枳實 3 生甘草 0.8 / 生薑 ⁵ 4 五味子 1g [54.8g]
이묘산	二妙散	【보감-風/ 단심】治 濕熱痛風 筋骨疼痛【淸熱燥濕】

蒼朮 黃柏 4 / 生薑汁 4g (cf. 원문은 熱薑湯調下服) (또는 蒼朮 黃栢 15g) [8)]

▶ [보감-족] 이초창백산(二炒蒼栢散): 蒼朮(泔浸一日夜鹽炒) 黃柏(酒浸一日夜焦炒) 각 4량으로 治 濕熱脚氣 (腰門: 濕熱腰痛實者) [1회] 20g 복용] 제법 원문참조

이문오미탕	二門五味湯	【태음인/ 신편】【신편】治難産 及便閉 。加葛根 大黃 蘿葍子 升麻 通治二便祕
		麥門冬 12 天門冬 8 五味子 4g [24g]
이베로가스트	Iberogast	行氣和脾止痛 - 기능성, 운동성 위장질환 (기능성소화불량, 과민성대장증후군) / 위염증상 (복통, 가슴쓰림, 팽만, 위경련, 구역)
		洋甘菊(Matricaria recutita) 20 屈曲花(Iberis amara) 15 香蜂草 (Melissae folium) 藏茴香(Carum carvi=Caraway) 當歸 白屈菜 水飛薊 甘草 10 薄荷 5mL [100mL 에탄올틴크] 1일 3회, 1회 20방울씩 음료에 희석복용
이붕고	梨硼膏	【中51/ 제중신편】治 天行 咳嗽 失音 咽痛 小兒咳喘
		生梨 1개 (小孔을 내어 硼砂, 淸蜜을 넣은 후 煨熟食)
이비탕	理脾湯	【下163/ 제중신편】治 産後食傷 胸膈飽悶 寒熱 不思食
		厚朴 6 蒼朮 陳皮 神麯 麥芽 山査肉 4 乾薑 3 砂仁 甘草 2g [33g] (또는 去 맥아)
이사탕	二四湯	(이진탕) + (사물탕)
이선탕A	二仙湯A	【壽世保元】治 癍疹內攻 【淸熱解毒透疹】
		黃芩 勺藥 4g [8g]
이선탕B	二仙湯B	【婦産科学】溫補腎陽 補腎精 瀉腎火 調衝任
		仙茅 仙靈脾(=음양곽) 當歸 巴戟天 9 知母 黃栢 4.5g [45g]
이선환	二仙丸	【보감-毛髮/ 의감】治髮脫落 神效
		側栢葉(焙乾) 8량 當歸(全身) 4량 [12량=480g] 오자대 호환, 1회 50-70환
이신교제단	二神交濟丹	【上43/ 보감-虛勞/ 입문】治 心脾腎三經虛損
		白茯神 薏苡仁 120 酸棗仁 枸杞子 神麯 白朮 80 柏子仁 芡仁 生乾地黃 麥門冬 當歸 人蔘 陳皮 白勺藥 白茯苓 縮砂 40g [960g] - 제법 원문참조 : 煉蜜, 山藥 4량 등을 가한 후 오자대 호환으로 1회 50-70환
이신환	二神丸	(사신환) 참조
이어탕	鯉魚湯	【上114/ 보감-婦人/ 良方】治 子腫
		白朮 赤茯苓 8 白勺藥 當歸 6 橘紅 2 / 鯉魚(잉어) 1마리 [30g+]
이열탕	移熱湯	【下78 도적산 附方/ 보감-口舌/ 강목】治口糜 心胃壅熱 口瘡糜爛

도적산+사령산		澤瀉 10 赤茯苓 白朮 猪苓 6 生地黃 木通 甘草 4 / 燈心 ᴬ 2g [42g]

이음전A   理陰煎A

【上11/ 경악전서】治 脾腎虛 當溫潤 卽理中之變方

이음전B(二陰煎)와 한자 다름에 주의

熟地黃 20 當歸 12 乾薑 8 肉桂 甘草 4g [48g]
▶ [참조] 육미회양음

이음전B   二陰煎B

【경악전서】治心經有熱 水不制火之病: 凡驚狂失志 多言無常 喜怒無常 或癰瘍 疹毒 煩熱失血【淸心瀉火 養陰安神】

生地黃 麥門冬 12 酸棗仁 8 玄蔘 茯苓 木通 黃連 6 甘草 4g / 燈心 ᴬ 2g [62g]
▶ 원문에는 생지황 맥문동 2-3錢, 황련1-2錢. 加燈草 或竹葉亦可

이중탕(이중환)A   理中湯(理中丸)A

【상한금궤】溫中散寒 補氣健脾
〈곽란병-386〉霍亂 頭痛發熱 身疼痛.. 寒多不用水者
〈음양역차후노복병-396〉大病差後 喜睡 久不了了 胃上有寒
〈금궤9〉胸痺心中痞 氣結在胸 胸滿 脇下逆搶心
【방극】治心下痞硬 小便不利 或急痛 或胸中痺者
【JP】體虛者의 급만성위장염 위무력증 입덧 (또는 설사 구토 복통)

▶ 一名 인삼탕(人蔘湯)

1)현대A: 人蔘 白朮 乾薑 甘草 6g [24g]
2)현대B: 人蔘 白朮 乾薑 15 甘草 10-15g [55-60g]
2)원문: 人蔘 白朮 乾薑 甘草 3兩
▶【JP】人蔘 白朮(蒼朮) 乾薑 甘草 3g [12g]

이중탕B   理中湯B

【보험처방】

【上6/ 보감-寒/ 입문/ 중경】治 太陰腹痛 自利不渴

人蔘 白朮 乾薑炮 8 甘草炙 4g [28g]

이지환   二至丸

【醫方集解】補益肝腎 滋陰止血

女貞子 旱蓮草 15g

이진탕   二陳湯

【보험처방】
온담탕 去 죽여 지실 (또는 소반하가복령탕 加 진피 감초)

【中99/ 보감-痰飮/ 정전/ 국방】通治痰飮【燥濕化痰 理氣和中】
【JP】오심 구토

半夏 8 橘皮 赤茯苓 4 甘草炙 2 / 生薑 ᴬ 4g [22g]
▶【JP】半夏 茯苓 5 陳皮 4 甘草 生薑(JP) 1g [16g]

이초창백산   二炒蒼栢散

(이묘산) 참조

이출탕   二朮湯

【만병회춘】燥濕化痰 疏經止痛
【JP】오십견 (또는 비만 담음 경향자의 견비통)

半夏 8 蒼朮 6 白朮 茯苓 陳皮 南星 香附子 羌活 威靈仙 黃芩(酒洗) 甘草 4 / 生薑 ᴬ 4g [54g]
▶【JP】半夏 4 蒼朮 3 白朮 茯苓 陳皮 南星 香附子 羌活 威靈仙 黃芩 2.5 甘草 生薑(JP) 1g [29g]

이향산   二香散

향소산+향유산

【中34/ 보감-暑/ 의감】治 感冒 暑風 身熱 頭痛 或泄瀉 嘔吐

香附子 香薷 8 蘇葉 陳皮 蒼朮 4 厚朴 白扁豆 甘草 2 / 生薑 ᴬ 4 葱白 ᴬ 3 木瓜 ᴬ 4g [45g]

익기보혈탕   益氣補血湯

보중익기탕+자음건비탕 加 소도약

【肝系內科學/ 診療要鑑】大補氣血, 治 飮食無味 痰盛眩暈 等症

黃芪(蜜灸) 白朮 6 人蔘 白茯苓 熟地黃 半夏(薑制) 4 縮砂 香附子 當歸
白芍藥 3 白茯神 麥門冬 陳皮 甘草 遠志 2.5 川芎 天麻 2 升麻 柴胡
1.2g / 生薑 3 4 大棗 2 4g   [66.9g]
(또는 去 천마 승마 시호 加 산사 신곡 맥아 4 후박 3 목향 2g / 去 숙
지황 代 건지황 / 增 향부자 진피 감초 4g) 93)

익기총명탕   益氣聰明湯

【보감-眼/ 단심】治老人勞傷虛損 耳鳴 眼昏 久服無內障 昏暗 耳鳴 耳聾之證
【補益中氣 升提淸陽 聰耳明目】

甘草灸 5 3 人蔘 黃芪 4 升麻 葛根 2.5 蔓荊子 1.2 白芍藥 黃栢酒
炒 0.8g   [20.8g]
▶ [東垣試效方] 人蔘 黃芪 15 葛根 蔓荊子 9 白芍藥 黃栢 6 升麻 4.5
甘草灸 4g   [68.5g]

익모사물탕   益母四物湯

【晴崗】子宮發育不全으로 經前腹痛, 經少黑色

益母草 20 香附子 8 當歸 熟地黃 白芍藥 白朮 牛膝 6 川芎 4g   [62g]
7.49)

익원산   益元散

▶ 一名 육일산(六一散)

【下16/ 보감-霍亂/ 宣明】治 中暑 吐瀉 下痢 止渴 除煩 解百藥酒食邪毒

滑石末:甘草末=6:1 (240 : 40g)   [280g]

익위승양탕   益胃升陽湯

보중익기탕A 增 백출 加 신곡 황금
【보험처방】

【上23/ 보감-內傷/ 동원】治 內傷諸症 血脫 盆氣 古聖人之法 先理胃氣 以
助生發之氣

白朮 6 黃芪 4 人蔘 神麴炒 3 當歸身 陳皮 甘草炙 2 升麻 柴胡 1.2 生
黃芩 0.8g   [25.2g]

인갈음   忍葛飮

【丁茶山先生小兒科祕方(小兒醫方)- 咳嗽】因風傷肺咳嗽

忍冬 6 桔梗 葛根 橘皮 4 柴胡 黃芩 杏仁 3 貝母 枳殼 2 / 生薑 3
葱白 2g   [36g]

인동등지골피탕   忍冬藤地骨皮湯

【소양인/ 신축-신정방】위수열리열병 〈中消〉治中消者
【신편】治身寒腹痛泄瀉

忍冬藤 16 山茱萸 地骨皮 8 黃連 黃柏 玄蔘 苦蔘 生地黃 知母 梔子 枸
杞子 覆盆子 荊芥 防風 金銀花 4g   [80g]

인삼강활산A   人蔘羌活散A

인삼패독산 加味方

【中169/ 보감-小兒/ 강목】治 傷風寒發熱

人蔘 柴胡 前胡 羌活 獨活 枳殼 桔梗 川芎 赤茯苓 甘草 生薑 0.8 天麻
地骨皮 0.4/ 薄荷 0.3g   [9.9g]

인삼강활산B   人蔘羌活散B

【보감-風/ 득효】治中風痰盛煩熱

羌活 獨活 前胡 人蔘 防風 天麻 赤茯苓 薄荷 川芎 黃芩 枳殼 蔓荊子
桔梗 甘草 3 / 生薑 4 桑白皮 3g   [49g]

인삼계지부자탕   人蔘桂枝附子湯

황기계지탕 去 백하수오 加 인삼 포부자

【소음인/ 신축-신정방】신수열표열병 〈亡陽證〉亡陽末證

人蔘 16 桂枝 12 白芍藥 黃芪 8 當歸 炙甘草 4 炮附子 4~8 / 生薑

		4 大棗 ᵃ 4g [64~68g]
인삼계피탕	人蔘桂皮湯	(인삼진피탕) 참조
인삼고본환	人蔘固本丸	【보감-身形/ 필용】養性延年藥餌 【보감-精】補精生血
		天門冬 麥門冬 生乾地黃 熟地黃 2량 人蔘末 1량 [9량=360g] 오자대 밀환, 1회 50-70환
인삼관계부자탕	人蔘官桂附子湯	【소음인/ 신축-신정방】 신수열표열병〈亡陽證〉亡陽末證
황기계지부자탕 加 인삼, 去 계지 加 관계		人蔘 20(~40) 官桂 黃芪 12 附子 8(~10) 白芍藥 8 當歸 甘草 4 / 生薑 ᵃ 4 大棗 ᵃ 4g [72(~94)g]
인삼궁귀탕	人蔘芎歸湯	【中61/ 보감-脹滿】治 血脹
		川芎 8 當歸 半夏 6 蓬朮 木香 砂仁 烏藥 甘草 4 人蔘 桂皮 五靈脂 2 / 生薑 ᵃ 6 大棗 ᵃ 4 蘇葉 ᵃ 3g [59g]
인삼백하오관중 탕	人蔘白何烏寬中 湯	【소음인/ 신축】위수한리한병〈太陰證〉【신편】浮腫亦可用
적백하오관중탕 去 적하수오 加 인삼		白何首烏 人蔘 良薑 乾薑 陳皮 靑皮 香附子 益智仁 4 / 大棗 ᵃ 4g [36g]
인삼백합탕	人蔘百合湯	【中54/ 보감-咳嗽/ 諸方】治 勞嗽吐紅
		白朮 白茯苓 百合 阿膠珠 天門冬 4 白芍藥 人蔘 五味子 黃芪 半夏 杏仁 3 細辛 紅花 桂枝 甘草 1.2g [42.8g] ▶ [보감] 去 계지 代 계피
인삼복맥탕	人蔘復脈湯	【上53/ 壽世保元】治 咳逆 無脈
육군자탕 加 맥문동 죽여 오미자		半夏 白朮 6 陳皮 白茯苓 人蔘 麥門冬 竹茹 五味子 4 甘草炙 2 / 生薑 ᵃ 4 大棗 ᵃ 4g [46g]
인삼부자관계탕	人蔘附子官桂湯	(관계부자이중탕) 참조
인삼사폐탕	人蔘瀉肺湯	【보감-咳嗽/ 입문】治 熱嗽
		連翹 8 大黃 人蔘 枳殼 桔梗 杏仁 桑白皮 甘草 4 薄荷 黃芩 梔子 2 / 竹葉 ᵃ 7 蜜 ᵃ 2g [51g] ▶ [보감-肺臟/ 단심] 治 肺實熱 - 人蔘, 竹葉, 蜜이 없고 나머지 구성은 동일하며 용량은 모두 3g [30g]
인삼소요산	人蔘逍遙散	【中30/ 보감-寒/ 입문】治 女勞復虛弱者
		人蔘 當歸 8 柴胡 6 白朮 白茯苓 白芍藥 4g [34g]
인삼양영탕A	人蔘養榮湯A	【화제국방】益氣養血 補心安神 【JP】병후체력저하 피로권태 식욕부진 식은땀 수족냉증 빈혈
십전대보탕 去 천궁 加 오미자 진피 원지		白芍藥 12 當歸 人蔘 白朮 黃芪蜜炒 肉桂 陳皮 甘草炙 4 熟地黃 五味子 茯苓 3 遠志 2 / 生薑 ᵃ 4 大棗 ᵃ 4g [59g - 원문의 1량을 4g 환산]

▶【JP】地黃 當歸 白朮 茯苓 4 人蔘 3 桂皮(JP) 2.5 遠志 芍藥 陳皮 2
黃芪 1.5 五味子 甘草 1g [31g]

인삼양영탕B	人蔘養榮湯B	【上35/ 보감-虛勞/ 회춘】治 勞損 氣血不足 氣短 少食 寒熱 自汗
인삼양영탕A 去 복령 加 방풍		白芍藥 8 當歸 人蔘 白朮 黃芪蜜炒 肉桂 陳皮 甘草炙 4 熟地黃 五味子 防風 3 遠志 2 / 生薑 ㎖ 4 大棗 ㎖ 4g [55g] ▶ [회춘] 去 방풍 加 복령

인삼양위탕	人蔘養胃湯	【中16/ 보감-寒/ 입문/ 국방】治 傷寒陰症 及外感風寒內傷生冷 憎寒壯烈 頭疼身痛
불환금정기산 加 인삼 적복령 초과 오매		蒼朮 6 厚朴 陳皮 半夏製 5 赤茯苓 藿香 4 人蔘 草果 甘草炙 2 / 生薑 ㎖ 4 大棗 ㎖ 4 烏梅 ㎖ 2g [45g]
		▶ [中16 附方] 계강양위탕(桂薑養胃湯) : 加 계지 건강포 8g (治 冷積)

인삼오수유탕	人蔘吳茱萸湯	【소음인/ 신축-신정방】 위수한리한병 【신편】治 太陰厥陰症
		人蔘 40 吳茱萸 生薑 12 白芍藥 當歸 官桂 4g [76g]

인삼진피탕	人蔘陳皮湯	【소음인/ 신축-신정방】 위수한리한병 〈太陰證〉治 小兒陰毒 慢風 連服數日
		人蔘 40 生薑 砂仁 陳皮 4 / 大棗 ㎖ 4g [56g]
		▶ 인삼계피탕(人蔘桂皮湯): 去 생강 加 포건강 계피 4g [60g]

인삼청기산	人蔘清肌散	【中41/ 보감-火/ 단심/ 壽世保元】治 虛勞 骨蒸 潮熱 無汗
		人蔘 白朮 白茯苓 赤芍藥 當歸 柴胡 葛根 半夏麯 4 甘草 2 / 生薑 ㎖ 4 大棗 ㎖ 4g [42g] (一方 加 황금)

인삼탕	人蔘湯	= (이중탕 =이중환)

인삼패독산	人蔘敗毒散	【中19/ 보감-寒/ 의감/ 국방】治 傷寒 時氣發熱 頭痛 肢體痛 及傷風 咳嗽 鼻塞 聲重
[보험처방]		人蔘 柴胡 前胡 羌活 獨活 枳殼 桔梗 川芎 赤茯苓 甘草 4 / 生薑 ㎖ 4 薄荷 ㎖ 2g [46g]
		▶ 패독산 = [인삼패독산] 또는 [인삼패독산 去 人蔘]
		▶ [참조] 가미패독산 형방패독산 연교패독산

인삼평보탕	人蔘平補湯	【보감-聲音/ 직지】治腎虛 聲不出
		人蔘 川芎 當歸 熟地黃 白芍藥 白茯苓 免絲子 五味子 杜冲 巴戟 橘紅 半夏麯 2.5 牛膝 白朮 破故紙 胡蘆巴 益智 甘草炙 1.2 石菖蒲 0.8 / 生 薑 ㎖ 4 大棗 ㎖ 4g [46g]

인삼황기탕A	人蔘黃芪湯A	【上64 사군자탕 附方/ 보감-氣/ 易老】治虛損少氣
사군자탕 加 황기 당귀		人蔘 8 黃芪 白朮 陳皮 4 當歸 白茯苓 甘草炙 2 / 生薑 ㎖ 4 大棗 ㎖ 4g [34g]

인삼황기탕B	人蔘黃芪湯B	【보감-脈/ 脈訣】滋養血氣 調和榮衛 和順三焦 通行血脈 治雜病脈代
		陳皮 8 黃芪 白芍藥 桔梗 天門冬 半夏 當歸 4 人蔘 白茯苓 熟地黃 地骨皮 甘草 2 / 生薑 ㎖ 9g [51g]

인숙산	仁熟散	【上44/ 보감-膽腑/ 입문】治 心膽虛 恐畏 不能獨臥
		柏子仁 熟地黃 4 人蔘 枳殼 五味子 桂心 山茱萸 甘菊 白茯神 枸杞子 3g [32g]
인진귤피탕	茵陳橘皮湯	【소음인/ 活人書】治 陰黃 喘 嘔不止
		茵陳 40 陳皮 白朮 半夏 生薑 4g [56g]
인진부자탕	茵陳附子湯	(인진사역탕) 참조
인진사역탕	茵陳四逆湯	【中67/ 보감-黃疸/ 활인】治 陰黃 肢體逆冷 自汗 【소음인/ 신축】治陰黃冷汗不止
		茵蔯 附子炮 乾薑炮 甘草炙 4g [16g] ▶ [소음인- 東醫壽世保元] 인진사역탕 : 增 인진 40g~ [52g] / 인진부자탕: 인진사역탕 去 건강 하여 治陰黃身冷
인진오령산A 오령산 加 인진	茵蔯五苓散A	【상한금궤】茵蔯蒿 : 五苓散 = 2:1 비율로 합방/ 治濕熱黃疸 小便不利 〈금궤15〉黃疸病 【방극】治發黃兼前方證者 【JP】번갈 요량감소가 있는 자의 구토 두드러기 숙취 부종
		1)현대: 茵蔯蒿 12 澤瀉 茯苓 8 猪苓 白朮 桂枝 6g [46g] (또는 茵蔯蒿 32 澤瀉 5 猪苓 白朮 茯苓 3 桂枝 2) [19.43] 2)원문: 茵陳蒿末 10分 五苓散 5分(分) ▶【JP】澤瀉 6 蒼朮 猪苓 茯苓 4.5 茵蔯蒿 4 桂皮(JP) 2.5g [26g]
인진오령산B 五苓散 倍入茵蔯	茵蔯五苓散B	【下48/ 보감-黃疸】治 濕熱黃疸
		茵蔯 60 澤瀉 10 赤茯苓 白朮 猪苓 6 肉桂 2g [90g] ▶ [보감-黃疸] 인진 1량 + 오령산 0.5량
인진청간탕 인진오령산 加味方	茵蔯淸肝湯	【肝系內科學】治 急慢性肝炎【利濕健脾】
		茵蔯蒿 50 地楡炭 15 白朮 茯苓 猪苓 覆盆子 生薑 12 澤瀉 薏苡子 8 砂仁 三稜 蓬朮 靑皮 甘草 6g [171g] 1일 1첩 복용 ▶ [참고] 砂仁 三稜 蓬朮이 있으면 인진청간탕B, 없으면 인진청간탕A로 구분하기도 함 [9.17] ▶ 청간건비탕 생간건비탕 참조
인진치자탕	茵蔯梔子湯	【보감-黃疸/ 강목】治 穀疸
		茵蔯 12 大黃 8 梔子 枳實 4g [28g]
인진호탕A	茵蔯蒿湯A	【상한금궤】淸熱 利濕 退黃 〈양명병-236〉頭汗出 身無汗.. 小便不利 渴引水漿者 此爲瘀熱在裏 身必發黃 (260) 身黃如橘子色 小便不利 腹微滿 〈금궤15〉寒熱不食 食卽頭眩 心胸不安 久久發黃爲殼疸 【방극】治心煩 一身發黃 大便難者 【JP】요량감소가 있는 비교적 體實者로서 변비경향자의 황달 간경변 신증(腎症) 두드러기 구내염
		1)현대A: 茵蔯蒿 12 大黃 4 梔子 3~4g [19~20g] 2)현대B: 茵蔯蒿 30 梔子 15 大黃 10g [55g] (또는 茵陳 18 梔子 9 大

黃 6) [8]
3)원문: 茵蔯蒿 6량 大黃 2량 梔子 14매
▶ [JP] 茵蔯蒿 4 梔子 3 大黃 1g [8g]

인진호탕B	茵蔯蒿湯B	【합편-增補】治 發黃 腹滿 便閉【보감-寒/ 중경】治 太陰證 發黃
【보험처방】		茵蔯蒿 40 大黃 梔子 14g [68g]
		▶ 보험기준처방은 茵蔯蒿 大黃 梔子 모두 13.13g으로 같은 용량
		▶ [보감-寒/ 仲景] 인진호탕 : 茵蔯蒿 40 大黃 20 梔子 8g [68g]
		▶ [보감-黃疸/ 득효] 인진탕(茵蔯湯) : 茵蔯 12 大黃 梔子 4g [20g] (治 穀疸)

인출탕	茵朮湯	【下52/ 俗方】治 諸疸
		茵蔯 8 蒼朮 6 靑皮 赤茯苓 厚朴 4 神麴 砂仁 木香 3g [35g]

일갑복맥탕	一甲復脈湯	(가감복맥탕) 참조

일관전	一貫煎	【續名醫類案】滋陰疏肝
		生地黃 30 枸杞子 12 北沙蔘 麥門冬 當歸身 10 川楝子 5g [77g]

일음전	一陰煎	【경악전서】治 水虧火勝【養陰淸熱】
		熟地黃 12-20 生地黃 芍藥 麥門冬 丹蔘 8 牛膝 6 甘草 4g [54~62g]
		▶ [경악] 가감일음전: 去 단삼 우슬. 加 지모 지골피 4g (일음전의 證 보 다 火 가 더 심한 상태를 治)

일황고	日黃膏	消腫 排膿 止痛 抗菌
		硫黃 200 樟腦 100 白芷 白鮮皮 枯白礬 薄荷腦 50g [500g] [9]- 피부도 포용 연고

입안산	立安散	【中146/ 보감-腰/ 의감】治 挫閃 氣滯 腰痛
		白丑 8 當歸 肉桂 玄胡索炒 杜冲薑炒 茴香炒 4 木香 2g [30g]

입효산A	立效散A	【보감-牙齒/ 동원】治牙齒痛不可忍 微惡寒飮 大惡熱飮
		【JP】치통 발치후통증
		草龍膽(酒洗) 12 防風 4 升麻 3 甘草灸 2 細辛 1.2 [22.2g - 口中痛處 少頃即止]
		▶ [JP] 細辛 升麻 防風 2 甘草 1.5 龍膽 1g [8.5g]

입효산B	立效散B	【보감-血/ 단심】治 小兒尿血
		蒲黃 生地黃 赤茯苓 甘草 4g [16g]

입효산C	立效散C	【태음인/ 신편】【신편】眼病煎而洗之
		升麻 葛根 白芷 石菖蒲 각등분

입효제중단	立效濟衆丹	【下31/ 제중신편】治 寒食傷 霍亂 及關格
		紫檀香 檳榔 乾薑 20량 蒼朮 厚朴 便香附 15량 神麴炒 陳皮 半夏 胡椒 10량 靑皮 木香 5량 [155량=6200g]

자감초탕	炙甘草湯	【상한금궤】益氣滋陰 通陽復脈 〈태양병-177〉傷寒 脈結代 心動悸〈금궤6〉治虛勞不足 汗出而悶 脈結悸〈금궤7〉治肺痿涎唾多 心中溫溫液液者 【JP】體虛 易疲勞한 자의 심계항진 숨참(息切) (또는 변비 燥熱 경향자, 빈혈 부정맥)
▶ 一名 복맥탕(復脈湯)		1)현대A: 生地黃 32 大棗 15 麥門冬 10 炙甘草 麻子仁 8 生薑 桂枝 6 人蔘 阿膠 4g [93g] (또는 乾地黃(代 生地黃) 8 大棗 10~) [12] 2)현대B: 地黃 15-80 大棗 30 麥門冬 炙甘草 麻子仁 生薑 桂枝 15 人蔘 阿膠 10g [140-205g] (또는 去계지 代육계 5g. 去인삼 代당삼 15. 去마자인 代구기자) 3)원문: 生地黃 1근 大棗 30매 麥門冬 麻仁 0.5승 炙甘草 4량 生薑 桂枝 3량 人蔘 阿膠 2량 ▶【JP】地黃 麥門冬 6 炙甘草 桂皮(JP) 大棗 麻子仁 人蔘 3 阿膠 2 生薑(JP) 1g [30g]
자금정	紫金錠	【合編-解毒/ 보감-解毒,癰疽/ 입문】治癰疽發背 諸腫 諸瘡 疔瘡 惡瘡 一切腫毒
▶ 一名 태을자금단(太乙紫金丹) 만병해독단(萬病解毒丹) 옥추단(玉樞丹)		五倍子(방약합편 원문은 "文蛤. 即五倍子") 3량 山慈姑 2량 大戟 1.5량 續隨子 1량 麝香 0.3량 [7.8g=312g] - 제법 원문참조 ▶ [外科正宗] 五倍子 山慈姑 2량 紅大戟 1.5량 續隨子 1량 朱砂 麝香 雄黃 0.3량
자상환	紫霜丸	【中177/ 보감-小兒/ 입문/ 소아약증직결】治 食癇 及痰癖 不嘔而吐
		代赭石 赤石脂 40 / 巴豆 ▨ 9 杏仁 ▨ 20g [109g] ▶ 자원(紫圓) 참조
자석양신환	磁石羊腎丸	【上82/ 보감-耳/ 입문】治 諸般耳聾 補虛 開竅 行鬱 散風 去濕
		磁石 120 熟地黃 80 石菖蒲 60 川芎 白朮 川椒 大棗肉 防風 白茯苓 細辛 山藥 遠志 川烏炮 木香 當歸 鹿茸 菟絲子 黃芪 40 官桂 26 / 羊腎 ▨ 1쌍 [886g+]
자소음	紫蘇飮	【中160/ 보감-婦人/ 良方】治 子懸 及氣結難産
		紫蘇葉 10 大腹皮 陳皮(橘皮) 當歸 川芎 白芍藥 人蔘 4 甘草 2 / 生薑 ▨ 5 葱白 ▨ 4g [45g] (또는 去 인삼 代 사삼. 增 대복피 귤피 6g) [7]
자신명목탕	滋腎明目湯	【보감-眼/ 회춘】治血少 神勞 腎虛眼病
		人蔘 桔梗 梔子 黃連 白芷 蔓荊子 甘菊 甘草 2/ 細茶葉 ▨ 2 燈心 ▨ 2g [20g]
자신보원탕	滋腎保元湯	【上95/ 의종금감】治 癰疽潰後 斂遲
팔물탕 加味方		人蔘 白朮 白茯苓 甘草 熟地黃 當歸 ▨ ▨ 5 牧丹皮 黃芪 山茱萸 杜冲 4 肉桂 附子炮 2 / 生薑 ▨ 4 大棗 ▨ 4 蓮肉 ▨ 6g [72g]
자신통관환	滋腎通關丸	= (자신환)
자신통이탕	滋腎通耳湯	【보감-耳/ 회춘】治 腎虛耳鳴 欲聾
		當歸 川芎 白芍藥 生乾地黃* 4 知母* 黃栢* 黃芩* 柴胡 白芷 香附子

3g [34g: *표시는 酒炒]

자신환   滋腎丸

【下80/ 보감-小便/ 동원】治 不渴 小便閉
【방제학】滋腎通關, 治 熱在下焦血分 小便不利

▶ 一名 통관환(通關丸) 자신통관환(滋腎通關丸)

黃柏(酒洗焙) 知母(酒洗焙) 40 官桂 2g [82g] 오자대 수환, 1회 100환

자완탕   紫菀湯

【中159/ 보감-婦人/ 강목】治 子嗽 胎不安

紫菀 天門冬 8 桔梗 6 杏仁 桑白皮 甘草 4 / 竹茹 4g 蜜 5ml
[38g+]

자운고   紫雲膏

【JP/ 華岡靑州】화상, 치질로 인한 동통, 항문열상 등
【養血凉血 潤燥生肌】

윤기고 加 돈지

▶ [JP] [胡麻油 100 當歸 紫草 10] 상기 추출물 71.2g에 加 白蠟(백납)
27 豚脂 1.8g [100g = 피부도포]
▶ [外科正宗] 윤기고(潤肌膏): 麻油 160 當歸 20 紫草 4 / 黃蠟 20g

자원   紫圓

【千金方】治停痰嘔吐 通便瀉下 下痰癖

▶ 一名 자단(紫丹)

1)현대: 杏仁 8 巴豆 代赭石 赤石脂 4g - 밀환하여 1회 0.3~1g 복용[12]
(또는 杏仁: 巴豆: 代赭石: 赤石脂=2: 1.2: 1: 1의 비율) [19]
▶ 자상환(紫霜丸) 참조

자윤탕   滋潤湯

【下1/ 보감-風/ 회춘】治 風中臟 二便閉 先服此 後以 愈風散 調理

當歸 生地黃 枳殼 厚朴 檳榔 大黃 麻仁 杏仁 4 羌活 3 紅花(酒炒) 1.2g
[36.2g] ▶ [회춘: 滋潤湯] 加 숙지황 3g

자음강화탕A   滋陰降火湯A

【中42/ 보감-火/ 회춘】治 陰虛火動 盜汗 午熱 咳嗽 痰盛 咯血 肉瘦

【보험처방】

白芍藥 5.2 當歸 4.8 熟地黃 麥門冬 白朮 4 生地黃 3 陳
皮 3 知母 黃柏 甘草炙 2 / 生薑 4 大棗 4g [42g]

자음강화탕B   滋陰降火湯B

【보감-腎臟/ 회춘】治 腎水不足 陰虛火動(JP] 목이 건조하고 가래가 잘 떨
어지지 않으면서 나오는 기침 (또는 미열동반)

자음강화탕A 加 천문동

白芍藥 5.2 當歸 4.8 熟地黃 天門冬 麥門冬 白朮 4 生地黃
3 陳皮 3 知母(蜜水炒) 黃柏(蜜水炒) 甘草炙 2 / 生薑 4 大棗
4g [46g]
▶[JP] 蒼朮 3 當歸 地黃 芍藥 麥門冬 天門冬 陳皮 2.5 知母 黃栢 甘草
1.5g [22.5g]

자음건비탕   滋陰健脾湯

【上81/ 보감-頭/ 회춘】治 臨事不寧眩暈 此心脾虛怯也 此治 氣血虛損 有痰
飮 作眩之仙劑

이진탕+팔물탕 加 맥문동 원지

白朮 6 陳皮 半夏 白茯苓 4 當歸 白芍藥 生乾地黃 3 人蔘 白茯神 麥門
冬 5 川芎 甘草 1.2 / 生薑 4 大棗 4g [45.4g]
▶ [晴崗] 건비이사탕(健脾二四湯): 加 천마 방풍 형개 4 박하 1.2g, 용량
은 白朮 6 遠志 甘草 2 나머지 各 4g [67.2g] [7.35]

자음영신탕   滋陰寧神湯

【보감-神/ 입문】治癲疾 及不時暈倒 痰壅搐搦

팔물탕 加 원지 산조인 남성 황련

當歸 川芎 白芍藥 熟地黃 人蔘 茯神 白朮 遠志 南星 4 酸棗仁炒 甘草

		2 黃連(酒炒) 1.5g / 生薑 ◎ 4g [45.5g]

자음지보탕　滋陰至寶湯

【보감-婦人/ 의감】治婦人諸虚百損 五勞七傷 經脈不調 寒熱羸瘦
【滋陰淸熱 疏肝健脾】
【JP】허약자의 만성적인 기침, 가래

當歸 白朮 4 白茯苓 陳皮 知母 便香附 地骨皮 麥門冬 白芍藥(酒炒) 貝母 3 ◎ 柴胡 薄荷 甘草 2 / 生薑 ◎ 4 [45g]
▶【JP】當歸 白朮 茯苓 陳皮 知母 香附子 地骨皮 麥門冬 柴胡 芍藥 3 貝母 2 薄荷 甘草 1g [34g]

자음지황탕A　滋陰地黃湯A

지백지황환+사물탕 加 원지 석창포

【보감-耳/ 회춘】治色慾動相火 致右耳聾, 亦治大病後耳聾

熟地黃 6 山藥 山茱萸 當歸 白芍藥 川芎 3 ◎ 白茯苓 澤瀉 牡丹皮 遠志 石菖蒲 知母(鹽酒炒) 黃栢(鹽酒炒) 2.5g [38.5g]
▶ (또는 增 숙지황 16 산약~목단피 2배량, 加 생강 대조 4g) 7)

자음지황환B　滋陰地黃丸B

【보감-眼/ 단심】治血少 神勞 腎虚 眼目昏暗 瞳子散大 視物昏花 法當養血 凉血 散火 除風

熟地黃 40 柴胡 32 生乾地黃(酒焙) 30 當歸(酒洗) 黃芩 20 天門冬 地骨皮 五味子 黃連 12 人蔘 枳殼 甘草灸 8g [214g] 녹두대 밀환, 1회 100환

자혈양근탕　滋血養筋湯

【보감-足/ 의감】治氣血兩虚 兩足痿軟 不能行動

熟地黃 6 白芍藥 當歸 麥門冬 黃栢(酒炒) 牛膝(酒浸) 杜冲(酒炒) 蒼朮 薏苡仁 3 人蔘 川芎 防風 知母 2 羌活 甘草 1.2 / 五味子 ◎ 1 生薑 ◎ 4 大棗 ◎ 4g [49.4g]

작감황신부탕　芍甘黃辛附湯

작약감초탕 + 대황부자탕

治 坐骨神經痛, 寒性牽引痛

白芍藥 16 甘草 10 細辛 6 大黃 2 附子 1.2~2g [35.2~36g] 91,92)

작약감초부자탕　芍藥甘草附子湯

작약감초탕 加 부자

【상한금궤】扶陽養陰 陰陽兩調〈태양병-68〉發汗 病不解 反惡寒者 虚故也
【방극】治芍藥甘草湯證 而惡寒者

1)현대: 芍藥 甘草 6 附子 2g [14g]
2)원문: 芍藥 甘草 3량 附子 1매

작약감초탕A　芍藥甘草湯A

【상한금궤】緩急解痙止痛〈태양병-29〉脚攣急 (30) 脛尙微拘急
【방극】治拘攣急迫者
【JP】갑작스런 근경련을 동반하는 통증 (또는 복직근긴장이나 복통을 동반하는 경련성통증 근육통)

1)현대A: 芍藥 甘草 12g [24g]
2)현대B: 芍藥 30 甘草 10g [40g]
3)원문: 芍藥 甘草 4량
▶【JP】芍藥 甘草 6g [12g]

작약감초탕B　芍藥甘草湯B

【上86/ 보감-腹/ 동원/ 중경】甘者己也 酸者甲也 甲己化土 此仲景妙法也 酸以收之 甘以緩之

白芍藥 16 甘草炙 8g [24g]

작약탕	芍藥湯	【보감-大便/ 易老】治痢 溲澁而便膿血 令行血則便膿自愈 調氣則後重自除 此藥是也.
		白芍藥 8 黃蓮 條芩 當歸尾 4 大黃 3 木香 檳榔 桂心 甘草 2g [31g]
장옹탕	腸癰湯	【JP-비보험】 맹장부의 급성 또는 만성 통증, 생리통
대황목단피탕 去 대황 망초 加 의이인		薏苡仁 9 冬瓜子 6 桃仁 5 牧丹皮 4g [24g]
장원탕	壯原湯	【上55/ 제중신편】治 下焦虛寒 中滿腫脹 小便不利 上氣喘急 囊腿腫
		人蔘 白朮 8 赤茯苓 破故紙 4 陳皮 3 肉桂 乾薑 附子炮 縮砂 2g [35g]
장원환	壯元丸	【보감-神/ 회춘】補心生血 寧神定志
		遠志(薑製) 龍眼肉 生乾地黃(酒洗) 玄蔘 朱砂 石菖蒲 12 人蔘 白茯神 當歸(酒洗) 酸棗仁炒 麥門冬 柏子仁(去油) 8g [120g] 녹두대 금박한. 1회 20-30환
재조산	再造散	= (도씨재조산)
쟁공산	爭功散	【下50/ 보감-痎瘧/ 득효】治 熱瘧 多效
		知母 貝母 柴胡 常山 梔子 檳榔 地骨皮 甘草 4 / 蟬退 … 9 桂枝 柳枝 … 4g [49g]
저당탕	抵當湯	【상한금궤】蕩內熱 破血逐瘀 〈태양병-124〉其人發狂 熱在下焦 少腹硬滿 小便自利 下血乃愈.. 瘀熱在裏 (125) 身黃 脈沈結 少腹硬.. 小便自利 其人如狂 〈양명병-237〉陽明病 其人喜忘 必有畜血. 大便反易 色必黑 (257) 消穀喜飢.. 不大便者 有瘀血 〈금궤22〉婦人經水不利下 【방극】治瘀血者
		1)현대A: 大黃 6 水蛭 虻蟲 4 桃仁 2g [16g] 2)현대B: 大黃 水蛭 10 桃仁 12g (去 맹충) [32g][30] 3)원문: 大黃 3량 水蛭(=抵當) 虻蟲 30개 桃仁 20개
저당환	抵當丸	【상한금궤】破血逐瘀 〈태양병-126〉傷寒有熱 少腹滿 應小便不利 今反利者 爲有血也 當下之 【방극】治抵當湯證緩者
		1)현대: 大黃:虻蟲:水蛭:桃仁= 12 : 5.2 : 4.8 : 4 - 밀환하여 복용 (또는 大黃:虻蟲:水蛭:桃仁= 6:3:2:2) [43] 2)원문: 大黃 3량 水蛭 虻蟲 20개 桃仁 25개
저령산	猪苓散	【상한금궤】健脾利水 〈금궤17〉嘔吐而病在膈上 後思水者解 急與之 思水者 【방극】治渴而心下悸 小便不利者
		猪苓 茯苓 白朮 각등분
저령차전자탕	猪苓車前子湯	【소양인/ 신축-신정방】비수한표한병 〈亡陰證〉治頭腹痛 有泄瀉者 【신편】治亡陰病身熱泄瀉 °陽明症三陽合病 頭痛腹痛症
		澤瀉 茯苓 8 猪苓 車前子 6 知母 石膏 羌活 獨活 荊芥 防風 4g [52g]

| 저령탕 | 猪苓湯 | 【상한금궤】利水清熱養陰
〈양명병-223〉脈浮發熱 渴欲飲水 小便不利 (224) 汗出多而渴 不可與猪苓
湯〈소음병-319〉下利六七日 咳而嘔渴 心煩不得眠
【방극】治小便不利 若淋瀝 若渴欲飲水者
【JP】요량감소 소변난(小便難) 구갈 등이 동반된 요도염 신장염 신결석 배
뇨통 혈뇨 잔뇨감 설사 허리이하부종 |

1)현대A: 猪苓 茯苓 澤瀉 阿膠 滑石 6g [30g]
2)현대B: 猪苓 茯苓 澤瀉 阿膠 滑石 15g [75g]
3)원문: 猪苓 茯苓 澤瀉 阿膠 滑石 1량
▶【JP】猪苓 茯苓 澤瀉 滑石 阿膠 3g [15g]

| 저령탕합사물탕 | 猪苓湯合四物湯 | 【JP】피부가 건조하고 안색이 좋지 않으며 위장증상은 없는 자의 배뇨곤란
배뇨통 잔뇨감 빈뇨【利水 補血調血】 |

▶【JP】當歸 川芎 地黃 芍藥 茯苓 猪苓 澤瀉 滑石 阿膠 3g [27g]

| 저부탕 | 猪膚湯 | 【상한금궤】滋陰清熱潤燥 和中止痛〈소음병-310〉下利 咽痛 胸滿 心煩 |

1)猪膚 250g 白蜜 200cc 米粉 100cc
2)원문: 猪膚 1근 白蜜 1승 白粉 5합(合)

| 적백하오관중탕 | 赤白何烏寬中湯 | 【소음인/ 신축-신정방】위수한리한병〈太陰證〉治 四體倦怠 小便不快 陽道
不興 將有浮腫之漸者(부종전조증) |

白何首烏 赤何首烏 良薑 乾薑 陳皮 靑皮 香附子 益智仁 4 / 大棗 二枚
4g [36g]

| 적복령탕A | 赤茯苓湯A | 【中136/ 보감-胸: 반하복령탕/ 강목】治 水結胸 痞滿 頭汗 |
| ▶ 一名 반하복령탕(半夏茯苓湯) | | |

半夏 赤茯苓 8 陳皮 人蔘 川芎 白朮 4 / 生薑 五片 6g [38g]

| 적복령탕B | 赤茯苓湯B | 【보감-小腸/ 필용】治小腸熱 面赤多汗 小便不利 |

木通 赤茯苓 檳榔 生地黃 黃芩 赤芍藥 麥門冬 甘草 4 / 生薑 五片 6g
[38g]

| 적석지우여량탕 | 赤石脂禹餘粮湯 | 【상한금궤】澁腸止瀉固滑〈태양병-159〉下利不止.. 此利在下焦
【방극】治毒在臍下 而利者 |

1)현대: 赤石脂 禹餘糧 32g [64g]
2)원문: 赤石脂 禹餘粮 1근

| 적석지환 | 赤石脂丸 | = (오두적석지환) |

| 적소두당귀산 | 赤小豆當歸散 | 【상한금궤】清熱利濕 和營解毒〈금궤3〉病者脈數 無熱微煩.. 目赤如鳩眼..
若能食者 膿已成也〈금궤16〉下血 先會後便 |

1)현대: 赤小豆 150 當歸 30g [180g]
2)원문: 赤小豆 3승 當歸 (원문: 당귀의 용량 없음)

| 적소두탕 | 赤小豆湯 | 【下42/ 보감-浮腫/ 득효】治 年少 氣血熱生癰 變爲腫滿 |

赤小豆 猪苓 桑白皮 防己 連翹 澤瀉 當歸 商陸 赤芍藥 4 / 生薑 五片 6g

[42g]

적환	赤丸	【상한금궤】 溫經散寒 化飮止痛 〈금궤10〉 寒氣厥逆
		【방극】 治心下悸 有痰飮 惡寒 或微厥者
		1)현대: 茯苓 半夏 8 烏頭 4 細辛 2g [22g]
		2)원문: 茯苓 半夏 4냥 烏頭 2냥 細辛 1냥

| 전생활혈탕 | 全生活血湯 | 【中156/ 보감-胞/ 동원】 治 崩漏過多 昏冒不省 此補血養血 生血 益陽 以補 手足厥陰 |
| | | 白芍藥 升麻 4 防風 羌活 獨活 柴胡 當歸身 葛根 甘草 3 藁本 川芎 生地黃 熟地黃 1.5 蔓荊子 細辛 1.2 紅花 0.4g [37.6g] |

| 전씨백출산 | 錢氏白朮散 | = (백출산B) |

| 전씨이공산 | 錢氏異功散 | 【上19/ 보감-內傷/ 강목】 治 脾胃虛弱 飮食不進 心胸痞悶 |
| 사군자탕 加 귤피 목향 | | 白朮 白茯苓 人蔘 橘皮 木香 甘草 4 / 生薑 4 大棗 4g [32g] |

| 전호지황탕 | 前胡地黃湯 | (형방지황탕) 참조 |

| 절충음 | 折衝飮 | 【産論】 活血化瘀 理氣止痛, 治 月經痛 |
| | | 桃仁 當歸 5 川芎 芍藥 桂枝 牧丹皮 3 玄胡索 牛膝 2 紅花 1g [27g] 24) |

| 정기보허탕 | 正氣補虛湯 | 【보감-虛勞/ 입문】 諸虛冷氣宜服 |
| | | 人蔘 藿香 厚朴 黃芪 白芷 當歸 熟地黃 川芎 茯神 3 肉桂 五味子 白朮 半夏 附子 丁香 木香 乾薑 甘草 1.5 / 生薑 4 大棗 4g [48.5g] |

정기천향탕	正氣天香湯	【中84/ 보감-氣/ 단계】 治 九氣作痛 亦治 婦人氣痛
향소산A 加 오약 건강		香附子 12 烏藥 陳皮 蘇葉 4 乾薑 甘草 2g [28g]
		► (신편) 香附子 12 烏藥 陳皮 蘇葉 8 乾薑 甘草 2 [40g]

| 정기탕 | 正氣湯 | 【보감-津液/ 입문】 降陰火 止盜汗 |
| | | 黃栢 知母炒 6 甘草灸 2g [14g] |

정력대조사폐탕	葶藶大棗瀉肺湯	【상한금궤】 祛痰行水 下氣平喘
		〈금궤7〉 肺癰 喘不得臥 〈금궤12〉 支飮不得息
		【방극】 治浮腫 咳逆 喘鳴 迫塞 胸滿 强急者
		1)현대A: 大棗 9~18 葶藶 6g [15g] (또는 大棗 12 葶藶 2)12)
		2)현대B: 大棗 15 葶藶 12g [27g]
		3)원문: 大棗 12매 葶藶 탄자대(彈丸大)

정로환	正露丸	腹痛, 止瀉
		[환제] 木醋液(Creosote) 44.4 黃連 陳皮 甘草 22.2 香附子 16.6mg
		(정제) 木醋液(Creosote) 22.5 黃連 33.75 玄草 25mg

| 정리탕 | 正理湯 | 氣實 爲主의 水道不利 痰 宿血 飮食不消 外感證 等 |

평위산+이진탕+향소산 加味		蒼朮 6 蘇葉 香附子 枳實 4 厚朴 半夏 陳皮 茯苓 3 甘草 2 / 生薑 4g [36g] (또는 加 나복자 4 곽향 목향 3g [46g])[34,45]
		▶ 가미정리탕(加味正理湯) : 정리탕 加 대황 도인 과루인 목단피 의이인 금은화 3g [64g] (治 急慢性蟲垂突起炎 便秘積滯) [35]
정시호음	正柴胡飮	【中24/ 의종손익】治 感風寒 發熱 惡寒 頭痛 痃瘧
		柴胡 12 白芍藥 8 陳皮 6 防風 甘草 4 / 生薑 4g [38g]
정신사간탕	定神瀉肝湯	(열다한소탕) 참조
정원음	貞元飮	【上49/ 경악전서】治 氣短似喘 呼吸促急垂危 婦人血海常虧者 最多此症
		熟地黃 28~80 甘草 4~12 當歸 8~12g [40~104g]
정전가미이진탕	正傳加味二陳湯	【下71/ 보감-痰飮/ 정전】治 食積及痰 補脾 消食 行氣
		山査肉 6 香附子 半夏 4 川芎 白朮 蒼朮 6 橘紅 白茯苓 神麴炒 3 砂仁 麥芽炒 2 甘草炙 1.2 / 生薑 4 大棗 4g [45.2g]
정지환	定志丸	【보감-神/ 득효】治心氣不足 忽忽喜忘 神魂不安 驚悸恐怯 夢寐不祥
		人蔘 白茯苓 茯神 3량 石菖蒲 遠志製 2량 朱砂 1량 [14량=560g] 오자대 밀환, 1회 50-70환
정천탕	定喘湯	【下55/ 보감-咳嗽/ 회춘/ 攝生衆妙方】治 哮喘神方 【宣肺降氣 祛痰平喘】
		麻黃 12 杏仁 6 片芩 半夏 桑白皮 蘇子 款冬花 甘草 4 / 白果(=銀杏) 12g [54g] (또는 백과 15g) [9]
정천화담탕	定喘化痰湯	【下36/ 보감-咳嗽/ 단심】治 咳嗽痰喘
		陳皮 8 半夏 南星炮 6 杏仁 4 五味子 甘草 3 款冬花 人蔘 3 / 生薑 6g [42g]
		▶ [보감-咳嗽] 增 행인 8g
		▶ 정천화담강기탕(定喘化痰降氣湯) : 정천화담탕+소자강기탕
정향시체산A	丁香柿蒂散A	【上54/ 보감-咳嗽/ 강목】治 大病後 胃中虛寒 咳逆
		丁香 柿蒂 人蔘 白茯苓 橘皮 良薑 半夏 4 甘草 2 / 生薑 9g [39g]
정향시체탕B	丁香柿蒂湯B	【症因脈治】溫中益氣 降逆止嘔
		丁香 6~12 柿蒂 9 生薑 6 人蔘 3g [24~30g]
제생신기환	濟生腎氣丸	= (우차신기환)
제습강활탕	除濕羌活湯	【보감-濕/ 의감】治風濕相搏 一身盡痛
		蒼朮 藁本 8 羌活 6 防風 升麻 柴胡 4g [34g]
제습온폐탕	除濕溫肺湯	【肝系內科學/ 診療要鑑】鼻流淸涕 噴嚔
		半夏 蒼朮 8 陳皮 赤茯苓 辛夷 石菖蒲 川芎 白芷 防風 羌活 4 當歸 細辛 桔梗 荊芥 薄荷 甘草 3 / 生薑 4g [70g]

제습탕	除濕湯	【보감-濕/ 득효】治中濕 滿身重着
		蒼朮 厚朴 半夏 6 藿香 陳皮 3 甘草 2 / 生薑 ☼ 10 大棗 ☼ 4g [40g]
제음단	濟陰丹	【보감-婦人/ 국방】治婦人久冷無子 及數經墮胎 皆因衝任虛損 胞內宿挾疾病 經候不調 或崩漏帶下 三十六疾 皆令孕育不成 以至絶嗣 亦治産後百病 令人有孕 及生子充實無病
		蒼朮 8량 香附子 熟地黃 澤蘭 4량 人蔘 桔梗 蠶退 石斛 藁本 秦芃 甘草 2량 當歸 桂心 乾薑 細辛 牧丹皮 川芎 1.5량 木香 白茯苓 京墨(燒) 桃仁 1량 川椒 山藥 0.75량 [48.5량]/ 糯米炒 1승 大豆黃卷炒 0.5승 cf. 京墨(=좋은 먹)
제음단	濟陰丹	【보감-婦人/ 국방】治婦人久冷無子 及數經墮胎 皆因衝任虛損 胞內宿挾疾病 經候不調 或崩漏帶下三十六疾 皆令孕育不成以至絶嗣
		蒼朮 8량 香附子 熟地黃 澤蘭 4량 人蔘 桔梗 蠶退 石斛 藁本 秦芃 甘草 2량 當歸 桂心 乾薑 細辛 牧丹皮 川芎 1.5량 木香 白茯苓 京墨燒 桃仁 1량 川椒 山藥 0.75량 / 糯米炒 1승 大豆黃卷炒 0.5승 - 제법 원문 참조
제조패독산	蠐螬敗毒散	(한다열소탕) 참조
제천전	濟川煎	【上78/ 경악전서】治 病涉虛損而便祕【溫腎益精 潤腸通便】
		當歸 12-20 肉蓯蓉 8-12 牛膝 8 澤瀉 6 升麻 枳殼 2-3g [38-52g]
제호탕	醍醐湯	【합편-雜方門/ 보감-暑/ 국방】解暑熱 止煩渴
		1)보감: 烏梅肉(末) 600 草果 40 砂仁 白檀香 20g / 煉蜜 3000g [3680g]
		2)합편: 烏梅 400 白檀香 32 縮砂 24 草果 12g / 白淸(=봉밀) 1斗
조각대황탕	皂角大黃湯	【태음인/ 신축-신정방】간수열리열병
		【신편】虛治 增寒壯熱燥涉 頭面項頰赤腫者
		升麻 葛根 12 大黃 皂角 4g [32g]
조경산	調經散	= (온경탕)
조경종옥탕	調經種玉湯	【上101/ 보감-婦人/ 의감】治 婦人無子 經不調
		香附子炒 熟地黃 6 當歸身 吳茱萸 川芎 4 白芍藥 白茯苓 陳皮 玄胡索 牧丹皮 乾薑炒 3 官桂 熟艾 2 / 生薑 ☼ 4g [50g] (또는 增 香附子 8 당귀 천궁 작약 6 ~) [7] (또는 향부자 6 오수유 1.2 나머지 各 4g, 去 생강 加 인삼 4g) [10]
		▶ [만병회춘] 去 건강 육계 애엽
조등산	釣藤散	【普濟本事方】平肝抑陽 淸頭目 健脾化痰
		【JP】중년이후 고혈압 경향자의 만성두통 신경증 현훈 치매 이명 등
		石膏 1량 釣鉤藤 半夏 陳皮 麥門冬 茯苓 茯神 人蔘 菊花 防風 0.5량 甘草炙 1푼 / 生薑 7편
		▶ [JP] 石膏 5 釣鉤藤 半夏 陳皮 麥門冬 茯苓 3 人蔘 菊花 防風 2 甘草 生薑(JP) 1g [28g]

조리폐원탕	調理肺元湯	【태음인/ 신축-신정방】【신편】治 重病解後調理
		麥門冬 桔梗 薏苡仁 8 黃芩 麻黃 蘿葍子 4g [36 g]
조위속명탕	調胃續命湯	(태음조위탕) 참조
조위승기탕A	調胃承氣湯A	【상한금궤】軟堅潤燥 緩下熱結 和中調胃 〈태양병-29〉胃氣不和 讝語 (70) 發汗後 不惡寒 但熱 (94) 脈陰陽俱停.. 但陰脈微者 下之而解 (105) 若自下利 脈當微厥 今反和者 此爲內實也 (123) 大便泄 腹微滿 鬱鬱微煩 先此時自極吐下者 〈양명병-207〉不吐不下 心煩 (248) 太陽病 發汗不解 蒸蒸發熱 (249) 傷 寒吐後 腹脹滿 【방극】治大黃甘草湯證 而實者[JP] 변비
대황감초탕 加 망초		1)현대: 大黃 12 芒硝 甘草 6g [24g][2] (또는 芒硝 16 大黃 8 甘草 4g [28g]) [6] 2)원문: 大黃 4량 芒硝 0.5승 甘草 2량 ▶[JP] 大黃 2 甘草 1 芒硝 0.5 [3.5g]
조위승기탕B	調胃承氣湯B	【下8 소승기탕 附方/ 보감-寒/ 입문/ 중경】治傷寒裏證 大便硬 小便赤 讝 語 潮熱
[보험처방]		大黃 16 芒硝 8 甘草 4 [28g]
조위승청탕	調胃升淸湯	【태음인/ 신축-신정방】위완수한표한병 〈胃脘寒證〉 【신편】治 食後痞滿 腿脚無力 中消善飢
		薏苡仁 乾栗 12 蘿葍子 6 麻黃 桔梗 麥門冬 五味子 石菖蒲 遠志 天門 冬 酸棗仁 龍眼肉 4g [66g] ▶[신편] 경험승청탕(經驗升淸湯): 去 의이인 나복자 加 해송자(海松子) 8g [56g] ▶[신편] 행인승청탕(杏仁升淸湯): 去 의이인 나복자 加 행인 4g [52g]
조인스정	Joins	通絡止痛 消腫 - 골관절증의 치료, 류마티스관절염의 증상완화
		威靈仙 瓜蔞根 夏枯草 (30% 에탄올엑스) 100~200 mg [1일 3회, 1회 1 정]
조중이기탕	調中理氣湯	【下96/ 보감-大便/ 의감】治 虛痢氣弱
		白朮 枳殼 白芍藥 檳榔 4 蒼朮 陳皮 3 厚朴 3 木香 2g [27g]
조중익기탕	調中益氣湯	【보감-內傷/ 동원】治內傷證 或大便飧泄 時見白膿
보중익기탕A 去 당귀 백출 加 목향 창출		黃芪 8 人蔘 蒼朮 甘草 4 陳皮 升麻 柴胡 1.5 木香 0.8 [21.3g] ▶[참조] 가미조중익기탕(加味調中益氣湯)
조협환	皂莢丸	【상한금궤】〈금궤7〉咳逆上氣 時時吐濁 但坐不得眠
		皂莢 8량 : 오자대 밀환 1회 3환, 1일 4회
좌귀음	左歸飮	【경악전서】滋陰補腎
육미지황원 去 목단피 택사 加 구기자 자감초		熟地黃 25 山藥 枸杞子 12 山茱萸 9 茯苓 5 炙甘草 3g [66g]

좌귀환	左歸丸	【경악전서】 滋陰補腎 塡精益髓
		熟地黃 24 山藥 山茱萸 枸杞子 兎絲子 鹿角膠 龜板膠 12 川牛膝 9g [105g]
좌금환A	左金丸A	= (회금환)
좌금환B	佐金丸B	【보감-火/ 입문】佐肺金 以伐肝木之火 (治 下焦熱)
좌금환(左金丸)A와 한자 다름에 주의		片芩(=黃芩) 6량 吳茱萸 1량 [7량=280g: 오자대한, 1회 30-50환]
주귀음	酒歸飮	【下149/ 보감-諸瘡/ 입문】治 頭瘡
		酒當歸 白朮 6 酒片芩 酒勺藥 川芎 陳皮 4 酒天麻 蒼朮 蒼耳子 3 酒黃芩 酒甘草 1.5 防風 1.2g [41.2g] ▶ [보감] 去 황금 加 황백
주마탕	走馬湯	【상한금궤】〈금궤10〉中惡 心痛腹脹 大便不通 【방극】治胸腹有毒 若心痛 若腹痛者
		巴豆 杏仁 각 2매
주사안신환	朱砂安神丸	【보감-神/ 입문】心虛 心煩 驚悸 氣浮心亂
		黃連 24 朱砂 20 甘草 生乾地黃 14 當歸 10g [72g] ▶ 炙甘草 16 黃連 10 生地黃 8 當歸 8 朱砂 5g [47g] [8]
주사익원산	朱砂益元散	【소양인/ 신축-신정방】夏月滌暑 宜用
		滑石 8 澤瀉 4 甘遂 2 朱砂 0.4g [14.4g]
주자독서환	朱子讀書丸	【보감-神/ 입문】治 健忘
		茯神 遠志(薑製) 40g 人蔘 陳皮 28g 石菖蒲 當歸 20g 甘草 10g [186g] 녹두대 호환, 1회 50-70환
주제통성산	酒製通聖散	(방풍통성산) 참조
주증황련환	酒蒸黃連丸	【下17/ 보감-暑/ 활인】治 伏暑年深 【보감-血/ 득효】治酒毒積熱便血 肛門作熱
		黃連 160g 淸酒 7合 : 제법 원문참조
죽력달담환	竹瀝達痰丸	【下73/ 보감-痰飮/ 입문】能運痰 從大便出 不損元氣
		半夏薑製 陳皮去白 白朮微炒 白茯苓 大黃酒浸 黃芩 靑礞石 80 人蔘 甘草 60 沈香 20g [700g]
죽력지출환	竹瀝枳朮丸	【보감-痰飮/ 입문】治老人 虛人痰盛 不思飮食 健脾消食 化痰淸火 去眩暈
		神麴 6량 半夏 南星 枳實 條芩 陳皮 蒼朮 山査 白芥子 白茯苓 1량 黃連 當歸 0.5량 / 薑汁 竹瀝 [16량+] 약물포제 및 제환법 원문참조
죽력탕	竹瀝湯	【中158/ 보감-婦人/ 本草】治 子煩
		赤茯苓 40g [40g]

죽여온담탕	竹茹溫膽湯	【JP】 감기, 폐렴의 회복기에 열이 지속되거나 또는 체온이 돌아와도 몸이 무거우며 기침, 가래 등으로 숙면이 어려운 자【清熱化痰 解鬱除煩】
		▶【JP】 半夏 5 麥門冬 柴胡 竹茹 茯苓 3 桔梗 枳實 香附子 陳皮 2 黃連 人蔘 甘草 生薑(JP) 1g [19g]
죽엽석고탕A	竹葉石膏湯A	【상한금궤】 清熱生津 益氣和胃 〈음양역차후노복병-397〉 傷寒解後 虛羸少氣 氣逆欲吐
		1)현대A: 石膏 32 麥門冬 20~32 粳米 14~20 半夏 10 竹葉 人蔘 甘草 4g [88~106g] 2)현대B: 石膏 麥門冬 粳米 30 竹葉 15 半夏 人蔘(또는 西洋蔘) 甘草 10g [135g] 3)원문: 石膏 1근 麥門冬 1승 粳米 半夏 0.5승 人蔘 甘草 2량 竹葉 2파(把) (다른문헌: 人蔘 3량)
죽엽석고탕B	竹葉石膏湯B	【보감-寒/ 입문】 治傷寒解後餘熱 及陽明證 自汗煩渴 并差後虛煩等證
		石膏 16 人蔘 8 麥門冬 6 半夏 4 甘草 3 / 粳米 6 竹葉 3~6 薑汁 3g [49~52g]
죽엽탕	竹葉湯	【상한금궤】 溫陽益氣 疏風發表 〈금궤21〉 産後中風 發熱 面正赤 喘而頭痛
		1)현대: 竹葉 20 生薑 15 葛根 9 大棗 8 防風 桔梗 桂枝 人蔘 甘草 3 附子 2g [69g] 2)원문: 竹葉 1파(把) 生薑 5량 葛根 3량 防風 桔梗 桂枝 人蔘 甘草 1량 附子炮 1매 大棗 15매
중만분소탕	中滿分消湯	【中62/ 보감-脹滿/ 단심/ 蘭室祕藏】 治 中滿 寒脹 大小便不通
		益智仁 半夏 木香 赤茯苓 升麻 3 川芎 人蔘 靑皮 當歸 柴胡 生薑 乾薑 蓽澄茄 黃連 黃芪 吳茱萸 草豆蔲 厚朴 2g [41g]
중주방	中酒方	(보중익기탕A) 참조
증미도적산	增味導赤散	【下85/ 보감-小便/ 직지】 治 血淋澀痛
		生乾地黃 木通 黃芩 車前子 梔子 川芎 赤芍藥 甘草 4 / 生薑 4 竹葉 8g [44g]
증미사물탕	增味四物湯	【보감-胞/ 동원】 治 血瘕疼痛
사물탕 加 삼릉 봉출 건칠 육계		熟地黃 白芍藥 川芎 當歸 5 三稜(醋炒) 蓬朮(醋炒) 乾漆炒 官桂 4g [36g]
증미이진탕	增味二陳湯	【下32/ 보감-內傷/ 集略】 治 吞酸
		半夏 陳皮 赤茯苓 梔子炒 黃連炒 香附子 4 枳實 川芎 蒼朮 3 白芍藥 3 神麯炒 2 甘草 1.2 / 生薑 4g [43.2g]
증손백출산	增損白朮散	【보감-身形/ 丹溪附餘】 保養衰老人
백출산B 加 진피 건강		人蔘 白朮 白茯苓 陳皮 藿香 葛根 3 木香 乾薑 甘草 1.2g [21.6g]
증손활혈탕	增損活血湯	【晴崗】 五積散 가감방/ 寒濕脚氣痛 또는 寒濕性下肢痛

오적산 去 마황 길경 지각 후박 加 강활 독활 우슬		蒼朮 8 半夏 橘皮 赤茯苓 當歸 川芎 白芍藥 川牛膝 羌活 獨活 桂皮 4 乾薑炒 白芷 3 甘草 2 / 生薑 █ 4g [60g] 7)
증액승기탕	增液承氣湯	【온병조변】滋陰潤腸 泄熱通便
		玄蔘 30 麥門冬 生地黃 24 大黃 9 芒硝 4.5g [91.5g]
증액탕	增液湯	【온병조변】增液潤燥
		玄蔘 30 麥門冬 細生地黃 25g [80g]
증익귀용환	增益歸茸丸	【上41/ 보감-虛勞: 증익귀용원/ 득효】治 腎衰 補精 養陽
		熟地黃 鹿茸 五味子 大當歸 160 山藥 山茱萸 大附子炮 牛膝酒浸 官桂 80 白茯苓 牧丹皮 澤瀉酒浸 40g [1160g]
지경탕	枳梗湯	= (길경지각탕)
지궁산	枳芎散	【中147/ 보감-脇/ 입문】治 左脇刺痛
		枳實 川芎 20 甘草 10g [50g]
지백지황환	知柏地黃丸	滋陰降火
육미지황원A 加 지모 황백		熟地黃 16 山藥 山茱萸 8 茯苓 澤瀉 牧丹皮 知母 黃栢 6g [62g]
지수산	止嗽散	【의학심오】止咳化痰 疏表宣肺
		桔梗 荊芥 紫菀 百部 白前 5 陳皮 3 甘草 2g [30g] (원문: 桔梗 荊芥 紫菀 百部 白前 2근 陳皮 1근 甘草 12량)
지실도체환	枳實導滯丸	【보감-內傷/ 동원】治傷濕熱之物 不消作痞滿 【消食導滯 淸熱祛濕】
		大黃 40 枳實 神麯 20 茯苓 黃芩 黃連 白朮 12 澤瀉 8g [136g] 오자 대 환, 1회 70-80환 (또는 大黃 枳實 神麯 9 나머지 各 6g [57g]) 8)
지실작약산	枳實芍藥散	【상한금궤】〈금궤21〉産後腹痛 煩滿不得臥 【방극】治腹滿拘攣 或痛者
		1)현대: 枳實 芍藥 30g [60g] 2)원문: 枳實 芍藥 각등분
지실치자시탕	枳實梔子豉湯	【상한금궤】淸熱除煩 開結消痞 〈음양역차후노복병-393〉大病差後 勞復者 【방극】治梔子豉湯證 而胸滿者
		1)현대: 香豉 20 枳實 5 梔子 3g [28g] 12) (또는 香豉 32 枳實 6 梔子 4) 19) 2)원문: 香豉 1승 枳實 3매 梔子 14개
지실해백계지탕	枳實□白桂枝湯	【상한금궤】通陽散結 祛痰下氣 〈금궤9〉胸痺心中痞 氣結在胸 胸滿 脇下逆搶心 【방극】治胸中痺滿 痛者
		1)현대A: 薤白 瓜蔞實 8 厚朴 枳實 6 桂枝 2g [30g] 12) (또는 薤白 16 厚朴 枳實 8 瓜蔞實 4 桂枝 2g) 19) 2)현대B: 薤白 40 瓜蔞 30 厚朴 枳實 20 桂枝 10g [120g]

3)원문: 薤白 0.5근 瓜蔞 1매 厚朴 4량 枳實 4매 桂枝 1량

지축이진탕	枳縮二陳湯

【下83/ 보감-小便/ 의감】治 關格上下不通 此痰隔中焦也

枳實 8 川芎 3 縮砂 白茯苓 貝母 陳皮 蘇子 瓜蔞仁 厚朴 便香附 3 木香 沈香 2 甘草 1.2 / 生薑 4g [44.2g]
▶ [보감] 減 지실 4g

지출탕A	枳朮湯A

【상한금궤】治水飮內停 心下堅
〈금궤14〉心下堅 大如盤 邊如旋盤 水飮所作
【방극】治心下堅滿 小便不利者

1)현대: 枳實 13 白朮 8g [21g] (또는 枳實 14 朮 4g) [19,43]
2)원문: 枳實 7매 白朮 2량

지출환B	枳朮丸B

【下23/ 보감-內傷/ 동원】治㿉 消食

白朮 80 枳實麩炒 40g [120g]

지패산	芷貝散

【中142/ 보감-乳/ 입문】治 乳房結核【化痰散結】

白芷 貝母 각등분 ▶ [참조] 가미지패산(加味芷貝散)

지황백호탕	地黃白虎湯

【소양인/ 신축-신정방】위수열리열병〈胸膈熱證〉裏熱便閉
【신편】治結胸譫語 亡陰譫語 太陽發㿉症 陽明症 煩燥 大便不通 ◦裡熱 大便將益 勿論表裏 大便不通當用㿉症症 亦用 ◦揚手躑足 引飮發狂 舌卷動風 亦用

石膏 20(또는 40) 生地黃 16 知母 8 防風 獨活 4g [52g (72g)]

지황음자	地黃飮子

【上2/ 보감-風/ 하간(宣明論方)】治 中風 舌㿉 足廢 腎虛 氣厥 不至舌下
【滋腎陰 補腎陽 開竅化痰】

熟地黃 巴戟 山茱萸 肉蓯蓉 石斛 遠志 五味子 白茯苓 麥門冬 4 附子炮 官桂 石菖蒲 2 / 生薑 4 大棗 4 薄荷 2g [52g]

진간식풍탕	鎭肝熄風湯

【醫學衷中參書錄】鎭肝熄風 滋陰潛陽

懷牛膝 代赭石 30 龍骨 牡蠣 龜板 白芍藥 玄蔘 天門冬 15 川楝子 麥芽 茵陳 6 甘草 4.5g [172.5g]

진교별갑탕	秦艽鱉甲湯
▶ 一名 진교별갑산(秦艽鱉甲散)	

【衛生寶鑑】滋陰養血 淸熱除蒸

1)현대*: 鱉甲 柴胡 地骨皮 6 秦艽 當歸 知母 生薑 4 烏梅 靑蒿 2g [38g] (또는 加 백출 복령 6g)[12]
2)원문: 鱉甲 柴胡 地骨皮 1량 秦艽 當歸 知母 0.5량 烏梅 1개 靑蒿 5葉

진교승마탕	秦艽升麻湯

【보감-風/ 寶鑑】治風中手足陽明經 口眼喎斜

升麻 葛根 白芍藥 人蔘 甘草 6 秦艽 白芷 防風 桂枝 3 / 葱白 4g [46g]

진교창출탕	秦艽蒼朮湯

【下141/ 보감-後陰/ 동원】治 熱濕風痰合而爲痔 其腸頭成塊者濕與熱也 大痛者風也 便祕者燥也

		秦艽 皂角仁 桃仁泥 4 蒼朮 防風 3 黃柏 2 當歸 澤瀉 檳榔 1.2 大黃 0.8g [24.4g]
진무탕A ▶ 一名 현무탕(玄武湯)	眞武湯	【상한금궤】溫陽利水 〈태양병-82〉 太陽病 發汗 汗出不解 其人仍發熱 心下悸 頭眩 身瞤動 振振欲擗地 〈소음병-316〉 腹痛 小便不利 四肢沈重疼痛 下利 此爲有水氣 【방극】治心中悸 身瞤動 振振欲擗地 小便不利, 或嘔 若下利 若拘痛 【JP】 신진대사가 저하된 상태로서 위장질환 만성장염 소화불량 위무력증 신증 마비증상 (또는 虛寒 眩暈 심계항진이 있으면서 요량감소 설사 경향자)
		1)현대A: 茯苓 芍藥 生薑 6 白朮 4 附子 2g [24g] 2)현대B: 茯苓 芍藥 15~20 生薑 附子 15 白朮 10g [70-80g] (또는 茯苓 芍藥 附子 生薑 9 白朮 6g) 8) 3)원문: 茯苓 芍藥 生薑 3량 白朮 2량 附子 1매 ▶【JP】茯苓 4 芍藥 蒼朮 3 生薑(JP) 1.5 附子 0.5g [13g]
진무탕B	眞武湯	【上7/ 보감-寒/ 정전/ 중경】治 少陰病 腹滿痛 小便利 或下利 或嘔
		白茯苓 白芍藥 附子炮 12 白朮 8 / 生薑 6g [50g]
진음전	鎭陰煎	【上67/ 경악전서】治 陰虛格陽 眞陽失守 血隨而溢 以致大吐大衄 脈細 肢冷 如治格陽 喉痺上熱者 冷服
		熟地黃 40~80 附子炮 2~12 牛膝 8 澤瀉 6 肉桂 4~8 炙甘 4g [64~112g]
진인양장탕	眞人養臟湯	【中109/ 보감-大便/ 입문/ 국방】治 赤白痢 及諸痢
		罌粟殼 4 甘草 3.5 白芍藥 3 木香 3 訶子 2.5 官桂 人蔘 當歸 白朮 肉豆蔲 1.2g [22g]
창귤탕	蒼橘湯	【보감-濕/ 입문】治 酒濕
		蒼朮 8 陳皮 6 赤芍藥 赤茯苓 4 黃栢 威靈仙 羌活 甘草 2g [30g]
창름탕 인삼패독산 加 황련 연육 진창미	倉廩湯	【下95/ 보감-大便/ 의감】治 噤口痢 心煩 手足熱 頭痛 此乃毒氣上衝心肺所以 嘔而不食
		人蔘 柴胡 前胡 羌活 獨活 枳殼 桔梗 川芎 赤茯苓 黃連 甘草 4 / 蓮肉 6 陳倉米 6 生薑 4 大棗 4 薄荷 2g [66+g]
창백저피환	蒼柏樗皮丸	【보감-胞/ 입문】治肥人白帶 是濕痰
		蒼朮 黃柏 樗根白皮 海石 半夏製 南星炮 川芎 香附子 乾薑 각등분 [각 4g 환산시 : 총 36g] - 夏月 去 乾薑 代 滑石 ▶ 금백저피환 참조
창부도담탕	蒼附導痰湯	【葉氏女科】刑肥痰盛經閉【합편-增補】治 氣虛痰盛 經水數月一行
		蒼朮 香附子 枳殼 8 陳皮 茯苓 6 膽南星 甘草 4 神麴 2/ 生薑 4g [50g] (원문: 去神麴 生薑하고 대신 生薑汁 神麴으로 爲丸)
창이산 ▶ 一名 창이자산(蒼耳子散)	蒼耳散	【보감-鼻/ 삼인】治 鼻淵【祛風淸熱 通竅】 白芷 40 辛荑 20 蒼耳子炒 10 薄荷 4g [74g] 1회 8g

창이자산	蒼耳子散	= (창이산)
창졸산	倉卒散	【中133/ 보감-胸/ 득효】治 氣 自腰腹間攣急疼痛 不可屈伸 痛不可忍 自汗 如洗 手足氷冷 垂死
		山梔(連皮燒半過) 10 大附子炮 10g [20g]
창출방풍탕	蒼朮防風湯	【下89/ 보감-大便/ 동원】治 久風 飱泄 完穀出
		蒼朮 24 麻黃 8 防風 4 / 生薑 9g [45g]
척담탕	滌痰湯	(도담탕) 참조
천궁계지탕	川芎桂枝湯	【소음인/ 신축-신정방】신수열표열병 〈鬱狂證〉 鬱狂初證 【신편】治太陽症 鬱狂初證 °間日痛 惡寒時煎服 °加蘇葉一錢 更妙 鬱狂者 當發汗
계지탕 加 천궁 창출 진피		桂枝 12 白芍藥 8 川芎 蒼朮 陳皮 炙甘草 4 / 生薑 4 大棗 4g [44g]
천궁다조산A	川芎茶調散A	【보감-頭/ 득효/ 국방】治 偏正頭痛 及頭風 鼻塞聲重 【消風止痛】 【JP】감기, 두통, 여성의 자율신경실조증(血道症)
		薄荷 80 川芎 荊芥穗 40 羌活 白芷 甘草 20 防風 細辛 10g [240g] (1 회 8g씩 茶淸(녹차)調下) ▶ 화제국방 일부 別本은 去 세신 加 향부자 80g
		▶【JP】香附子 4 川芎 3 荊芥 防風 羌活 白芷 薄荷 2g 茶葉 甘草 1.5g [20g]
천궁다조산B	川芎茶調散B	【合編-增補】治 鼻淵
		黑山梔子 川芎 荊芥 白芷 桔梗 甘草 黃芩(酒炒) 貝母 40g [320g] 1회 8g, 송라차(松蘿茶) 調下
천궁복령탕	川芎茯苓湯	【보감-風/ 입문】治着痺 四肢麻木 拘攣 浮腫
		赤茯苓 桑白皮 6 川芎 防風 麻黃 赤芍藥 當歸 4 桂皮 甘草 2 / 大棗 4g [40g]
천궁육계탕	川芎肉桂湯	【보감-腰/ 동원】治瘀血在足太陽 足少陰 足少陽三經 以作腰痛
		羌活 6 川芎 肉桂 柴胡 當歸 蒼朮 甘草灸 4 神麴 獨活 2 酒防己 防風 1.2 / 桃仁 2g [23g: 酒煎]
천금광제환	千金廣濟丸	【下30/ 제중신편】治 寒食傷 霍亂 及關格
		紫檀香 10냥 檳榔 8냥 便香附 蒼朮 白檀香 6냥 乾薑 厚朴 5냥 陳皮 神 麴炒 蓽撥 丁香(去蓋) 枳實(麩炒) 3냥 麝香 1냥 [62냥 =2480g]
천금내탁산	千金內托散	(십선산) 참조
천금문무탕	千金文武湯	【태음인/ 신편】간수열리열병 【신편】治孕婦燥熱 飮一溲二證
		葛根 山藥 黃芩 藁本 8 麥門冬 五味子 桔梗 升麻 白芷 4g [52g]
천금위경탕	千金葦莖湯	= (위경탕)

천금조위탕	千金調胃湯	【태음인/ 신편】 위완수한표한병 【신편】 治 痼疾 (cf.원문 劑方: 治 痼疾)
		薏苡仁 28 乾栗 遠志 石菖蒲 12 麥門冬 五味子 天門冬 8 皂角 桔梗 麻黃 蓮肉 4g [104g]
천마구등음	天麻鉤藤飮	【雜病證治新義】 平肝熄風 淸熱潛陽 補益肝腎
		石決明(先煎) 18 鉤藤(後下) 牛膝 12 天麻 梔子 黃芩 杜仲 益母草 桑寄生 夜交藤 茯神 9g [114g]
천문동윤폐탕	天門冬-潤肺湯	【태음인/ 갑오,신편】 간수열리열병 【신편】 治目痛鼻乾 增寒壯熱 頭痛腰痛 燥澁者
		天門冬 12 黃芩 8 麥門冬 酸棗仁 升麻 葛根 桔梗 五味子 大黃 4g [48g]
천민도담탕		(천민탕) 참조
천민탕	千緡湯	【下35/ 보감-咳嗽/ 纂要/ 良方】 治 痰喘 數服則安
		半夏炮 10 南星炮 4 皂角刺 甘草炙 3 / 生薑 6g [26g]
		▶ 校注婦人良方 원방에는 南星이 없음
		▶ [보감-咳嗽/ 의감] 천민도담탕(千緡導痰湯): 加 진피 적복령 지각 4g하여 治 痰喘
천사군자탕	喘四君子湯	【만병회춘 -喘急】 治 短氣 【JP-비보험】 위장이 약한 자나 노인의 천식
		白朮 6 人蔘 炙甘草 當歸 4 茯苓 陳皮 厚朴 砂仁 蘇子 桑白皮 生薑 大棗 3 沈香 木香 2g [46g] [77]
		【JP-비보험】 白朮 人蔘 4 炙甘草 當歸 茯苓 陳皮 厚朴 砂仁 蘇子 桑白皮 生薑 大棗 沈香 2 木香 1g [31g]
		▶ 만병회춘 원문은 '사군자탕'으로 되어 있고 이를 인용한 [동의보감-咳嗽]에서는 '가미사군자탕(加味四君子湯)' 명칭으로 수재.
천왕보심단A	天王補心丹A	【보감-神/ 회춘】 寧心保神 令人不忘 除怔忡 定驚悸 養育心神
		生乾地黃(酒洗) 4량 黃連(酒炒) 2량 石菖蒲 1량 人蔘 當歸酒洗 五味子 天門冬 麥門冬 栢子仁 酸棗仁炒 玄蔘 白茯神 丹蔘 桔梗 遠志 0.5량 / 朱砂爲衣 [13량=520g] - 오자대 밀환 1회 30-50환. 燈心竹葉煎湯呑下
천왕보심단B	天王補心丹B	【攝生祕剖】 滋陰養血 補心安神
		生地黃 120 酸棗仁 柏子仁 當歸身 天門冬 麥門冬 60(또는 30) 人蔘 丹蔘 玄蔘 白茯苓 五味子 遠志 桔梗 15g [945g] (또는 五味子 30~60g) (cf. 세의득효방: 加 石菖蒲) [12]
천웅산	天雄散	【상한금궤】補陽攝陰 【방극】 治小便不利 上逆 臍下有動 惡寒者
		1)현대: 蒼朮 16 桂枝 12 附子 龍骨 6g [40g] [19]
		2)원문: 白朮 8량 桂枝 6량 天雄 龍骨 3량
천을환	天乙丸	【中179/ 보감-小兒/ 입문】 治病以水道通利爲捷徑 蘊熱 丹毒 驚風 痰熱 變蒸 發熱 嘔吐 泄瀉之病 無不治也
		燈心 10g(64g을 법제하여 얻은 10g 사용) 澤瀉 12 滑石 猪苓 10 赤茯

苓 白茯苓 茯神 7g [63g]

천태오약산	天台烏藥散	【醫學發明】行氣疏肝 散寒止痛

烏藥(天台烏藥) 川楝子 巴豆 12 高良薑 檳榔 9 木香 小茴香 靑皮 6g [72g]

청간건비탕A	淸肝健脾湯A	【肝系內科學】治 肝膽疾患

蒼朮 厚朴 陳皮 澤瀉 赤茯苓 猪苓 白朮 山査 香附子 車前子 4 薏苡 半夏 大腹皮 蘿葍子 神麯炒 麥芽炒 3 甘草 2.5 三稜 蓬朮 靑皮 木香 2g [68.5g]

청간건비탕B	淸肝健脾湯B	淸肝健脾湯A 去 창출 향부자 차전자 신곡 加 인진호 백작약 사인
가감위령탕A+인진오령산 去 창출 육계 加 사인 목향 맥아 감초		

茵蔯蒿 15 澤瀉 9 厚朴 陳皮 赤茯苓 猪苓 蘿葍子 生薑 4 白朮 山査 麥芽炒 赤茯 白芍藥 砂仁 3 薏苡 半夏 大腹皮 三稜 蓬朮 木香 甘草 2g [80g] 9)
▶ 생간건비탕 인진청간탕 참조

청간소요산	淸肝逍遙散	【晴崗】逍遙散 가미방/ 肝膽火鬱로 似寒似熱, 胸脇煩滿, 心悸, 怔忡, 易怒, 不眠
소요산 加 향부자 청피 치자, 增 작약 백출		

香附子 10 白芍藥 白朮 6 靑皮 柴胡 麥門冬 當歸 白茯苓 4 梔子炒 薄荷 甘草 2 / 生薑 4g [52g] 7.50)

청간탕	淸肝湯	【보감-肝臟/ 입문】治肝經血虛 有怒火

白芍藥 6 川芎 當歸 柴胡 3 山梔仁 牧丹皮 1.5g [20g]

청간해울탕	淸肝解鬱湯	【中141/ 보감-乳/ 입문】治 肝臟鬱火 傷血 乳房結核

當歸 白朮 4 貝母 赤茯苓 白芍藥 熟地黃 梔子 3 人蔘 柴胡 牧丹皮 陳皮 川芎 甘草 2g [35g]
▶ [外科正宗] 加 향부자 반하 (一方: 去 백출 인삼 시호 목단피 加 청피 원지 소엽 길경 목통)

청경사물탕	淸經四物湯	【보감-胞/ 의감】治經水不及期而來 乃血虛有熱
▶ 一名 청열사물탕(淸熱四物湯)		

當歸 6 生乾地黃 條芩 香附子 4 白芍藥 黃連(薑汁炒) 3 川芎 阿膠珠 黃栢 知母 2 艾葉 甘草 1.2g [34.4g]

청골산	淸骨散	【보감-火/ 입문】初變五心煩熱 欲成勞瘵骨蒸如神

生地黃 柴胡 8 熟地黃 人蔘 防風 4 薄荷 3 秦芃 赤茯苓 胡黃連 2g [37g]

청궁탕	淸宮湯	【온병조변】淸心解毒 養陰生津, 治 瘟病 邪陷心包

玄蔘 麥門冬 12 竹葉(捲心) 連翹心 犀角尖 8 蓮子心 2g [50g]

청금강화탕	淸金降火湯	【下34/ 보감-咳嗽/ 의감】治 熱嗽 能瀉肺胃之火 火降則痰消嗽止

陳皮 杏仁 6 赤茯苓 半夏 桔梗 貝母 前胡 瓜蔞仁 黃芩 石膏 4 枳殼 3 甘草 1.2 / 生薑 4g [52.2g]

| 청기산 | 清肌散 | 【中149/ 보감-皮/ 득효】治 癮疹 或赤或白 瘙痒 |
| | | |

형방패독산A 加 천마 박하 선퇴

人蔘 柴胡 前胡 羌活 獨活 枳殼 桔梗 川芎 赤茯苓 荊芥 防風 甘草 天麻 薄荷 蟬退 4 / 生薑 ﹍ 4g [64g]

| 청기음 | 清氣飲 | 【보감-暑/ 필용】治 發熱 汗大泄 無氣力 脈虛細而遲 此暑傷元氣也 |
| | | |

白朮 ﹍ 5 人蔘 黃芪 麥門冬 白芍藥 陳皮 白茯苓 4 知母 香薷 3 黃連炒 甘草 2 黃柏 1.2 / 生薑 ﹍ 4g [44.2g]

| 청기화담환A | 清氣化痰丸A | 【보감-痰飮/ 단심】治 熱痰 |
| | | |

이진탕+양격산

半夏製 2량 陳皮 赤茯苓 1.5량 黃芩 連翹 梔子 桔梗 甘草 1량 薄荷 荊芥 0.5량 [11량=440g] - 오자대 호환. 1회 50환

| 청기화담환B | 清氣化痰丸B | 【보감-痰飮/ 의감】治 一切痰飮 及食積 酒積 成痰壅盛 |
| | | |

南星 半夏 2량 神麴炒 麥芽炒 1.5량 陳皮 枳實 白朮 白茯苓 蘇子 蘿蔔子炒 瓜蔞仁 香附米 山查肉 白豆蔲 1량 黃芩 0.8량 海粉 0.7량 靑皮 葛根 黃連 0.5량 [20량=800g] - 오자대 환. 1회 50~70환

| 청기화담환C | 清氣化痰丸C | 【醫方考】清熱化痰 理氣止咳 |
| | | |

牛膽南星 半夏 9 橘紅 杏仁 枳實 瓜蔞仁 黃芩 茯苓 6g [54g]
▶ 원문은 남성. 반하 1.5량 나머지 各 1량 - 薑汁糊丸 1회 6-9g

| 청대산 | 靑黛散 | 【下118/ 보감-口舌/ 입문】治 重舌 亦治 咽瘡腫痛 |
| | | |

黃連 黃柏 12 靑黛 馬牙硝 朱砂 2.5 石雄黃 牛黃 硼砂 1.2 龍腦 0.4g [35.5g]

| 청대탕 | 清帶湯 | 【晴崗】濕熱로 인한 帶下, 外陰瘙痒, 腫脹, 尿數 |
| | | |

용담사간탕 加 청피 增 용담

草龍膽 8 木通 澤瀉 赤茯苓 柴胡 6 生地黃 當歸 車前子 靑皮 條芩炒 4 梔子炒 炙甘草 2g [56g] [7,49]

| 청락음 | 清絡飲 | 【온병조변】祛濕清熱 |
| | | |

鮮金銀花 9 鮮扁豆花 西瓜翠衣 絲瓜皮 鮮薄荷 鮮竹葉心 6g [39g]

| 청량산 | 清凉散 | 【보감-咽喉/ 회춘】治 實火咽喉腫痛 |
| | | |

桔梗 6 梔子 連翹 黃芩 防風 枳殼 黃連 當歸 生地黃 甘草 3 薄荷 白芷 1.2 ﹍ 燈心 ﹍ 2 細茶 ﹍ 2g [39.4g]

| 청리자감탕 | 清離滋坎湯 | 【上18/ 보감-火/ 의감】治 陰虛火動 潮熱 盜汗 痰喘 |
| | | |

熟地黃 生乾地黃 天門冬 麥門冬 當歸 白芍藥 山茱萸 山藥 白茯苓 白朮 3 牧丹皮 澤瀉 知母(蜜水炒) 黃柏(蜜水炒) 甘草炙 2g [40g] (또는 去 숙지황 代 용안육 하고 감초 2g을 제외한 나머지 各 4g [58g]) [10]

| 청비음 | 清脾飲 | 【中72/ 보감-痎瘧/ 입문】治 食瘧 |
| | | |

柴胡 半夏 黃芩 白朮 草果 赤茯苓 厚朴 靑皮 4 甘草 2 / 生薑 ﹍ 4 大棗 ﹍ 4g [42g] (一方: 加 상산 8g)

청상견통탕	清上蠲痛湯	【中116/ 壽世保元】治 一切頭痛 新久左右 皆效 – 老虛人 無實熱 不可用 【疏風散寒 清熱止痛】
【보험처방】		黃芩 6 蒼朮 羌活 獨活 防風 川芎 當歸 白芷 麥門冬 4 蔓荊子 甘菊 2 細辛 甘草 1.2 / 生薑 三 4g [48.4g] ▶ 견통도담탕 참조 (또는 加 형개 박하, 減 황금 4g) 7) (또는 加 복령 남성 형개 진피 3, 減 황금 4 增 만형자 감국 4g) 10)
청상방풍탕	清上防風湯	【中124/ 보감-面/ 의감】清上焦火 治 頭面生瘡癤 風熱毒 【JP】여드름 (또는 주로 實熱 경향의 붉은 여드름)
		防風 4 白芷 連翹 桔梗 3 二 片芩 川芎 3 荊芥 梔子 黃連 枳殼 薄荷 2 甘草 1.2 / 竹瀝 五 50ml [30.2g+] ▶【JP】防風 白芷 連翹 桔梗 黃芩 梔子 川芎 2.5 黃連 枳實 荊芥 薄荷 甘草 1g [22.5g] (또는 방풍 대신 빈방풍(浜防風))
청상보하환	清上補下丸	【上52/ 壽世保元】治 哮吼 遇寒卽發咳嗽 痰涎上壅 喘急 久不差 【清肺補腎 化痰平喘】
		(六味元(上40) 半劑 加味) = 熟地黃 4량 山藥 山茱萸 2량 白茯苓 牧丹 皮 澤瀉 五味子 枳實 麥門冬 天門冬 貝母 桔梗 黃連 杏仁 半夏 瓜蔞仁 黃芩 1.5량 甘草 0.5량 [29.5량=1180g - 오자대 밀환, 1회 50-70환] ▶ 熟地黃 山藥 山茱萸 白茯苓 牧丹皮 澤瀉 4 五味子 枳實 麥門冬 天門 冬 貝母 桔梗 黃連 杏仁 半夏 瓜蔞仁 黃芩 3 甘草 2g [59g] 9 (또는 熟地黃 8 山藥 山茱萸 6 ~)
청상사화탕	清上瀉火湯	【中120/ 보감-頭/ 동원】治 熱厥頭痛
		柴胡 4 羌活 3 酒黃芩 酒知母 3 酒黃柏 炙甘草 黃芪 2 生地黃 酒黃連 藁本 1.5 西(?) 升麻 防風 1.4 二 蔓荊子 當歸身 蒼朮 細辛 1.2 一(?) 荊 芥穗 川芎 生甘草 0.8 紅花 0.4g [33.9g]
청서육화탕	清暑六和湯	(육화탕) 참조
청서익기탕A	清暑益氣湯A	【上13/ 보감-暑/ 동원】治 長夏四肢困倦 身熱 煩渴 泄利 自汗 【健脾除濕 清暑益氣】
【보험처방】		蒼朮 6 黃芪 升麻 4 人蔘 白朮 陳皮 神麴 澤瀉 2 黃柏 當歸 葛根 靑皮 麥門冬 甘草 1.2 / 五味子 五 1g [32.2g] ▶ [보험처방] 去 오미자
청서익기탕B	清暑益氣湯B	【JP/ 醫學六要】열로 인한 열사병 식욕부진 설사 전신권태, 여름철 수척해 지는 것
		▶【JP】白朮(蒼朮) 人蔘 麥門冬 3.5 黃芪 當歸 陳皮 3 黃柏 五味子 甘 草 1g [22.5g] (또는 白朮 人蔘 麥門冬 黃芪 當歸 6 陳皮 黃柏 甘草 3 五味子 2g)12)
청서익기탕C	清暑益氣湯C	【溫熱經緯】養陰生津 清暑益氣
▶ 一名 왕씨청서익기탕(王氏清暑益氣湯)		西瓜翠衣 30 荷梗 石斛 粳米 15 麥門冬 9 竹葉 知母 6 西洋蔘 5 黃連 甘草 3g [107g] (또는 荷梗 6g)

청신양영탕	淸神養榮湯	【보감-頭/ 集略】 淸頭目 聰耳竅 助精神
		麥門冬 當歸 5 川芎 4 白芷 3 薄荷 甘菊 羌活 梔子 甘草 2 升麻 0.8g [27.8g]
청신해어탕	淸神解語湯	【보감-風/ 의감】 治中風 痰迷心竅 言語蹇澁 或不省人事
		南星 半夏 4 當歸 川芎 白芍藥 生地黃 麥門冬 遠志 石菖蒲 陳皮 白茯苓 烏藥 枳實 黃連 防風 羌活 甘草 2 / 生薑 4 竹茹 2g [44g]
청신화담전	淸神化痰煎	【晴崗】 治 氣鬱痰火 神經症
온담탕 加 향부자 원지 황련 황금		香附子 8 半夏 茯苓 橘皮 6 靑竹茹 枳實 4 遠志 黃連(酒炒) 黃芩(酒炒) 3 甘草 2 / 生薑 4g [49g] [7.63]
청심곤담환	淸心滾痰丸	【下56/ 보감-神/ 회춘】 治 癲癎 驚狂 一切怪症 專治痰火
		大黃(酒蒸) 黃芩 160 靑礞石 犀角 皂角 朱砂 20 沈香 10 麝香 2g [412g: 오자대 수환(朱砂爲衣), 1回 70환]
청심보혈탕	淸心補血湯	【보감-神/ 의감, 必用】 治勞心思慮 損傷精神 頭眩目昏 心虛氣短 驚悸 煩熱
		人蔘 5 當歸 白芍藥炒 茯神 酸棗仁炒 麥門冬 4 川芎 生地黃 陳皮 梔子炒 甘草灸 2 / 五味子 1.5g [36.5g]
청심산약탕	淸心山藥湯	【태음인/ 갑오,신편】【신편】 治 虛勞夢泄 無腹痛 泄瀉 舌卷不語 中風
		山藥 12 遠志 8 天門冬 麥門冬 蓮子肉 栢子仁 酸棗仁 龍眼肉 桔梗 黃芩 石菖蒲 4 菊花 2g [58g]
청심연자음	淸心蓮子飮	【中64/ 보감-消渴/ 국방】 治 心火上炎 口乾 煩渴 小便赤澁 / 治 隨溲白物 如精 宜降心火 / 治赤白濁 / 治不能食而渴 【淸心利濕 益氣養陰】 【JP】 전신권태감 구건 배뇨곤란 등을 동반한 자의 잔뇨감 빈뇨 배뇨통
		蓮子 8 赤茯苓 人蔘 黃芪 4 黃芩 車前子 麥門冬 地骨皮 甘草 3g [35g] ▶ [국방] 蓮子肉 白茯苓 人蔘 黃芪蜜灸 7.5량 黃芩 車前子 麥門冬 地骨皮 甘草灸 0.5량 [32.5량=1300g] 1回 12g 복용 (또는 去 인삼 代 당삼) ▶ [JP] 蓮肉 麥門冬 茯苓 4 黃芩 車前子 人蔘 3 黃芪 地骨皮 2 甘草 1.5g [26.5g]
청심연자탕	淸心蓮子湯	【태음인/ 신축-신정방】 간수열리열병 〈肝燥熱證〉 【신편】 治 虛勞夢泄 腹痛泄瀉 舌卷中風 食滯 胸腹痛
		蓮子肉 山藥 8 天門冬 麥門冬 遠志 石菖蒲 酸棗仁 龍眼肉 栢子仁 黃芩 蘿葍子 4 甘菊 2g [54g]
청심열다탕	淸心熱多湯	【태음인】 청심연자탕 合 열다한소탕
		蓮子肉 山藥 葛根 8 天門冬 遠志 石菖蒲 酸棗仁 蘿葍子 龍眼肉 栢子仁 黃芩 升麻 藁本 白芷 桔梗 4 甘菊 2g [78g] [9]
청심온담탕A	淸心溫膽湯A	【보감-神/ 의감】 治諸癎 平肝解鬱 淸火化痰 益心血

		半夏 陳皮 茯苓 枳實 竹茹 白朮 石菖蒲 黃連(薑汁炒) 香附子 當歸 白芍藥 4 麥門冬 3 甘芎 遠志 人蔘 2.5 甘草 1.5g / 生薑 4g [60g]
청심온담탕B	清心溫膽湯B	【晴崗】心膽虛怯 怔忡 心悸 惡嘔 不寧
온담탕 加 향부자 백출 황금		香附子 10 半夏 橘紅 6 白茯苓 白朮 枳實 竹茹 4 黃芩酒炒 甘草 2 / 生薑 4g 大棗 4g [50g]
청심지황탕	清心地黃湯	清心 潤肺 補陰 治 陰虛中風
독활지황탕+지백지황환 加 맥문동 구기자 오미자		熟地黃 16 山藥 山茱萸 8 牧丹皮 白茯苓 澤瀉 6 麥門冬 枸杞子 獨活 防風 知母 4 五味子 黃栢 2g [74g] 9)
청아환	青娥丸	【上87/ 보감-腰: 청아원/ 단심/ 국방】治 腎虛腰痛 (cf. 방약합편 원문은 腎虛腹痛이나 동의보감 원문에 근거하여 腎虛腰痛으로 수정)
		杜冲薑炒 破故紙炒 160 / 胡桃 150g [470g] 오자대 밀환(+生薑汁), 1회 100환
청연산	清淵散	【晴崗】治 鼻流清涕 鼻塞 前頭痛
형개연교탕 去 시호 길경 당귀 생지황 작약 치자 加 창출 승마 강활 고본 세신 마황		荊芥穗 6 連翹 蒼朮 升麻 防風 羌活 藁本 川芎 4 薄荷 細辛 黃芩酒炒 白芷 3 麻黃 甘草 2 / 生薑 4 葱白 3g [57g]
청열도담탕	清熱導痰湯	(도담탕) 참조
청열보기탕	清熱補氣湯	【證治準繩, 口齒類要】中氣虛熱 口舌如無皮狀 或發熱作渴/ 治 口內炎
		人蔘 白朮 茯苓 當歸 芍藥 6 升麻 五味子 麥門冬 玄參 甘草 2g [40g] (또는 增 맥문동 6g)
청열사물탕	清熱四物湯	= (청경사물탕)
청열사습탕	清熱瀉濕湯	【下134/ 보감-足/ 정전】治 濕熱 脚氣 腫痛
		蒼朮 黃栢(鹽酒炒) 4 蘇葉 赤芍藥 木瓜 澤瀉 木通 防己 檳榔 枳殼 香附子 羌活 甘草 3g [41g] ▶ [下134/ 보감-足] 痛 加 목향. 腫 加 대복피. 熱 加 황련 대황
청열소독음	清熱消毒飲	【보감-癰疽/ 입문】治癰疽陽證 腫痛熱渴
		金銀花 8 赤芍藥 生地黃 川芎 6 當歸 黃連 山梔 連翹 甘草 4g [46g]
청열조혈탕	清熱調血湯	【보감-胞/ 의감】治經水將來 腹中陣痛 乃氣血俱實也
		當歸 川芎 白芍藥 生乾地黃 黃連 香附子 桃仁 紅花 蓬朮 玄胡索 牡丹皮 3g [33g] (또는 加 감초 3g) 9)
청열해울탕	清熱解鬱湯	【보감-胸/ 의감】治心痛 即胃脘痛 一服立止
		梔子(炒黑) 6 枳殼 川芎 香附子 4 黃連炒 蒼朮 3 陳皮 乾薑炒黑 甘草炙 2 / 生薑 4g [34g]
청영탕	清營湯	【온병조변】清熱解毒 養陰透熱
		生地黃 15 犀角 金銀花 玄蔘 麥門冬 9 丹參 連翹 6 黃連 4.5 竹葉心

3g [70.5g] (또는 去 서각 代 수우각)

청온패독음	清瘟敗毒飮	【疫疹一得】清熱解毒 凉血瀉火 – 治 氣血兩燔 (清 氣分之火, 凉 血分之熱)

백호탕 황련해독탕 서각지황탕의 合方 및 加味

石膏 50 生地黃 玄蔘 15 牧丹皮 赤芍藥 知母 竹葉 黃芩 梔子 連翹 桔梗 10 犀角 黃連 甘草 5g [175g : 참고용량]
▶ 원문은 석고(大 6-8兩, 中 2-4兩, 小 0.8-1.2兩) 생지황(大 6-10錢, 中 3-5錢, 小 2-4錢) 서각(大 6-8錢, 中 3-4錢, 小 2-4錢) 황련(大 4-6錢, 中 2-4錢, 小 1-1.5錢) 외 용량표시 없음

청울산	清鬱散	【보감-胸/ 의감】治胃中有伏火 膈上有稠痰 胃口作痛 及嘔吐酸水 惡心煩悶

이진탕+평위산(去 후박) 加 향부자 천궁 황련 치자 건강

半夏 陳皮 白茯苓 蒼朮 便香附 神麯 黃連(薑汁炒) 梔子(薑汁炒) 4 川芎 2.5 乾薑(炒黑) 2 甘草炙 0.8 / 生薑　4g [41.3g]

청위산	清胃散	【下120/ 보감-牙齒/ 동원】治 胃熱 上下齒痛不可忍 滿面發熱
		【清胃瀉火 凉血消腫】

【보험처방】

升麻 8 牧丹皮 6 當歸 黃連 生地黃 4g [26g] (또는 황련 6~8g)

청인이격탕	清咽利膈湯	【醫宗金鑑】治 緊喉風 【消腫止痛 利咽】

牛蒡子 連翹 防風 桔梗 梔子 玄蔘 薄荷 金銀花 荊芥 黃芩 黃連 大黃 芒硝 甘草 4g [56g]
▶ [證治準繩] 去 금은화 형개 황금 황련 加 죽엽

청장탕	清腸湯	【下63/ 보감-血/ 회춘】治 尿血

當歸 生地黃 梔子炒 黃連 赤芍藥 黃柏 瞿麥 赤茯苓 木通 萹蓄 知母 麥門冬 3 甘草 2 / 燈心 2 烏梅　2g [42g]

청조구폐탕	清燥救肺湯	【醫門法律】清燥潤肺

桑葉 9 石膏 8 麥門冬 4 甘草 胡麻仁 阿膠 枇杷葉 3 人蔘 杏仁 2g [37g]

청조탕	清燥湯	【보감-足/ 동원】治長夏濕熱盛 兩脚痿厥癱瘓

黃芪 白朮 6 蒼朮 4 陳皮 澤瀉 3 赤茯苓 人蔘 升麻 2 生地黃 當歸 猪苓 麥門冬 神麯 甘草 1.2 黃連 黃柏 柴胡 0.8 / 五味子　1g [38.6g]

청폐보신탕	清肺補腎湯	【診療要鑑】治 勞嗽

熟地黃 16 山藥 山茱萸 8 天門冬 麥門冬 白茯苓 牧丹皮 澤瀉 陳皮 杏仁 貝母 4 知母(鹽水炒) 黃柏(鹽水炒) 2g [68g]

청폐사간탕	清肺瀉肝湯	(열다한소탕) 참조

청폐산	清肺散	【보감-小便/ 동원】治渴而小便閉

猪苓 通草 5 赤茯苓 澤瀉 燈心 車前子 4 萹蓄 木通 瞿麥 3 琥珀 2g [37g]

청폐생맥음	清肺生脈飮	【보감-暑/ 입문】治暑傷肺 咳喘 煩渴 氣促

黃芪 8 當歸 生地黃 人蔘 麥門冬 4 五味子　1g [25g]

청폐탕	淸肺湯	【보감-咳嗽/ 회춘】治久嗽 及痰嗽 肺脹嗽【止咳平喘 祛痰】 【JP】가래(痰)가 많은 기침
		黃芩 6 赤茯苓 桔梗 桑白皮 貝母 陳皮 當歸 天門冬 麥門冬 梔子 杏 仁　3 甘草 1.2 / 五味子　1 生薑　4 大棗　4g [51.2g] ▶【JP】當歸 麥門冬 茯苓 3 黃芩 桔梗 桑白皮 貝母 陳皮 梔子 杏仁 竹 茹 天門冬 大棗 2 五味子 甘草 生薑(JP) 1g [32g]

청포축어탕	淸胞逐瘀湯	濕熱下注, 瘀血氣滯로 인한 골반강내 제반증상
격하축어탕 加味方		金銀花 12 薏苡仁 敗將 8 續斷 香附子 6 牛膝 當歸 赤芍藥 4 川芎 牧 丹皮 玄胡索 五靈脂 3 枳殼 甘草 2g [68g] 47) (또는 增 속단 8 加 생 강 3g)40)

청혈단	淸血丹	각종 火熱證 중풍 고지혈증 신경정신계질환
황련해독탕 加 대황		(1캡슐) 黃芩 黃連 黃栢 梔子 4 大黃 1g [1일 1-6회, 1회 1-3캡슐]

청혈사물탕	淸血四物湯	【下115/ 보감-鼻/ 회춘】治 酒皻
		川芎 當歸 赤芍藥 生地黃 片芩 紅花酒焙 赤茯苓 陳皮 4 甘草 2 / 生薑 3g [37g]

청호별갑탕	靑蒿鱉甲湯	【온병조변】養陰透熱
		鱉甲 15 生地黃 12 牧丹皮 9 靑蒿 知母 6g [48g]

청화보음탕	淸火補陰湯	【中129/ 보감-咽喉/ 의감】治 虛火上升 喉痛 喉閉 或生瘡
		玄蔘 8 白芍藥 熟地黃 當歸 川芎 黃柏童便炒 知母 天花粉 甘草 3 / 竹瀝　30ml [34g+]

청훈화담탕	淸暈化痰湯	【中114/ 보감-頭/ 의감】治 風火痰 眩暈
		陳皮 半夏 白茯苓 4 枳實 白朮 3 川芎 黃芩 白芷 羌活 人蔘 南星炮 防 風 2 細辛 黃連 甘草 1.2 / 生薑　4g [39.6g]

초반산	硝礬散	= (소석반석산)

초석반석산	硝石礬石散	= (소석반석산)

촉칠산	蜀漆散	【상한금궤】助陽 祛痰 截瘧 《금궤4》瘧多寒者 【방극】治寒熱發作有時 臍下有動者
		蜀漆(또는 代 常山) 雲母 龍骨 각등분

총백칠미음	葱白七味飮	【외대비요】養血解表, 治 血虛兼表寒證
		葱白 乾地黃 麥門冬 葛根 9g 生薑 豆豉 6g / 百勞水 (800mL)

총시길경탕	葱豉桔梗湯	【通俗傷寒論】消風解表 淸肺泄熱, 治 風溫
		淡豆豉 12 梔子炒 8 連翹 6 薄荷 桔梗 4 甘草 3g / 鮮淡竹葉　10 蔥 白　8g [55g]

추기산	推氣散	【中148/ 보감-脇/ 입문】治 右脇痛

枳殼 桂心 薑黃 20 甘草 10g [70g]

추풍거담환	追風祛痰丸	【下55/ 보감-神/ 회춘】 治 風痰發癇
		半夏末 6량 南星 3량 防風 天麻 白殭蠶炒 白附子煨 皀角炒 1량 全蝎炒 枯白礬 木香 0.5량 [15.5량=620g] 오자대 호환, 1회 70-80환
추학음	追瘧飮	【中79/ 경악전서】 截瘧甚效 氣血未衰 屢散之後而不止
		何首烏 40 靑皮 陳皮 當歸 柴胡 半夏 甘草 12g [112g]
축비음	縮脾飮	【中37/ 보감-暑/ 국방】 治 暑月內傷 生冷 腹痛 吐瀉
		縮砂 6 草果 烏梅肉 香薷 甘草 4 白扁豆 葛根 3 / 生薑 6g [34g]
축천환 ▶ 一名 축천원(縮泉元)	縮泉丸	【中103/ 보감-小便: 축천원/ 입문】 治 腎氣不足 小便頻數 一日百餘次
		烏藥 益智仁 각등분 - 오자대 호환(加 山藥), 1회 70환
춘택탕	春澤湯	(오령산B) 참조
충화보기탕	沖和補氣湯	【보감-皮/ 동원】 治合目則麻作 開目則不麻 四肢痠厥 目昏頭眩
		黃芪 8 蒼朮 陳皮 6 人蔘 白朮 白芍藥 澤瀉 猪苓 4 羌活 3 升麻 甘草 2 獨活 當歸 黃栢 1.2 柴胡 神麴 木香 草豆蔲 麻黃 黃連 0.8g [55.4g]
충화양위탕	沖和養胃湯	【보감-眼/ 동원】 治內障眼 得之脾胃虛弱 心火與三焦俱盛 上爲此疾
		黃芪 羌活 4 人蔘 白朮 升麻 葛根 當歸 甘草炙 3 柴胡 白芍藥 黃芩 黃連 2 防風 白茯苓 1.2 五味子 0.8 乾薑 0.4g [37.6g]
취후산	吹喉散	【下124/ 보감-咽喉/ 회춘】 治 懸癰下垂腫痛及一切咽喉疾
		膽礬 枯白礬 焰硝 片腦 山豆根 辰砂 鷄內金 각등분
측백탕	側柏湯	【보감-血/ 입문】 治 吐衄血 血崩 血痢 一切失血之疾
		側柏葉 - 代茶吃 (측백엽 달인 물을 차처럼 음용)
치두창일방	治頭瘡一方	【JP】 습진 피부병 유아습진【祛風活血 淸熱解毒】
		▶【JP】 連翹 川芎 蒼朮 3 忍冬 防風 2 荊芥 紅花 甘草 1 大黃 0.5g [16.5g]
치시탕	梔豉湯	【下11/ 보감-吐/ 입문 / 중경】 治 汗下後虛煩 不眠 心中懊憹 按之心下軟者 虛煩也
		梔子 20 豆豉 100g [120g - 先煎梔 至半納豉 再煎至七分] ▶ 치자시탕(梔子豉湯) 참조
치자감초시탕	梔子甘草豉湯	【상한금궤】 淸熱除煩 益氣和中 〈태양병-76〉 虛煩不得眠.. 心中懊憹 梔子豉湯主之 若少氣者 梔子甘草豉湯主之 【방극】治梔子豉湯證 而急迫者
		1)현대: 香豉 20 甘草 6 梔子 4~6g [30~32g] 2)원문: 香豉 4합 甘草 2량 梔子 14매

치자건강탕	梔子乾薑湯	【상한금궤】 淸上溫中 〈태양병-80〉 醫以丸藥大下之 身熱不去 微煩 【방극】 治心中微煩者
		1)현대: 梔子 4 乾薑 3~4g [7~8g] 2)원문: 梔子 14개 乾薑 2량
치자대황시탕	梔子大黃豉湯	= (치자대황탕)
치자대황탕	梔子大黃湯	【상한금궤】 〈음양역차후노복병-393〉 大病差後 勞復者.. 若有宿食者 〈금궤 15〉 酒黃疸 心中懊憹 或熱痛 【방극】 治枳實梔子豉湯證 而閉者 【보감-黃疸】 治 酒疸
▸ 一名 치자대황시탕(梔子大黃豉湯)		1)현대: 香豉 20 枳實 7 梔子 3 大黃 2g [32g] (또는 香豉 32 枳實 10 梔子 大黃 4) 19) 2)원문: 香豉 1승 枳實 5매 梔子 14매 大黃 1량 ▸ [보감-黃疸] 梔子 大黃 8 枳實 4g / 豉 一合
치자백피탕	梔子柏皮湯	【상한금궤】 淸熱泄濕 〈양명병-261〉 傷寒 身黃發熱 【방극】 治身黃 發熱 心煩者
		1)현대A: 黃柏 6 梔子 4.5~6 甘草 3g [13.5~15g] 1)현대B: 黃柏 10 梔子 15 甘草 5g [30g] 2)원문: 黃柏 2량 梔子 15개 甘草 1량
치자생강시탕	梔子生薑豉湯	【상한금궤】 淸熱除煩 降逆止嘔 〈태양병-76〉 虛煩不得眠.. 心中懊憹 梔子豉 湯主之 若嘔者 梔子生薑豉湯主之 【방극】 治梔子豉湯證 而嘔者
		1)현대: 香豉 20 生薑 15 梔子 4~6g [39~41g] 2)원문: 香豉 4합 生薑 5량 梔子 14매
치자시탕	梔子豉湯	【상한금궤】 淸宣鬱熱除煩 〈태양병-76〉 虛煩不得眠.. 心中懊憹 (77) 煩熱 胸中窒者 (78) 身熱不去 心中結痛者 〈양명병-221〉 脈浮緊 咽燥 口苦 腹滿而喘 發熱汗出 不惡寒 反惡熱.. 若下 之則胃中空虛 客氣動膈 心中懊憹 (228) 其外有熱 手足溫.. 心中懊憹 飢不 能食 但頭汗出 〈궐음병-375〉 下利後更煩 按之心下濡者 爲虛煩也 【방극】 治心中懊憹者
		1)현대: 香豉 20 梔子 4~6g [24~26g] (또는 梔子 9 香豉 4g) (또는 香 豉 4 梔子 3g) 24) 2)원문: 香豉 4합 梔子 14매 (cf. 온병조변: 香豆豉 6錢 梔子 5매)
치자청간탕	梔子淸肝湯	【下148/ 보감-諸瘡/ 입문】 治 肝膽火盛 耳後 頸項 胸乳 等處 結核
		柴胡 8 梔子 牧丹皮 5 赤茯苓 川芎 赤芍藥 當歸 牛蒡子 4 靑皮 甘草炙 2g [42g]
치자후박탕	梔子厚朴湯	【상한금궤】 淸熱除煩 寬中消滿 〈태양병-79〉 傷寒下後 心煩腹滿 臥起不安者 【방극】 治胸腹煩滿者

1)현대A: 厚朴 8~12 枳實 8 梔子 4g [20~24g]
2)현대B: 厚朴 枳實 梔子 15g [45g]
3)원문: 厚朴 4량 枳實 4매 梔子 14개

치중탕 이중탕 加 진피 청피	治中湯	【보감-寒/ 三因】治 太陰腹痛 人蔘 白朮 乾薑炮 陳皮 靑皮 8 甘草炙 4g [44g] ► 【합편】 치중탕: 건리탕(上83) 加 진피 청피 ► 건리탕 가미치중탕 참조
치타박일방	治打撲一方	【JP】 타박에 의한 부종 및 통증 【活血化瘀 消腫止痛】 ► 【JP】 桂皮(JP) 川芎 川骨 樸樕(박속) 3 甘草 1.5 丁香 大黃 1g [15.5g]
치효산 해표이진탕 加 지각 加減方	治哮散	【晴崗】 解表二陳湯 변방/ 解表袪痰, 喘息緩解 半夏 6 陳皮 赤茯苓 麻黃 蘇葉 紫菀 貝母 杏仁 桑白皮 桔梗 枳殼 4 甘草 2 / 生薑 4g [52g] [7,53] ► (또는 加 瓜蔞仁 款冬花 白朮 薄荷 4) (또는 加 瓜蔞仁 款冬花 馬兜鈴 前胡 百部根 4) (또는 加 葛根 8 黃芩 6 前胡 4) [53,64]
칠기탕	七氣湯	【中81/ 보감-氣/ 국방】治 七情鬱結 心腹絞痛 半夏 12 人蔘 官桂 甘草炙 3 / 生薑 4g [25g]
칠물강하탕 사물탕 加 조구등 황백 황기	七物降下湯	【JP】 體虛者의 고혈압 동반증상: 상기증 어깨결림 이명 두중감 【和血降壓】 ► 【JP】 釣鉤藤 5 當歸 川芎 地黃 芍藥 黃芪 4 黃栢 2g [27g] (cf. 加 杜沖: 팔물강하탕)
칠물후박탕	七物厚朴湯	【下46/ 보감-脹滿/ 득효】治 熱脹 厚朴 12 枳實 6 大黃 甘草 4 桂心 2 / 生薑 6 大棗 4g [38g]
칠미백출산	七味白朮散	= (백출산B)
칠미저령탕	七味猪苓湯	【소양인/ 갑오,신편】【신편】治 陰虛火動 午熱骨蒸 生地黃 16 山茱萸 覆盆子 澤瀉 赤茯苓 8 猪苓 黃栢 4g [56g] ► [갑오,신편] 팔미저령탕(八味猪苓湯): 加 목단피 4g (治 腹痛痞滿嘔吐)
칠미창백산	七味蒼栢散	【보감-腰/ 입문】治 濕熱腰痛虛者 蒼朮 白朮 黃栢 杜沖 破故紙 當歸 川芎 4g [28g]
칠보미염단	七寶美髥丹	【의방집해】補益肝腎 養血塡精 赤何首烏 白何首烏 白茯苓 赤茯苓 15량 牛膝 當歸 枸杞子 菟絲子 8량 補骨脂 4량 [96량=3840g] - 밀환, 1회 5g 복용 ► 何首烏 10량 白茯苓 牛膝 當歸 枸杞子 兎絲子 5량 補骨脂 4량 [8]
칠생탕	七生湯	【下61/ 보감-血/ 회춘】治 血出口鼻如泉 諸藥無效 生地黃 生荷葉 生藕節 生韭菜 生茅根 40 生薑 20g [220g]

| 칠제향부환 | 七製香附丸 | 【下153/ 보감-胞/ 입문】 治 月候不調 結成癥瘕 |
| | | 香附子 14량 (7등분하여 7가지 방법으로 법제) / 當歸 蓬朮 烏藥 2량 牡丹皮 艾葉 川芎 玄胡索 三棱 柴胡 紅花 烏梅 1량 : 제법 원문참조 |

| 탁리소독음A | 托裏消毒飮A | 【上93/ 보감-癰疽: 탁리소독산/ 의감】 治 癰疽 未成卽消 已成卽潰 |
| ▶ 一名 탁리소독산(托裏消毒散) (cf. 방약합편의 탁리소독음 = 동의보감의 탁리소독산) | | 金銀花 陳皮 12 黃芪(鹽水炒) 天花粉 8 防風 當歸 川芎 白芷 桔梗 厚朴 穿山甲(炒焦) 皂角刺 4g [72g - 酒水相半煎, 病在下 只水煎] |

탁리소독음B	托裏消毒飮B	【보감-癰疽/ 입문】治癰疽潰後 元氣虛弱 久未收斂 乃去腐生新之良劑也 又治 陰疽不潰發
탁리소독음A 去 천화분 방풍 천궁 길경 후박 천산갑 조각자 加 인삼 백출 복령 작약 연교 감초		人蔘 黃芪 白芍藥 當歸 白朮 白茯苓 陳皮 連翹 金銀花 4 白芷 甘草 2g [40g]
		▶ [外科正宗] 去 진피 연교 加 천궁 길경 조각자

| 탈명산A | 奪命散A | 【보감-風/ 의감】治卒中風 涎潮氣塞 口噤目瞪 破傷風 搐搦 小兒驚風 危急 之疾 |
| | | 天南星 荜茇(焙) 白芷 半夏 巴豆(去殼不去油) 각등분 [1회 2g 薑汁調下] |

| 탈명산B | 奪命散B | 【보감-婦人/ 단심】 治 血暈譫妄 |
| ▶ 一名 혈갈산(血竭散) | | 沒藥 血竭 각등분 [1회 12g- 童便 好酒 各半煎] |

| 태산반석산 | 泰山磐石散 | 【경악전서】 益氣健脾 養血安胎 【合編-增補】 治 孕婦胎元不固 |
| | | 白朮 8 人蔘 黃芪 當歸 續斷 黃芩 糯米 4 川芎 白芍藥 熟地黃 3 炙甘 草 砂仁 2g [45g] |

태음조위탕	太陰調胃湯	【태음인/ 신축-신정방】위완수한표한병 〈胃脘寒證〉 【신편】 治 黃疸 傷寒 時氣頭痛 身痛 無汗 食滯肥滿 脚無力
		薏苡仁 乾栗 12 蘿葍子 8 五味子 麥門冬 石菖蒲 桔梗 麻黃 4g [52g]
		[이하 사상신편의 태음조위탕 가감처방]
		▶ 화석조위탕(花惜調胃湯): 加 民魚膠或肺 (脫陰)
		▶ 마황조위탕(麻黃調胃湯): 加 마황 12g (咳嗽)
		▶ 고기조위탕(固氣調胃湯): 加 저근피 8g (泄瀉)
		▶ 승지조위탕(升芷調胃湯): 加 승마 백지 (無汗)
		▶ 승기조위탕(升氣調胃湯): 去 의이인 건율 加 갈근 20 대황 12 고본 8g (大便不通 熱多譫語)
		▶ 경험조위탕(經驗調胃湯): 去 의이인 나복자 加 해송자 8g (孕婦 肺腎 虛)
		▶ 승금조위탕(升芩調胃湯): 加 승마 황금 (無汗寒熱)
		▶ 조위속명탕(調胃續命湯): 去 오미자 加 고본 (風症)
		▶ 신기조위탕(腎氣調胃湯): 加 해송자 8g (腎陽虛損)

| 태화환 | 太和丸 | 【上26/ 보감-內傷/ 회춘】 治 脾胃虛損 不思飮食 體瘦 面黃 開胸 快膈 淸鬱 化痰 |
| | | 白朮土炒 160 白茯苓 白芍藥 神麴炒 麥芽炒 100 便香附炒 當歸 枳實 80 龍眼肉 白豆蔲 52 半夏 48 陳皮 黃連薑炒 山査肉 40 甘草炙 28 人 |

		蔘 木香 20g [1140g] 오자대 호환, 1회 100환
택사탕A	澤瀉湯A	【상한금궤】 利濕化飮〈금궤12〉心下有支飮 其人苦冒眩 【방극】治苦冒眩 小便不利者 1)현대: 澤瀉 15 白朮 6g [21g] 2)원문: 澤瀉 5량 白朮 2량
택사탕B	澤瀉湯B	【下158/ 보감-婦人/ 정전】治 子淋 澤瀉 桑白皮 赤茯苓 枳殼 檳榔 木通 6 / 生薑 6g [42g] (또는 加 條芩 4g) 7)
택차보중익기탕	澤車補中益氣湯	(보중익기탕A) 참조
택칠탕	澤漆湯	【상한금궤】 瀉水逐飮 通陽 止咳平喘〈금궤7〉脈沈者 1)현대B: 澤漆 20 半夏 紫苑 生薑 白前 黃芩 人蔘 桂枝 10 甘草 5g [95g] 2)원문: 澤漆 3근 半夏 0.5승 紫參(一作紫苑) 生薑 白前 5량 甘草 黃芩 人蔘 桂枝 3량
토과근산	土瓜根散	【상한금궤】〈금궤22〉帶下經水不利 少腹滿痛 經一月再見 【방극】治小腹拘急 經水不利 或下白物者 1)현대: 土瓜根(또는 代 瓜蔞根) 芍藥 桂枝 蟅蟲 6g [24g] 2)원문: 土瓜根 芍藥 桂枝 蟅蟲 3량
통경사물탕	通經四物湯	【보감-胞/ 의감】治經水過期不行 乃血虛有寒 當歸 6 熟地黃 白芍藥 香附子 蓬朮 蘇木 4 木通 3 川芎 肉桂 甘草 2 紅花 1.2 / 桃仁 8g [44.2g]
통경탕	通經湯	【下154/ 보감-胞/ 의감】治 月閉 當歸 川芎 白芍藥 生乾地黃 大黃 官桂 厚朴 枳殼 枳實 黃芩 蘇木 紅花 3 / 生薑 4 大棗 4 烏梅 2g [46g]
통관환	通關丸	= (자신환)
통규탕 구미강활탕 去 생지황 황금, 加 고본 승마 갈근 마황 천초	通竅湯	【보감-鼻/ 의감】治感風寒 鼻塞聲重 流涕 不聞香臭 防風 羌活 藁本 升麻 葛根 川芎 蒼朮 4 白芷 2 麻黃 川椒 細辛 甘草 1.2 / 生薑 4 葱白 3g [41.8g] (또는 加 향기 신이 창이자 신이) 9.69)
통규활혈탕	通竅活血湯	【의림개착】活血通竅 - 消一身竅隧之瘀 桃仁 紅花 生薑 9 赤芍藥 川芎 3 / 老葱 大棗 15 麝香 0.5 黃酒 250ml
통기음자	通氣飮子	= (서경탕)
통도산	通導散	【보감-諸傷/ 의감】治傷損極重 大小便不通 心腹脹悶 宜用此 下瘀血 【一貫堂醫學】瘀血證體質, 驅瘀血 【JP】 비교적 체력이 있고 하복부압통 변비 경향자의 월경불순 월경통 갱년

대승기탕 加味方	기장애 요통 변비 타박 고혈압동반증상 (두통 현훈 어깨결림)
	大黃 芒硝 8 當歸 蘇木 紅花 桃仁 4 厚朴 陳皮 木通 枳殼 甘草 2g [42g] ▶ [일관당의학: 去 도인] 當歸 大黃 芒硝 3 厚朴 枳實 枳殼 陳皮 木通 紅花 蘇木 甘草 2g [25g] (또는 2배량)[12] ▶【JP】當歸 大黃 枳實 3 厚朴 陳皮 木通 紅花 蘇木 甘草 2 芒硝 1.8g [22.8g]
통맥사역가저담즙탕 通脈四逆加猪膽汁湯	【상한금궤】回陽救逆 益陰和陽 〈곽란-390〉吐已下斷 汗出而厥 四肢拘急不解 脈微欲絶
	1)현대: 乾薑 9 甘草 6 附子 3 猪膽汁 5g [23g] 2)원문: 乾薑 3량(强人可 4량) 甘草 2량 附子 1매 猪膽汁 0.5합
통맥사역탕 通脈四逆湯 사역탕A 增 건강	【상한금궤】回陽欲脫〈소음병-317〉下利淸穀 裏寒外熱 手足厥逆 脈微欲絶 身反不惡寒 面赤色〈궐음병-370〉下利淸穀 裏寒外熱 汗出而厥
	1)현대: 乾薑 9 甘草 6 附子 3g [18g] 2)원문: 乾薑 3량(强人可 4량) 甘草 2량 附子 大 1매
통명이기탕 通明利氣湯	【보감/耳/ 의감】治虛火 痰氣鬱於耳中 或閉或鳴 痰火熾盛 痞滿煩躁
	貝母 5 陳皮 4 黃連(猪膽汁炒) 黃芩(猪膽汁炒) 黃栢(酒炒) 梔子炒 玄叅(酒洗) 3 蒼朮(鹽水炒) 白朮 香附子(便炒) 生乾地黃(薑汁炒) 檳榔 2 川芎 1.5 木香 1 甘草 0.8 / 生薑 4g 竹瀝 50ml [36.3+g]
통사요방 痛瀉要方 ▶ 一名 백출작약산(白朮芍藥散)	【경악전서】補脾瀉肝 袪濕止瀉
	白朮 3량 白芍藥 2량 陳皮 1.5량 防風 1량 [7.5량=300g] (惑加 升麻: 久瀉者)
통순산 通順散 ▶ 一名 영위반혼탕(榮衛返魂湯)	【中154/ 보감-癰疽:영위반혼탕 / 醫林/ 仙傳外科集驗方】治 一切痰飮爲患 專治痰腫
	赤芍藥 木通 白芷 何首烏 枳殼 茴香 烏藥 當歸 甘草 4g [36g : 酒水各半煎] (또는 하수오 代 백하수오 6. 加 반하 적복령 귤피 천궁 독활 4 : 一名 가감통순산) [7]
통심락(캡슐) 通心絡(膠囊)	益氣活血 通絡止痛 – 뇌혈전증 회복기 환자의 혈액순환 개선 및 울체 제거, 협심증 증상완화
	(1캡슐당) 水蛭 103.75mg 蟅蟲 88.75mg 芍藥 82.5mg 全蝎 78.75mg 人蔘 75mg 蟬退 68.75mg 蜈蚣 43.75mg 龍腦 13.75mg [1일 3회, 1회 2캡슐]
통심음 通心飮	【보감-小兒/ 득효】治 旋螺風(배꼽이 붓고 돌출된 것) 赤腫而痛 淸心火 通小便 退潮熱
	連翹 木通 瞿麥 梔子仁 黃芩 甘草 1.5 / 燈心 麥門冬 1.5g [12g] (원문에는 燈心, 麥門冬 용량없음) ▶ [참조] 가미통심음
통유탕A 通乳湯A	【中137/ 보감-乳/ 의감】治 氣血不足 乳汁澁少

		通草 川芎 40 甘草 4 / 豬蹄 4隻 穿山甲(炮黃) 14片 (또는 去 천산갑 加 왕불류행 12-16g) 96)
통유탕B	通幽湯B	【下103/ 보감-大便/ 동원】治 幽門不通 大便難
		升麻 桃仁 當歸身 6 生地黃 熟地黃 3 甘草 紅花 1.2g [26.4g] ▶ [보감] 감초 홍화 0.8g ~
통초탕	通草湯	【보감-乳/ 의감】治 乳汁不通
		桔梗 8 瞿麥 柴胡 天花粉 4 通草 3 木通 靑皮 白芷 赤芍藥 連翹 甘草 2g [35g]
파두단	巴豆丹	【소음인/ 신축-신정방】위수한리한병 - 巴豆 全粒 下利 半粒 化積
		巴豆 1粒
팔물강하탕	八物降下湯	(칠물강하탕) 참조
팔물군자탕	八物君子湯	【소음인/ 신축-신정방】신수열표열병〈鬱狂證〉鬱狂中證 【신편】治鬱狂初症 陽明症 胃家實
		人蔘 8 黃芪 白朮 白芍藥 當歸 川芎 陳皮 炙甘草 4 / 生薑 4g [44g] ▶[소음인] 독삼팔물탕(獨蔘八物湯) : 增 인삼 40g ~ [76g]
팔물탕	八物湯	【上32/ 보감-虛勞/ 회춘】治 氣血兩虛【益氣補血】
사군자탕+사물탕 ▶ 一名 팔진탕(八珍湯) 【보험처방】		人蔘 白朮 白茯苓 甘草 熟地黃 白芍藥 川芎 當歸 5g [40g]
팔미대하방	八味帶下方	【名家方選】治 濕熱帶下, 熱麻【淸熱解毒 祛濕止帶】
		當歸 5 山歸來(=土茯苓) 4 川芎 木通 茯苓 3 金銀花 陳皮 2 大黃 1g [23g] (또는 상기용량 2배량) 12) (또는 土茯苓 6 金銀花 3 ~)
팔미순기산	八味順氣散	【中85/ 보감-氣/ 득효】治 中氣而虛
		人蔘 白朮 白茯苓 靑皮 白芷 陳皮 烏藥 3 甘草 1.2g [22.2g]
팔미저령탕	八味豬苓湯	(칠미저령탕) 참조
팔미제번탕	八味除煩湯	治 心煩不安 胸悶腹脹 咽喉異物感 (面色滋潤 舌紅 脈滑數)
반하후박탕+치자후박탕 加 황금 연교		山梔子 連翹 枳殼 制半夏 茯苓 厚朴 蘇梗 15 黃芩 10 [105g] 31.89) (또는 去 소경 代 소엽 10-12) (또는 增 연교 20)
팔미지황환	八味地黃丸	= (팔미환)
팔미해울탕	八味解鬱湯	治 神經症 兼 消化器症狀 - 긴장 불면 복창 오심구토 식욕부진 인후이물감 등 (胸脇苦滿 過敏性體質 四肢冷 惡風冷 體瘦 舌淡 脈弦滑)
반하후박탕+사역산		柴胡 白芍藥 枳殼 薑半夏 厚朴 茯苓 蘇梗 15 甘草 5g [110g] 31.89.90) (또는 去 소경 代 소엽 10-12) (또는 加 생강 대조)
팔미환	八味丸	【상한금궤】溫補腎陽 〈금궤5〉脚氣上入 少腹不仁〈금궤6〉虛勞腰痛 少腹拘急 小便不利〈금궤12〉

夫短氣有微飲 〈금궤13〉 男子消渴 小便反多 以飮一斗 小便一斗 〈금궤22〉 婦人病 飮食如故 煩熱不得臥 而反倚息과 此 名轉胞不得溺也
【방극】治臍下不仁 小便不利者
【上40 육미지황원 附方/ 보감-腎臟】治 命門陽虛
【JP】피로 권태 요량감소(또는 빈뇨) 口渴 사지냉감(또는 냉온교차) 등이 있는 자의 신염 당뇨병 陰痿 좌골신경통 요통 각기 전립선비대 부종 등

육미지황원A 加 부자 육계
▶ 一名 팔미지황환(八味地黃丸) 신기환(腎氣丸)
최씨팔미환(崔氏八味丸) 팔미원(八味元)

1)현대A: 熟地黃 16 山藥 山茱萸 8 茯苓 澤瀉 牧丹皮 6 肉桂 附子 2g [54g]
2)현대B: 乾地黃 20 山藥 山茱萸 茯苓 澤瀉 牧丹皮 15 肉桂 附子 5g [105g]
3)원문: 地黃 8량 山藥 山茱萸 4량 澤瀉 牧丹皮 茯苓 3량 桂枝 附子 1량
▶ 【JP】地黃 6 山藥 山茱萸 澤瀉 茯苓 3 牧丹皮 2.5 桂皮(JP) 1 附子 0.5g [22g] (또는 地黃 5 牧丹皮 3 附子 1 ~)
▶ 십보환(十補丸) : 加 五味子 鹿茸하여 溫腎壯陽
▶ [참조] 우차신기환(牛車腎氣丸)

팔보회춘탕	八寶廻春湯	【上5/ 보감-風/ 득효】治 一切風虛諸症 去風和氣 活血

白芍藥 5 黃芪 3 白朮 2.5 白茯神 半夏 2 附子 人蔘 麻黃 黃芩 防己 杏仁 川芎 當歸 陳皮 防風 肉桂 乾薑 香附子 熟地黃 生乾地黃 甘草 1.5 沈香 烏藥 川烏 1.2 / 生薑薑 4 大棗薑 [50.1g]

팔정산	八正散	【下79/ 보감-小便/ 국방】治 膀胱積熱 便秘閉 【淸熱瀉火 利水通淋】

大黃 木通 瞿麥 萹蓄 滑石 梔子 車前子 甘草 燈心 4g [36g] (또는 燈心 1~2g)
▶ 금목팔정산(金木八正散) : 加 금은화 20 (增 목통 20 활석 8g) 하여 淸熱 및 利水의 효능 강화

팔주산	八柱散	【上73/ 보감-大便/ 회춘】治 滑泄不禁

人蔘 白朮 肉豆蔻煨 乾薑煨 訶子炮 附子炮 罌粟殼蜜炒 甘草炙 4 / 生薑薑 4 烏梅 3 燈心심 2g [41g]

팔진탕	八珍湯	= (팔물탕)
패독산	敗毒散	= (인삼패독산) 또는 (인삼패독산 去 人蔘)

패모과루산A	貝母瓜蔞散A	[의학심오] 淸熱潤肺 理氣化痰

貝母 6 瓜蔞仁 4 天花粉 茯苓 橘紅 桔梗 3g [22g]

패모과루산B	貝母瓜蔞散B	[합편-增補/ 의학심오] 治 肺火壅遏

貝母 8 瓜蔞仁 6 黃芩 橘紅 黃連 4 膽南星 梔子 甘草 2g [32g]
▶ A. B 모두 의학심오 수록 - 한국에서는 방약합편 증보방에 있는 B처방이 소개되었으나 중국에서는 燥痰을 치료하는 방제로서 A처방이 다용

편자황	片仔癀	淸熱解毒 凉血化瘀 消腫止痛 - 熱毒血瘀로 인한 옹저질환, 급만성 간질환 등 (영문명: Pien Tze Huang)

三七根: 蛇膽: 牛黃: 麝香 (85:7:5:3)의 비율

평위산	平胃散	【下22/ 보감-內傷/ 입문/ 국방】和脾 健胃 胃和 氣平則止 不可常服 【燥濕運脾 行氣和胃】 【JP】복부팽만 소화불량 경향자의 급만성위장염 위무력 소화불량 식욕부진 (또는 腸鳴 구내염)
	【보험처방】	蒼朮 8 陳皮 5.5 厚朴 4 甘草 2.5 / 生薑 4 大棗 4g [28g] ▶【JP】蒼朮 4 厚朴 陳皮 3 大棗 2 甘草 1 生薑(JP) 0.5g [13.5g] ▶ [보감-內傷/ 단심] 가미평위산(加味平胃散) : 加 신곡 맥아 3g 하여 治 宿食不化
평위지유탕	平胃地楡湯	【下64/ 보감-血/ 寶鑑】治 結陰便血 陰氣内結 滲入腸間 蒼朮 升麻 附子炮 4 地楡 3 葛根 厚朴 白朮 陳皮 赤茯苓 2 乾薑 當歸 神麴炒 白芍藥 人蔘 益智仁 甘草炙 1.2 / 生薑 4 大棗 4g [41.4g]
평진건비탕 정전가미이진탕+향사평위산 加味	平陳健脾湯	【診療要鑑】食積 兼 痰飮에 기인하는 胃脘痛 胸腹痞悶 噫氣 嘈囃 山查 6 香附子 半夏 陳皮 茯苓 4 川芎 蒼朮 白朮 枳實 藿香 蘿葍子 厚朴 砂仁 神麴炒 麥芽炒 3 木香 檳榔 灸甘草 2/ 生薑 4 大棗 4g [66g] (또는 去 蘿葍子 檳榔 大棗) [9]
평진탕 평위산+이진탕	平陳湯	【中71/ 보감-痰痛/ 입문】治 食痛 蒼朮 半夏 8 厚朴 陳皮 赤茯苓 5 甘草 3 / 生薑 4 大棗 4g [42g]
평혈음 승마갈근탕 加 천마 선태+인삼패독산 加味	平血飮	【보감-諸瘡/ 득효】治諸瘡 遍身出膿血 痛痒 葛根 8 白芍藥 升麻 天麻 蟬蛻 生地黃 麥門冬 人蔘 柴胡 前胡 羌活 獨活 枳殼 桔梗 川芎 赤茯苓 甘草 4 薄荷 2 / 生薑 4 葱白 3g [81g]
포룡환	抱龍丸	【中175/ 보감-小兒/ 소아약증직결】治 驚風 潮搐 身熱 昏睡 能下痰熱 乃 心肺肝藥也 牛膽南星 40 天竺黃 20 石雄黃 朱砂 10 麝香 4g [84g]
포회산	蒲灰散	【상한금궤】〈금궤13〉小便不利 蒲灰(=포황) 7분 滑石 2분
필용방감길탕	必用方甘桔湯	【下125/ 보감-咽喉/ 필용】治 風熱咽喉腫痛 桔梗 8 甘草 荊芥 防風 黃芩 薄荷 玄蔘 4g [32g] (또는 增현삼. 加 연교 산두근 우방자 지각) [7] ▶ [회춘:甘桔湯] 현삼 없음 [보감] 현삼은 가미약재
하고초산A	夏枯草散A	【中155/ 보감-諸瘡/ 입문】大治 燥痙 有補養厥陰之功 夏枯草 24 甘草 4g [28g]
하고초산B	夏枯草散B	【下111/ 보감-眼/ 本事】治 肝虚睛疼 冷淚

夏枯草 80 香附子 40 甘草 20g [140g]

하어혈탕	下瘀血湯	【상한금궤】 破血下瘀 〈금궤21〉 産後腹痛.. 腹中有乾血著臍下.. 亦主經水不利 【방극】 治臍下毒痛及經水不利者

1)현대: 蝱蟲 桃仁 大黃 9g 23) (또는 蝱蟲 6 桃仁 大黃 3g) 24) (또는 蝱蟲 12 大黃 6 桃仁 2g 淸酒 60ml -밀환) 19)
2)원문: 虻蟲 20매 大黃 2량 桃仁 20매 酒 1승 煉蜜

하인음	何人飮	【上60/ 경악전서】 截瘧如神 凡氣血久虛 久瘧不止

何首烏 12~40 人蔘 12~40 當歸 8~12 陳皮 8~12 / 煨薑 4~20g [44~124g]

하출보심탕	夏朮補心湯	【肝系內科學】 心膽虛怯人의 痰厥頭痛
반하백출천마탕 + 온담탕 (去 시호 맥문동 加 산조인 산사 산약)		

香附子 9 半夏薑制 陳皮 麥芽炒 酸棗仁炒 山査 生薑 6 白朮 神麴炒 4 枳實 茯苓 竹茹 甘草 山藥 3 黃芪 天麻 人蔘 蒼朮 澤瀉 乾薑 2 黃栢 1g [81g] 73) (또는 반하 진피 맥아 산조인 산사 9g) 17)

한다열소탕	寒多熱少湯	【태음인/ 신축-신정방】 위완수한표한병〈寒厥, 長感病〉 【신편】 治 寒厥四五日而無汗
태음조위탕 去 오미자 석창포 加 황금 행인		

薏苡仁 12 蘿葍子 8 麥門冬 桔梗 黃芩 杏仁 麻黃 4 / 乾栗 12g [52g]
▶ [신편] 제조패독산(蠐螬敗毒散): 加 제조 5,7,9개 (大便滑宜用)
▶ [신편] 윤폐청간탕(潤肺淸肝湯): 去 의이인 건율 加 갈근 대황 (若大便燥)

해기대안탕	解肌大安湯	【태음인/ 신편】【신편】 治 浮腫

葛根 16 黃芩 藁本 蘿葍子 桔梗 升麻 白芷 4 / 蠐螬 6~10g [46~50g]

해독사물탕	解毒四物湯	【보감-胞/ 입문】 治崩漏 面黃 腹痛
사물탕+황련해독탕A		

黃芩 黃連 黃栢 梔子 生乾地黃 當歸 白芍藥 川芎 4g [32g] ▶ 참조: 온청음(溫淸飮)

해독청후탕	解毒淸喉湯	【診療要鑑】 纏喉風 및 咽喉腫痛 (或 兼 發熱)

桔梗 8 升麻 6 葛根 射干 荊芥 防風 柴胡 前胡 羌活 獨活 枳殼 木通 赤茯苓 黃芩 甘草 4 薄荷 3g [69g] (또는 加 현삼)

해울조위탕	解鬱調胃湯	【보감-積聚/ 회춘】 治氣分之火 壅滯於中 時作刺痛 皆由怒憂思慮 勞心所致也

梔子(鹽水炒) 當歸(酒洗) 5 白朮 陳皮 白茯苓 4 赤芍藥(酒浸) 生乾地黃 (酒洗薑汁炒) 香附子 3八分 神麴炒 麥芽炒 3七分 川芎 2.5 桃仁 甘草 1.5 / 生薑 4g [46.5g]

해울화중탕	解鬱和中湯	【보감-胸/ 회춘】 治怗滿內熱 夜不安臥 臥則憂悶

陳皮(去白) 5 便香附 赤茯苓 枳殼 梔子 4 半夏 前胡 3 黃連(薑汁炒) 神麴炒 厚朴 靑皮 蘇子炒 2 甘草1.5 / 生薑 6g [44.5g]

해표이진탕	解表二陳湯	【中56/ 보감-咳嗽/ 의감】治 吼喘
		半夏 8 橘皮 赤茯苓 4 蘇葉 麻黃 杏仁 桑白皮 紫菀 貝母 桔梗 甘草灸 2 / 生薑 : 4g [36g] ▶ 치효산 참고
행기향소산	行氣香蘇散	【中132/ 보감-胸/ 회춘】治 內傷生冷 外感風寒 又觸七情 飮食塡滯 胸腹脹痛
		香附子 蘇葉 陳皮 蒼朮 烏藥 川芎 羌活 枳殼 麻黃 甘草 4 / 生薑 : 4g [44g]
행소산A	杏蘇散A	【온병조변】發散風寒 宣肺化痰
		杏仁 蘇葉 半夏 茯苓 9 前胡 桔梗 枳殼 橘皮 生薑 大棗 6 甘草 3g [75g]
행소탕B	杏蘇散B	【中50/ 보감-咳嗽/ 득효】治 傷風寒 咳嗽 痰盛
【보험처방】		杏仁 蘇葉 桑白皮 陳皮 半夏 貝母 白朮 五味子 4 甘草 2 / 生薑 : 6g [40g]
행습유기산	行濕流氣散	【下18/ 보감-風/ 입문】治 風寒濕痹 麻木不仁 手足煩軟
		薏苡仁 2량 白茯苓 1.5량 蒼朮 羌活 防風 川烏炮 1량 [7.5량=300g] - 1회 8g 복용 또는 10첩용 분량
행체탕	行滯湯	消導 行氣 開鬱, 治 急慢性消化不良
		香附子 6 蒼朮 厚朴 陳皮 山査 神麯 枳殼 川芎 烏藥 蘇葉 藿香 檳榔 木香 甘草 3g [54g] 34.65) (또는 加 백작약 12 향기 계지 6 계내금 4g [82g]) 10)
향갈탕	香葛湯	【中20/ 보감-寒/ 득효】不問陰陽兩感 頭痛 寒熱
궁지향소산+승마갈근탕		蒼朮 蘇葉 白芍藥 香附子 升麻 葛根 陳皮 4 川芎 白芷 甘草 2 / 生薑 : 4 葱白 : 3 淡豆豉 : 2g [43g] ▶ [晴崗] 가미보정산(加味普正散) : 去 백작약 승마 두시 加 형개 방풍 강활 (增 향부자 10 창출 갈근 6g) 7.62)
향귤음A	香橘飮A	【보감-頭/ 단심】治 氣虛眩暈
		半夏製 8 陳皮 白茯苓 白朮 4 木香 丁香 縮砂 甘草灸 2g [28g]
향귤음B	香橘飮B	【丁茶山先生小兒科祕方(小兒醫方)- 咳嗽】治 食積嗽
		山楂(去核) 6 麥芽 藿香 橘皮 半夏 4 枳殼 杏仁 蘿葍子 檳榔 貝母 2 / 生薑 : 3g [35g] ▶ 주치에 따라 처방구성에 차이 [급경(急驚)] 去 행인 나복자 빈랑 패모 加 목향 초과 2g [제열(諸熱)] 去 반하 행인 나복자 패모 加 신곡 4 초과 빈랑 사인 2g
향련환	香連丸	【下101/ 보감-大便/ 직지】治 赤白膿血下痢 脹痛及諸痢
		黃連 40g(吳茱萸 20g으로 法製한 것) 木香 10g [50g]
향부자십전탕	香附子十全湯	(향부자팔물탕) 참조

향부자팔물탕	香附子八物湯	【소음인/ 신축-신정방】 신수열표열병 〈鬱狂證〉 鬱狂中證 – 婦人思慮傷脾 咽乾舌燥 隱隱有頭痛 神效
		香附子 當歸 白芍藥 8 白朮 白何首烏 川芎 陳皮 炙甘草 4 / 生薑 4 大棗 4g [52g]
		▶ [신편] 향부자십전탕(香附子十全湯): 減 당귀 백작약 4g加 건강 게피 4g [52g] (cf. 滯症 氣虛汗多者 : 去 향부자 생강 加 포부자 건강 4g)

향사양위탕A	香砂養胃湯A	【中43/ 보감-內傷/ 의감】 治 不思食 痞悶 此胃寒
		白朮 4 砂仁 蒼朮 厚朴 陳皮 白茯苓 3 白豆蔲 3 人蔘 木香 甘草 1.2 / 生薑 4 大棗 4g [33.6g]
		▶ [보감] 인삼 목향 감초 2g ~ [36g] ▶ [회춘] 加 향부자 3g

향사양위탕B	香砂養胃湯B	【보감-胸/ 회춘】治陰伏陽蓄而爲痞滿
		白朮 陳皮 半夏 白茯苓 4 香附子 縮砂 木香 枳實 藿香 厚朴 白豆蔲 3 甘草 2 / 生薑 4 大棗 4g [47g]

향사양위탕C	香砂養胃湯C	【소음인/ 신축-신정방】 신수열표열병 〈大腸怕寒〉 위수한리한병 〈太陰證〉 【신편】治大腸怕寒 陽明症 或胃家實 太陰症 胃弱及食滯黃疸 。下利淸水 加 藿香
		人蔘 白朮 白芍藥 半夏 香附子 陳皮 乾薑 山楂肉 砂仁 白豆蔲 炙甘草 4g [44g]

향사온비탕	香砂溫脾湯	【肝系內科學】食滿難化 腹痛 泄瀉 噯氣 痞滿
평위산 加 食積泄症 관련약		蒼朮 8 厚朴 陳皮 香附子 砂仁 草果 山査 麥芽 乾薑 草豆蔲 赤茯苓 藿香 4 木香 甘草 2 [56g]

향사육군자탕A	香砂六君子湯A	【上20/ 보감-內傷/ 의감】 治 不思飮食 食後倒飽者 脾虛也
육군자탕 加 향부자 목향 사인 후박 백두구 익지인		香附子 白朮 白茯苓 半夏 陳皮 厚朴 白豆蔲 4 人蔘 砂仁 木香 益智仁 甘草 2 / 生薑 4 大棗 4g [46g] ▶ 건비군자탕 참조

향사육군자탕B	香砂六君子湯B	【보감-大便/ 회춘】治 脾泄
		香附子 縮砂 厚朴 陳皮 人蔘 白朮 白芍藥炒 蒼朮炒 山藥炒 4 甘草灸 2 / 生薑 4 烏梅 2g [44g]

향사육군자탕C	香砂六君子湯C	【소음인/ 신축】 위수한리한병 – 不思飮食 飮食不下 食後倒飽
향사육군자탕A 去 복령 加 백하수오		香附子 白朮 白何首烏 半夏 陳皮 厚朴 白豆蔲 4 人蔘 木香 縮砂 益智仁 甘草 2 / 生薑 4 大棗 4g [46g]

향사이중탕	香砂理中湯	【소음인/ 갑오,신편】【신편】治 內傷 泄瀉 服滿 口吐 食滯 黃疸
		人蔘 白朮 乾薑 白芍藥 8 砂仁 藿香 陳皮 甘草灸 4 / 生薑 4 大棗 4g [56g]

향사평위산A	香砂平胃散A	【下24/ 보감-內傷/ 회춘】治 傷食
【보험처방】 평위산 加味方		蒼朮 8 陳皮 香附子 4 枳實 藿香 3 厚朴 砂仁 3 木香 甘草 2 / 生薑 4 4g [36g]

향사평위산B	香砂平胃散B	【보감-積聚/ 회춘】治 食鬱

蒼朮 陳皮 便香附 厚朴 4 山査肉 縮砂 枳殼 麥芽 神麴 乾薑 木香 2 甘草炙 1.2g / 生薑 ᵓ 4 薑蕳子ᵃ⁽ᵃ⁾ᵃ 2g　[37.2g]

향성파적환	響聲破笛丸	【보감-聲音/ 회춘】治因謳歌失音

薄荷 4량 連翹 桔梗 甘草 2.5량 百藥煎 2량 川芎 1.5량 縮砂 訶子炒 大黃(酒炒) 1량 [18량] 달걀흰자위(鷄子淸)로 탄자대 丸으로 하여 1회 1환
▶ [참고] 백약전(百藥煎): 오배자를 오매, 백반 등과 함께 발효시킨 것

향소산A	香蘇散A	【화제국방】治 四時瘟疫 傷寒 【理氣解表】

【JP】위장허약하고 신경과민 경향자의 감기초기 (또는 신경과민 두통 식욕부진 두중 현훈 이명 경향자의 감기, 두통, 두드러기, 갱년기, 월경곤란증)

香附子 蘇葉 4량 陳皮 2량 甘草 1량　　[11량=440g] 1일 3회, 1회 9~12g(3錢) 복용
▶【JP】香附子 4 蘇葉 陳皮 2 甘草 1.5 生薑(JP) 1g　[10.5g]
▶ [의학심오: 가미향소산] 향소산A 加 형개 방풍 천궁 만형자 진교 하여 發汗解表의 효능
▶ [참조] 궁지향소산 정기천향탕 행기향소산

향소산B	香蘇散B	【中17/ 보감-寒/ 입문】治 四時傷寒 頭身痛 寒熱 傷風 傷濕 時氣瘟疫
향소산A 加 창출 생강 총백		

香附子 蘇葉 8 蒼朮 6 陳皮 4 甘草炙 2 / 生薑 ᵓ 4 葱白 ᵓ 3g　[35g]
▶ 동의보감에서 인용한 의학입문(醫學入門), 세의득효방(世醫得效方) 등에서는 화제국방 처방(=향소산A)에서 加 창출 생강 총백
▶ 궁지향소산 빈소산 참조

향소산C	香蘇散C	【보감-瘟疫/ 득효】治 四時瘟
향소산B와 용량만 차이		

香附子 12 蘇葉 10 陳皮 6 蒼朮 甘草 4 / 生薑 ᵓ 4 葱白 ᵓ 3g　[43g]

향유산	香薷散	【中35/ 보감-暑, 霍亂/ 국방】治 一切暑病 霍亂 吐瀉
▶ 一名 향유음(香薷飮)		

香薷 12 厚朴 白扁豆 6g　[24g] ▶ [참조] 신가향유음(新加香薷飮)
▶ [보감-暑] 향유탕(香薷湯): 加 적복령 6 감초 2g하여 治 治暑病吐瀉

향유탕	香薷湯	(향유산) 참조

현무탕	玄武湯	= (진무탕A)

현부이경탕	玄附理經湯	【晴崗】血中氣滯로 月經難行, 月經塊로 【順氣 活血化瘀】

香附子 12 蒼朮 烏藥 6 玄胡索 橘皮 當歸 白芍藥 川芎 枳殼 蓬朮 桃仁 4 官桂 木香 紅花 3 / 生薑 ᵓ 4g　[69g] ⁷·⁴⁹⁾ (또는 加 계혈등 8g) ⁵⁷⁾

현삼지황탕	玄參地黃湯	(형방지황탕) 참조

현삼패독산	玄參敗毒散	【소양인/ 신편】비수한표한병 (少陽傷風證)
		【신편】治發熱 惡寒 頭痛 身疼 煩燥 ·傷寒初痛 再痛 裡熱 上逆嘔吐

羌活 獨活 荊芥 防風 柴胡 前胡 玄參 梔子 薄荷 6 忍冬藤 地骨皮 4g [62g]

혈부축어탕	血府逐瘀湯

도홍사물탕+사역산 加 우슬 길경

【의림개착】活血祛瘀 行氣止痛 - 消上焦血府之瘀

桃仁 12 紅花 當歸 生地黃 牛膝 9 赤芍藥 枳殼 6 川芎 桔梗 4.5 柴胡 甘草 3g [75g] ▶ [참조] 격하축어탕(膈下逐瘀湯) 소복축어탕(少腹逐瘀湯) 신통축어탕(身痛逐瘀湯)

혈풍탕	血風湯

【보감-婦人/ 단심】治産後諸風 攣急或痿弱

當歸 川芎 熟地黃 白朮 白茯苓 6 白芍藥 羌活 秦艽 白芷 4 防風 3g [49g] 74)

(또는 加 독활 고본 감초: 一名 祛風補血湯) 16)

▶ 동의보감 원문은 10:7:5의 비율로 丸, 散으로 복용

▶ [입문] 혈풍환(血風丸): 去 진교 加 반하 황기 - 용량등분하여 오자대 밀환, 1회 50환 (또는 加 진피 감초)

형개산	荊芥散

【中161/ 보감-婦人/ 湯液】治 血暈如神

荊芥末 8g - 童便一盞調服

형개연교탕A	荊芥連翹湯A
[보험처방]	

【中126/ 보감-耳/ 회춘】治 兩耳腫痛 由腎經有風熱

荊芥 連翹 防風 柴胡 桔梗 白芷 當歸 川芎 白芍藥 黃芩 梔子 枳殼 3 甘草 2g [38g]

형개연교탕B	荊芥連翹湯B

형개연교탕A 去 지각 加 생지황 박하 (백작약 代 적작약)

【보감-鼻/ 회춘】治 鼻淵

荊芥 連翹 防風 柴胡 桔梗 白芷 當歸 川芎 赤芍藥 生地黃 黃芩 梔子 薄荷 2 甘草 1.2g [27.2g]

형개연교탕C	荊芥連翹湯C

형개연교탕B 加 지실 황련 황백

【一貫堂醫學】靑年期 解毒證體質, 淸熱解表, 治 陽明經熱
【JP】축농증 만성비염 만성편도염 여드름

▶ [JP] 荊芥 連翹 防風 柴胡 桔梗 白芷 當歸 川芎 芍藥 地黃 黃芩 黃連 黃栢 梔子 枳實 薄荷 2 甘草 1.5g [33.5g]

▶ [一貫堂醫學] 시호 길경 백지 2 나머지 各 1.5g [27g]

형개청장탕	荊芥淸腸湯

(황련청장탕) 참조

형방도적산	荊防導赤散

【소양인/ 신축-신정방】비수한표한병 〈少陽傷風證〉〈結胸證〉治頭痛 胸膈煩熱者 【신편】治 少陽頭痛 結胸及胸膈煩燥

生地黃12 木通 8 玄蔘 瓜蔞仁 6 前胡 羌活 獨活 荊芥 防風 4g [52g]

형방사백산	荊防瀉白散

【소양인/ 신축-신정방】비수한표한병 〈少陽證〉 〈亡陰證〉治頭痛 膀胱쫑躁者 【신편】治頭痛 膀胱痛 煩燥 少陽症 身熱頭痛泄瀉 亡陰症

生地黃 12 茯苓 澤瀉 8 石膏 知母 羌活 獨活 荊芥 防風 4g [52g]

▶ [신편] 황련사백산(黃連瀉白散): 加 황련 과루인 (治 胃熱 裏熱太陽 大便一晝夜不通者) (cf. 裏熱太陽→ 裏熱太甚) 14)

형방지황탕	荊防地黃湯

【소양인/ 신축-신정방】비수한표한병 〈亡陰證〉 無論 頭腹痛 痞滿 泄瀉 凡虛弱者 數百貼之 無不必效 屢試屢驗 【신편】治亡陰症 身寒泄瀉 ∘浮腫初結及調理 ∘無論頭腹痛 痞滿泄瀉 凡虛弱者用白貼 無不必效

熟地黃 山茱萸 茯苓 澤瀉 8 車前子 羌活 獨活 荊芥 防風 4g [52g]
► [신편-이하 동일] 전호지황탕: 加 전호 4g (治 咳嗽)
► 현삼지황탕: 加 현삼 목단피 4g (治 血證)
► 황련지황탕: 加 황련 우방자 4g (治 偏頭痛)
► 목단지황탕: 加 목단피 4g (治 食滯痞滿)
► 강화지황탕(降火地黃湯): 去 산수유 加 석고 8g (有火者)
► 생숙지황탕(生熟地黃湯): 加 생지황 8g [14]
　(원문에는 用 生地黃) (治 頭煩 煩熱 與血證)

형방패독산A	荊防敗毒散A	【中19 인삼패독산 附方/ 보감-溫疫/ 득효】 治 癘疫 及大頭瘟
인삼패독산 加 형개 방풍		荊芥 防風 人蔘 柴胡 前胡 羌活 獨活 枳殼 桔梗 川芎 赤茯苓 甘草 4 / 生薑 4 薄荷 2g [54g] ► [보감-溫疫] 감초 2g, 去 생강 박하

형방패독산B	荊防敗毒散B	【攝生衆妙方】 發汗解表 散風祛濕
형방패독산A 去 인삼		荊芥 防風 柴胡 茯苓 9 前胡 羌活 獨活 川芎 枳殼 6 桔梗 甘草 生薑 薄荷 3g [78g] ► [만병회춘] 加 금은화 연교 (一名 연교패독산)

형방패독산C	荊防敗毒散C	【소양인/ 신축-신정방】 비수한표한병 〈少陽傷風證〉 治頭痛 寒熱往來者 【신편】 治頭痛 寒熱往來 ◦太陽症 ◦少陽症 ◦忽然有吐 間二日瘧發日預煎用之 限二十貼 連服二貼
		羌活 獨活 柴胡 前胡 荊芥 防風 赤茯苓 生地黃 地骨皮 車前子 4g [40g]

형소소반산	荊蘇消○散	【晴崗】 魚肉食毒으로 인한 腹痛 發癍 瘙痒證
향소산 加 갈근 산사 후박 빈랑 지각 연교 나복자 형개		蒼朮 8 葛根 香附子 6 陳皮 山査 厚朴 檳榔 枳殼 連翹 蘿蔔子 荊芥 蘇葉 4 甘草 2 / 生薑 6 葱白 3g [67g]

형소탕	荊蘇湯	【中95/ 보감-聲音/ 직지】 治 感風寒 卒瘂及失音 通用
		荊芥 蘇葉 木通 橘紅 當歸 辣桂(=육계) 石菖蒲 4g [28g]

호금청담탕	蒿芩清膽湯	【重訂通俗傷寒論】 清膽利濕 和胃化痰
		淡竹茹 赤茯苓 黃芩 碧玉散 9 青黛 6 半夏 枳殼 陳皮 4.5g [55.5g] ► [참조] 벽옥산(碧玉散): 滑石 6 青黛 3 甘草 1

호잠환	虎潛丸	【보감-虛勞/ 단심】 治陰虛勞證 【滋陰降火 强壯筋骨】
		龜板 黃柏 4량 熟地黃 知母 3량 白芍藥 當歸 鎖陽 2량 陳皮 虎骨 1량 乾薑 0.5량 [22.5g=900g] 오자대 호환, 1회 70-90환

화개산	華盖散	【보감-咳嗽/ 입문/ 국방】 治肺感寒邪 咳嗽上氣 鼻塞聲重 【宣肺化痰 止咳平喘】
		麻黃 8 赤茯苓 蘇子 陳皮 桑白皮 杏仁 4 甘草炙 2 / 生薑 4 大棗 4g [38g] ► [국방] 甘草 0.5량, 나머지 各 1량

화담청화탕	化痰清化湯	【보감-內傷/ 의감】 治 嘈雜

		南星 半夏 陳皮 蒼朮 白朮 白芍藥 黃連 黃芩 梔子 知母 石膏 3 甘草 1.2 / 生薑 4g [38.2g]
화석조위탕	花惜調胃湯	(태음조위탕) 참조
화어전	化瘀煎	【晴崗】 外傷瘀血로 인한 結滯, 牽引作痛
당귀수산 去 감초 加 청피 천궁 백개자 加味		當歸尾 蘇木 10 香附子 赤芍藥 烏藥 6 靑皮 桃仁 川芎 4 白芥子 紅花 桂心 3g [59g - 酒水相半煎] [7,51]
화울탕	火鬱湯	【보감-火/ 동원】 治火鬱 及心煩熱
		羌活 升麻 葛根 白芍藥 人蔘 柴胡 甘草 4 防風 2 / 葱白 3g [33g]
화위이진전	和胃二陳煎	【中98/ 경악전서】 治 胃寒生痰 惡心 嘔吐 噯氣
		乾薑炒 8 陳皮 半夏 白茯苓 6 甘草炙 3 砂仁 2g [31g]
화해음	和解陰	【中23/ 제중신편】 無論傷寒及毒感 幷治之
		秋麥 20 忍冬(炒去節) 12 / 生栗 30 生薑 30g [92g]
환소단	還少丹	【보감-前陰/ 集略】 治下部脈微細 陰痿不起
		熟地黃 枸杞子 1.5량 山藥 牛膝 遠志 山茱萸 巴戟 白茯苓 五味子 石菖蒲 肉蓯蓉 楮實子 杜冲 茴香 1량 [15량=600g] 오자대 밀환, 1회 30-50 환 (cf. 동의보감 원문에는 1량 표기가 없음)
환혼탕A	還魂湯A	【상한금궤】 〈금궤-雜療方〉 救卒死 客忤死
		1)현대: 麻黃 杏仁 6 甘草 2g [14g] 2)원문: 麻黃 3량 杏仁 70개 甘草 1량
환혼탕B	還魂湯B	【보감-救急/ 중경】 主中惡 尸厥 暴死 客忤 鬼擊 飛尸 奄忽 口噤氣絶
▶ 一名 추혼탕(追魂湯)		麻黃 12 桂心 甘草 4 / 杏仁 12g [32g]
활락단A	活絡丹A	【화제국방】 祛風除濕 化痰通絡 活血止痛
▶ 一名 소활락단(小活絡丹)		川烏炮 草烏炮 天南星炮 地龍 6량 乳香 沒藥 2.2량 [28.4량] 1일 2회, 1 회 3g 복용
활락탕B	活絡湯B	【보감-手/ 득효】 治風濕臂痛
		白朮 8 羌活 獨活 川芎 當歸 甘草 4 / 生薑 6g [34g]
활락탕C	活絡湯C	活血 通經活絡 止痛
		木瓜 白屈菜 10 玄胡索 羌活 威靈仙 獨活 當歸 乾地黃 赤芍藥 蒼朮 大棗 6 陳皮 乳香 沒藥 生薑 4 紅花 砂仁 3 甘草 2g [102g] [78]
활명수	活命水	健胃 消食 (상품명: 가스활명수)
		陳皮 250 玄胡索 180 阿仙藥 100 厚朴 50 肉桂 30 薄荷腦(Menthol) 21 丁香 乾薑 12 肉豆蔲 6 蒼朮 3mg (+ 고추틴크 0.06mL, 이산화탄 소)

활맥모과주	活脈木瓜酒	(레일라정) 참조
활석고삼탕	滑石苦蔘湯	【소양인/ 신축-신정방】비수한표한병〈亡陰證〉治腹痛 無泄瀉者 【신편】治腹痛 無泄瀉 亡陰症 身寒無泄瀉 二三日腹痛 或一日四五次
		澤瀉 茯苓 滑石 苦蔘 8 黃連 黃柏 羌活 獨活 荊芥 防風 4g [56g] (일부 판본: 獨活 荊芥 防風 없음)
활혈구풍탕	活血驅風湯	【下150/ 보감-諸瘡: 활혈구풍산/ 득효】治 腎臟風瘡 痒痛 此由肝腎 虛 風濕所侵
		蒼朮炒 杜冲(薑炒) 肉桂 天麻 薏苡仁 橘紅 檳榔 厚朴 枳殼 2.5 當歸 川芎 白芷 細辛 白蒺藜炒 桃仁 白芍藥 半夏 五靈脂 甘草 2 / 生薑 6 大棗 4 乳香末 2g [54.5g] ▶ [보감-前陰/ 직지] 활혈구풍산(活血驅風散) : 처방구성 거의 같으나 위의 창출~지각 부분은 1.2g, 당귀~감초 부분은 2.5g 加 괴윤(槐潤) 2.5g 하여 治腸藏風 囊下濕痒 脚生瘡癬
활혈윤조생진음	活血潤燥生津飲	【中66/ 보감-消渴/ 입문】通治消渴
		天門冬 麥門冬 五味子 瓜蔞仁 麻子仁 當歸 熟地黃 生地黃 天花粉 甘草 4g [40g]
황금가반하생강탕	黃芩加半夏生薑湯	【상한금궤】淸熱止痢止嘔 〈太陽病-172〉太陽少陽合病 下利.. 若嘔者〈금궤17〉乾嘔而利者 【방극】治黃芩湯證 而嘔逆者
		1)현대: 半夏 10~12 黃芩 大棗 生薑 6 芍藥 甘草 4g [36~38g] 2)원문: 半夏 0.5승 黃芩 生薑 3량 大棗 12매 芍藥 甘草 2량 (다른문헌: 生薑 1.5량)
황금작약탕	黃芩芍藥湯	【下93/ 보감-大便/ 단심】治 下痢膿血 身熱腹痛 脈洪數, 腹痛甚 加 桂心三分
▶ 一名 황금탕(黃芩湯)A [보험처방]		黃芩 白芍藥 8 甘草 4g [20g]
황금탕A	黃芩湯A	【상한금궤】淸熱止痢 和中止痛〈太陽病-172〉太陽少陽合病 自下利 【방극】治下利 腹拘急者
▶ 一名 황금작약탕(黃芩芍藥湯)		1)현대A: 黃芩 大棗 6 芍藥 甘草 4g [20g] 2)현대B: 大棗 20 黃芩 芍藥 15 甘草 10g [60g] 3)원문: 黃芩 3량 大棗 12매 芍藥 甘草 2량 ▶ 참조: 황금작약탕(黃芩芍藥湯) 육물황금탕(六物黃芩湯)
황금탕B	黃芩湯B	【下114/ 보감-鼻/ 회춘】治 肺火盛 鼻孔乾燥 生瘡腫痛
		片芩 梔子 桔梗 赤芍藥 桑白皮 麥門冬 荊芥 薄荷 連翹 4 甘草 1.2g [37.2g]
황기건중탕A	黃芪健中湯A	【상한금궤】溫中補氣 和裏緩急〈금궤6〉虛勞裏急 諸不足 【방극】治小建中湯證 而盜汗, 或自汗者 【JP】신체허약하고 易疲勞한 자의 허약체질 병후쇠약 도한(盜汗)
소건중탕 加 황기		1)현대: 餃飴 40 芍藥 12 桂枝 甘草 生薑 大棗 6 黃芪 4g [88g] 2)원문: 小建中湯 加 黃芪 1.5량

▶【JP】膠飴 10 芍藥 6 大棗 黃芪 桂皮(JP) 4 甘草 2 生薑(JP) 1g [41g]
▶ [참조] 소건중탕. 당귀건중탕

| 황기건중탕B | 黃芪健中湯B | 【上45 소건중탕 附方/ 보감-虛勞】虛勞自汗 |

黑糖(膠飴) 40 白芍藥 20 桂枝 12 黃芪 甘草炙 4 / 生薑_{생강} 6 大棗_{대조} 8g [94g]

| 황기계지고주탕 | 黃芪桂枝苦酒湯 | = (황기작계고주탕) |

| 황기계지부자탕 | 黃芪桂枝附子湯 | 【소음인/ 신축-신정방】신수열표열병 〈亡陽證〉亡陽末證 |

황기계지탕 去 백하수오 加 포부자 增 황기

桂枝 黃芪 12 白芍藥 8 當歸 炙甘草 4 炮附子 4~8 / 生薑_{생강} 4 大棗_{대조} 4g [52~56g]

| 황기계지오물탕 | 黃芪桂枝五物湯 | 【상한금궤】益氣溫經 和血通痺 〈금궤6〉血痺陰陽俱微 寸口關上微 尺中小緊 外證身體不仁 如風痺狀 |
| | | 【방극】治桂枝湯證 而嘔 身體癱瘓 不急迫者 |

1)현대A: 生薑 12 黃芪 桂枝 芍藥 大棗 6g [36g]
2)현대B: 黃芪 60 生薑 30 桂枝 芍藥 大棗 20g [150g]
3)원문: 生薑 6兩 黃芪 桂枝 芍藥 3兩 大棗 12枚

| 황기계지탕 | 黃芪桂枝湯 | 【소음인/ 신축-신정방】신수열표열병 〈亡陽證〉亡陽初證 |
| | | 【신편】治 亡陽症 鬱狂初症 |

계지탕 加 황기 백하수오 당귀

桂枝 12 白芍藥 黃芪 8 白何首烏 當歸 炙甘草 4 / 生薑_{생강} 4 大棗_{대조} 4g [48g]

| 황기소엽탕 | 黃芪蘇葉湯 | 【소음인/ 갑오,신편】신수열표열병 |
| | | 【신편】治表 發熱 惡寒 有汗 外感三四日亦用 |

黃芪 16 桂枝 白芍藥 8 川芎 當歸 蘇葉 甘草炙 4g [48g]

| 황기십보탕 | 黃芪十補湯 | 【보감-虛勞/ 직지】補虛勞 養血氣 |

白芍藥 6 黃芪 當歸 熟地黃 茯神 3 人蔘 白朮 酸棗仁 半夏 陳皮 五味子 肉桂 烏藥 麥門冬 甘草 2 木香 沈香 0.8 / 生薑_{생강} 6 大棗_{대조} 4g [49.6g]

| 황기오물탕 | 黃芪五物湯 | = (황기계지오물탕) |

황기작계고주탕	黃芪芍桂苦酒湯	【상한금궤】益氣祛濕 和營瀉熱
		〈금궤14〉黃汗之爲病 身體重發熱汗出而渴.. 色正黃如柏汁
		【방극】治身體腫 發熱 汗出 汗沾衣 色正黃如蘗汁者

▶ 一名 황기계지고주탕(黃芪桂枝苦酒湯)
황기작약계지고주탕(黃芪芍藥桂枝苦酒湯)

1)현대: 黃芪 10 芍藥 桂枝 6g 苦酒(=식초) 90cc
▶ 苦酒의 용량은 문헌에 따라 30cc[43]. 40cc[19] . 60cc[24-비율조정시]
2)원문: 黃芪 5兩 芍藥 桂枝 3兩 苦酒 1升

| 황기작약계지고 주탕 | 黃芪芍藥桂枝苦酒湯 | = (황기작계고주탕) |

황련사백산	黃連瀉白散	(형방사백산) 참조

황련아교탕	黃連阿膠湯	【상한금궤】 養陰淸熱 心腎交通 〈소음병-303〉 心中煩 不得臥 【방극】 治心悸而煩 不得眠者
		1)현대A: 黃連 8 芍藥 黃芩 4 阿膠 3g 鷄子黃 1개 (또는 黃連 阿膠 6 芍藥 5 黃芩 4g 鷄子黃 1개) 12) 2)현대B: 黃連 10-20 芍藥 黃芩 阿膠 15g 鷄子黃 2개 3)원문: 黃連 4량 阿膠 3량(3挺) 芍藥 黃芩 2량 鷄子黃 2매 (다른문헌: 黃芩 1량)

황련지황탕	黃連地黃湯	(형방지황탕) 참조

황련청심음	黃連淸心飮	【中80 / 보감-精 / 입문】 治 君火動 相火隨之而精泄
		黃連 生地黃 當歸 甘草 白茯神 酸棗仁炒 遠志 人蔘 蓮肉 각등분

황련청장탕	黃連淸腸湯	【소양인 / 신축-신정방】 治 痢疾
목통대안탕 去 황금 加 저령 (減 숙지황 增 택사)		生地黃 16 木通 赤茯苓 澤瀉 8 車前子 黃連 羌活 防風 猪苓 4g [60g] ► [신편] 형개청장탕(荊芥淸腸湯): 去 목통 加 형개 4g (治 淋疾)

황련탕A	黃連湯A	【상한금궤】 淸上熱 溫下寒 和胃降逆 調和中氣 〈태양병-173〉 胸中有熱 胃中有邪氣 腹中痛 欲嘔吐 【방극】 治心煩 心下痞 欲嘔吐 上衝者 【JP】 胃部의 停滯重壓感, 식욕부진 경향자의 급성위염 숙취 구내염
반하사심탕 去 황금 加 계지 (增 황련)		1)현대*: 半夏 12 黃連 乾薑 桂枝 大棗 甘草 6 人蔘 4g [46g] 12) (또는 半夏 10 黃連 乾薑 桂枝 大棗 甘草 4 人蔘 3g) 6) 2)현대B: 半夏 黃連 乾薑 桂枝 甘草 15 大棗 20 人蔘 10g [105g] 2)원문: 半夏 0.5승 黃連 乾薑 桂枝 甘草 3량 大棗 12매 人蔘 2량 ► [JP] 半夏 6 黃連 甘草 桂皮(JP) 大棗 人蔘 乾薑 3g [24g]

황련탕B	黃連湯B	【中144 / 보감-腹 / 하간】 腹痛欲嘔吐者 上熱下寒也 以陽不得降而胸熱欲嘔 陰不升而下寒腹痛 是陰陽失常
		黃連 8 人蔘 6 半夏 5 乾薑 桂枝 4 甘草 2 / 生薑 4 大棗 4g [37g]

황련탕C	黃連湯C	【下117 / 보감-口舌 / 회춘】 治 心火 舌上生瘡 燥熱 或尖出血 或舌硬
		黃連 梔子炒 生地黃 麥門冬 當歸 赤芍藥 4 犀角 薄荷 甘草 2g [30g]

황련통성산	黃連通聖散	(방풍통성산) 참조

황련해독탕A	黃連解毒湯A	【下12 / 보감-寒 / 활인서 / 외대비요】 治 傷寒 大熱 煩燥 不得眠 差後飮酒 及一切熱毒 (瀉火解毒) 【JP】 비교적 體實하면서 약간 상기되거나 쉽게 초조한 자의 객혈 토혈 하혈 뇌일혈 고혈압 심계항진 신경증 피부소양증 위염 (또는 불면 코피 등)
[보험처방]		黃連 黃柏 梔子 5g [20g] ► [방제학] 黃連 梔子 9 黃芩 黃柏 6g [30g] (외대비요 원문은 黃連 3량 黃芩 黃柏 2량 梔子 14매) ► [JP] 黃芩 3 黃連 梔子 2 黃柏 1.5g [8.5g]

| 황련해독탕B | 黃連解毒湯B | 【보감-火/ 회춘】 通治火熱 及大熱煩燥 并三焦實火 |
| 황련해독탕A 加 시호 연교 적작약 | | 黃連 黃芩 黃柏 梔子 柴胡 連翹 赤芍藥 4g [28g] |

황토탕	黃土湯	【상한금궤】 溫陽健脾 養血止血 〈금궤16〉 下血 先便後血 此遠穴也
		1)현대A: 黃土 12 阿膠 乾地黃 白朮 附子 黃芩 甘草 6g [48g]
		2)현대B: 黃土 30 阿膠 乾地黃 白朮 附子 黃芩 甘草 9 [84g] [8]
		2)원문: 黃土 0.5근 阿膠 黃芩 乾地黃 白朮 附子 甘草 3량

회금환	回金丸	【보감-火/ 단심】 伐 肝火 (治 下焦熱) 【淸肝瀉火 和胃降逆】
▶ 一名 유련환(萸連丸) 좌금환(左金丸)		黃連 6량 吳茱萸 1량 [7량=280g: 오자대 호환, 1회 30-50환] ▶ 수련
▶ 단계심법 원문에는 回令丸으로 명령		환(황련:오수유=1:1) 참조

| 회생산 | 回生散 | 【中44/ 보감-霍亂/ 입문】 治 霍亂 吐瀉 但一點胃氣存者 服之回生 |
| | | 藿香 陳皮 20g [40g] |

회수산	回首散	【下128/ 보감-頸項/ 의감】 治 頭項强急 筋急 或挫枕轉項不得
		【解表祛風 行血止痛】
오약순기산 加 강활 독활 목과		麻黃 陳皮 烏藥 6 川芎 白芷 白殭蠶 枳殼 桔梗 羌活 獨活 木瓜 4 乾薑
		2 甘草 1.2 / 生薑 ▨ 4 大棗 ▨ 4g [61.2g] (또는 減 마황(또는 代 소
		엽) 4g) [7]

회양구급탕	回陽救急湯	【傷寒六書】 回陽救急 益氣生脈
사역탕+육군자탕 加 육계 오미자		熟附子 乾薑 / 人蔘 白朮 茯苓 甘草炙 半夏 陳皮 / 肉桂 五味子 (원서
		에는 약용량 없음 - 복용시 麝香 3厘를 넣고 복용)

| 회양대보탕 | 回陽大補湯 | (대보탕) 참조 |

| 회역탕 | 回逆湯 | = (사역탕A) |

회춘양격산	回春凉膈散	【下116/ 보감-口舌/ 회춘】 治 三焦火盛 口舌生瘡
[보험처방]		連翹 5 當歸 生地黃 赤芍藥 黃芩 黃連 梔子 桔梗 枳殼 薄荷 甘草 3g
		[35g]

회향안신탕	茴香安腎湯	【上91/ 보감-前陰/ 의감】 治 左邊偏墜 丸如鷄鴨子大
		人蔘 白朮 白茯苓 茴香 破故紙 檳榔 烏藥 便香附 縮砂 荔枝核 3 黃柏
		澤瀉 2.5 玄胡索 木香 1.6 升麻 甘草 0.8g [39.8g]

| 후박대황탕 | 厚朴大黃湯 | (후박삼물탕) 참조 |

후박마황탕	厚朴麻黃湯	【상한금궤】 〈금궤7〉 咳而脈浮者
		1)현대: 小麥 28 石膏 20 厚朴 半夏 10 麻黃 杏仁 8 五味子 6 乾薑 細
		辛 4g [98g]
		2)원문: 小麥 1승 石膏 계자대(鷄子大) 厚朴 5량 半夏 0.5승 麻黃 4량
		杏仁 五味子 0.5승 乾薑 細辛 2량

| 후박삼물탕 | 厚朴三物湯 | 【상한금궤】 行氣除滿 去積通便 〈금궤10〉 痛而閉者 厚朴三物湯主之 〈금궤 |
| | | 12〉 支飮胸滿者 厚朴大黃湯主之【방극】 治小承氣湯證 而腹滿甚者 |

소승기탕 增 후박 지실 ▶ 후박대황탕(厚朴大黃湯)과 구성약물 동일	1)현대: 厚朴 16 大黃 8 枳實 7~10g [31~34g] 2)원문(후박삼물탕): 厚朴 8량 大黃 4량 枳實 5매 3)원문(후박대황탕): 厚朴 1척 大黃 6량 枳實 4매
후박생강반하감 초인삼탕 厚朴生薑半夏甘 草人蔘湯 ▶ 一名 후생반감인탕(厚生半甘人湯)	【상한금궤】補中健脾 消除腹脹〈태양병-66〉發汗後 腹脹滿 【방극】治胸腹滿而嘔者 1)현대: 厚朴 生薑 16 半夏 12~16 甘草 4 人蔘 2g [54~58g] 2)원문: 厚朴 生薑 0.5근 半夏 0.5승 甘草 2량 人蔘 1량
후박온중탕 厚朴溫中湯	【中143/ 보감-腹/ 동원】治 客寒犯胃 心腹虛冷脹痛 【溫中行氣 燥濕除滿】 乾薑炮 8 厚朴 陳皮 6 赤茯苓 草豆蔲(煨) 3 木香 甘草炙 2 / 生薑 4 大棗 炒 4g [38g] (또는 加 백출土炒 8 산사 육계 4, 減 진피 4g) [7]
후박전 厚朴煎	【下65/ 보감-血/ 입문】治 便血及諸下血 緣氣虛臟薄 自榮衛滲入而下 厚朴 生薑 200 白朮 神麯 麥芽 五味子 40g [560g- 오자대 水丸, 1회 100환]
후박칠물탕 厚朴七物湯 후박삼물탕+계지거작약탕	【상한금궤】解肌發表 行氣通便 〈금궤10〉腹滿 發熱十日 脈浮而數 飮食如故 【방극】治腹滿 發熱 上逆 嘔者 1)현대: 厚朴 16 生薑 10 枳實 7 大黃 甘草 6 大棗 5 桂枝 4g [54g] (또는 枳實 10~) [19] 2)원문: 厚朴 0.5근 生薑 5량 枳實 5매 大黃 甘草 3량 大棗 10매 桂枝 2량
후생반감인탕 厚生半甘人湯	= (후박생강반하감초인삼탕)
후씨흑산 侯氏黑散	【상한금궤】祛風濕 通經絡〈금궤5〉中風四肢煩重 心中惡寒不足 菊花 40 防風 白朮 10 桔梗 8 黃芩 5 人蔘 茯苓 當歸 川芎 乾薑 桂枝 細辛 牡蠣 礬石 3分 [100分]
휴학음 休瘧飮	【上59/ 경악전서】治 瘧最妙 汗散旣多 元氣不復 何首烏 20 人蔘 白朮 當歸 12~16 炙甘 3g [59~71g]
희두토홍환 稀痘兔紅丸	【中173/ 보감-小兒/ 의감】痘疹豫防(小兒痘瘡) 生兔 1마리: 제법 원문참조

REFERENCES

1. 허준. 동의보감. 남산당. 1996
2. 황도연. 대역증맥 방약합편. 남산당. 1983
3. 문준전 외. 상한론정해. 경희대학교 출판국. 1998
4. 이극광. 金匱要略講義. 上海科學技術出版社. 1990.
5. 이제마. 동의수세보원. 四象醫學會. 1998.
6. 박성수, 염태환. 현대한방강좌. 행림출판. 1963.
7. 김영훈. 청강의감. 성보사. 2001.

8. 한의과대학 방제학교수회. 방제학. 영림사. 1999.

9. 한방처방집. 경희대학교 동서신의학병원. 2008

10. 배원식. 한방임상약보감. 대성의학사. 2001.

11. 박성규, 김윤경, 오명숙. 처방제형학. 영림사. 2006

12. 이재희. 도설한방진료요방. 의출판사. 2007

13. 경희대학교 한의과대학 사상체질과. 사상체질과 임상편람. 2004.

14. 박인상. 동의사상요결. 소나무. 1991

15. 김정렬 외. 동의사상신편. 정담. 2002

16. 김정제. 동양의학 진료요감. 동양의학연구원출판부. 1974.

17. 전국한의과대학 간계내과학교수 공저. 간계내과학. 동양의학연구원출판부. 1978.

18. 경희대학교 한의과대학 사상체질과. 사상체질과 임상편람. 2004.

19. 노의준, 강한은. 고방유취. 고방출판사. 2009

20. 홍순승. 홍가정진비전(洪家定診祕傳). 의학사. 1974

21. 강순수. 바른방제학. 대성문화사. 1996

22. 최석주. 월해새방약정리. 해진출판사. 2008.

23. 이대기. 중의방제학. 우주출판사 1988.

24. 조기호 역. 실용한방처방집. 신흥메드사이언스. 2010.

25. 오국통. 국역 온병조변(溫病條辨). 집문당. 2004.

26. 정다산. 丁茶山先生小兒科祕方. 행림서원. 1979.

27. 矢數格. 한방일관당의학. 의학연구사출판부.1996

28. 伊田喜光 외 (김영철 역). 상한금궤약물사전. 청홍. 2011

29. 黃煌. 中醫十大類方 (제3판). 의방. 2014.

30. 黃煌. 張仲景五十味藥證. 人民衛生出版社, 1999.

31. 황황. 경방사용수첩. 옴니허브. 2012.

32. 黃煌, 揚大華. 經方100首. 江蘇科學技術出版社. 2015.

33. 구원회. 창방. 전국의학사. 2004

34. 김광중, 하근호. 한의학적 보약을 말하다 이론과 활용의 비밀. 예문서원. 2011.

35. 湯本求眞. 국역 황한의학(國譯 皇漢醫學). 계축문화사, 2002.

36. 오쓰카 야스오. 일본의 동양의학. 도서출판 소화. 2000. p.54

37. 니미 마사노리. 간단한방철칙. 청홍. 2015 p.203-204

38. 박석언. 동의사상대전. 의도한국사. 1977.

39. 송병기, 방증신편. 한의안면성형학회. 2010.

40. 「의약품등의 품목허가신고·심사 규정, 中 생약(한약)제제 관련 해설서. 2009. 식품의약품안전청. p.296-298.

41. 김인락. 상한론(傷寒論)에서 대조(大棗)의 1 일 복용량. Kor J Herbology. 2013;28(1):51-58.

42. 이숭인. 新古方撰次. 군자출판사. 2012

43. 白石佳正. 변성회 역. 圖說傷寒論. 전파과학사. 2006

44. 안규석, 김기현. 정리탕에 관한 고찰. 동의병리학회지. 1991(6):207-212./ 보약

45. 최희윤, 강효신. 加味安胎飮과 澤瀉湯이 姙娠浮腫에 미치는 영향. 제한동의학술논문집 1997;2(1):1-18.

46. 이경섭, 송병기. 청포축어탕(淸胞逐瘀湯) 投與患者의 臨床的 考察. 대한한방부인과학회지 1987;1(1):33-37

47. 이영수 외. 開鬱化痰煎이 흰쥐 小腸 輸送能과 위액분비에 미치는 영향. 동의생리병리학회지 2005;19(5):1330-1336.

48. 조형래 외. 晴崗醫鑑 婦人科 疾患 및 收載 處方에 대한 硏究. 대한한방부인과학회지 2000;13(2):295-325.

49. 김성호, 이상용. 淸肝逍遙散의 항스트레스 효과에 대한 실험적 연구. 동의신경정신과학회지. 1995;6(1):61-70.

50. 박민철 외. 외상성 경막하 출혈 환자의 섬망에 대한 화어전(化瘀煎) 치험 1례(例). 동의신경정신과학회지. 2005;16(2):189-199.

51. 조한백, 이건목. 컴퓨터 赤外線 全身體熱撮影을 통한 五十肩의 臨床的 考察. 대한침구학회지 1999;16(4):387-394

52. 신원규, 정규만. 治效散 및 治效散加味方이 抗알레르기 및 肺損傷에 미치는 影響. 대한한방소아과학회지. 1998;12(1):231-255.

53. 신정애 외. 대뇌 피질 경색으로 인한 하지 단마비 환자 한방치험 2례. 대한한방내과학회지. 2001;22(2):263- 269.

54. 정용욱. 고혈압 치료사례로 살펴본 근거중심 한의학. 한의가정의학회지. 2013;(1)

55. 박진석, 이인, 정윤균 외. 淸心溫膽湯의 항우울 효과에 대한 실험적 연구. 동의신경정신과학지 2007;18(1):1-14

56. 정지혜, 이순이, 장윤정 외. 탕전기의 추출방법(抽出方法)에 따른 가미현부이경탕(加味玄附理經湯)의 항혈전(抗血栓) 효능(效能) 비교(比較) 연구(硏究). 대한한방부인과학회지. 2009;22(3):99-116.

57. 홍석, 안정조, 전상윤 외. 順氣活血湯의 腦virtualCurrent을 抑制效果에 관한 實驗的 硏究. 대한한의학방제학회지 2005; 13(1):49-69.

58. 이강녕, 김희철. 保肺養營煎이 흰쥐의 기관지평활근 장력과 면역에 미치는 영향. 대한한방내과학회지. 2004; 25(3):427-439.

59. 나건호, 이동현, 류충열 외. 皮膚搔痒症 환자 1례에 대한 증례보고. Kor J of Acupuncture. 2005;22(3):157- 163.

61. 박연경 외. 가미하출탕가감방(加味夏朮湯加減方)의 항암 및 방사선 치료 후 오심증상 개선에 대한 임상 2례. 대한한방부인과학회지 2015;28(3):97-106.
62. 이병욱 김동율 차웅석. 感冒처방 晴崗醫鑑 '加味普正散'의 의학역사적 이해. 한국의사학회지. 2011;24(2); 77-86.
63. 김영훈. 청강의감. 성보사. 2001. p.166
64. 김동진. 治哮散加味方과 加味通竅湯을 이용한 기도점액분비 측정법의 유효성 연구. 동국대학교 대학원.2008
65. 이인성. 袁氏行滯湯의 效果. 의림. 1984;164:79-87.
66. 장규태, 김장현. 加減柴平湯 效能에 대한 臨床的 研究 : 小兒의 發熱에 대한 效果를 爲主로. 대한한방소아과학회지 1998;12(1):41-53.
67. 옥민근 외. 脫疽의 한방적 治驗 1例. 대한외관과학회지 2005;18(3):108-113.
68. 김영우. 陰陽雙補湯이 免疫機能에 미치는 影響에 관한 實驗的 연구. 경희대학교 학위논문. 1991.
69. 정진영, 김윤범 외. 통규탕(通竅湯)이 알레르기 비염 모델 흰 쥐에 미치는 영향. 한방안이비인후과학회지. 2005;18(2):36-50
70. 김종우 외. 補血安神湯 投與가 運動選手에 誘發된 스트레스反應에 미치는 影響. 경희한의대논문집 1996(1):57-75.
71. 최순영 외. 한방치료와 식이요법을 병행하여 호전된 대사증후군환자 증례보고. 대한한방비만학회지 2009;9(2);65-73
72. Qin F, Huang X, Guanxin II (II) for the management of coronary heart disease. Chin J Integr Med. 2009;15(6):472-6
73. 박귀덕. 夏朮補心湯의 抗스트레스 效果에 關한 實驗的 研究. 대전대학교 대학원. 1995
74. 윤영진, 이진무, 이창훈 외. 파킨슨증후군으로 내원한 산후풍질 환자 1례 임상보고. 대한한방부인과학회지. 2008;21(1):267-275
75. 김성준 외. 달생산이 초산모 분만시간에 미치는 영향. 한방부인과학회지 2004;17(2):115-122
76. 이형호 외. Caerulein으로 유발된 흰쥐의 급성 췌장염에 대한 銀翹補瀉散의 효과. 대한한의내과학회지. 2013;34(3):298-311.
77. 정희재 정승기 이형구 외. 천사군자탕과 수질마황초가 인간 기관지상피세포의 IL-6, IL-16, GM-CSF 발현에 미치는 영향. 대한한방내과학회지. 2001;22(4):601-611.
78. 엄봉구 외. 활락탕을 투여한 편타성 손상 증후군 환자 치험 2례. 척추신경추나의학회지 2010;5(1):125-136
79. 윤희성 이승은 김윤범 외. 돌발성난청 환자 6례. 한방안이비인후피부과학회지 2003;16(2):221-243
80. 원종훈, 김덕곤, 정규만. 補兒湯이 免疫反應에 미치는 實驗的 研究. 대한한방소아과학회지 1986;1(1):13-22.
81. 이승아 외. 澤車補中益氣湯加味方으로 호전된 여성 만성 재발성 방광염 환자 치험 3례. 대한한방부인과학회지 2008;21(3):279-288
82. 나호정, 권동렬. 續命湯의 出處, 種類 및 造成에 대한 考察. 대한한의학방제학회지 2003;11(2):19-28.
83. 정병주 외. 기관지확장증과 폐렴이 병발한 고령의 환자를 폐옹(肺癰)으로 변증(辨證)한 치험 1례. 대한한방내과학회지 2005;(26)3:626-633.
84. 김영호 외. 가미진해탕이 호흡기 점액의 mucin 분비에 미치는 영향. 대한한의학회지. 2008;29(3):63-75
85. 한진안 외. 보익양위탕 투여로 호전을 보인 말단근병증 患者 1例. 대한한방성인병학회지 2000;6(1):139-143.
86. 김진성 외. 辨證施方治療에 따른 내소화중탕의 效能에 對한 硏究. 대한한방내과학회지. 2001;22(1):29-38.
87. 노우성, 류봉하, 김진성, 윤상협. 白扁豆 詞子 및 보장건비탕의 抗癌下作用에 關한 硏究 대한한방내과학회지. 2006;27(2):356-370.
88. 전국한의과대학심계내과학교실. 한방순환신경내과학. 군자출판사. 2010.
89. 贊焦. 黃煌八味除鬱湯和八味除煩湯的方證及其臨床運用. 江西中醫藥. 2007;38(6):13-14.
90. TU Yun et al. A Randomized Controlled Study on the Effects of Bawei Jieyu Decoction on Chronic Gastritis with Depression. Guiding Journal of Traditional Chinese Medicine and Pharmacy. 2015;21(18):53-54.
91. 맹화섭. 坐骨神經痛과 芍甘黃辛附湯의 應用. 의림. 1984:164:51-53.
92. 이우정 외. 전통 처방의 Protein Tyrosine Phosphatase 1B 저해 활성 검색 및 작감황신부탕 처방 분석. 생약학회지 2013;44(2):176-181
93. 손지혜. 益氣補血湯 물 추출물이 PTU로 유발된 Rat의 갑상선기능저하증에 미치는 영향. 박사학위논문. 대구한의대학교. 2015
94. 김동욱. 安胎夏朮湯이 胃腸管 및 肝損傷 回復에 미치는 影響. 경희한의대논문집. 2000;23(1):35-50
95. 반도쇼조 著. 조기호,김동현 譯. 한방치료 44철칙. 물고기숲. 2014. p.25
96. Makino T et al. Effects of Kangen-karyu on coagulation system and platelet aggregation in mice. Biol Pharm Bull. 2002 Apr;25(4):523-5.
97. 김동일 외. 국민행복카드 한의약진료 매뉴얼. 대한한의사협회 연구개발 용역보고서. 2015.
98. Zhong XH et al. Effects of Radix scutellariae and Rhizoma atractylodis on LPS-induced abortion and the uterine IL-10 contents in mice. Am J Chin Med. 2008;36(1):141-148.
99. 미술공론사. 한의학사업부. 韓方臨床處方大全:大田大附屬 韓方病院 院內處方篇. 미술공론사. 1996
100. 김영준 외. 保安萬靈丹의 임상적 부작용에 대한 후향적 연구. 동서의학. 2015;40(1,2):13-23

병증별 처방례 (방약합편, 사상신편)

C2-1 개요

(1) 방약합편 활투침선 (方藥合編 活套鍼線)

1. 방약합편(方藥合編)에는 증보방과 가감방을 제외하면 補劑를 위주로 배치한 상통(上統) 처방 123개, 和解劑를 위주로 배치한 중통(中統) 처방 181개, 攻邪劑를 위주로 배열한 하통(下統) 처방 163개 등 총 467개 처방이 수록되어 있습니다. 특히 본문을 3단으로 구획하여 맨 윗층부터 上統, 中統, 下統을 각각 배열하고 순서에 따라 처방별로 고유의 번호를 부여하는 등 간단하면서도 체계적으로 구성되어 있습니다.

2. 또한 방약합편의 앞부분의 활투침선(活套鍼線)을 통해 각 병증별로 구분된 총 54개 문(門) 및 606개 항(項)별로 이러한 처방들을 배치하고 활용가능한 예시처방으로 소개하고 있습니다.

3. 본 장에서는 활투침선의 대분류에 해당하는 문(門)과 소분류에 해당하는 항(項)의 체제는 유지하되 항(項)을 관련항목별로 묶은 후 중제목을 달아서 보다 구분하기 쉽도록 하였습니다.

(2) 동의사상신편 용약휘분 (東醫四象新編 用藥彙分)

1. 동의사상신편(東醫四象新編, 이하 사상신편)은 원서에는 이제마가 저자로 기재되어 있으나 실제 저자는 원지상(元持常)으로 알려져 있으며 사상의학 고유의 치료방식이 당시의 임상의 사들에게 익숙하지 않은 점을 고려하여 사상처방을 방약합편의 형식으로 분류하였습니다.

2. 방약합편과 같이 한 쪽을 4단으로 구분하였으나 [상-중-하통]의 처방분류대신 [태음인-소음인-소양인] 처방들이 배치되어 있습니다. 본 장에서는 방약합편의 차례를 기준으로 사상신편의 내용을 같이 통합하여 소개하였습니다.

C2-2 방약합편 활투침선 차례

1. 방약합편 활투침선의 차례는 동의보감 순서와 유사하나 잡병편의 앞부분에 해당하는 [風]-[邪祟]까지 18개 항목이 가장 앞으로 배치되었습니다.

2. 총 54개 문(門)의 순서는 다음과 같습니다.

   1) [雜病篇-1 :18개 항목]

　風寒暑濕燥火 / 內傷 虛勞 / 霍亂 嘔吐 咳嗽 積聚 浮腫 脹滿 消渴 黃疸 瘧疾 邪祟

2) [內景篇 : 12개 항목]

　身形 / 精氣神血 / 夢 聲音 津液 痰飮 蟲 小便 大便

3) [外形篇 : 20개 항목]

　頭面眼耳鼻口舌 牙齒 咽喉 頸項 / 背胸乳腹腰脇皮手足前陰後陰

4) [雜病篇-2 : 4개 항목]

　癰疽 諸瘡 / 婦人 小兒

C2-3 사상의학 체질병증 및 주요처방 비교

(1) 사상인 체질증(體質證)과 체질병증 및 병증약리[*]

	체질증	체질병증		병증약리	
	恒心 完實無病 (保命之主)	恒心尤甚證 (大病)	性情偏急 特異病證	治療目標	治法
태양인	急迫之心 小便旺多 (吸聚之氣)	八九日 대변不通해도 (小便旺多則) 非殆證也 (口中吐沫)	忿怒激外 噎膈則 胃脘之 上焦가 散豁如風	上升된 기운을 下降	表病: 補肺生陰 吸聚之氣 보조 (解㑊證) 裡病: 呼散之氣 억제 (噎膈證)
소양인	懼心 大便善通 (陰淸之氣)	懼心이 至於恐心이 되면 健忘이 되며 健忘은 險證 (大便不通)	悲哀動中 大便不通則 胸膈이 必如烈火	內部의 火熱 해소	表病: 表陰降氣 裡病: 裡陽升氣
태음인	怯心 汗液通暢 (呼散之氣)	怯心이 至於怕心하면 大病, 怔忡이 되며 怔忡은 重證 (陽剛堅密)	侈樂無厭 瘧病則 小腸之中焦가 窒塞如霧	內部의 燥熱 해소	表病: 肺陽上升 裡病: 淸肝燥熱
소음인	不安定之心 飮食善化 (陽煖之氣)	咽喉病은 其病이 太重해도 爲緩病也 (泄瀉不止)	喜好不定 泄瀉不止則 臍下가 必如氷冷	下陷된 기운을 上升	表病: 升陽益氣 裡病: 裡陰降氣

(2) 병증 및 처방비교

1. 소음인 신수열표열병(腎受熱表熱病)⇒ 升陽益氣

① 鬱狂證 (發熱 惡寒 無汗)

〈鬱狂初證〉	芎歸香蘇散	香附子2, 紫蘇葉 川芎 當歸 蒼朮 陳皮 炙甘草1,蔥白5,薑3棗2
	川芎桂枝湯	桂枝3, 白芍藥2, 川芎 蒼朮 陳皮 炙甘草1, 薑3棗2
〈鬱狂末證〉	八物君子湯	人蔘3, 黃芪 白朮 白芍藥 當歸 川芎 陳皮 炙甘草1, 薑3棗2
	十全大補湯	人蔘 白朮 白芍藥 炙甘草 黃芪 肉桂 當歸 川芎 白茯苓 熟地黃1,薑3棗2
	獨蔘八物湯	人蔘10, 黃芪 白朮 白芍藥 當歸 川芎 陳皮 炙甘草1,薑3棗2

② 亡陽證 (發熱 惡寒 有汗)

〈亡陽初證〉	黃芪桂枝湯	桂枝3, 白芍藥 黃芪2,白何首烏 當歸 炙甘草1, 薑3棗2
	補中益氣湯	人蔘 黃芪3, 炙甘草 白朮 當歸 陳皮2,藿香 蘇葉0.3或0.5, 薑3棗2
	升陽益氣湯	人蔘 桂枝 黃芪 白芍藥, 白何首烏 官桂 當歸 炙甘草1,薑3棗2
〈亡陽末證〉	黃芪桂枝附子湯	桂枝 黃芪3,白芍藥,當歸 炙甘草1, 炮附子1或2, 薑3棗2
	人蔘桂枝附子湯	人蔘4,桂枝3,白芍藥 黃芪2,當歸 炙甘草1, 炮附子1或2, 薑3棗2
	升陽益氣附子湯	人蔘 桂枝 黃芪2, 白何首烏 官桂 當歸 炙甘草1, 炮附子1或2, 薑3棗2

2. 소음인 위수한리한병(胃受寒裏寒病) ⇒ 裏陰降氣

① 太陰證 (口中和 不渴 無身體痛)

理中湯	人蔘 白朮 乾薑2,炙甘草1
白何烏附子理中湯	白何首烏 白朮(炒) 白芍藥(微炒) 桂枝 炮乾薑2,陳皮 炙甘草 炮附子1
十二味寬中湯	白何首烏 赤何首烏 良薑 乾薑 靑皮 陳皮 香附子 益智仁1,厚朴 枳實 木香 大腹皮0.5,大棗2
藿香正氣散	藿香1.5,紫蘇葉1,蒼朮 白朮 半夏 陳皮 靑皮 大腹皮 桂皮 乾薑 益智仁 炙甘草0.5,薑2棗2
香砂養胃湯	人蔘 白朮 白芍藥 炙甘草 半夏 香附子 陳皮 乾薑 山査肉 砂仁 白豆蔲1,薑3棗2
蘇合香元	白朮 木香 沈香 麝香 丁香 安息香 白檀香 訶子皮 香附子 畢撥 犀角 朱砂20,蘇合油,乳香 龍腦10
人蔘陳皮湯	人蔘10,生薑 砂仁 陳皮1,大棗2

② 少陰證 (口中不和 口渴 身體痛)

官桂附子理中湯	人蔘3,白朮 炮乾薑 官桂2,白芍藥 陳皮 炙甘草1,炮附子1或2
獨蔘附子理中湯	人蔘5,白朮 乾薑 官桂2,白芍藥 陳皮 炙甘草1,附子2,大棗2
吳茱萸附子理中湯	人蔘 白朮乾薑 官桂2,白芍藥 陳皮 炙甘草 吳茱萸 小茴香 補骨紙1,炮附子1或2

3. 소양인 비수한표한병(脾受寒表寒病) ⇒ 表陰降氣

① 少陽傷風證 (口苦咽乾 目眩 耳聾 結胸 寒熱往來)

〈結胸證〉	荊防敗毒散	羌活 獨活 柴胡 前胡 荊芥 防風 赤茯苓 生地黃 地骨皮 車前子1
	荊防導赤散	生地黃3, 木通2, 玄蔘 瓜蔞仁1.5, 前胡 羌活 獨活 荊芥 防風1
	荊防瀉白散	生地黃3, 茯苓 澤瀉 2, 石膏 知母 羌活 獨活 荊芥 防風 1
	導赤降氣湯	生地黃3, 木通2, 玄蔘 瓜蔞仁1.5, 前胡 羌活 獨活 荊芥 防風 白茯苓 澤瀉 1

② 亡陰證

〈身熱頭痛泄瀉〉	猪苓車前子湯	澤瀉 茯苓2, 猪苓 車前子1.5, 知母 石膏 羌活 獨活 荊芥 防風1
	荊防瀉白散	生地黃3, 茯苓 澤瀉2, 石膏 知母 羌活 獨活 荊芥 防風1
〈身寒腹痛泄瀉〉	滑石苦蔘湯	澤瀉 茯苓 滑石 苦蔘2, 川黃連 黃柏 羌活 獨活 荊芥 防風1
	荊防地黃湯	熟地黃 山茱萸 茯苓 澤瀉2, 車前子 羌活 獨活 荊芥 防風1

4. 소양인 위수열리열병(胃受熱裏熱病) ⇒ 淸陽上升

① 胸膈熱證

〈上消〉	涼膈散火湯	生地黃 忍冬藤 連翹2, 山梔子 薄荷 知母 石膏 防風 荊芥1
〈中消〉	忍冬藤地骨皮湯	忍冬藤4, 山茱萸 地骨皮2, 川黃連 黃柏 玄蔘 苦蔘 生地黃 知母 山梔子 枸杞子 覆盆子 荊芥 防風 金銀花1
〈裏熱便閉〉	地黃白虎湯	石膏5或10, 生地黃4, 知母2, 防風 獨活 1
	陽毒白虎湯	石膏5或10, 生地黃4, 知母2, 荊芥 防風 牛蒡子1

② 陰虛午熱

〈下消〉	熟地黃苦蔘湯	熟地黃4, 山茱萸 白茯? 澤瀉1.5, 知母 黃柏 苦蔘1
	六味地黃湯	熟地黃4, 山藥 山茱萸2, 澤瀉 牧丹皮 白茯?1.5
〈中風吐血〉	獨活地黃湯	熟地黃4, 山茱萸2, 茯? 澤瀉1.5, 牧丹皮 防風 獨活1
	十二味地黃湯	熟地黃4, 山茱萸2, 白茯? 澤瀉1.5, 牧丹皮 地骨皮 玄蔘 枸杞子 覆盆子 車前子 荊芥 防風1

5. 태음인 위완수한표한병(胃完受寒表寒病) ⇒ 肺陽升氣

① 太陽寒厥證

〈背椎表病〉	麻黃發表湯	桔梗3, 麻黃1.5, 麥門冬 黃芩 杏仁1
〈寒厥證〉	熊膽散	熊膽0.3-0.5, 溫水調下
	寒多熱少湯	薏苡仁?3, 蘿葍子2, 麥門冬 桔梗 黃芩 杏仁 麻黃1, 乾栗7

② 肺燥寒證

〈食滯痞滿 脚艱無力〉	太陰調胃湯	薏苡仁 乾栗3, 蘿葍子2, 五味子 麥門冬 石菖蒲 桔梗 麻黃1
	調胃升淸湯	薏苡仁 乾栗3, 蘿葍子1.5, 麻黃 桔梗 麥門冬 五味子 石菖蒲 遠志 天門冬 酸棗仁 龍眼肉1
	補肺元湯	麥門冬3, 桔梗2, 五味子1

〈哮喘〉	麻黃定喘湯	麻黃3,杏仁1.5,黃芩 蘿葍子 桑白皮 桔梗 麥門冬 款冬花1, 白果(炒黃色)21個
〈胸腹痛〉	麻黃定痛湯	薏苡仁3,麻黃 蘿葍子2,杏仁 石菖蒲 桔梗 麥門冬 五味子 使君子 龍眼肉 栢子仁1,乾栗7個
〈虛弱人表寒症〉	鹿茸大補湯	鹿茸2-4,麥門冬 薏苡仁1.5,山藥 天門冬 五味子 杏仁 麻黃1

6. 태음인 간수열리열병(肝受熱裏熱病) ⇒ 淸肝燥熱

① 肝燥熱證

〈陽毒發班〉	葛根解肌湯	葛根3,黃芩 藁本1.5,桔梗 升麻 白芷1
〈消渴虛勞夢泄〉	熱多寒少湯	葛根4,黃芩 藁本2,蘿葍子 桔梗 升麻 白芷1
〈腹痛,泄瀉〉	淸心蓮子湯	連子肉 山藥2,天門冬 麥門冬 遠志 石菖蒲 酸棗仁 龍眼肉 栢子仁 黃芩 蘿葍子1,甘菊0.3
〈虛弱人裏證〉	拱振黑元丹	鹿茸40-60,山藥 天門冬40,蠐螬1-20,麝香0.5

② 燥澁便閉

〈便祕〉	淸肺瀉肝湯	葛根4,黃芩 藁本2,蘿葍子 桔梗 升麻 白芷 大黃1
〈憎寒壯熱燥澁症〉	葛根升氣湯	葛根4,黃芩 大黃2,升麻 桔梗 白芷1
	皂角大黃湯	升麻 葛根3,大黃 皂角1

7. 태양인 병증

① 외감요척병(外感腰脊病) ⇒ 戒深哀 遠嗔怒

〈解㑊證〉	五加皮壯脊湯	五加皮4,木瓜 靑松節2,葡萄根 蘆根 櫻桃肉1,蕎麥米 半匙 (靑松節 厥 材則 以好松葉代之)

② 내촉소장병(內觸小腸病) ⇒ 遠嗔怒 斷厚味,補肝陰

〈噎膈證〉	獼猴藤植腸湯	獼猴桃4,木瓜 葡萄根2,蘆根 櫻桃肉 五加皮 松花1,杵頭糠半匙 (獼猴 桃 厥材則 以藤代之)

C2-4 병증별 처방례 (방약합편, 사상신편)

[주의 1] 실제 처방은 환자별 상태에 기반한 변증과정 및 약재가감 등을 고려한 이후에 결정
되어야 하므로 아래의 내용은 처방사용의 예를 개괄적으로 살펴볼 수 있는 참고자
료로만 활용하시기 바랍니다.

[주의 2] 방약합편에는 포함되어 있지 않으나 사상신편에 제시된 병증명에는 * 표시를 하여
별도로 구분하였습니다. (예) 풍(風)- 불수(不遂) 항목

[주의 3] 사상신편 처방 중에는 동의수세보원에 기재되어 있지 않은 처방들도 있고 갑오본,
신축본 등 각 판본별 처방이 섞여 있기도 합니다. 특히 동의사상신편은 사상처방을
증치의학(證治醫學)적 관점으로 분류한 서적이고 동무 이제마의 사상체질 병증 운
용정신과는 차이가 있으므로 이러한 점에 유의하여 참고하시기 바랍니다.

01. 풍(風)

卒中期	중풍(中風)	【합편】 小續命湯 【신편】 태음- 調胃續命湯 소음- 川芎桂枝湯 八物君子湯 소양- 獨活地黃湯 荊防地黃湯
	중부(中腑)	【합편】 疎風湯 【신편】 태음- 調胃續命湯 소음- 獨蔘八物湯 人蔘桂枝附子湯 소양- 獨活地黃湯 荊防地黃湯
	중장이변폐(中臟二便閉)	【합편】 滋潤湯 【신편】 태음- 淸肺瀉肝湯 二門五味湯 소음- 巴豆丹 獨蔘八物湯 官桂附子理中湯 소양- 輕粉甘遂龍虎丹 地黃白虎湯
	중부중장(中腑中臟)	【합편】 羌活愈風湯 【신편】 태음- 淸肺瀉肝湯聖救苦丸 소음- 巴豆丹 官桂附子理中湯 소양- 輕粉甘遂龍虎丹 降火地黃湯
	구급(救急)	【합편】 牛黃淸心元 星香正氣散 【신편】 태음- 淸心丸 石菖蒲遠志散 滾痰散 瓜蔕散 소음- 蘇合香元 獨蔘八物湯逆湯 소양- 荊防地黃湯 靈砂散 獨活地黃湯
恢復期	담성(痰盛)	【합편】 導痰湯 導痰君子湯 凉膈散 【신편】 태음- 太陰調胃湯 蘿卜子承氣湯 소음- 木香順氣散 桂風散 소양- 李氏凉隔散 凉隔散火湯
	열증(熱症)	【합편】 防風通聖散 【신편】 태음- 高米浮萍湯 소음- 八物君子湯 소양- 凉隔散火湯
	허증(虛症)	【합편】 萬金湯 八寶廻春湯 【신편】 태음- 太陰調胃湯 調胃升淸湯 소음- 八物君子湯 소양- 荊防地黃湯
	조기(調氣)	【합편】 烏藥順氣散 【신편】 태음- 淸心蓮子湯 소음- 蘇合香元九 赤白何烏寬中湯 소양- 六味地黃湯
後遺症期	폭음(暴瘖)	【합편】 腎瀝湯 地黃飮子 滌痰散 十全大補湯 凉膈散 【신편】 태

		음- 熊膽散 調胃續命湯 소음- 十全大補湯 獨蔘八物湯 소양- 凉膈散火湯 李氏凉膈散
	와사(喎斜)	【합편】牽正散 理氣祛風散【신편】태음- 太陰調胃湯 소음- 桂風散 牽正散 소양- 獨活地黃湯 荊防地黃湯
	비액통(鼻額痛)	【합편】犀角升麻湯【신편】태음- 如神柱九 소음- 川芎桂枝湯 補中益氣湯 소양- 荊防敗毒散
	탄탄(癱瘓)	【합편】加味大補湯 十全大補湯 四物湯 六君子湯 獨活寄生湯【신편】태음- 太陰調胃湯 調胃升淸湯 소음- 十全大補湯 八物君子湯 唐橘湯 소양- 獨活地黃湯 荊防地黃湯
	* 불수(不遂)	【신편】태음- 調胃續命湯 高本浮萍湯 소음- 桂風散 唐橘散 소양- 輕粉甘遂龍虎丹
	* 불어(不語)	【신편】태음- 牛黃淸心丸 祛風解語散九 소음- 壽脾解語散 소양- 歸腎解語散
	* 반진(斑疹)	【신편】태음- 葛根解肌湯 淸肺瀉肝湯 소음- 桂風散 補中益氣湯 十全大補湯 소양- 凉膈散火湯 消毒飮九
	통치(通治)	【합편】木香保命丹 烏藥順氣散 六味地黃元 八味元【신편】태음- 調胃升淸湯 소음- 十全大補湯 소양- 荊防地黃湯
痺證	풍비(風痺)	【합편】行濕流氣散 香蘇散 萬金湯【신편】태음- 調胃續命湯 소음- 芎歸香蘇散 소양- 荊防敗毒散
	역절풍(歷節風)	【합편】大羌活湯 疎風活血湯 靈仙除痛飮【신편】태음- 淸肺瀉肝湯 소음- 桂風散 소양- 凉膈散火湯 輕粉乳香沒藥丸
痙痓	파상풍(破傷風)	【합편】瓜蔞枳實湯 九味羌活湯【신편】태음- 三黃散 소음- 如神湯 소양- 乳香沒藥輕粉丸

02. 한(寒)

六經	태양(太陽)	【합편】九味羌活湯　【신편】[太陽 頭疼身痛 發熱惡寒 脈浮 ○ 舌卷囊縮則 爲厥陰] 태음- 麻黃發表湯 調胃續命湯 소음- 腎熱川芎桂枝湯 八物君子湯 [怕寒] 藿香正氣散 香砂養胃湯 芎歸香蘇散 [泄瀉] 藿香正氣散 소양- 荊防敗毒散 [甚] 荊防導白散
	양명(陽明)	【합편】葛根解肌湯 白虎湯　【신편】[陽明 不惡寒 反惡熱 汗出 大便秘] 태음- 葛根解肌湯 소음- 八物君子湯 升陽益氣湯 [亡陽考出四方中治之] 소양- 荊防敗毒散 [甚] 導赤散 [骨蒸有汗] 荊防導赤散 豬苓車前子湯 地黃白虎湯
	소양(少陽)	【합편】小柴胡湯　【신편】[少陽 口苦咽乾 目眩 耳聾 寒熱脇滿 而陰] 태음- 熱多寒少湯 소음- 藿香正氣散 香砂養胃湯 소양- 荊防敗毒散 荊防導白散 [便秘] 地黃白虎湯
	태음(太陰)	【합편】理中湯　【신편】[太陰 腹滿 自利 口不燥 心不煩] 태음 - [寒多] 太陰調胃湯 [熱多] 葛根解肌湯 소음- 白何烏理中湯 白何烏附子理中湯 [陰毒] 人蔘陳皮湯 人蔘桂枝湯 소양- [身寒] 亡陰荊防地黃湯 豬苓車前子湯

	소음(少陰)	【합편】眞武湯 【신편】[少陰 口燥心煩 自利而欲寐] 태음- 熱多寒少湯 소음- 官桂附子理中湯 吳茱萸附子理中湯 소양- 地黃白虎湯 [身寒亡陽] 滑石苦蔘湯
	삼음(三陰)	【합편】四逆湯
	* 장감한(長感寒)	【신편】[長感寒 寒厥四五日而發熱 微干于額上] 태음- 寒多熱少湯 升芩調胃湯 熊膽散 菖蒲透邪湯 熱承氣調胃湯 潤肺淸肝湯 소음- [厥陰] 人蔘吳茱萸湯 獨蔘八物湯 소양- [裡症似㶸] 猪苓車前子湯 [便閉] 荊防導白散
表裏陰陽	음증(陰症)	【합편】五積散 不換金正氣散 人蔘養胃湯 理陰煎 藿香正氣散 地黃湯
	표증(表症)	【합편】香蘇散 十神湯 人蔘敗毒散 香葛湯 蔘蘇飮 小靑龍湯
	이증(裡症)	【합편】大柴胡湯 大承氣湯 調胃承氣湯 小承氣湯
	반표리(半表裡)	【합편】小柴胡湯 【신편】태음- 承氣調胃湯 소음- 川芎桂枝湯 藿香正氣散 소양- 新小柴胡湯 荊防導白散
	음극사양(陰極似陽)	【합편】四逆湯 理中湯
	양극사음(陽極似陰)	【합편】大柴胡湯 白虎湯
傷寒兼症	번조(煩燥)	【합편】梔豉湯
	번갈(煩渴)	【합편】五苓散 四苓散
	번열(煩熱)	【합편】辰砂五苓散
	동계(動悸)	【합편】陶氏升陽散火湯
	발광(發狂)	【합편】大承氣湯 辰砂五苓散 【신편】태음- 葛根大少承氣湯 蘿葍子大少承氣湯 소음- 獨蔘八物湯 소양- 新大柴胡湯 [泄後便秘表症] 白虎湯 降陰白虎湯
	섬어(譫語)	【합편】黃連解毒湯 辰砂益元散 調胃承氣湯 【신편】태음- 葛根大少承氣湯 소음- [病之輕重不在譫語 宜從本條治之] 소양- [陽明] 地黃白虎湯 [少陽] 新大柴胡湯 [亡陰] 考出四方中治之
	혈결(血結)	【합편】桃仁承氣湯
	대양(戴陽)	【합편】理中湯
	전율(戰慄)	【합편】理中湯 四逆湯
	자리(自利)	【합편】柴苓湯
	허리(虛利)	【합편】錢氏異功散 白尤散
	괴증(壞症)	【합편】蔘胡芍藥湯
	비기(痞氣)	【합편】桔梗枳殼湯 【신편】태음- 蘿葍子承氣湯 소음- 巴豆丹 藿香正氣散 소양- [腹痛] 滑石苦蔘湯 贊化丹 荊防地黃湯
	토회(吐蛔)	【합편】安蛔理中湯 小柴胡湯 【신편】태음- 熱多寒少湯 소음- 理中湯 白何烏附子理中湯 소양- [依結胸亡陰中治之]
	결흉(結胸)	【합편】五積散 【신편】태음- 李氏承氣湯- 소음- 桂枝半夏生

		薑湯 赤白何烏寬中湯 巴豆丹 소양- 導赤降氣湯 [譫語] 地黃白虎湯 大少甘遂散
	장부정한(臟腑停寒)	【합편】附子理中湯 四柱散
	중한(中寒)	【합편】附子理中湯【신편】태음- 太陰調胃湯 소음- 何烏附子理中湯 소양- 滑石苦蔘湯
傷寒再來	노복(勞復)	【합편】麥門冬湯
	식복(食復)	【합편】陶氏平胃散
	여로복(女勞復)	【합편】人蔘逍遙散
感冒	잉부상한(孕婦傷寒)	【합편】芎蘇散 紫蘇飮 凉膈散 理中湯
	감모(感冒)	【합편】九味羌活湯 和解飮 升麻葛根湯 正柴胡飮 麻桂飮
	내상외감(內傷外感)	【합편】補中益氣湯 白朮散 地黃湯 補陰益氣煎 理陰煎 雙和湯
	식적류상한(食積類傷寒)	【합편】陶氏平胃散
溫病	온역(瘟疫)	【합편】荊防敗毒散 十神湯 神契香蘇散 麻桂飮【신편】태음, 소음, 소양- [無非六經中病 宜從此條治之]
	대두온(大頭瘟)	【합편】荊防敗毒散 防風通聖散

03. 서(暑)

暑病證	중서(中暑)	【합편】二香散 六和湯 茹藿湯【신편】태음- 生脈散 소음- 桂附藿陳理中湯 白何烏理中湯 소양- 朱砂益元散
	중갈(中喝)	【합편】人蔘白虎湯 蒼朮白虎湯
	서풍(暑風)	【합편】二香散 消暑敗毒散 藿香正氣散 六和湯 香薷散 人蔘羌活散
	서체(暑滯)	【합편】香薷養胃湯【신편】태음- 淸心蓮子湯 蘿葍子承氣湯 소음- 桂附藿陳理中湯 白何烏理 湯 소양- 甘遂天一丸
	번갈(煩渴)	【합편】益元散 春澤湯 人蔘白虎湯 醒醐湯(雜方文)【신편】태음 - 生脈散 葛根解肌湯 소음- 白何烏理中湯 三味蔘萸湯 소양- 朱砂益元散
	토사(吐瀉)	【합편】六和湯 淸暑六和湯 縮脾飮 茹藿湯 理中湯【신편】태음 - 熱多寒少湯 [中毒] 麝香飮 소음- 十二味寬中湯 三味蔘萸湯 소양- 豬苓車煎子湯
	복서(伏暑)	【합편】酒蒸黃連丸
	주하(注夏)	【합편】蔘歸益元湯 補中益氣湯 生脈散
通治	보기(補氣)	【합편】生脈散 淸暑益氣湯
	통치(通治)	【합편】香薷散 四君子湯 香平散

04. 습(濕)

濕病證	무로(霧露)	【합편】神朮散

	중습(中濕)	【합편】勝濕湯 五苓散
	풍한습(風寒濕)	【합편】三氣飮 五積散
	장습(瘴濕)	【합편】不換金正氣散 平胃散 藿香正氣散 補中益氣湯 柴苓湯
	습온(濕溫)	【합편】蒼朮白虎湯 五苓散 白虎湯
	습열(濕熱)	【합편】防風通聖散
	습비(濕痺)	【합편】行濕流氣散
通治	통치(通治)	【합편】升陽除濕湯 五苓散 平胃散 【신편】태음- [寒] 腎氣調胃湯 [熱] 承氣調胃湯 소음- 寬中湯 소양- 猪苓車煎子湯

05. 조(燥)

	통치(通治)	【합편】當歸承氣湯 生血潤膚飮 【신편】태음- 淸肺瀉肝湯 소음- 八物君子湯 소양- 凉膈散火湯

06. 화(火)

通治	* 열(熱)	【신편】태음- 淸肺瀉肝湯 소음- 八物君子湯 소양- 凉膈散火湯
實熱	상초열(上焦熱)	【합편】九味淸心元
	하초열(下焦熱)	【합편】八正散 五苓散
	심열(心熱)	【합편】醒心散
	적열(積熱)	【합편】凉膈散
熱象	조열(潮熱)	【합편】逍遙散 補中益氣湯 蔘蘇飮 人蔘養榮湯 茯苓補心湯 人蔘淸肌散
	골증(骨蒸)	【합편】人蔘淸肌散 四物湯 【신편】태음- 太陰調胃湯 淸心蓮子湯 소음- 補中益氣湯 소양- 十二味地黃湯 獨活地黃湯
虛熱	허열(虛熱)	【합편】當歸補血湯 鎭陰煎 理陰煎 十全大補湯
	기허열(氣虛熱)	【합편】補中益氣湯 四君子湯
	혈허열(血虛熱)	【합편】滋陰降火湯
	음허(陰虛)	【합편】滋陰降火湯 淸离滋坎湯
	음허화동(陰虛火動)	【합편】六味地黃元 四物湯
惡寒	양허오한(陽虛惡寒)	【합편】四君子湯
	음허오한(陰虛惡寒)	【합편】二陳湯

07. 내상(內傷)

食傷症	식상(食傷)	【합편】平胃散 香砂平胃散 人蔘養胃湯 內消散 大和中飮 枳朮丸 消滯丸 立效濟衆丹 千金廣濟丸 【신편】태음- 太陰調胃湯

		소음- 香砂養胃湯 소양- 凉隔散火湯
症狀	담체(痰滯)	【합편】正傳加味二陳湯 枳朮丸【신편】태음- 太陰調胃湯 소음- 香砂養胃湯 소양- 凉隔散火湯
	냉체(冷滯)	【합편】厚朴溫中湯 五積散【신편】태음- 太陰調胃湯 소음- 白何烏理中湯 白何烏附子理中湯 소양- 凉隔散火湯 六味地黃湯
	숙체(宿滯)	【합편】保和丸【신편】태음- 太陰調胃湯 소음- 如意丹 소양- 凉隔散火湯 六味地黃湯 贊化丹
	주상(酒傷)	【합편】對金飮子 小調中湯 大調中湯 八物湯【신편】태음- 承氣調胃湯(去 大黃) 소음- 八物君子湯 소양- 六味地黃湯
	도포(倒飽)	【합편】香砂六君子湯【신편】태음- 淸心蓮子湯 調胃升淸湯 소음- 香砂六君子湯 補中益氣湯 소양- 六味地黃湯 荊防地黃湯
	불사음식(不思飮食)	【신편】태음- 淸心蓮子湯 調胃升淸湯 소음- 香砂六君子湯 補中益氣湯 소양- 六味地黃湯 荊防地黃湯
	구열(久熱)	【합편】凝神散 保和丸
	탄산(呑酸)	【합편】增味二陳湯【신편】태음- 葛根解肌湯 소음- 香砂養胃湯 薑朮寬中湯 소양- 凉隔散火湯
	조잡(嘈雜)	【합편】香砂平胃散【신편】태음- 葛根解肌湯 소음- 香砂養胃湯 薑朮寬中湯 소양- 凉隔散火湯
	희기(噫氣)	【합편】二陳湯 六君子湯【신편】태음- 葛根解肌湯 소음- 香砂養胃湯 薑朮寬中湯 소양- 凉隔散火湯
	류상한(類傷寒)	【합편】陶氏平胃散
補法	노상(勞傷)	【합편】補中益氣湯 益胃升陽湯 黃芪建中湯 雙和湯
	보익(補益)	【합편】錢氏異功散 蔘朮健脾湯 六君子湯 補中益氣湯
	비허(脾虛)	【합편】異功散 香砂養胃湯
	조보(調補)	【합편】蔘苓白朮散 太和丸 九仙王道糕

08. 허로(虛勞)

陰陽	음허(陰虛)	【합편】大造丸 四物湯 滋陰降火湯 淸离滋坎湯
	양허(陽虛)	【합편】茸附湯 鹿茸大補湯 四君子湯 益胃升陽湯
	음양허(陰陽虛)	【합편】雙和湯 八物湯 十全大補湯 人蔘養榮湯 固眞飮子 古庵心腎丸 究原心腎丸
五臟	심허(心虛)	【합편】古庵心腎丸 究原心腎丸
	간허(肝虛)	【합편】供辰丹 四物湯 雙和湯
	비허(脾虛)	【합편】橘皮煎元 蔘苓白朮散
	신허(腎虛)	【합편】六味地黃元 八味元 腎氣丸 增益歸茸丸
通治	통치(通治)	【합편】雙補丸 小建中湯 二神交濟丹 右歸飮 大營煎 貞元飮 兩儀膏 瓊玉膏【신편】태음- 太陰調胃湯 調胃升淸湯 拱辰黑元丹

鹿茸大補湯(或以鹿茸 易葛茸) 소음- 補中益氣湯 八物君子湯 十全大補湯 소양- 六味地黃湯 荊防地黃湯

09. 곽란(霍亂)

	토사(吐瀉)	【合편】回生散
	전근(轉筋)	【合편】木萸散 平胃散 理中湯 四物湯
	서곽(暑霍)	【合편】六和湯 香薷散
霍亂	식비토식(食痺吐食)	【合편】不換金正氣散
	* 통치(通治)	【신편】태음- 熱多寒少湯 [關格] 葛根解肌湯 소음- 十二味寬中湯 三味蔘萸 桂附藿陳理中湯 [關格] 巴豆丹 소양- 猪苓車煎子湯 [關格] 甘遂天一丸

10. 구토(嘔吐)

	허구(虛嘔)	【合편】比和飲
	건구(乾嘔)	【合편】生薑橘皮湯 二陳湯 理中湯 六君子湯 【신편】태음- 淸心蓮子湯 白何烏寬桂理中湯 桂枝半夏生薑湯 六味地黃湯
惡心嘔吐	* 구토(嘔吐)	【신편】태음- 淸心蓮子湯 소음- 三味蔘萸湯 소양- 六味地黃湯
	오심(惡心)	【合편】二陳湯【신편】태음- 熱多寒少湯(或加 大黃) 소음- 白何烏寬桂理中湯 桂枝半夏生薑湯 官桂湯 吳茱萸附子理中湯 소양- 凉膈散火湯
噎膈反胃	반위(反胃)	【合편】蘇感元
	열격(噎膈)	【合편】神香散

11. 해수(咳嗽)

	노수(勞嗽)	【合편】六味地黃元 古庵心腎丸 供辰丹 六君子湯 四物湯 瓊玉膏
	풍수(風嗽)	【合편】蔘蘇飲
	한수(寒嗽)	【合편】二陳湯 三拗湯 理中湯 蔘蘇飲
	풍한수(風寒嗽)	【合편】三拗湯 金水六君煎 六安煎 五果茶 杏蘇湯
	울수(鬱嗽)	【合편】淸金降火湯 滋陰降火湯 瀉白散 腎氣丸
咳嗽	열수(熱嗽)	【合편】辰砂益元散 小調中湯
	습수(濕嗽)	【合편】五苓散 不換金正氣散
	건수(乾嗽)	【合편】四物湯
	화수(火嗽)	【合편】淸金降火湯
	기수(氣嗽)	【合편】蘇子降氣湯 加味四七湯 三子養親湯
	혈수(血嗽)	【合편】人蔘百合湯 四物湯

	폐창폐위(肺脹肺痿)	【합편】 小靑龍湯 四物湯
	폐실(肺實)	【합편】 瀉白散
	야수(夜嗽)	【합편】 六味地黃元
	식적급담수(食積及痰嗽)	【합편】 二陳湯
	주수구수(酒嗽久嗽)	【합편】 腎氣丸
	수해(水咳)	【합편】 小靑龍湯
通治	* 통치(通治)	【신편】 태음- 太陰調胃湯 鹿茸大補湯 拱辰黑元丹 葛根大補湯 經驗調胃湯 腎氣調胃湯 [喘] 麻黃定喘湯 소음- [勞嗽] 補中益氣湯 李氏補中益氣湯 [寒] 白何烏附子理中湯 寬桂理中湯 [風寒] 祛風散 [鬱] 十二寬中湯 [血] 補中益氣湯 十全大補湯 소양- [勞嗽] 前胡地黃湯 [鬱] 荊防瀉白散 [火] 地黃白虎湯 [濕] 荊防地黃湯 [喘] 前胡地黃湯(加 瓜蔞仁) 六味地黃湯
哮喘	화천(火喘)	【합편】 白虎湯 導痰湯 滋陰降火湯
	담천기천(痰喘氣喘)	【합편】 千緡導痰湯 定喘火痰湯 蘇子降氣湯 蘇子導痰降氣湯 三拗湯 神保元 四七湯
	음허천(陰虛喘)	【합편】 四物湯
	위허천(胃虛喘)	【합편】 生脈散 理中湯
	풍한천(風寒喘)	【합편】 三拗湯 八味元 小靑龍湯 藿香正氣散
	효후(哮吼)	【합편】 定喘湯 淸上補下丸 解表二陳湯 千緡導痰湯
咳逆	해역(咳逆)	【합편】 丁香柿蔕散 橘皮竹茹湯 人蔘復脈湯
	이후한열(痢後寒熱)	【합편】 補中益氣湯

12. 적취(積聚)

通治	육울(六鬱)	【합편】 六鬱湯 【신편】 태음- [氣] 淸心蓮子湯 [濕] 太陰調胃湯 [痰] 熱多寒少湯 [熱] 熱多寒少湯 淸肺瀉肝湯 [血] 淸肺瀉肝湯 [食] 淸心蓮子湯 淸肺瀉肝湯 소음- [氣] 十二味寬中湯 保命飮 [濕] 十二味寬中湯 [痰] 十二味寬中湯 祛風散 保命飮 [熱] 十二味寬中湯 [血] 當歸白何烏寬中湯 [食] 香砂養胃湯 소양- [氣] 涼隔散火湯 [濕] 荊防地黃湯 [痰] 涼隔散火湯 荊防瀉白散 [熱] 陽毒白虎湯 忍冬藤地骨皮湯 [血] 生熟地黃湯
	적취(積聚)	【합편】 保和丸 大七氣湯 消積正元散 【신편】 태음- 熱多寒少湯 소음- 人蔘附子理中湯 소양- 忍冬藤地骨皮湯
	* 통치(通治)	【신편】 태음- 四時丹五 소음- 巴豆丹 溫白元 如意丹 소양- 贊化丹
病因	식적(食積)	【합편】 平胃散
	주적(酒積)	【합편】 對金飮子 【신편】 태음- 淸肺瀉肝湯 소음- 十二味寬中湯(加蒼朮 去白何首烏) 소양- 李氏凉隔散

	어해적(魚蟹積)	【합편】香蘇散 【신편】태음- 太陰調胃湯 소음- 香蘇散 소양- 荊防敗毒散(加 蓮翹牛方子)
	과채적(果菜積)	【합편】平胃散 【신편】태음- 葛茸浮萍湯 소음- 香砂養胃湯 소양- 荊防敗毒散(加 神曲麥芽)
	수적(水積)	【합편】芎夏湯 【신편】태음- 太陰調胃湯 淸肺瀉肝湯 소음- 十二味寬中湯 寬中湯 소양- 荊防地黃湯 甘遂天一丸
	혈적(血積)	【합편】桃仁承氣湯
	충적(蟲積)	【합편】紫金錠 (解毒文) 【신편】태음- 麻黃定痛湯 淸肺瀉肝湯 소음- 人蔘附子理中湯 白何首烏附子理中湯 (冷積亦用此方) 소양- [塊無] 滑石苦蔘湯 李氏肥兒丸 [塊有] 忍冬藤地骨皮湯
	냉적(冷積)	【합편】理中湯 桂薑養胃湯 五積散

13. 부종(浮腫)

	음수(陰水)	【합편】實脾散 壯原湯 復元丹 金櫃腎氣丸 理中湯
	종천(腫喘)	【합편】分心氣飮
	서종(暑腫)	【합편】淸暑六和湯
	창종(瘡腫)	【합편】赤小豆湯
病因症狀	풍종(風腫)	【합편】大羌活湯
	* 리열(裏熱)	【신편】태음- 葛根浮萍湯 소음- 香砂養胃湯 芎歸葱蘇理中湯 소양- 木通大安湯
	* 표한(表寒)	【신편】태음- 乾栗蠐螬湯 소음- 芎歸葱蘇理中湯 保命飮 鎭陰膾十三 十二味寬中湯 소양- 木通無憂湯
通治	통치(通治)	【합편】補中治濕湯 藿笭湯 四笭五皮散

14. 창만(脹滿)

	곡창(穀脹)	【합편】大異香散
	기창(氣脹)	【합편】三和湯 【신편】태음- 太陰調胃湯 소음- 十二味寬中湯 소양- [虛] 荊防地黃湯 [火] 李氏肥兒丸
	혈창(血脹)	【합편】人蔘芎歸湯
	한창(寒脹)	【합편】中滿分消飮
	열창(熱脹)	【합편】七物厚朴湯
脹滿證	고창(蠱脹)	【합편】消脹飮子
	탁기(濁氣)	【합편】木香順氣湯
	* 식창(食脹)	【신편】태음- 太陰調胃湯 [火] 淸心蓮子湯 소음- 十二味寬中湯 香砂養胃湯 [甚] 人蔘附子理中湯 소양- 牧丹地黃湯 李氏肥兒丸 獨活地黃湯
	* 고창(鼓脹)	【신편】태음- 淸心蓮子湯 麻黃定痛湯 소음- 芎歸蒼蘇理中湯 保命飮 [滯] 香砂養胃湯 十二味寬中湯 소양- 獨活地黃湯 忍冬

藤地骨皮湯

15. 소갈(消渴)

消渴病	상소(上消)	【합편】淸心蓮子飮 生津養血湯 人蔘白虎湯 錢氏白朮散 【신편】 태음- 萬金文武湯 소음- 補中益氣湯 薑朮寬中湯 八物君子湯 소양- 凉膈散火湯
	중소(中消)	【합편】調胃承氣湯 【신편】태음- 調胃升淸湯 淸肺瀉肝湯 소음 - 芎歸蔥蘇理中湯 소양- 忍冬藤地骨皮湯
	하소(下消)	【합편】六味地黃元 【신편】태음- 淸肺瀉肝湯 千金文武湯 소음 - 補中益氣湯 薑朮寬中湯 八物君子湯 소양- 熟地黃苦蔘湯 黃 連猪膽湯
	실열(實熱)	【합편】人蔘白虎湯
通治	통치(通治)	【합편】活血潤燥生津飮 生血潤膚飮 加減八味元 四物湯
	예방옹저(預防癰疽)	【합편】益元散

16. 황달(黃疸)

黃疸	습열(濕熱)	【합편】茵蔯五苓散 大分淸飮 加減胃苓湯
	주달(酒疸)	【합편】酒蒸黃連丸
	여달(女疸)	【합편】滋腎丸
	음황(陰黃)	【합편】茵蔯四逆湯 六味地黃元或八味元 君苓湯 理中湯
通治	* 통치(通治)	【신편】태음- 太陰調胃湯 退黃飮八 소음- 香砂養胃湯 茵蔯橘 皮湯 茵蔯四逆湯 茵蔯附子湯 瘴疸丸- 巴豆丹 소양- [虛勞] 荊防地黃湯 [熱] 荊防導赤散 猪苓車前子湯

17. 학질(瘧疾)

六經	태양(太陽)	【합편】五積散 果附湯
	양명(陽明)	【합편】柴苓湯
	소양(少陽)	【합편】烏藥順氣散 人蔘敗毒散 蔘蘇飮
	태음(太陰)	【합편】異功散 理中湯
	소음(少陰)	【합편】小柴胡湯
	궐음(厥陰)	【합편】小建中湯 四物湯
實	한학(寒瘧)	【합편】果附湯 補陰益氣煎 麻桂飮 人蔘養胃湯
	습학(濕瘧)	【합편】五苓散
	열학(熱瘧)	【합편】爭功散 小柴胡湯 白虎湯
	담학(痰瘧)	【합편】柴平湯 二陳湯 柴陳湯 冷附湯 四獸飮 露薑飮
	식학(食瘧)	【합편】人蔘養胃湯 淸脾飮 平陳湯
	서학(暑瘧)	【합편】淸暑六和湯
	풍학(風瘧)	【합편】小柴胡湯 瀉靑丸

	장학(瘴瘧)	【합편】雙解飮子 不換金正氣散
虛	노학(勞瘧)	【합편】芎歸鼈甲散 露薑飮
	허학(虛瘧)	【합편】六君子湯 補中益氣湯 十全大補湯 橘皮煎元
	구학(久瘧)	【합편】露薑養胃湯 橘皮煎元 十將軍丸 休瘧飮 牛膝煎 追瘧飮 何人飮
通治	통치(通治)	【합편】六和湯 正柴胡飮 柴平湯 茵芋湯 加減淸脾飮 【신편】태음- [寒] 太陰調胃湯 [熱] 葛根解肌湯 [勞] 太陰調胃湯 [孕婦] 經驗調胃湯 소음- 川芎桂枝湯 [勞久] 鷄蔘膏 소양- 荊防敗毒散 獨活地黃湯 [裏熱] 荊防導赤散 地黃白虎散

18. 사수(邪祟)

通治	통치(通治)	【합편】星香正氣散 紫金錠 蘇合香元 【신편】태음- 四時丹五 소음- 溫白元 如意丹 소양- 贊化丹

19. 신형(身形)

身形	익수(益壽)	【합편】瓊玉膏 斑龍丸
	노인뇨삭(老人尿數)	【합편】腎氣丸

20. 정(精)

寒熱	화동(火動)	【합편】黃連淸心飮 古庵心腎丸 淸心蓮子飮
	척열몽유(脊熱夢遺)	【합편】牛黃淸心元
	냉약(先天不足過服冷藥)	【합편】右歸飮 八味元
濕	습담(濕痰)	【합편】加味二陳湯
	습열(濕熱)	【합편】四苓散 大小分淸飮
遺精雜症	고정(固精)	【합편】祕元煎
	매촉유정(每觸遺精)	【합편】歸脾湯
	백음(白淫)	【합편】淸心蓮子飮 【신편】태음- 淸心蓮子湯 淸肺瀉肝湯 定神瀉肝湯 乾栗樗根皮湯 소음- 補中益氣湯 李氏補中益氣湯 白朮散或單服 소양- 六味地黃湯 [骨蒸] 十二味地黃湯 十二味歸神湯
	* 몽유(夢遺)	【신편】태음- 淸心蓮子湯 淸肺瀉肝湯 乾栗樗根皮湯 定神瀉肝湯 소음- 補中益氣湯 李氏補中益氣湯 白朮散(或單服) 소양- 六味地黃湯 [骨蒸] 十二味地黃湯 十二味歸神湯

21. 기(氣)

七情	칠기(七氣)	【합편】七氣湯 分心氣飮 四七湯 四磨湯 【신편】태음- 淸心蓮子湯 麝香散 소음- 七氣湯 十二味寬中湯(加 五靈枳殼) 소양- 涼隔散火湯(加 黃連牛蒡子)

	구기(九氣)	【합편】 正氣天香湯 【신편】 태음- 淸心蓮子湯 麝香散 소음- 正氣天香湯 소양- 凉隔散火湯
	중기(中氣)	【합편】 八味順氣散 星香正氣散 【신편】 태음- 石菖蒲遠志散 滾痰散九 소음- 木香順氣散 蘇合香元九 소양- 朱砂益元散
氣病證	**상기역기(上氣逆氣)**	【합편】 滋陰降火湯 八物湯 蘇子降氣湯
	단기(短氣)	【합편】 腎氣丸 人蔘養榮湯 【신편】 태음- 太陰調胃湯 鹿茸大補湯 供辰黑元丹 葛茸大補湯 소음- 補中益氣湯 升陽益氣湯 八物君子湯 소양- 六味地黃湯 荊防地黃湯
	소기(少氣)	【합편】 四君子湯 貞元飮 擧元煎 生脈散 補中益氣湯 益胃升陽湯
	기체(氣滯)	【합편】 橘皮一物湯 【신편】 태음- 石菖蒲遠志散 滾痰散 소음- 寬中丸 橘皮一物湯 소양- 牧丹皮地黃湯
	기통(氣痛)	【합편】 神保元 三和散 桔梗湯 蟠蔥散 【신편】 태음- 淸肺瀉肝湯 소음- 寬中丸 橘皮一物湯 소양- 牧丹皮地黃湯
	기울(氣鬱)	【합편】 交感丹 二陳湯 【신편】 태음- 淸心蓮子湯 麝香散 소음- 正氣天香湯 寬中丸 소양- 凉隔散火湯
通治	**통치(通治)**	【합편】 蘇合香元

22. 신(神)

不安	**담허(膽虛)**	【합편】 仁熟散
	경계(驚悸)	【합편】 加味溫膽湯 加味四七湯 五苓散 芎夏湯 【신편】 태음- 牛黃淸心元 三神散 소음- 蘇合香元 八物君子湯 소양- 六味地黃湯 十二味地黃湯
	정충(怔忡)	【합편】 四物安神湯 十全大補湯 理陰煎 逍遙散 【신편】 태음- 牛黃淸心丸 三神散 소음- 赤白何烏寬中湯 소양- 朱砂散
	건망(健忘)	【합편】 歸脾湯 【신편】 태음- 三神散 調胃升淸湯 소음- 八物君子湯 十全大補湯 소양- 六味地黃湯 荊防地黃湯
神病	**전간(癲癎)**	【합편】 追風祛痰丸(風癎) 龍腦安神丸(五癎) 【신편】 태음- [熱] 淸肺瀉肝湯 [寒] 淸心元 石菖蒲遠志散 三神散 소음- 獨蔘八物湯 人蔘十二味寬中湯 如意丹 소양- [熱]地黃白虎湯 十二味地黃湯 [虛] 荊防地黃湯
	전광(癲狂)	【합편】 當歸承氣湯 桃仁承氣湯 防風通聖散 牛黃淸心元 【신편】 태음- 淸肺瀉肝湯 淸心元 石菖蒲遠志散 三神散 소음- 獨蔘八物湯 人蔘十二味寬中湯 如意丹 소양- [熱] 地黃白虎湯 十二味地黃湯 [虛] 荊防地黃湯

23. 혈(血)

出血部位	**뉵혈(衄血)**	【합편】 莎芎散 薄荷煎元 犀角地黃湯 【신편】 태음- 補肺元湯 소음- 香附子八物湯 소양- [虛] 生熟地黃湯 [火] 凉隔散火湯

	뇨혈(尿血)	【합편】 四物湯 導赤散 八正散 淸腸湯 [色傷] 腎氣丸 [勞人) 六味地黃元 [暑熱] 升麻煎湯調 益元散 【신편】 태음- 淸肺瀉肝湯 傷色淸心蓮子湯 소음- 赤白何烏寬中湯 소양- 生熟地黃湯 凉隔散火湯
	변혈(便血)	【합편】 平胃地楡湯 厚朴煎 益胃升陽湯 [風淸] 不換金正氣散 [熱紅] 酒蒸黃連丸 [寒黯] 平胃散合理中湯 [內傷] 平胃散 [勞傷] 補中益氣湯 【신편】 태음- 淸肺瀉肝湯 淸心蓮子湯 소음- 十全大補湯 理中湯 香砂養胃湯 소양- 凉隔散火湯 生熟地黃湯
	혈한(血汗)	【합편】 黃芪建中湯
	치설뉵(齒舌衄)	【합편】 綠袍散 牛黃膏 調胃承氣湯 八味元
	구규출혈(九竅出血)	【합편】 十全大補湯
	치설혈(齒舌血)	【신편】 태음- 葛根承氣湯 소음- 吳茱萸附子理中湯 [血汗] 中益氣湯 升陽附子湯 [九竅出血] 十全大補湯 소양- 陽毒白虎湯 催生飲
吐血/喀血	적열토혈(積熱吐血)	【합편】 小調中湯 蘇子降氣湯
	양허토혈(陽虛吐血)	【합편】 理中湯
	음허토혈(陰虛吐血)	【합편】 蔘芪白朮散 四君子湯 鎭陰煎
	노상토혈(勞傷吐血)	【합편】 茯苓補心湯 歸脾湯
	해타객혈(咳唾喀血)	【합편】 滋陰降火湯 八物湯 六君子湯 加味逍遙散
	적혈토혈(積血吐血)	【합편】 七生湯 桃仁承氣湯
	* 토혈(吐血)	【신편】 태음- 淸心蓮子湯 [熱] 淸肺瀉肝湯 [勞] 山藥補肺湯(加蓮肉) 소음- 獨蔘八物湯 鎭陰膾 十全大補湯 補中益氣湯 소양- 獨活地黃湯 十二味地黃湯 十二味歸腎湯 莉防地黃湯
通治	실혈현훈(失血眩暈)	【합편】 芎歸湯 全生活血湯 【신편】 태음- 太陰調胃湯 山藥補肺湯 소음- 八物君子湯 補中益氣湯 升陽益氣湯 소양- 六味地黃湯 獨活地黃湯
	통치(通治)	【합편】 四物湯

24. 몽(夢)

不眠	불수(不睡)	【합편】 溫膽湯 歸脾湯 六君子湯

25. 성음(聲音)

失音	풍한실음(風寒失音)	【합편】 蔘蘇飮 二陳湯 小靑龍湯 金水六君煎 三拗湯 莉蘇湯 【신편】 태음- 太陰調胃湯 麥門遠志散 소음- 川芎桂枝湯 何烏八物湯 소양- 莉防敗毒散 歸神解語湯
	색상(色傷)	【합편】 八味元 【신편】 태음- 腎氣調胃湯 소음- 十全大補湯 補中益氣湯 소양- 莉防地黃湯

	병후(病後)	【합편】腎氣丸 【신편】태음- 調胃脈元湯(加 石菖蒲) 소음- 十全大補湯 소양- 六味腎氣湯
	중풍(中風)	【합편】小續命湯 【신편】태음- 祛風解語散 소음- 壽脾諧語湯 祛風散 소양- 歸腎解語湯
	산후(産後)	【합편】茯笭補心湯 【신편】태음- 調理肺元湯 補肺元湯(加 石菖蒲) 소음- 十全大補湯 소양- 荊防地黃湯 荊防敗毒散
	노급허인(老及虛人)	【합편】十全大補湯

26. 진액(津液)

	자한(自汗)	【합편】玉屛風散 補中益氣湯 小建中湯 八物湯 人蔘養榮湯
汗病	**도한(盜汗)**	【합편】當歸六黃湯 小柴胡湯 六味地黃元 十全大補湯
	* 자한도한(自汗盜汗)	【신편】태음- 調胃升淸湯 소음- 補中益氣湯 소양- [上消] 凉隔散 [骨蒸] 十二味地黃湯 獨活地黃湯

27. 담음(痰飮)

	풍담(風痰)	【합편】導痰湯 小靑龍湯 【신편】태음- 調胃續命湯 소음- 祛風散 소양- 荊防敗毒散
	한담(寒痰)	【합편】半夏溫肺湯 和胃二陳煎 五積散 理中湯 二陳湯 八味元 【신편】태음- 菖蒲透邪散 調胃續命湯 熊膽散 소음- 赤白何烏寬中湯 理中湯 소양- 荊防敗毒散
	습담(濕痰)	【합편】二陳湯 【신편】태음- 菖蒲透邪散 調胃續命湯 熊膽散 소음- 赤白何烏寬中湯 소양- 荊防導白散
	열담(熱痰)	【합편】小調中湯 大調中湯 【신편】태음- 淸肺瀉肝湯 소음- 人蔘何烏寬中湯 補中益氣湯 當歸十二味寬中湯 소양- 凉隔散火湯 陽毒白虎湯
痰病種類	**울담(鬱痰)**	【합편】瓜蔞枳實湯 四七湯 【신편】태음- 淸肺瀉肝湯 소음- 當歸十二味寬中湯 소양- 凉隔散火湯
	기담(氣痰)	【합편】加味四七湯 十六味流氣飮 【신편】태음- 滾痰散 소음- 寬中湯 소양- 導赤降氣湯
	식담(食痰)	【합편】正傳加味二陳湯 【신편】태음- 太陰調胃湯 소음- 香砂養胃湯 소양- 六味地黃湯
	주담(酒痰)	【합편】小調中湯 對金飮子 【신편】태음- 熱多寒少湯 소음- 星香正氣散 소양- 李氏凉隔散 荊防導白散
	경담(驚痰)	【합편】滾痰丸 【신편】태음- 滾痰散 石菖蒲遠志散 소음- 蘇合香元 溫白元 소양- 朱砂益元散
	유주(流注)	【합편】控涎丹 通關散 【신편】태음- 淸肺瀉肝湯 소음- 十二味寬中湯 祛風散 소양- 陽毒白虎湯 輕粉乳香沒藥丸
病證	**담궐(痰厥)**	【합편】藿香正氣散 蘇子降氣湯 【신편】태음- [寒] 菖蒲透邪煎 [熱] 葛根承氣湯 소음- 星香正氣散 소양- 黃連導白湯

	담괴(痰塊)	【합편】竹瀝達痰丸 開氣消痰湯【신편】태음- 淸肺瀉肝湯 소음 - 溫白元 十二味寬中湯 芎歸蔥蘇理中湯 소양- 陽毒白虎湯 輕粉乳香沒藥丸
通治	담음통치(痰飮通治)	【합편】二陳湯 芎夏湯 六君子湯 滾痰丸 導痰湯 小靑龍湯

28. 충(蟲)

	회궐(蛔厥)	【합편】烏梅丸 建理湯 安蛔理中湯 蔘圓飮 理中湯 溫臟丸 楸陳湯
蟲病	흉통(胸痛)	【합편】手拈散 [冷痛] 厚朴溫中湯 [食痛] 人蔘養胃湯
	* 회(蛔)	【신편】태음- 麻黃定痛湯 소음- 何烏理中湯 白何烏附子理中湯 소양- 滑石苦蔘湯 六味地黃湯

29. 소변(小便)

	불리(不利)	【합편】萬全木通湯 導赤散 淸心蓮子飮 四物湯【신편】태음-[虛] 太陰調胃湯 [實] 熱多寒少湯 [諸症亦分寒熱治之] 소음-[虛] 李氏補中益氣湯 소양- 猪笭車前子湯 [虛] 木通無憂湯 [實熱] 地黃白虎湯
尿不利	기허뇨삽(氣虛尿澁)	【합편】補中益氣湯
尿不通	불통(不通)	【합편】八正散 禹攻散 大分淸飮下 補中益氣湯 滋腎丸 八物湯 (火動) 滋陰降火湯(精竭) 八味元(痰滯) 導痰湯 (氣熱) 導赤散 (血滯) 神保元 二陳湯 (老人轉脬) 六味地黃元 (孕婦轉脬) 蔘朮飮
	관격(關格)	【합편】枳縮二陳湯 八正散
不禁/遺尿	불금(不禁)	【합편】縮泉丸 蔘芪湯 補中益氣湯 六味地黃元 [脾肺虛] 理中湯 歸脾湯 [肝腎虛] 右歸飮 八味元【신편】태음- [一依三消分治] 소음- 補中益氣湯 理中湯 소양- 六味地黃湯 凉膈散火湯
	소아유뇨(小兒遺尿)	【합편】鷄腸散
淋病	열림(熱淋)	【합편】大分淸飮 八正散 導赤散 淸心蓮子飮
	혈림(血淋)	【합편】增味導赤散 四物湯 (氣淋) 益元散 (虛淋) 八物湯 (酒淋) 補中益氣湯 (冷淋) 八味元
	* 오림(五淋)	【신편】태음- [寒] 太陰調胃湯 [熱] 熱多寒少湯 소음- 薑朮寬中湯 補中益氣湯(加 香附川芎) 소양- 荊芥淸腸湯 猪笭車前子湯(加 木通生地黃)
尿濁	적백탁(赤白濁)	【합편】草薢分淸飮 淸心蓮子飮 二陳湯 四物湯
小便雜症	경중양통(莖中痒痛)	【합편】六味地黃元 八味元 補中益氣湯 淸心蓮子飮 導赤散 龍膽瀉肝湯【신편】태음- 淸心蓮子湯 熱多寒少湯 소음- 薑朮寬中湯 補中益氣湯(加 香附川芎) 소양- 導赤降氣湯
	교장증(交腸症)	【합편】五苓散 四物湯 補中益氣湯【신편】태음- 太陰調胃湯 熱多寒少湯 소음- 補中益氣湯 八物君子湯 소양- 猪笭車前子

		湯 荊防地黃湯
	음즉소변(飮卽小便)	【합편】補中益氣湯
通治	통치(通治)	【합편】五淋散 四苓散

30. 대변(大便)

泄瀉	체설(滯泄)	【합편】人蔘養胃湯 胃苓湯 平胃散 藿香正氣散 【신편】태음-太陰調胃湯 淸心蓮子湯 소음- 香砂養胃湯 藿香正氣散 白何烏附子理中湯 소양- 牧丹皮地黃湯 贊化丹
	습설(濕泄)	【합편】胃風湯 胃苓湯 三白湯 萬病五苓散 瀉濕湯 五苓散
	한설(寒泄)	【합편】四柱散 六柱散 理中湯 治中湯 春澤湯
	서설(暑泄)	【합편】蒿苓湯 香薷散 淸暑六和湯 益元散 淸暑益氣湯 升麻葛根湯 柴苓湯(火泄) 益元散 【신편】태음- 葛根解肌湯 李氏調胃湯 소음- 白何烏理中湯 白何烏附子理中湯 소양- 朱砂益原散 猪苓車前子湯
	풍설(風泄)	【합편】胃風湯 瀉靑丸
	허설(虛泄)	【합편】升陽除濕湯 錢氏異功散 君苓湯 四君子湯 錢氏白朮散 蔘苓白朮散 【신편】태음- 太陰調胃湯 淸心蓮子湯 소음- 白何烏理中湯 白何烏附子理中湯 人蔘附子理中湯 소양- 牧丹皮地黃湯 猪苓車前子湯
	담설(痰泄)	【합편】二陳湯 六君子湯
	활설(滑泄)	【합편】八柱散 補中益氣湯
	주상신설(酒傷晨泄)	【합편】理中湯 平胃散 酒蒸黃連丸
	손설(飱泄)	【합편】蒼朮防風湯 五德丸
	비신설(脾腎泄)	【합편】四神丸 二神丸 三神丸 胃關煎 腎氣丸 五積散 黃氏建中湯
	* 신설(腎泄)	【신편】태음- 腎氣調胃湯 淸心蓮子湯 소음- 人蔘附子理中湯 (或 君製何烏 倍白朮) 소양- 木通無憂湯
痢疾	적리(赤痢)	【합편】導赤地楡湯 茱連丸
	적백리(赤白痢)	【합편】眞人養臟湯 益元散 保和丸 六味地黃元
	농혈리(膿血痢)	【합편】黃芩芍藥湯 導滯湯 桃仁承氣湯
	금구리(噤口痢)	【합편】倉廩湯 蔘苓白朮散
	풍리(風痢)	【합편】倉廩湯 胃風湯
	휴식리(休息痢)	【합편】八物湯 補中益氣湯 蔘苓白朮散 眞人養臟湯
	한리(寒痢)	【합편】理中湯 不換金正氣散 五積散
	습리(濕痢)	【합편】當歸和血湯
	열리(熱痢)	【합편】倉廩湯 導滯湯 酒蒸黃連丸 黃芩芍藥湯
	기리(氣痢)	【합편】茱連丸 六磨湯
	허리(虛痢)	【합편】調中理氣湯 補中益氣湯 錢氏異功散 理中湯 眞人養臟湯 四物湯

	냉리(冷痢)	【합편】胃關煎
	구리(久痢)	【합편】實腸散 橘皮煎元 水煮木香膏 [變水] 補中益氣湯
	적리(積痢)	【합편】感應元 蘇感元 萬億丸 生熟飮子 保和丸 神保元
	역충오색리(疫蟲五色痢)	【합편】薑茶湯 人蔘敗毒散
	복통리(腹痛痢)	【합편】香連丸
	통치(通治)	【합편】六神丸 倉廩湯 大承氣湯 調胃承氣湯 【신편: 리(痢)】태음- 乾栗樗根皮湯 淸心蓮子湯 葛根承氣湯 소음- 香砂養胃湯 蒜蜜膏 鷄蔘膏 赤巳煎 [寒甚擇用理中湯諸方也] 소양- 黃連淸腸湯 木通無憂湯
便秘	변폐(便閉)	【합편】通幽湯 三和散 【신편】태음- 葛根承氣湯 調胃承氣湯 [虛甚] 二門五味湯 소음- 巴豆丹 薑朮寬中湯 소양- 地黃白虎湯 輕粉甘遂龍虎丹
	혈결폐(血結閉)	【합편】桃仁承氣湯 當歸承氣湯
	기결폐(氣結閉)	【합편】四磨湯 桔梗枳殼湯
	열폐(熱閉)	【합편】防風通聖散 四物湯
	이변폐(二便閉)	【합편】防風通聖散 凉膈散
	노인비(老人祕)	【합편】淸川煎 潤血飮 膠蜜湯

31. 두(頭)

	두풍(頭風)	【합편】消風散 養血祛風湯
頭風		
	담훈(痰暈)	【합편】半夏白朮天麻湯 淸暈化痰湯
	허훈(虛暈)	【합편】補中益氣湯 滋陰健脾湯
眩暈	기훈(氣暈)	【합편】七氣湯
	열훈(熱暈)	【합편】防風通聖散
	혈훈(血暈)	【합편】芎歸湯
	노인훈(老人暈)	【합편】十全大補湯
	편두통(偏頭痛)	【합편】淸上蠲痛湯 二陳湯 四物湯 大承氣湯
	담궐통(痰厥痛)	【합편】半夏白朮天麻湯 芎辛導痰湯 二陳湯 六安煎(中
	음허통(陰虛痛)	【합편】八味元 六味地黃元
	양허통(陽虛痛)	【합편】理中湯 理陰煎 補中益氣湯
	기혈통(氣血痛)	【합편】順氣和中湯
頭痛	혈허통(血虛痛)	【합편】當歸補血湯 芎烏散
	열궐통(熱厥痛)	【합편】淸上瀉火湯
	화사통(火邪痛)	【합편】白虎湯
	풍한통(風寒痛)	【합편】芎芷香蘇散
	습열통(濕熱痛)	【합편】防風通聖散

	변조혈옹(便燥血壅)	【합편】 大承氣湯
	미릉골통(眉稜骨痛)	【합편】 二陳湯
	* 두통제증(頭痛諸症)	【신편】 태음- [寒] 太陰寒調胃湯 [熱] 葛根解肌湯 [風] 如神炷 [痰] 熱多寒少湯 [偏頭] 葛根解肌湯 소음- 補中益氣湯 八物君子湯 [鬱] 香附子八物湯 [風痰] 祛風湯 (加 川芎) 소양- 荊防地黃湯 [實熱] 地黃白虎湯 [風] 導赤降氣湯 凉膈散火湯 [偏頭] 黃連地黃湯
頭皮	두생백설(頭生白屑)	【합편】 消風散

32. 면(面)

面寒熱	면열(面熱)	【합편】 升麻黃連湯 調胃承氣湯 【신편】 태음- 熱多寒少湯 [女勞] 淸心蓮子湯 소음- 補中益氣湯 소양- 凉膈散火湯 [骨蒸] 十二味地黃湯
	면한(面寒)	【합편】 升麻附子湯 附子理中湯 【신편】 태음- 太陰調胃湯 [黃黑] 熱多寒少湯 소음- 何烏附子理中湯 人蔘附子理中湯 소양- 荊防地黃湯 十二味地黃湯
	풍열(風熱)	【합편】 犀角升麻湯 淸上防風湯 【신편】 태음- 熱多寒少湯 소음 - 八物君子湯 소양- 凉膈散火湯
	면대양(面戴陽)	【합편】 四逆湯
面浮	음허면부(陰虛面浮)	【합편】 胃關煎 八味元 蔘笭白朮散 歸脾湯
	위풍(胃風)	【합편】 升麻胃風湯 消風散 荊防敗毒散 淸胃散
	실열면부(實熱面浮)	【합편】 白虎湯 大分淸飮
外用	풍자(風刺)	【합편】 西施玉容散(雜方門)
	* 작반(雀斑)	【신편】 태음, 소음, 소양- 西施玉容散 / 태음- 藁本黃栗白芷散 (洗面時取用) 소음- 菜豆藿香散(洗面時取用) 소양- 防風天花粉散(洗面時取用)

33. 안(眼)

眼病	내장(內障)	【합편】 補中益氣湯 十全大補湯
	외장(外障)	【합편】 瀉靑丸 四物龍膽湯 石決明散 消風散 洗肝明目湯 [風淚] 白殭蠶散
	안동(眼疼)	【합편】 夏枯草散
	안혼(眼昏)	【합편】 加味磁朱丸
外用	세안(洗眼)	【합편】 洗眼湯
	점안(點眼)	【합편】 珊瑚紫金膏* 七鍼膏* 【신편】 태음, 소음, 소양- 明目散
通治	통치(通治)	【합편】 四物湯 【신편】 태음- [寒] 太陰調胃湯 [熱] 熱多寒少湯 [洗藥] 立效散 [雜藥] 點眼散 소음- 補中益氣湯 十全大補湯 八物君子湯 [雜藥] 煖肝散 硫黃散 點眼散 소양- 荊防地黃湯 生熟地黃湯 [火] 凉膈散火湯 李氏凉膈散 [寒熱] 陽毒白虎湯 [雜

| | | 藥] 點眼散 |

34. 이(耳)

耳病	이롱(耳聾)	【합편】磁石羊腎丸 消風散 【신편】태음- 腎氣調胃湯 鹿茸大補湯 葛茸大補湯 소음- 八物君子湯 十全大補湯 소양- 荊防地黃湯
	이명(耳鳴)	【합편: 풍열이명(風熱耳鳴)】防風通聖散 【신편】태음- 腎氣調胃湯 鹿茸大補湯 葛茸大補湯 소음- 八物君子湯 十全大補湯 소양- 荊防地黃湯
	정농(聤膿)	【합편】蔓荊子散 荊芥連翹湯 【신편】태음- 葛根解肌湯 소음- 八物君子湯 十全大補湯 소양- 凉膈散火湯

35. 비(鼻)

鼻淵鼻塞	비연비구(鼻淵鼻䶏)	【합편】消風散 柴陳湯 防風通聖散 【신편: 비연(鼻淵)】태음- 葛根解肌湯 葛根承氣湯 如神炷 소음- 十全大補湯 소양- 陽毒白虎湯 凉膈散火湯
	비색비통(鼻塞鼻痛)	【합편】蔘蘇飲 二陳湯 麗澤通氣湯 補中益氣湯 【신편: 비색(鼻塞)】태음- 如神炷 소음- 芎歸香蘇散 (加細辛胡椒) 소양- 荊防敗毒散 【신편: 비통(鼻痛)】소음- 李氏補中益氣湯
鼻病雜症	비치비창(鼻痔鼻瘡)	【합편】瀉白散 勝濕湯 黃芩湯 防風通聖散 【신편: 비치(鼻痔)】태음- 清肺瀉肝湯 소음- 十全大補湯 소양- 荊防瀉白散 【신편: 비창(鼻瘡)】태음- 如神炷 소음- 八物君子湯 소양- 凉膈散火湯
	비사(鼻䶏)	【합편】清熱四物湯

36. 구설(口舌)

口病	폐열구신(肺熱口辛)	【합편】甘桔湯 瀉白散
	심열구고(心熱口苦)	【합편】凉膈散
	신열구함(腎熱口鹹)	【합편】滋腎丸
	간열구고(肝熱口苦)	【합편】小柴胡湯
	구미(口糜)	【합편】移熱湯 瀉白散 回春凉膈散 牛黃凉膈元 凉膈散 理中湯 四物湯 補中益氣湯 (小兒口瘡) 凉膈散
舌病	설종(舌腫)	【합편】黃連湯 清心蓮子飲
	중설(重舌)	【합편】青黛散 龍石散
通治	* 구설(口舌)	【신편】태음- 調中湯 黑奴丸 二聖救苦丸 [右三方皆可合之或合明目飲] 소음- 八物君子湯 人蔘散 소양- 凉膈散火湯 陽毒白虎湯 李氏肥兒丸 [唇腫] 水銀薰鼻方 輕粉乳香沒藥丸 [少陽人多有此症故云]

37. 아치(牙齒)

齒痛	위열통(胃熱痛)	【합편】淸胃散 瀉胃湯
	어혈통(瘀血痛)	【합편】犀角地黃湯 桃仁承氣湯
	담열통(痰熱痛)	【합편】二陳湯
	풍열통(風熱痛)	【합편】犀角升麻湯
齒齦	은종(齦腫)	【합편】犀角升麻湯 凉膈散
外用	수약(漱藥)	【합편】玉池散
通治	* 아치(牙齒)	【신편】태음- 如神炷 一擦光 소음- 補中益氣湯 袪風散 壽脾解語湯 소양- 荊防敗毒散 凉膈散火湯 陽毒白虎湯 催生飮

38. 인후(咽喉)

乳蛾	유아(乳蛾)	【합편: 실유아(實乳蛾)】凉膈散 防風通聖散 【합편: 허유아(虛乳蛾)】四物湯 千緡湯 【신편】태음- 熱多寒少湯 大承氣湯 如神炷 [虛] 太陰調胃湯 (加升麻白芷) 소음- 赤巳煎 獨蔘八物湯 鎭陰膾 溫白元 (或狗薑蒸于當處) 소양- 凉膈散火湯 陽毒白虎湯 甘遂天一丸 [甚垂危] 水銀薰鼻方 輕粉乳香沒藥丸
咽喉	인종(咽腫)	【합편】牛黃凉膈元 靑黛散 龍腦膏 龍石散 吹喉散
	인창(咽瘡)	【합편】淸火補陰湯
	인통(咽痛)	【합편】必用方甘桔湯 淸火補陰湯 荊防敗毒散 梨硼膏 甘桔湯(亦治 喉痺失音)
	음허격양(陰虛格陽)	【합편】鎭陰煎
	* 제증(諸症)	【신편】태음- 熱多寒少湯 如神炷 [虛]太陰調胃湯 (加升麻白芷) 소음- 赤巳煎 獨蔘八物湯 鎭陰膾 溫白元 소양- 凉膈散火湯 陽毒白虎湯 甘遂天一丸 [甚垂危] 水銀薰鼻方 輕粉乳香沒藥丸 (纏喉風同唇腫條)
咽喉雜症	매핵(梅核)	【합편】荊蘇湯 加味四七湯 四七湯
	오탄제충(誤呑諸蟲)	【합편】四物湯
	* 오탄(誤呑)	【신편】태음- 二門五味湯(加大黃升麻) [危者人蔘三兩當歸川芎各五錢煎和蜜○朴硝活磁石末同猪脂調服○通中下] 소음- 砂仁煎 [或當歸 芎等分服] 소양- 催生飮 或 六味地黃湯

39. 경항(頸項)

頸項病	항강(項强)	【합편】回首散

40. 배(背)

背病	배통(背痛)	【합편】三合湯 四物湯 二陳湯
	배한(背寒)	【합편】導痰湯 蘇子降氣湯

41. 흉(胸)

	심비통(心脾痛)	【합편】手拈散
	심신통(心腎痛)	【합편】蟠蔥散 神保元
	칠정통(七情痛)	【합편】加味四七湯 分心氣飮
	혈통(血痛)	【합편】五積散 失笑散
	기통(氣痛)	【합편】蘇合香元
	냉통(冷痛)	【합편】建理湯 扶陽助胃湯 蔘圓飮 厚朴溫中湯 五積散
	열통(熱痛)	【합편】連附六一湯 大承氣湯 小柴胡湯
胸痛	식통(食痛)	【합편】行氣香蘇散 平胃散 香砂養胃湯
	계통(悸痛)	【합편】加味四七湯 四七湯 七氣湯
	담통(痰痛)	【합편】芎夏湯 五苓散
	충통(蟲痛)	【합편】二陳湯
	풍통(風痛)	【합편】分心氣飮
	신기상공(腎氣上攻)	【합편】五苓散
	허통(虛痛)	【합편】二陳湯 小建中湯
	* 흉통(胸痛)	【신편】태음- 麻黃定痛湯 소음- 同傷寒結胸候 [臟結] 人蔘白 何烏寬中湯 寬中湯 人蔘附子理中湯 소양- 同傷寒結胸候
劫藥	겁약(劫藥)	【합편】倉卒散
	담결비(痰結痞)	【합편】柴梗半夏湯 柴陳湯
胸痞/結胸	흉비(胸痞)	【합편】桔梗枳殼湯
	수결흉(水結胸)	【합편】赤茯苓湯

42. 유(乳)

乳汁	하유(下乳)	【합편】通乳湯【신편】태음- 補肺元湯 補肺通乳散 소음- 香附 子八物湯 香蘇散 甘橘煎 소양- 通乳歸腎湯 六味地黃湯
	소유(消乳)	【합편】四物湯【신편】태음- 五味子,蓮肉等藥 소음- 黃芪,人 蔘等藥 소양- 熟地,生地等藥
	유암(乳巖)	【합편】十六味流氣飮
乳房病	유옹(乳癰)	【합편】神效瓜蔞散 加味芷貝散 八物湯【신편】태음- 熱多寒少 湯 [虛] 調胃續命湯 소음- 八物君子湯 十全大補湯 소양- 導赤 降氣湯 凉膈散火湯
	유핵(乳核)	【합편】淸肝解鬱湯 芷貝散

43. 복(腹)

	한통(寒痛)	【합편】建理湯 當歸四逆湯 厚朴溫中湯 五積散 理中湯
	열통(熱痛)	【합편】黃芩芍藥湯
腹痛	담통(痰痛)	【합편】芎夏湯
	혈통(血痛)	【합편】失笑散

	식통(食痛)	【합편】 平胃散
	실통(實痛)	【합편】 大柴胡湯
	허통(虛痛)	【합편】 小建中湯 理中湯
	구설(嘔泄)	【합편】 黃連湯
臍	제복(臍腹)	【합편】 四逆湯 五積散
	제축증(臍築症)	【합편】 理中湯
通治	통치(通治)	【합편】 芍藥甘草湯
	* 복통(腹痛): 附臍	【신편】 태음- 淸心蓮子湯 太陰調胃湯 [急痛] 麝香散 [臍築] 太陰調胃湯 소음- 理中湯 寬中湯 [臍築] 理中湯 소양- 荊防地黃湯 滑石苦蔘湯 [臍築] 六味地黃湯

44. 요(腰)

	신허통(腎虛痛)	【합편】 靑蛾丸 八味元
	담통(痰痛)	【합편】 芎夏湯 二陳湯
腰痛原因	식통(食痛)	【합편】 四物湯 合 二陳湯
	풍통(風痛)	【합편】 烏藥順氣散 五積散
	좌섬(挫閃)	【합편】 如神散 立安散 五積散(亦治 寒濕及瘀血腰痛) 【신편】 태음- 三黃湯 소음- 如神湯 소양- 輕粉乳香沒藥丸(用血蝎湯下)
通治	* 요통(腰痛)	【신편】 태음- 太陰調胃湯 鹿茸大補湯 소음- 補中益氣湯 十二味寬中湯 소양- 荊防地黃湯 六味地黃湯

45. 협(脇)

	좌통(左痛)	【합편】 枳芎散 小柴胡湯
脇痛部位	우통(右痛)	【합편】 推氣散 神保元
	양협통(兩脇痛)	【합편】 分心氣飮
	기통(氣痛)	【합편】 神保元 小柴胡湯
脇痛病因	실통(實痛)	【합편】 小柴胡湯
	허통(虛痛)	【합편】 四物湯 五積散
	* 협(脇)	【신편】 태음, 소음, 소양 - 氣門而右爲氣左爲血

46. 피(皮)

	은진(癮疹)	【합편】 淸肌散 十神湯 防風通聖散 升麻葛根湯 荊防敗毒散 回春凉膈散 烏藥順氣散 【신편: 은진(癮疹)- 同 風門(歷節風)】 태음- 淸肺瀉肝湯 소음- 祛風散 소양- 凉隔散火湯 輕粉乳香沒藥丸
癮疹/斑疹	반진(斑疹)	【합편】 人蔘白虎湯 升麻葛根湯
	내상발반(內傷發斑)	【합편】 黃芪建中湯

	음증발반(陰症發斑)	【합편】理中湯
丹毒	단독(丹毒)	【합편】犀角消毒飮 黃連解毒湯 犀角升麻湯
痲木/瘙痒	허양(虛痒)	【합편】四物湯
	마양(麻痒)	【합편】消風散
	마목(痲木)	【합편】開結舒經湯 二陳湯 四物湯 香蘇散
	기허마목(氣虛痲木)	【합편】補中益氣湯
	* 양급마목(痒及痲木)	【신편】 태음, 소음, 소양 - 同 風門(風痲瘑瘓) / 소양- 或加黃連苽蔞仁

47. 수(手)

	비통(臂痛)	【합편:기체비통(氣滯臂痛)】 舒經湯 【합편:담체비통(痰滯臂痛)】半夏苓朮湯 【신편: 비통(臂痛)】 태음- 太陰調胃湯 熱多寒少湯 소음- 川芎桂枝湯 十二味寬中湯 소양- 導赤降氣湯
手病	마비(麻痺)	【합편】木香保命丹
	허증(虛症)	【합편】建理湯

48. 족(足)

	습체각기(濕滯脚氣)	【합편】淸熱瀉濕湯
脚氣	풍습(風濕)	【합편】大羌活湯 疎風活血湯 檳蘇散 獨活寄生湯
	습체(濕滯)	【합편】五苓散 胃苓湯
	한습(寒濕)	【합편】五積散 小續命湯
	혈열(血熱)	【합편】四物湯
	담체(痰滯)	【합편】五積散
	충상(衝上)	【합편】[入腹] 木萸湯 紫蘇飮 四磨湯 [入心] 三和散 [入肺] 小靑龍湯 [入腎] 八味元
	사기유주(四氣流注)	【합편】四蒸木瓜丸
	통치(通治)	【합편】烏藥順氣散 五積散 不換金正氣散 【신편】 태음- 下部一切脚氣脚腫等 通中下 [虛] 太陰調胃湯 [熱] 淸肺瀉肝湯 소음 - 八物君子湯(加蒼朮白何二錢) 소양- [火] 凉膈散火湯 [濕] 導赤降氣湯 [風] 荊防敗毒散 [虛兼風濕] 獨活地黃湯 [鶴膝風] 荊防地黃湯
痺/風	마비(麻痺)	【합편】木香保命丹
	학슬풍(鶴膝風)	【합편】大防風湯 三氣飮 五積散 八味元

49. 전음(前陰)

疝病	한산(寒疝)	【합편】蟠蔥散 煖肝煎 當歸四逆湯 小建中湯 理中湯 五積散

	근산(筋疝)	【합편】 龍膽瀉肝湯 淸心蓮子飮
	혈산(血疝)	【합편】 神聖代鍼散 桃仁承氣湯
	기산(氣疝)	【합편】 蟠蔥散
	호산(狐疝)	【합편】 二陳湯
	퇴산(㿉疝)	【합편】 橘核丸 神保元 五苓散
	분돈산(奔㹠疝)	【합편】 理中湯
疝病通治	겁약(劫藥)	【합편】 梔附湯 神聖代鍼散
	통치(通治)	【합편】 二陳湯 五苓散 【신편: 산(疝)】 태음- [虛] 升芷調胃湯 [熱] 熱多寒少湯 소음- 補中益氣湯 [塞甚] 理中湯 소양- 十二味地黃湯 荊防地黃湯
前陰(男)	편추(偏墜)	【합편】 茴香安腎湯
	음냉(陰冷)	【합편】 八味元
	낭종(囊腫)	【합편】 五苓散 合 三仙湯 【신편】 태음- [虛] 太陰調胃湯 [熱] 熱多寒少湯 소음- 補中益氣湯 [塞甚] 理中湯 소양- 十二味地黃湯 荊防地黃湯
	낭습(囊濕)	【합편】 活血驅風湯
前陰(女)	음호출(陰戶出)	【합편】 補中益氣湯 歸脾湯 龍膽瀉肝湯 柴胡四物湯 【신편: 탈음(脫陰)】 태음- 花惜調胃湯 (加龍骨以河膠鹿角膠易民魚) 소음- 祕傳香蘇散 九味花惜湯 소양- 花惜地黃湯
	음호종(陰戶腫)	【합편】 四物湯 加味逍遙散
	습양(濕痒)	【합편】 歸脾湯 加味逍遙散
	* 음종음양(陰腫陰痒)	【신편】 태음- 同疝 (或蒸或服或洗) 소음- 同疝 (相間服薰洗) 소양- 同疝 (服薰洗)

50. 후음(後陰)

	치루(痔瘻)	【합편】 秦艽蒼朮湯 【신편】 태음- 太陰調胃湯 소음- 補中益氣湯 十全大補湯(以蒼易白) 소양- 荊防敗毒散 六味地黃湯 [熱毒] 黃連瀉白散
痔疾	허치(虛痔)	【합편】 腎氣丸 補中益氣湯 十全大補湯
	일구(日久)	【합편】 蔘苓白朮散 益胃升陽湯
	탈항(脫肛)	【합편】 蔘芪湯 補中益氣湯 四物湯 六味地黃元 升陽除濕湯 八味元
出血	장풍(腸風)	【합편】 當歸和血湯 胃風湯 升陽除濕和血湯 平胃散 人蔘敗毒散 四物湯
	장열(腸熱)	【합편】 黃連解毒湯
	습독(濕毒)	【합편】 黃連湯

51. 옹저(癰疽)

| 癰疽時期 | 초발(初發) | 【합편】 連翹敗毒散 三仁膏 托裏消毒飮 【신편】 태음- 葛根解肌 |

		湯 소음- 川芎桂枝湯 芎歸香蘇散 소양- 消毒飮九 荊防敗毒散
	시종(始終)	【합편】 國老膏
	궤후(潰後)	【합편】 加味十全湯 十全大補湯 滋腎保元湯 【신편】 태음- 淸肺瀉肝湯 [實熱] 承氣湯 大黃散 소음- 十全大補湯 補中益氣湯 人蔘散 巴豆湯 소양- 黃連導白散 陽毒白虎湯 豚卵散 / 태음, 소음, 소양 - [貼藥 - 神異膏 萬應膏 雲母膏 無憂膏] [揷藥 - 神聖餠]
癰疽症狀	번갈(煩渴)	【합편】 八物湯
	독기상공(毒氣上攻)	【합편】 六君子湯
	담성(痰盛)	【합편】 通順散
外用	첩약(貼藥)	【합편】 神異膏* 萬應膏* 雲母膏* 萬病無憂膏* 消痰膏*
	삽약(揷藥)	【합편】 神聖餠
癰疽部位	폐옹(肺癰)	【합편】 桔梗湯 蔘蘇飮 小靑龍湯
	간옹(肝癰)	【합편】 小柴胡湯
	신옹(腎癰)	【합편】 八味元
	현옹(懸癰)	【합편】 國老膏
	부골저(附骨疽)	【합편】 通順散 合 二陳湯
	* 내옹(內癰)	【신편: 제옹(諸癰)門- 내옹(內癰)】 태음- 太陰調胃湯 [實熱] 承氣湯 소음- 人蔘官桂附子湯 十全大補湯 소양- 荊防地黃湯 忍冬藤地骨皮湯

52. 제창(諸瘡)

瘡	대풍창(大風瘡)	【합편】 防風通聖散
	양매창(楊梅瘡)	【합편】 仙遺粮湯 丹粉丸 防風通聖散(亦治疥癬)
	두창(頭瘡)	【합편】 酒歸飮 防風通聖散
	음식창(陰蝕瘡)	【합편】 龍膽瀉肝湯 八正散
	겸창(臁瘡)	【합편】 八物湯 連翹敗毒散
	신풍창(腎風瘡)	【합편】 活血驅風湯 腎氣丸 四物湯
	제창(諸瘡)	【합편】 升麻葛根湯 合 人蔘敗毒散 【신편: 제옹(諸癰)門- 내옹(內癰)】 태음, 소음, 소양- 諸瘡幷同癰疽門潰後條
癭瘤瘰癧	영류(癭瘤)	【합편】 十六味流氣飮
	나력(瘰癧)	【합편】 梔子淸肝湯 夏枯草散
	결핵(結核)	【합편】 開氣消痰湯 二陳湯

53. 부인(婦人)

月經病	부조(不調)	【합편】 調經散 四製香附丸 四物湯 七製香附丸 【신편】 태음- [寒] 太陰調胃湯 [熱] 熱多寒少湯 (隨證加減) 소음- 八物君子湯 (隨證加減) 소양- 加味地黃湯(隨證加減)

	경지(經遲)	【합편】大營煎
	경래신통(經來身痛)	【합편】五積散
	혈가(血瘕)	【합편】歸尤破瘀湯
經閉	혈폐(血閉)	【합편】通經湯 加味歸脾湯
	혈고(血枯)	【합편】補中益氣湯
	산후폐(産後閉)	【합편】十全大補湯
	습담(濕痰)	【합편】導痰湯
	울화(鬱火)	【합편】歸脾湯
	울노(鬱怒)	【합편】加味歸脾湯
帶下	대탁(帶濁)	【합편】祕元煎 毓麟珠
	적담(積痰)	【합편】二陳湯
	허한(虛寒)	【합편】補中益氣湯
	오장허하(五臟虛下)	【합편】胃風湯 五積散
崩漏	붕루(崩漏)	【합편】益胃升陽湯 全生活血湯 壽脾煎 蔘苓白朮散 復元養榮湯 擧元煎 歸脾湯 祕元煎
不姙	구사(求嗣)	【합편】調經種玉湯 附益地黃丸 毓麟珠 四物黃狗丸
	수겁자(瘦怯者)	【합편】四物湯
	비성자(肥盛者)	【합편】導痰湯
姙娠病	오조(惡阻)	【합편】保生湯 二陳湯【신편】태음- 補肺元湯 經驗調胃湯 소음- 薑朮寬中湯 소양- 荊防導白散
	태루(胎漏)	【합편】膠艾芎歸湯 膠艾四物湯【신편】태음- [寒]保胎飲 [熱]文武保胎飲 소음- 加味八物湯 소양- 保胎地黃湯
	태동(胎動)	【합편】安胎飲 補中益氣湯【신편】태음- 經驗調胃湯(加 黃芩) 千金文武湯 補肺元湯 소음- 補中益氣湯 李氏補中益氣湯 소양- [火] 凉膈散火湯
	반산(半産)	【합편】金櫃當歸散 八物湯【신편】태음- [寒]保胎飲 [熱]文武保胎飲 소음- 加味八物湯 소양- 保胎地黃湯
	소복상추(小腹常墜)	【합편】補中益氣湯
	자간(子癎)	【합편】羚羊角湯 四物湯【신편】同 大科 (22. 神)
	자번(子煩)	【합편】竹瀝湯【신편】同 子懸
	자종(子腫)	【합편】鯉魚湯 藿苓湯 澤瀉湯 平胃散【신편】同 大科 (13. 浮腫)
	자림(子淋)	【합편】芎歸湯 補中益氣湯【신편】同 大科 (29. 小便)
	자수(子嗽)	【합편】紫菀湯【신편】同 大科 (11. 咳嗽)
	잉부전포(孕婦轉脬)	【합편】蔘朮飲 六味地黃元 君苓湯 八味元
	자리(子痢)	【합편】當歸芍藥散 調中理氣湯 胃風湯 香連丸【신편】태음, 소음, 소양 - 同 大科 (30. 大便)
	자학(子瘧)	【합편】人蔘養榮湯 八物湯【신편】同 大科 (17. 瘧疾)

	자현(子懸)	【합편】紫蘇飮 【신편】태음- 補肺元湯 소음- 八物君子湯 소양- 六味地黃湯
	자음(子瘖)	【합편】四物湯 【신편】同 大科 (01. 風- 暴瘖)
	임신통치(妊娠通治)	【합편】加味八珍湯 芎歸湯
出産	보산(保産)	【합편】達生散 芎歸湯 紫蘇飮 佛手散
	최산(催産)	【합편】紫蘇飮 單鹿茸湯 佛手散 藿香正氣散 【신편】태음- 二門五味湯 소음- 藿香正氣散 [表虛] 八物君子湯 소양- 催生散 六味地黃湯
	하사태(下死胎)	【합편】平胃散 【신편】태음- 承氣調胃湯 소음- 八物君子湯 소양- 熟地黃苦蔘湯 甘遂天一丸
	포의불하(胞衣不下)	【합편】牛膝湯 芎歸湯 【신편: 태의불하(胎衣不下)】태음- 二門五味湯 淸肺瀉肝湯 소음- 藿香正氣散 소양- 地黃苦蔘湯
産後病	상한(傷寒)	【합편】芎蘇散 小柴胡湯【신편】同 大科 (02. 寒)
	산후허로(産後虛勞)	【합편】補虛湯 當歸羊肉湯 十全大補湯【신편】태음- 太陰調胃湯 소음- 八物君子湯 十全大補湯 소양- 六味地黃湯
	아침통(兒枕痛)	【합편】失笑散 起枕散 [血虛] 四物湯 [胃虛] 六君子湯【신편: 산후복통(産後腹痛)】태음- 太陰調胃湯 淸肺瀉肝湯(幷加 蓮肉 蒲黃) 소음- 八物湯(加 當歸尾 香附子) 소양- 牧丹地黃湯(加 苦蔘生地黃)
	혈붕(血崩)	【합편】芎歸湯 四物湯【신편】同 大科 (23. 血)
	혈훈(血暈)	【합편】荊蘇散 芎歸湯 全生活血湯 花蕊石散*【신편】同 大科 (23. 血- 失血眩暈)
	뉵혈(衄血)	【합편】犀角地黃湯 荊芥散【신편】同 大科 (23. 血)
	천수(喘嗽)	【합편】小蔘蘇飮 芎歸湯【신편: 해수(咳嗽)】同 大科 (11. 咳嗽)
	불어(不語)	【합편】茯苓補心湯【신편】同 大科(01. 風)
	섬어(譫語)	【합편】蘇合香元 八物湯
	발열(發熱)	【합편】柴胡四物湯 牛黃膏
	열입혈실(熱入血室)	【합편】小柴胡湯
	감모풍한(感冒風寒)	【합편】五積散
	혈허발열(血虛發熱)	【합편】逍遙散
	음탈(陰脫)	【합편】當歸黃芪湯 四物湯 補中益氣湯 八物湯 失笑散 芎歸湯【신편】同 大科(49. 前陰)
	식체(食滯)	【합편】理脾湯 五積散
	울모(鬱冒)	【합편】全生活血湯【신편】同 虛勞
	풍치(風痓)	【합편】愈風散 豆淋酒 八物湯 四物湯【신편】 同 風門
	두통(頭痛)	【합편】四物湯 芎歸湯
	유뇨(遺尿)	【합편】蔘朮膏

	설리(泄痢)	【합편】四物湯 當歸芍藥湯【신편】同 大科(30. 大便)
	변비(便祕)	【합편】芎歸湯 四磨湯 八物湯 加味逍遙散【신편】同 大科(30. 大便)
	부종(浮腫)	【합편】理中湯 四君子湯【신편】同 大科(13. 浮腫門)
	주치(主治)	【합편】補虛湯

54. 소아(小兒)

不安/驚風	객오중악(客忤中惡)	【합편】蘇合香元【신편】태음- 牛黃淸心元 石菖蒲遠志散 소음- 蘇合香元 薑尤寬中湯 소양- 靈砂散 朱砂益元散
	야제(夜啼)	【합편】抱龍丸 導赤散【신편】태음- 石菖蒲遠志散 소음- 蘇合香元 薑尤寬中湯 소양- 導赤降氣湯
	경풍(驚風)	【합편】蘇合香元 瀉靑丸 龍腦安神丸 牛黃抱龍丸 抱龍丸
	간기(肝氣)	【합편】芍藥甘草湯
	만경(慢驚)	【합편】錢氏白尤散【신편】태음- 補肺元湯(發後 同 風門救急條) 소음- 人蔘陳皮湯 人蔘桂枝湯 소양- 同 風門救急條
	치경(痓痙)	【합편】理中湯 小續命湯 烏藥順氣散
	전간(癲癇)	【합편】紫霜丸【신편】同 神門(22. 神)
小兒雜病	제열(諸熱)	【합편】小兒淸心元 天乙丸 瀉靑丸 導赤散 瀉白散 六味地黃元 四君子湯 錢氏白尤散 補中益氣湯 水土丹 [간열] 瀉靑丸 [심열] 導赤散 [비열] 瀉靑散 [폐열] 瀉白散 [신열] 六味地黃元 [조열(潮熱)] 通心飮 [태열(胎熱)] 生地黃湯 釀乳方 [골증열] 生犀散 [담열] 抱龍丸 [학열(瘧熱)] 柴平湯 梨漿飮 [풍한열] 人蔘羌活散 [장열(壯熱)] 人蔘羌活散 [실열] 四順淸凉飮 [허열] 地骨皮散【신편】同 大科(06. 火)
	토사(吐瀉)	【합편】燒鍼丸 理中湯 四君子湯 平胃散 白虎湯 異功散 補中益氣湯 錢氏白尤散【신편】同 大科(09. 霍亂)
	감모(感冒)	【합편】人蔘羌活散 芍藥甘草湯 蔘蘇飮【신편】同 大科(02. 寒)
	담천(痰喘)	【합편】瀉白散 導痰湯 淸金降火湯 抱龍丸【신편】同 大科(11. 咳嗽)
	설리(泄痢)	【합편】黃芩芍藥湯 益元散 六神丸【신편】同 大科(30. 大便)
	복통(腹痛)	【합편】黃芩芍藥湯 理中湯 安蛔理中湯 楝陳湯 [熱腹痛] 黃芩芍藥湯 [寒腹痛] 理中湯 [乳食傷腹痛] 消積散 [盤腸痛] 蘇合香元 乳香散 [蟲腹痛] 苦楝散 安蛔理中湯【신편】同 大科(43. 腹)
	복창(腹脹)	【합편】[實證: 乳食傷] 紫霜丸 [虛證] 六君子湯【신편】同 大科(14. 脹滿)
	반장통(盤腸痛)	【합편】蘇合香元【신편】태음- 石菖蒲遠志散 소음- 香附子八物湯 소양- 荊防導赤散

	귀흉(龜胸)	【합편】 瀉白散 二陳湯【신편】 태음- 熱多寒少湯 소음- 八物君子湯 소양- 莉防敗毒散
	* 귀배(龜背)	【신편】 태음- 太陰調胃湯 소음- 藿香正氣散 소양- 莉防敗毒散
	단독(丹毒)	【합편】 犀角地黃湯 升麻葛根湯 犀角消毒飮 【신편】 同 皮門 (46. 皮)
	제창(諸瘡)	【합편】 牛黃解毒丹 生料四物湯 五福化毒丹 防風通聖散 犀角地黃湯【신편】 태음, 소음, 소양- 同 癰疽門(51. 癰疽)
虛弱	감질(疳疾)	【합편】 肥兒丸 五福化毒丹 八物湯【신편】 태음- 熱多寒少湯 소음- 八物君子湯 소양- 李氏肥兒丸
	오연(五軟)	【합편】 補中益氣湯 腎氣丸 四君子湯
	오경(五硬)	【합편】 烏藥順氣散【신편】 태음- [寒] 調胃續命湯 [熱] 淸肺瀉肝湯 소음- 川芎桂枝湯 香附子八物湯 소양- 莉防敗毒散 凉膈散火湯
	해로(解顱)	【합편】 八味元 十全大補湯 腎氣丸 八物湯 【신편】 태음- 腎氣調胃湯 소음- 八物君子湯(倍加 白朮) 소양- 六味地黃湯 莉防敗毒散
	신전(顖塡)	【합편】 補中益氣湯 瀉靑丸【신편】 태음- 太陰調胃湯 소음- 芎歸香蘇散 八物君子湯 소양- 莉防瀉白散(원문: 莉防導白散)
	신함(顖陷)	【합편】 補中益氣湯 十全大補湯【신편】 태음- 太陰調胃湯 鹿茸大補湯 소음- 補中益氣湯 十全大補湯 升陽益氣湯 소양- 李氏凉膈散 李氏肥兒丸
	치불생(齒不生)	【합편】 十全大補湯 腎氣丸【신편】 태음- 腎氣調胃湯 소음- 十全大補湯 소양- 莉防地黃湯
痘瘡	두진예방(痘疹豫防)	【합편】 稀痘免紅丹 消毒保嬰丹【신편】 태음, 소양, 소음- 虛則補之 實則瀉之 冷則溫之 熱則寒之而己 不可妄餌解毒及竦表藥 以致元氣衰耗 反凶危也
	초열(初熱)	【합편】 升麻葛根湯 柴歸飮 蔘蘇飮 抱龍丸 瀉靑丸【신편】 태음, 소음, 소양- 並依傷寒六經病症中仔細治之論症用藥與他病別無異同
	출두(出痘)	【합편】 保元湯
	기창관농(起脹貫膿)	【합편】 保元湯 四物湯【신편】 同 初熱(初熱)
	수염(收厭)	【합편】 龍腦膏 異功散【신편】 同 初熱(初熱)
	통치(通治)	【합편】 保元湯 柴歸飮
	해독(解毒)	【합편】 五福化毒丹 龍腦安神丸 犀角地黃湯 [虛中有毒] 九味神功散
	경축(驚搐)	【합편】 瀉靑丸 導赤散【신편】 태음, 소음, 소양- 右諸症 並依六經病症中 仔細分治
	구토(嘔吐)	【합편】 理中湯【신편】 태음, 소음, 소양- 右諸症 並依六經病症中 仔細分治

	설사(泄瀉)	【합편】異功散 蔘苓白朮散 補中益氣湯
	담천(痰喘)	【합편】抱龍丸
	번갈(煩渴)	【합편】蔘苓白朮散 保元湯 【신편】태음, 소음, 소양- 右諸症 並依六經病症中 仔細分治
	한전교아(寒戰咬牙)	【합편】保元湯 【신편】태음, 소음, 소양- 右諸症 並依六經病症 中 仔細分治
	실혈(失血)	【합편】犀角地黃湯
	뇨삽(尿澁)	【합편】導赤散
	두후음(痘後瘖)	【합편】四物湯 十全大補湯 甘桔湯 【신편】태음, 소음, 소양- 右諸症 並依六經病症中 仔細分治
	안예(眼臀)	【합편】瀉靑丸
	잉두(孕痘)	【합편】安胎飮 【신편】태음, 소음, 소양- 右諸症 並依六經病症 中 仔細分治
麻疹	마진초열(麻疹初熱)	【합편】升麻葛根湯 犀角地黃湯 【신편】태음, 소음, 소양- 並依 上方分治
	상풍(傷風)	【합편】四苓散
	한갈(汗渴)	【합편】人蔘白虎湯
	번조(煩燥)	【합편】黃連解毒湯
	섬어(譫語)	【합편】辰砂益元散
	천수(喘嗽)	【합편】蔘蘇飮 防風通聖散
	인통(咽痛)	【합편】甘桔湯 淸金降火湯
	설사(泄瀉)	【합편】柴苓湯
	이질(痢疾)	【합편】黃芩芍藥湯
	구토복통(嘔吐腹痛)	【합편】白虎湯 益元散
	혈증(血症)	【합편】犀角地黃湯 黃連解毒湯
	통치(通治)	【합편】四物湯 四君子湯
	잉마(孕麻)	【합편】紫蘇飮
手痘	수두(水痘)	【합편】麥湯散

REFERENCES

1. 황도연. (辨證論治)方藥合編. 남산당. 2000.
2. 신재용. 方藥合編解說. 전통의학연구소. 1993.
3. 동의학연구소. 새로보는 方藥合編. 단샘. 2006.
4. 윤용갑. 方藥合篇에 收錄된 處方의 主治別 系統分類와 引用文獻에 對한 考察. 대한한의학방제학회지. 1990; 1(1):28-60.
5. 염현식 외. 方藥合編下統方劑의 病症 및 病理 活用에 대한 考察. 대한한의학방제학회지. 2003; 11(1): 45-55.
6. 조대연 외. 방약합편중 부인과에 관련된 방제의 활용에 대한 고찰.동의생리병리학회지. 2004;18(6):1543-1547
7. 오병건, 박경남, 맹웅재.〈方藥合編〉中〈活套鍼線〉에 관한 板本學的 考察. 한국의사학회지. 2007;20(2): 169-236.
8. 東醫四象新編. 영인본. 發行者 不明. 發行日 不明
9. 송일병 외. 사상체질과 임상편람. 경희대학교 한의과대학 사상체질과. 2002
10. 元持常 저. 김정열 외 편역. 동의사상신편. 정담. 2002

C3 병명별 예시처방 (엑기스제)

C3-1 개요

1. 주요 병명별 임상연구, 치험례, 문헌별 적응증 등을 고려하여 사용할 수 있는 엑스제 처방례들을 소개하였습니다. 소개된 처방들은 'Tsumura 의료용한방제제 (Tsumura Kampo Formulation for Prescription)' 자료를 포함하여 주로 일본내 보험적용 한약제제의 활용례를 소개한 문헌을 참조한 것으로 해당 병명에 사용을 고려해 볼 수 있는 예시처방이며, 논문검색 등을 통하여 임상연구, 증례 등의 근거나 기전연구 등을 비교적 쉽게 찾아볼 수 있습니다.

2. 엑스제를 중심으로 소개하였으나 항목에 따라 관련된 일반처방(상한/금궤방, 후세방, 사상방 등)을 【참조처방】 항목에 별도로 실었습니다.

3. 본 처방례는 실제 진료후의 변증 및 환자상태에 따라 처방을 선택하는 것을 전제로 합니다. 과거 일본에서 간염에 무조건적으로 소시호탕(小柴胡湯) 엑스제를 투여한 결과 사망사례 등 각종 심각한 부작용이 보고된 경우도 있는 만큼 병명에 따른 단일 처방보다는 환자상태에 부합하는 처방선택, 약재가감, 용량조절 등의 과정이 필요합니다.

4. 병명과 함께 한의학적 병증을 고려하여 병증별 처방례(**[참조항목:** C2-4 **]** 도 참고하여 처방을 선택할 수 있으며 또한 서양의학적인 병명에서 찾기 힘든 범주의 증상도 병증별 처방례를 참고하시면 됩니다.

C3-2 병명별 예시처방

[주의 1]   실제 처방은 환자별 상태에 기반한 진단 및 변증과정 등을 고려한 이후에 결정되어야 하므로 아래의 내용은 처방사용의 예를 개괄적으로 살펴볼 수 있는 참고자료로만 활용하시기 바랍니다. 예를 들어 [어드름] 이란 항목에 몇가지 처방례가 소개되어 있기는 하지만 환자의 소화력, 배변상태, 월경관련증상, 심리적 요인 등도 함께 고려하여 치료의 1차적인 주목표를 결정한 후 최종적으로 처방을 선정할 수 있고, 소개된 예시 외의 병명과 처방에서 오히려 더 적합한 방(方)이 있을 수 있습니다.

[주의 2]   주로 일본내 보험 엑기스 제제를 활용한 예시처방을 소개한 내용이고 상대적으로 변증 및 환자상태에 따라 처방운용의 범위가 좁은 만큼 처방선택, 약재가감(또는 단미제 가미), 용량조절 및 타과 협진여부 등을 함께 고려하며 진료하도록 합니다.

[주의 3]   참조처방 및 고방(상한/금궤방)이나 사상체질 관련 처방은 병명에 따른 기계적인 처방보다는 환자의 종합적인 증상, 체질에 기반한 진단과정 등이 전제되어야 하며 특히 사상처방은 병명별 또는 증치의학(證治醫學)적 처방형태가 동무 이제마의 사상체질 병증 운용정신과는 차이가 있는 점에 유의하여 참고하시기 바랍니다.

분류	병명	예시처방
01.	내과질환 : 호흡계 – 환자상태에 따라 처방, 약재가감, 용량, 협진여부 결정	
	호흡기 – 외감, 기침	
	감기 – 일반	葛根湯 柴胡桂枝湯 小靑龍湯 麻黃湯 五積散 蔘蘇飮 麻黃附子細辛湯 [감기초기-실] 麻黃湯 葛根湯 升麻葛根湯 [감기초기-허] 桂枝湯 香蘇散 蔘蘇飮(기허) 川芎茶調散(두통) 麻黃附子細辛湯(양허) 【참조처방】九味羌活湯 柴葛解肌湯 香葛湯 加味普正散 敗毒散 連翹敗毒散 雙敗湯 芎芷香蘇散(兼頭痛) [사상] 川芎桂枝湯 芎歸香蘇散 藿香正氣散 荊防敗毒散 荊防導赤散 荊防瀉白散 太陰調胃湯 麻黃發表湯 葛根解肌湯 寒多熱少湯 升麻開腦湯
	감기 – 콧물, 급성비염	→ 12. 이비인후과 [비염] 참조
	감기 – 인후통, 편도염	→ 12. 이비인후과 [편도염] 참조
	감기 – 몸살(身體痛)	葛根湯 柴胡桂枝湯 桂枝湯 【참조처방】九味羌活湯 柴葛解肌湯 香葛湯 加味普正散 雙和湯 雙敗湯
	감기 – 식적(食積), 외감겸내상	【참조처방】藿香正氣散 不換金正氣散 人蔘養胃湯 陶氏補中益氣湯 陶氏平胃散(食積類傷案)
	감기 – 발열, 열감기	葛根湯 麻黃湯 小柴胡湯 柴胡桂枝湯 【참조처방】銀翹散 桑菊飮 大靑龍湯 連翹敗毒散 仙方敗毒湯 雙連 升陽散火湯 人蔘養胃湯(소아)

감기 - 수일경과한 감기(감기후기)	柴胡桂枝湯 小柴胡湯 小柴胡湯加桔梗石膏 柴胡桂枝乾薑湯 蔘蘇飮 竹茹溫膽湯 麥門冬湯(만성기침) 【참조처방】補中益氣湯-春方 苓甘薑味辛夏仁湯 錢氏白朮散
감기 - 임신시	→ 17. 여성질환 [임신시 감기] 참조
감기 - 여름 감기	→ 19. 기타증후 [중서(中暑), 여름감기] 참조
독감 (influenza)	麻黃湯(초기) 柴胡桂枝湯 竹茹溫膽湯 【참조처방】柴葛解肌湯 連翹敗毒散
기침, 해수(咳嗽)	麻杏甘石湯 五虎湯 神祕湯 蔘蘇飮 半夏厚朴湯 柴朴湯 柴陷湯(기침에 의한 흉통) [보음] 麥門冬湯 淸肺湯 竹茹溫膽湯 滋陰至寶湯 滋陰降火湯 【참조처방】杏蘇湯 定喘湯 柴梗半夏湯 三拗湯 瓜蔞枳實湯 蘇子降氣湯 保肺養營煎 治效散 解表二陳湯 金水六君煎 味麥益氣湯 六味夜嗽方 [사상] 補中益氣湯 香砂養胃湯 前胡地黃湯 荊防瀉白散 荊防地黃湯 六味地黃湯 太陰調胃湯 鹿茸大補湯 麻黃定喘湯
가래 - 일반	竹茹溫膽湯 滋陰至寶湯 麥門冬湯(점조痰) 淸肺湯(가래많음) 【참조처방】杏蘇湯 定喘湯
가래 - 마른기침, 건성해수, 야간해수	麥門冬湯 滋陰降火湯【참조처방】淸上補下湯 金水六君煎 淸肺補腎湯 瀉白散 生脈散 六味夜嗽方(夜嗽)
호흡기 - 기타	
기관지염	小柴胡湯 小靑龍湯 麥門冬湯 四逆散 神祕湯 柴朴湯 苓甘薑味辛夏仁湯 麻黃附子細辛湯 淸肺湯 【참조처방】杏蘇湯 麻杏甘石湯 荊防敗毒散
천식	柴朴湯 麥門冬湯 苓甘薑味辛夏仁湯 [발작기] 麻黃湯 麻杏甘石湯 小靑龍湯 五虎湯 [비발작기] 柴朴湯 神祕湯 喘四君子湯 【참조처방】淸上補下湯 定喘湯 三拗湯 麻黃定喘湯 解表二陳湯 金水六君煎 蘇子導痰降氣湯 葶藶大棗瀉肺湯 麻杏甘石湯 越婢加半夏湯
폐렴 보조요법	小柴胡湯 柴胡桂枝湯 竹茹溫膽湯【참조처방】柴梗半夏湯
결핵증 보조요법	柴胡桂枝湯 補中益氣湯 小柴胡湯 人蔘養榮湯 【참조처방】滋陰降火湯 人蔘淸肌散 竹葉石膏湯 麥門冬湯 薯蕷丸 凝神散
기관지확장증 보조요법	淸肺湯 滋陰至寶湯

02. 내과질환 : 순환계 – 환자상태에 따라 처방, 약재가감, 용량, 협진여부 결정

고혈압 (병용요법)	釣藤散(통치,고령자) 柴胡加龍骨牡蠣湯(심인성) 八味地黃丸 大柴胡湯 黃連解毒湯 三黃瀉心湯 眞武湯 大承氣湯 【참조처방】天麻鉤藤飮 熱多寒少湯 淸肺瀉肝湯
고혈압 동반증상관리	七物降下湯 桃仁承氣湯 防風通聖散 通導散 三黃瀉心湯
저혈압증	眞武湯 補中益氣湯 當歸芍藥散 半夏白朮天麻湯 苓桂朮甘湯
기립성 현훈(저혈압성)	半夏白朮天麻湯 苓桂朮甘湯 聯珠飮 柴桂加龍骨牡蠣湯 眞武湯
동맥경화증	柴胡加龍骨牡蠣湯
심장성질환, 심장선천식	木防己湯

협심증, 심혈관 개선	【참조처방】 心適丸 通心絡 分心氣飮 手拈散 正氣天香湯 瓜蔞薤白白酒湯 桂枝茯苓丸
심장쇠약	苓甘薑味辛夏仁湯
흉비(胸痞) 흉만(胸滿) 흉통(胸痛)	【참조처방】 [흉비,흉만] 桔梗枳殼湯 柴陳湯 四七湯 薏苡附子散 瓜蔞實湯 六鬱湯 烏藥順氣散 [흉통] 手拈散 扶陽助胃湯 蘇合香元 正氣天香湯 分心氣飮 行氣香蘇散 蟠蔥散 當歸湯 瓜蔞薤白白酒湯 [사상] 人蔘白何烏寬中湯 寬中湯 人蔘附子理中湯 麻黃定痛湯
심계항진	炙甘草湯 黃連解毒湯 柴胡加龍骨牡蠣湯(심인성) 眞武湯(심부전성) 【참조처방】 四物安神湯 歸脾湯 加味歸脾湯 溫膽湯 → 02. 내과질환: 순환계 [정충] 참조
정충(怔忡)	【참조처방】 四物安神湯 十全大補湯 歸脾湯 補心健脾湯 當歸補血湯C 天王補心丹 淸心溫膽湯B 淸肝逍遙散
동계(動悸)	當歸芍藥散 苓桂朮甘湯 炙甘草湯 桂枝人蔘湯
단기(短氣)	苓桂朮甘湯 炙甘草湯 【참조처방】 腎氣丸 人蔘養榮湯

03.	**내과질환 : 소화기** – 환자상태에 따라 처방, 약재가감, 용량, 합진여부 결정

소화기- 상부위장관, 복부증상

식욕부진	補中益氣湯 六君子湯 十全大補湯 平胃散 人蔘養榮湯 大柴胡湯 淸暑益氣湯 【참조처방】 香砂六君子湯 香砂平胃散 蔘朮健脾湯 養胃進食湯 [사상] 香砂六君子湯 補中益氣湯 荊芥地黃湯 淸心蓮子湯 調胃升淸湯
오심, 구토	小半夏加茯苓湯 半夏厚朴湯 半夏瀉心湯 茯苓飮 六君子湯 大柴胡湯 五苓散 茵蔯五苓散 二陳湯 吳茱萸湯 【참조처방】 半夏白朮天麻湯 香砂六君子湯 比和飮 茯苓半夏湯 藿香正氣散 不換金正氣散 加味夏朮湯 [사상] 桂枝半夏生薑湯 吳茱萸附子理中湯 荊防敗毒散 涼膈散火湯 獨活地黃湯 熱多寒少湯
소화불량 – 일반(食滯)	半夏瀉心湯 六君子湯 平胃散 眞武湯 啓脾湯 半夏厚朴湯 柴胡桂枝湯 【참조처방】 [급만성] 健脾丸 消滯丸 保和丸 內消散 內消和中湯 香砂平胃散 [만성] 香砂六君子湯 平陳健脾湯 健脾湯 蔘朮健脾湯 正傳加味二陳湯 六鬱湯 行滯湯 [사상] 香砂養胃湯 香砂六君子湯 獨活地黃湯 太陰調胃湯 調胃升淸湯
소화불량 – 감기증상 동반	→ 01. 내과질환: 호흡기계 [감기-식적(食積), 외감겸내상] 참조
속쓰림, 탄산(呑酸)	半夏瀉心湯 四君子湯 [위산과다] 大柴胡湯 四逆散 茯苓飮 黃連解毒湯 【참조처방】 增味二陳湯 正傳加味二陳湯 順氣和中湯B 開鬱化痰煎 丹蔘補血湯 淸鬱散 比和飮 烏貝散 [사상] 香砂養胃湯 薑朮寬中湯 涼膈散火湯 葛根解肌湯 太陰調胃湯
트림(噯逆)	半夏瀉心湯 【참조처방】 正傳加味二陳湯 生薑瀉心湯 旋覆花代赭石湯
딸국질	吳茱萸湯 半夏瀉心湯 【참조처방】 丁香柿蒂湯 橘皮竹茹湯
복통	桂枝加芍藥湯 大建中湯 當歸湯 安中散 胃苓湯 四逆湯 [위통] 六君子湯 [하복통] 當歸四逆加吳茱萸生薑湯 當歸建中湯 桃仁承氣湯

	【참조처방】 [한] 建理湯 厚朴溫中湯 五積散 理中湯 安中散 暖肝煎 蟠葱散 [식적] 平陳健脾湯 錢氏異功散 保和丸 平胃散 不換金正氣散 [허] 小建中湯 加味治中湯 [사상] 理中湯 寬中湯 荊防地黃湯 滑石苦蔘湯 六味地黃湯 淸心蓮子湯 太陰調胃湯
복부팽만, 창만(脹滿)	大建中湯 當歸湯 半夏厚朴湯 大建中湯 【참조처방】 排氣飮 七物厚朴湯 中滿分消湯 厚生牛甘人湯 大異香散 流氣飮子 [사상] 香砂養胃湯 芎歸蒼蘇理中湯 保命飮 十二味寬中湯 荊防地黃湯 獨活地黃湯 忍冬藤地骨皮湯 太陰調胃湯 淸心蓮子湯 麻黃定痛湯
위내정수(胃內停水)	五苓散 [유음(留飮)] 茯苓飮 茯苓飮合半夏厚朴湯
위장허약, 위무력(위아토니)	四君子湯 六君子湯 茯苓散 平胃散 桂枝人蔘湯 半夏瀉心湯 眞武湯 半夏白朮天麻湯 啓脾湯 安中散 人蔘湯
위염	六君子湯 茯苓散 茯苓飮合半夏厚朴湯 黃連解毒湯 四逆散 [급성위염] 平胃散 黃連湯 [만성위염] 安中散 四君子湯 六君子湯 平胃散 [신경성위염] 安中散 半夏瀉心湯 半夏厚朴湯 茯苓飮合半夏厚朴湯 【참조처방】 香砂六君子湯 正傳加味二陳湯 增味二陳湯 開鬱化痰煎 丹蔘飮 丹蔘補血湯 八味解鬱湯
위장염	五積散 [급성] 大柴胡湯 半夏瀉心湯 五苓散 人蔘湯 柴苓湯 胃苓湯 [급만성] 半夏瀉心湯 人蔘湯 桂枝人蔘湯 小建中湯 啓脾湯
소화기궤양(위, 십이지장)	柴胡桂枝湯 四逆散 安中散 六君子湯 【참조처방】 丹蔘補血湯 烏貝散
위하수증	半夏瀉心湯 眞武湯 補中益氣湯 六君子湯
소화기- 하부위장관	
설사	五苓散 猪苓湯 四君子湯 啓脾湯 眞武湯 理中湯 [여름철] 淸暑益氣湯 [발효성설사] 半夏瀉心湯 [수사성설사] 柴苓湯 [복통설사] 胃苓湯 【참조처방】 藿香正氣散 不換金正氣散 蔘苓白朮散 錢氏白朮散 香砂溫脾湯 痛瀉要方 八柱散 黃芩芍藥湯 葛根黃芩黃連湯 補腸健脾湯 導滯湯 胃風湯 淸心蓮子湯 實腸散 四神丸(晨泄) 白朮散B(소아) [사상] 藿香正氣散 白何烏理中湯 官桂附子理中湯 吳茱萸附子理中湯 荊防瀉白散 猪苓車前子湯 荊防地黃湯 滑石苦蔘湯 太陰調胃湯 葛根蘿葍子湯 固氣調胃湯
식중독 식상	胃苓湯 大承氣湯 【참조처방】 藿香正氣散 內消散 導滯湯
이질	【참조처방】 白頭翁湯(熱利) 葛根黃芩黃連湯 黃芩芍藥湯 導赤地楡湯 桃花湯 導滯湯 六神丸 倉廩湯 [사상] 黃連淸腸湯
대장염	[급성] 桂枝加芍藥大黃湯 [만성] 眞武湯 【참조처방】 藿香正氣散 不換正氣散 → 13. 내과질환: 소화기 [설사] 참조
과민성대장증후군	桂枝加芍藥湯 桂枝加芍藥大黃湯 加味逍遙散 柴胡桂枝湯 柴胡加龍骨牡蠣湯 半夏瀉心湯 大建中湯 【참조처방】 補腸健脾湯 導滯湯
변비	大黃牡丹皮湯 潤腸湯 桃仁承氣湯 大承氣湯 桂枝加芍藥大黃湯 防風通聖散 調胃承氣湯 大黃甘草湯 通導散 三黃瀉心湯 麻子仁丸 乙字湯 【참조처방】 滋潤湯 六磨湯 通幽湯 木香檳榔丸 疏風順氣元 濟川煎(허증,노인) [사상] 八物君子湯 獨蔘八物君子湯 地黃白虎湯 淸肺瀉肝湯

이급후중 (裏急後重)	桂枝加芍藥湯 桂枝加芍藥大黄湯【참조처방】導滯湯
변혈 (便血)	【참조처방】平胃地楡湯 厚朴煎 益胃升陽湯 酒蒸黃連丸 槐花散 黃土湯 [腸風] 當歸和血湯 胃風湯 升陽除濕和血湯 [사상] 十全大補湯 理中湯 香砂養胃湯 凉膈散火湯 生熟地黃湯 清肺窩肝湯 清心蓮子湯
수술후장폐색, 장폐색 예방	大建中湯
소화기- 간담췌 관련	
간기능이상, 황달, 간질환	小柴胡湯 大柴胡湯 柴胡桂枝湯 茵蔯蒿湯 【참조처방】茵蔯五苓散 茵蔯清肝湯 生肝健脾湯 清肝健脾湯 桂芎湯 加味桂芎湯 柴苓湯 片仔癀 [사상] 香砂養胃湯 茵蔯橘皮湯 茵蔯四逆湯 茵蔯附子湯 巴豆丹 荊防地黃湯 荊防導赤散 豬苓車前子湯 太陰調胃湯
담낭염, 담석증 보조요법	大柴胡湯 柴胡桂枝湯 四逆散【참조처방】蟠蔥散
췌장염 보조요법	柴胡桂枝湯【참조처방】大柴胡湯 銀花蟠蔥散 良枳湯
04.	**내과질환 : 내분비, 대사** - 환자상태에 따라 처방, 약재가감, 용량, 합진여부 결정
당뇨병 (병용요법)	八味地黃丸 六味地黃湯 牛車腎氣丸 大柴胡湯 五苓散 防風通聖散 【참조처방】知柏地黃湯 降糖對藥方 降糖活血方 [사상] (상소) 補中益氣湯 薑朮寬中湯 八物君子湯 凉隔散火湯 萬金文武湯 (중소) 芎歸蔥蘇理中湯 忍冬藤地骨皮湯 調胃升清湯 清肺窩肝湯 (하소) 補中益氣湯 薑朮寬中湯 八物君子湯 熟地黃苦蔘湯 清肺窩肝湯 千金文武湯
당뇨증상관리	白虎加人蔘湯(구갈) 桂枝加朮附湯 疏經活血湯 牛車腎氣丸(마목감) 桂枝茯苓丸(순환개선) 清心蓮子飮 柴苓湯(당뇨병성신증) 【참조처방】加味錢氏白朮散(식욕부진)
고지혈증	大柴胡湯 三黃瀉心湯 黃連解毒湯 防風通聖散 桃仁承氣湯 【참조처방】清血丹 心適丸
갑상선기능항진	柴胡加龍骨牡蠣湯【참조처방】炙甘草湯 葛根黃芩黃連湯 六味地黃湯 滋陰降火湯 清離滋坎湯 十六味流氣飮 加味逍遙散 凉膈散火湯
갑상선기능저하	眞武湯【참조처방】當歸芍藥散 五積散
골다공증 (병용요법)	八味地黃丸 牛車腎氣丸 六味丸 補中益氣湯 十全大補湯 【참조처방】獨活寄生湯 大補元煎 左歸丸 右歸丸
통풍	→ 10. 근골격계 [통풍] 참조
05.	**내과질환 : 신장** - 환자상태에 따라 처방, 약재가감, 용량, 합진여부 결정
신장질환, 신염	柴苓湯 五苓散 防已黃芪湯 豬苓湯 當歸芍藥散 八味地黃丸 越婢加朮湯 木防已湯 苓甘薑味辛夏仁湯 柴胡加龍骨牡蠣湯
신증후군	柴苓湯 五苓散 防已黃芪湯 越婢加朮湯 眞武湯 茵蔯蒿湯 【참조처방】腎氣丸
부종	→ 19.기타 [부종] 참조
요독증	五苓散

신장결석	猪苓湯
투석환자 증상관리	當歸飮子(피부소양) 牛車腎氣丸+附子末(발감각이상) 芍藥甘草湯(근경련)

06.	**내과질환 : 혈액/종양 - 변증 및 환자상태에 따라 처방선택, 약재가감, 용량조절 시행**	
빈혈 병용요법	當歸芍藥散 十全大補湯 歸脾湯 人蔘養榮湯 加味歸脾湯 四物湯 芎歸膠艾湯 【참조처방】益氣補血湯 當歸補血湯 黃芪健中湯	
암관련 피로, 권태감	補中益氣湯 十全大補湯 人蔘養榮湯 六君子湯	
항암제 관련 오심, 구토	茯苓飮 六君子湯 半夏瀉心湯 → 03.내과질환: 소화기 [오심구토] 참조	
항암제 관련 설사	半夏瀉心湯 啓脾湯 五苓散 【참조처방】黃芩湯	

07.	**내과질환 : 류마티스 - 환자상태에 따라 처방, 약재가감, 용량, 협진여부 결정**	
류마티스 관절염	桂枝加朮附湯 桂枝芍藥知母湯 桂枝加苓朮附湯 葛根加朮附湯 大防風湯 麻黃湯 越婢加朮湯 薏苡仁湯 眞武湯 [하지] 大防風湯 【참조처방】疏經活血湯 五積散	
쇼그렌증후군	麥門冬湯 滋陰降火湯 柴胡桂枝乾薑湯 十全大補湯 人蔘養榮湯 【참조처방】杞菊地黃湯 知柏地黃湯 炙甘草湯 甘露飮	

08.	**신경계 - 환자상태에 따라 처방, 약재가감, 용량, 협진여부 결정**	
신경계- 두면부 관련		
두통	五苓散 半夏白朮天麻湯 苓桂朮甘湯 五積散 桂枝人蔘湯 川芎茶調散 釣藤散(만성,노령) 葛根湯(감기) 當歸四逆加吳茱萸生薑湯 吳茱萸湯(습관성,편두통) 當歸芍藥散(생리관련) 【참조처방】淸上蠲痛湯 淸上瀉火湯 加味調中益氣湯 二四湯 夏朮補心湯 順氣和中湯A(氣虛) 當歸補血湯B(血虛) 淸上瀉火湯(熱厥) 芎辛導痰湯(痰厥) 十神湯(風寒) [사상] 香附子八物湯 八物君子湯 補中益氣湯 祛風散 荊防地黃湯 地黃白虎湯 導赤降氣湯 凉膈散火湯 黃連地黃湯 太陰寒調胃湯 葛根解肌湯 熱多寒少湯 葛根解肌湯	
현훈	半夏白朮天麻湯 苓桂朮甘湯 五苓散 柴苓湯 [허] 當歸芍藥散 聯珠飮 眞武湯 八味地黃丸 [실] 釣藤散 三黃瀉心湯 【참조처방】淸暈化痰湯 滋陰健脾湯 健脾二四湯 加味夏朮湯 養血祛風湯 芎辛導痰湯 蘇合香元 澤瀉湯 聯珠飮 益氣補血湯 養血祛風湯 → 02. 내과질환: 순환계 [기립성현훈] 참조	
두목불청(頭目不淸)	【참조처방】淸神養榮湯	
두풍(頭風)	【참조처방】養血祛風湯 消風散A	
안면마비(구안와사)	【참조처방】理氣祛風散 大三七散 牽正散 雙敗湯 烏藥順氣散 十全大補湯 加味逍遙散	
삼차신경통, 안면통	五苓散 葛根加朮附湯 桂枝加朮附湯 眞武湯 【참조처방】淸上蠲痛湯 升麻胃風湯(面腫)	
안면경련	【참조처방】雙金湯 加味溫膽湯 抑肝散加陳皮半夏 芍藥甘草湯	
신경계- 뇌졸중 관련 (*표시는 중풍변증 표준처방)		

뇌순환장애	黃連解毒湯 釣藤散 柴胡加龍骨牡蠣湯 抑肝散加陳皮半夏 八味地黃丸 大柴胡湯 桂枝茯苓丸
중풍(中風), 뇌졸중 급성기*	【참조처방】[화열] 牛黃淸心丸 羌活愈風湯 防風通聖散 淸血丹 [습담] 星香正氣散 疏腸導痰湯 [기허] 星香正氣散
중풍회복기, 뇌졸중 아급성, 만성기*	【참조처방】[화열] (상초) 淸心蓮子飮 淸心蓮子湯 加味淸心湯 犀角升麻湯 淸熱導痰湯 (중)凉膈散火湯 (하) 防風通聖散 熱多寒少湯 淸肺瀉肝湯 地黃白虎湯 [습담] (상) 淸神解語湯 導痰湯 寧神導痰湯 淸暈化痰湯 滋陰健脾湯 加味溫膽湯淸心蓮子湯 加味解語湯 (중) 半夏白朮天麻湯 祛風除濕湯 [기허] (중) 補中益氣湯 香砂六君子湯 加味大補湯 十全大補湯 萬金湯 (통치, 兼瘀血) 補陽還五湯 [음허] (상) 滋陰降火湯 淸心地黃湯 大補陰丸 荊防地黃湯 地黃飮子 (중) 獨活地黃湯 (하) 滋潤湯 六味地黃湯 固眞飮子 滋陰健脾湯 四六湯
뇌졸중 예방조리*	【참조처방】羌活愈風湯 淸血丹 (防風通聖散)
반신불수, 중풍후유증	當歸芍藥散 眞武湯 補中益氣湯 【참조처방】羌活愈風湯 小續命湯 順氣活血湯 烏藥順氣散 補陽還五湯 萬金湯 加味大補湯
마목	牛車腎氣丸 牛車腎氣丸+附子末 【참조처방】烏藥順氣散 黃芪桂枝五物湯 疏風活血湯 行濕流氣散
언어장애	【참조처방】地黃飮子 淸神解語湯 導痰湯 腎瀝湯
기타 신경계	
척수질환성 운동,감각마비	眞武湯
파킨슨병	抑肝散 抑肝散加陳皮半夏 釣藤散 加味逍遙散 六君子湯 芍藥甘草湯 柴朴湯 川芎茶調散
신경통	桂枝加朮附湯 疏經活血湯 五積散 麻杏薏甘湯 葛根湯(상반신) 當歸湯(늑간) 八味地黃丸(좌골) 牛車腎氣丸(좌골)
간질	柴胡加龍骨牡蠣湯 【참조처방】追風祛痰丸 龍腦安神丸 紫霜丸 溫膽湯
대상포진후 통증	麻黃附子細辛湯+ 附子末

09.	정신 및 행동장애 - 환자상태에 따라 처방, 약재가감, 용량, 험진여부 결정
신경증, 노이로제(neurosis)	柴胡桂枝乾薑湯 半夏瀉心湯 抑肝散 溫淸飮 柴胡淸肝湯 抑肝散加陳皮半夏 溫經湯 大承氣湯 加味歸脾湯, 大柴胡湯 黃連解毒湯 苓桂朮甘湯 [히스테리] 柴胡加龍骨牡蠣湯 四逆散 【참조처방】補血安神湯 四物安神湯 分心氣飮 淸肝逍遙散 加味溫膽湯 八味除煩湯 八味解鬱湯 [사상] 凉膈散火湯
불안신경증, 정신불안	加味歸脾湯 柴胡加龍骨牡蠣湯 桂枝加龍骨牡蠣湯 加味逍遙散 抑肝散加陳皮半夏 六君子湯 半夏厚朴湯 柴朴湯 茯苓飮合半夏厚朴湯 【참조처방】加味溫膽湯 [사상] 淸心蓮子飮
정충(怔忡)	→ 02. 내과질환: 순환계 [정충] 참조
신경쇠약, 신경질	柴胡加龍骨牡蠣湯 桂枝加龍骨牡蠣湯 眞武湯 四逆散 苓桂朮甘湯 小建中湯

불면	加味歸脾湯 歸脾湯 抑肝散 抑肝散加陳皮半夏 加味逍遙散 酸棗仁湯 甘麥大棗湯 柴胡桂枝乾薑湯 柴胡加龍骨牡蠣湯 溫經湯 大柴胡湯 半夏厚朴湯【참조처방】加味溫膽湯 梔子豉湯 梔子厚朴湯 淸肝逍遙散 高枕無憂散 補心健脾湯 淸心蓮子湯 六鬱湯 天王補心丹 仁熟散
꿈, 악몽, 야제(夜啼)	→ 18. 소아 [야제] 참조
치매	釣藤散 抑肝散 八味地黃丸 加味歸脾湯 [양성증상] 抑肝散 抑肝散加陳皮半夏 桂枝加龍骨牡蠣湯 黃連解毒湯 [음성증상] 補中益氣湯 六君子湯 半夏厚朴湯 當歸芍藥散【참조처방】調胃升淸湯

10. 근골격계 (운동기계) – 환자상태에 따라 처방, 약재가감, 용량, 협진여부 결정

근골격계- 통치, 전신

관절통, 관절염	桂枝加朮附湯 薏苡仁湯 疏經活血湯 五積散 麻杏薏甘湯 越婢加朮湯 大防風湯 防己黃芪湯【참조처방】九味羌活湯 疏風活血湯 通順散 麻杏溫經湯 桂薑棗草黃辛附湯 桂芍知母湯 靈仙除痛飮(肢節)
근육통	薏苡仁湯 疏經活血湯 麻杏薏甘湯 防己黃芪湯(근염) 芍藥甘草湯(근경련)【참조처방】雙和湯 雙金湯
신경통	桂枝加朮附湯 疏經活血湯 五積散 麻杏薏甘湯
마목(痲木) 수족비(手足痺)	牛車腎氣丸 桂枝加朮附湯【참조처방】黃芪桂枝五物湯 開結舒經湯 烏藥順氣散 疏風活血湯 行濕流氣散 蠲痹湯 麻桂溫經湯
타박상	桂枝茯苓丸 通導散 桃仁承氣湯 治打撲一方【참조처방】當歸鬚散 化瘀煎 當歸飮 下瘀血湯
각기	八味地黃丸 當歸芍藥散 越婢加朮湯【참조처방】檳蒼散
습증(濕症)	【참조처방】除濕羌活湯 勝濕湯 行濕流氣散 補中治濕湯 升陽除濕湯A 五苓散 平胃散 [풍한습] 三氣飮 五積散

근골격계- 두면부, 상지부

두통, 현훈, 안면부 증상	→ 08. [신경계] 참조
견비통, 오십견	葛根湯 薏苡仁湯 二朮湯 麻杏薏甘湯 桂枝加朮附湯 桂枝加苓朮附湯 葛根加朮附湯【참조처방】舒經湯 半夏芩朮湯 養化二四湯 五積散 烏藥順氣散 雙和湯 蠲痹湯 十味挫散
수비(手痺)	→ 10. 근골격계 [마목] 참조
수족냉증(手足冷症)	→ 19. 기타 [냉증] 참조

근골격계- 체간, 척추부

항강(項强), 경추증상	葛根加朮附湯 葛根湯【참조처방】回首散 羌活勝濕湯 神朮散 桂枝加葛根湯 回首散+雙和湯 葛根湯+舒經湯 開結舒經湯
등결림(背痛)	葛根加朮附湯 葛根湯【참조처방】三合湯 [背熱] 凉肺湯 [背寒] 導痰湯 蘇子降氣湯 附子湯 當歸湯
옆구리통증, 협통(脇痛)	柴陷湯 小柴胡湯【참조처방】[어혈] 當歸鬚散 [담열] 柴梗半夏湯 小陷胸湯 [담음] 芎夏湯 瓜蔞枳實湯 [좌] 延年半夏湯 [우] 推氣散

흉부통증	→ 02. 내과질환: 순환계 [흉민,흉만,흉통] 참조
요통	[근경련] 芍藥甘草湯 [허한] 疏經活血湯 苓薑朮甘湯 五積散 當歸四逆加吳茱萸生薑湯 [혈어] 桃仁承氣湯 桂枝茯苓丸 通導散 [신허] 八味地黃丸 牛車腎氣丸 【참조처방】 獨活寄生湯 如神湯 獨活湯 三氣飲 補腎湯 杜續五和飲 如神養營煎 活絡湯
급성요통	芍藥甘草湯+疏經活血湯 【참조처방】 如神湯 芍藥甘草附子湯
좌골신경통	八味地黃丸 牛車腎氣丸 疏經活血湯 桂枝加(苓)朮附子湯 【참조처방】 芍甘黃辛附湯 檳蘇散 杜續五和湯 → 10. 근골격계 [요통] 참조
근골격계- 하지부	
슬관절증, 슬부종	防己黃芪湯 越婢加朮湯 桂枝加(苓)朮附湯 九味羌活湯 【참조처방】 大羌活湯 大防風湯 羌活續斷湯 桂芍知母湯 三氣飲 當歸拈痛湯 檳蘇散 淸熱瀉濕湯
하지정맥류 심부정맥혈전증(DVT)	桂枝茯苓丸 桃仁承氣湯 【참조처방】 桂枝茯苓丸(加大黃牛膝)
하지부종	柴苓湯 防己黃芪湯 【참조처방】 檳蒼散
하지통	牛車腎氣丸 [근경련] 芍藥甘草湯 八味地黃丸 【참조처방】 五積散 芍甘黃辛附湯 檳蘇散 增損活血湯 當歸拈痛湯
통풍	[급성기] 大防風湯 越婢加朮湯 疏風活血湯 桂枝加朮附湯 [만성기] 大柴胡湯 防風通聖散 桃仁承氣湯 桂枝茯苓丸
족비(足痺)	→ 10. 근골격계 [마목] 참조
족열, 족심열(足心熱)	六味地黃丸 加味逍遙散

11. 비뇨생식계통 - 환자상태에 따라 처방, 약재가감, 용량, 협진여부 결정

방광염, 요도염	猪苓湯 猪苓湯合四物湯 五淋散 龍膽瀉肝湯 八味丸 【참조처방】 八正散 五淋散 萬全木通湯 金木八正散 仙方敗毒湯 梔子柏皮湯 [만성,허증] 補中益氣湯+縮泉丸 澤車補中益湯
전립선비대	八味地黃丸 牛車腎氣丸 五苓散 猪苓湯 【참조처방】 腎氣丸 苓薑朮甘湯
배뇨곤란, 소변불리	六味丸 牛車腎氣丸 五苓散 猪苓湯合四物湯 【참조처방】 八正散 萬全木通湯 五淋散 禹功散A 滋腎丸 [사상] 補中益氣湯 猪苓車前子湯 木通無憂湯 地黃白虎湯 太陰調胃湯 熱多寒少湯
잔뇨감, 배뇨통	猪苓湯 五淋散 龍膽瀉肝湯 淸心蓮子飮 猪苓湯合四物湯 【참조처방】 五淋散 八正散 增味導赤散 澤車補中益湯
소변빈삭	五淋散 六味丸 牛車腎氣丸 淸心蓮子飮 猪苓湯合四物湯 八味地黃丸 【참조처방】 縮泉丸 補中益氣湯+縮泉丸 歸脾湯 老人腎氣丸
소변실금, 유뇨(遺尿)	補中益氣湯 淸心蓮子飮 苓薑朮甘湯 眞武湯 八味丸 【참조처방】 縮泉丸 蔘芪湯 旣濟丸 歸脾湯 右歸飮 → 18. 소아 [야뇨] 참조
혈뇨	猪苓湯 【참조처방】 [실] 導赤湯 淸腸湯 五淋散 大分淸飮 小薊飮子 龍膽瀉肝湯 [허] 腎氣丸 六味地黃元 [사상] 赤白何烏寬中湯 生熟地黃湯 凉膈散火

	湯 淸肺瀉肝湯 淸心蓮子湯
요탁	龍膽瀉肝湯【참조처방】草解分淸飮 淸心蓮子飮
고환염, 고환질환	桂枝茯笭丸 龍膽瀉肝湯【참조처방】茴香安腎湯 活血驅風湯(囊濕腎風瘡)
요로결석 보조요법	猪笭湯+芍藥甘草湯
음낭수종	防已黃芪湯 五笭散 六味地黃湯 龍膽瀉肝湯 【참조처방】壯原湯(囊腿腫)
발기부전, 성기능장애, 음위(陰痿)	牛車腎氣丸 柴胡加龍骨牡蠣湯 桂枝加龍骨牡蠣湯 六味地黃湯 八味丸【참조 처방】四逆散 溫膽湯 補中益氣湯 腎氣丸 右歸飮 右歸丸
유정(遺精)	桂枝加龍骨牡蠣湯【참조처방】祕元煎 古庵心腎丸 究原心腎丸 歸脾湯 保精 湯 黃連淸心飮

<table>
<tr><td colspan="2">12. 이비인후과 – 환자상태에 따라 처방, 약재가감, 용량, 협진여부 결정</td></tr>
</table>

귀관련 질환	
중이염	葛根湯 荊芥蓮翹湯 柴笭【참조처방】蔓荊子散 排膿散及湯
이명(耳鳴)	八味地黃丸 【참조처방】通明利氣湯 蔓荊子散 消風散A 滋腎通耳湯 復聰湯 [사상] 八物 君子湯 十全大補湯 荊防地黃湯 腎氣調胃湯 鹿茸大補湯
이롱(耳聾)	【참조처방】蔓荊子散 益氣聰明湯 磁石羊腎丸 滋腎通耳湯 滋陰地黃湯A 復 聰湯 [사상] 八物君子湯 十全大補湯 荊防地黃湯 腎氣調胃湯 鹿茸大補湯
코관련 질환	
비염– 급성, 알러지비염(淸涕)	小靑龍湯 葛根湯 辛夷淸肺湯 越婢加朮湯 麻黃附子細辛湯 四逆散 五笭散 【참조처방】除濕湯肺湯 桂薑棗草黃辛附湯 笭甘薑味辛夏仁湯 大靑龍湯 玉 屛風散(+小靑龍湯) 通竅湯 淸淵散 辛夷散 補中益氣湯(春方) 蒼耳子散 過 敏煎 [사상] 藿香正氣散 芎歸香蘇散 荊防敗毒散 荊防導赤散 導赤降氣湯 荊防地黃湯 太陰調胃湯 調胃升淸湯 葛根解肌湯
비염– 만성비염, 축농증 (鼻淵, 濁涕)	葛根湯加川芎辛夷 辛夷淸肺湯 荊芥連翹湯 防風通聖散 【참조처방】麗澤通氣湯 淸淵散 防風通聖散 黃連通聖散 蒼耳子散
비염– 코막힘, 비색(鼻塞)	葛根湯加川芎辛夷 辛夷淸肺湯【참조처방】通竅湯 麗澤通氣湯 淸淵散 [不 聞香臭] 麗澤通氣湯 蒼耳子散
코감기	葛根湯 小靑龍湯
코피(衄血)	三黃瀉心湯 黃連解毒湯 【참조처방】犀角地黃湯 滋陰降火湯 薄荷煎元 莎芎散 側柏湯 [사상] 香附 子八物湯 生熟地黃湯 凉膈散火湯 補肺元湯
인후관련 질환	
편도염, 인후통	小柴胡湯加桔梗石膏 桔梗湯 葛根湯 [만성] 荊芥連翹湯 柴胡淸肝湯B 【참조처방】必用方甘桔湯 荊防敗毒散 連翹敗毒散 淸火補陰湯 仙方敗毒湯 解毒淸喉湯 薄荷煎元 甘草湯 牛夏苦酒湯 凉膈散火湯 [사상] 獨蔘八物湯

	獨蔘官桂理中湯 凉膈散火湯 陽毒白虎湯 熱多寒少湯 如神柱 升芷調胃湯
임파선염	葛根湯 小柴胡湯
목소리쉼(聲嘶)	半夏厚朴湯 桔梗湯 【참조처방】半夏苦酒湯 柴胡升麻湯 荊蘇湯 醬聲破笛丸
신경성식도협착증, 매핵기	半夏厚朴湯 柴朴湯 茯苓飮合半夏厚朴湯 加味逍遙散 柴胡加龍骨牡蠣湯 【참조처방】加味四七湯 四七湯 開氣消痰湯 八味除煩湯 八味解鬱湯
구내염	半夏瀉心湯 黃連湯(A,C) 茵蔯蒿湯 桔梗湯 溫淸飮 【참조처방】回春凉膈散 十味導赤散 淸心蓮子飮 [재발성] 甘草瀉心湯 炙甘草湯 竹葉石膏湯

<table>
<tr><td colspan="2" style="background:gray;">13.   피부질환 – 환자상태에 따라 처방, 약재가감, 용량, 혐진여부 결정</td></tr>
</table>

피부병 피부염	防己黃芪湯 升麻葛根湯 消風散(분비물,소양감大) 【참조처방】荊防敗毒散 排膿散及湯 托裏消毒飮 [사상] 袪風散 凉膈散火湯 陽毒白虎湯 葛根解肌湯 熱多寒少湯 淸肺瀉肝湯
발적,종창,동통 동반한 화농증	排膿散及湯【참조처방】托裏消毒飮
습진	十味敗毒湯(급성,화농성초기) 當歸飮子(고령자,만성) 治頭瘡一方(머리) 龍膽瀉肝湯(음부) 消風散 越婢加朮湯 柴胡淸肝湯 溫經湯 黃連解毒湯【참조처방】托裏消毒飮 梔子柏皮湯 生料四物湯
아토피피부염	溫淸飮 十味敗毒湯 當歸飮子 黃連解毒湯 補中益氣湯 十全大補湯【참조처방】消風淸營湯 生血潤膚飮 凉膈散火湯
두드러기 (蕁麻疹)	十味敗毒湯 大柴胡湯 消風散 茵蔯五苓散 茵蔯蒿湯 葛根湯 黃連解毒湯 防風通聖散 加味逍遙散(심인성,만성) 【참조처방】升麻葛根湯 香蘇散 過敏煎 [식적] 藿香正氣散 荊蘇消瘀散 正傳加味二陳湯 不換金正氣散 [사상] 地黃白虎湯 荊防瀉白散
피부소양증	黃連解毒湯 風散 當歸飮子 十味敗毒湯 消風散 六味丸 牛車腎氣丸 [노인성 소양증] 當歸飮子 眞武湯 六味丸 八味丸 【참조처방】淸肌散 桂麻各半湯 消風淸營湯
옹, 절, 부스럼	[옹(癰)]排膿散及湯 [절([癤]) 防己黃芪湯 排膿散及湯 [양(瘍)/면정(面疔) / 절종(癤腫)] 排膿散及湯 【참조처방】托裏消毒飮 仙方活命飮 通順散 生料四物湯
여드름	淸上防風湯 桂枝茯苓丸加薏苡仁 十味敗毒湯 荊芥連翹湯 黃連解毒湯 桃仁承氣湯 加味逍遙散 【참조처방】升麻葛根湯 調經種玉湯 [사상] 八物君子湯 凉膈散火湯
가벼운 동상	當歸四逆加吳茱萸生薑湯 溫經湯 四物湯 【참조처방】陽和湯 當歸四逆湯
땀띠	消風散
무좀	十味敗毒湯 消風散
기미	四物湯 桂枝茯苓丸加薏苡仁 當歸芍藥散 桂枝茯苓丸 桃仁承氣湯

건선	防風通聖散 桂枝茯笭丸 荊芥連翹湯 桃仁承氣湯 柴笭湯 黃連解毒湯 溫淸飮
주사비(酒齄鼻)	黃連解毒湯 淸上防風湯 三物黃芩湯
단독(丹毒)	【참조처방】犀角消毒飮 黃連解毒湯 犀角升麻湯
화상	紫雲膏(외용)
손발트임(수족각화증)	桂枝茯笭丸加薏苡仁 溫經湯

<table>
<tr><td colspan="2">14.   안과질환 – 환자상태에 따라 처방, 약재가감, 용량, 협진여부 결정</td></tr>
</table>

결막염, 각막염	葛根湯 小靑龍湯(알러지성) 【참조처방】洗肝明目湯 四物龍膽湯 石決明散
안구건조증, 눈물이상	【참조처방】雙和湯 杞菊地黃湯 洗肝明目湯 [冷淚] 夏枯草散 白殭蠶산
노인안혼(老人眼昏), 안병(眼病)	牛車腎氣丸 八味地黃丸【참조처방】杞菊地黃湯 洗肝明目湯 滋腎明目湯 四物龍膽湯

<table>
<tr><td colspan="2">15.   치과 관련 – 환자상태에 따라 처방, 약재가감, 용량, 협진여부 결정</td></tr>
</table>

치통, 발치후 동통	立效散【참조처방】瀉胃湯 淸胃散 雙和湯(加知母黃栢) 當歸蓮翹飮 玉池散(含漱用) [사상- 아치(牙齒) 통치] 補中益氣湯 祛風散 荊防敗毒散 涼膈散 火湯 陽毒白虎湯 如神炷
풍치, 치은염	【참조처방】玉池散(含漱用) 犀角升麻湯 涼膈散
구내염	半夏瀉心湯 黃連湯(A,C) 茵蔯蒿湯 桔梗湯 溫淸飮 【참조처방】回春涼膈散 十味導赤散 淸心蓮子飮 [재발성] 甘草瀉心湯 炙甘草湯 竹葉石膏湯

<table>
<tr><td colspan="2">16.   외과계 – 환자상태에 따라 처방, 약재가감, 용량, 협진여부 결정</td></tr>
</table>

병후, 수술후 체력저하	補中益氣湯 十全大補湯 黃芪建中湯 人蔘養榮湯
수술후장폐색, 장폐색예방	大建中湯【참조처방】大承氣湯 大黃附子湯
치질	乙字湯(수치질) 大柴胡湯 桂枝茯笭丸 大黃牡丹皮湯 補中益氣湯 當歸建中湯【참조처방】秦艽蒼朮湯
치핵으로 인한 동통, 항문열상	紫雲膏(외용)
치질출혈	芎歸膠艾湯 三黃瀉心湯
탈항	補中益氣湯 乙字湯 當歸建中湯(탈항 통증)【참조처방】蔘芪湯

<table>
<tr><td colspan="2">17.   여성질환 – 환자상태에 따라 처방, 약재가감, 용량, 협진여부 결정</td></tr>
</table>

여성질환- 월경관련	
월경곤란증	當歸芍藥散 加味逍遙散 桂枝茯笭丸 大黃牡丹皮湯 溫淸飮 桃仁承氣湯 溫經湯
월경통	五積散 通導散 當歸建中湯 加味逍遙散 當歸芍藥散 芍藥甘草湯

	【참조처방】溫經湯 玄附理經湯 益母四物湯 調經種玉湯 折衝飮 少腹逐瘀湯 七製香附丸 益母四物湯(經前腹痛) 淸熱調血湯(經行腹痛) 八物湯(經後腹痛)
월경불순, 불규칙월경 (先期, 後期, 經閉)	溫經湯 當歸芍藥散 加味逍遙散 桂枝茯苓丸 大黃牡丹皮湯 溫淸飮 桃仁承氣湯 女神散 四物湯 通導散 防己黃芪湯 桂枝茯苓丸加薏苡仁 【참조처방】調經種玉湯 七製香附丸 下瘀血湯 抵當湯 加味歸脾湯 [선기] 淸經四物湯 四物湯(加柴胡黃芩黃連) 保陰煎 [후기] 通經四物湯 大營煎 蒼附導痰湯 通經湯 [경폐] 通經湯 歸朮破癥湯 加味逍遙散 溫經湯 [사상] 八物君子湯 加味地黃湯 六味地黃湯 太陰調胃湯 熱多寒少湯
월경량 이상	[과소] 八物湯 十全大補湯 [과다] 芎歸膠艾湯 溫經湯 【참조처방】[과소] 大營煎 桃紅四物湯 五福飮 [과다] 全生活血湯 益胃升陽湯
월경전증후군(PMS)	加味逍遙散 桂枝茯苓丸 柴胡加龍骨牡蠣湯 桂枝加龍骨牡蠣湯 抑肝散 桃仁承氣湯 當歸芍藥散 【참조처방】溫經湯 少腹逐瘀湯
갱년기장애	加味逍遙散 當歸芍藥散 桂枝茯苓丸 柴胡加枝乾薑湯 溫淸飮 五積散 通導散 溫經湯 三黃瀉心湯 【참조처방】淸離滋坎湯 小柴胡湯 大營煎 知柏地黃湯 [사상] 芎歸香蘇散 八物君子湯 香附子八物湯 升陽益氣湯 莉防瀉白散 加味地黃湯 淸心蓮子飮
여성자율신경장애(血症症)	柴胡桂枝乾薑湯 加味逍遙散 溫淸飮 女神散 四物湯 三黃瀉心湯 川芎茶調散 桂枝茯苓丸加薏苡仁 桃仁承氣湯
여성질환- 임신관련	
불임(求嗣)	[여] 當歸芍藥散 溫經湯 桂枝茯苓丸 加味逍遙散 [남] 牛車腎氣丸 八味地黃丸 補中益氣湯 柴胡加龍骨牡蠣湯 大柴胡湯 【참조처방】[여] 調經種玉湯 附益地黃丸 毓麟珠 五積散 八珍湯 十全大補湯 [남] 五子衍宗丸 固本健陽丹
입덧, 임신구토(姙娠惡阻)	半夏厚朴湯 小半夏加茯苓湯 人蔘湯 茯苓飮合半夏厚朴湯 半夏瀉心湯 【참조처방】比和飮 香砂六君子湯 保生湯 橘芩保生湯 安胎芩朮湯 [사상] 薑朮寬中湯 莉防導白散 補肺元湯 經驗調胃湯
절박유산 태동(胎動) 태루(胎漏)	當歸芍藥散 【참조처방】[기혈허] 泰山磐石散 安奠二天湯 安胎飮A [신허] 壽胎丸 [下血] 膠艾芎歸湯 膠艾四物湯 保陰煎 [복통] 安胎飮 膠艾四物湯 [사상] 補中益氣湯 凉膈散火湯 經驗調胃湯(加 黃芩) 千金文武湯 補肺元湯
임신중 각종증상(부종 치질 복통)	當歸芍藥散 【참조처방】[子腫] 鯉魚湯
임신빈혈 병용요법	當歸芍藥散 四物湯+苓桂朮甘湯
임신시 감기	香蘇散 桂枝湯 柴胡桂枝湯 【참조처방】[풍한] 芎蘇散 紫蘇飮 蔘蘇飮 [풍열] 桑菊飮 銀翹散
임신시 기침	麥門冬湯 【참조처방】芎蘇散 紫菀湯 [음허] 百合固金湯 [풍한] 杏蘇散 [기허] 蔘蘇飮
임신 가려움증(妊娠身痒)	【참조처방】當歸飮子+二至丸 消風散
임신허약	【참조처방】安胎飮 加味八珍湯 保生八珍湯 金櫃當歸散
여성질환- 출산 및 산후기	

출산임박(臨産)	【참조처방】 佛手散 達生散 單鹿茸湯(難産)
산후 또는 유산후 회복	四物湯 小柴胡湯 十全大補湯 人蔘養榮湯 【참조처방】 芎歸調血飮 生化湯 補虛湯 補虛養營湯 [사상] 八物君子湯 十全大補湯 六味地黃湯 太陰調胃湯
훗배앓이, 산후복통(兒枕痛)	【참조처방】 起枕散 失笑散 生化湯
산후 오로부절(惡露不絕)	【참조처방】 [혈어] 生化湯 加減生化湯 補虛生化湯 芎歸湯 [혈열] 保陰煎 [기허] 補中益氣湯 擧元煎
산후풍	【참조처방】 補虛湯 黃芪桂枝五物湯 疏風活血湯 五積散
산후 자한(自汗)	【참조처방】 生化湯 桂枝湯
산전산후 정신증	女神散 桃仁承氣湯 加味逍遙散 小柴胡湯 【참조처방】 [不語] 茯苓補心湯A [譫語] 蘇合香元 八物湯
산후 유즙부족	【참조처방】 通乳湯 補虛湯
여성질환- 기타 자궁, 난소, 유방질환 등	
자궁하수	[비허] 補中益氣湯 十全大補湯 六君子湯 歸脾湯 [신허] 八味地黃湯 [변비, 치질] 乙字湯 大黃甘草湯 桂枝加芍藥大黃湯 【참조처방】 當歸黃芪湯(産後陰脫)
자궁 및 부속기관 염증	桂枝茯苓丸 【참조처방】 龍膽瀉肝湯 銀花瀉肝湯 大黃牧丹皮湯 血府逐瘀湯 膈下逐瘀湯 清胞逐瘀湯
근종, 낭종	桂枝茯苓丸 桂枝茯苓丸加薏苡仁 通導散 桃仁承氣湯 大黃牧丹皮湯 溫經湯 當歸芍藥散 【참조처방】 歸朮破瘀湯 五積散 七製香附丸 芎歸調血飮 清胞逐瘀湯 歸朮理經湯 抵當湯 下瘀血丸 大黃䗪蟲丸
대하(帶下)	桂枝茯苓丸 龍膽瀉肝湯 溫經湯 【참조처방】 [습열] 八味帶下方 加減惜紅煎 清帶湯 二妙散 [허한] 五積散 茯薑朮甘湯 [비허, 白帶] 完帶湯 壽脾煎 加減攝營煎 益胃升陽湯 [瘦人] 苓柏樗皮丸 [肥人] 蒼柏樗皮丸
자궁출혈, 붕루(崩漏)	芎歸膠艾湯 【참조처방】 益胃升陽湯 擧元煎 升陽除濕湯B 復元養榮湯 膠艾芎歸湯 全生活血湯 加味惜紅煎
유방 – 유선염	葛根湯 排膿散及湯 【참조처방】 加味芷貝散 十六味流氣飮
유방 – 유선통, 낭종	當歸芍藥散 【참조처방】 清肝解鬱湯(乳核) 十六味流氣飮(乳巖)

18. 소아 - 환자상태에 따라 처방, 약재가감, 용량, 합진여부 결정

감기, 기침	麻黃湯 【참조처방】 人蔘羌活散A 人蔘養胃湯 蔘蘇飮 陶氏平胃散 忍葛飮 香橘飮B → 01. 호흡계 [감기] [기침] 참조
소아천식	麻杏甘石湯 神祕湯 小靑龍湯 柴朴湯 → 01. 호흡계 [천식] 참조
소아비염	小靑龍湯 葛根湯加川芎辛夷 → 12. 이비인후과 [비염] 참조
소아복통	小建中湯 芍藥甘草湯 【참조처방】 歸芪建中湯 加味治中湯
소아변비	小柴胡湯 加味逍遙散 【참조처방】 滋潤湯
소아설사	【참조처방】 平胃散 異功散 不換金正氣散 錢氏白朮散(加山藥,白扁豆,肉豆

	(菱) → 03. 내과질환 : 소화기 [설사] 참조
야뇨증	桂枝加龍骨牡蠣湯 小建中湯 越婢加朮湯 苓薑朮甘湯 【참조처방】麻黃湯 六味地黃湯 補中益氣湯 芪歸補腎湯 鷄腸散
야제(夜啼)	甘麥大棗湯 柴胡加龍骨牡蠣湯 抑肝散 抑肝散加陳皮半夏 小建中湯 芍藥甘草湯 【참조처방】加味溫膽湯 導赤散 抱龍丸 氣應丸
소아 감증(疳症)	抑肝散 抑肝散加陳皮半夏
간질	柴胡加龍骨牡蠣湯 柴胡桂枝湯 【참조처방】龍腦安神丸
발작(驚厥)	甘麥大棗湯 抑肝散加陳皮半夏 【참조처방】錢氏白朮散 抱龍丸
신경증	柴胡清肝湯
소아도한	十全大補湯 黃芪建中湯 人蔘養榮湯 【참조처방】當歸六黃湯 六味地黃湯
유아 코막힘	麻黃湯
땀띠(汗疹)	消風散
소아두통	五苓散
소아허약체질	小建中湯 當歸建中湯 六君子湯 補中益氣湯 【참조처방】補兒湯 歸茸湯 六味地黃湯 腎氣丸
19. 기타증후 – 환자상태에 따라 처방, 약재가감, 용량, 협진여부 결정	
허로, 피로	補中益氣湯 十全大補湯 六君子湯 黃芪建中湯 人蔘養榮湯 八味地黃丸 【참조처방】加味大補湯 雙和湯 陰陽雙補湯 鹿茸大補湯 補兒湯 盒氣補血湯 古庵心腎丸 瓊玉膏 延齡固本丹 [사상] 補中益氣湯 八物君子湯 十全大補湯 六味地黃湯 荊防地黃湯 太陰調胃湯 調胃升清湯 拱辰黑元丹 鹿茸大補湯 十二味鹿茸大補湯
식곤증(食後昏困)	六君子湯 【참조처방】蔘朮湯 香砂六君子湯 補中益氣湯
다한증-자한(自汗)	防己黃芪湯 補中益氣湯 【참조처방】[기허] 補中益氣湯 玉屛風散 黃芪健中湯 [기혈허] 八物湯 人蔘養榮湯 桂枝加黃芪湯 雙和湯 [음허] 六味地黃湯 [영위불화] 桂枝加附子湯 [暑] 清暑益氣湯 生脈散 [사상] 補中益氣湯 升陽盒氣湯 升陽盒氣附子湯 凉膈散火湯 十二味地黃湯 獨活地黃湯 調胃升清湯
다한증-도한(盜汗)	黃芪健中湯 小柴胡湯 【참조처방】當歸六黃湯 知柏地黃丸 六味地黃湯 滋陰降火湯 清離滋坎湯 四物湯(加知母黃柏) [사상] 자한(自汗) 참조
냉증(冷症)	五積散 眞武湯 當歸四逆加吳茱萸生薑湯 加味逍遙散 桂枝茯苓丸 溫經湯 [수족] 十全大補湯 人蔘養榮湯 [허리-다리] 溫經湯 [허리] 苓薑朮甘湯 【참조처방】四逆湯 當歸四逆湯 茯苓四逆湯 四逆加人蔘湯 桂薑棗草黃辛附湯 [하지냉] 大防風湯 獨活寄生湯
수족번열	三物黃芩湯 小柴胡湯 八味地黃丸 溫經湯(手掌煩熱) 【참조처방】[五心煩熱] 逍遙散 升陽散火湯 火鬱湯
상기(上氣), 상열(上熱)	加味逍遙散 女神散 桂枝茯苓丸 桃仁承氣湯 【참조처방】滋陰降火湯 蘇子降氣湯 黃連解毒湯 桂麻各半湯 苓桂味甘湯

이변불리(二便不利)	【참조처방】分心氣飮 三和湯 大七氣湯
부종	五苓散 防己黃芪湯 木防己湯 防風通聖散 六味丸 牛車腎氣丸 柴苓湯 茵蔯五苓散 [임신시] 當歸芍藥散 [허리 이하] 猪苓湯 防己黃芪湯 [림프부종] 柴苓湯 【참조처방】四苓散 四苓五皮湯 赤小豆湯 越婢加朮湯 加減胃苓湯 八正散 實脾飮 補中治濕湯 導水茯苓湯 分心氣飮 檳蒼散(下肢) [사상] 芎歸蔥蘇理中湯 寬中湯 香砂養胃湯 猪苓車前子湯 荊防地黃湯(加木通) 木通大安湯 木通無憂湯 乾栗蜻蜻湯 葛根浮萍湯 解肌大安湯
비만(肥滿)	防己黃芪湯(체허,연변) 防風通聖散(체실,변비) 桃仁承氣湯 大柴胡湯 【참조처방】越婢加朮湯 麻杏甘石湯 麻蒲黃芩湯 太陰調胃湯
중서(中暑), 더위먹음, 여름탐, 여름감기(暑風)	五苓散 柴苓湯 胃苓湯 補中益氣湯 清暑益氣湯 【참조처방】生脈散 加減生脈散 清肺生脈飮 醒醐湯 味麥益氣湯 益元散 清暑六和湯 香薷散 [여름감기] 新加香薷飮 消暑敗毒散 茹藿湯 二香湯 六和湯 藿香正氣散 不換金正氣散 [사상] 桂附藿陳理中湯 白何烏理中湯 朱砂益元散
숙취, 음주, 주상(酒傷)	半夏瀉心湯 五苓散(구갈,두통) 茵蔯五苓散 黃連湯 黃連解毒湯(음주전) 【참조처방】對金飮子 葛花解酲湯 中酒方 小調中湯 保和丸 [사상] 八物君子湯 六味地黃湯 凉膈散火湯 荊防地黃湯 承氣調胃湯(去大黃)

REFERENCES

1. Tsumura Kampo Formulation for Prescription (Tsumura 醫療用漢方制劑). 2012
2. 타니 다다토 著. 성기서 외 譯. 현대의료와 한방약. 동국대학교 출판부. 2012.
3. 하나와 토시히코 著. 조기호 외 譯. 한방진료 Lesson. 고려의학. 2009.
4. 니미 마사노리 著. 권승원 譯. 간단한방처방. 청홍. 2015.
5. 강병갑 외. 중풍 변증 표준 용어 및 처방전. 군자출판사. 2014.
6. 허준. 동의보감. 남산당. 1996
7. 황도연. 대역증맥 방약합편. 남산당. 1983
8. 박성수, 염태환. 현대한방강좌. 행림출판. 1963.
9. 김영훈. 청강의감. 성보사. 2001.
10. 김정제. 동양의학 진료요감. 동양의학연구원출판부. 1974.
11. 이제마. 동의수세보원. 四象醫學會. 1998.
12. 東醫四象新編. 영인본. 發行者 不明. 發行日 不明
13. 박인상. 동의사상요결. 소나무. 1991
14. 염태환. 東醫四象處方集: 漢方處方大典四象文編. 행림출판. 1991
15. 허만회 외. 체형사상학회 임상경험집. 한아름기획. 2012.
16. 유준상. 핵심사상의학. 대성의학사. 2015

진료, 연구
참고자료

D 상용약물요약 (WHO-ATC)

- 외래 또는 병동 기반의 환자관리시 자주 접하는 약물 위주로 WHO-ATC 기준에 따라 분류하고 간략히 설명하였습니다. 한약처방에 대한 내용은 한약치료 파트 및 부록을 참고하시기 바랍니다.

D-1 개요

1. ATC(Anatomical Therapeutic Chemical) 코드는 의약품의 체계적 분류를 위해 WHO에서 개발하였고 국민건강보험공단 등 국내에서도 공식적으로 사용되는 코드체계입니다.
2. 본 장에서는 임상 등에서 다용되는 약물들을 ATC 체계를 따라 14개의 메인그룹으로 나누었고 이후 관련항목에 따라 분류하고 간략한 설명을 덧붙였습니다. 14개 대분류 항목별로 알파벳 코드 및 내역은 다음과 같습니다.

A	소화관, 대사	Alimentary tract and metabolism
B	혈액, 조혈기관	Blood and blood forming organs
C	심혈관	Cardiovascular system
D	피부	Dermatologicals
G	비뇨생식기, 성호르몬	Genito-urinary system and sex hormones
H	호르몬 (전신성)	Systemic hormonal preparations (sex hormones 제외)
J	항감염제	Antiinfectives for systemic use
L	항종양, 면역조절제	Antineoplastic and immunomodulating agents
M	근골격	Musculoskeletal system
N	신경	Nervous system
P	구충제, 살충/기피제	Antiparasitic products, insecticides and repellents
R	호흡기	Respiratory system
S	감각기	Sensory organs
V	기타	Various

2. ATC 분류체계는 약효, 화학적 특성 등에 따라 최고 5단계까지 세부분류가 되지만 본 장에서는 대분류에 해당하는 1단계(14개) 적용 후 2-4단계는 선택적으로 분류하고 분류코드는

2단계까지만 표기하였습니다. 2단계 이후의 분류는 일부 WHO ATC의 분류나 용어가 사용되지 않은 부분도 있습니다. (예: WHO ATC에서 Propulsives로 표기된 위장운동촉진제는 Prokinetics로 표기)

1단계	**A**	Alimentary tract and metabolism
2단계	**A10**	Drugs used in diabetes
3단계	**A10B**	Oral blood glucose lowering drugs
4단계	**A10BA**	Biguanides
5단계	**A10BA02**	Metformin

3. 각 약물은 성분명(Generic name) 및 오리지날 품목 또는 대표적인 제네릭 품목 위주의 상품 명(Trade name)을 병기하였고 상품명은 괄호 안에 표기하였습니다. 일부 약물의 경우 임상에서 다용되는 적응증과 다르게 분류된 경우(ex. 신경병증에도 많이 사용되는 Gabapentin 의 경우 항전간제(N03) Antiepileptics에 위치)도 있으며 특정 치료에 대한 특정 치료약물들 이 모두 제시된 것은 아님에도 주의하시기 바랍니다. (ex. Ibuprofen 등의 NSAIDs는 근골 격계(M)의 분류에만 위치하고 기타 해열진통의 목적으로 사용가능한 다른 항목에 별도로 제시되지 않음)

4. 주요 스테로이드, 항균제 등 ATC 분류상 중복할당된 약물은 가장 연관된 항목에만 실었습 니다.

D-2 [참고] 신경전달물질 Review

Tip 신경전달물질

- 본 항목에서는 약리적 기전의 효과적인 이해를 위해서 신경전달물질(neurotransmitter)에 내용 을 간략히 리뷰하였습니다.
- 1920년대 아세틸콜린(Ach)이 최초로 규명된 이후 수십가지에 이르는 신경전달물질이 발견되었 고 분류기준도 문헌마다 다양지만 이 중 실제 임상에 참고되는 내용 위주로 설명하였으므로 보 다 자세한 내용은 관련서적을 참고하시기 바랍니다.

(1) 아세틸콜린

1. 주로 부교감신경말단에서 분비되어 심박동 및 수축을 감소시키고 위장관의 연동운동도 증 가시키며 신경근육접합부(neuromuscular junction)에 작용하여 운동신경에 관여합니다.

계열	작용요약	종류	수용체
Acetylcholine	부교감신경 /기억/땀샘	Acetylcholine (ACh)	Nicotinic receptor Muscarinic receptor
Amines	교감신경	Epinephrine (=Adrenaline, E) Norepinephrine (=Noradrenaline, NE) Dopamine (DA)	Alpha receptor (1,2) Beta receptor (1,2,3)
	감정/GI	Serotonin (5HT)	
	면역/위산	Histamine (H)	H1 receptor, H2 receptor
Amino acid	흥분성	Glutamate	
	억제성	GABA (Gamma-aminobutyric acid)	

[표] 주요 신경전달물질의 종류 및 작용

2. 교감신경에도 일부 분포하는데 특히 에크린 땀샘(Eccrine sweat glands)에서 분비되어 땀의 배출에 관여(무스카린성 수용체에 작용)합니다. 보톡스(Botulinum Toxin)를 국소부위에 주입하면 아세틸콜린의 작용이 억제되어 땀의 배출이 감소하므로 다한증의 일시적 증상완화 목적으로 사용하기도 합니다.

3. 중추신경계(CNS)에서는 학습, 단기기억 등에 관련됩니다. 알츠하이머성 치매는 뇌에서 아세틸콜린(Ach)이 부족한 대표적인 질환이며 Ach의 분해를 억제하는 Donepezil 등이 치료약물로 사용됩니다.

4. 수용체 중 니코틴성은 골격근의 흥분을 담당하는데 대부분의 말초성 근이완제(peripheral muscle relaxant)는 니코틴성 수용체를 차단하여 근육활동을 억제합니다. 중증근무력증은 Ach의 니코틴 수용체에 대한 항체가 생겨 정상적인 Ach 신호전달이 방해된 질환입니다.

5. 수용체 중 무스카린성은 심장에서는 억제, 위장관에서는 흥분을 유도합니다. 심정지에 투여하는 Atropine을 포함하여 대부분의 항콜린제는 무스카린성 수용체에 작용합니다. 방광수축에도 관여하므로 빈뇨, 절박뇨 등의 과민성 방광의 경우 방광에 주로 특이적인 항콜린제(항무스카린성)를 투여하면 방광평활근의 수축이 억제되어 증상이 개선될 수 있습니다.

(2) 카테콜라민

1. 에피네프린(E), 노프에피네프린(NE), 도파민(DA) 등을 합하여 카테콜라민(catecholamine)이라고 하며 특히 E, NE을 중심으로 인체의 교감신경계를 담당합니다.

2. 교감신경 수용체(Adrenergic receptor)는 크게 알파수용체(1,2)와 베타수용체(1,2,3)로 구분되며 각각의 작용과 관련되는 약물은 다음의 표와 같습니다.

수용체	작용	관련 약물
Alpha1 (α1)	평활근 수축, 혈관 수축, 동공산대	Alpha1 blocker (C02)
Alpha2 (α2)	인슐린 분비억제, 글루카곤 분비, 혈소판응집	
Beta1 (β1)	흥분성 반응(심근 수축, 심박 증가)	Beta blocker (C07)
Beta2 (β2)	평활근 이완(기관지 확장, 장관운동성 저하 등)	Beta2 agonist (R03)
Beta3 (β3)	지질대사	

3. 참고로 베타수용체에 작용하는 약물들은 아형(subtype) 사이의 상동성이 높은 편인데 예를 들어 β1 수용체에 작용하여 심근이완 등의 목적으로 사용하는 베타차단제의 경우 β2 수용체에도 일부 작용하여 기관지확장을 방해할 수 있으므로 천식에는 금기가 됩니다.

4. 도파민(DA)은 기쁨, 흥분 등에 관계되며 중독증상에도 관련됩니다. 코카인도 도파민 재흡수(reuptake)를 억제하여 기분을 좋게 만드는 마약입니다. 도파민 과잉시에는 환각, 정신분열증(schizophrenia) 등이 나타나며 이런 경우 Haloperidol 등과 같이 도파민 작용을 감소시키는 약물을 투여합니다. 파킨슨병처럼 도파민이 부족한 질환의 경우에는 도파민 전구체로서 BBB를 통과할 수 있는 L-Dopa를 공급해 줍니다.

(3) 세로토닌(5-HT)

1. 식욕, 수면, 학습 등에 관여하며 충동을 억제하고 감정을 안정되게 합니다. 통증전달을 억제하는 기능도 있습니다. 우울증 환자들은 세로토닌이 저하되어 있으며 치료는 SSRI(N06) 등으로 세로토닌의 재흡수를 억제합니다.

2. 장관(intestine)에 많이 분포하여 위장관 운동성에 관여하며 구토반사와도 관련됩니다.

(4) 히스타민

1. Allergy 반응이나 염증에 관여하며 혈관을 확장하고 투과성을 증대시켜 콧물, 부종 등을 유발하고 기관지 등 평활근의 수축을 유발합니다.

2. H1 수용체(receptor)는 알러지반응에 관여하며 일반적인 항히스타민제(R06)의 작용대상이 되고 H2 수용체는 위벽과 위점막에 분포해서 위산분비에 관여하며 H2 Blocker (또는 H2RA, histamine 2 receptor antagonist)가 작용하는 부위입니다.

(5) 아미노산계

1. Glutamate는 흥분성, GABA는 억제성 신경전달물질입니다. 벤조다이아제핀(N05)은 GABA의 효과를 증강시켜 진정, 안정의 효능을 보입니다.

D-3 상용약물정리 (목록) [약물별 설명은 **D-4** 참조]

5-FU	L01	ASA	N02	Cefazolin	J01
6-MP	L01	Ascorbic acid	A11	Cefepime	J01
AAP	N02	Atenolol	C07	Cefmetazole	J01
Acarbose	A10	Atorvastatin	C10	Cefotaxime	J01
Aceclofenac	M01	Atropine	A03	Ceftazidime	J01
Acetaminophen	N02	Azithromycin	J01	Ceftriaxone	J01
Acetylcarnitine	N06	Baclofen	M03	Cefuroxime	J01
Acetylcysteine	R05	BCG	L03	Celecoxib	M01
Acetylcysteine	V03	Beecom	A11	Cetirizine	R06
Acetylsalicylic-acid	N02	benserazide	N04	Cetuximab	L01
Acyclovir	J05	Benzbromarone	M04	Chlorambucil	L01
Acyclovir 연고	S01	Benzocaine	N01	Chlorhexidine	A01
Adefovir	J05	Benztropine	N04	Chloroquine	P01
Albendazole	P02	Bepotastine	R06	Chlorphenamine	R06
Aldosterone	H02	Betamethasone	D07	Chlorpromazine	N05
Alendronate	M05	Betamethasone	H02	Choline alfoscerate	N07
Alfuzosin	G04	Bevacizumab	L01	Cilostazol	B01
Allopurinol	M04	Biotin	A11	Cimetidine	A02
Almagate	A02	Bisacodyl	A06	Cimetropium	A03
Alprazolam	N05	Bismuth	A07	Ciprofloxacin	J01
Alteplase	B01	Bleomycin	L01	Cisplatin	L01
Aluminium phosphate	A02	Botulinum toxin	M03	Clarithromycin	J01
Amantadine	J05	Bromhexine	R05	Clevudine	J05
Amantadine	N04	Bromocriptine	N04	Clobetasol	D07
Ambroxol	R05	Budesonide	R03	Clobetasone	D07
Amikacin	J01	Bupropion	N06	Clonazepam	N03
Aminophylline	R03	Butylscopolamine	A03	Clopidogrel	B01
Amiodarone	C01	Calciferol	A11	Clotrimazole	D01
Amitriptyline	N06	Calcitonin	H05	Clozapine	N05
Amlodipine	C08	Candesartan	C09	Cobalamin	A11
Amoxicillin	J01	Capecitabine	L01	Colchicine	M04
Amphetamine	N06	Capsaicin cream	M02	Colestyramine	C10
Amphotericin B	J02	Captopril	C09	Cortisone	H02
Ampicillin	J01	Carbamazepine	N03	Cyclophosphamide	L01
Anthracyclines	L01	carbidopa	N04	Dabigatran	B01
Apomorphine	N04	Carbimazole	H03	Dalteparin	B01
Apixaban	B01	Carboplatin	L01	Desogestrel	G03
Artemisinin	P01	Carotene	A11	Desonide	D07
ASA	B01	Carvedilol	C07	Dexamethasone	D07

Dexamethasone	H02	Ferrous sulfate	B03	Interleukins	L03
Diazepam	N05	Fexofenadine	R06	Ipratropium	R03
Diclofenac	M01	Finasteride	G04	Isoflurane	N01
Diflucortolone	D07	Flubendazole	P02	Isoniazid	J04
Digoxin	C01	fluconazole	J02	Itopride	A03
Diltiazem	C08	Fludrocortisone	H02	Ivy Leaf	R05
Dimenhydrinate	R06	Flumazenil	V03	K-contin	A12
Dobutamine	C01	Fluoxetine	N06	Ketamine	N01
Docetaxel	L01	Flurazepam	N05	Ketoconazole	D01
Domperidone	A03	Folic acid	A11	ketoconazole	J02
Donepezil	N06	Formoterol	R03	Ketoprofen	M02
Dopamine	C01	Furosemide	C03	Ketorolac	M01
Doxazosin	C02	Fusidic acid	D06	Labetalol	C07
Doxazosin	G04	Gabapentin	N03	Lactulose	A06
Doxorubicin	L01	Galantamine	N06	Lamivudine	J05
Doxycycline	J01	Gallamine	M03	Lamotrigine	N03
Drospirenone	G03	Gefitinib	L01	L-dopa	N04
Duloxetine	N06	Gemcitabine	L01	Letrozole	L02
Dutasteride	G04	Gentamicin	J01	Levetiracetam	N03
Ebastine	R06	Gestodene	G03	Levocetirizine	R06
Enalapril	C09	Ginkgo biloba	N06	Levodropropizine	R05
Enoxaparin	B01	Glimepiride	A10	Levofloxacin	J01
entacapone	N04	Glucagon	V03	Levonorgestrel	G03
Entecavir	J05	Gold	M01	Levothyroxine	H03
Eperisone	M03	Granisetron	A04	Levothyroxine	H03
EPO	B03	Guaifenesin	R05	Lidocaine	C01
Ergotamine	N02	Haloperidol	N05	Lidocaine	N01
Erlotinib	L01	Halothane	N01	Lidocaine viscous	A01
Erythromycin	J01	Heparin	B01	Liothyronine	H03
Erythropoietin	B03	hormone	H05	Lithium	N05
Escitalopram	N06	Hyaluronic acid	M06	Loperamide	A07
Esomeprazole	A02	Hydrochloroquine	M01	Loratadine	R06
Estradiol	G03	Hydrochlorthiazide	C03	Lorazepam	N05
Etanercept	L04	Hydrocortisone	D07	Losartan	C09
Ethambutol	J04	Hydroxyzine	R06	Lovastatin	C10
Etizolam	N05	Ibandronate	M05	Magnesium Oxide	A02
Famciclovir	J05	Ibuprofen	M01	Magnesium Oxide	A06
Famotidine	A02	Imatinib	L01	Mecool	A03
Felodipine	C08	Imipenam	J01	Mefloquine	P01
Fenofibrate	C10	Imipramine	N06	Megestrol	L02
Fentanyl	N01	insulin	A10	Melatonin	N05
Fentanyl	N02	Interferons	L03	Meloxicam	M01

Memantine	N06	Ofloxacin 점안액	S01	Propylthiouracil	H03
Meperidine	N02	Olanzapine	N05	Protamine	V03
Meropenem	J01	Olmesartan	C09	Psyllium Husk	A06
Metformin	A10	Omeprazole	A02	PTH	H05
Methicillin	J01	Ondansetron	A04	PTU	H03
Methimazole	H03	Oxaliplatin	L01	Pyrazinamide	J04
Methocarbamol	M03	Oxybutynin	G04	Pyridoxine	A11
Methylphenidate	N06	Oxycodone	N02	Quetiapine	N05
Methylprednisolone	D07	Oxycodone	N02	Rabeprazole	A02
Metoclopramide	A03	Oxytetracycline	S01	Raloxifene	G03
MgO	A02	Paclitaxel	L01	Ramipril	C09
MgO	A06	Pancuronium	M03	Ranitidine	A02
MgO	A12	Pantoprazole	A02	Repaglinide	A10
Midazolam	N05	Pantothenic acid	A11	Retinol	A11
Milnacipran	N06	Paracetamol	N02	Riboflavin	A11
Mirtazapine	N06	Parathyroid	H05	Rimfampicin	J04
Mitomycin	L01	Paroxetine	N06	Risedronate	M05
Moclobemide	N06	Pemetrexed	L01	Risperidone	N05
Mometasone	D07	Penicillamine	M01	Rivaxoaban	B01
Montelukast	R03	Penicillin	J01	Rivastigmine	N06
Morphine	N02	Pethidine	N02	Rosuvastatin	C10
Mosapride	A03	Phenytoin	N03	r-tPA	B01
Moxifloxacin	J01	Pioglitazone	A10	Salbutamol	R03
MTX	L01	Piperacillin	J01	Salmeterol	R03
MTX	M01	Piprinhydrinate	R06	Scopolamine	A04
Mupirocin	D06	Piroxicam	M01	Selegiline	N04
MVH	A11	Piroxicam	M02	Senna	A06
Nabumetone	M01	Potassium	A12	Sertraline	N06
Naloxone	V03	Pramipexole	N04	Sevoflurane	N01
Naproxen	M01	Prazosin	C02	Sildenafil	G04
Naratriptan	N02	Prednicarbate	D07	Simvastatin	C10
Nateglinide	A10	Prednisolone	D07	Singulair	R03
Niacin	A11	Prednisolone	H02	Sitagliptin	A10
Niacin	C10	Pregabalin	N03	Smectite	A07
Nicotinic acid	C10	Primaquine	P01	Sobrerol	R05
Nifedipine	C08	Probenecid	M04	Solifenacin	G04
Nitroglycerin	C01	Probiotics	A07	Sorafenib	L01
Norepinephrine	C01	Procainamide	C01	Spironolactone	C03
Norethisterone	G03	Procaine	N01	Streptokinase	B01
NTG	C01	Propacetamol	N02	Streptomycin	J01
Ofloxacin	J01	Propofol	N01	Sumatriptan	N02
Ofloxacin 이용액	S02	Propranolol	C07	Sunitinib	L01

T4	H03	Warfarin	B01	라믹탈	N03		
Tadalafil	G04	Xylometazoline	R01	라식스	C03		
Tamoxifen	L02	Zea mays	A01	레갈론	A05		
Tamsulosin	G04	Zolmitriptan	N02	레메론	N06		
Taxanes	L01	Zolpidem	N05	레미닐	N06		
Tegafur	L01	Exenatide	A10	레보비르	J05		
Terazosin	G04	Liraglutide	A10	레보투스	R05		
Terbinafine	D01	가나톤	A03	렉사프로	N06		
terbinafine	J02	가브스	A10	리라카	N03		
Teriparatide	H05	가스모틴	A03	리보트릴	N03		
Tetracycline	J01	가스터	A02	리스페달	N05		
Theophylline	R03	갈라신	M03	리탈린	N06		
Thiamine	A11	겔포스	A02	리피딜	C10		
Tiropramide	A03	겔포스엠	A02	리피토	C10		
Tizanidine	M03	글루코바이	A10	마그밀	A02		
TNF inhibitor	M01	글루코파지	A10	마그밀	A12		
TNF-α inhibitors	L04	글리벡	L01	마도파	N04		
Tocopherol	A11	글리아티린	N07	메게이스	L02		
Tolterodine	G04	기넥신	N06	메디락DS	A07		
Topiramate	N03	넥사바	L01	메바로친	C10		
Transamine	B02	넥시움	A02	메치마졸	H03		
Trastuzumab	L01	노바스크	C08	멕페란	A03		
Trazodone	N06	노보넘	A10	무타실산	A06		
Triamcinolone	A01	놀바덱스	L02	뮤코라제	B01		
Triamcinolone	D07	뉴론틴	N03	미루바	A02		
Triazolam	N05	니세틸	N06	바라크루드	J05		
Trihexyphenidyl	N04	니조랄	D01	바이토린	C10		
Trimetazidine	C01	다이아벡스	A10	바클로펜	M03		
UDCA	A05	다이크로짇	C03	박트로반	D06		
Urokinase	B01	달마돔	N05	베시케어	G04		
Ursodiol	A05	더마톱	D07	베아제	A09		
Valium	N05	더모베이트	D07	베이슨	A10		
Valproic acid	N03	데노간	N02	벤토린	R03		
Valsartan	C09	데매롤	N02	보나링	R06		
Vecuronium	M03	돔페리돈	A03	보톡스	M03		
Venlafaxine	N06	둘코락스	A06	본비바	M05		
Verapamil	C08	듀로제식	N02	부루펜	M01		
Vildagliptin	A10	듀파락	A06	부스코판	A03		
Vinca alkaloids	L01	디오반	C09	비아그라	G04		
Vincristine	L01	디트로판	G04	세레타이드	R03		
Vitamin K	B02	디트루시톨	G04	세보레인	N01		
Voglibose	A10	라미실	D01	수텐	L01		

스펙타	A07	에빅사	N06	쿠마딘	B01
스타레보	N04	에트라빌	N06	큐란	A02
스티렌	A02	에페라손	M03	크레스토	C10
스틸녹스	N05	엑셀론	N06	클라리틴	R06
시네메트	N04	엔브렐	L04	키미테	A04
시알리스	G04	엘록사틴	L01	타나민	N06
실다루드	M03	오라메디	A01	타리온정	R06
심발타	N06	오르필	N03	타이래놀	N02
심비코트	R03	오트리빈	R01	타쎄바	L01
쎄레브렉스	M01	옥시콘틴	N02	탁솔	L01
쎄로켈	N05	올메텍	C09	테라마이신	S01
씨잘	R06	우루사	A05	토파맥스	N03
썬지로이드	H03	울트라셋	N02	트라스트	M02
아달라트	C08	웰부트린	N06	트라조돈	N06
아락실	A06	유시락스	R06	티로파	A03
아레스탈	A07	이레사	L01	타에스원	L01
아리셉트	N06	이미그란	N02	파스틱	A10
아마릴	A10	이펙사	N06	파자임	A09
아바스틴	L01	익셀	N06	판토록	A02
아보다트	G04	인사돌	A01	페니라민	R06
아스피린	B01	자나스	N05	페마라	L02
아스피린	N02	자누비아	A10	포르테오	H05
아이알코돈	N02	자이프렉사	N05	포사맥스	M05
아타칸	C09	잔탁	A02	푸라콩	R06
아트로벤트	R03	제픽스	J05	푸로스판	R05
아트로핀	A03	젤로다	L01	풀미코트	R03
아타반	N05	젤콤	P02	프레탈	B01
악토넬	M05	젬자	L01	프로스카	G04
안티로이드	H03	조인스정	M01	프로작	N06
알기론	A03	조코	C10	플라빅스	B01
알닥톤	C03	조프란	A04	하루날	G04
알레그라	R06	졸로푸트	N06	할시온	N05
알로푸리놀	M04	지르텍	R06	허셉틴	L01
알림타	L01	카네스텐	D01	헥사메딘	A01
알마겔	A02	카두라	G04	헵세라	J05
알벤다졸	P02	카렙고트	N02	후시딘	D06
암브록솔	R05	케토톱	M02	훼로바	B03
액토스	A10	케프라	N03	훼스탈	A09
액티피드	R01	코자	C09	휴물린	A10
얼비툭스	L01	코프시럽	R05	바이에타	A10
에바스텔	R06	콜키신	M04	빅토자	A10
에비스타	G03	콤지로이드	H03		

D-4 상용약물정리 [한글로 표시된 상품명은 오리지널 또는 대표약물 위주로 기재되었습니다]

A 소화관, 대사 *Alimentary tract and metabolism*

구강 A01	**Stomatologicals**	1) Chlorhexidine(헥사메딘) 2) Triamcinolone(오라메디) 3) Lidocaine viscous 용액 4) Zea mays(인사돌) [구강용제] 1)구강내 살균소독 2)구내 염증완화를 위한 스테로이드제 3) 국소마취제인 리도카인으로 구강내 통증완화 4)치주질환용제. 옥수수 (Corn) 추출물.
위산 A02	**Antacids**	1)Aluminium phosphate(겔포스) 2)Magnesium Oxide(MgO, 마그밀, 미루바) 3)Almagate(알마겔), (겔포스엠) [제산제] 위산과다의 중화. 1)알루미늄제 2)마그네슘제 3)알루미늄+마그네슘 복합제
	H2 Blocker (H2RA)	Ranitidine(잔탁, 큐란) Famotidine(가스터) Cimetidine [H2 차단제, Histamine 2 Receptor Antagonist] 위산분비에 관여하는 Histamine 2 수용체를 길항하여 위산분비 억제
	PPI	Omeprazole, Rabeprazole, Pantoprazole(판토록), Esomeprazole(넥시움) [프로톤펌프 억제제] 위벽의 Proton pump에 작용해 H2차단제 보다 강하게 위산분비억제
	Other Antiulcerant	애엽Artemisia asiatica(스티렌) [기타항궤양제] 쑥(mugwort,艾葉) 추출물로 위점막보호, 염증인자 차단의 효과
기능성 위장관질환 A03	**Prokinetics**	1)Metoclopramide(메페란, Mecool), Domperidone(돔페리돈), Itopride (가나톤) 2)Mosapride(가스모틴) [위장운동촉진제] 1)도파민을 길항하여 아세틸콜린이 증가되므로 위장관 운동 촉진 2)세로토닌 효능제
	Antispasmodics	1)Butylscopolamine(부스코판) 2)Atropine(아트로핀) 3)Cimetropium(알기론) 4)Tiropramide(티로파) [진경제] 1-3)항콜린제로 부교감신경을 차단. 경련성 통증에 평활근 긴장을 완화. 1)은 독말풀(Datura, 曼陀罗) 2,3)은 벨라도나(Belladonna)추출물 유래 2)는 또한 심정지(cardiac arrest)시 응급약. 4)칼슘조절성 진경제. 항콜린 부작용이 없음.

항구토제 A04	**5-HT3 antagonists**	Ondansetron(조프란) Granisetron [세로토닌 길항제] 세로토닌(5HT3) 수용체에 길항해 Chemoreceptor trigger zone 자극을 억제. 항암치료, 수술 후 오심구토 등에 효과. 차멀미 등에는 효과 없음.
	Other antiemetics	Scopolamine(키미테) cf.부틸기가 첨가된 부스코판은 BBB 통과X -> 진경작용만 있음 [기타항구토제] 항콜린효과로 구토를 억제하고 장에 대한 진경작용. 차멀미, 배멀미에도 효과
간/담 A05	**Cholagogues**	Ursodiol(=UDCA, 우루사) [이담제] 웅담(Bear bile, 熊膽汁)에서 유래한 담즙성분의 하나. 간보호, 콜레스테롤 저하.
	Hepatic Protectors	Carduus Marianus(엉겅퀴, 레갈론) [간보호제] 엉겅퀴(Milk Thistle, 大薊) 추출물인 Silymarin의 간보호작용
하제 A06	**Contact laxatives**	Bisacodyl(둘코락스) Senna(아락실), [자극성 하제] 효과는 빠르나 장기사용은 금기
	Bulk producers	Psyllium Husk(무타실산) [부피팽창 하제] 수분과 결합해 팽창하는 차전자피 (Psyllium Husk, 車前子皮)를 이용
	Osmotic laxatives	Lactulose (듀파락) Magnesium Oxide (MgO) [삼투성 하제] 장내수분을 증가시키며 비교적 안전하게 장기사용 가능.
지사제 A07	**Intestinal adsorbents**	Dioctahedral Smectite (스멕타), Bismuth [흡착성 지사제] 알루미늄+마그네슘의 점토 또는 Bismuth 등으로 장내 유해물질을 흡착.
	Antipropulsives	Loperamide (아레스탈) [장운동억제제] 장내에서 opioid로 작용해 장관연동운동을 감소시킴. 감염성 설사에 금기.
	Antidiarrheals, Micro-organisms	Bacillus subtilis 등 복합제(메디락DS), Probiotics [지사제, 미생물제] 장내균총을 정상화시키는 유산균 정장제. 변비, 설사 등을 완화.
소화제 A09	**Digestives**	베아제, 훼스탈, 파자임 [소화제] 각종 소화효소, 이담제 등의 복합성분

	Insulin	Human insulin(휴물린) [인슐린제제] 직접적인 혈당강하작용.
	Biguanides	Metformin (다이아벡스, 글루코파지) [바이구아나이드계] 대표적으로 가장 많이 사용되는 혈당강하제 중 하나로 간에서 당이 생산되는 것을 억제하고 말초의 인슐린감수성을 증가시킴. 체중감소 효과가 있어 비만자에도 다용. 오심, 복부팽만 등 부작용. 신기능 저하시 lactic acidosis 유발할 수 있어 금기.
	Sulfonylurea	Glimepiride (아마릴) [설폰계, SU] 췌장의 베타세포를 자극해 인슐린 분비를 촉진. 저혈당 부작용에 주의.
	Meglitinide	Repaglinide(노보넘) Nateglinide(파스틱) [메글리티나이드계 또는 Glinide계] SU와 유사한 기전이나 작용시간이 빠르고 저혈당 부작용이 감소.
당뇨 A10	Thiazolidinediones	Pioglitazone (액토스) [티아졸리딘다이온, TZD] 근육의 인슐린 이용률을 증가시킴. 간독성 주의. 심부전 위험성이 있어 사용감소 추세.
	Alpha glucosidase inhibitors	Voglibose(베이슨) Acarbose(글루코바이) [알파 글루코시다제 억제제] 탄수화물 소화에 관여하는 Alpha glucosidase를 억제. 식후고혈당을 예방하는 효과.
	DPP-4 inhibitor	Sitagliptin(자누비아) Vildagliptin(가브스) [Dipeptidyl peptidase-4 저해제] 인크레틴 (Incretin, 식후에 췌장의 인슐린분비를 촉진하는 호르몬들의 통칭)을 분해하는 DPP-4를 억제하여 인슐린이 잘 분비되도록 함. 저혈당 부작용이 낮음.
	GLP-1 receptor agonist	Exenatide(바이에타) Liraglutide(빅토자) [Glucagon-like peptide-1 수용체 효능제] 인슐린 분비를 촉진하는 GLP-1 호르몬을 촉진
	SGLT-2 inhibitor	Dapagliflozin(포시가) Ipragliflozin(슈글렛) [Sodium-glucose linked transporter, subtype 2 차단제] 신장에서 포도당을 재흡수하는 과정에 관여하는 SGLT2를 차단하여 신장에서의 포도당 배설촉진
비타민 A11	Fat soluble	Retinol, Carotene (Vit A) Calciferol(Vit D) Tocopherol(Vit E) [지용성 비타민제] Vit D는 칼슘의 흡수를 돕기 때문에 칼슘제에 복합되어 투여되기도 함
	Water soluble	Thiamine(Vit B1) Riboflavin(B2) Niacin(B3) Pantothenic acid(B5) Pyridoxine(B6) Biotin(B7) Folic acid(B9) Cobalamin(B12) Ascorbic

		acid(Vit C)
		[수용성 비타민제] 알코올과다섭취, 각기(beriberi) 등에 Vit B1(Thiamine)/ 임신시 Megaloblastic anemia 예방을 위해 Vit B9(엽산), B12
	Multivitamins	Beecom, MVH
		[복합비타민제] Vit B군, Vit C 등의 복합제
미네랄 A12	**Minerals**	Potassium (K-contin) MgO(마그밀)
		[미네랄제제] 칼륨(K), 마그네슘(Mg) 등의 보충

B　혈액, 조혈기관　*Blood and Blood forming organs*

	Antiplatelets	Clopidogrel(플라빅스) ASA(아스피린) Cilostazol(프레탈)
		[항혈소판제] 혈소판응집, 혈전생성을 억제
	Anticoagulants, Vit K antagonist	Warfarin(쿠마딘)
		[항응고제] 혈액응고인자 II VII IX X의 합성에 필요한 Vit K를 길항
혈전 B01	**Anticoagulants, Heparin**	1)Heparin 2)Enoxaparin, Dalteparin
		[항응고제] 1)표준헤파린(unfractionated heparin)으로서 Fibrinogen이 Fibrin(섬유소)으로 전환하는 것을 차단 2)헤파린의 출혈부작용을 감소시킨 저분자량헤파린(LMWH, Low molecular weight heparin)
	Anticoagulants, other	Dabigatran(다비가트란) Rivaroxaban(리바로사반) Apixaban(아픽사반)
		[항응고제] 와파린 이후에 새로이 등장하여 각종 불편함이 감소한 신규 경구용 항응고제
	Thrombolytics	1)Alteplase(r-tPA, recombinant tissue Plasminogen Activator) 2)Urokinase 3)Streptokinase(뮤코라제)
		[혈전용해제] 1) tPA는 전구체인 plasminogen을 활성형태인 plasmin(섬유소(fibrin)를 가수분해하는 혈전용해작용)으로 전환 2)소변에서 유래. tPA 등장이후 사용감소 3)효소의 일종으로 Plasminogen과 결합, 활성화시키는 섬유소 용해인자. 국내에서는 소염효소제(M09)로 분류되어 주로 염증성 부종(수술후 등)의 완화, 객담배출촉진 등으로 사용
출혈 B02	**Antihemorrhagics**	1)Vitamin K 2)Transamine
		[지혈제] 1)혈액응고에 필요한 Vit K를 공급 2) 섬유소용해(Fibrinolysis)를 억제해 지혈
빈혈 B03	**Iron**	Ferrous sulfate(훼로바)
		[철분제] 철분을 공급해 빈혈을 치료
	Other Antianemics	EPO(Erythropoietin)
		[기타항빈혈제] 신장에서 생산되는 적혈구생성인자. 신장질환이나 급만성 염증의 빈혈 등.

| 수액 B05 | IV solutions | 각종 영양수액, 전해질제제 등 (70-2 참조) |

C 심혈관계 *Cardiovascular system*

심질환 C01	Cardiac glycosides, Digitalis	Digoxin [디지탈리스] Digitalis잎(洋地黃葉)에서 추출된 대표적인 강심제. 심근수축력을 강화
	Antiarrhythmics	1)Procainamide, Lidocaine 2)Amiodarone [항부정맥제제] 1)심근세포로의 Na+ 유입을 방해 2)K+ 유출을 방해
	Cardiac stimulants	Dopamine, Dobutamine, Norepinephrine [강심제] 교감신경계를 자극하여 혈압을 상승시킴.
	Vasodilators	Nitroglycerin(NTG) [혈관확장제] 혈관확장을 통해 심장부하를 줄이고 혈압강하. 경구복용시 간에서 쉽게 파괴되므로 설하(舌下)복용이 원칙
	Other cardiac preparations	Trimetazidine [기타 심질환제제] 심장의 Glucose 대사활성도를 높여 항협심증 효과 및 심기능 개선
고혈압	Alpha blocker C02	Prazosin Doxazosin [알파차단제] 아드레날린 alpha1 수용체에 작용하여 혈관수축을 억제. 전립선 alpha1 수용체에도 작용
	Diuretics, Loop Diuretics C03	Furosemide(라식스) [Loop 이뇨제] 강력한 이뇨효과
	Diuretics, Thiazides C03	Hydrochlorthiazide(다이크로진) [Thiazide 이뇨제] 고혈압 치료시 이뇨제 중 우선선택
	Diuretics, Potassium sparing C03	Spironolactone(알닥톤) [칼륨보존이뇨제, Potassium sparing Diuretics] Potassium의 소변배출을 억제하는 이뇨제. 알도스테론 길항제로 분류되기도 함.
	Beta blocker C07	1)Atenolol Propranolol 2)Carvedilol Labetalol [베타차단제] 아드레날린 Beta 수용체에 작용하여 교감신경활동을 억제하고 심박수를 느리게 함. 2)alpha1/beta 수용체를 모두 차단
	CCB C08	1)Amlodipine(노바스크), Nifedipine(아달라트) Felodipine 2)Verapamil Diltiazem [칼슘채널차단제, Calcium channel blocker] 근육의 흥분수축에 관여하

		는 Ca에 작용. 1)Dihydropyridine(DHP)계 : 혈관에 주로 작용하여 혈압 강하의 효과 2) Non-DHP계 : 직접적인 심장효과 위주. 부정맥 등
	ACE inhibitor C09	Ramipril, Captopril, Enalapril [Angiotensin converting enzyme inhibitor] Angiotensin II는 혈압을 상승시킴. ACE를 저해하여 Angiotensin II의 생성을 억제. 마른기침 부작용이 흔함. 최초의 ACEi인 Captopril은 뱀독(蛇毒)에서 유래
	ARB C09	Losartan(코자) Valsartan(디오반) Olmesartan(올메텍) Candesartan(아타칸) [Angiotensin II receptor antagonists] Angiotensin II 수용체에 길항하여 작용을 억제. ACEi와 유사한 효과를 보이면서도 마른기침과 같은 부작용이 없음.
지질 C10	**Statins**	Atorvastatin(리피토) Rosuvastatin(크레스토) Simvastatin(조코) Lovastatin(메바로친) [HMG-CoA reductase inhibitor] 콜레스테롤 합성을 돕는 HMG-CoA 환원효소를 억제. LDL을 주로 낮춤. 최초의 스타틴 Lovastatin은 홍국(紅麴, Red yeast rice)에서 추출
	Fibrates	Fenofibrate(리피딜) [피브레이트] 중성지방(TG) 상승시 주로 사용
	Bile acid sequestrants	Colestyramine [담즙산 제거제] 담즙산(콜레스테롤로부터 합성됨)과 결합해 재흡수를 감소시킴. LDL을 낮추나 TG 상승부작용 우려
	Nicotinic acid	Nicotinic acid(=Vit B3= Niacin) [니코틴산] 간에서 VLDL의 생성을 억제하여 결과적으로 LDL, TG는 낮추면서 HDL은 올리는 작용. 안면홍조 부작용 동반
	Other drugs	1)Ezetimibe+Simvastatin 복합제(바이토린) 2) Omega 3 fatty acid 1)Ezetimibe은 장에서 콜레스테롤 흡수를 감소시켜 LDL을 낮춤. 스타틴과 많이 병용 2)심질환 예방을 위해 다용되며 중성지방도 낮추는 효과

D	**피부** *Dermatologicals*	
항진균제 D01	**Topical Antifungals**	Ketoconazole(니조랄) Terbinafine(라미실) Clotrimazole(카네스텐) [외용 항진균제] 각종 피부진균감염증
항생제 D06	**Topical Antibiotics**	Mupirocin(박트로반) Fusidic acid(후시딘) [외용 항생제] 각종 피부감염증

외용 스테로이드 D07	Corticosteroids, Weak	Hydrocortisone, Prednisolone, Methylprednisolone [외용 스테로이드] Group I에 해당, 약함
	Corticosteroids, Moderately potent	Dexamethasone, Triamcinolone, Clobetasone, Desonide [외용 스테로이드] Group II에 해당, 중등도
	Corticosteroids, Potent	Betamethasone, Diflucortolone, Mometasone Prednicarbate(더마톱) [외용 스테로이드] Group III에 해당, 강함
	Corticosteroids, Very potent	Clobetasol(더모베이트) [외용 스테로이드] Group IV에 해당, 가장 강력함.

G 비뇨생식기, 성호르몬 *Genito-urinary system and Sex hormones*

성호르몬 G03	Hormonal contraceptives	P (Norethisterone/Levonorgestrel/Desogestrel,Gestodene/Drospirenone) + E (Estradiol) [성호르몬. 호르몬피임제] 초기의 피임제는 Progestogen(P)만 사용하였 으나 이후 출혈부작용 완화, 피임효과 안정성 등을 보완한 Estrogens (E) 복합제가 개발. (P)의 개발순서에 따라 1/2/3/4세대로 구별됨.
	SERM	Raloxifene(에비스타) [Selective estrogen receptor modulators] 폐경기여성의 골다공증 치 료제이며 유방암 예방에도 사용. Estrogen 수용체에 결합하여 작용.
배뇨장애 G04	Urinary antispasmodics	Oxybutynin(디트로판) Tolterodine(디트루시톨) Solifenacin(베시케어) [요로계 진경제] 요실금, 과민성방광 등 방광기능의 이상에 작용하는 항 콜린제
발기부전 G04	PDE-5 inhibitor	Sildenafil(비아그라) Tadalafil(시알리스) [발기부전(Erectile Dysfunction) 치료제] cGMP를 분해하는 PDE5 (phosphodiesterase-type 5)는 음경뿐 아니라 폐에도 존재하여 폐동맥 고혈압 치료에도 사용
전립선비대 (BPH) G04	Alpha blockers	1)Doxazosin(카두라), Terazosin 2)Tamsulosin(하루날), Alfuzosin [Alpha1 차단제] 1)비선택적 차단제 2)Alpha1A,1D 선택 차단제. 저혈압 부작용이 있는 Alpha1B에는 작용 안함.
	5-alpha reductase inhibitors	Dutasteride(아보다트) Finasteride(프로스카) [5알파환원효소억제제] Testosterone을 DHT(Dihydrotestosteron)로 전 환하는 효소를 억제함. DHT는 전립선비대, 남성형탈모의 주원인.

H 호르몬(전신성) *Systemic hormonal preparations (w/o sex hormones)*

스테로이드 H02	Mineralocorticoids	Aldosterone, Fludrocortisone
		[무기질 코르티코이드] 수분, 전해질 대사 조절
	Glucocorticoids	Betamethasone, Dexamethasone, Prednisolone, Cortisone
		[당질 코르티코이드] 염증과 면역의 억제 및 혈당(Glucose)상승 등의 작용

갑상선 H03	Thyroid hormones	Levothyroxine(T4, 씬지로이드), Levothyroxine(T4)+Liothyronine(T3) (콤지로이드)
		[갑상선호르몬제] 갑상선기능저하증에 사용. T4+T3 복합제도 있으나 T3 의 작용시간이 짧아 유지요법에 한계
	Antithyroid, PTU	Propylthiouracil(PTU, 안티로이드)
		[항갑상선제] T4에서 T3로의 전환을 억제. 간독성 보고 등으로 임신1기 또는 메치마졸 부작용시에만 처방
	Antithyroid, Imidazole계	Methimazole (메치마졸, 메티마졸), Carbimazole (카비마졸)
		[항갑상선제] 요오드와 Thyroglobulin의 결합을 방해

칼슘 H05	PTH	Parathyroid hormone(PTH), Teriparatide(포르테오)
		[부갑상선호르몬 Parathyroid hormone] 혈중 칼슘(Ca2+)농도를 상승. Teriparatide는 골다공증 치료제로 사용.
	Anti-parathyroid	Calcitonin
		[항부갑상선호르몬제] 혈중 칼슘(Ca2+)농도를 저하

J 항감염제(전신성) *Antiinfectives for systemic use*

항균제 J01	Tetracyclines	Tetracycline, Doxycycline
		[테트라사이클린계] 이하 각 항균제별 분류 및 해설은 항생제 개요 파트 [68-1]를 참조
	Penicillins	Penicillin G, Methicillin, Ampicillin, Amoxicillin, Piperacillin
		[페니실린계]
	Cephalosporins	Cefazolin/Cefuroxime,Cefmetazole/Cefotaxime,Ceftriaxone,Ceftazidime/ Cefepime
		[세팔로스포린계] 1/2/3/4세대
	Carbapenems	Imipenam, Meropenem
		[카바페넴계]

	Aminoglycoside	Amikacin, Gentamicin, Streptomycin [아미노글리코사이드계]
	Macrolides	Erythromycin, Clarithromycin, Azithromycin [마크로라이드계]
	Quinolone	1)Ciprofloxacin, Ofloxacin 2)Levofloxacin, Moxifloxacin [퀴놀론계] 1)2세대 2)3,4세대
	Antifungals J02	Amphotericin B, ketoconazole, fluconazole, terbinafine [항진균제]
기타 항미생물제	**Anti-tuberculosis** J04	Isoniazid, Rimfampicin, Ethambutol, Pyrazinamide [항결핵제]
	Antivirals J05	1)Acyclovir, Famciclovir, Amantadine 2)Lamivudine(제픽스) Adefovir(헵세라) Entecavir(바라크루드) Clevudine(레보비르) Tenofovir(비리어드) [항바이러스제] 1)일반 항바이러스제 2)B형간염의 치료제

L 항종양, 면역조절제 *Antineoplastic and Immunomodulating agents*

항종양제 L01	**Alkylating agents**	Nitrogen mustard (Cyclophosphamide, Chlorambucil) [알킬화제] DNA에 직접 결합하고 나선구조에 손상을 주어 암세포의 성장, 분열을 억제
	Antimetabolites	Folic-acid유사체(Pemetrexed알림타, MTX) Purine유사체(6-MP) Pyrimidine유사체(5-FU, Gemcitabine젬자, Capecitabine젤로다, Tegafur티에스원) [대사길항제] 퓨린, 엽산 등 DNA 복제에 필요한 대사물질의 유사구조체 (analogues)로 DNA 복제를 방해. 5-FU는 Fluorouracil로도 표기.
	Plant alkaloids	Vinca alkaloids(Vincristine) Taxanes(Paclitaxel탁솔, Docetaxel) [식물 알칼로이드] 세포분열에 필수적인 Microtubule의 기능을 방해. 빈카 (Vinca) 또는 주목나무(taxus) 등의 식물 유래
	Cytotoxic antibiotics	Anthracyclines(Doxorubicin) Other cytotoxic antibiotics(Bleomycin, Mitomycin) [항종양 항생제] 세포독성 항생물질 등에서 유래
	Platinum	Cisplatin, Carboplatin, Oxaliplatin(엘록사틴)

		[백금계 항암제] DNA와 교차결합(Cross linking)하여 Alkylating agents 와 유사한 기전으로 암세포를 사멸
	Targeted therapy	1)Monoclonal antibodies(Trastuzumab허셉틴, Bevacizumab아바스틴, Cetuximab얼비툭스) 2)Protein kinase inhibitors (Imatinib글리벡, Gefitinib-이레사, Erlotinib타쎄바, Sorafenib넥사바, Sunitinib수텐) [표적치료제] 종양의 성장에 관여하는 1)특정 항원 또는 2)특정 단백키나 아제에만 반응하여 항종양 효과
내분비 L02	**Progestogens**	Megestrol(메게이스) [프로게스테론계] 본래 유방암, 자궁내막암의 항종양제이나 암환자, 면역 저하자의 식욕부진(Anorexia)에 효과
	Hormone antagonists	1)Letrozole(페마라) 2)Tamoxifen(놀바덱스) [호르몬 길항제] 1)유방암세포의 성장에 관여하는 에스트로겐의 생산을 억제 2)에스트로겐이 수용체와 결합하는 것을 방해
면역	**Immunostimulants** L03	Interferons, Interleukins, BCG vaccine [면역자극제]
	Immunosuppressants L04	TNF-α inhibitors : 1) Etanercept(엔브렐) [면역억제제] 1)류마티스성 관절염 등 자가면역질환에 사용

M 근골격계 *Musculoskeletal system*

항염증제 M01	**NSAIDs** **(COX2-I 제외)**	Ibuprofen(부루펜) Naproxen Diclofenac Aceclofenac Ketorolac Piroxicam Meloxicam Nabumetone [비스테로이드성 항염증제 Non-steroidal Anti-inflammatory Drugs] 발열, 염증 등에 프로스타글란딘(PG)이 관여. NSAIDs는 COX-1,2를 저해하여 PG 합성경로를 차단 [101-3 (4) TIP 참조] cf. Aspirin은 진통제(N02) 항목 참조
	COX-2 inhibitor	Celecoxib(쎄레브렉스) [Cyclooxygenase-2 저해제] 염증과 관련된 COX-2만 선택적으로 저해하고 위점막보호기능의 COX-1은 유지. 심혈관계 부작용 보고.
류마티스 M01	**DMARDs**	Gold, Penicillamine(Hydrochloroquine, MTX, TNF inhibitor 등의 DMARD는 별도 분류) [Disease-modifying antirheumatic drugs] 류마티스질환의 진행을 늦추는 제제.
외용제 M02	**Topical products**	1)Piroxicam(트라스트), Ketoprofen(케토톱) 2)Capsaicin cream

		[외용제] 1)NSAIDs 외용제(젤, 첩부제) 2)캡사이신 외용제. 고추 (pepper) 추출물
근이완제 M03	**Peripheral**	1)Vecuronium Pancuronium 2)Gallamine(갈라신) 3)Botulinum toxin (보톡스) [말초성 근이완제(Muscle Relaxants)] 1)아세틸콜린의 작용을 차단해 골격근 이완. 마취용제 2) 동통성 근육연축 3)미용 등
	Central	Baclofen(바클로펜) Eperisone(에페리손) Tizanidine(씰다루드) Methocarbamol [중추성 근이완제] 척수-뇌간에 작용해 골격근을 이완. 척수손상 후 강직, 근골격계 통증 등 cf. 진경제는 평활근(smooth muscle)의 이완
통풍 M04	**Uric acid production**	Allopurinol(알로푸리놀), Febuxostat [통풍치료제] 요산 생산을 억제하여 통풍, 고요산혈증에 사용. 통풍의 급성발작기에는 금기. 최근 개발된 Febuxostat는 요산강하효과는 강력하나 심장독성에 주의
	Uric acid excretion	Probenecid, Benzbromarone [통풍치료제] 요산 배설을 증가시켜 통풍, 고요산혈증에 사용. 신기능이상, 요로결석에는 금기.
	No effect on uric acid	Colchicine(콜키신) [통풍치료제] 요산과 무관하지만 Neutrophil의 작용을 억제하여 항염증 효과. 콜키쿰(Colchicum)이라는 식물뿌리의 추출물로 독성에 주의
골질환 M05	**Bisphosphonates**	Risedronate(악토넬) Alendronate(포사맥스) Ibandronate(본비바) Zoledronic acid(졸레드론산) [비스포스포네이트제] 골다공증, 골감소증에 적용. 파골세포(osteoclast)의 골흡수(bone resorption) 작용을 억제.
기타 M06	**Other drugs**	Hyaluronic acid 관절내 연골과 활액의 구성성분. 관절강내(Intrarticular) 주사제로 주로 사용

N 신경계 *Nervous system*

마취제 N01	**General Anesthetics**	1)Sevoflurane(세보레인) Isoflurane Halothane 2)Fentanyl(Opioid계) Ketamine Propofol [전신마취제] 의식, 감각만 소실시키므로 수술시 근이완제(M03)도 병용 1)흡입마취제 2) 정맥마취제로 구분. Propofol은 마취유도 및 의식회복이 신속.

	Local Anesthetics	Lidocaine Procaine Benzocaine
		[국소마취제] 리도카인이 대표적.

진통제 N02	**Natural opioids**	1)Morphine 2)Oxycodone(아이알코돈) 3)Oxycodone(옥시콘틴서방정) [천연마약류] 1)몰핀은 앵속각(罌粟殼)에서 유래. 주사제로 다용. Oxycodone은 경구제로서 2)속효성 3)12시간 지속 서방형으로 구분
	Other opioids	1)Fentanyl(듀로제식) 2)Meperidine(=Pethidine,데메롤) 3)Tramadol+AAP (울트라셋) [기타마약류] 1)72시간 지속형 경피용 패치 2)만성통증에 금기 3)국내에 서는 비마약성으로 분류되기도 함
	Other analgesic & antipyretics	1)Acetylsalicylic-acid(ASA, 아스피린) 2)Acetaminophen(AAP, 타이레 놀)- 유럽 등에서의 성분명은 Paracetamol 3)Propacetamol(데노간) [기타진통해열제] 1)버드나무껍질(Willow bark)에서 유래한 대표적 해열 진통소염제. 소아사용은 금기. 저용량 사용시 혈전예방효과 2)해열, 진통 작용이 좋고 ASA에 비해 위장 부작용도 적으나 소염작용은 미미. 3)AAP의 주사용 제제
	Antimigraines	1)Sumatriptan(이미그란) Zolmitriptan Naratriptan 2) Ergotamine +caffeine(카펠고트) [항편두통제] 1)트립탄은 급성기 위주 2)Ergotamine은 전조기 위주로 사 용. 1)과 2)의 병용투여는 금기

| **경련**
N03 | **Hydantoin / BDZ
/ Fatty acid** | Phenytoin / Clonazepam(리보트릴) / Carbamazepine / Valproic acid
(오르필)
[항전간제] 히단토인계, Benzodiazepine(BDZ)계, Carboxamide계, 지방
산 계 등 |
| | **Other
Antiepileptics** | 1)Topiramate(토파맥스) Levetiracetam(케프라) Lamotrigine(라믹탈)
2)Pregabalin(리리카) Gabapentin(뉴론틴)
[기타항전간제] 1)기타 새로운 기전으로 작용하는 항전간제 2)항전간제로
분류되나 신경병증성 통증(Neuropathic pain)에 많이 사용 |

| **파킨슨병**
N04 | **Anticholinergics** | Trihexyphenidyl Benztropine
[항파킨슨제. 항콜린제] 도파민 부족으로 상대적으로 많아진 아세틸콜린
의 증가를 억제 |
| | **dopa and dopa
derivatives** | L-dopa+carbidopa(시네메트), L-dopa+benserazide(마도파),
L-dopa+carbidopa+entacapone(스타레보)
[도파민+도파민유도체] L-dopa/ L-dopa의 말초대사를 막는 carbidopa
또는 benserazide / 작용시간을 늘린 entacapone 추가 |

	Dopamine agonists	Bromocriptine, Apomorphine, pramipexole [도파민작용제] 도파민 수용체를 자극
	Other Dopaminergics	1)Amantadine 2)Selegiline [기타 도파민효능제] 1)항바이러스제로도 사용 2)MAO 차단제
정신이완제 Psycholeptics N05	**Antipsychotics, Typical**	Haloperidol Chlorpromazine Lithium(리튬) [전형 항정신병제] 도파민에 작용하며 과잉행동 등 양성증상에만 효과적. 경련, 진전, 보행장애 등 EPS(추체외로증상) 부작용
	Antipsychotics, Atypical	Risperidone(리스페달) Quetiapine(쎄로켈) Olanzapine(자이프렉사) Clozapine [비정형 항정신병제] 90년대 이후 새로이 등장. 도파민뿐 아니라 세로토닌계에도 작용하며 양성 및 음성증상에도 효과적. EPS 별로 없음.
	Anxiolytics	Diazepam(Valium) Lorazepam(아티반) Alprazolam(자낙스) Etizolam [항불안제] 억제성 신경전달물질 GABA의 활성을 높이는 벤조다이아제핀(Benzodiazepine, BZD)계 약물이 위주. 효과가 빠르고 우수하나 의존/내성/금단증상 발생가능.
	Hypnotics / Sedatives	1)Zolpidem(스틸녹스) Triazolam(할시온) 2)Flurazepam(달마돔) 3)Melatonin 4)Midazolam [수면진정제] 1)입면장애시 2)수면유지장애시 3)시차적응시 4)수면진정
정신흥분제 Psychoanaleptics N06	항우울제 **SSRI**	Sertraline(졸로푸트) Escitalopram(렉사프로) Fluoxetine(프로작) Paroxetine [SSRI 항우울제. Selective serotonin reuptake inhibitor] 대표적 항우울제. 충동을 억제하고 행복감을 고양하는 세로토닌의 흡수를 막아 농도감소를 방지
	항우울제 **SNRI**	Venlafaxine(이펙사) Milnacipran(익셀) Duloxetine(심발타) [SNRI 항우울제, Serotonin-norepinephrine reuptake inhibitor] 세로토닌뿐 아니라 노르에피네프린에도 작용. SSRI에 비해 빠른 효과. 신체통증 동반 우울증에 빈용. 심발타는 당뇨병성신경병증에도 적응증
	항우울제 **TCA**	Amitriptyline(에트라빌), Imipramine [삼환계 항우울제, Tricyclic antidepressant] 부작용이 많아 SSRI 등장이후 사용감소. 불면, 감정격양 동반시 효과적
	항우울제 **MAO-I**	Moclobemide [MAO 억제제, Monoamine oxidase inhibitor] 김치, 치즈 등에 포함된 티라민과의 상호작용 등으로 실제 사용은 제한적임.

	Other drugs	1)Bupropion(웰부트린) 2)Mirtazapine(레메론) Trazodone(트라조돈) [기타항우울제] 1)도파민 성분이 있기 때문에 금연보조제로도 다용 2)항불안, 불면 등에도 효과
	Psychostimulants	1)Methylphenidate(리탈린) Amphetamine 2)Acetylcarnitine(니세틸) [정신흥분제. 정신자극제] 1)ADHD 등. 주의력과 관련된 신경전달물질(도파민, 노르에피네프린)의 농도 증가 2)아세틸콜린 합성 촉진
	Antidementia, Anticholinesterases	Donepezil(아리셉트), Rivastigmine(엑셀론), Galantamine(레미닐) [항치매제. 항콜린에스테라제] 기억과 관련된 뇌신경전달물질인 아세틸콜린의 분해를 억제
	Antidementia, Other drugs	1)Memantine(에빅사) 2)Ginkgo biloba(기넥신, 타나민) [기타항치매제] 1)흥분성 신경전달물질인 Glutamate의 비정상적 활성화를 억제 2) 은행잎추출물. 항산화, 혈행개선.
기타 N07	**Parasympathomimetics**	Choline alfoscerate(글리아티린) [기타 부교감신경흥분제] BBB를 통과해 뇌에 콜린을 공급. 인지장애에 효과

P 구충제, 살균/기피제 *Anti-parasitic products, Insecticides and Repellents*

항원충제 P01	**Antimalarials**	1)Chloroquine Mefloquine Primaquine 2)Artemisinin [항원충제(Antiprotozoals)- 항말라리아제] 1)Chloroquine이 표준적 치료제. 2) 약제내성 말라리아에 사용. 청호(Artemisia annua, 菁蒿) 추출물
구충제 P02	**Anthelmintics**	Albendazole(알벤다졸), Flubendazole(젤콤) [구충제] 기생충에 퇴행성 변화를 유도하여 Glucose uptake를 억제

R 호흡기 *Respiratory system*

비강 R01	**Decongestants, Topical**	Xylometazoline(오트리빈) [외용충혈제거제] 비강내 혈관을 수축시켜 충혈, 부종을 감소. 반복사용시 악화유발
	Decongestants, Systemic	Pseudoephedrine+Triprolidine 복합제(액티피드) [경구용충혈제거제] 교감신경제로 작용해 혈관수축, 코의 충혈완화.
폐쇄성 기도질환 R03	**Beta-2 agonist, inhalants**	1) Salbutamol(벤토린) Formoterol 2) Salmeterol+ fluticasone (세레타이드) Budesonide+formoterol(심비코트) [베타2 항진제. 흡입제] 평활근을 지속적으로 이완시켜 기관지확장

		작용 1) 빠르게 천식발작을 안정시키는 속효성(SABA) 2) Steroid가 복합된 12시간 지속성(LABA+steroid) * Ventolin의 성분명은 국가에 따라 Albuterol로도 명명됨.
	Other Inhalants	1)Budesonide(풀미코트) 2)Ipratropium(아트로벤트) [기타흡입제] 1)흡입형 스테로이드(ICS) – 기도의 염증을 치료 2)항콜린제 (Anticholinergics, LAMA) 기관지 확장효과
	Xanthines	Theophylline Aminophylline [잔틴계] 카페인도 잔틴계에 속함. 기관지 확장효과가 있으나 빈맥, 불안, 두통 등의 부작용에 주의
	Antileukotriene	Montelukast(Singulair) [항류코트리엔제] 기관지수축의 원인물질인 류코트리엔을 차단. 증상조절, 예방 위주로 사용
	PDE4 inhibitor	Roflumilast [Phosphodiesterase 4 억제제] 염증과 관련된 PDE-4 효소를 억제하여 COPD 악화감소. 설사 및 구역 부작용
	Expectorants	Ivy Leaf ext(푸로스판) Guaifenesin [거담제] 기관지 분비물의 점성을 낮추고 기관섬모운동도 촉진해 기침으로 배출을 쉽게함.
기침/감기 R05	**Mucolytics**	Ambroxol(암브록솔) Acetylcysteine Sobrerol Bromhexine [점액용해제] 폐의 점액(mucus)을 분해해 호흡기 분비물을 묽게 함.
	Cough suppressants	Levodropropizine(레보투스) / Codeine 함유 복합제제 (코프시럽) [진해제] 호흡중추 및 말초기관에 작용하여 기침을 억제. 비마약성/마약성(codeine)으로 구분
히스타민 R06	**Antihistamine, 1st Generation**	Chlorphenamine(페니라민) Hydroxyzine(유시락스) Dimenhydrinate(보나링) Piprinhydrinate(푸라콩) [1세대 항히스타민제] 알러지반응에 관여하는 Histamine-1 수용체를 길항. BBB를 통과해 졸음, 진정 등 CNS 부작용.
	Antihistamine, 2nd Generation	Cetirizine(지르텍) Bepotastine(타리온정) Ebastine(에바스텔) Loratadine(클라리틴) [2세대 항히스타민제] BBB를 잘 통과하지 못해서 1세대 비해 CNS 부작용이 감소
	Antihistamine, 3rd Generation	Fexofenadine(알레그라) Levocetirizine(씨잘)

[3세대 항히스타민제] 2세대 약의 효과를 개선하고 부작용을 감소 (2세대로 포함시키기도 함)

S 감각기 *Sensory organs*

| 눈
S01 | **Ophthalmological,
Anti-infectives** | 1)Ofloxacin (점안액), Oxytetracycline(테라마이신 안연고)
2)Acyclovir(안연고)
[안질환용제. 항감염제] 1)항균제 2)항바이러스제 |
| 귀
S02 | **Otological,
Anti-infectives** | Ofloxacin (이용액)
[귀질환용제. 항감염제] |

V 기타 *Various*

| 기타치료제
V03 | **Antidote** | 1)Naloxone 2)Flumazenil 3)Acetylcysteine 4)Protamine 5)Glucagon
[해독제] 각각 1)아편유사제(Opioid) 2)벤조다이아제핀(BDZ) 3)타이레놀
(AAP) 4)헤파린 5)베타차단제(BB) 등의 과량투여 또는 중독을 해독 |

질병분류코드(KCD)와 진단명

E-1 국내외 질병분류체계

1. 질병분류는 임상의학적 목적, 행정적 목적, 의학연구 등의 목적으로 개발되었으며 대표적으로 많이 사용되는 분류체계는 아래와 같습니다.

   1) ICD (International Classification of Disease) : WHO에서 주관하는 국제표준질병분류로 2002년 발표된 ICD-10이 사용되고 있으며 현재 개발중인 ICD-11은 2018년 이후 정식으로 발표될 것으로 예상되고 있습니다.

   2) KCD (Korean standard Classification of Disease) : ICD를 기반으로 통계청에서 공포한 한 국표준질병사인분류로 7차개정판(KCD-7)이 2016년 1월부터 적용 중입니다.

   3) DSM (Diagnostic and Statistical Manual of Mental Disorders) : 정신분야에 있어서는 미국 정신의학협회에서 제안한 분류체계입니다. 정신질환에서 국제적으로 ICD와 함께 활용되며 1994년 DSM의 4번째 판인 DSM-IV가 발표되었고 2000년에 일부 내용이 개정된 DSM-IV-TR(Text Revision)이 발표된 이후 13년 만에 DSM-5가 2013년 발표되었습니다. (5판부터는 로마자 대신 숫자로 판수를 표기)

2. 국내에서 국민건강보험 관련 업무나 각종 의무기록 작성시 기준이 되는 분류체계는 KCD 이며 나머지 분류체계는 주로 학술적 목적 위주로 사용됩니다.

E-2 KCD 분류

(1) KCD 대분류 (22개)

전신을 침해한 질환군	I	특정 감염성 및 기생충성 질환	A00-B99
	II	신생물	C00-D48
전신병적 질환군	III	혈액 및 조혈기관의 질환과 면역메커니즘을 침범하는 특정 장애	D50-D89
	IV	내분비, 영양 및 대사 질환	E00-E90
인체 해부학적 계통별 질환군	V	정신 및 행동 장애	F00-F99
	VI	신경계통의 질환	G00-G99
	VII	눈 및 눈 부속기의 질환	H00-H59

	Ⅷ	귀 및 유돌의 질환	H60-H95
	Ⅸ	순환계통의 질환	I00-I99
	Ⅹ	호흡계통의 질환	J00-J99
	ⅩⅠ	소화계통의 질환	K00-K93
	ⅩⅡ	피부 및 피하조직의 질환	L00-L99
	ⅩⅢ	근골격계통 및 결합조직의 질환	M00-M99
	ⅩⅣ	비뇨생식계통의 질환	N00-N99
분만/기형/신생아 질환	ⅩⅤ	임신, 출산 및 산후기	O00-O99
	ⅩⅥ	출생전후기에 기원한 특정 병태	P00-P96
	ⅩⅦ	선천기형, 변형 및 염색체 이상	Q00-Q99
기타 병태	ⅩⅧ	달리 분류되지 않은 증상, 징후와 임상 및 검사의 이상 소견	R00-R99
	ⅩⅨ	손상, 중독 및 외인에 의한 특정 기타 결과	S00-T98
기타 분류	ⅩⅩ	질병이환 및 사망의 외인	V01-Y98
	ⅩⅩⅠ	건강상태 및 보건서비스 접촉에 영향을 주는 요인	Z00-Z99
	ⅩⅩⅡ	특수목적 코드 (한의분류 등)	U00-U99

(2) KCD 분류체계의 구성 및 구조

1. 총 22개의 대분류부터 시작하여 최대 6단위까지 분류됩니다. 주로 3단위 또는 4단위까지 분류하던 이전 분류체계보다 더욱 세분화되었습니다.

Tip 6단계 분류체계 예시

[예] H26.200 안구내 수술에 의한 이차성 백내장, 오른쪽
  / 대분류(장): H00-H59 눈 및 눈 부속기의 질환
  / 중분류(항목군): H25-H28 수정체의 장애
  / 소분류(3단위분류): H26 기타 백내장
  / 세분류(4단위분류): H26.2 합병백내장
  / 세세분류(5단위분류): H26.20 안구내 수술에 의한 이차성 백내장
  / 세세세분류(6단위분류): H26.200 오른쪽

2. 분류명 중 NOS는 달리 명시되지 않거나(Not Otherwise Specified) 또는 "상세불명의" 항목이란 의미입니다. 분류명 중 NEC는 달리 분류되지 않은(Not Elsewhere Classified) 항목으

로 기재된 분류 외의 특정 변형 형태가 다른 부분에서 나타날 수 있음을 의미합니다.

3. 한의학에서 사용되는 한의병명, 한의병증 및 사상체질병증은 U-코드에 할당되어 있습니다. 주된 병태를 기준으로 U-코드 이외의 항목에서 우선적으로 진단을 기재하되 기존 KCD 분류와 연계가 확실하지 않으면서 한의학 진단개념이 명확한 경우의 한의분류 상병명은 U-코드를 이용하여 분류하면 됩니다.

한의병명코드	U20-U33	순환기, 호흡기, 소화기, 근골격계 등
한의병증코드	U50-U79	六經, 衛氣營血, 臟腑병증 등
사상체질병증코드	U95-U98	少陰人, 少陽人, 太陰人, 太陽人병증 등

(3) 주진단명의 선정

1. 주진단명(principal diagnosis) 또는 주된병태(principal condition)는 진료기간 중 최종적으로 진단 받은 병태로서 치료나 검사에 대한 환자의 요구가 가장 컸던 병태로 정의됩니다. 즉 진료를 받게 되는 주된 이유 또는 진료시 자원소모량이 가장 큰 병태로도 해석될 수 있습니다. 주진단이 여러 개인 경우 가장 주된 주진단부터 기재합니다.

2. 부진단명(additional diagnosis) 또는 기타병태는 진료기간 중에 주된병태와 함께 있었거나 발생된 병태로서 환자관리에 영향을 주었던 병태를 말합니다. 이번 진료기간 중 다루지 않은 과거에 진료 받았던 병태는 기록하지 않습니다.

3. 예를 들어 충수염 치료를 위해서 입원한 환자가 입원 중 갑자기 뇌졸중이 발생하여 뇌졸중 치료를 주로 받은 경우의 주된 병태는 뇌졸중이 되고 기타병태는 급성 충수염이 됩니다.

4. 근골격계 관련 증상의 경우 외상 등으로 인한 것이면 S코드를, 비외상성의 일반적 증상이면 M코드를 사용하는 것이 일반적입니다.

E-3 KCD (7차) 한의상병명 분류표

(1) 한의코드(U코드) 상병명

코드	한글명칭	영문명칭 (참조용)
U20–U33 한의병명(韓醫病名) Disease Name of Korean Medicine		
U22.0	조병(躁病)	Manic disease(KM)
U22.1	울증(鬱證)	Depressive syndrome(KM)
U22.2	화병(火病)	Hwabyeong
U23.3	중풍전조증(中風前兆證)	Prodrome of wind stroke
U23.4	중풍후유증(中風後遺證)	Sequelae of wind stroke
U23.8	비증(痺證)	Impediment disease
U23.8	행비(行痺)	Moving impediment
U23.8	통비(痛痺)	Painful impediment
U23.8	착비(着痺)	Fixed impediment
U23.9	위증(痿證)	Wilting disease
U24.2	마목불인(痲木不仁)	Numbness and Insensitivity
U28.0	식적(食積)	Food accumulation
U28.0	식상비위증(食傷脾胃證)	Pattern of food damage to the spleen-stomach
U28.4	곽란(霍亂)	Vomiting and diarrhea
U30.3	항강(項强)	Neck stiffness
U30.4	역절풍(歷節風)	Joint-running wind
U30.5	학슬풍(鶴膝風)	Crane-knee arthritis
U32.2	음냉(陰冷)	Pudendal cold
U32.6	아침통(兒枕痛)	Puerperal abdominal pain
U32.7	산후풍(産後風)	Puerperal wind
U50–U79. 한의병증(韓醫病證) Disease Pattern of Korean Medicine		
U50. 육음병증(六淫病證) Disease Pattern of Six Excesses		
U50.0	풍한증(風寒證)	Wind-cold pattern
U50.1	풍열증(風熱證)	Wind-heat pattern
U50.2	풍습증(風濕證)	Wind-dampness pattern
U50.3	한습증(寒濕證)	Cold-dampness pattern
U50.4	습열증(濕熱證)	Dampness-heat pattern
U50.4	습열미만삼초증(濕熱彌滿三焦證)	Pattern of wet-heat encumbering the triple energizer
U50.4	삼초습열증(三焦濕熱證)	Pattern of triple energizer dampness-heat
U50.5	양조증(涼燥證)	Cool-dryness pattern
U50.6	온조증(溫燥證)	Warm-dryness pattern

U50.7	열독치성증(熱毒熾盛證)	Heat toxin blazing exuberance pattern
U50.7	열극생풍증(熱極生風證)	Pattern of extreme heat engendering wind
U50.8	서열상기증(暑熱上氣證)	Summerheat flaming upward pattern
U50.8	중서(中暑)	Summerheat stroke

U52-U57. 육경병증(六經病證) Diseases Pattern of Six Meridians

U52. 태양병증(太陽病證) Greater yang disease pattern

U52	태양중풍증(太陽中風證)	Pattern of greater yang wind stroke
U52	태양상한증(太陽傷寒證)	Pattern of greater yang cold damage
U52	태양표한이열증(太陽表寒裏熱證)	Pattern of greater yang exterior cold and interior heat
U52	태양표한리음증(太陽表寒裏飲證)	Pattern of greater yang exterior stagnation interior heat
U52	태양축수증(太陽蓄水證)	Pattern of greater yang water-retention
U52	태양축혈증(太陽蓄血證)	Pattern of greater yang blood-amassment
U52	태양비증(太陽痞證)	Pattern of greater yang stuffiness
U52	태양결흉증(太陽結胸證)	Pattern of greater yang chest bind
U52	태양양허증(太陽陽虛證)	Pattern of greater yang-deficiency
U52	태양음양양허증(太陽陰陽兩虛證)	Pattern of greater yang dual deficiency of yin-yang
U52	태양열증(太陽熱證)	Pattern of greater yang heat
U52	태양상열하한증(太陽上熱下寒證)	Pattern of greater yang upper heatand lower cold
U52	열입혈실증(熱入血室證)	Pattern of heat entering the blood chamber
U52	한입혈실증(寒入血室證)	Pattern of cold entering the clood chamber

U53. 양명병증(陽明病證) Yang brightness disease pattern

U53	양명경증(陽明經證)	Pattern of yang brightness meridian
U53	양명부실증(陽明腑實證)	Pattern of yang brightness bowel excess
U53	양명수열호결증(陽明水熱互結證)	Pattern of yang brightness mutual binding of water and heat
U53	양명진상장조증(陽明津傷腸燥證)	Pattern of yang brightness intestinal dryness
U53	양명발황증(陽明發黃證)	Pattern of yang brightness jaundice eruption
U53	양명어혈증(陽明瘀血證)	Pattern of yang brightness blood stasis

U54. 소양병증(少陽病證) Lesser yang disease pattern

U54	소양병증(少陽病證)	Lesser yang disease pattern
U54	소양경증(少陽經證)	Pattern of lesser yang meridian
U54	소양겸표증(少陽兼表證)	Pattern of lesser yang with exterior symptom
U54	소양겸이실증(少陽兼裏實證)	Pattern of lesser yang with interior excess
U54	소양겸위열증(少陽兼胃熱證)	Pattern of lesser yang with stomach heat
U54	소양허실착잡증(少陽虛實錯雜證)	Pattern of lesser yang deficiency excess complex
U54	소양수음미결증(少陽水飲未結證)	Pattern of lesser yang residual fluid retention

U55. 태음병증(太陰病證) Greater yin disease pattern

U55	태음허한증(太陰虛寒證)	Pattern of greater yin deficiency cold
U55	태음한습울결증(太陰寒濕鬱結證)	Pattern of greater yin cold-wet stagnation bind

| U55 | 태음겸표증(太陰兼表證) | Pattern of greater yang symptom with exterior |

U56. 소음병증(少陰病證) Lesser yin disease pattern

U56	소음양허음성증(少陰陽虛陰盛證)	Pattern of lesser yin yang deficiency with yin exuberance
U56	소음음성대양증(少陰陰盛戴陽證)	Pattern of lesser yin exuberant yin upcast yang
U56	소음음성격양증(少陰陰盛格陽證)	Pattern of lesser yin exuberant yin repelling yang
U56	소음양허한응증(少陰陽虛寒凝證)	Pattern of lesser yang deficiency with congealing cold
U56	소음양허수범증(少陰陽虛水泛證)	Pattern of lesser yang decifiency with water flood
U56	소음양허활탈증(少陰陽虛滑脫證)	Pattern of lesser yang deficiency with collapse
U56	소음음허화왕증(少陰陰虛火旺證)	Pattern of lesser yin yin deficiency with effulgent fire
U56	소음허수열호결증(少陰陰虛水熱互結證)	Pattern of lesser yin yin deficiency with mutual binding of water and heat
U56	소음겸표증(少陰兼表證)	Pattern of lesser yin symptom with exterior
U56	소음인통증(少陰咽痛證)	Pattern of lesser yin throat pain

U57. 궐음병증(厥陰病證) Reverting yin disease pattern

U57	궐음회궐증(厥陰蛔厥證)	Pattern of reverting yin ascaris syncope
U57	궐음한격증(厥陰寒格證)	Pattern of reverting yin repelling cold
U57	궐음폐열위한증(厥陰肺熱胃寒證)	Pattern of reverting yin lung heat stomach cold
U57	궐음혈허한응증(厥陰血虛寒凝證)	Pattern of revertingy in blood deficiency congealing cold
U57	궐음한사범위증(厥陰寒邪犯胃證)	Pattern of reverting yin cold invading the stomach
U57	궐음열박대장증(厥陰熱迫大腸證)	Pattern of revertingy in heat attacking the large intestine

U59. 삼초위기영혈병증(三焦衛氣營血病證)
(Disease Pattern of Triple Energizer and Defense-Qi-Nutrient-Blood)

U59.0	상초조열증(上焦燥熱證)	Pattern of upper energizer dryness-heat
U59.0	독옹상초증(毒壅上焦證)	Pattern of toxin congesting the upper energizer
U59.1	중초습열증(中焦濕熱證)	Pattern of middle energizer dampness-heat
U59.1	서습곤조중초증(暑濕困阻中焦證)	Pattern of summerheat-dampness encumbering the middle energizer
U59.2	하초습열증(下焦濕熱證)	Pattern of lower energizer dampness-heat
U59.4	위분증(衛分證)	Pattern of defense phase
U59.4	온사침습폐위증(溫邪侵襲肺衛證)	Pattern of warm attacking the lung defense
U59.4	습알위양증(襲遏衛陽證)	Pattern of dampness obstructing defense-yang
U59.5	기분증(氣分證)	Pattern of qi phase
U59.5	습조기분증(襲阻氣分證)	Pattern of dampness obstructing the qi aspect
U59.5	열입기분증(熱入氣分證)	Pattern of heat entering the qi aspect
U59.6	영분증(營分證)	Pattern of nutrition phase
U59.6	열입영분증(熱入營分證)	Pattern of heat entering the nutrient aspect
U59.7	혈분증(血分證)	Pattern of blood phase
U59.7	열입혈분증(熱入血分證)	Pattern of heat entering the blood aspect

U60-U63. 기혈음양진액병증 (氣血陰陽津液病證) Disease Pattern of Qi-Blood-Yin-Yang-Fluid-Humor

U60. 기병증(氣病證) Disease pattern of Qi

U60.0	기허증(氣虛證)	Qi deficiency pattern
U60.0	기함증(氣陷證)	Qi fall ; Qi sinking pattern
U60.0	기탈증(氣脫證)	Qi collapse pattern
U60.0	하기(下氣)	Qi downward
U60.0	소기(少氣)	Shortage of qi
U60.3	기체증(氣滯證)	Qi stanation pattern
U60.3	기폐증(氣閉證)	Qi block pattern
U60.4	기역증(氣逆證)	Qi counterflow pattern
U60.4	상기(上氣)	Qi upward

U61. 혈병증(血病證) Disease Pattern of Blood

U61.0	혈허증(血虛證)	Blood deficiency pattern
U61.0	혈탈증(血脫證)	Blood collapse pattern
U61.0	혈허생풍증(血虛生風證)	Pattern of blood deficiency engendering wind
U61.2	혈어증(血瘀證)	Blood stasis pattern
U61.3	혈조증(血燥證)	Blood dryness pattern
U61.4	혈한증(血寒證)	Blood cold pattern
U61.5	혈열증(血熱證)	Blood heat pattern

U62. 기혈음양병증(氣血陰陽病證) Disease Pattern of Qi-Blood-Yin-Yang

U62.0	음허증(陰虛證)	Yin deficiency pattern
U62.1	양허증(陽虛證)	Yang deficiency pattern
U62.2	망음증(亡陰證)	Yin collapse pattern
U62.3	망양증(亡陽證)	Yang collapse pattern
U62.4	기혈양허증(氣血兩虛證)	Qi-blood deficiency pattern
U62.5	음양양허증(陰陽兩虛證)	Yin-yang deficiency pattern
U62.6	기음양허증(氣陰兩虛證)	Qi-blood deficiency pattern

U63. 진액병증(津液病證) Disease Pattern of Fluid and Humor

U63.0	진액휴손증(津液虧損證)	Pattern of fluid-humor depletion
U63.1	수음내정증(水飮內停證)	Pattern of water-fluid internal retention
U63.1	수한범폐증(水寒犯肺證)	Pattern of water-cold invading the lung
U63.2	수습범람증(水濕泛濫證)	Pattern of water-dampness overflow

U64-U65. 간병증(肝病證) Liver disease pattern

U64. 간허증(肝虛證) Liver deficiency pattern

U64.0	간혈허증(肝血虛證)	Pattern of liver blood deficiency
U64.0	간혈허증(肝血虛證)	Pattern of liver blood deficiency
U64.1	간음허증(肝陰虛證)	Pattern of liver yin deficiency
U64.1	간허열증(肝虛熱證)	Pattern of liver deficiency heat
U64.2	간양허증(肝陽虛證)	Pattern of liver yang deficiency
U64.3	간기허증(肝氣虛證)	Pattern of liver qi deficiency

U65. 간실증(肝實證) Liver excess pattern

U65.0	간양상항증(肝陽上亢證)	Pattern of ascendant hyperactivity of liver yang
U65.0	간양화풍증(肝陽化風證)	Pattern of liver yang transforming into wind
U65.1	간기울결증(肝氣鬱結證)	Pattern of liver qi depression
U65.1	담기호결증(痰氣互結證)	Pattern of mutual binding of phlegm and qi
U65.2	간화상염증(肝火上炎證)	Pattern of liver fire flaming upward
U65.6	간울혈어증(肝鬱血瘀證)	Pattern of liver depression and blood stasis
U65.7	한체간맥증(寒滯肝脈證)	Pattern of cold stagnation in liver vessel

U66–U67. 심병증(心病證) Heart disease pattern

U66. 심허증(心虛證) Heart deficiency patterns/syndrome

U66.0	심기허증(心氣虛證)	Pattern of heart qi deficiency
U66.1	심혈허증(心血虛證)	Pattern of heart blood deficiency
U66.2	심음허증(心陰虛證)	Pattern of heart yin deficiency
U66.3	심양허증(心陽虛證)	Pattern of heart yang deficiency
U66.3	심양폭탈증(心陽暴脫證)	Pattern of heart yang collapse
U66.5	심기혈양허증(心氣血兩虛證)	Pattern of heart qi blood deficiency
U66.6	심기음양허증(心氣陰兩虛證)	Pattern of heart qi yin deficiency

U67. 심실증(心實證) Heart excess pattern

U67.0	심화상염증(心火上炎證)	Pattern of heart fire flaming upward
U67.1	심맥비조증(心脈痺阻證)	Pattern of heart vessel obstruction
U67.2	담화요심증(痰火擾心證)	Pattern of phlegm-fire harassing the heart
U67.3	수기능심증(水氣凌心證)	Pattern of water qi intimidating the heart
U67.4	담미심규증(痰迷心竅證)	Pattern of phlegm confouning the orifices of the heart

U68. 비병증(脾病證) Spleen disease pattern

U68.0	비기허증(脾氣虛證)	Pattern of spleen qi deficiency
U68.1	중기하함증(中氣下陷證)	Pattern of sunken middle qi
U68.2	비불통혈증(脾不統血證)	Pattern of spleen failing to control the blood
U68.3	비음허증(脾陰虛證)	Pattern of spleen yin deficiency
U68.4	비양허증(脾陽虛證)	Pattern of spleen yang deficiency
U68.4	청양불승증(淸陽不升證)	Pattern of clear yang failing to ascend
U68.5	한습곤비증(寒濕困脾證)	Pattern of cold-dampness encumbering the spleen
U68.5	습담증(濕痰證)	Dampness-phlegm pattern
U68.6	습열상비증(濕熱傷脾證)	Pattern of dampness-heat damage to the spleen

U69–U70. 폐병증(肺病證) Lung disease pattern

U69 . 폐허증(肺虛證) Lung deficiency pattern

U69.0	폐기허증(肺氣虛證)	Pattern of lung qi deficiency
U69.0	폐기쇠절증(肺氣衰絶證)	Pattern of lung qi debilitation into expiring
U69.1	폐음허증(肺陰虛證)	Pattern of lung yin deficiency

| U69.2 | 폐양허증(肺陽虛證) | Pattern of lung yang deficiency |
| U69.3 | 폐기음양허증(肺氣陰兩虛證) | Pattern of lung qi yin deficiency |

U70. 폐실증(肺實證) Lung excess pattern

U70.0	풍한속폐증(風寒束肺證)	Pattern of wind-cold invading the lung
U70.1	풍열범폐증(風熱犯肺證)	Pattern of wind-heat invading the lung
U70.1	풍담증(風痰證)	Wind-phlegm pattern
U70.2	조사범폐증(燥邪犯肺證)	Pattern of dryness pathogen invading the lung
U70.2	조담증(燥痰證)	Dryness-phlegm pattern
U70.3	한담조폐증(寒痰阻肺證)	Pattern of cold-phlegm obstructing the lung
U70.3	한담증(寒痰證)	Cold-phlegm pattern
U70.4	담열옹폐증(痰熱壅肺證)	Pattern of phlegm-heat obstructing the lung
U70.4	열담증(熱痰症)	Heat-phlegm pattern

U71. 신병증(腎病證) Kidney disease patterne

U71.0	신기허증(腎氣虛證)	Pattern of kidney qi deficiency
U71.0	신기불고증(腎氣不固證)	Pattern of kidney qi insecurity
U71.0	신불납기증(腎不納氣證)	Pattern of kidney failing to receive qi
U71.4	신음허증(腎陰虛證)	Pattern of kidney yin deficiency
U71.4	신정부족증(腎精不足證)	Pattern of kidney essence insufficiency
U71.5	신양허증(腎陽虛證)	Pattern of kidney yang deficiency
U71.5	신음양양허증(腎陰陽兩虛證)	Pattern of kidney yin-yang deficiency
U71.7	신허수범증(腎虛水泛證)	Pattern of kidney deficiency with water flood

U72. 담병증(膽病證) Gallbladder disease pattern

U72.0	담기허증(膽氣虛證)	Pattern of gallbladder qi deficiency
U72.0	담한증(膽寒證)	Pattern of gallbladder cold
U72.2	담열증(膽熱證)	Pattern of gallbladder heat
U72.2	담울담요증(膽鬱痰擾證)	Pattern of depressed gallbladder with harassing phlegm

U73. 위병증(胃病證) Stomach disease pattern

U73.0	위기허증(胃氣虛證)	Pattern of stomach qi deficiency
U73.0	위한증(胃寒證)	Pattern of stomach cold
U73.1	위음허증(胃陰虛證)	Pattern of stomach yin deficiency
U73.3	위열증(胃熱證)	Pattern of stomach heat
U73.4	위기상역증(胃氣上逆證)	Pattern of stomach qi ascending counterflow
U73.4	탁음불강증(濁陰不降證)	Pattern of turbid yin failing to descend

U74. 대장병증(大腸病證) Large intestine disease pattern

U74.0	대장진휴증(大腸津虧證)	Pattern of large intestin fluid deficiency
U74.1	대장허한증(大腸虛寒證)	Pattern of large intestin deficiency cold
U74.2	대장습열증(大腸濕熱證)	Pattern of large intestin dampness-heat
U74.3	대장실열증(大腸實熱證)	Pattern of large intestin excess heat

U75. 소장병증(小腸病證) Small intestinal disease pattern

U75.0	소장허한증(小腸虛寒證)	Pattern of small intestine deficiency cold
U75.1	소장기체증(小腸氣滯證)	Patternofsmallintestineqi stagnation
U75.2	소장실열증(小腸實熱證)	Pattern of small intestine excess heat

U76. 방광병증(膀胱病證) Bladder disease pattern

| U76.0 | 방광허한증(膀胱虛寒證) | Pattern of bladder deficiency cold |
| U76.1 | 방광습열증(膀胱濕熱證) | Pattern of bladder dampness-heat |

U77. 충임포궁병증(衝任胞宮病證) Disease Pattern of thoroughfare, conception vessels and uterus

U77.0	충임허쇠증(衝任虛衰證)	Pattern of deficiency devilitation of the thoroughfare and conception cessels
U77.0	충임불고증(衝任不固證)	Pattern of insecurity of thoroughfare and conception vessels
U77.2	충임허한증(衝任虛寒證)	Pattern of the deficiency cold of the thoroughfare and conception vessels
U77.3	충임열증(衝任熱證)	Pattern of the heat of the thoroughfare and conception vessels
U77.4	충임어조증(衝任瘀阻證)	Pattern of the stasis and obstruction of the thoroughfare and conception vessels
U77.4	충임어습응결증(衝任瘀濕凝結證)	Pattern of stasis and wet binding the thoroughfare and conception vessels
U77.4	담습조포증(痰濕阻胞證)	Pattern of dampness-wet obstructing the uterus

U78-U79. 장부겸병증(臟腑兼病證) Combined Disease Pattern of Viscera and Bowels

U78.0	간담습열증(肝膽濕熱證)	Pattern of liver-gallbladder dampness-heat
U78.0	간경습열증(肝經濕熱證)	Pattern of dampness-heat in liver meridian
U78.1	간비불화증(肝脾不和證)	Pattern of liver-spleen disharmony
U78.2	간위불화증(肝胃不和證)	Pattern of liver-stomach disharmony
U78.3	간화범폐증(肝火犯肺證)	Pattern of liver fire invading the lung
U78.4	간신음허증(肝腎陰虛證)	Pattern of liver kidney yin deficiency
U78.5	심간혈허증(心肝血虛證)	Pattern of heart-liver blood deficiency
U78.6	심담허겁증(心膽虛怯證)	Pattern of heart deficiency with timidity
U78.7	심비양허증(心脾兩虛證)	Pattern of heart-spleen deficiency
U78.8	심폐기허증(心肺氣虛證)	Pattern of heart-lung qi deficiency
U78.9	심신양허증(心腎陽虛證)	Pattern of heart-kidney yang deficiency
U79.0	심신불교증(心腎不交證)	Pattern of heart-kidney non-interaction
U79.1	비위양허증(脾胃陽虛證)	Pattern of spleen-stomach yang deficiency
U79.2	비위습열증(脾胃濕熱證)	Pattern of spleen-stomach dampness-heat
U79.4	비신양허증(脾腎陽虛證)	Pattern of spleen-kidney yang deficiency
U79.5	폐비양허증(肺脾陽虛證)	Pattern of lung-spleen yang deficiency
U79.6	폐신음허증(肺腎陰虛證)	Pattern of lung-kidney yin deficiency

U95-U98. 사상체질병증(四象體質病證) Disease pattern of Four-Constitutional Medicine

U95. 소음인병증(少陰人病證) Soeumin disease pattern

| U95.0 | 소음인울광증(少陰人鬱狂證) | Pattern of Soeumin depression-manic |

U95.1	소음인망양증(少陰人亡陽證)	Pattern of Soeumin yang collapse
U95.2	소음인태음증(少陰人太陰證)	Pattern of Soeumin greater yin symptom
U95.3	소음인소음증(少陰人少陰證)	Pattern of Soeumin lesser yin symptom
U95.4	소음인표리겸병증(少陰人表裏兼病證)	Pattern of Soeumin exterior-interior symptom complex

U96. 소양인병증(少陽人病證) Soyangin disease pattern

U96.0	소양인소양상풍증(少陽人少陽傷風證)	Pattern of Soyangin lesser yang wind damage
U96.1	소양인망음증(少陽人亡陰證)	Pattern of Soyangin yin collapse
U96.2	소양인흉격열증(少陽人胸膈熱證)	Pattern of Soyangin chest heat
U96.3	소양인음허오열증(少陽人陰虛午熱證)	Pattern of Soyangin yin deficiency with aversion to heat
U96.4	소양인표리겸병증(少陽人表裏兼病證)	Pattern of Soyangin exterior symptom complex

U97. 태음인병증(太陰人病證) Taeumin disease pattern

U97.0	태음인위완한증(太陰人胃脘寒證)	Pattern of Taeumin stomach duct cold
U97.1	태음인배추표병증(太陰人背椎表病證)	Pattern of Taeumin exterior symptom of vertebrae
U97.2	태음인조열증(太陰人燥熱證)	Pattern of Taeumin dryness-heat
U97.3	태음인음혈모갈증(太陰人陰血耗竭證)	Pattern of Taeumin dual deficiency of yin and blood
U97.4	태음인표리겸병증(太陰人表裏兼病證)	Pattern of Taeumin exterior-interior symptom complex

U98. 태양인병증(太陽人病證) Taeyangin disease pattern

U98.0	외감요척병증(外感腰脊病證)	Pattern of Taeyangin lumbar vertebrae disease induced by exopathogen
U98.1	내촉소장병증(內觸小腸病證)	Pattern of Taeyangin small intestine disease induced by endopathogen
U98.2	태양인표리겸병증(太陽人表裏兼病證)	Pattern of Taeyangin exterior-interior symptom complex

(2) 한의코드(U코드) 이외의 상병명

코드	한글명칭	영문명칭 (참조용)	Code가 동일한 다른상병명
[A코드] 특정 감염성 및 기생충성 질환			
A09.9	주하(注下)	Dysentery	상세불명기원의 위장염 및 결장염 / 신생아의설사NOS
A16.1	노채(勞瘵)	Fatigue and consumption	세균학적및 조직학적검사를 하지않은 폐결핵
A36.2	전후풍(纏喉風)	Entwining throat wind	후두디프테리아 / 디프테리아후두기관염

[E코드] 내분비, 영양 및 대사 질환

| E04.9 | 기영(氣癭) | Qi goiter | 상세불명의비독성고이터 / 고이터NOS / 결절성고이터 (비독성) NOS |
| E46 | 감병(疳病) | Infantile malnutrition | 상세불명의단백질-에너지영양실조 / 영양실조NOS / 단백질에너지불균형형NOS |

[G코드] 신경계통의 질환

| G40.9 | 경치(痙瘈) | Convulsive disease | 상세불명의간질 / 뇌전증경련NOS / 뇌전증발작NOS |

[H코드] 눈 및 눈 부속기의 질환

H01.09	검현적란(瞼弦赤爛)	Marginal blepharitis	상세불명의안검염
H01.1	포허여구(胞虛如球)	Non-inflammatory edema of the eyelid	눈꺼풀의 비감염성 피부병 / 눈꺼풀의 알러지피부염, 접촉피부염, 습진피부염, 원반모양홍반루푸스, 피부 건조증
H01.9	포종여도(胞腫如挑)	Inflammatory swelling of the eyelid	눈꺼풀의 상세불명 염증
H17.9	혼정장(混睛障)	Interstitial keratitis	상세불명의 각막흉터 및 혼탁

[K코드] 소화계통의 질환

K11.7	체이(滯頤)	Dribbling	침분비의장애 / 침분비저하 / 침과다증 / 구강건조증
K21.9	식역(食逆)	Food counterflow	식도염을동반하지않은위-식도역류병 / 식도역류NOS
K56.6	관격(關格)	Block and repulsion	기타및상세불명의장폐색 / 장협착 / 폐색성장폐색증 / 결장 또는 장의 폐쇄, 협착
K62.5	장독(腸毒)	Intestinal toxin	항문및직장의출혈

[L코드] 피부 및 피하조직의 질환

L02.90	옹증(癰證)	Abscess	상세불명의피부농양
L02.91	절증(癤證)	Furuncle	상세불명의종기 / 종기NOS / 종기증NOS
L02.91	정증(疔證)	Deep-rooted boil	
L02.92	저증(疽證)	Carbuncle	상세불명의큰종기
L03.9	발증(發證)	Effusion	상세불명의연조직염
L30.9	창증(瘡證)	Sore	상세불명의피부염 / 습진NOS
L98.0	유주(流注)	Deep multiple abscess	화농성 육아종
M25.68	항강(項強)	Neck stiffness	달리 분류되지 않은 관절의 경직

[N코드] 비뇨생식계통의 질환

N34.0	고병(蠱病)	Parasitic toxin disease	요도농양 / 쿠퍼선 농양, 리트레샘 농양, 요도주위 농양, 요도(선) 농양
N34.1	임병(淋病)	Strangury disease	비특이성요도염, 비임균성요도염, 비성병성요도염
N48.3	양강(陽強)	Persistent erection	지속발기, 통증성발기
N48.49	음위(陰痿)	Impotence	상세불명의 남성발기 장애

N48.8	음종(陰縱)	Pudendal restriction	음경의기타명시된장애 / 해면체및음경의 위축, 비대,
N48.8	음축(陰縮)	Pudendal contraction	혈전증
N82.3	음취(陰吹)	Vaginal flatus	대장으로열린질루 / 직장질루
N82.4	교장(交腸)	Intercourse between rectum and external urinary tract	기타여성장-생식관루 / 장자궁루
N89.8	대하(帶下)	Vaginal discharge	질의기타명시된염증성장애 / 백색질분비물NOS
N93.9	붕루(崩漏)	Flooding and spotting	상세불명의 이상자궁 및 질출혈

[E코드] 내분비, 영양 및 대사 질환

| O26.8 | 자현(子懸) | Pregnancy suspension | 기타 명시된 임신과 관련된 병태 / 임신과관련된 탈진 |
| O26.8 | 전포(轉胞) | Shifted bladder | 및 피로, 말초신경염, 신장병 |

[P코드] 출생전후기에 기원한 특정 병태

| P81.9 | 변증(變蒸) | Growth fever | 신생아 체온조절의 상세불명장애 / 신생아의발열NOS |

[R코드] 달리 분류되지 않은 증상, 징후와 임상 및 검사의 이상 소견

R00.2	경계(驚悸)	Fright palpitation	두근거림 / 심장박동의 감지
R00.2	정충(怔忡)	Fearful throbbing	
R05	해역(咳逆)	Cough with dyspnea	기침
R06.0	단기(短氣)	Shortness of breath	호흡곤란 / 좌위호흡(Orthopnoea) / 숨가쁨 (Shortnessofbreath)
R06.0	천증(喘證)	Dyspnea	
R06.2	효천(哮喘)	Wheezing and dyspnea	쌕쌕거림
R07.3	흉비(胸痺, 胸痞)	Chest impediment	기타흉통 / 전흉벽통증
R07.3	결흉(結胸)	Chest bind	
R10.42	산병(疝病)	Lower abdominal colic	급통증 / 영아급통증
R10.49	장결(臟結)	Visceral bind	상세불명의복통
R11.2	반위(反胃)	Stomach reflux	구토
R13	열격(噎膈)	Dysphagia-occlusion ; choke	삼킴곤란(Dysphagia) 삼킴곤란(Difficulty in swallowing)
R14	비만(痞滿)	Stuffiness and fullness	고창 및 연관된병태 / 복부의가스팽만 / 배부품 / 트림 / 가스통증 / 고창(복부성)(장성)
R21	음독(陰毒)	Yin toxin	발진 및 기타 비특이성 피부발진
R21	양독(陽毒)	Yang toxin	
R22.2	장적(臟積)	Viscera accumulation	국소적부기,종괴 및 덩이,몸통
R25.0	풍두선(風頭旋)	Head-shaking	이상머리운동
R25.1	진전(震顫)	Tremor	상세불명의 떨림
R25.2	전근(轉筋)	Muscle cramp	경련 및 연축
R25.8	농설(弄舌)	Frequent protrusion of tongue	기타 및 상세불명의 이상불수의운동

R29.8	해역(解㑊)	Limb flaccidity	신경계통 및 근골격계통의 기타 및 상세불명의 증상 및 징후
R30.0	융폐(癃閉)	Dribbling urinary block	배뇨통 / 배뇨작열통
R30.9	포비(胞痺)	Bladder impediment	상세불명의 배뇨통 / 통증성배뇨 NOS
R50.8	장열(臟熱)	Viscera heat	기타 명시된 열 / 오한을 동반한 열 / 경직을 동반한 열 / 지속열
R50.8	골증열(骨蒸熱)	Bone-steaming fever	
R50.8	오심열(五心熱)	Heat in the chest, palms and soles	
R51	두풍(頭風)뇌풍(腦風)	Head wind	두통 / 안면통증NOS
R51	수풍(首風)	Head-wind syndrome	
R53	허로(虛勞)	Consumptive disease	병감 및 피로 / 무력증 NOS / 쇠약 NOS / 만성쇠약 / 전신적신체약화 / 졸림 / 피로
R53	노권(勞倦)	Fatigue due to overexertion	
R55.8	궐증(厥症)	Syncope	기타실신및허탈 / 일시적의식상실 / 실신
R55.8	식궐(食厥)	Crapulent syncope	
R56.8	경풍(驚風)	Infantile convulsion	기타 및 상세불명의 경련 / 발작 NOS
R62.8	연증(軟證)	Flaccidity	기대되는 정상적생리학적 발달의 기타결여 / 체중증가부전 / 성장장애 / 영아증NOS / 성장결여 / 육체적지연
R62.8	지증(遲證)	Retardations	
R62.8	경증(硬證)	Stiffness	
R63.1	소갈(消渴)	Wasting-thirst	다음다갈증 / 과다갈증
R68.1	야제(夜啼)	Night crying	영아기에서독특한비특이성증상 / 영아의과다한울음 / 과민영아
R68.1	객오(客忤)	Fright seizure	

F-1 MMSE-K (Mini Mental State Exam-Korea)

성명		학력	남 . 녀	생년월일 년 월 일
연령 세		검사일 년 월 일		검사자 :
배점		항 목		점수
지남력	5	오늘은 년 월 일 요일 계절		점
	3	당신의 주소는 도(특별시 혹은 직할시) 군(구) 면(동)		점
	1	여기는 어떤 곳입니까? (예; 학교, 시장, 병원, 가정집)		점
	1	여기는 무엇을 하는 곳입니까? (예; 마당, 안방, 화장실, 진찰실)		점
기억등록	3	물건 이름 세 가지 (예, 나무, 자동차, 모자)		점
기억회상	3	3분에서 5분 뒤에 위의 물건 이름을 회상		점
주의집중계산	5	100-7= -7= -7= -7= -7= "삼천리강산" 을 거꾸로 말하기		점
언어	2	물건이름 맞히기 "연필" "시계"		점
	3	오른손으로 종이를 집어서 반으로 접어서 무릎위에 놓기(3단계 명령)		점
	1	5각형 2개를 겹쳐서 그리기		점
	1	"간장 공장 공장장" 을 따라하기		점
이해 및 판단	1	"옷은 왜 빨아서(세탁해서) 입습니까?" 라고 질문		점
	1	"길에서 남의 주민등록증을 주웠을 때 어떻게 하면 쉽게 주인에게 되돌려 줄 수 있겠습니까?" 라고 질문		점
30점만점		합계점		점

- 교정법(무학인 경우) : (1)시간에 대한 지남력에 1점 (2)주의 집중 및 계산에 2점 (3)언어 기능에 1점을 가산하되, 각 부문에서 만점의 범위를 넘지 않게 함
- 판정 ① 치매: 19점 이하 ② 치매 의심: 20점~23점 ③ 정상: 24점 이상
- 1997년 개발된 K-MMSE(Korean MMSE)도 있으나 2003년 746명을 대상으로 실제 연구한 결과에 따르면 MMSE-K가 K-MMSE보다 치매여부를 가름하는 Cutoff점수(MMSE-K의 경우 21/22)의 변동이 적고 결과분석은 더 용이한 것으로 보고되었음.[1]

F-2 SCORAD (Score of Atopic Dermatitis)[2]

- SCORAD score (Score of Atopic Dermatitis) : 아토피성 피부염(Atopic dermatitis : AD)을 평가하는 방법으로 피부의 범위, 발현강도를 확인하는 객관적 평가 및 가려움, 수면 등 증상의 정도를 확인하는 주관적 평가법이 병용됩니다.
- 다음의 사이트에 접속하여 각 단계별 점수에 맞는 사진을 보며 SCORAD 점수측정법을 연습해 볼 수 있습니다. http://adserver.sante.univ-nantes.fr/Scorad.html

1. 발현범위(Extent criteria)

- Rule of 9을 적용 : 머리앞뒤 각 4.5점(9점), 한쪽 상지앞/뒤 각 4.5(18점), 한쪽 하지 앞/뒤 각 9점(36점), 체간 앞/뒤 각 18점(36점), 한쪽 손 앞/뒤 각 1점(4점), 생식기 1점으로 총 합계는 100점 만점.
- 2세이하는 머리앞뒤 각 8.5점, 하지는 각 6점으로 변경, 1점 부위들은 생략

2. 발현강도(Intensity criteria)

홍반(Erythema) : stage 1-3

구진(Papulation/edema) : stage 1-3

삼출물(Oozing/crusting) : stage 1-3

표피박리(Excoriation) : stage 1-3

태선화(Lichenification) : stage 1-3

건조도(Xerosis) : stage 1-3

3. 주관적 증상(Subjective symptoms) :

- 보통 소양감(pruritus)과 불면(insomnia)의 두가지 지표를 사용하며 이전 3일동안의 증상을 VAS 0-10로 표시.

4. 점수계산법

※ SCORAD calculation : A/5 + (B x 7)/2 + C

- 총점수 대비시 강도(A)가 60%, 범위(B)가 20%, 증상(C)이 20% 정도의 비율로 기여
- 예) 양하지 앞뒤 전체에(36점) 6가지 모두 가장 심한 강도로(18점) 두가지 증상의 VAS 각 5 정도의 주관적 증상이 있을 경우의 점수는 (36/5) + (18x7)/2 + (5+5) = 80점.

부록
F

원내 상용 평가 도구

F-3   Gross Grading System of House-Brackmann(H-B Gr) [3]

Gr.	Description	Characteristics
I	Normal	Normal facial function all areas

II	Mild dysfunction	Gross : Slight weakness noticeable on close inspection may have very synkinesis
		At rest : normal symmetry and tone
		Motion
		  Forehead : motion is moderate to good function
		  Eye : complete closure with minimal effort
		  Mouth : slight asymmetry

III	Moderate dysfunction	Gross : obvious but not disfiguring difference between both the sides, noticeable but not severe synkinesis, contracture, or hemifacial spasm
		At rest : normal symmetry and tone
		Motion Forehead : slight to moderate movement
		  Eye : complete closure with effort
		  Mouth : slightly weak with maximum effort

IV	Moderately severe dysfunction	Gross : obvious weakness and/or disfiguring asymmetry
		At rest : normal symmetry and tone
		Motion Forehead : none
		  Eye : incomplete closure
		  Mouth : asymmetric with maximum effort

V	Severe dysfunction	Gross : only barely perceptible
		At rest : asymmetry
		Motion Forehead : none
		  Eye : incomplete closure
		  Mouth : slight movement

VI	Total paralysis	No movement

- H-B Grade를 이용한 안면마비 평가 간략포인트 ①Gr I : 정상 ②Gr II: 약간의 노력으로 눈을 감을 수 있다. ③Gr III: 세게 감으면 눈을 완전히 감을 수 있다. ④Gr IV:입을 움직일 수 있다. ⑤Gr V:입을 조금밖에 움직일 수 없다. ⑥Gr VI: 거의 모든 움직임이 없다.

F-4   Yanagihara's Unweighted Grading System [4)]

	Scale of five rating	Scale of three rating
At rest	0 1 2 3 4	0 2 4
Wrinkle forehead	0 1 2 3 4	0 2 4
Blink	0 1 2 3 4	0 2 4
Closure of eye lightly	0 1 2 3 4	0 2 4
Closure of eye tightly	0 1 2 3 4	0 2 4
Closure of eye on involved side only	0 1 2 3 4	0 2 4
Wrinkle nose	0 1 2 3 4	0 2 4
Whistle	0 1 2 3 4	0 2 4
Grin	0 1 2 3 4	0 2 4
Depress lower lip	0 1 2 3 4	0 2 4

- Yanagihara score를 이용한 안면마비 평가 4점 (Normal) 3점(Slight paresis) 2점(Moderate paresis) 1점(Severe paresis) 0점(Total paresis)의 5단계 구분. 총 10개 항목에 만점은 40점이 됨.

F-5   NIHSS (Goldstein, LB,Samsa,GP. Stroke 1997;28:307)

- 인터넷(www.nihstrokescale.org)을 통해 평가방법을 보다 자세히 살펴볼 수 있습니다.

항목	이름	점수기준
1A	의식수준 (LOC: Level of Consciousness)	0 = 명료, 분명히 반응함. 1 = 불명료 하지만약간의 자극에 의해 지시에 따르고 대답함. 2 = 불명료하며 반응을 유발하거나 움직이게 하기 위해 반복되는 강한 자극을 요함. 3 = 운동신경이나 자율신경의 반사적 움직임으로만 반응하거나 전혀 반응이 없음.
1B	의식수준 판정을 위한 질문 (LOC Questions) – 환자 나이를 연령과 개월수까지 질문한다.	0 = 두 가지 질문 모두 바르게 대답함 1 = 한 가지에만 바르게 대답함 2 = 두 가지 모두 바르게 대답하지 못함
1C	의식수준 판정을 위한 명령 (LOC Commands) – 눈뜨고 감기/ 마비되지 않은 쪽의 손을 쥐었다가 풀기	0 = 두 가지 질문 모두 바르게 수행함 1 = 한 가지에만 바르게 수행함 2 = 두 가지 모두 바르게 수행하지 못함.
2	안구의 움직임(Best Gaze)	0 = 정상

	- 안구를 수평으로 좌우이동하게 함.	1 = 부분적 시선마비 2 = 완전한 편향, 머리를 좌우로 돌려도 안구가 따라 움직이지 않음(Doll's eye)
3	시야(Visual)	0 = 시야장애 없음 1 = 부분반맹(Partial hemianopia) 2 = 완전반맹(Complete hemianopia) 3 = 양측성 반맹
4	안면마비(Facial Palsy)	0 = 정상 대칭적 움직임 1 = 경미한 마비 (비구순구의 소실, 웃을때 비대칭적) 2 = 부분 마비 (하안면의 완전, 혹은 거의 완전한 마비) 3 = 완전 마비 (상하안면의 움직임이 없는 경우)
5	팔의 운동(Motor Arm) - 누운상태에서 실시	0 = 상지를 90(45)도로 10초 동안 계속 유지할 수 있음 1 = 상지를 90(45)도로 유지하나 10초를 못넘긴 경우 2 = 상지를 90(45)도 이상으로 올리지 못하나 중력에 대항해 어느 정도 노력이 보이는 경우 3 = 중력을 전혀 못이기는 경우 4 = 전혀 움직이지 못함 UN = 지체절단 또는 관절유합 등
6	다리의 운동(Motor Leg) - 누운상태에서 실시	0 = 하지를 30도로 5초 동안 계속 유지할 수 있음 1 = 하지를 30도로 유지하나 5초를 못넘긴 경우 2 = 하지를 30도 이상으로 올리지 못하나 중력에 대항해 어느 정도 노력이 보이는 경우 3 = 중력을 전혀 못이기는 경우 4 = 전혀 움직이지 못함 UN = 지체절단 또는 관절유합 등
7	운동실조(Limb Ataxia) - finger-nose-finger 검사와 heel - shin test를 시행 *	0 = 없음 1 = 한 지체(one limb)에 운동실조 2 = 두 지체(two limbs)에 운동실조 UN = 지체절단 또는 관절유합
8	감각(Sensory)	0 = 정상 1 = 약간 혹은 보통의 감각손실 2 = 심하거나 완전한 감각손실 (얼굴이나 안면 등에 손을 대어도 인지하지 못함)
9	언어소통능력(Best Language)	0 = 정상; 언어장애가 없음. 1 = 경도, 혹은 중등도의 실어증 2 = 심한 실어증 3 = 벙어리(mute), 전실어증
10	구음장애 (Dysarthria)	0 = 정상 1 = 발음이 분명하지 않지만, 적어도 알아들을 수 있는 정도 2 = 전혀 알아들을 수 없는 상태 (실어증의 유무와 관계없음) UN = 기관삽관 또는 기타의 사유

11	무관심 (extinction) 부주의 (inattention)	0 = 비정상 없음. 1 = 양측성 자극에 대해 시각, 촉각, 청각, 공간지각적 감각 중에서 한군데 부주의가 있음. 2 = 심각한 반신부주의가 있거나 상기 감각 중 한군데 이상에서 부주의가 있음.

F-6 국제전립선증상점수표 (IPSS, International prostate symptom score)

- IPSS는 증상질문 7개와 삶의질(QOL) 질문 1개로 구성됩니다. 7개 증상점수의 합계가 IPSS 총점수가 되며 7점 이하는 경도의 증상, 8-19점은 중등도의 증상, 20점 이상은 심한 증상으로 구분합니다.

[1] 증상 질문 - 7개	전혀 없음	5번에 1번이하	절반 이하	절반 정도	절반 이상	거의 항상
1. 최근 한 달 동안 소변을 봐도 덜 눈 듯한 기분이 얼마나 자주 있었습니까?	0	1	2	3	4	5
2. 최근 한 달 동안 소변을 보고 난 후 2시간 이내에 다시 소변을 봐야 했던 적이 얼마나 자주 있었습니까?	0	1	2	3	4	5
3. 최근 한 달 동안 소변을 보는 도중 소변 줄기가 끊어질 때가 얼마나 자주 있었습니까?	0	1	2	3	4	5
4. 최근 한 달 동안 소변이 마려울 때 참기 어려운 정도가 얼마나 자주 있었습니까?	0	1	2	3	4	5
5. 최근 한 달 동안 소변 줄기가 가늘게 나오는 경우가 얼마나 자주 있었습니까?	0	1	2	3	4	5
6. 최근 한 달 동안 소변을 볼 때 힘을 주거나 애써야 소변이 나오는 경우가 얼마나 자주 있었습니까?	0	1	2	3	4	5
7. 최근 한 달 동안 밤에 잠을 자다 소변을 보기 위해 일어난 횟수는 얼마나 됩니까?	0	1회	2회	3회	4회	5회이상

부록 F

원내 상용평가도구

---

* Finger-nose-finger 검사 : 손으로 코를 만질 수 있는지 확인
  Heel - shin 검사 : 발뒤꿈치로 반대측 장딴지 비비기가 가능한지 확인

[2] 삶의 질(QOL) 질문	매우 만족	만족	대체로 만족	보통	대체로 불편	매우 불편	끔찍 하다
만일 지금과 같은 배뇨상태로 남은 일생을 지내게 되신다면 이에 대해 어떻게 생각하십니까?	0	1	2	3	4	5	6

F-7 과민성방광 증상 점수 설문지 (OABSS)

- 일본에서 처음 개발된 과민성방광 증상 점수 설문지 (Overactive Bladder Symptom Score, OABSS)는 4개의 질문으로 간단히 검사할 수 있고 임상적 유용성이 증명된 평가척도로 2011년 한국어 버전도 발표되었습니다. [6]
- 과민성 방광은 요절박(urgency)을 묻는 [질문 3]의 점수가 2점 이상이면서 총점이 3점 이상일 때 진단되며 총점이 5점 이하는 경증, 6~11점은 중등증, 12점 이상은 중증으로 분류합니다.

아래의 증상이 어느 정도의 횟수로 있었습니까?
최근 1주일간 당신의 상태에 가장 가까운 것을 하나만 골라서 점수의 숫자에 O표 해주세요

[질문 1. daytime frequency] 아침에 일어나서 밤에 자기 전까지 몇회 정도 소변을 보셨습니까?	7회 이하	0점
	8~14회	1점
	15회 이상	2점
[질문 2. nocturia] 밤에 잠든 후부터 아침에 일어날 때까지 소변을 보기 위해 몇 회나 일어나셨습니까?	0회	0점
	1회	1점
	2회	2점
	3회이상	3점
[질문 3. urgency] 갑자기 소변이 마려워 참기 힘들었던 적이 있었습니까?	없음	0점
	일주일에 1회 보다는 적음	1점
	일주일에 1회 또는 그 이상	2점
	1일 1회 정도	3점
	1일 2~4회	4점
	1일 5회 또는 그 이상	5점
[질문 4. urgency incontinence] 갑자기 소변이 마려워서 참지 못하고 소변을 지린 적이 있었습니까?	없음	0점
	일주일에 1회 보다는 적음	1점
	일주일에 1회 또는 그 이상	2점
	1일 1회 정도	3점
	1일 2~4회	4점
	1일 5회 또는 그 이상	5점

REFERENCES

1. 김재민 외. 치매 선별을 위한 MMSE-K와 K-MMSE의 진단 타당도 비교. 신경정신의학 2003;42(1):124-30
2. ETFAD. Severity scoring of atopic dermatitis : the SCORAD index. Consensus report of the European Task Force on Atopic Dermatitis. Dermatology. 1993;186(1):23-31
3. House J, Brackmann D. Facial nerve grading system. Otolaryngol Head Neck Surg 1985;93:146-7.
4. Yanagihara N. Grading of facial palsy. In: Fisch U, editor. Facial nerve surgery. Proceedings of the Third International Symposium on Facial Nerve Surgery. Amstelveen, The Netherlands: Kugler Medical Publications; 1977. p. 533-5.
5. Lee KM et al. Reliability and Validity of Korean Version of National Institutes of Health Stroke Scale: Multi-center study. J Korean Acad Rehabil Med. 2004;28(5):422-435
6. Jeong SJ, Homma Y, Oh SJ. Korean version of the overactive bladder symptom score questionnaire: translation and linguistic validation. Int Neurourol J. 2011 Sep;15(3):135-42

경혈명 대조표 (중어병음-WHO표기-경혈명)

G-1 중국어 병음기준 배열

Bafeng	EX-LE10	八風	DaYing	ST5	大迎
Baichongwo	EX-LE3	百蟲窩	DaZhong	KI4	大鐘
BaiHuanShu	BL30	白環兪	DaZhu	BL11	大杼
BaiHui	GV20	百會	DaZhui	GV14	大椎
BaoHuang	BL53	胞肓	DiCang	ST4	地倉
Baxie	EX-UE9	八邪	DiJi	SP8	地機
BenShen	GB13	本神	Dingchuan	EX-B1	定喘
BiGuan	ST31	髀關	DiWuHui	GB42	地五會
BiNao	LI14	臂臑	DuBi	ST35	犢鼻
BingFeng	SI12	秉風	DuiDuan	GV27	兌端
BuLang	KI22	步廊	DuShu	BL16	督兪
BuRong	ST19	不容	Duyin	EX-LE11	獨陰
ChangQiang	GV1	長強	Erbai	EX-UE2	二白
ChengFu	BL36	承扶	ErJian	LI2	二間
ChengGuang	BL6	承光	Erjian	EX-HN6	耳尖
ChengJiang	CV24	承漿	ErMen	TE21	耳門
ChengJin	BL56	承筋	FeiShu	BL13	肺兪
ChengLing	GB18	承靈	FeiYang	BL58	飛揚
ChengMan	ST20	承滿	FengChi	GB20	風池
ChengQi	ST1	承泣	FengFu	GV16	風府
ChengShan	BL57	承山	FengLong	ST40	豊隆
ChiZe	LU5	尺澤	FengMen	BL12	風門
ChongMen	SP12	衝門	FengShi	GB31	風市
ChongYang	ST42	衝陽	FuAi	SP16	腹哀
CiLiao	BL32	次髎	FuBai	GB10	浮白
DaBao	SP21	大包	FuFen	BL41	附分
DaChangShu	BL25	大腸兪	FuJie	SP14	腹結
DaDu	SP2	大都	FuLiu	KI7	復溜
DaDun	LR1	大敦	FuShe	SP13	府舍
Dagukong	EX-UE5	大骨空	FuTu	LI18	扶突
DaHe	KI12	大赫	FuTu	ST32	伏兎
DaHeng	SP15	大橫	FuXi	BL38	浮郄
DaiMai	GB26	帶脈	FuYang	BL59	跗陽
DaJu	ST27	大巨	GanShu	BL18	肝兪
DaLing	PC7	大陵	GaoHuanShu	BL43	膏肓
Dangyang	EX-HN2	當陽	GeGuan	BL46	膈關
Dannang	EX-LE6	膽囊	GeShu	BL17	膈兪
DanShu	BL19	膽兪	GongSun	SP4	公孫

GuanChong	TE1	關衝	JinMen	BL63	金門
GuangMing	GB37	光明	JinSuo	GV8	筋縮
GuanMen	ST22	關門	JiQuan	HT1	極泉
GuanYuan	CV4	關元	JiuWei	CV15	鳩尾
GuanYuanShu	BL26	關元俞	JiZhong	GV6	脊中
GuiLai	ST29	歸來	JueYinShu	BL14	厥陰俞
Haiquan	EX-HN11	海泉	JuGu	LI16	巨骨
HanYan	GB4	頷厭	JuLiao	GB29	居髎
Heding	EX-LE2	鶴頂	JuLiao	ST3	巨髎
HeGu	LI4	合谷	Juquan	EX-HN10	聚泉
HeLiao	LI19	禾髎	JuQue	CV14	巨闕
HeLiao	TE22	和髎	KongZui	LU6	孔最
HengGu	KI11	橫骨	Kuangu	EX-LE1	髖骨
HeyYng	BL55	合陽	KuFang	ST14	庫房
HouDing	GV19	後頂	KunLun	BL60	崑崙
HouXi	SI3	後谿	Lanwei	EX-LE7	闌尾
HuaGai	CV20	華蓋	LaoGong	PC8	勞宮
HuangMen	BL51	肓門	LiangMen	ST21	梁門
HuanShu	KI16	肓俞	LiangQiu	ST34	梁丘
HuanTiao	GB30	環跳	LianQuan	CV23	廉泉
HuaRouMen	ST24	滑肉門	LiDui	ST45	厲兌
HuiYang	BL35	會陽	LieQue	LU7	列缺
HuiYin	CV1	會陰	LiGou	LR5	蠡溝
HuiZong	TE7	會宗	LingDao	HT4	靈道
HunMen	BL47	魂門	LingTai	GV10	靈臺
JiaChe	ST6	頰車	LingXu	KI24	靈墟
Jiaji	EX-B2	夾脊	LouGu	SP7	漏谷
JianJing	GB21	肩井	LuoQue	BL8	絡却
JianLi	CV11	建里	LuXi	TE19	顱息
JianLiao	TE14	肩髎	MeiChong	BL3	眉衝
JianShi	PC5	間使	MingMen	GV4	命門
JianWaiShu	SI14	肩外俞	MuChuang	GB16	目窗
JianYu	LI15	肩髃	NaoHu	GV17	腦戶
JianZhen	SI9	肩貞	NaoHui	TE13	臑會
JianZhongZhu	SI15	肩中俞	NaoKong	GB19	腦空
JiaoSun	TE20	角孫	NaoShu	SI10	臑俞
JiaoXin	KI8	交信	NeiGuan	PC6	內關
JiaXi	GB43	俠谿	Neihuaijian	EX-LE8	內踝尖
JieXi	ST41	解谿	NeiTing	ST44	內庭
JiMai	LR12	急脈	Neixiyan	EX-LE4	內膝眼
JiMen	SP11	箕門	Neiyingxiang	EX-HN9	內迎香
Jingbailao	EX-HN15	頸百勞	PangGuangShu	BL28	膀胱俞
JingGu	BL64	京骨	PianLi	LI6	偏歷
JingMen	GB25	京門	Pigen	EX-B4	痞根
JingMing	BL1	睛明	PiShu	BL20	脾俞
JingQu	LU8	經渠	PoHu	BL42	魄戶
Jinjin	EX-HN12	金津	PuCan	BL61	僕參

QianDing	GV21	前頂	ShaoHai	HT3	少海
QiangJian	GV18	強間	ShaoShang	LU11	少商
QianGu	SI2	前谷	ShaoZe	SI1	少澤
QiChong	ST30	氣衝	ShenCang	KI25	神藏
Qiduan	EX-LE12	氣端	ShenDao	GV11	神道
QiHai	CV6	氣海	ShenFeng	KI23	神封
QiHaiShu	BL24	氣海俞	ShenMai	BL62	申脈
QiHu	ST13	氣戶	ShenMen	HT7	神門
QiMai	TE18	瘈脈	ShenQue	CV8	神闕
QiMen	LR14	期門	ShenShu	BL23	腎俞
QingLengYuan	TE11	清冷淵	ShenTang	BL44	神堂
QingLing	HE2	青靈	ShenTing	GV24	神庭
QiShe	ST11	氣舍	ShenZhu	GV12	身柱
Qiuhou	EX-HN7	球後	ShiDou	SP17	食竇
QiuXu	GB40	丘墟	ShiGuan	KI18	石關
QiXue	KI13	氣穴	ShiMen	CV5	石門
QuanLiao	SI18	顴髎	Shiqizhui	EX-B8	十七椎
QuBin	GB7	曲鬢	Shixuan	EX-UE11	十宣
QuChai	BL4	曲差	ShouSanLi	LI10	手三里
QuChi	LI11	曲池	ShouWuLi	LI13	手五里
QuePen	ST12	缺盆	ShuaiGu	GB8	率谷
QuGu	CV2	曲骨	ShuFu	KI27	俞府
QuQuan	LR8	曲泉	ShuGu	BL65	束骨
QuYaun	SI13	曲垣	ShuiDao	ST28	水道
QuZe	PC3	曲澤	ShuiFen	CV9	水分
RanGu	KI2	然谷	ShuiGou	GV26	水溝
RenYing	ST9	人迎	Shuiquan	KI5	水泉
RiYue	GB24	日月	ShuiTu	ST10	水突
RuGen	ST18	乳根	SiBai	ST2	四白
RuZhong	ST17	乳中	SiDu	TE9	四瀆
SanJian	LI3	三間	Sifeng	EX-UE10	四縫
SanJiaoShu	BL22	三焦俞	SiMan	KI14	四滿
SanYangLuo	TE8	三陽絡	Sishencong	EXHN1	四神聰
SanYinJiao	SP6	三陰交	SiZhuKong	TE23	絲竹空
ShangGuan	GB3	上關	SuLiao	GV25	素髎
ShangJuXu	ST37	上巨虛	TaiBai	SP3	太白
ShangLian	LI9	上廉	TaiChong	LR3	太衝
ShangLiao	BL31	上髎	TaiXi	KI3	太谿
ShangQu	KI17	商曲	Taiyang	EX-HN5	太陽
ShangQui	SP5	商丘	TaiYi	ST23	太乙
ShanGuan	CV13	上脘	TaiYuan	LU9	太淵
ShangXing	GV23	上星	TaoDao	GV13	陶道
ShangYang	LI1	商陽	TianChi	PC1	天池
Shangyingxiang	EX-HN8	上迎香	TianChong	GB9	天衝
ShanZhong	CV17	膻中	TianChuang	SI16	天窗
ShaoChong	HT9	少衝	TianDing	LI17	天鼎
ShaoFu	HT8	少府	TianFu	LU3	天府

TianJing	TE10	天井	Xiaogukong	EX-UE6	小骨空
TianLiao	TE15	天髎	XiaoHai	SI8	小海
TianQuan	PC2	天泉	XiaoLuo	TE12	消濼
TianRong	SI17	天容	XiGuan	LR7	膝關
TianShu	ST25	天樞	XiMen	PC4	郄門
TianTu	CV22	天突	XingJian	LR2	行間
TianXi	SP18	天谿	XinHui	GV22	顖會
TianYou	TE16	天牖	XinShu	BL15	心兪
TianZhu	BL10	天柱	XiongXiang	SP19	胸鄕
TianZong	SI11	天宗	Xiyan	EX-LE5	膝眼
TiaoKou	ST38	條口	XiYangGuan	GB33	膝陽關
TingGong	SI19	聽宮	XuanJi	CV21	璇璣
TingHui	GB2	聽會	XuanLi	GB6	懸厘
TongGu	BL66	足通谷	XuanLu	GB5	懸顱
TongGu	KI20	腹通谷	XuanShu	GV5	懸樞
TongLi	HT5	通里	XuanZhong	GB39	懸鐘
TongTian	BL7	通天	XueHai	SP10	血海
TongZiLiao	GB1	瞳子髎	YaMen	GV15	啞門
TouLinQi	GB15	頭臨泣	YangBai	GB14	陽白
TouQiaoYin	GB11	頭竅陰	YangChi	TE4	陽池
TouWei	ST8	頭維	YangFu	GB38	陽輔
WaiGuan	TE5	外關	YangGang	BL48	陽綱
Waihuaijian	EX-LE9	外踝尖	YangGu	SI5	陽谷
Wailaogong	EX-UE8	外勞宮	YangJiao	GB35	陽交
WaiLing	ST26	外陵	YangLao	SI6	養老
WaiQui	GB36	外丘	YangLingQuan	GB34	陽陵泉
WanGu	GB12	完骨	YangXi	LI5	陽谿
WanGu	SI4	腕骨	Yaoqi	EX-B9	腰奇
WeiCang	BL50	胃倉	YaoShu	GV2	腰兪
WeiDao	GB28	維道	Yaotongdian	EX-UE7	腰痛点
WeiShu	BL21	胃兪	Yaoyan	EX-B7	腰眼
Weiwanxiashu	EX-B3	胃脘下兪	YaoYangGuan	GV3	腰陽關
WeiYang	BL39	委陽	Yaoyi	EX-B6	腰宜
WeiZhong	BL40	委中	YeMen	TE2	液門
WenLiu	LI7	溫溜	YiFeng	TE17	翳風
WuChu	BL5	五處	Yiming	EX-HN14	翳明
WuShu	GB27	五樞	YinBai	SP1	隱白
WuYi	ST15	屋翳	YinBao	LR9	陰包
XiaBai	LU4	俠白	YinDu	KI19	陰都
XiaGuan	CV10	下脘	YingChuang	ST16	膺窓
XiaGuan	ST7	下關	YinGu	KI10	陰谷
Xiajishu	EX-B5	下極兪	YingXiang	LI20	迎香
XiaJuXu	ST39	下巨虛	YinJiao	CV7	陰交
XiaLian	LI8	下廉	YinJiao	GV28	齦交
XiaLiao	BL34	下髎	YinLian	LR11	陰廉
XianGu	ST43	陷谷	YinLingQuan	SP9	陰陵泉
XiaoChangShu	BL27	小腸兪	YinMen	BL37	殷門

YinShi	ST33	陰市
Yintang	EX–HN3	印堂
YinXi	HT6	陰郄
YiShe	BL49	意舍
YiXi	BL45	譩譆
YongQuan	KI1	湧泉
YouMen	KI21	幽門
YuanYe	GB22	淵腋
YuJi	LU10	魚際
YunMen	LU2	雲門
YuTang	CV18	玉堂
Yuyao	EX–HN4	魚腰
Yuye	EX–HN13	玉液
YuZhen	BL9	玉枕
YuZhong	KI26	彧中
ZanZhu	BL2	攢竹
ZhangMen	LR13	章門
ZhaoHai	KI6	照海
ZheJin	GB23	輒筋
ZhengYing	GB17	正營
ZhiBian	BL54	秩邊
ZhiGou	TE6	支溝
ZhiShi	BL52	志室
ZhiYang	GV9	至陽
ZhiYin	BL67	至陰
ZhiZheng	SI7	支正
ZhongChong	PC9	中衝
ZhongDu	GB32	中瀆
ZhongDu	LR6	中都
ZhongFeng	LR4	中封
ZhongFu	LU1	中府
ZhongJi	CV3	中極
Zhongkui	EX–UE4	中魁
ZhongLiao	BL33	中髎
ZhongLuShu	BL29	中膂俞
Zhongquan	EX–UE3	中泉
ZhongShu	GV7	中樞
ZhongTing	CV16	中庭
ZhonGuan	CV12	中脘
ZhongZhu	KI15	中注
ZhongZhu	TE3	中渚
Zhoujian	EX–UE1	肘尖
ZhouLiao	LI12	肘髎
ZhouRong	SP20	周榮
ZhuBin	KI9	築賓
ZiGong	CV19	紫宮
Zigong	EX–CA1	子宮

ZuLinQi	GB41	足臨泣
ZuQiaoYin	GB44	足竅陰
ZuSanLi	ST36	足三里
ZuWuLi	LR10	足五里

본초명 대조표

- 가나다 순 본초명에 따른 중국어 표기는 [부록B. 본초정리]의 각 본초별 항목을 참조해 주십시오

H-1 중국어 병음표기순 대조표

중국어표기	본초명(한글)	본초명(한자)
Aiye	애엽	艾葉
Anshu	안수 (유칼립투스)	桉樹
Anxixiang	안식향	安息香
Awei	아위	阿魏
Axianyao	아선약	阿仙藥
Badou	파두	巴豆
Baibiandou	백편두	白扁豆
Baibu	백부근	百部根
Baicaoshuang	백초상	百草霜
Baidoukou	백두구	白豆蔲
Baifan	백반	白礬
Baifuzi	백부자	白附子
Baihe	백합	百合
Baihuashe	백화사	白花蛇
Baihuasheshecao	백화사설초	白花蛇舌草
Baiji	백급	白及
Baijiangcan	백강잠	白殭蠶
Baijiangcao	패장초	敗醬草
Baijiezi	백개자	白芥子
Baijili	백질려	白蒺藜
Bailian	백렴	白蘞
Baimaogen	백모근	白茅根
Baimaoteng	발제	荸薺
Baimaoteng	백모등	白毛藤
Baiqian	백전	白前
Baiqucai	백굴채	白屈菜
Baishaoyao	백작약	白芍藥
Baitouweng	백두옹	白頭翁
Baiwei	백미	白薇
Baixianpi	백선피	白鮮皮
Baizhi	백지	白芷
Baizhu	백출	白朮
Baiziren	백자인	柏子仁
Bajiaohuixiang	팔각회향	八角回香
Bajitian	파극천	巴戟天
Banbianlian	반변련	半邊蓮
Banlangen	판람근	板藍根
Banmao	반묘	斑猫

Banxia	반하	半夏
Banzhilian	반지련	半枝蓮
Baodou	보두	寶豆
Beishasan	북사삼	北沙蔘
Beixie	비해	萆薢
Biaguo	백과	白果
Bianxu	편축	萹蓄
Biba	필발	蓽撥
Bichengjia	필징가	蓽澄茄
Biejie	별갑	鱉甲
Bimazi	피마자	蓖麻子
Bingpian	빙편	冰片
Binlang	빈랑	檳榔
Bohe	박하	薄荷
Buguzhi	보골지	補骨脂
Cangerzi	창이자	蒼耳子
Cangzhu	창출	蒼朮
Cansha	잠사	蠶沙
Caodoukou	초두구	草豆蔲
Caoguo	초과	草果
Caowu	초오	草烏
Cebaiye	측백엽	側柏葉
Chaihu	시호	柴胡
Changshan	상산	常山
Chansu	섬수	蟾酥
Chantui	선태	蟬蛻
Chashugen	다수근	茶樹根
Chaye	다엽	茶葉
Chengliu	정류	檉柳
Chenpi	진피	陳皮
Chenxiang	침향	沈香
Cheqianzi	차전자	車前子
Chishaoyao	적작약	赤芍藥
Chishizhi	적석지	赤石脂
Chixiaodou	적소두	赤小豆
Chongweizi	충울자	茺蔚子
Chouwutong	취오동	臭梧桐
Chuanbeimu	천패모	川貝母
Chuangu	천골	川骨
Chuanlianzi	천련자	川楝子

Chuanshanjia	천산갑	穿山甲
Chuanshanlong	천산룡	穿山龍
Chuanwu	천오	川烏
Chuanxinlian	천심련	穿心蓮
Chuanxiong	천궁	川芎
Chuipencao	수분초	垂盆草
Chunpi	춘피	椿皮
Chushizi	저실자	楮實子
Cishi	자석	磁石
Ciweipi	자위피	刺蝟皮
Ciwujia	자오가	刺五加
Congbai	총백	葱白
Dadouhuangjuan	대두황권	大豆黃卷
Dafengzi	대풍자	大風子
Dafupi	대복피	大腹皮
Dahuang	대황	大黃
Daimao	대모	玳瑁
Daizheshi	대자석	代赭石
Daji	대극	大戟
Daji	대계	大薊
Danduchi	담두시	淡豆豉
Danfan	담반	膽礬
Danggui	당귀	當歸
Dangguiteng	당귀등	當歸藤
Dangshen	당삼	黨參
Dangyao	당약	當藥
Danshen	단삼	丹參
Danzhuye	담죽엽	淡竹葉
Daokoucao	도구초	倒扣草
Daqingye	대청엽	大靑葉
Dasuan	대산	大蒜
Daxueteng	대혈등	大血藤
Dazao	대조	大棗
Dengxingcao	등심초	燈心草
Dianjiagen	전가근	顚茄根
Diercao	지이초	地耳草
Difuzi	지부자	地膚子
Digupi	지골피	地骨皮
Dihuang	지황	地黃
Dinggongteng	정공등	丁公藤
Dingxiang	정향	丁香
Diyu	지유	地楡
Dongchongxiacao	동충하초	冬蟲夏草
Dongguapi	동과피	冬瓜皮
Dongguazi	동과자	冬瓜子
Dongkuizi	동규자	冬葵子
Donglingcao	동릉초	冬凌草
Duhuo	독활	獨活
Duzhong	두충	杜仲
Ejiao	아교	阿膠
Ezhu	아출	莪朮
Fanbaicao	번백초	翻白草

Fangfeng	방풍	防風
Fangji	방기	防己
Fanxieye	번사엽	番瀉葉
Feizi	비자	榧子
Fengmi	봉밀	蜂蜜
Fengweicao	봉미초	鳳尾草
Foshou	불수	佛手
Fuling	복령	茯苓
Fulonggan	복룡간	伏龍肝
Fupenzi	복분자	覆盆子
Fuping	부평	浮萍
Fushen	복신	茯神
Fuxiaomai	부소맥	浮小麥
Fuzi	부자	附子
Gancao	감초	甘草
Ganjiang	건강	乾薑
Ganli	건율	乾栗
Ganqi	건칠	乾漆
Gansongxiang	감송향	甘松香
Gansui	감수	甘遂
Gaoben	고본	藁本
Gaolianjiang	고량강	高良薑
Gegen	갈근	葛根
Gehua	갈화	葛花
Gejie	합개	蛤蚧
Geqiao	문합	文蛤
Gouguye	구골엽	枸骨葉
Gouji	구척	狗脊
Gouqizi	구기자	枸杞子
Gouteng	조구등	釣鉤藤
Guadi	과체	瓜蒂
Gualoupi	과루피	瓜蔞皮
Gualouren	과루인	瓜蔞仁
Guanzhong	관중	貫衆
Gudancaogen	골담초근	骨膽草根
Guiban	귀판	龜板
Guijianyu	귀전우	鬼箭羽
Guizhi	계지	桂枝
Gujingcao	곡정초	穀精草
Gushibu	골쇄보	骨碎補
Guya	곡아	穀芽
Haidai	해대	海帶
Haifen	해분	海粉
Haifengteng	해풍등	海風藤
Haifushi	해부석	海浮石
Haigoushen	해구신	海狗腎
Haijinsha	해금사	海金沙
Haima	해마	海馬
Haipiaoxiao	해표초	海螵蛸
Haishen	해삼	海參
Haisongzi	해송자	海松子
Haitongpi	해동피	海桐皮

Haizao	해조	海藻
Hancai	한채	蔊菜
Hanliancao	한련초	旱蓮草
Hanshuishi	한수석	寒水石
Hegen	하경	荷梗
Hehuanpi	합환피	合歡皮
Heidou	흑두	黑豆
Heizhima	흑지마	黑芝麻
Heshi	학슬	鶴虱
Heshouwu	하수오	何首烏
Heye	하엽	荷葉
Hezi	가자	訶子
Honghua	홍화	紅花
Hongjingtian	홍경천	紅景天
Houpo	후박	厚朴
Huaihua	괴화	槐花
Huaijue	괴각	槐角
Huangbai	황백	黃柏
Huangjing	황정	黃精
Huanglian	황련	黃連
Huangmeimu	황매목	黃梅木
Huangqi	황기	黃芪
Huangqin	황금	黃芩
Huangshukuihua	황촉규화	黃蜀葵花
Huangyaozi	황약자	黃藥子
Huapi	화피	樺皮
Huaqiu	화추	花楸
Huaruishi	화예석	花蕊石
Huashengyi	화생의	花生衣
Huashi	활석	滑石
Hubu	홀포	忽布
Huercao	호이초	虎耳草
Hugu	호골	虎骨
Huhuanglian	호황련	胡黃連
Hujiao	호초	胡椒
Hujisheng	곡기생	槲寄生
Huluba	호로파	胡蘆巴
Huomaren	화마인	火麻仁
Huoxiang	곽향	藿香
Hupo	호박	琥珀
Hutaoren	호도인	胡桃仁
Hutonglei	호동루	胡桐淚
Huzhanggen	호장근	虎杖根
Jianghuang	강황	薑黃
Jiangxiang	강향	降香
Jiaogulan	교고람	絞股藍
Jiaoyi	교이	膠飴
Jiazhucao	협죽도	夾竹桃
Jiegeng	길경	桔梗
Jiegumu	접골목	接骨木
Jiguanhua	계관화	鷄冠花
Jinbo	금박	金箔

Jineijin	계내금	鷄內金
Jingjie	형개	荊芥
Jingmi	갱미	粳米
Jingtian	경천	景天
Jini	제니	薺苨
Jinjilei	금계륵	金鷄勒
Jinqiancao	금전초	金錢草
Jinqiaomai	금교맥	金蕎麥
Jinquegen	금작근	金雀根
Jinyingzi	금앵자	金櫻子
Jinyinhua	금은화	金銀花
Jiuxiangchong	구향충	九香蟲
Jiuzhecao	구절초	九折草
Jiuzi	구자	韭子
Jixingzi	급성자	急性子
Jixuecao	적설초	積雪草
Jixueteng	계혈등	鷄血藤
Jizihuang	계자황	鷄子黃
Juanbai	권백	卷柏
Juechuang	작상	爵床
Juemingzi	결명자	決明子
Juhua	국화	菊花
Kuandonghua	관동화	款冬花
Kudouzi	고두자	苦豆子
Kugua	고과	苦瓜
Kujiao	고추	苦椒
Kulianpi	고련피	苦楝皮
Kumu	고목	苦木
Kunbu	곤포	昆布
Kushen	고삼	苦參
Laifuzi	내복자	萊菔子
Langdanggen	낭탕근	莨菪根
Langdu	낭독	狼毒
Laoguancao	노관초	老鸛草
Leigongteng	뇌공등	雷公藤
Leiwan	뇌환	雷丸
Lianqiao	연교	連翹
Lianzirou	연자육	蓮子肉
Lianzixin	연자심	蓮子心
Lilu	여로	藜蘆
Linglingxiang	영릉향	零陵香
Lingsha	영사	靈砂
Lingxiaohua	능소화	凌霄花
Lingyangjiao	영양각	羚羊角
Lingzhi	영지	靈芝
Liuhuang	유황	硫黃
Liujinu	유기노	劉寄奴
Lizhihe	여지핵	荔枝核
Longdancao	용담초	龍膽草
Longgu	용골	龍骨
Longkui	용규	龍葵
Longyianrou	용안육	龍眼肉

부록 H

본초명대조표

Lougu	누고	螻蛄
Loulu	누로	漏蘆
Lucao	율초	葎草
Ludou	녹두	綠豆
Luemei	녹악매	綠萼梅
Lufan	녹반	綠礬
Lufengfang	노봉방	露蜂房
Luganshi	노감석	爐甘石
Lugen	노근	蘆根
Luhui	노회	蘆薈
Lujiao	녹각	鹿角
Lujiaojiao	녹각교	鹿角膠
Lujiaoshuang	녹각상	鹿角霜
Lulutong	노로통	路路通
Luobuma	나포마	羅布麻
Luoshiteng	낙석등	絡石藤
Lurong	녹용	鹿茸
Luticao	녹제초	鹿蹄草
Mabiancao	마편초	馬鞭草
Mabo	마발	馬勃
Machihuan	마치현	馬齒莧
Madouling	마두령	馬兜鈴
Mahuang	마황	麻黃
Mahuanggen	마황근	麻黃根
Maimendongha	맥문동	麥門冬
Maiya	맥아	麥芽
Majiamu	마가목	馬加木
Mangxiao	망초	芒硝
Manjingzi	만형자	蔓荊子
Mantuoluoye	다투라엽	曼陀羅葉
Maomeigen	모매근	茅莓根
Maozhaocao	묘조초	貓爪草
Maqianzi	마전자	馬錢子
Maweilian	마미련	馬尾連
Meiguihua	매괴화	玫瑰花
Meiyuanzhi	미원지	美遠志
Mengching	맹충	虻蟲
Mianshizi	면실자	棉實子
Mihoutao	미후도	獼猴桃
Mimenghua	밀몽화	密蒙花
Mituoseng	밀타승	密陀僧
Moyao	몰약	沒藥
Mubiezi	목별자	木鱉子
Mudanpi	목단피	牡丹皮
Mugua	목과	木瓜
Mujinpi	목근피	木槿皮
Muli	모려	牡蠣
Mutianliao	목천료	木天蓼
Mutong	목통	木通
Muxiang	목향	木香
Muzei	목적	木賊
Naoyanghua	요양화	鬧羊花

Niebangzi	우방자	牛蒡子
Niuhuang	우황	牛黃
Niuxi	우슬	牛膝
Nuodaogen	나도근	糯稻根
Nuzhenzi	여정자	女貞子
Oujie	우절	藕節
Oulongdan	구용담	歐龍膽
Pangdahai	반대해	胖大海
Peilan	패란	佩蘭
Pengsha	붕사	硼砂
Pipaye	비파엽	枇杷葉
Pishi	비석	砒石
Pugongying	포공영	蒲公英
Puhuang	포황	蒲黃
Putaogen	포도근	葡萄根
Qiancaogen	천초근	茜草根
Qiandan	연단	鉛丹
Qianghuo	강활	羌活
Qianhu	전호	前胡
Qiannianjian	천년건	千年健
Qiannuizi	견우자	牽牛子
Qianshi	검실	芡實
Qiaomai	교맥	蕎麥
Qicao	제조	蠐螬
Qingdai	청대	青黛
Qingfen	경분	輕粉
Qinghao	청호	青蒿
Qingmengshi	청몽석	青礞石
Qingmuxiang	청목향	青木香
Qingpi	청피	青皮
Qingxiangzi	청상자	青葙子
Qinjiao	진교	秦艽
Qinpi	진피	秦皮
Qiuyin	구인	蚯蚓
Quanshen	권삼	拳參
Quanxie	전갈	全蝎
Qumai	구맥	瞿麥
Rendongteng	인동등	忍冬藤
Ren-niao	인뇨	人尿
Renshen	인삼	人蔘
Roucongrong	육종용	肉蓯蓉
Roudoukou	육두구	肉豆蔲
Rougui	육계	肉桂
Ruiren	유인	蕤仁
Ruxiang	유향	乳香
Sanbaicao	삼백초	三白草
Sangbaipi	상백피	桑白皮
Sangjisheng	상기생	桑寄生
Sangpiaoxiao	상표초	桑螵蛸
Sangshenzi	상심자	桑椹子
Sangye	상엽	桑葉
Sangzhi	상지	桑枝

Sankezhen	삼과침	三顆針		Tengligen	등리근	藤梨根
Sanleng	삼릉	三棱		Tianguazi	첨과자	甛瓜子
Sanqi	삼칠근	三七根		Tianhuafen	천화분	天花粉
Shancigu	산자고	山慈姑		Tianjiangke	천장각	天漿殻
Shandougen	산두근	山豆根		Tiankuizi	천규자	天葵子
Shanglu	상륙	商陸		Tianma	천마	天麻
Shanlangdang	스코폴리아근	山莨菪		Tianmendong	천문동	天門冬
Shannai	산내	山柰		Tiannanxing	천남성	天南星
Shanyao	산약	山藥		Tianshougen	천수근	天授根
Shanzha	산사	山樝		Tianxianteng	천선등	天仙藤
Shanzhuyu	산수유	山茱萸		Tianzhuhuang	천축황	天竺黃
Sharen	사인	砂仁		Tinglizi	정력자	葶藶子
Shashen	사삼	沙參		Tongcao	통초	通草
Shayuanjili	사원질려	沙苑蒺藜		Tongqing	동청	銅靑
Shechuangzi	사상자	蛇床子		Touguecao	투골초	透骨草
Shegan	사간	射干		Tufuling	토복령	土茯苓
Shemei	사매	蛇莓		Tugen	토근	吐根
Shengjiang	생강	生薑		Tumuxiang	토목향	土木香
Shengma	승마	升麻		Tusizi	토사자	菟絲子
Shenjincao	신근초	伸筋草		Walengzi	와릉자	瓦楞子
Shenqu	신곡	神麴		Wangbuliuxing	왕불류행	王不留行
Shexiang	사향	麝香		Wasong	와송	瓦松
Shichangpu	석창포	石菖蒲		Weilingcai	위릉채	萎陵菜
Shidi	시체	柿蒂		Weilingxian	위령선	威靈仙
Shigao	석고	石膏		Wojizi	와거자	萵苣子
Shihu	석곡	石斛		Wubeizi	오배자	五倍子
Shijianchuan	석견천	石見穿		Wugong	오공	蜈蚣
Shijueming	석결명	石決明		Wuguteng	오골등	烏骨藤
Shijunzi	사군자	使君子		Wujiapi	오가피	五加皮
Shiliupi	석류피	石榴皮		Wulingzhi	오령지	五靈脂
Shishangbai	석상백	石上柏		Wumei	오매	烏梅
Shiwei	석위	石韋		Wushaoshe	오초사	烏梢蛇
Shudihuang	숙지황	熟地黃		Wuweizi	오미자	五味子
Shuihonghuazi	수홍화자	水紅花子		Wuyao	오약	烏藥
Shuiniujiao	수우각	水牛角		Wuyi	무이	蕪荑
Shuiyangmeigen	수양매근	水楊梅根		Wuzhuyu	오수유	吳茱萸
Shuizhi	수질	水蛭		Xiahuixiang	소회향	小茴香
Shujiao	촉초	蜀椒		Xiakucao	하고초	夏枯草
Shukuihua	촉규화	蜀葵花		Xiangchacai	향다채	香茶菜
Sigualuo	사과락	絲瓜絡		Xiangfuzi	향부자	香附子
Sijiqing	사계청	四季靑		Xiangru	향유	香薷
Songhuafen	송화분	松花粉		Xianhecao	선학초	仙鶴草
Songjie	송절	松節		Xianmao	선모	仙茅
Songye	송엽	松葉		Xiaodoukou	소두구	小荳蔲
Suanzaoren	산조인	酸棗仁		Xiaoji	소계	小薊
Suhexiang	소합향	蘇合香		Xiebai	해백	薤白
Sumu	소목	蘇木		Xiguapi	서과피	西瓜皮
Suoyang	쇄양	鎖陽		Xihonghua	서홍화	西紅花
Suzi	소자	蘇子		Xijiao	서각	犀角
Taizishen	태자삼	太子參		Xingren	행인	杏仁
Tanxiang	단향	檀香		Xinyihua	신이	辛夷
Taoren	도인	桃仁		Xiongdan	웅담	熊膽

Xionghuang	웅황	雄黃
Xishu	희수	喜樹
Xixiancao	희렴초	豨薟草
Xixin	세신	細辛
Xiyangshen	서양삼	西洋參
Xuancaogen	훤초근	萱草根
Xuanfuhua	선복화	旋覆花
Xuanshen	현삼	玄參
Xuchanmgqing	서장경	徐長卿
Xudan	속단	續斷
Xuejie	혈갈	血竭
Xungufeng	순골풍	巡骨風
Xusuizi	속수자	續隨子
Yadanzi	아담자	鴉膽子
Yajuhua	야국화	野菊花
Yamaren	아마인	亞麻仁
Yangjinhua	양금화	洋金花
Yangqishi	양기석	陽起石
Yangrugen	양유근	羊乳根
Yangtigen	양제근	羊蹄根
Yanhusuo	현호색	玄胡索
Yazhicao	압척초	鴨跖草
Yeguanmen	야관문	夜關門
Yejiaoteng	야교등	夜交藤
Yemingsha	야명사	夜明砂
Yimucao	익모초	益母草
Yinchaihu	은시호	銀柴胡
Yinchenhao	인진호	茵陳蒿
Yindushemu	인도사목	印度蛇木
Yingshi	영실	營實
Yingsuqiao	앵속각	罌粟殼
Yingtaorou	앵도육	櫻桃肉
Yinxingye	은행엽	銀杏葉
Yinyanghuo	음양곽	淫羊藿
Yitang	이당	飴糖
Yiyiren	의이인	薏苡仁
Yizhiren	익지인	益智仁
Yuanhua	원화	芫花
Yuanzhi	원지	遠志
Yubaipi	유백피	榆白皮
Yuejihua	월계화	月季花
Yujiao	어교	魚膠
Yujin	울금	鬱金
Yuliren	욱리인	郁李仁
Yumixu	옥미수	玉米鬚
Yunaoshi	어뇌석	魚腦石
Yunmu	운모	雲母
Yuntaizi	운대자	蕓薹子
Yuxingcao	어성초	魚腥草
Yuyuliang	우여량	禹餘糧
Yuzhizi	예지자	預知子
Yuzhu	옥죽	玉竹

Zaojia	조협	皂莢
Zaojiaoci	조각자	皂角刺
Zaoshupi	조수피	棗樹皮
Zaoxiu	조휴	蚤休
Zelan	택란	澤蘭
Zeqi	택칠	澤漆
Zexie	택사	澤瀉
Zhangnao	장뇌	樟腦
Zhebeimu	절패모	浙貝母
Zhechong	자충	蟅蟲
Zhenzhu	진주	珍珠
Zhenzhumu	진주모	珍珠母
zhijuzi	지구자	枳椇子
Zhike	지각	枳殼
Zhimu	지모	知母
Zhishi	지실	枳實
Zhizi	치자	梔子
Zhongjiefeng	종절풍	腫節風
Zhudan	저담	猪膽
Zhujieshen	죽절삼	竹節參
Zhuli	죽력	竹瀝
Zhuling	저령	猪苓
Zhumagen	저마근	苧麻根
Zhuru	죽여	竹茹
Zhusha	주사	朱砂
Zhuye	죽엽	竹葉
Zibaipi	재백피	梓白皮
Zicao	자초	紫草
Ziheche	자하거	紫河車
Zihuadiding	자화지정	紫花地丁
Zirantong	자연동	自然銅
Zishiying	자석영	紫石英
Zisuye	자소엽	紫蘇葉
Ziwan	자완	紫菀
Zonglupi	종려피	棕櫚皮

처방명 대조표 (일본처방명-국내처방명)

1. 일본에서 발표된 한약 관련 논문은 Pubmed, J-stage 등의 검색시에도 일본어발음을 그대로 딴 처방명으로 표기하거나 또는 Tsumura(쯔무라)사의 한약제제 TJ시리즈 번호로 표기한 경우가 많아 이에 한글처방명 대조표를 실었습니다.

2. 일본내 타 제약회사의 한약제제의 경우에도 동일한 번호 기준으로 발매되는 경우가 대부분 이므로 참고하시기 바랍니다. 예를 들어 TJ-41, KB-41, EK-41, N41, H41 등은 모두 보중 익기탕(Hochuekkito) 과립제입니다. (제약사별 예외있음)

3. 일본한방생약제제협회 사이트(www.nikkankyo.org)에서 일본내 보험처방별 약품정보 및 사용설명서(PDF)의 다운로드가 가능합니다.

I-1   알파벳순 대조표

Anchusan	安中散	TJ-5
Bakumondoto	麥門冬湯	TJ-29
Bofutsushosan	防風通聖散	TJ-62
Boiogito	防己黃芪湯	TJ-20
Bukuryoin	茯苓飮	TJ-69
Bukuryoingohangekobokuto	茯苓飮合半夏厚朴湯	TJ-116
Byakkokaninjinto	白虎加人蔘湯	TJ-34
Chikujountanto	竹茹溫膽湯	TJ-91
Choijokito	調胃承氣湯	TJ-74
Choreito	猪苓湯	TJ-40
Choreitogoshimotsuto	猪苓湯合四物湯	TJ-112
Chotosan	釣藤散	TJ-47
Daibofuto	大防風湯	TJ-97
Daijokito	大承氣湯	TJ-133
Daikenchuto	大建中湯	TJ-100
Daiobotampito	大黃牡丹皮湯	TJ-33
Daiokanzoto	大黃甘草湯	TJ-84
Daisaikoto	大柴胡湯	TJ-8
Eppikajutsuto	越婢加朮湯	TJ-28
Gokoto	五虎湯	TJ-95
Goreisan	五苓散	TJ-17
Gorinsan	五淋散	TJ-56
Goshajinkigan	牛車腎氣丸	TJ-107
Goshakusan	五積散	TJ-63
Goshuyuto	吳茱萸湯	TJ-31
Hachimijiogan	八味地黃丸	TJ-7

Hainosankyuto	排膿散及湯	TJ-122
Hangebyakujutsutemmato	半夏白朮天麻湯	TJ-37
Hangekobokuto	半夏厚朴湯	TJ-16
Hangeshashinto	半夏瀉心湯	TJ-14
Heiisan	平胃散	TJ-79
Hochuekkito	補中益氣湯	TJ-41
Inchingoreisan	茵蔯五苓散	TJ-117
Inchinkoto	茵蔯蒿湯	TJ-135
Ireito	胃苓湯	TJ-115
Jidabokuippo	治打撲一方	TJ-89
Jiinkokato	滋陰降火湯	TJ-93
Jiinshihoto	滋陰至宝湯	TJ-92
Jinsoin	蔘蘇飲	TJ-66
Jizusoippo	治頭瘡一方	TJ-59
Jumihaidokuto	十味敗毒湯	TJ-6
Junchoto	潤腸湯	TJ-51
Juzentaihoto	十全大補湯	TJ-48
Kakkonto	葛根湯	TJ-1
Kakkontokasenkyushin'i	葛根湯加川芎辛夷	TJ-2
Kambakutaisoto	甘麥大棗湯	TJ-72
Kamikihito	加味歸脾湯	TJ-137
Kamishoyosan	加味逍遙散	TJ-24
Keigairengyoto	荊芥連翹湯	TJ-50
Keihito	啓脾湯	TJ-128
Keishibukuryogan	桂枝茯苓丸	TJ-25
Keishibukuryogankayokuinin	桂枝茯苓丸加薏苡仁	TJ-125
Keishikajutsubuto	桂枝加朮附湯	TJ-18
Keishikaryukotsuboreito	桂枝加竜骨牡蛎湯	TJ-26
Keishikashakuyakudaioto	桂枝加芍藥大黃湯	TJ-134
Keishikashakuyakuto	桂枝加芍藥湯	TJ-60
Keishininjinto	桂枝人蔘湯	TJ-82
Keishito	桂枝湯	TJ-45
Kihito	歸脾湯	TJ-65
Kikyoto	桔梗湯	TJ-138
Kososan	香蘇散	TJ-70
Kyukikyogaito	芎歸膠艾湯	TJ-77
Makyokansekito	麻杏甘石湯	TJ-55
Makyoyokukanto	麻杏薏甘湯	TJ-78
Maobushisaishinto	麻黃附子細辛湯	TJ-127
Maoto	麻黃湯	TJ-27
Mashiningan	麻子仁丸	TJ-126
Mokuboito	木防已湯	TJ-36
Nichinto	二陳湯	TJ-81
Nijutsuto	二朮湯	TJ-88
Ninjinto	人蔘湯	TJ-32
Ninjinyoeito	人蔘養榮湯	TJ-108
Nyoshinsan	女神散	TJ-67

Ogikenchuto	黃芪健中湯	TJ-98
Orengedokuto	黃連解毒湯	TJ-15
Orento	黃連湯	TJ-120
Otsujito	乙字湯	TJ-3
Rikkosan	立効散	TJ-110
Rikkunshito	六君子湯	TJ-43
Rokumigan	六味丸	TJ-87
Ryokankyomishineninto	苓甘姜味辛夏仁湯	TJ-119
Ryokeijutsukanto	苓桂朮甘湯	TJ-39
Ryokyojutsukanto	苓姜朮甘湯	TJ-118
Ryutanshakanto	龍膽瀉肝湯	TJ-76
Saibokuto	柴朴湯	TJ-96
Saikanto	柴陷湯	TJ-73
Saikokaryukotsuboreito	柴胡加龍骨牡蠣湯	TJ-12
Saikokeishikankyoto	柴胡桂枝乾姜湯	TJ-11
Saikokeishito	柴胡桂枝湯	TJ-10
Saikoseikanto	柴胡清肝湯	TJ-80
Saireito	柴苓湯	TJ-114
Sammotsuogonto	三物黃芩湯	TJ-121
San'oshashinto	三黃瀉心湯	TJ-113
Sansoninto	酸棗仁湯	TJ-103
Seihaito	清肺湯	TJ-90
Seijobofuto	清上防風湯	TJ-58
Seishinrenshiin	清心蓮子飮	TJ-111
Seishoekkito	清暑益氣湯	TJ-136
Senkyuchachosan	川芎茶調散	TJ-124
Shakanzoto	炙甘草湯	TJ-64
Shakuyakukanzoto	芍藥甘草湯	TJ-68
Shichimotsukokato	七物降下湯	TJ-46
Shigyakusan	四逆散	TJ-35
Shikunshito	四君子湯	TJ-75
Shimbuto	眞武湯	TJ-30
Shimotsuto	四物湯	TJ-71
Shimpito	神祕湯	TJ-85
Shin'iseihaito	辛夷清肺湯	TJ-104
Shiunkou	紫雲膏	TJ-501
Shofusan	消風散	TJ-22
Shohangekabukuryoto	小半夏加茯苓湯	TJ-21
Shokenchuto	小建中湯	TJ-99
Shomakakkonto	升麻葛根湯	TJ-101
Shosaikoto	小柴胡湯	TJ-9
Shosaikotokakikyosekko	小柴胡湯加桔梗石膏	TJ-109
Shoseiryuto	小青竜湯	TJ-19
Sokeikakketsuto	疎經活血湯	TJ-53
Tokakujokito	桃核承氣湯	TJ-61
Tokiinshi	當歸飮子	TJ-86
Tokikenchuto	當歸建中湯	TJ-123

Tokishakuyakusan	當歸芍藥散	TJ-23
Tokishigyakukagoshuyushokyoto	當歸四逆加吳茱萸生姜湯	TJ-38
Tokito	當歸湯	TJ-102
Tsudosan	通導散	TJ-105
Unkeito	温經湯	TJ-106
Unseiin	温清飲	TJ-57
Yokuininto	薏苡仁湯	TJ-52
Yokukansan	抑肝散	TJ-54
Yokukansankachimpihange	抑肝散加陳皮半夏	TJ-83

I-2 처방번호순 대조표 (일본내 타 제약사 제품도 동일번호순)

TJ-1	Kakkonto	葛根湯
TJ-2	Kakkontokasenkyushin'i	葛根湯加川芎辛夷
TJ-3	Otsujito	乙字湯
TJ-5	Anchusan	安中散
TJ-6	Jumihaidokuto	十味敗毒湯
TJ-7	Hachimijiogan	八味地黃丸
TJ-8	Daisaikoto	大柴胡湯
TJ-9	Shosaikoto	小柴胡湯
TJ-10	Saikokeishito	柴胡桂枝湯
TJ-11	Saikokeishikankyoto	柴胡桂枝乾姜湯
TJ-12	Saikokaryukotsuboreito	柴胡加竜骨牡蠣湯
TJ-14	Hangeshashinto	半夏瀉心湯
TJ-15	Orengedokuto	黃連解毒湯
TJ-16	Hangekobokuto	半夏厚朴湯
TJ-17	Goreisan	五苓散
TJ-18	Keishikajutsubuto	桂枝加朮附湯
TJ-19	Shoseiryuto	小青竜湯
TJ-20	Boiogito	防已黃耆湯
TJ-21	Shohangekabukuryoto	小半夏加茯苓湯
TJ-22	Shofusan	消風散
TJ-23	Tokishakuyakusan	當歸芍藥散
TJ-24	Kamishoyosan	加味逍遙散
TJ-25	Keishibukuryogan	桂枝茯苓丸
TJ-26	Keishikaryukotsuboreito	桂枝加竜骨牡蠣湯
TJ-27	Maoto	麻黃湯
TJ-28	Eppikajutsuto	越婢加朮湯
TJ-29	Bakumondoto	麥門冬湯
TJ-30	Shimbuto	眞武湯
TJ-31	Goshuyuto	吳茱萸湯
TJ-32	Ninjinto	人蔘湯
TJ-33	Daiobotampito	大黃牡丹皮湯
TJ-34	Byakkokaninjinto	白虎加人蔘湯

TJ-35	Shigyakusan	四逆散
TJ-36	Mokuboito	木防已湯
TJ-37	Hangebyakujutsutemmato	半夏白朮天麻湯
TJ-38	Tokishigyakukagoshuyushokyoto	當歸四逆加吳茱萸生姜湯
TJ-39	Ryokeijutsukanto	苓桂朮甘湯
TJ-40	Choreito	猪苓湯
TJ-41	Hochuekkito	補中益氣湯
TJ-43	Rikkunshito	六君子湯
TJ-45	Keishito	桂枝湯
TJ-46	Shichimotsukokato	七物降下湯
TJ-47	Chotosan	釣藤散
TJ-48	Juzentaihoto	十全大補湯
TJ-50	Keigairengyoto	莉芥連翹湯
TJ-51	Junchoto	潤腸湯
TJ-52	Yokuininto	薏苡仁湯
TJ-53	Sokeikakketsuto	疎經活血湯
TJ-54	Yokukansan	抑肝散
TJ-55	Makyokansekito	麻杏甘石湯
TJ-56	Gorinsan	五淋散
TJ-57	Unseiin	溫清飮
TJ-58	Seijobofuto	清上防風湯
TJ-59	Jizusoippo	治頭瘡一方
TJ-60	Keishikashakuyakuto	桂枝加芍藥湯
TJ-61	Tokakujokito	桃核承氣湯
TJ-62	Bofutsushosan	防風通聖散
TJ-63	Goshakusan	五積散
TJ-64	Shakanzoto	炙甘草湯
TJ-65	Kihito	歸脾湯
TJ-66	Jinsoin	蔘蘇飮
TJ-67	Nyoshinsan	女神散
TJ-68	Shakuyakukanzoto	芍藥甘草湯
TJ-69	Bukuryoin	茯苓飮
TJ-70	Kososan	香蘇散
TJ-71	Shimotsuto	四物湯
TJ-72	Kambakutaisoto	甘麥大棗湯
TJ-73	Saikanto	柴陷湯
TJ-74	Choijokito	調胃承氣湯
TJ-75	Shikunshito	四君子湯
TJ-76	Ryutanshakanto	龍膽瀉肝湯
TJ-77	Kyukikyogaito	芎歸膠艾湯
TJ-78	Makyoyokukanto	麻杏薏甘湯
TJ-79	Heiisan	平胃散
TJ-80	Saikoseikanto	柴胡清肝湯
TJ-81	Nichinto	二陳湯
TJ-82	Keishininjinto	桂枝人蔘湯
TJ-83	Yokukansankachimpihange	抑肝散加陳皮半夏
TJ-84	Daiokanzoto	大黃甘草湯

TJ-85	Shimpito	神祕湯
TJ-86	Tokiinshi	當歸飲子
TJ-87	Rokumigan	六味丸
TJ-88	Nijutsuto	二朮湯
TJ-89	Jidabokuippo	治打撲一方
TJ-90	Seihaito	清肺湯
TJ-91	Chikujountanto	竹茹温膽湯
TJ-92	Jiinshihoto	滋陰至宝湯
TJ-93	Jiinkokato	滋陰降火湯
TJ-95	Gokoto	五虎湯
TJ-96	Saibokuto	柴朴湯
TJ-97	Daibofuto	大防風湯
TJ-98	Ogikenchuto	黄芪健中湯
TJ-99	Shokenchuto	小建中湯
TJ-100	Daikenchuto	大建中湯
TJ-101	Shomakakkonto	升麻葛根湯
TJ-102	Tokito	當歸湯
TJ-103	Sansoninto	酸棗仁湯
TJ-104	Shin'iseihaito	辛夷清肺湯
TJ-105	Tsudosan	通導散
TJ-106	Unkeito	温經湯
TJ-107	Goshajinkigan	牛車腎氣丸
TJ-108	Ninjinyoeito	人參養榮湯
TJ-109	Shosaikotokakikyosekko	小柴胡湯加桔梗石膏
TJ-110	Rikkosan	立效散
TJ-111	Seishinrenshiin	清心蓮子飲
TJ-112	Choreitogoshimotsuto	猪苓湯合四物湯
TJ-113	San'oshashinto	三黄瀉心湯
TJ-114	Saireito	柴苓湯
TJ-115	Ireito	胃苓湯
TJ-116	Bukuryoingohangekobokuto	茯苓飲合半夏厚朴湯
TJ-117	Inchingoreisan	茵蔯五苓散
TJ-118	Ryokyojutsukanto	苓姜朮甘湯
TJ-119	Ryokankyomishingeninto	苓甘姜味辛夏仁湯
TJ-120	Orento	黄連湯
TJ-121	Sammotsuogonto	三物黄芩湯
TJ-122	Hainosankyuto	排膿散及湯
TJ-123	Tokikenchuto	當歸建中湯
TJ-124	Senkyuchachosan	川芎茶調散
TJ-125	Keishibukuryogankayokuinin	桂枝茯苓丸加薏苡仁
TJ-126	Mashiningan	麻子仁丸
TJ-127	Maobushisaishinto	麻黄附子細辛湯
TJ-128	Keihito	啓脾湯
TJ-133	Daijokito	大承氣湯
TJ-134	Keishikashakuyakudaioto	桂枝加芍藥大黄湯
TJ-135	Inchinkoto	茵蔯蒿湯
TJ-136	Seishoekkito	清暑益氣湯

| TJ-137 | Kamikihito | 加味歸脾湯 |
| TJ-138 | Kikyoto | 桔梗湯 |

I-3 처방명(가나다순) 대조표

加味歸脾湯	Kamikihito	TJ-137
加味逍遙散	Kamishoyosan	TJ-24
葛根湯	Kakkonto	TJ-1
葛根湯加川芎辛夷	Kakkontokasenkyushin'i	TJ-2
甘麥大棗湯	Kambakutaisoto	TJ-72
啓脾湯	Keihito	TJ-128
桂枝加竜骨牡蛎湯	Keishikaryukotsuboreito	TJ-26
桂枝加芍藥大黃湯	Keishikashakuyakudaioto	TJ-134
桂枝加芍藥湯	Keishikashakuyakuto	TJ-60
桂枝加朮附湯	Keishikajutsubuto	TJ-18
桂枝茯苓丸	Keishibukuryogan	TJ-25
桂枝茯苓丸加薏苡仁	Keishibukuryogankayokuinin	TJ-125
桂枝人蔘湯	Keishininjinto	TJ-82
桂枝湯	Keishito	TJ-45
芎歸膠艾湯	Kyukikyogaito	TJ-77
歸脾湯	Kihito	TJ-65
桔梗湯	Kikyoto	TJ-138
女神散	Nyoshinsan	TJ-67
當歸建中湯	Tokikenchuto	TJ-123
當歸四逆加吳茱萸生姜湯	Tokishigyakukagoshuyushokyoto	TJ-38
當歸飮子	Tokiinshi	TJ-86
當歸芍藥散	Tokishakuyakusan	TJ-23
當歸湯	Tokito	TJ-102
大建中湯	Daikenchuto	TJ-100
大防風湯	Daibofuto	TJ-97
大承氣湯	Daijokito	TJ-133
大柴胡湯	Daisaikoto	TJ-8
大黃甘草湯	Daiokanzoto	TJ-84
大黃牡丹皮湯	Daiobotampito	TJ-33
桃核承氣湯	Tokakujokito	TJ-61
苓甘姜味辛夏仁湯	Ryokankyomishingeninto	TJ-119
苓姜朮甘湯	Ryokyojutsukanto	TJ-118
苓桂朮甘湯	Ryokeijutsukanto	TJ-39
龍膽瀉肝湯	Ryutanshakanto	TJ-76
六君子湯	Rikkunshito	TJ-43
六味丸	Rokumigan	TJ-87
立效散	Rikkosan	TJ-110
麻子仁丸	Mashiningan	TJ-126
麻杏甘石湯	Makyokansekito	TJ-55
麻杏薏甘湯	Makyoyokukanto	TJ-78

麻黃附子細辛湯	Maobushisaishinto	TJ-127
麻黃湯	Maoto	TJ-27
麥門冬湯	Bakumondoto	TJ-29
木防已湯	Mokuboito	TJ-36
半夏白朮天麻湯	Hangebyakujutsutemmato	TJ-37
半夏瀉心湯	Hangeshashinto	TJ-14
半夏厚朴湯	Hangekobokuto	TJ-16
防己黃芪湯	Boiogito	TJ-20
防風通聖散	Bofutsushosan	TJ-62
排膿散及湯	Hainosankyuto	TJ-122
白虎加人蔘湯	Byakkokaninjinto	TJ-34
補中益氣湯	Hochuekkito	TJ-41
茯苓飲	Bukuryoin	TJ-69
茯苓飲合半夏厚朴湯	Bukuryoingohangekobokuto	TJ-116
四君子湯	Shikunshito	TJ-75
四物湯	Shimotsuto	TJ-71
四逆散	Shigyakusan	TJ-35
酸棗仁湯	Sansoninto	TJ-103
三物黃芩湯	Sammotsuogonto	TJ-121
蔘蘇飲	Jinsoin	TJ-66
三黃瀉心湯	San'oshashinto	TJ-113
小建中湯	Shokenchuto	TJ-99
疎經活血湯	Sokeikakketsuto	TJ-53
小半夏加茯苓湯	Shohangekabukuryoto	TJ-21
小柴胡湯	Shosaikoto	TJ-9
小柴胡湯加桔梗石膏	Shosaikotokakikyosekko	TJ-109
小青竜湯	Shoseiryuto	TJ-19
消風散	Shofusan	TJ-22
升麻葛根湯	Shomakakkonto	TJ-101
柴苓湯	Saireito	TJ-114
柴朴湯	Saibokuto	TJ-96
柴陷湯	Saikanto	TJ-73
柴胡加龍骨牡蠣湯	Saikokaryukotsuboreito	TJ-12
柴胡桂枝乾姜湯	Saikokeishikankyoto	TJ-11
柴胡桂枝湯	Saikokeishito	TJ-10
柴胡清肝湯	Saikoseikanto	TJ-80
神祕湯	Shimpito	TJ-85
辛夷清肺湯	Shin'iseihaito	TJ-104
十味敗毒湯	Jumihaidokuto	TJ-6
十全大補湯	Juzentaihoto	TJ-48
安中散	Anchusan	TJ-5
抑肝散	Yokukansan	TJ-54
抑肝散加陳皮半夏	Yokukansankachimpihange	TJ-83
五苓散	Goreisan	TJ-17
五淋散	Gorinsan	TJ-56
呉茱萸湯	Goshuyuto	TJ-31
五積散	Goshakusan	TJ-63

五虎湯	Gokoto	TJ-95
溫經湯	Unkeito	TJ-106
溫淸飮	Unseiin	TJ-57
牛車腎氣丸	Goshajinkigan	TJ-107
越婢加朮湯	Eppikajutsuto	TJ-28
胃苓湯	Ireito	TJ-115
潤腸湯	Junchoto	TJ-51
乙字湯	Otsujito	TJ-3
薏苡仁湯	Yokuininto	TJ-52
二陳湯	Nichinto	TJ-81
二朮湯	Nijutsuto	TJ-88
茵蔯五苓散	Inchingoreisan	TJ-117
茵蔯蒿湯	Inchinkoto	TJ-135
人蔘養榮湯	Ninjinyoeito	TJ-108
人蔘湯	Ninjinto	TJ-32
炙甘草湯	Shakanzoto	TJ-64
紫雲膏	Shiunkou	TJ-501
滋陰降火湯	Jiinkokato	TJ-93
滋陰至寶湯	Jiinshihoto	TJ-92
芍藥甘草湯	Shakuyakukanzoto	TJ-68
猪苓湯	Choreito	TJ-40
猪苓湯合四物湯	Choreitogoshimotsuto	TJ-112
釣藤散	Chotosan	TJ-47
調胃承氣湯	Choijokito	TJ-74
竹茹溫膽湯	Chikujountanto	TJ-91
眞武湯	Shimbuto	TJ-30
川芎茶調散	Senkyuchachosan	TJ-124
淸上防風湯	Seijobofuto	TJ-58
淸暑益氣湯	Seishoekkito	TJ-136
淸心蓮子飮	Seishinrenshiin	TJ-111
淸肺湯	Seihaito	TJ-90
治頭瘡一方	Jizusoippo	TJ-59
治打撲一方	Jidabokuippo	TJ-89
七物降下湯	Shichimotsukokato	TJ-46
通導散	Tsudosan	TJ-105
八味地黃丸	Hachimijiogan	TJ-7
平胃散	Heiisan	TJ-79
香蘇散	Kososan	TJ-70
荊芥連翹湯	Keigairengyoto	TJ-50
黃芪健中湯	Ogikenchuto	TJ-98
黃連湯	Orento	TJ-120
黃連解毒湯	Orengedokuto	TJ-15

J 주요 인터넷 사이트

※ (S)는 주요내용 열람시 유료구독(subscription)이 필요한 사이트입니다. 개인별 유료구독을 하거나
또는 해당사이트와 기관접속(institutional access)이 계약된 주요 병원 의학도서관 또는 대학도서관
등을 통해 무료로 이용할 수 있습니다.

※ (중), (일)로 표기된 사이트는 각각 중국어, 일본어 기반의 웹사이트임을 의미합니다.

1) 의학용어, 약물 검색

www.kmle.co.kr	의학용어 및 약어 검색의 대표적인 사이트
www.druginfo.co.kr	약물검색 및 식별시 활용
kimsonline.co.kr	약물검색 및 식별시 활용
www.health.kr	약물검색 및 식별. 약학정보원에서 운영. 한약관련정보도 제공
(중) www.dictall.com	중국어 과학기술사전. 의학, 생물학용어의 중국어-영어 검색가능
(중) dict.cnki.net	인문철학, 과학기술용어 등의 중국어-영어 상호번역 및 예문 제공

2) 최신의학정보, 자료 및 임상지침 검색

www.medscape.com		각종 질병정보, 최신의학정보와 뉴스, 의학교육자료 등을 통합 제공
www.uptodate.com	(S)	각종 저널과 텍스트북을 바탕으로 최신지견이 수시로 업데이트
www.curehunter.com	(S)	각 질환별 관련약물과 치료법에 대한 정보, 논문요약자료 제공
www.accessmedicine.com	(S)	유명 의학서적(Harrison, Lange 시리즈 등) 열람 및 스크랩 가능
www.mdconsult.com	(S)	역시 주요 의학서적(Cecil. Sabiston, Nelson 등) 검색 및 스크랩이 가능하며 검색어에 대한 논문, 환자교육자료 등의 다운로드도 가능
www.dynamed.com	(S)	최신의학정보 및 진료가이드라인을 체계화된 트리식 구조로 제공
www.wikipedia.org		온라인 백과사전으로 의학, 생물과학 분야도 항목별로 정리되어 있음
www.guideline.or.kr		대한의학회에서 제공하는 각 질환별 국내 임상진료지침
www.guideline.gov		미국 정부기관 산하의 AHRQ에서 제공하는 임상진료지침
www.nice.org.uk		영국 국립기관 NICE(national institute for health and clinical excellence)에서 제공하는 임상진료지침
www.nccn.org		각종 종양관련 임상지침 제공. 미국내 21개 암센터로 구성된 비영리기구 NCCN(national comprehensive cancer network)에서 운영.
nccam.nih.gov		미국 NIH에서 운영. 미국내 대체의학 관련 정보 제공

3) 한의학 관련 자료, 논문 검색

www.koreantk.com	특허청 제공. 약재/처방/화합물뿐 아니라 한의학 논문 검색도 가능
oasis.kiom.re.kr	한의학 학술논문 및 각종 한의학통계에 대한 검색 가능
jisik.kiom.re.kr	한국한의학연구원에서 운영. 각종 고문헌 등에 대한 온라인열람 가능
boncho.kiom.re.kr	한국한의학연구원에서 운영. 각종 본초기원, 학명, 감별자료 제공
www.mfds.go.kr/herbmed	식품의약품안전처 생약종합정보시스템으로 각종 한약재 관련 DB 수록, 국내약전(KP) 및 진위감별 자료 포함.
(중) www.cnki.net (S)	(Chinese National Knowledge Infrastructure) 중국의 대표적인 과학기술 관련 논문 검색사이트. 영어, 중국어 검색가능
(중) med.wanfangdata.com.cn (S)	만방의학망(萬方醫學網)에서 제공하는 의학논문전용 검색엔진
(중) lib.cqvip.com (S)	과학기술 논문전용 검색사이트로서 생물학, 의학관련 논문검색도 제공
(중) www.zysj.com.cn	각종 고전문헌, 본초, 처방 등에 관한 종합적인 정보제공
(중) www.zygby.com	황제내경에서 근대의 의서까지 대부분의 문헌 원문을 텍스트로 제공
(일) www.jstage.jst.go.jp	일본의 과학기술 관련논문 검색용. 영어 및 일본어전용으로 구별
(일) ci.nii.ac.jp	일본 국립정보학연구소의 논문검색 사이트. 영어 및 일본어 검색가능
(일) www.jsom.or.jp	일본동양의학회. 한의학 RCT 논문에 기반한 EBM자료 및 진료지침 제공
(일) www.nikkankyo.org	일본한방생약제제협회. 일본내 보험처방 자료 및 첨부문서 제공

4) 일반논문(의학, 생물학) 검색

www.pubmed.com	미국 NIH에서 운영하는 가장 대표적인 의학/생물학 논문검색서비스.
www.embase.com (S)	Elsevier에서 제공하는 논문검색서비스. 의학/약물 검색에 유용.
www.scopus.com (S)	의학, 기술과학, 사회과학 등을 포함하는 세계 최대의 논문 DB 중 하나로 저자 검색시 특히 유용하며 기관명, 공저자 등의 검색조건도 가능
thecochranelibrary.com (S)	근거중심의학을 지향하며 각종 주제별 Systematic Review 제공
scholar.google.co.kr	구글 학술검색. 한국어, 영어뿐 아니라 다양한 언어로 검색 가능
academic.naver.com	네이버 전문정보. 각종 학술지, 논문에 관한 다양한 자료 제공
www.ndsl.kr	한국과학기술정보연구원 운영. 각종 논문, 연구보고, 특허정보 제공
kiss.kstudy.com (S)	한국학술정보 제공. 학술지 검색 및 원문PDF 열람.
www.riss4u.net (S)	한국교육학술정보원 제공. 학술지 외에 학위논문 원문 등도 제공
www.nanet.go.kr	국회도서관사이트. 대학원논문 검색 및 PDF 제공 + 국내저널 검색

부록

약어 및 색인

* 병원내 상용약어들의 의미 위주로 실었으며 본 책자 내용 이외의 약어풀이는 약어사전이나 인
  터넷검색 등을 별도로 활용하시기 바랍니다. 일부 약어들의 경우 병원마다 의미가 다르게 사
  용될 수 있습니다.
* &(=and)기호는 알파벳 A에 준하여 기재하였습니다.

A

A	평가, 사정 Assessment
AAA	복부대동맥류 Abdominal Aortic Aneurysm
AAP	(약물) 아세트아미노펜 Acetaminophen (=Tylenol)
Ab	항체 Antibody
Abd	복부 Abdomen
ABGA	동맥혈가스분석 Arterial Blood Gas Analysis
ABR	절대안정 Absolute Bed Rest
a.c.	식전, 식전복용 Ante cibum (=Before meals)
ACA	전대뇌동맥 anterior cerebral artery
ACEI	(약물) 안지오텐신 전환효소 억제제 Angiotensin-converting enzyme inhibitor
ACLS	전문심장소생술 Advanced cardiovascular life support
ACTH	부신피질자극 호르몬 Adrenocorticotropic hormone
Acup.	침치료, 침술 Acupuncture
AD	1) 오른쪽 귀 Auris dextra 2) 알츠하이머병 Alzheimer's disease 3) 아토피성 피부염 Atopic dermatitis
ADF	발목 배측굴곡 Ankle dorsiflexion
ADH	비정형 관상증식증 Atypical ductal hyperplasia
ADHD	주의력 결핍 행동과다 장애 Attention Deficit Hyperactivity Disorder

ad lib	원하는대로 ad libitum (=at pleasure)
AGA	정상체중아, 신생아 Appropriate for Gestational Age
Adm	입원 Admission
ADL	일상생활동작 Activities of daily living
Af (AF)	1) 심방세동 artrial fibrillation (Af) 2) 심방조동 artrial flutter (AF)
AFB	항산균 (결핵검사) Acid-Fast Bacillus
Ag	항원 Antigen
AGE	급성 위장관염(장염) Acute gastroenteritis
AI	대동맥 판막기능부전 Aortic Insufficiency
A/J	발목반사 Ankle Jerk
AKA	무릎위 절단 Above-knee amputation
AKI	급성신손상 Acute kidney injury
Alb	알부민 Albumin
ALIF	전방 요추체간 유합술 Anterior lumbar interbody fusion
ALL	급성 림프구성 백혈병 Acute Lymphocytic Leukemia
AMA	거역퇴원, 의사조언거부 Against Medical Advice
AMI	급성심근경색 Acute Myocardial Infarction
AML	급성 골수성 백혈병 Acute Myelogenous Leukemia
amp	앰플 ampule

AN	간호조무사 Assistant Nurse
ANE	[진료과] 마취과 Anesthetics
ant	전방의 anterior
A/N/V/D/C	식욕부진, 오심, 구토, 설사, 변비 Anorexia/ Nausea/ Vomiting/ Diarrhea/ Constipation
AOM	급성중이염 Acute Otitis Media
AP	전-후 방향의 Anteroposterior
APCT	복부-골반 CT Abdominopelvic CT
aq	물, 수분 water
ARF	급성신부전 Acute Renal Failure
AS	1) 왼쪽 귀 Auris sinistra 2) 대동맥협착 Aortic stenosis
ASA	(약물) 아스피린 Acetylsalicylic acid
AU	양쪽 귀 Auris unitas

B

BAC	기관지폐포암종 Bronchoalveolar Carcinoma
BBB	1) 혈액뇌장벽 blood-brain barrier 2) 각차단 bundle branch block
BBT	기초체온 Basal body temperature
B/C	생화학검사 BioChemistry test
BDZ	(약물) 벤조다이아제핀 Benzodiazepine
b.i.d.	하루에 두번 Bis in die (=twice daily)
b.i.n.	하룻밤에 두번 Bis in nocte (=twice a night)
BKA	무릎아래 절단 Below-knee amputation
BLS	기본인명구조술 (CPR) Basic Life Support
BMD	골밀도검사 Bone mineral density
BMF	모유수유 Breast milk feeding

BMR	기초대사율 Basal Metabolic Rate
BP	혈압 Blood Pressure
BPB	상완신경총 블록 Brachial plexus block
BPH	전립선비대증 Benign Prostatic Hypertrophy
BR	침상안정 Bed Rest
BST	혈당검사 Blood Sugar Test
BT	체온 Body Temperature
BTDF	엄지발가락 배측굴곡 Big toe dorsiflexion
BUN	혈중요소질소 (신기능검사) Blood Urea Nitrogen
BW	체중 Body Weight
Bx	생검 Biopsy

C

c	~와 함께 Cum (=with)
Ca	암, 종양 cancer, carcinoma
CABG	관상동맥 우회술 Coronary artery bypass graft
CAD	관상동맥질환 Coronary Artery Disease
cap	캡슐 Capsule
CB	미추 경막외 신경차단술 Caudal block
CBC	전체혈구계산 (전혈검사) Complete blood count
C/C	주호소증상, 주소증 Chief Complaint
CCB	(약물) 칼슘통로차단제 Calcium channel blocker
CCU	심질환 집중치료실 Cardiac(coronary) Care Unit
CFS	대장내시경검사 Colonofibroscopy (=colonoscopy)
CG	방광조영술 Cystography
CHF	울혈성 심부전 Congestive Heart Failure
CHOP	(항암약물요법)

	Cyclophosphamide + adriamycin + vincristin + prednisolone
CIC	청결간헐도뇨 Clean intermittent catheterization
CIS	상피내 암종 Caicinoma in situ
CIV	지속정맥주입 continuous intravenous infusion
CIx	금기증 Contraindication
CKD	만성신질환 Chronic kidney disease
C-Line	중심정맥관 Central line
CLL	만성림프구성 백혈병 Chronic Lymphocytic Leukemia
CLO test	요소분해효소검사(헬리코박터 검사) Camplyobacter-like organism test
CNS	중추신경계 Central Nervous System
COPD	만성폐쇄성 폐질환 Chronic Obstructive Pulmonary Disease
CP	1)뇌성마비 Cerebral palsy 2)주요문제 Chief problem
CPAP	지속성 기도 양압환기 Continuous positive airway pressure
CPR	심폐소생술 Cardio-Pulmonary Resuscitation
CRF	만성신부전 Chronic Renal Failure
C/S	1) 제왕절개술 Cesarean Section 2) 흉부외과 Chest surgery
CSF	뇌척수액 CerebroSpinal Fluid
CSM	뇌척수막염 CerebroSpinal Meningitis
CSR	중앙공급실 Central Supply Room
CSM	경추증성 척수증 Cervical Spondylotic Myelopathy
C/S/R	기침, 객담, 콧물 Cough/Sputum/Rhinorrhea
CTx	항암치료 Chemotherapy Treatment
CV	심혈관계의 CardioVascular
CVA	1) 뇌혈관사고, 뇌졸중, 중풍 Cerebral Vascular Accident 2) 늑골척추각

	CostoVertebra Angle
CVD	심혈관질환 CardioVascular Disease
CVP	중심정맥압 Central venous thrombosis
CVS	심혈관계 CardioVascular System
C/W	~와 부합하는, ~와 일치하는 Consistent with
Cx	1)부작용 Complication 2)자궁경부 Cervix 3)배양검사 Culture
CXR	흉부 X선검사 Chest x-ray

D

D&C	자궁소파술 Dilatation and Culettage
DAMA	거역퇴원 Discharge Against Medical Advice
D/C	1) 퇴원 Discharge 2) 중단 Discontinue 3) 혈구감별계산 Differential Count
DCIS	유관상피내암 Ductal carcinoma in situ
DDD	퇴행성 디스크질환 Degenerative disc disease
DDx	감별진단 Differential Diagnosis
DER	[진료과] 피부과 Dermatology
DI	요붕증 Diabetes Insipidus
DIC	파종성 혈관내 응고장애 Disseminated intravascular coagulation
diff	혈구 감별계산 Differential count
dil	묽은, 희석된 Dilute
DJD	퇴행성 관절질환 Degenerative joint disease
DKA	당뇨병성 케톤산증 Diabetic Ketoacidosis
DM	당뇨병 Diabetes Mellitus
DNR	심폐소생술 금지 Do Not Resuscitate
DOA	도착시 사망 Dead On Arrival
DOB	출생일

	Date of Birth
DOC	1차 선택약, 우선적 선택약 Drug of Choice
DOE	운동성 호흡곤란 Dyspnea on exertion
DPN	1) 원위부 대칭성 다발신경병증 Distal symmetric polyneuropathy 2) 당뇨병성 말초신경병증 Diabetic peripheral neuropathy
DRE	직장수지검사 Digital Rectal Exam
D/S	(약물) 포도당생리식염액 Dextrose in Saline
DT	진정성 섬마 Delirium Tremens
DTR	심부건반사Delirium Tremens Deep Tendon Reflex
DVT	심부정맥혈전증 Deep vein thrombosis
DW	1) (약물) 포도당수액 Dextrose in Water 2) 증류수 Distilled Water
Dx	진단 Diagnosis

E

EB	탄력붕대 Elastic Band
ECG (EKG)	심전도 Electrocadiogram
ECHO	심초음파 Echocardiogram
ECMO	체외막 산소화법 Extracorporeal membrane oxygenator
ED	[진료과] 응급의학과 Emergency Department
EDB	경막외차단, 경막외블록 Epidural block
EDH	경막외혈종 Epidural Hematoma
EDC	분만예정일 Estimated Date of Confinement
EDD	분만예정일 Estimated Date of Delivery
EDH	경막외 출혈 Epidural hemorrhage
EEG	뇌파도, 뇌전도 Electroencephalogram
EF	(심초음파검사) 박출률, 박출분율 Ejection Fraction
EGC	조기위암

	Early gastric cancer
EGD	위내시경 (≒GFS) Esophagogastroduodenoscopy
EKG	심전도검사 Electrocardiogram
EMG	근전도검사 Electromyogram
EMR	1)전자의무기록 Electronic medical record 2)내시경적 점막절제술 Endosopic mucosal resection
E.N.T.	[진료과] 이비인후과 Ear, Nose and Throat
EOM	안구운동 Extraocular movement
ER	응급실 Emergency Room
ESR	적혈구침강속도 검사 Erythrocyte Sedimentation Rate
ESRD	말기 신질환 End Stage Renal Disease
EUS	내시경 초음파 Endoscopic ultrasound
EVL	식도정맥류 결찰 Endoscopic variceal ligation
ext	1) 추출물 extract 2) 팔다리, 사지 extremity

F

F	화씨 온도 Fahrenheit
FBS	공복혈당 Fasting blood sugar
F/C	1) 폴리 도뇨관 Foley Catheter 2) 발열/오한 Fever/Chill
FCC	섬유낭성변화 (유방검사) Fibrocystic change
FEES	내시경적연하검사 Fiberoptic Endoscopic Evaluation of Swallowing
FFP	신선냉동혈장 Fresh Frozen Plasma
F/G	손가락관장, 글리세린관장 Finger & Glycerin enema
F/H	가족력 Family history
FiO2	흡입산소농도 Fraction of inspired oxygen
FM	[진료과] 가정의학 Family Medicine
FSH	난포자극 호르몬

	Follicle stimulating hormone
f/u	추적검사, 추적진료
	Follow up
FUO	원인불명열
	Fever of Unknown Origin
Fx	골절
	Fracture

G

G/A	전신마취 General anesthesia
	전반적 외모 General appearance
GB	담낭, 쓸개
	GallBladder
GCS	글래스고 혼수척도
	Glasgow Coma Scale
GERD	위식도 역류질환
	Gastroesophageal reflux disease
GFR	사구체 여과율
	Glomerular filtration rate
GFS	위내시경 검사 (≒EGD)
	Gastrofibroscopy
GGT	감마글루타민 전이효소
	Gamma(γ) glutamyl transferase
GI	위장관계의
	GastroIntestinal
GN	사구체신염
	Glomerulonephritis
GP	1)일반진료의 General Practitioner
	2)재태기간 Gestational period
	3)임신/출산력 Gravida/para
Gr.	단계
	Grade
grav	임신의
	gravida(=pregnancy)
GS	[진료과] 일반외과
	General surgery
GTT	당부하검사
	Glucose Tolerance Test
gtt	방울, 점적(點滴)
	guttae(=drops)
GY	부인과
	Gynecology

H

H2RA	H2 수용체 길항제 Histamine 2
	Receptor Antagonist
HA	두통
	Headache
H&P	병력청취 및 신체검사
	History & Physical exam
Hb,Hgb	헤모글로빈

	Hemoglobin
HBV	B형 간염 바이러스
	Hepatitis B Virus
HCC	간세포암
	Hepatocellular Carcinoma
Hct	헤마토크리트, 적혈구용적
	Hematocrit
HCV	C형 간염 바이러스
	Hepatitis C Virus
HCVD	고혈압성 심혈관질환
	Hypertensive CardioVascular
	Disease
HD	1)혈액투석 Hemodialysis
	2)심장병 Heart disease
HEENT	머리, 눈, 귀, 코, 인후부
	Head,eyes,ears,nose and throat
HIVD	추간판탈출증
	Herniation of InterVertebral Disc
HNP	수핵 탈출증
	Herniated nucleus pulposus
H/O	~의 과거력을 가진
	History of
h.p.f.	고배율
	High power field
HR	심박수
	Heart Rate
HRT	호르몬 대체요법
	Hormone replacement therapy
Hs,hs	취침전에
	hora somni(=at bedtime)
Ht	키, 신장
	Height
HTN	고혈압
	Hypertension
Hx	병력
	History

I

IBS	과민성 대장증후군
	Irritable Bowel Syndrome
ICF	세포내액
	Intra-cellular fluid
ICH	뇌내출혈
	Intra-cerebral Hemorrhage
ICP	두개내압
	Intra-cranial Pressure
ICS	흡입형 스테로이드제
	Inhaled Corticosteroid
ICU	집중치료실, 중환자실
	Intensive Care Unit
I&D	절개배농술

	Incision and Drainage
IDC	침윤성 관암종 Infiltrating ductal carcinoma
IDD	1)디스크내장증 Internal Disc Disruption 2)디스크내장증 Internal derangement of disc
IDDM	인슐린의존형 당뇨병 Insulin Dependent DM
IGT	내당능장애 Impaired glucose tolerance
IM	1) 근육내의 Intramuscularly 2) 내과 Internal Medicine
Imp	인상, 추정병명 Impression
inf	1)경색 infarction 2)하부의 inferior
Inj	주사, 접종 injection
I/O	섭취량/배설량 Input/Output
IOP	안압 Intra Ocular Pressure
IRB	임상시험 심사위원회 Institutional review board
IU	1) 국제단위 International Unit 2) 면역단위 Immunizing Unit
IUCD	자궁내 피임장치 Intrauterine contraceptive device
IUD	자궁내 (피임)장치 Intrauterine Device
IV	정맥내의 Intravenous
IVF	체외수정, 시험관수정 In Vitro Fertilization
IVH	뇌실내출혈 Intraventricular Hemorrhage
IVP	정맥신우조영사진 Intravenous Pyelogram
Ix	적응증 Indication

K

K/J	무릎반사 Knee Jerk
KUB	신-뇨관-방광 단순X선촬영 Kidney Ureter Bladder
KVO	정맥내 주사로 확보 keep vein open

L

L/A	1)국소마취 Local anesthesia 2)좌심방 Left atrium
Lab	실험실, 검사실 Laboratory
LABA	지속성 베타2항진제 Long-acting Beta2 agonist
LAMA	지속성 무스카린 작용제 Long- acting Muscarinic Antagonist
LAR	저위전방절제술 (직장암수술) Low anterior resection
Lat,	외측, 가측의 Lateral
LBBB	좌각차단 (심장관련) Left Bundle Branch Block
LBW	저체중 출산아 Low Birth Weight
LC	1) 간경화 Liver Cirrhosis 2) 복강경 담낭절제술 Laparoscopic cholecystectomy
LD	치사용량 Lethal Dose
LD50	중간치사용량, 50%치사량 median lethal dose
LDK	요추퇴행성후만증 Lumbar Degenerative Kyphosis
LE	홍반성 루푸스 Lupus Erythematosus
LFT	간기능검사 Liver Function Test
LGA	과체중아 Large for Gestational Age
LIH	좌측 서혜부 탈장 Left inguinal hernia
Liq	액체, 액상의 Liquid
LLL	좌하엽 Left Lower Lobe
LLQ	좌측 하복부 Left Lower Quadrant
LMC	개원의원 Local medical clinic
LMP	최종월경주기(최종 월경시작일) Last Menstrual Period
LMWH	저분자량 헤파린 Low-molecular weighted Heparin
LOC	의식수준 Level of consciousness
LP	요추천자 Lumbar Puncture
L,P,F	저배율의 Lower Power Field

LPR	동공반사 Light Pupil Reflex		**N/C**	넬라톤 카테터, 넬라톤 도뇨관 Nelaton Catheter
LT	간이식 Liver Transplantation		**neg**	음성의 Negative
LTRA	류코트리엔 조절제 Leukotriene Receptor Antagonist		**NG tube**	비위관 (= L-tube) Naso-Gastric tube
L-tube (L/T)	레빈튜브, 비위관 Levin Tube		**NIBP**	비침습적 혈압 Noninvasive Blood Pressure
LUL	좌상엽 Left Upper Lobe		**NICU**	신생아 집중치료실 Neonatal intensive care unit
LUQ	좌측 상복부 Left Upper Quadrant		**NIDDM**	인슐린 비의존형 당뇨병 Non-Insulin Dependent DM
LVH	좌심실비대 Left ventricular hypertrophy		**noct.**	야간의 Nocturnal(=at night)
M			**NOS**	달리 분류되지 않는 Not otherwise specified
M	남성의 Male		**NP**	[진료과] 신경정신과 Neuropsychiatry
MAP	평균혈압 Mean arterial pressure		**NPH**	(약물) 중간형 인슐린 Neutral Protamine Hagedorn
MBB	내측지 신경차단술 Medial branch block		**NPO**	금식 non per os (= nothing by mouth)
M/C	가장 흔함 Most Common		**NR**	[진료과] 신경과 Neurology
MCA	중대뇌동맥 Middle cerebral artery		**NS**	1)생리식염수 Normal Saline 2)[진료과] 신경외과 Neurosurgery 3)비특이적인 Non-Specific 4)신증후군 Nephrotic syndrome
M/D	정오, 한낮 Mid Day			
MDI	조울증 Manic depressive illness 정량분무식흡입기 Metered-dose inhaler		**NSAID**	비스테로이드성 소염제 non- steroidal antiinflammatory drug
MGR	의학(내과) 학술집담회 Medical Grand Round		**NSCLC**	비소세포 폐암 Non-Small Cell Lung Carcer
MI	심근경색 Myocardial Infarction		**NSGCT**	비정상 피종성 생식세포종 (고환암) Non-seminomatous germ cell tumor
MICU	내과중집중치료실, 내과중환자실 Medical Intensive Care Unit		**NSR**	정상동방결절리듬, 정상동리듬 Normal Sinus Rhythm
MMR	홍역, 볼거리, 풍진 Measles, Mumps, Rubella		**NST**	무자극검사 (태아심박검사) Non-stress Test
M/N	자정, 한밤중 Mid Night		**NSVD**	정상질식분만(=자연분만) Normal spontaneous vaginal delivery
MRM	변형 근치적 유방절제술 Modified radical mastectomy		**NU**	[진료과] 신경과 Neurology
MRSA	메티실린 내성 황색포도상구균 Methicillin Resistant Staphylococcus Aureus		**N/V**	오심/구토 Nausea/Vomiting
MS	1) 다발성경화증 Multiple sclerosis 2) 승모판협착증 Mitral stenosis		**O**	
Mx́	관리, 치료 Management		**O**	객관적인 Objective
N			**OA**	골관절염 Osteoarthritis

OB	잠혈 Occult Blood
OBGY	산부인과 Obstetrics and gynecology
O&C	단순개복술 (절제불가능한 종양) Open and close
OCS	1)처방전송시스템 Order Communication System 2)경구용스테로이드 Oral Corticosteroid
OD	오른쪽 눈 Oculus Dexter (=Right eye)
OGTT	경구포도당부하검사 Oral Glucose Tolerance Test
oint.	연고 Ointment
Op	수술 Operation
OPD	외래진료소 Out patient Department
OPH	[진료과] 안과 Ophthalmology
OR	수술실 Operating Room
O/S	발병시기 Onset
OS	1)왼쪽 눈 Oculus sinister 2)[진료과] 정형외과 Orthopedic surgery
OU	양쪽 눈 Oculus unitas (=both eye)
P	
P	1) 치료계획 Plan 2) 맥박 Pulse
PAC	심방성 조기수축 Premature Atrial Contraction
PAC	의료영상저장전송시스템 Picture archiving & communication system
PACS	의료영상저장전송시스템 Picture archiving & communication system
PaO2	동맥혈 산소분압 Pressure of arterial Oxygen
PAO2	폐포 산소분압 Pressure of alveolar Oxygen
Pap.test	팝도말검사 (산부인과) Papanicolaou test
para	출산의 parere (=to bear)

p.c	식후 Post Cibum (=after meals)
PCA	1)자가조절진통장치 Patient-controlled analgesia 2)후대뇌동맥 Posterior cerebral artery
PCG	심음도, 심장음기록 PhonoCardioGram
PCI	경피적 관상동맥중재술 Percutaneous coronary intervention
PCNA	경피적 침생검술 (=폐생검) percuteneous needle aspiration & Biopsy
PD	복막투석 Peritoneal Dialysis 인격장애 Personality Disorder
PE	1)신체검진 Physical examination 2)폐색전증 Pulmonary Embolism
PEG	경피적내시경위조루술 Percutaneous endoscopic gastrostomy
Ped	[진료과] 소아과 Pediatrics
PFT	폐기능 검사 Pulmonary Function Test
P/H	과거력 past history
P/I	현병력 Present illness
PID	골반염, 골반염증질환 Pelvic Inflammatory Disease
PK	임상실습생, 폴리클 Poly Klinic (=Poly Clinic)
PKU	페닐케톤뇨증 Phenylketonuria
PLIF	후방접근 추체간 유합술 Posterior lumbar interbody fusion
PMID	1) 펍메드 식별번호 Pubmed ID 2) 통증성 미세척추사이 기능장애 Painful minor intervertebral dysfunction
PMR	[진료과] 재활의학과 Physical Medicine & Rehabilitation
PMS	월경전 증후군 Pre-Menstrual Syndrome
PND	발작성 야간호흡곤란 Paroxysmal nocturnal dyspnea
PNS	말초신경계 Peripheral Nervous System
PO	경구로, 입의 Per Os(=by mouth)

Post-op	수술후 관리 Postoperative care		**q.l.**	필요한만큼 quantum libet (=as much as desired)
PPI	(약물) 프로톤펌프억제제 Proton pump inhibitor		**q.m.**	매일오전 quaque matin(=every morning)
PR	1)맥박수 Pulse rate 2)경직장의 Per rectum		**q.n.**	매일밤 quaque nox(=every night)
Pre-op	수술전 관리 preoperative care		**qod**	격일마다 every other day
Prep	준비 Preparation		**R**	
p.r.n.	필요시 pro re nata(=as required)		**R**	호흡 Respiration
PS	[진료과] 성형외과 Plastic Surgery		**RA**	1)류마티스관절염 Rheumatoid Arthritis 2)실내공기 Room air
PSGN	Post-streptococcal glomerulonephritis		**RBBB**	우각차단 Right Bundle Branch Block
Pt	환자 Patient		**RBC**	적혈구 Red Blood Cell
PT	1)물리치료 Physical Therapy 2)프로트롬빈시간Prothrombin Time		**RCT**	1)무작위대조시험 Randomized Controlled Trial 2)회전근개파열 Rotator Cuff Tear
PTBD	경피경간담즙배액술 Percutaneous Transhepatic Bile Drainage		**Rec**	권고, 권장사항 Recommendation
PTCA	경피경관상동맥성형술 Percutaneous Transluminal Coronary Angioplasty		**RHB**	정상심박동 Regular Heart Beat
PTH	부갑상선 호르몬 Parathyroid Hormone		**RI**	속효성 인슐린 Regular Insulin
PTSD	외상후 스트레스장애 Posttraumatic Stress Disorder		**RIND**	가역적 허혈성 신경 결손 Reversible Ischemic Neurologic Deficiency
PTT	부분트롬보플라스틴시간 Partial Thromboplastin Time		**RLL**	우하엽 Right Lower Lobe
PUD	소화성 궤양질환 Peptic Ulcer Disease		**RLQ**	우측 하복부 Right Lower Quadrant
pulv	가루약, 분말 Pulvis(=powder)		**RM**	[진료과] 재활의학과 (=PMR) Rehabilitation medicine
PVC	조기심실수축 Premature Ventricular Contraction		**RML**	우중엽 Right Middle Lobe
pVT	무맥박 심실성 빈맥 pulseless Ventricular Tachycardia		**RN**	간호사 (공인간호사) Registered Nurse
PVWM	뇌실주변 백질 Periventicular white matter		**R/O**	추정진단, 의증 Rule Out
Q			**ROM**	관절가동범위 Range Of Motion
q2h	매 2시간 마다 every two hour		**ROS**	계통적 문진 Review of Systems
q.d.	매일, 하루1번 quaque die (=every day)		**r.p.m**	분당회전수 revolutions per minute
q.h.	매 시간마다 quaque hora(every hour)		**RR**	1)호흡수 Respiratory Rate 2)회복실 Recovery Room
q.i.d.	하루에 4번 quater(=four times a day)			

RT	방사선치료 Radiation Therapy
RTC	추적진료 Return to clinic
RUL	우상엽 Right Upper Lobe
RUQ	우측 상복부 Right Upper Quadrant
Rx	처방전 Prescription (= recipe)

S

S	주관적인, 주관적정보 Subjective
S/A	경막하마취 Spinal anesthesia
SABA	속효성 베타2항진제 Short-acting Beta2 agonist
SAH	거미막밑출혈 (지주막하출혈) Subarachnoid Hemorrhage
SBE	아급성 세균성 심내막염 Subacute Bacterial Endocarditis
SBO	소장폐색 Small Bowel Obstruction
SBP	수축기 혈압 systolic BP
SC	피하의 Subcutaneous(=SQ)
S/C	환자운반용 침상, 스트레쳐카 Stretcher car
SDH	경막하 출혈 Subdural Hemorrhage
SGA	저체중 출산아 Small for gestational age
SIADH	항이뇨호르몬부적절분비증후군 Syndrome of inappropriate antidiuretic hormone
SICU	외과계 중환자실 Sugical Intensive Care Unit
SIG	S상결장경검사 Sigmoidoscopy
SJS	스티븐스존슨증후군 Stevens-Johnson syndrome
SL	설하, 혀밑의 Sublingual
S/M/C	감각, 운동, 혈액순환 확인 Sensory, Motor, Circulation
S/O	1)~을 시사하는 Suggestive of 2)봉합사 제거 Stitch out
SOAP	주관적정보, 객관적정보, 분석평가, 계획

	S(Subjective),O(Objective), A(Assessment),P(Plan)
SOB	호흡곤란, 가쁜 호흡 Shortness of Breath
Sol	용액 Solution
SOW	물을 조금씩 마시는 것 Sips of water
sp.G	비중검사 specific gravity
SPECT	단일양전자방출CT Single positron emission CT
SQ	피하의 Subcutaneous(=SC)
SSRI	(약물)선택적 세로토닌 재흡수억제제 Selective serotonin reuptake inhibitor
Staph.	포도상구균 (포도알균) Staphylococcus
Stat	즉시, 바로 Statim
STEMI	ST분절 상승 심근경색 ST elevation Myocardial Infarction
Strep.	연쇄상구균 (사슬알균) Streptococcus
STS	매독혈청검사반응 Serologic Test For Syphilis
SVC	상대정맥 (위대정맥) superior vena cava
Sx	증상 Symptoms
Syr.	시럽 Syrup
Sz.	경련, 발작 Seizure

T

T	1)큰숟가락량 tablespoon 2)체온 temperature
t (tsp)	작은숟가락량 teaspoon
TA	교통사고 Traffic Accident
Tab	알약, 정제 Tablet
TAT	독소-항독소 Toxin-AntiToxin
Tb (tbc)	결핵 tuberculosis
TCA	삼환계 항우울제 Tri-Cyclic Antidepressants

TEE	식도초음파 Transesophageal echocardiography		**UDS**	요역동학검사 Urodynamic study
TENS	경피적 전기신경자극 Transcutaneous Electrical Nerve Stimulation		**UGI**	상부위장관 촬영 Upper GI series
TFCA	대퇴동맥 경유 뇌혈관 조영술 Transfemoral cerebral angiography		**UK**	(약물) 유로키나제 Urokinase
			ULQ	좌측 상복부 Upper Left Quadrant
TFT	갑상선기능검사 Thyroid function test		**URI**	상기도감염 Upper Respiratory Infection
TG	1)중성지방 Triglyceride 2)갑상선글로불린 Thyroglobulin		**URO**	[진료과] 비뇨기과 Urology
THR	고관절 전치환술 Total Hip Replacement		**URQ**	우측 상복부 Upper Right Quadrant
TIA	일과성허혈발작 Transient Ischemic Attack		**USG**	초음파검사 Ultrasonography
TIBC	총철결합능 Total iron-binding capacity		**UTI**	요로감염 Urinary Tract Infection
t.i.d.	하루에 3번 ter in die (= three times daily)		**V**	
TLC	치료적 생활방식 변화 Therapeutic lifestyle change		**VAD**	심장(심실) 보조장치 Ventricle assist device
TLIF	횡단 요추체간 유합술 Transforaminal lumbar interbody fusion		**VAS**	시각아날로그척도, 시각통증등급 Visual analogue scale
TLSO	흉요천추 보조기 Thoracolumbosacral orthosis		**VD**	성병 Venereal Disease
TKR	슬관절 전치환술 Total Knee Replacement		**VDH**	심장판막질환 Valvular disease of the heart
T/O	전화상 지시 Telephond Order		**VDRL**	매독선별검사 Venereal disease research laboratory
TPI	발통점 주사 Trigger point injection		**VF**	심실세동 Ventricular fibrillation
TPN	총정맥 영양 (총비경구 영양) Total Parenteral Nutrition		**VFSS**	비디오투시 연하검사 Videofluroscopic swallowing study
TPR	체온, 맥박, 호흡수 Temperature, Pulse, Respiration		**VM**	벤추리 마스크(산소마스크) Venturi mask
TS	[진료과] 흉부외과 Thoracic Surgery		**V/O**	구두지시 Verbal Order
TSH	갑상선자극호르몬 Thyroid-stimulating Hormone		**VPC**	조기심실수축 Ventricular premature contraction
TSS	독성쇼크증후군 Toxic Shock Syndrome		**V-P shunt**	뇌실-복강 단락술 Ventricular Peritoneum shunt
Tx.	치료 Treatment		**V/Q**	환기-관류비 Ventilation/Perfusion
U			**VRE**	반코마이신 내성 장구균 Vancomycin-resistant enterococcus
U	단위 Unit		**V/S**	생체징후 Vital Sign
U/A	소변검사 Urine Analysis		**VT**	심실성 빈맥 Ventricular Tachycardia

W

WA	병동내 보행 Ward ambulation
W/C	휠체어 Wheel chair
WBBS	전신뼈스캔 Whole body bone scan
WBC	백혈구 White Blood Cell
wk	주(週) week
WNL	정상범위내 Within Normal Limits
w/o	~ 없이 without
WT, Wt	체중 Weight (B.W.=body weight)
w/u	검사, 테스트 Work up

Y

yr, yrs	해, 년 year, years

약어 및 색인

약어 및 색인

임상한의사 또는 한의대생을 위한 관련서적은 이미 많이 출판되어 있고 또 지속적으로 새로운 책들이 발간되고 있지만 한방병원의 인턴 또는 전공의를 대상으로 한 본격적인 교육자료는 부족한 것이 현실입니다. 특히 연차별 정원이 일정하지 않은 병원이나 새로이 수련과정이 신설된 병원, 레지던트 과정이 없는 일반수련병원 등의 경우에는 효과적이고 일관성 있는 수련의 교육이 이루어지기에 어려운 점이 있었습니다.

본 책자는 주요 한방병원들의 인턴교육과정을 고려하면서 인턴시기뿐 아니라 이후의 전공의 과정에서 필요한 주요 내용들도 일부 포함하여 보다 체계적이고 종합적인 핸드북을 제작해 보자는 뜻을 모아서 강동경희대학교병원(2010년 경희대학교 동서신의학병원에서 개명)의 몇몇 수련의들을 중심으로 작업이 처음 시작되었고 이후 경희의료원, 강남경희한방병원에서 뜻을 함께 하는 수련의들도 집필 또는 검토작업에 함께 참여하여 완성되었습니다.

시간이 흐르면서 수련의에서 전문의로 신분이 바뀌기도 했고, 집필 및 검토과정이 길어지면서 새로운 문헌들과 임상논문들의 등장에 따라 많은 내용들이 변경되거나 추가되었으며, 때로는 기존의 정리내용들을 완전히 새로 작성하기도 했습니다. 그러한 작업과정에도 불구하고 계속적으로 바뀌거나 새로운 이슈들이 등장하는 의학발전의 속도를 효과적으로 감당하기에는 어려운 부분이 많았고 또한 책의 성격과 분량을 고려하여 기본적인 한의학 관련 내용을 일부 생략하고 간략화한 결과 한방병원에서의 한의학 치료의 비중과 의의도 줄어져 버린 것처럼 비추어질 우려도 있었습니다. 하지만 이러한 점들을 모두 감안하면서 보다 완벽한 결과물을 준비하기에는 여러 가지 여건상 쉽지 않은 일이고, 또한 한방병원 전공의 대상의 출판물이 많지 않은 현실에서 일단 부족한 점이 있더라도 발간한 후, 선후배 제현들의 의견도 받아들이면서 지속적인 개선의 통로를 열어두는 것이 더 좋겠다고 생각하여 이에 그 부족하고도 아쉬운 결과물을 세상에 내놓습니다.

본 책자는 특정 한방병원의 진료내용이나 한방병원 수련과정을 공식적으로 대표하는 자료가 아니며 다만 현재 수련의이거나 병원수련을 마친지 얼마되지 않은 전문의로서 후배인턴들이나 일반한의사들이 알고 있으면 좋겠다고 생각하는 내용들을 정리하여 핸드북의 형태로 제작한 결과물입니다. 특히 임상이나 연구경험이 많지 않은 상태에서 다양한 주제와 정보를 수집, 정리하다 보니 미흡한 내용과 의도하지 않은 오류들도 많으리라 생각합니다. 잘못된 내용을 발견하시거나 개선되었으면 하는 부분들이 있으시면 이메일(neo-book@hanmail.net)을 통하여 알려주시면 감사하겠습니다.

끝으로 내용의 집필과 구성의 틀을 만드는데 함께 고생한 김찬영, 임정태 선생님과 내용의 검토와 수정에 수고해 준 권신애, 박우람, 박형준, 이승엽 선생님(이상 가나다순) 등에게 감사드리고 싶습니다. 또한 항상 아낌없이 베풀어 주시고 지도해 주시는 교수님들과 힘든 수련과정 속에서도 서로를 통한 배움을 일깨워준 병원 선후배 여러분들에게도 고마운 마음을 전합니다.

정 종 수
편집위원회를 대표하여